BRIG

Initiales B.B.

Mémoires

GRASSET

Je remercie ceux qui m'ont aimée
sincèrement et profondément, étant
peu nombreux, ils se reconnaîtront.
Je remercie ceux qui m'ont appris à
vivre à coups de pied dans le cul, qui
en me trahissant et en profitant de ma
naïveté m'ont entraînée au bord d'un
gouffre de désespérance d'où je suis
sortie miraculeusement.
C'est sur les épreuves qu'on bâtit la
réussite si on n'en meurt pas.
Je remercie enfin ceux qui auront la
patience et l'envie de lire ce livre qui est
la mémoire de mon futur.

Brigitte BARDOT.

Jicky, notre ami à tous, nous a quittés brusquement avec la pudeur et la discrétion qu'il mettait toujours dans les actes importants de sa vie. Il ne voulait jamais importuner personne.

Il a été, tout au long de sa vie, un être courageux, intègre, sans concession. Un « homme » au sens le plus noble du mot. Un ami fidèle, un père admirable, un mari parfois tyrannique mais tellement attaché aux racines familiales qu'il s'était créées, souffrant profondément de manque d'attaches affectives.

Jicky a été pour nous un phare, un exemple, une lumière, le symbole d'une époque d'insouciance et de joie de vivre. Il avait le talent de l'esthétisme. Peintre et photographe de la beauté, il ne supportait ni la médiocrité, ni la laideur.

Avant de faire de ses fils des hommes, il avait essayé de m'apprendre une certaine sagesse, une certaine manière d'affronter la vie. Je m'en suis souvenue et m'en souviendrai toujours.

Il était le frère que je n'ai pas eu.

Il part en emportant une partie essentielle de notre vie. C'est notre manière de l'accompagner dans le monde inconnu qu'il découvre actuellement.

*Je te salue, Jicky.
Le Seigneur est avec toi.*

Cet hommage a été écrit et lu par Brigitte Bardot lors des obsèques de Jicky Dussart, à Saint-Tropez, le 7 juin 1996.

Le livre de la vie est le livre suprême
Qu'on ne peut ni fermer, ni rouvrir à son choix ;
Le passage attachant ne s'y lit pas deux fois,
Mais le feuillet fatal se tourne de lui-même ;
On voudrait revenir à la page où l'on aime,
Et la page où l'on meurt est déjà sous vos doigts.

ALPHONSE DE LAMARTINE (1790-1869).

Brigitte

C'est un torrent d'humour, de gaieté, de franchise,
De gentillesse aussi. Dévouée aux amis.
Envoie avec entrain bouler qui catéchise.
Mélange curieux de cigale et fourmi.

Elle ne veut causer la plus petite peine
A toute créature, or, à la moindre gêne,
Elle ne pense plus qu'à ses folles amours...
Elle en garde au moins un en réserve toujours.

Mais, sens dessus dessous au sujet de papa
Dès qu'un mage prédit la moindre maladie.
Généreuse de ses deniers, de ses appas.

Bouleverse sa vie en tragi-comédie
Et, sans respect aucun, le sommeil de maman
Qu'elle appelle au secours dans son isolement.

Pilou (mon papa)
La Madrague, 16 mai 1959.

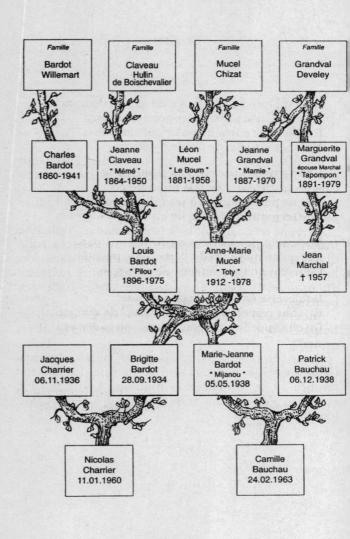

Il faisait beau, c'était le 3 août 1933 et Paris était encore, à l'époque, plein de gens qui passaient leurs vacances à flâner dans les rues.

Il y avait ce jour-là un très beau mariage à l'église Saint-Germain-des-Prés.

La jeune femme était belle, et il émanait d'elle une fraîcheur, une pureté extraordinaire dans sa robe blanche. Lui était grand, élégant, moulé dans son habit noir, il semblait l'homme le plus heureux du monde, il avait enfin trouvé, après bien des bourlingages, la femme de sa vie.

Anne-Marie Mucel, dite « Toty », venait d'épouser Louis Bardot, dit « Pilou ». Elle avait 21 ans, il en avait 37.

Un an, un mois et vingt-cinq jours après ce somptueux mariage, naissait une petite fille. Le 28 septembre 1934, Monsieur et Madame Louis Bardot eurent la joie de vous faire part de la naissance de leur fille : *Brigitte*.

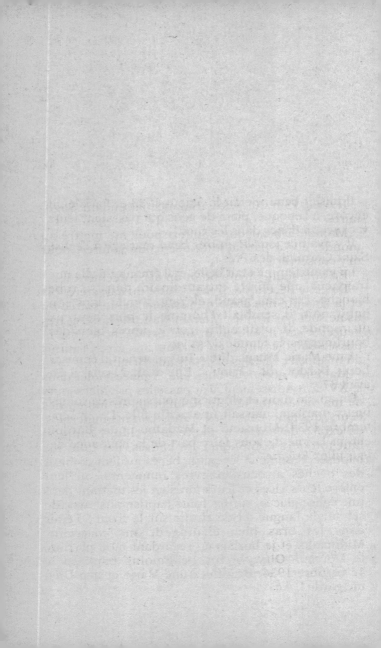

I

Il était 13 h 20, j'étais Balance ascendant Sagittaire.

Maman a beaucoup souffert pour me mettre au monde, elle a par la suite beaucoup souffert pour m'y conserver !

En attendant, on attendait un fils, forcément !

De cette déception, il m'est resté un caractère fort et la fragilité des gens qui arrivent à une soirée où ils ne sont pas invités. Maman était très lasse et très heureuse aussi. Elle avait une petite chose rose et plissée dans les bras qui hurlait sans arrêt, j'aurais dû m'appeler Charles et j'étais une Brigitte !

Maman a accouché chez elle, 5 place Violet dans le XVe arrondissement. J'ai passé les premiers jours de ma vie à téter le sein de maman au milieu des fleurs, des amis et de mes grands-parents maternels, en extase devant cette petite merveille. Comme il faut toujours compliquer les choses, il a fallu me baptiser. Comme si les petits bébés avaient commis des péchés atroces, pauvres innocents, on leur enlève leurs vices et leurs tares en les mettant dans une église glacée, sur les fonts baptismaux, avec du sel sur la langue, et de l'huile sur le front ! J'étais dans les bras bien chauds de ma marraine, Midimado, et je hurlais en regardant mon parrain, le Docteur Olry. Je fus néanmoins baptisée le 12 octobre 1934, Brigitte, Anne-Marie et que Dieu me garde !

Maman jouait à la poupée avec moi.

J'étais un tout petit animal qui réclamait beaucoup. Pauvre maman qui me nourrissait au sein, elle était astreinte à un règlement pire que militaire, maternel ! Cette chaleur, cette odeur de ma maman sont restées dans mon subconscient. J'étais trop petite pour le savoir mais je lui vouais une véritable passion.

Un jour, papa en ayant assez de voir sa femme esclave de ce bébé décida de prendre une nurse. Maman ne voulait me confier à personne, elle avait peur de tout pour moi. Mamie Mucel, ma grand-mère maternelle, avait à cette époque ramené d'Italie une jeune femme, sortie d'un orphelinat, qui lui servait de femme de chambre. Cette jeune femme était adorable, dévouée, seule au monde.

C'est comme ça que j'ai connu ma Dada !

Je passais des bras de maman à ceux de Dada, qui s'appelait Maria, et je ne criais pas. Maman put sortir un peu, dormir un peu, papa put lire un peu, rire un peu, vivre un peu, Dada était là !

Papa et maman ont déménagé, Dada et moi aussi bien sûr !

De la place Violet nous sommes partis 76, avenue de La Bourdonnais près du Champ-de-Mars.

Dada était devenue une maman pour moi, je l'adorais, elle me racontait des histoires en italien pour m'endormir ; j'aimais sa façon de roucouler, je suçais mon pouce en l'écoutant et je hurlais si je la sentais s'éloigner un peu.

Papa et maman avaient repris une vie normale, Dada était là !

J'appris à marcher en tombant des bras de maman à ceux de papa, à ceux de Dada ! J'appris à parler en italien avec Dada, en français avec papa et maman. Je faisais presque plus de progrès en italien qu'en français et ne parlais plus qu'avec l'accent italien. Ça amusait beaucoup maman de m'entendre rouler les « r » et elle me faisait répéter sans cesse la même phrase devant ses amis : « Je vais prrrendrre le trrain de quatrre heurres avec Madame Bourrderro dans mon fauteuil rrose et dorré en rrotin. »

Un jour, en faisant le lit, ma Dada laissa échapper de mon oreiller une petite plume. J'étais ravie, je soufflais dessus et ça volait, je ne savais pas encore bien parler et ne connaissais pas le nom de cet objet bizarre et rigolo. Maman m'expliqua que c'était une plume et qu'elle venait de la même maman que les « cocos », les œufs coque que je mangeais. Je trouvais le nom de « plume coco » très joli et me mis à appeler ainsi tout ce qui me fascinait !

Or, ce qui me fascina tout de suite, ce fut une prise de courant « plume coco ». C'était joli cette petite boîte ronde qui sortait du mur juste à ma hauteur. Je décidai d'aller explorer ce qu'il y avait à l'intérieur des petits trous, qui avaient juste la taille de mes doigts. Je sais que la décharge fut si brutale que mon cri resta coincé dans ma gorge. Je ne pouvais plus retirer ma main et recevais le courant (heureusement de 110 V) qui me secouait mortellement. De peur, je fis pipi et la violence des décharges électriques s'intensifia puisque je baignais dans du liquide.

Lorsque maman, qui s'aperçut très vite de ce qui se passait, voulut m'arracher de la prise, elle ne put y arriver et prit elle-même du courant. Ce n'est qu'en coupant le compteur qu'elle finit par me récupérer, secouée, la main violette, mais vivante.

Je bénis le ciel qu'à cette époque l'E.D.F. n'eût pas encore imposé le 220 V, sinon, je ne serais plus de ce monde.

A cette époque, mes parents sortaient beaucoup.

Un soir, dans un bistro, alors qu'ils dînaient avec des amis, arriva une « diseuse de bonne aventure ». Elle fit les lignes de la main à chacun et s'attarda plus particulièrement sur celles de papa. « Monsieur, votre nom fera le tour du monde, il sera célèbre outre-Atlantique et mondialement connu ! »

Papa, ravi, pensa que les usines Bardot, qui étaient en plein essor, allaient enfin lui faire récolter les fruits du labeur familial ! Ils sabrèrent le champagne en trinquant à la prédiction miraculeuse de cette charmante pythonisse. Personne ne pouvait imaginer que ce ne serait pas l'usine qui ferait connaître au monde le nom des Bardot, mais moi, petite fille inconnue, vouée à un destin tellement extraordinaire, qui confirmerait les « dires » extravagants de cette bohémienne en portant, tout au long de ma vie, ce nom qui ne m'a jamais quittée malgré mes multiples mariages.

**

J'avais 3 ans et demi quand les ennuis ont commencé.

Maman était bizarre, un peu malade, un peu lointaine, papa semblait soucieux, énervé. Ma Dada était gentille, c'est vers elle que j'allais me réfugier, elle était ma chaleur, ma tendresse. Et puis, j'ai eu mal au ventre, très mal au ventre, et on a fait venir un vilain monsieur qui sentait le médicament et qui avait des instruments bizarres. J'ai entendu parler d'appendicite, d'opération, enfin des choses effrayantes que j'essayais d'oublier sur le cœur de ma Dada.

Puis on m'a dit qu'une petite sœur ou un petit frère allait naître, que maman était très fatiguée, qu'il fallait que je sois très sage et très gentille, très silencieuse aussi.

J'étais inquiète !

Ma Dada pleurait et faisait ses valises. Elle avait même préparé un petit sac avec mes affaires. Je pensais partir en voyage avec elle à Milan, voir le Boum et Mamie, mes grands-parents maternels qui vivaient là-bas. En fait, je me suis retrouvée à l'hôpi-

18

tal avec papa qui me disait que j'étais un « Kron »[1] qui avait bien de la chance, que j'allais souffler dans le ballon ! Ma Dada devait bel et bien retourner chez mes grands-parents, une vraie nurse étant recommandée pour s'occuper du futur bébé et de moi-même. Je pleurais sans arrêt dans cette sinistre chambre d'hôpital. Ballon ou pas ballon, c'est Dada que je voulais !

Ah, je l'ai eu le ballon ! Quelle horreur !

On m'a anesthésiée à l'éther, sur le masque était fixé un énorme ballon qui permettait le contrôle de la respiration. Je me souviens de ce monde terrible, tout blanc, inhumain. Je me souviens de ma terreur, de mon atroce angoisse, de l'impression d'abandon total et puis... plus rien.

Je suffoquais... J'allais mourir !

J'étais très jeune mais c'est avec précision que je me souviens de tout ça. Je pense aux animaux qui, comme les enfants, n'ont aucune défense et ressentent les mêmes choses, c'est pourquoi je trouve honteux et inhumain de profiter de leur faiblesse pour leur faire souffrir mille morts, en particulier dans les laboratoires de recherche médicale que je condamne, non sur le fond mais sur la forme.

Quand je me suis réveillée, Dada, ma Dada, me souriait.

J'avais mal au cœur, à tous mes cœurs, mais Dada était là !

Papa dormait dans un lit de camp, à côté de moi, et sur la tablette du lavabo, dans un bocal de formol, trempait mon appendice. On aurait dit un cigare, un peu cassé du bout, c'était dégoûtant. J'avais soif et Dada mettait son doigt dans un verre d'eau et me le passait sur la bouche, en me ronronnant des phrases à sa façon qui me calmaient.

Et puis, plus tard, j'ai vu ma Mamie Mucel, toute douce et tendre et rose et ronde, qui pleurait en m'appelant « son hirondelle ». Et à côté d'elle mon

1. Petit nom que papa me donnait.

bon grand-père « Bon-papa », le mot « Bon » pour moi étant synonyme de « Boum ». Ce bon « Boum papa », avec sa barbe brune et sa moustache qui me piquait en m'embrassant, me montrait sa montre gousset qui faisait *tic tac, tic tac*. Je ne voulais plus les lâcher, ni lui, ni la montre.

Tapompon était là aussi. Elle était infirmière Pompon, la sœur de Mamie, et en fait de tante Pompon, elle était devenue Tapompon. Elle me faisait ingurgiter des médicaments en me bouchant le nez. Après, j'avais un gros baiser, et elle me faisait des piqûres en disant « à la une, à la deux, à la troisse », et hop dans la fesse !

Ils étaient bizarres ces adultes, ils ne faisaient que mentir. A part Dada, je ne croyais personne. Surtout pas le Docteur Jacques Récamier, avec sa toque blanche et sa moustache, il m'inspirait une peur terrible. Les seuls bons souvenirs de ce passage à la clinique, c'est le café au lait dans un biberon, dont j'ai gardé longtemps la nostalgie, et un magnifique ours en peluche habillé en Ecossais que maman m'avait envoyé, et qui s'appelait « Murdoch ». Maman, je ne l'ai pas vue pendant tout ce temps, elle était couchée et très mal en point. Le bébé à venir lui faisait des misères. Papa, Dada, Mamie, le Boum et Tapompon se partageaient entre elle et moi.

Le jour où papa me ramena à la maison, j'étais folle de joie, j'avais *Murdoch* dans le bras gauche, mon vilain appendice dans le bocal sous le bras droit, le tout dans les bras de papa. Je voulais voir maman, lui montrer la vilaine chose qu'on avait enlevée de mon ventre, ma cicatrice pleine de mercurochrome, lui dire comme je l'aimais. Je voulais la voir. Or, je ne vis qu'une horrible bonne femme, un monstre avec un chignon et un gros grain de beauté plein de poils sur le menton.

Elle s'appelait Pierrette et sentait mauvais.

C'était la nouvelle nurse !

Elle me prit en main, je hurlai ! Elle essaya de m'embrasser, je hurlai ! Elle se mit à parler fort et vite, je hurlai encore plus fort ! Du coup, papa me reprit dans ses bras et m'emmena voir maman dans son lit, toute belle, toute chaude. Je m'accrochai à elle, je m'enfouis en elle, je respirais par elle, je pleurais, je l'aimais, je ne voulais pas la quitter, cette horrible femme me faisait peur, maman, ma maman... Je m'endormis dans son lit.

Le réveil fut dur.

La nurse était là, sèche, rêche, vilaine, impatiente, tapant du pied. Je la haïssais. Je refusais systématiquement tout ce qui venait d'elle. Je ne mangeais plus. Je ne jouais plus. Je dépérissais. Enfin, le soir du 4 mai 1938, branle-bas de combat, allées et venues, chuchotements, gémissements de maman ; on m'expédia chez le Boum et Mamie.

J'étais ravie, ils avaient quitté Milan et habitaient leur bel appartement du 12 bis, rue Raynouard, au 1er étage, j'allais retrouver ma Dada... Il n'y avait même qu'elle, car le Boum et Mamie étaient auprès de maman, qui allait mettre un bébé au monde. Ça sentait bon le gâteau dans le grand hall de l'entrée, mais c'était un peu sombre, un peu noir, et la grande armoire me faisait peur. Alors Dada a allumé la lumière et j'ai couru me cacher sous le piano à queue pendant qu'elle faisait semblant de me chercher dans le salon derrière les bergères Louis XVI.

Je l'entendais crier « Brizzi, Brizzi où es-tu ? »

Et je me faufilais dans la chambre de Mamie qui sentait bon l'*Arpège* de Lanvin. Tout y était merveilleusement bien rangé, je n'osais pas me jeter sur le lit trop tendu, trop parfait. Alors je cavalais dans la chambre du Boum qui sentait l'odeur de la pipe et la lavande. Je me blottissais sous son bureau qui regorgeait de livres et de paperasses, et j'attendais dans le noir que ma Dada épuisée me découvre enfin.

Alors, c'étaient des embrassades à n'en plus finir, qui se terminaient par un bon bain chaud, un bon dîner à la cuisine avec plein de desserts et de gâteaux, et enfin un gros dodo dans la chambre de Dada, dans le lit à côté de celui de Dada.

Le lendemain, aussitôt réveillée, je courus dans le lit de Mamie ; pas de Mamie... Ça alors !

Le lit était aussi impeccable que la veille et ça sentait toujours l'*Arpège* de Lanvin. Je courus dans le lit du Boum, lui au moins était tout en vrac et encore tout chaud, ça sentait l'odeur de la pipe et la lavande, mais point de Boum !

Alors je courus à la cuisine et Dada était là !

Elle m'expliqua, moitié italien, moitié français que j'avais une petite sœur :

« Ti comprenné Brizzi, ta mama, il a ouné pitité bébé, ouné pitité soretta che si chiama Marie Zeanne. Ta mamie il est resté près dé mama touté la notté et il Boum il est deza parti al bouro. »

Moi *zi ni comprenné* rien du tout !

Qu'est-ce que c'était que ce truc-là, une petite sœur ?

La vie était bien assez compliquée comme ça, il y avait déjà cette horrible bonne femme qui avait un chignon, s'il fallait en plus une petite sœur, moi je ne voulais plus retourner chez papa et maman. En attendant, je me bourrais de croissants et de lait chaud. Elle était belle la vie de petite fille chez Dada, Boum et Mamie ! Quand Mamie est enfin rentrée épuisée, je me suis précipitée dans ses jambes, je grimpais après elle, j'ai manqué la faire tomber. Ah, il fallait qu'elle m'aime, pauvre Mamie, pour ne pas m'envoyer sur les roses !

Malgré sa nuit blanche et son angoisse, elle était impeccable, comme sortie d'une boîte, sentant bon, gantée, chapeautée, plus marquise que jamais. Quand elle s'est assise sur le coffre du hall appelé la « Cassapanca », je me suis à nouveau précipitée sur elle, cependant qu'elle gémissait : « Oh mes jambes, mes pauvres jambes ! »

Mamie avait des varices et portait des bas à

varices. Tout ça la faisait horriblement souffrir. Et moi par-dessus le marché, c'était trop. Mais elle m'aimait et je passais avant ses jambes, avant ses douleurs, avant tout, il faut le dire. Mamie me prit doucement dans ses bras après s'être débarrassée de son sac, de son chapeau, de ses gants et de ses souliers. Seules ses lunettes à monture d'or fin et le filet qui retenait ses cheveux n'avaient pas valsé dans l'entrée. « Mon trésor, me dit-elle, tu as une petite sœur qui est née ce matin à 6 h 45 ; ta maman a beaucoup souffert, il faut que tu sois très gentille avec elle, c'est un tout petit bébé et tu iras la voir bientôt. » Puis ma Mamie ajouta : « De toute façon, tu es mon hirondelle et aucune petite sœur ne te prendra l'amour que j'ai pour toi. »

Là-dessus, elle me fit sur la joue un énorme baiser, me laissa une énorme trace de rouge à lèvres et la vie reprit comme avant. Quand le Boum arriva pour le déjeuner avec son chapeau, son parapluie, son cartable pour grande personne et sa pipe, je ne pensais déjà plus à la petite sœur. Je ne pensais qu'à faire un vol plané dans ses bras, suivi d'une course effrénée qu'il rythmait avec un air de polka tout au long de l'immense vestibule ! *A la zim bam boum, à la zim bam boum, à la zim bam boum ! A la zim, à la zam, à la boum !*

Tout a une fin, y compris les accouchements des mamans.

Alors, *Murdoch* dans le bras gauche et la main de Mamie dans la main droite, je suis retournée avenue de La Bourdonnais. L'horrible femme était là, mais je l'ignorai et entrai en courant dans la chambre de maman. Je m'arrêtai net ! Là, sur son cœur, là où je m'enfouissais pour les câlins, il y avait une espèce de *Murdoch* rose et rond.

Maman était jolie, rose aussi et souriante, elle sentait bon la confiance, la chaleur, la soie, le *Joy* de Patou. Il y avait des fleurs partout et le soleil inondait la chambre. Maman me tendait le bras droit en m'appelant son amour, je courus m'y blottir, la couvrir de baisers, escalader le lit, le corps de maman. C'est à ce moment-là que le *Murdoch* rose et rond s'est mis à brailler ! Et maman à rire, de son rire de gorge si particulier qui ressemblait à une cascade, qui ouvrait son visage, ses lèvres sur ses belles dents blanches. Et moi, je me suis mise à pleurer. Alors maman m'a mis le *Murdoch* rose et rond dans les bras avec mille précautions, sous l'œil de papa très inquiet, de Mamie souriante et de l'horrible femme, et maman m'a dit que c'était « Mijanou », une jolie petite sœur, que je devrais protéger toute ma vie et avec qui j'allais jouer à la poupée.

J'ai senti le poids et la chaleur de cette drôle de petite chose braillante, je l'ai embrassée, le contact était établi, je me suis sentie à 3 ans et demi, forte et responsable, j'avais adopté Mijanou. Mais j'allais dire à l'oreille de papa : « Dis papa, pour Noël z'aurai un petit frère ? »

Lorsque mes grands-parents Bardot, qui habitaient Ligny-en-Barrois apprirent qu'ils avaient une petite-fille de plus, leur estime pour la branche Pilou-Toty s'en ressentit nettement. Alors papa leur envoya le télégramme suivant :

« Vous n'avez rien compris, au lieu d'une seule Toty, je vous en donne trois ! Les trois perles de ma couronne ! »

Si j'avais adopté Mijanou, je n'avais pas adopté l'horrible nurse « Pierrette » !

Je faisais exprès de lui compliquer la vie et courais me faire consoler par maman ou papa dès qu'il y avait un pet de travers. Pendant qu'elle s'occupait de langer Mijanou, papa m'emmenait au Champ-de-Mars et me racontait des histoires merveilleuses d'animaux, en particulier de petits oiseaux, si jolis, qui volaient, faisaient leurs nids, chantaient pour le bonheur de nous !

Il y avait encore des kiosques à musique et, de temps en temps, une fanfare militaire, ou paramilitaire, style pompiers ou autres, nous donnait l'aubade. Alors papa me hissait sur ses épaules et j'écoutais, médusée, les fausses notes de l'orphéon et les *bam-boum* de la grosse caisse. Maman était de nouveau debout et je voyais enfin ses jambes que je comparais avec celles de Pierrette ! Il y en avait de fines, élancées, douces et blanches, si longues que, même en levant la tête, je n'en voyais pas la fin sous la jupe de maman, et d'autres, velues, grosses et grasses, boudinées dans des bas de coton blanc, terminées par des pieds aussi grands que mon corps, avec des chaussures qui ressemblaient à celles de papa. Je ne risquais pas de me tromper !

Mijanou était moins fripée. Elle commençait à avoir sur la tête un petit duvet roux qui la faisait ressembler à un poussin.

**

Nous sommes partis à Ligny-en-Barrois, dans la demeure de famille des Bardot.

Maman, encore affaiblie, gardait la chambre pendant que je découvrais d'autres grands-parents, très différents de mon Boum et de ma Mamie, plein d'oncles et de tantes, et quantité de cousins et cousines.

J'étais très intimidée !

La maison était immense avec des fenêtres partout et une cour carrée au milieu. Derrière, il y avait un parc plein d'arbres et de fleurs, des roses en particulier — mon grand-père Bardot adorait ses rosiers. Il passait des heures penché, à les renifler, à les regarder ; après, il ne pouvait plus se redresser et restait courbé en avant, appuyé sur sa canne.

Je m'amusais à passer entre ses jambes comme sous un pont, mais si je m'accrochais à ses piliers, je risquais bien d'avoir un accident, car mon pauvre grand-père ne tenait plus debout. Je regrettais le Boum et sa polka dans le vestibule de la rue Raynouard.

Je tentais des approches vers Mémé Bardot.

Je me heurtais à une gentillesse polie, mais je sentais qu'il ne fallait pas franchir certaines bornes. Pourtant, j'étais fascinée par les grandes jupes noires de ma grand-mère, sous lesquelles elle rangeait ses clefs, son mouchoir, son argent. Elle avait aussi une grosse boîte ronde en fer, dans laquelle elle mettait les bonbons colorés qu'elle nous distribuait le soir si nous avions été sages. Cette boîte ne quittait pas son sac à ouvrage et le sac à ouvrage ne quittait pas Mémé. Elle marchait en s'appuyant sur deux cannes et en faisant de tout petits pas. Impossible de jouer avec elle à cache-cache. Je regrettais Mamie, qui sentait si bon, qui était si tendre, qui m'aimait tant !

J'avais le droit de lécher les casseroles pleines de chocolat et, suprême récompense, d'aider Pauline, la cuisinière, à dresser la table du dîner. Alors, j'entrais avec elle, sa barbe et sa moustache, dans la salle à manger et j'étais fascinée !

La table était grande, grande, longue, avec plein de chaises autour. Il y avait un lustre qui faisait *gling-gling* dès qu'on le touchait, avec des milliers de morceaux de verre qui pendouillaient de partout. Et des gros meubles foncés avec des assiettes dessus en rang d'oignon. J'aidais Pauline à mettre la nappe blanche et brodée qui ressemblait à une robe de mariée et, n'y tenant plus, je me cachais dessous en me glissant entre les chaises ! Pauline grognait un peu... mais ne me cherchait pas, c'était pas comme Dada !

J'étais heureuse là-dessous.

Cachée, j'écoutais Pauline mettre les assiettes, puis les verres, puis les couverts et, quand je ressurgissais, c'était un conte de fées. C'était beau, ça brillait, la table était aussi éclatante que la caverne d'Ali-Baba, et moi je me demandais pourquoi je n'avais pas le droit de m'y installer. Pauline grognait et disait que j'étais trop petite, que la cuisine était bien suffisante pour les enfants qui font des taches

26

partout et ne savent pas se tenir à table. Pourtant, moi je savais, maman et papa me l'avaient appris ! Je savais même qu'il faut s'essuyer la bouche avant et après avoir bu, qu'il ne faut jamais parler la bouche pleine, qu'il ne faut du reste pas parler du tout, car les enfants ne parlent pas à table. Enfin, j'en savais suffisamment pour faire partie de la jolie fête du dîner et j'étais triste d'en être exclue parce que j'étais trop petite.

Je ne pensais plus à tout ça lorsque je me retrouvais attablée à la cuisine avec cousins, cousines et Mijanou qui prenait son biberon avec nous. J'y repensais un peu lorsque j'allais au salon dire bonsoir à toute la famille.

Qu'est-ce que c'était la famille ?

Tous ces gens me faisaient une peur bleue, ils parlaient haut et fort en me pinçant les joues, ils me claquaient les cuisses, me tiraient les cheveux, me faisaient sauter sur leurs genoux en disant : « Comme elle est mignonne ! » Je m'essuyais la bave que j'avais de partout, j'étais écœurée et me réfugiais contre maman qui était aussi belle, aussi éclatante que la table de la salle à manger.

Comme je l'aimais ma maman, comme je l'ai toujours aimée, comme je l'aimerai toujours ! Elle était si différente des autres dames, elle ne bavait pas en m'embrassant, mais elle me laissait une trace de rouge à lèvres sur le nez et m'appelait son « petit clown ».

C'est papa qui me prenait par la main et me ramenait dans la chambre que je partageais avec Mijanou et Pierrette.

Il me racontait une jolie histoire de *Madame la pie*, qui s'était installée dans le gros arbre devant la porte et qui veillait sur mon sommeil. Il mettait *Murdoch* sur mon cœur et s'éloignait doucement après m'avoir fait une petite croix sur le front. Je m'endormais en suçant mon pouce et un petit bout de laine arrachée à la couverture qui allait et venait dans ma main fermée, au rythme de ma respiration.

J'ai commencé ma carrière très petite, dès les premiers jours, dans les bras de maman. Eh oui ! Papa aimait faire des films ! Il avait une caméra 8 mm et nous a filmées maman, Mijanou et moi tout au long de notre vie, ce qui me laisse aujourd'hui des souvenirs extraordinairement vivants de mon enfance, de mes parents et de bribes d'existence, précieuses parce que perdues à jamais, qui se terminent en tressautant avec de gros points blancs annonçant la fin de la bobine.

Un jour, papa, en rentrant avenue de La Bourdonnais pour déjeuner, me trouva en grand désaccord avec maman pour une histoire de tricot à mettre sur mon dos. Je trépignais sur le balcon puis, dès que je le vis, je courus vers lui de toute la vitesse de mes petites jambes et lui dis : « Maman m'a donné une zifle ! »

Navrée, car c'était faux, maman dit à papa :
« Vous entendez *votre* fille !!! »
Papa me regarda au fond des yeux :
« Mon Kron ! Maman t'a donné une gifle ?... Enfin, oui ou non, maman t'a donné une gifle ? »
Je restai silencieuse, tenant tête à papa.
Vlan ! il m'administra une gifle, légère, sur la joue droite.
« Tiens, au moins, celle-là, tu l'auras eue pour de bon ! »
Alors, sans bouger, les cheveux hirsutes, droite sur mes jambes, je fis le geste d'arracher quelque chose de ma joue avec ma main en criant : « Ben moi ! Ze l'auras pas... Z'enlève !!! »

Le soir avant de m'endormir, papa et maman m'avaient appris à dire tout haut ma prière. Je ne savais pas encore très bien ce que ça voulait dire, mais puisqu'ils avaient l'air contents, pourquoi pas ? Or, un soir je dis : « Petit Zésus, protézez tous ceux que z'aime, sauf Pierrette et la couturière !

28

— Pourquoi ? interrogea maman.

— Perqué, la couturière est pas zentille et Pierrette bonne à mettre dans z'une boîte à z'ordures !!!»

Tapompon, la sœur de Mamie, venait souvent nous voir, je la considérais comme une troisième grand-mère et je l'aimais beaucoup. Elle était veuve, son mari Jacques Marchal étant mort des suites de la guerre de 14. Elle était extrêmement courageuse et assumait seule l'éducation de son fils Jean, étudiant en médecine. Elle était infirmière au cabinet du Docteur Benoît.

A l'époque, aucune femme ne travaillait dans la famille et pour cette raison, elle était un peu en marge...

J'étais fascinée par sa tenue blanche et son voile avec une croix rouge sur la tête ! Et puis, elle avait aussi une cape bleu marine en gros drap rugueux. Je rêvais d'être habillée comme elle. Elle était rude, directe, et me faisait un peu peur. Un jour, elle me demanda pourquoi je ne venais pas la voir plus souvent.

« Z'ai pas le temps ! » répondis-je en m'enfuyant dans ma chambre. A côté de ça, elle m'offrit pour mes 4 ans une superbe tenue d'infirmière, avec trousse de secours. J'étais aux anges. J'allais lui ressembler et faire peur à tous les autres gens, quel bonheur !

Tapompon habitait un rez-de-chaussée au 65, rue Madame, où elle vivait avec Jean. C'était humide. Il y avait « une salamandre », genre de poêle à charbon avec une petite porte, qui filtrait une lumière rouge de braises incandescentes. Là, assise sur une petite chaise basse, je regardais des livres d'images pendant que Tapompon, qui n'était plus habillée en infirmière et ne me faisait plus peur, montait de la cave des seaux de charbon.

Elle avait l'air fatiguée et je voulais l'aider.

Résultat, je faisais dégringoler le charbon sur le

tapis, je ramassais ces drôles de cailloux noirs et m'essuyais les mains sur ma robe ! Une fois débarbouillée, ma Tapompon m'emmenait dans la salle à manger où il faisait un froid de canard, on se serait cru dans une cave. Mais ça sentait bon le gâteau sec, la cire, les fleurs sèches, la tisane, mais aussi un peu le moisi. Une odeur que je n'oublierai jamais.

C'était l'heure du goûter, et quel goûter !

Il y avait du chocolat chaud, du quatre-quarts et des petits beurres avec du miel. Seule la table était éclairée par une suspension en opaline blanche qui montait et descendait quand on tirait sur un cordon. Le reste était noir et plein d'ombres, alors, me souvenant des livres d'images, j'avais peur du loup ! J'étais persuadée qu'il était caché dans la salle à manger de Tapompon, et attendait que la lumière s'éteigne pour venir me manger.

Heureusement, Jean arrivait à temps et sa présence chassait le loup. Il était jeune, charmant, vivant, drôle. Je me précipitais dans ses bras et il me faisait faire « l'aéroplane » au milieu du salon pendant que Tapompon rouspétait parce que nous chamboulions tout son intérieur. C'est lui qui me raccompagnait en métro à la maison. Quelle joie, ce métro. Je courais dans les grands couloirs entraînant Jean par la main, mais j'étais terrorisée par les énormes portillons automatiques qui se fermaient tout seuls, comme dans les contes de fées.

Comme un petit animal instinctif, je me mis à renifler quelque chose de bizarre. Les grandes personnes avaient l'air préoccupées. Papa rentrait du bureau avec le journal et maman le lisait avec un air inquiet qui lui creusait un pli au-dessus du nez.

Il y avait des conciliabules entre le Boum et papa, chacun donnant son avis, pendant que maman et Mamie parlaient bas. Tapompon était très angoissée pour Jean... Les amis des parents ne riaient plus comme avant lorsqu'ils venaient les voir. Chacun était pendu au poste de T.S.F. et écoutait les informations avec un grand sérieux.

Nous étions en 1939, à la veille de la déclaration de guerre entre l'Allemagne et la France. Hitler avait envahi la Pologne.

II

Quelques jours plus tard, grâce à maman, les placards étaient bourrés de victuailles. Il y avait même des piles de tablettes de chocolat, mais il était interdit d'y toucher. Je restais le nez en l'air à regarder ces trésors, ne comprenant pas pourquoi j'en étais privée ! Il y avait aussi des pelotes de laine de toutes les couleurs dans une grande malle d'osier, avec de la naphtaline qui me piquait le nez ! Le Boum s'était acheté des dizaines de paquets de tabac gris pour sa pipe, la maison ressemblait à un magasin dans lequel on n'avait le droit de toucher à rien.
C'étaient les provisions ! C'était le paradis !

Mijanou commençait à devenir intéressante, elle gazouillait des mots à elle, qui la faisaient sourire, elle essayait de se mettre debout dans son parc en bois en s'accrochant aux barreaux. On aurait dit un drôle de petit animal en cage.

« La guerre, la guerre », je n'entendais plus que ce mot-là. Ça me faisait peur et j'allais demander à maman ce que ça voulait dire : « C'est comme si ta petite amie Chantal voulait te prendre tes jouets, tu ne serais pas contente et tu te battrais avec elle pour qu'elle te laisse ton *Murdoch*, eh bien la guerre c'est comme ça en plus grand ! »
Un matin, nous avons quitté la maison. Je suis montée avec papa dans « le veau », une vieille

Renault toute carrée, bourrée de valises, dont le klaxon faisait *meuh, meuh*. Derrière, maman suivait au volant de la Citroën 11 CV avec Mamie, Mijanou et Pierrette.

De leur côté, le Boum, officier de réserve, avait rejoint Chartres, Tapompon continuait son travail d'infirmière, Dada gardait la maison et Jean s'était engagé comme médecin militaire.

Nous en avons fait des kilomètres sur les routes de France encombrées de gens à pied, à cheval, en voiture. Nous avons évité bien des bombardements, et après des étapes interminables, nous sommes enfin arrivés à Hendaye, où nous sommes restés quelque temps, pour repartir ensuite à Dinard, où c'était plus sûr !

Papa nous avait abandonnés pour rejoindre volontairement le 155e régiment d'infanterie alpine. C'est maman seule qui conduisait, qui décidait, qui consolait.

Papa était « parti au front ». J'imaginais une énorme tête hideuse, et mon papa se baladant dessus comme dans les livres d'images. Ce qu'il y faisait restait confus pour moi, je n'en comprenais le danger qu'à travers les conversations des grandes personnes. Et puis, je n'avais plus de petit pain au chocolat, je n'étais pas punie pourtant !

A Dinard nous avons échoué dans un meublé de deux pièces que nous louait Mademoiselle Lainé. Pierrette nous avait quittées en chemin, j'étais ravie !

J'avais près de 5 ans et maman décida de m'apprendre à lire.

Assise sur ma petite chaise, le livre de Babar sur les genoux, maman me montrait le B et le A de Babar et me disait « BA ». Je répétais « BA ». Tout allait bien. Après quoi maman me montrait le « B.A.R. » et me disait « BAR ». Je répétais « BAR ». Tout allait bien. Alors maman me faisait répéter toute seule — je disais : B... A = BA, B... A...

R = *BARRIÈRE*... !! Avec beaucoup de patience, maman me répétait B... A = BA.

« Alors dis-le-moi toute seule.

— B... A = BA, B... A... et R = *BARRIÈRE* ! »

Ce fut épique, pour elle comme pour moi. J'étais clouée à ma petite chaise avec l'album de Babar sur lequel je pleurais l'incompréhension des grandes personnes qui ne comprenaient pas que B... A et R font forcément *BARRIÈRE*. C'était logique.

Pendant ce temps, Mijanou affolait maman et Mamie en faisant des « colères bleues ». Ses nerfs avaient été ébranlés par tous ces trajets, elle devenait violette, se convulsait, perdait sa respiration, maman lui claquait le visage avec des linges mouillés.

Puis papa fut renvoyé en deuxième ligne !

La France avait besoin d'usines et l'usine avait besoin de papa. Nous repartîmes pour Paris. L'avenue de La Bourdonnais était lugubre. Nous vivions dans deux pièces : papa, maman, Mijanou et moi, chauffés par un seul radiateur électrique. Le Boum était en garnison à Chartres et Dada l'avait rejoint pour s'occuper de ses affaires.

On me couchait tout habillée avec mon *Murdoch* entre papa et maman, tout habillés aussi. Parfois, la nuit, nous descendions tous précipitamment à la cave, éclairés par une bougie, pendant que les murs de l'appartement tremblaient, que les sirènes hurlaient, que des avions bombardaient Paris, Boulogne, la France entière. J'avais peur, j'ai même été traumatisée par cette peur. Encore maintenant, je ne peux entendre une sirène sans voir ressurgir les terreurs effroyables de mon enfance.

Maman fut une sainte ! Elle assuma notre éducation, en pleine guerre, et ne fut épargnée par aucune maladie infantile ! A 6 ans, je commençai la série en attrapant la scarlatine en plein hiver, au cours Boutet de Monvel.

C'est dans cette école que j'appris enfin que BA et R font « BAR ».

Clouée dans mon lit pendant quarante jours, j'écoutais religieusement maman me lire, souvent à la lueur d'une bougie, *Les Petites Filles modèles* de la comtesse de Ségur. Souvent fatiguée, elle s'endormait sur le livre et moi, curieuse et passionnée, je la réveillais pour qu'elle continue ! Je ne parlais plus que comme *Camille* ! Je n'écrivais plus que comme *Madeleine* ! Je rêvais d'agir comme *Sophie*. J'aimais écouter maman me lire des histoires, elle avait une jolie voix et prenait des intonations différentes pour chaque personnage.

Et puis, pendant qu'elle lisait, je l'avais pour moi seule !

Entre la « Bibliothèque rose » et le lait au sucre vanillé dont on me nourrissait, j'ai fini par guérir. J'avais été interdite de « cave » depuis quarante jours et me souviens encore de ce bombardement qui avait fait tomber sur notre tête le lustre de la pièce où nous nous étions repliés, enveloppés de couvertures et disant des prières.

Quand je compare mon enfance à celle des enfants d'aujourd'hui, j'ai envie de hurler de rire !

Ces pauvres petits « qu'on ne doit pas ceci, qu'on ne doit pas cela ».

Et pour couronner le tout les associations des parents d'élèves qui montent sur leurs grands chevaux dès qu'on inflige une punition pourtant méritée, à un de ces pauvres rejetons ! C'est une honte d'élever ou plutôt de ne plus élever les enfants. Les enfants sont à l'image de ce que nous sommes ! Bravo les adultes ! Je vous tire mon chapeau. Mais ne vous plaignez plus, ne pleurnichez plus lorsque la réalité vous crèvera les yeux et le cœur !

J'étais en pleine convalescence et maman avait trouvé, à la force du poignet, du marché noir et de sa volonté de me voir guérir, une cervelle d'agneau, qu'elle m'avait préparée amoureusement pour déjeuner. Je m'assis à table devant une chose mousseuse, blanchâtre, visqueuse et mollasse !

C'était dégoûtant !

Je refusais d'en avaler même une bouchée. Pendant ce temps, Mijanou engouffrait sa farine lactée avec un plaisir immense ! Maman me dit en quittant la pièce que je resterais enfermée devant mon assiette tant que je n'aurais pas fini.

L'heure du dîner arriva.

J'étais à moitié endormie devant ce plat ignoble et glacé maintenant. Maman, exaspérée, me pinça le nez et m'enfourna la chose froide et gluante dans la bouche. Je fus malade toute la nuit, rien que le souvenir me soulève encore le cœur aujourd'hui. Je ne peux voir des cervelles d'agneaux à la devanture des boucheries sans penser avec dégoût à cette aventure. Je trouve ignoble de manger la cervelle d'un animal, l'homme ne pense qu'à bouffer sans discernement aucun, il est infâme !

A part le cours Boutet de Monvel, où j'étais retournée, et les jeux avec Chantal ma seule amie, entre deux alertes, je n'avais aucun loisir. Les promenades restaient dangereuses.

Je découvris avec respect le phonographe à manivelle de papa. C'était magnifique ! Electricité ou pas, ça marchait, et les disques que je passais m'enchantaient. C'est là que j'ai commencé à danser ! C'était une force qui me venait du ventre. Je rougissais quand on me surprenait. Maman, ravie, me faisait marcher dans l'appartement avec un pot rempli d'eau sur la tête.

« Comme elle se tient droite cette petite ! »

Bien sûr, je me tenais droite : si je me voûtais, je recevais l'eau sur la tête et une gifle sur la joue ! Il fut décidé que je prendrais des cours de danse une fois par semaine, le reste du temps étant consacré aux études du cours Boutet de Monvel !

Monsieur Rico fut mon premier professeur.

Mamie m'avait cousu une tunique en soie rose

pâle, faite dans une chemise de nuit de maman, et nous avions acheté des petits chaussons de pointe. Il règne une odeur particulière dans les écoles de danse. La poussière, la sueur, le renfermé, la colophane, le maquillage, le parfum à bon marché... J'étais intriguée. Je décrétai à Mamie que ça sentait le « grassouillet ». Le mot est resté dans la famille ; dès qu'un endroit sent les coulisses de théâtre, les écoles de danse, les gymnases, ça sent le « grassouillet ».

J'apprenais mieux les pliés, les dégagés, les entrechats et les glissades que le calcul, les dictées, les leçons de choses ! Même si la lutte était inégale : un jour de danse contre une semaine de cours Boutet de Monvel. A 7 ans, je remportai le premier prix de danse de ma classe ! Et j'obtins un témoignage de satisfaction lors de la distribution des prix de l'école.

Maman voulait déménager.
La Bourdonnais lui rappelait trop de mauvais souvenirs !
Papa et moi, à bicyclette, une grande et une petite, avons écumé les rues de Paris en quête des enseignes « Appartement à louer ». Nous avons échoué au n° 1 de la rue de la Pompe, entre les bombardements, les cours de danse, l'école, la queue dans les magasins d'alimentation. C'est dans cet appartement sublime que j'ai passé tout le reste de mon enfance et de mon adolescence. C'était immense ! Et il y avait une chaudière à charbon dans la cuisine ! Un balcon courait autour de toutes les pièces qui donnaient sur la place de la Muette. Je faisais de la patinette dans le couloir pendant que Mijanou, qui avait 4 ans, criait en me courant derrière.

**
*

A cause de la guerre, nos vacances se passaient à Louveciennes, dans la propriété de ma grand-mère Bardot, à 15 kilomètres de Paris. Pour Mijanou, mon amie Chantal et moi, c'était une campagne touffue, pleine d'arbres centenaires, avec une cressonnière et une source où nous allions chercher l'eau pour les repas et pour nous laver, car il n'y avait pas l'eau courante mais des brocs et des cuvettes dans chaque chambre.

Il y avait aussi un enclos avec des lapins.

Certains étaient en liberté, d'autres dans des clapiers. De grosses lapines avaient des bébés qu'elles laissaient mourir. Maman, Mijanou et moi essayions de sauver ces petits bouts de chair rose sans poil en leur faisant téter des biberons de poupée. Le résultat était souvent négatif et je pleurais devant l'injustice de la mort d'un bébé abandonné par sa maman.

Il y avait aussi des tas de petits lapins en liberté dans l'enclos. Entre autres un petit, tout noir, que j'appelais « Noiraud » et qui joignait les pattes en faisant le beau comme s'il faisait sa prière. Comme la nourriture était dure à trouver, les parents nous servaient souvent du lapin à manger. Je trouvais curieux de voir l'enclos se vider et nos assiettes se remplir, mais les parents promettaient que les lapins se sauvaient et que ceux que je mangeais étaient achetés à la ferme.

Jusqu'au jour où je ne vis plus Noiraud. Maman me dit qu'il avait fait un trou dans l'enclos et était parti dans la forêt.

Le soir, nous avions un civet de lapin pour le dîner. Je refusai net d'en manger, j'étais sûre que c'était Noiraud et j'ai pleuré pendant des heures, maudissant les grandes personnes de tuer les petits lapins qui faisaient la prière. Bien longtemps après, maman m'a avoué que papa avait tué Noiraud pour que la famille puisse manger. Or, ce soir-là, ni maman, ni papa, ni moi n'avons pu en avaler une bouchée. Un bel exemple de stupidité : tuer un merveilleux petit lapin apprivoisé pour finalement jeter sa chair à la poubelle !

Depuis, je n'ai plus jamais pu manger de lapin.

Le papa de Chantal était mort à la guerre. Elle en était très fière et j'étais un peu jalouse. Le mien avait été sérieusement blessé, il y avait déjà longtemps, durant la guerre de 14 ; il s'en était remis difficilement, mais il n'était pas mort ! J'avais vis-à-vis de Chantal un immense complexe. Dès que nous nous disputions, elle me disait : « Oui mais moi, mon papa, il est mort à la guerre ! » Et je faisais le dos rond, pleine d'admiration pour elle.

Un jour, j'allai voir maman et me confiai à elle. Je lui dis que j'étais exaspérée parce que papa n'était pas mort à la guerre, et que Chantal m'énervait à cause de ça ! Maman me prit tendrement les deux mains et me dit : « Ma chérie, tu as une chance folle que ton papa soit vivant, Chantal est une pauvre petite fille qui n'a plus que sa maman et dont nous nous occupons, mais c'est toi la veinarde, c'est toi la privilégiée, ne l'oublie jamais ! »

Je ne l'ai jamais oublié.

Je regardais mon papa, béate d'admiration. Le soir, je proposais gentiment à Chantal de lui donner la moitié de mon papa, pour remplacer le sien. C'est un peu comme ça que Chantal est quasiment devenue ma sœur.

Les usines de papa tournaient, débitaient des bouteilles d'oxygène, de l'acétylène, et fournissaient des clients français.

Les Allemands avaient bien essayé de faire de l'intimidation mais, dès qu'ils arrivaient, ils ne voyaient que des machines en panne. Les Frères Bardot faisaient face. Ils avaient déjà pratiqué ces ennemis héréditaires au cours de la Première Guerre mondiale. A cette époque, les Frères étaient jeunes et s'étaient conduits en héros. Papa avait été gravement blessé et avait rapporté du front, avec sa cicatrice, la croix de guerre, la Légion d'honneur et une citation... André venait de mourir à l'armée, les poumons rongés par les séquelles des gaz de 14-18. Restaient Gaston, Pilou et René, bien décidés à mener leur affaire de famille à la française, pour les Français ! On peut être officier de réserve sans être réservé dans ses opinions.

La famille Bardot, d'origine lorraine, haïssait les Allemands mais parlait couramment leur langue. Ce qui arrangea souvent les choses, lorsque la situation devenait critique.

Une des nombreuses activités de papa, c'était « la paye » des ouvriers, chaque fin de mois. Or, cette « paye », c'était éprouvant pour lui, qui aimait la fantaisie, la poésie, les rires, les blagues, la beauté !

Chaque fin de mois était donc un cauchemar, il n'était pas à prendre avec des pincettes, seule sa règle à calcul lui était indispensable. Il régnait un silence anormal autour de la pièce où papa souffrait ! Chaque bruit provoquait une erreur, chaque erreur était une nuit blanche, chaque nuit blanche mettait maman en colère et chaque colère de maman nous meurtrissait.

Ayant changé d'appartement, je changeai aussi d'école et quittai le cours Boutet de Monvel pour le cours Hattemer Prignet, rue de la Faisanderie. Cette école avait un immense avantage à mes yeux : on y allait trois fois par semaine et on faisait des devoirs à la maison le reste du temps. Cela me permettait de quitter l'école de danse Rico et de m'inscrire chez Mademoiselle Marcelle Bourgat, qui habitait le quartier et qui donnait, elle aussi, des leçons trois fois par semaine.

Trois jours de danse, trois jours d'études.

La semaine était bien remplie !

Nous avions beau habiter un palais au 5e étage, nous vivions dans trois pièces et les autres restaient fermées et glacées ! Papa faisait le ludion entre la cave et l'appartement et remontait à la sueur de ses bras grâce au « monte-charge », des seaux de charbon que la chaudière engloutissait avec un appétit d'ogresse ! Il fallait être très économe car le charbon nous était distribué avec parcimonie, c'est pourquoi nous étions entassés dans les trois pièces du fond de l'appartement. Une chambre que je partageais avec Mijanou, une chambre pour papa et maman, plus une petite pièce qui nous servait de salon-salle à manger. Il y avait des cheminées partout et le dimanche, après la messe, grâce à la Citroën et son chapeau de gaz, nous allions au bois et rapportions des fagots qui brûlaient en crépitant tout au long de la semaine, nous donnant une petite chaleur qui sentait bon la campagne.

Il y avait aussi une bonne.

Que dis-je, une bonne, un défilé de bonnes ! A cette époque, il n'était pas encore question d'employées de maison, on appelait les choses par leur nom... une bonne, une bonne !

J'aurais pu écrire un traité sur les « bonnes ». J'en ai vu de toutes les couleurs, de tous les âges, de toutes les nationalités ! J'en ai eu une indigestion de ces bonnes ! Les domestiques étaient à l'époque logés dans les combles des immeubles. Les chambres de bonne de la rue de la Pompe étaient sous les toits, il y faisait très chaud l'été, glacial l'hiver. Il n'y avait pas l'eau courante, mais un poste d'eau et des cabinets sur le palier, et comme à Louveciennes, une cuvette et un broc d'eau sur une table de toilette. Pas de chauffage central, mais un minable petit radiateur électrique qui faisait sauter tous les plombs s'il restait branché trop longtemps. La bonne devait faire le ménage, la cuisine, très sommaire à ce moment-là, et nous accompagner, Mijanou et moi, à l'école ou au catéchisme.

C'est Mamie qui avait le privilège de m'emmener au cours de danse et de me ramener ensuite rue Raynouard où le Boum, enfin revenu de Chartres à cause de son âge, me faisait faire mes devoirs de la semaine, en sortant du bureau. Parfois je dînais chez eux et Dada me faisait une petite fricassée de rutabagas et de topinambours assaisonnés à la margarine, suivis d'un gâteau de son à l'ersatz de chocolat...

C'était pas terrible !

Mais combien d'heures de queue aux magasins d'alimentation ce dîner représentait ! Dada se levait à 3 heures du matin, Mamie la relayait vers 5 heures pour être sûre d'avoir le peu qu'il y avait encore en étant la 20e ou la 25e de la queue.

J'ignorais cette misère.

Après, il y avait le couvre-feu et il fallait rentrer très vite, sinon je dormais rue Raynouard, dans mon grand lit de bois avec une couette comme un ballon de satin rouge cerise sur les pieds. Si, par malheur, une alerte nous réveillait en pleine nuit, le Boum me transportait tout endormie dans le lit de Mamie et pendant qu'ils récitaient leur chapelet, je continuais ma nuit, la tête sous l'oreiller pour ne pas entendre les déflagrations de la D.C.A.

A part Chantal que je voyais très souvent, je n'avais aucune amie. Maman se méfiait terriblement des « copines » de classe, quant au cours de danse, je ne pouvais y rencontrer que des « filles de concierge » ! Dès que je me liais d'amitié avec une petite fille, la première question de papa et maman était : « Que font ses parents ? » J'étais bien incapable de répondre, n'ayant jamais le temps d'approfondir mon amitié, pressée par la bonne ou accaparée par la tendresse de Mamie.

Ma seule compagne de jeu était Mijanou.

Un jour, les parents sortent et nous confient à la bonne. Nous jouons aux Indiens en nous cachant sous une table juponnée qui nous servait de tente. C'est la bonne qui était l'ennemi, elle ne devait pas nous découvrir. De toute façon, elle se faisait les ongles en chantonnant une ritournelle et n'avait pas l'air d'un ennemi très vindicatif ! A force de ramper sud-ouest et nord-est, nous nous prenons les pieds dans la nappe qui glisse, tombe, entraînant dans sa chute une potiche chinoise de toute beauté à laquelle maman tenait comme à la prunelle de ses yeux ! Plus de guerre, plus de potiche, plus de ritournelle.

Nous recevons chacune deux gifles !

Quand papa et maman sont rentrés, nous étions cachées Mijanou et moi dans le placard à balais, tremblantes, sachant que la punition allait être très sévère. La bonne fut congédiée immédiatement. Je l'enviais de pouvoir s'en tirer à si bon compte. Quant à Mijanou et moi, nous reçûmes chacune vingt coups de cravache sur les fesses, administrés par un papa blanc de rage !

Ce n'était pas tout !

Maman, hors d'elle, fit tomber sur nous une sentence, brève, sèche, sans appel et déterminante : « A partir de maintenant, vous n'êtes plus nos filles, vous êtes des étrangères et comme les étrangers, vous nous direz "Vous" ! Dites-vous bien que vous n'êtes pas chez vous ici mais chez nous ! Que rien de ce qui est ici ne vous appartient, que cette maison n'est pas la vôtre. »

J'avais 7 ans et demi. Mijanou 4 ans.

Depuis ce jour, j'ai dit « Vous » avec beaucoup de difficulté aux êtres qui m'étaient les plus chers. Et depuis, je me suis sentie étrangère au sein de ma famille. Car c'est à cet instant que j'ai ressenti pour la première fois l'impression de solitude, d'abandon, de désespoir, l'envie de mourir aussi. Sentiments qui m'ont suivie tout au long de ma vie.

Bien des années plus tard, lorsque papa est mort, le 5 novembre 1975, maman, perdue, seule, désemparée, m'a demandé de la tutoyer de nouveau. Je n'ai jamais pu... Pas plus du reste que je n'ai pu tutoyer Dieu après des années de vouvoiement ! Aujourd'hui encore je continue à dire le « *Notre Père* » à la façon de mon enfance. Pour moi, Dieu ne fait pas partie de l'équipe de *Salut les Copains*.

A compter de ce jour, j'ai été en perpétuel conflit avec mes parents.

Je les jugeais, et mon jugement n'était pas indulgent. Seule dans mon coin, j'observais ces grandes personnes que j'appelais papa et maman. N'étant plus chez moi, je pouvais me permettre de critiquer. Je comparais mon sort avec celui de Chantal et souvent je pleurais. Chantal était la raison de vivre de sa maman Suzanne, Chantal avait toujours raison, Chantal était gâtée, aimée, adulée, Chantal avait des jouets fabuleux, Chantal était « chez elle » et disait « tu » à sa maman.

**

Maman, obnubilée par les microbes et les maladies, croyait conjurer le sort en nous faisant porter, été comme hiver, des chemises et des culottes de laine.

Chaque matin, elle vérifiait elle-même que les chemises descendaient le plus bas possible, et que les culottes montaient le plus haut possible. Résultat, à force de tirer quotidiennement sur ma culotte pour qu'elle m'arrive sous les bras, et sur ma chemise pour qu'elle me serve de genouillères, je suis devenue maniaque. Je ne pouvais plus vivre normalement si je ne sentais pas ma culotte sous mon menton et je faisais une maladie si, par malheur, l'élastique ne la maintenait plus au bon endroit et que la malheureuse culotte reprenait sa place normale, c'est-à-dire la taille.

Les choses ont bien changé depuis !

Maman détestait les fenêtres ouvertes.

Pour elle, l'hiver c'était du gaspillage de chauffage, l'été la peur des cambrioleurs ! Du coup, nous vivions en vase clos ! C'est l'été que j'en souffrais le plus, lorsque la bonne fermait volets et fenêtres à 6 h 30 du soir, alors que le soleil était encore haut, chaud et beau. Toute la maison ressemblait à un tombeau. Depuis, je suis allergique aux volets, aux fenêtres et à tout ce qui enferme et emprisonne. Maman avait aussi la déplorable habitude de tout mettre sous clef. L'armoire aux provisions était fermée à clef. L'armoire aux liqueurs et aux vins était fermée à clef. La commode de sa chambre, fermée à clef, son armoire à pharmacie, fermée à clef !

Bref, tout était cadenassé !

De surcroît, maman les perdait régulièrement. Nous avons passé notre enfance à chercher ses clefs, ou à voir le serrurier changer régulièrement les verrous. Si maman perdait ses clefs, elle ne perdait pas de vue notre façon de faire nos lits ! Chaque matin, nous devions défaire entièrement nos draps. A cette occasion les fenêtres étaient ouvertes pendant dix minutes. Après nous refaisions les lits « au carré », bordant draps et couvertures ensemble afin que la bordure soit parfaite, comme au service militaire. Le seul juge compétent restait papa qui, en rentrant déjeuner, approuvait ou non notre travail. Selon son humeur, ses états d'âme ou ses rapports avec maman, il nous obligeait ou non à tout recommencer. J'en arrivais à être tellement obsédée par ce fichu lit que si le drap du dessous faisait quelques plis, je ne pouvais plus m'endormir et me relevais en pleine nuit, le tirant et le tendant avec les couvertures pour pouvoir enfin trouver le sommeil.

Les cours de catéchisme ayant porté leurs fruits, je fis ma communion privée le 9 mai 1943. J'étais fière et émue, mes parents soulagés, en pensant que j'allais devenir une bonne petite fille « sage ».

La plus grande déception de mon enfance s'est produite au mois de novembre 1943. J'avais tout juste 9 ans.

Je revenais du cours de danse de Mademoiselle Bourgat avec Mamie, j'étais fatiguée mais heureuse ; j'adorais danser, c'est comme si j'étais une autre moi-même. Si les cours de français et de calcul me laissaient la « dernière » de la classe malgré les leçons du Boum, les cours de danse m'épanouissaient et j'étais parmi les premières !

Papa m'attendait et voulait me parler. J'étais terrorisée, pourtant j'avais bien dansé, je ne comprenais pas... J'allai me réfugier dans les bras de Mamie mais papa me prit fermement la main, m'entraîna dans la salle à manger et ferma la porte. Qu'avais-je fait ? Morte de peur, je me mis à pleurer. Alors, papa me dit gentiment qu'il n'avait rien à me reprocher mais qu'il avait quelque chose de très, très important à me dire.

« Crois-tu toujours au Père Noël ? »

Je me mis à rire, quelle question idiote, bien sûr que j'y croyais et dur comme fer !

« Pourquoi me posez-vous cette question, papa ?

— Mais mon chéri, parce qu'il faut que tu saches, à ton âge, que le Père Noël n'existe pas ! Tes petites copines de classe ou Chantal ont dû te le dire, ce sont les parents qui achètent les jouets ! »

Je continuais de sourire, un peu crispée, me demandant pourquoi papa me faisait une farce aussi stupide. Je ne comprenais pas... Je ne voulais pas comprendre... Je compris enfin ! C'était fini, mon enfance était morte avec ses contes de fées, ses merveilleux rêves, ses illusions. Je pleurais beaucoup après cette découverte ; je pleurais ma naïveté, ma confiance, mon émerveillement des choses. Je crois qu'aujourd'hui je pourrais encore croire au Père Noël si papa n'avait pas brisé là quelque chose en moi : j'ai tant besoin de merveilleux pour survivre !

Mijanou, pauvre ange, croyait encore au « Père Noël », ce qui me permit de continuer la tradition, côté grandes personnes !

De toute façon, à la maison, deux fêtes comptaient terriblement, c'était Noël d'une part, et les anniversaires de chacun d'autre part. Le reste, les Saint Machin, Saint Truc, Saint Muche, on s'asseyait dessus.

Mais Noël ! C'était chaque année une fête attendue avec impatience.

Le soir, avant la messe de minuit, nous faisions la

crèche et l'arbre tous ensemble ! La crèche était provençale, avec des dizaines de petits personnages de terre cuite qui avaient tous un nom. Je me souviens du « Ravi » qui devait regarder le petit Jésus en ouvrant grands ses yeux et ses bras ! Et puis, il y avait les bergers avec les petits moutons, et le boulanger qui apportait son pain, et le rémouleur, et la fileuse de laine, et la laitière avec son pot sur la tête ! Je rêvais devant les santons, j'aurais voulu être santon moi-même et vivre dans cet univers de bonté et de beauté. Maman pliait un gros papier d'emballage et en faisait une grotte formidable, un miroir faisait office de pièce d'eau et du riz éparpillé remplaçait les graviers.

On s'y serait cru !

Pour l'arbre, c'était une autre histoire.

Papa se faisait régulièrement attraper car le sien n'était pas droit, ne tenait pas debout, etc. Enfin, lorsqu'il avait trouvé son équilibre, nous sortions des cartons, des myriades de boules de toutes les couleurs, des petits jouets en paillettes, des guirlandes argentées et autres étoiles et cheveux d'ange ! Les petites lumières multicolores venaient en dernier, et ne marchaient en général jamais longtemps. Papa, armé d'un tournevis, se faisait encore attraper et jouait les électriciens d'un soir !

J'ai gardé cette tradition et, je refais la crèche de Provence et l'arbre de lumière à chaque Noël ! Encore aujourd'hui, je regarde avec envie les petits santons, et je reste émerveillée par l'arbre magique qui illumine de féerie les demeures les plus pauvres ou les plus austères...

Noël est un vrai petit conte de fées annuel et les contes de fées sont si rares et si fragiles qu'il faut les préserver... Quand nous avions fini d'habiller l'arbre, nous mettions nos souliers dans la cheminée et, s'il n'y avait pas de cheminée, nous les mettions sous l'arbre.

Ensuite venait la messe de minuit.

Nous ne faisions pas de gueuleton la veille de

Noël, c'était une fête religieuse et son mystère nous coupait l'appétit. Le lendemain matin, les paquets étaient partout, par terre, on aurait dit un feu d'artifice. Quelle joie de les ouvrir lentement, en essayant de deviner ce qu'il y avait à l'intérieur. Quel bonheur de voir tous ces sourires, ces éclats de joie, ces embrassades, ces tendres remerciements.

Tout le monde était si content !

Généralement, le jour de Noël, papa invitait à déjeuner deux ou trois collaborateurs de l'usine, ouvriers ou chefs de bureau qui vivaient seuls. Maman, elle, conviait ses amies célibataires et solitaires. Tout le monde avait des cadeaux, cette journée était douce, généreuse, inoubliable ! La bonne et ma Dada nous faisaient un déjeuner succulent avec, pour finir, un gâteau de chocolat aux marrons, que Dada mettait des heures à éplucher, mais elle le faisait avec plaisir car elle savait que j'adorais ça ! Le soir, épuisée, je m'endormais entourée de mes cadeaux en rêvant déjà au prochain Noël.

Au contraire, les Jours de l'An étaient une corvée !

Toute la famille était réunie chez l'oncle Gaston et la tante Marcelle, frère aîné et belle-sœur de papa. Nous étions bien une trentaine et la table était imposante. C'était l'occasion pour Mijanou et moi de voir une fois par an nos cousins et cousines. Nous étions habillées de nos robes à « smocks », avec nos chaussettes blanches et nos bottines montantes, nous avions si peur de nous salir que nous passions la journée assises sagement sur nos chaises à nous ennuyer mortellement.

C'était l'occasion pour nos familles de se voir une fois par an, d'échanger des lieux communs, de préparer sa provision annuelle de mal à se dire des uns et des autres, de nous donner nos étrennes et des conseils que nous ne suivions jamais ! En pleine période de guerre, chaque membre de la famille apportait son « panier » car mon pauvre oncle Gaston n'aurait pas pu nourrir toute cette ribambelle avec ses propres tickets de ravitaillement. A l'époque des vaches grasses, le déjeuner nous servait de dîner, la bûche traditionnelle arrivait à l'heure où je prenais mon goûter, et les grandes personnes buvaient le café alors que la nuit était déjà tombée !

Nous avions le droit, les enfants, de quitter la table juste après le dessert. J'avais le cannelage des chaises imprimé sur mes cuisses... Nous nous retrouvions avec nos habits du dimanche, assis sur les fauteuils Louis XV à tapisserie d'époque du salon, à nous regarder sans savoir quoi faire, ni quoi dire.

Depuis, je déteste les banquets et les habits empesés.

Les anniversaires étaient aussi l'occasion de jolies fêtes mais, à la différence de Noël, chacun était le roi ou la reine et les autres restaient simples spectateurs.

Etant née un 28 septembre, j'attendais généralement le mien avec une impatience mêlée de regrets, car trois jours après cet événement, je devais rentrer en classe et, pour moi, le 1er octobre était une date détestable ! Ce qui fait qu'à mon anniversaire, je recevais en général des cadeaux du genre : un nouveau cartable, une série de cahiers de toutes les couleurs, une trousse à stylos, une encyclopédie ou un tablier neuf. Parfois, j'avais de l'eau de Cologne ou des soldats de plomb (que j'adorais, n'ayant jamais eu de passion pour les poupées).

Ma seule consolation était d'avoir un an de plus, et de me rapprocher lentement des grandes personnes. Après avoir soufflé les bougies de mon gâteau, je pensais avec horreur aux cours qui reprenaient bientôt.

A peu près à la même époque, il y eut une épidémie de maladies terribles à la maison. La rougeole, la varicelle, la coqueluche, tout le monde les attrapa, y compris maman, et toute la famille se retrouva au lit. Ma Mamie et des infirmières se relayaient à notre chevet.

Cette hécatombe était anormale !

Papa possédait à l'époque une superbe collection de « boubous » africains, petites statues de bois sculpté, assez primitives, représentant les différents personnages d'une tribu.

Une amie de maman, reine du « pendule », décréta alors que ces statuettes étaient maléfiques et qu'il fallait qu'elles disparaissent immédiatement. Papa fut désespéré. Il les avait rapportées lui-même d'Afrique, où elles lui avaient été données par un sorcier. C'était unique au monde ! Bref, il voulait bien les mettre à la cave, mais pas de gaieté de cœur !... Les « boubous » disparus, nous avons guéri peu à peu et, nous les avons oubliés... Mais eux ne nous oubliaient pas !

Un jour, la cave fut inondée.

Papa était fou de rage, ses « boubous » étaient foutus !

« Eh bien, dit maman, vous n'avez qu'à les vendre. »

On essaya de les remettre en état, ils séchèrent et papa les mit en dépôt-vente dans un magasin d'art africain. Et on oublia à nouveau les « boubous »... Mais quelque temps plus tard, le magasin fit faillite ! Les « boubous » sont repartis je ne sais où et, cette fois, on les a vraiment oubliés car papa lui-même ne savait plus du tout où il avait bien pu les déposer...

Si vous entendez parler d'un magasin d'art africain qui a eu de sérieux ennuis, pouvez-vous me dire où il est, j'irai voir si les « boubous » de papa n'ont pas encore fait un de leurs caprices préférés !... Cette anecdote est absolument vraie, et il paraît que certaines de ces statues portent en elles les maléfices qu'un sorcier a jetés à un membre de sa tribu.

Depuis, je déteste l'art nègre !

Je me souviens d'une autre anecdote mystérieuse qui s'est déroulée chez l'amie de maman, Violette

Benistan. Elle vendait des robes dégriffées dans son appartement de la rue du Boccador, à Paris. Chaque fois qu'elle rentrait dans son salon transformé en boutique, Violette se rendait compte qu'il se passait quelque chose d'étrange : telle cliente, qui voulait acheter une robe dans la pièce à côté, changeait d'avis en rentrant dans le salon, ou bien on lui cassait un de ces magnifiques objets anciens dont elle faisait collection, ou bien il lui manquait de l'argent, ou encore elle se disputait avec son mari, la bonne lui donnait ses huit jours... Enfin, bref, n'y tenant plus, elle prit son pendule qui se mit à tourner comme un fou au milieu du salon... Elle alla voir la concierge et lui demanda qui habitait à l'étage en dessous.

— Un égyptologue, madame !

Et Violette de lui expliquer les phénomènes étranges qui se passaient dans son salon. La concierge lui apprit que ce monsieur avait rapporté dernièrement des pièces rares trouvées dans des fouilles et que leur arrivée dans l'immeuble coïncidait avec le début de l'ensorcellement du salon de Violette. Elles décidèrent toutes les deux d'aller y voir de plus près dès que l'égyptologue serait reparti.

En attendant, on ferma le salon, et un beau soir, le lustre de cristal qui était là depuis vingt ans tomba et se cassa en mille morceaux.

Le mystère continuait. Le jour du départ des voisins arriva.

Violette et la concierge se précipitèrent avec le pendule. Celui-ci se mit à tourner frénétiquement dans le salon juste en dessous de celui de Violette. Tout était sinistre, lugubre, il y avait là une espèce de sarcophage qu'elles ouvrirent. Et découvrirent une momie !

Cette histoire est authentique. La momie est partie au Musée de l'Homme, et le salon de Violette est redevenu accueillant. Mais les ondes maléfiques existent bel et bien...

Depuis, je déteste aussi l'art égyptien.

50

Pendant cette époque de guerre, pour s'occuper et gagner son argent de poche, maman commença à créer des chapeaux. Elle avait beaucoup de goût, et faisait de très jolies choses. Moi, j'étais ravie, je nageais dans la sparterie, les voilettes, les fleurs artificielles, les plumes ! Je faisais des chapeaux pour mes poupées ou mes soldats de plomb tandis que maman, elle, les confectionnait pour ses amies. Tard le soir, elle cousait et essayait sur sa jolie tête tous les modèles qu'elle créait.

Par la suite, maman ne cousait plus les chapeaux elle-même, mais s'était organisée avec les grands modistes pour récupérer les modèles un peu défraîchis. Elle les retapait et les revendait à la maison. Il y avait donc au fond de l'appartement, près de la porte d'entrée, une pièce spéciale surnommée « la chambre aux chapeaux ». C'était magnifique, ça sentait le parfum, il y avait des capelines sur des grands pieds, des bouquets de fleurs pleins de rubans, des feutres à la Garbo et des coiffures de mariées. Je rêvais devant toutes ces beautés et les essayais parfois ! Avec mes cheveux raides, mes lunettes et mon appareil dentaire, plus le chapeau sur ma tête, je devenais une caricature...

Maman avait une clientèle de femmes du monde un peu fauchées, d'amies à elles, et d'amies de leurs amies. Bref, il y avait un va-et-vient assez sympathique, mais qui énervait prodigieusement la bonne, qui ne supportait plus d'aller sans arrêt ouvrir la porte d'entrée.

Nous allions rarement au cinéma, peut-être deux ou trois fois par an. La télévision n'existait pas, et le théâtre, à part la Comédie-Française, était réservé aux grandes personnes !

Les soirées, tout en étant parfois longues, étaient de « vraies » soirées. Lorsque mes parents ne sortaient pas ou ne recevaient pas, nous les passions en famille. Après avoir fait nos devoirs et avant d'aller au lit, nous avions le droit de traîner un peu. Papa nous lisait *Les Contes du chat perché* de Marcel Aymé, et aussi *Les Histoires comme ça* de Kipling. Il était drôle quand il lisait. Il faisait tous les rôles en changeant de voix, et riait tout seul. De l'entendre, nous riions avec lui. Parfois, il nous racontait les histoires de *Madame la Pie* qu'il avait inventées, et qui étaient donc inépuisables. Ces souvenirs sont précieux car ils furent assez rares.

Le plus souvent, nous passions la soirée, Mijanou, la bonne et moi, à nous disputer, à pleurer, ou à nous regarder en chiens de faïence. Quand je repense à mon enfance, je n'ai pas le souvenir d'une période heureuse ! Pourquoi ? J'étais pourtant née dans une famille qui aurait pu me donner tout le bonheur dont a besoin un enfant.

Bien sûr, la guerre apportait des privations, mais ne me souvenant pas « d'avant » je m'en accommodais parfaitement. J'ai été élevée avec le strict minimum de nourriture, je n'ai pas connu les bonbons ni les pâtisseries, mais à la place j'avais des biscuits vitaminés et des lithinés du Docteur Gustin, petits sachets de poudre d'ersatz de citron et de saccharine qui, jetés dans l'eau, faisaient une limonade délicieuse !

Bien sûr, il y avait les bombardements, qui m'ébranlèrent sérieusement. Cette peur latente d'une destruction systématique de Paris me réveillait en pleine nuit, glacée et en sueur, ou me prenait au milieu d'un cours de danse ou d'arithmétique. L'insécurité de l'existence donnait une valeur d'autant plus importante aux moments de paix que nous traversions entre deux alertes. Mais ce genre de douche écossaise, s'il est acceptable pour des adultes, est terriblement traumatisant pour des enfants.

Finalement ce sont nos rapports familiaux qui m'ont le plus marquée. Au fil des jours, je sentais que je m'éloignais de mes parents alors qu'ils se rapprochaient de Mijanou. Cette préférence très marquée pour ma petite sœur, j'en paye encore les conséquences aujourd'hui.

C'était d'une injustice flagrante !

On me la citait sans cesse en exemple car elle était une élève brillante à « Lubeck » et moi je faisais partie du « trio des gourdes » à Hattemer (trois filles qui se disputaient au long de l'année les dernières places). Elle était jolie, fragile et un peu faux jeton, allant rapporter en pleurnichant les misères que je lui infligeais. Résultat, la cravache ! Ma culotte restait collée aux meurtrissures de ma chair. J'entendais maman dire à ses amis : « Heureusement que j'ai Mijanou qui me donne toutes les joies car la pauvre Brigitte est ingrate dans son physique et dans ses actions. »

Je pleurais en regardant le miroir.

C'est vrai que j'étais laide !

Cette image ne m'a jamais quittée. J'aurais tout donné pour ressembler à Mijanou, être rousse avec des cheveux jusqu'à la taille, avoir des yeux bleu pervenche, être la chouchoute des parents. Pourquoi le Bon Dieu m'avait-il créée avec des baguettes de tambour châtain, des yeux bigleux qui m'obligeaient à porter des lunettes et des dents qui avançaient (parce que j'avais sucé mon pouce) et me forçaient à porter un appareil pour les redresser ? Il n'a du reste rien redressé du tout, heureusement ! C'est ce qui m'a permis d'avoir des dents de lapin et ma fameuse moue, célèbre dans le monde entier !

L'inquiétude s'était installée en moi et me grignotait.

Etais-je une enfant adoptée ?

Je ne ressemblais à personne, j'étais trop vilaine et les autres trop beaux !

Je me mis à me méfier de Mijanou comme de la peste, me recroquevillant complètement sur moi-même. Seuls les cours de danse me permettaient d'oublier tous ces tracas. Comme je les aimais, ces exercices à la barre — toujours les mêmes — qui échauffaient nos muscles et mettaient nos corps en condition pour le travail « au milieu ». Adieu lunettes, complexes, tristesse. J'accueillais la musique tremblotante de la pianiste comme le sésame de ma véritable personnalité. La danse me rendait belle, à l'intérieur comme à l'extérieur. J'étais très douée, souple, cambrée, les muscles longs et déliés, gracieuse, avec un sens du rythme et de la mesure qui me permettait de suivre parfaitement la musique. La danse m'a donné ce port de tête et cette démarche qui me sont, paraît-il, très personnels. Elle m'a appris la discipline, le courage physique. Ça au moins, Mijanou ne pouvait pas me les prendre !

Il y avait un ascenseur hydraulique au 1, rue de la Pompe. On aurait dit une chaise à porteurs sans toit. Le trajet était très long entre le rez-de-chaussée et le 5e étage, mais j'aurais parfois voulu qu'il fût plus long encore, tant je redoutais de rentrer à la maison. Souvent, je me demandais pourquoi j'étais née... Pourquoi je vivais. Question éternellement sans réponse mais que je me posais comme un leit-motiv.

Un jour j'ouvris mon cœur à mon Boum au beau milieu d'une rédaction française : « Dis-moi, Boum chéri, pourquoi je suis née ?

— Pour être le bonheur de ma vie et celui de ta Mamie !

— Non, réponds-moi sérieusement.

— Mais ma petite fille, c'est sérieux !

— Non mon Boum, dis-moi pourquoi je suis sur la terre ? »

Devant mon petit visage fermé et angoissé, mon grand-père dut avoir un serrement de cœur et, comme toujours lorsqu'il voulait éluder une question embarrassante, il se mit à rire et me dit :

« C'est à cause de ma culotte ! »

Forte de cette constatation hautement philoso-

54

phique, je me mis à rire aussi, trouvant que mon Boum n'était vraiment pas sérieux.

Le Boum était un être hors du commun.

Très érudit, il lisait le latin dans le texte, était passionné d'histoire et perfectionnait ses connaissances géographiques en faisant chaque week-end, enfermé dans sa chambre, un voyage dans un pays de son choix. C'est ainsi qu'emporté par les pages de ses atlas, guides, encyclopédies, il découvrit le Mexique, ses civilisations, ses pyramides incas, son langage, ses spécialités gastronomiques, son économie, sa civilisation, sa culture, son agriculture, son climat, etc. Puis ce fut le Japon, l'Afrique, les Etats-Unis, etc. Mon grand-père fit le tour du monde depuis sa chambre, ses moyens financiers ne lui permettant pas les voyages qui à l'époque étaient non seulement hors de prix mais absolument impossibles, du fait de la guerre.

Les leçons du Boum et du cours Hattemer ne m'apportant pas le niveau d'érudition que mes parents souhaitaient pour moi, ils décidèrent d'essayer l'Institution de La Tour, où était Chantal et qui avait sur elle des résultats extrêmement convaincants. Adieu la danse, les dévotions religieuses occupant tous les loisirs laissés libres par les études.

Quel déchirement !

Toutes ces religieuses ! Ma Sœur par-ci, ma Mère par-là, ça n'était pas vraiment mon genre. Et puis, j'étais « la nouvelle »... On me regardait en faisant des messes basses, un comble dans un couvent de bonnes sœurs. Je retrouvais à La Tour ma place de dernière et mes zéros pointés mais j'appris à devenir sournoise et hypocrite. Il fallait marcher en baissant les yeux, faire des génuflexions sans arrêt, avoir toujours un chapelet dans sa poche, communier tous les matins, dire du mal de ses petites copines, rapporter tout ce qu'on voyait ou savait.

Bref, c'était odieux.

Le grand chic était d'avoir des galoches à semelles de bois. Ayant la chance d'avoir encore des bottines à semelles de cuir, j'étais mise au rancart. J'avais beau taper des pieds « comme si », j'étais la « fille aux semelles de cuir ». La honte pour moi. De plus, Chantal était la chouchoute des bonnes sœurs et elle m'aurait vendue pour un bon point !

Décidément, de qui allais-je devenir la chouchoute, moi ?

Heureusement, j'attrapai une bonne pneumonie qui me permit d'écourter cette année religieuso-scolaire mais qui m'obligea à redoubler ma classe de 7e l'année suivante, en retrouvant mon cher cours Hattemer et mes merveilleuses leçons de danse.

Très affaiblie par cette pneumonie, n'ayant pas pris de vraies vacances depuis des années, mes parents décidèrent de m'envoyer me reposer chez Chantal et sa maman, qui avaient une jolie petite fermette entourée de pommiers en Normandie, exactement au Mesnil-Gilbert par Bézu-Saint-Eloi. Les affres par lesquelles la France passait à ce moment-là permettaient des départs en vacances à des périodes assez fantaisistes. La mère de Chantal était une femme ingrate, austère, toujours de noir vêtue, bourrée de principes, souriant rarement et priant souvent. Elle adorait sa fille et tout ce qui n'était pas son rejeton était bon à jeter au panier. J'avais à cette époque, et j'ai toujours, un immense besoin de tendresse. Les joues osseuses de Suzanne me rebutaient un peu. Toute son affection, elle la donnait à sa fille et je me souviens m'être souvent endormie en pleurant sous mes draps, rêvant de câlins maternels. Lorsque je ne pleurais pas, je m'amusais beaucoup !

A l'aide de bouchons de liège maintenus entre eux par du fil de fer, nous nous fabriquions, Chantal et moi, des chaussures de dames à semelles compensées, comme c'était la mode. Grimpées sur nos talons instables, nous étions fières comme Artaban, jusqu'au jour où, c'était à prévoir, Chantal se fit une entorse !

Les bouchons furent mis au placard, et Chantal au lit !

Lorsqu'elle fut rétablie, je découvris le vélo dans cette campagne si belle que je voyais avec ravissement. Il y avait aussi une balançoire, chose rare, que je n'avais pas dans la maison de Louveciennes, et qui représentait pour moi, avec une piscine, le comble du merveilleux et de l'impossible dans mes rêves de petite fille. Les devoirs de vacances occupaient une bonne partie de notre temps et, chose encore moins drôle, il fallait subir le quart d'heure quotidien de « la Marie-Rose » (« la mort parfumée des poux ») car comme tous les enfants des écoles, nous en avions attrapé et Suzanne, consciencieusement, leur faisait une chasse implacable.

Depuis, je suis contre « la chasse ! »

Bientôt, mon besoin de revoir mes parents devint tel que j'en perdis l'appétit. Voyant cela, Suzanne téléphona à papa de venir me rechercher. Il viendrait le 6 juin ! Il ne restait plus que trois jours à attendre... Mon appétit revenait au fur et à mesure que les heures passaient.

Papa devait arriver à la gare d'Etrepagny et prendre un car qui le déposerait en pleine campagne, quelque part sur la route départementale. Folle d'impatience, je suppliai Suzanne de partir en avance. Nous voilà toutes les trois, en plein soleil, assises sur le talus au bord de la route... L'heure du car passée, nous attendions toujours... Plusieurs heures s'écoulèrent sans que le car n'apparût. Je pleurais, Suzanne ne comprenait rien. Le car était toujours exact, il avait maintenant trois heures de retard...

Résignées, mourant de chaud, nous attendions encore, quand tout à coup, à l'horizon, apparut un petit point sur la route. Quelqu'un qui avançait vers nous, à pied... Par cette chaleur, sur cette route où le goudron fondait, sans un brin d'ombre, en plein midi, ce ne pouvait être que papa ! Je courus vers lui de toutes mes forces.

Il était épuisé, il avait fait une vingtaine de kilomètres de marche, car il n'y avait plus ni car, ni aucun moyen de transport, ni téléphone ! Il n'y avait plus rien... les Alliés venaient de débarquer ! Papa, capitaine au 155e régiment d'infanterie alpine, avait gardé l'habitude de marcher en portant un sac à dos. Il s'assit et nous raconta le Débarquement, c'est-à-dire ce qu'il en avait appris depuis Paris.

Nous le regardions avec des yeux ronds.

Nous n'étions au courant de rien, et n'entendions depuis le matin que le chant des oiseaux et le frôlement du vent sur les feuillages. Pendant ce temps-là, si près de nous, se passaient des choses aussi bouleversantes ! Papa ne prit que le temps d'une douche, d'un repas rapide chez Suzanne, et voulut repartir pour Paris avec moi. C'était de la folie, mais il avait promis à maman d'être de retour le soir même, et ne voulait pas qu'elle s'inquiète. Le téléphone coupé, il ne pouvait la prévenir. Restait à refaire en sens inverse les 20 kilomètres parcourus le matin par papa. Un train était censé partir le soir d'Etrepagny et papa ne voulait le rater à aucun prix ! A 9 ans et demi, je n'aurais jamais eu le courage de marcher si longtemps. Alors, il me hissa sur son sac à dos. De là, je dominais le paysage. Papa marchait vite, à une cadence régulière. Son balancement me berçait. Je m'endormis la tête posée sur la sienne, mes bras autour de son cou.

J'ai un souvenir ému de ce voyage à « dos de papa ».

Lorsque j'ai vu mon père vieillir, beaucoup plus tard, et perdre peu à peu ses forces et son allure altière, j'ai repensé avec émotion que cet homme m'avait portée 20 kilomètres sur son dos, en pleine chaleur, alors que j'étais déjà grande, et j'ai maudit la vieillesse de venir à bout de tant de forces, de tant de robustesse ! Je crois que ce jour-là, ou plutôt cette nuit-là, nous sommes arrivés à Paris vers 2 heures du matin. J'ai encore fait le voyage de la gare Saint-Lazare à la maison à « dos de papa » dans un Paris vide et silencieux, où ses pas résonnaient sur les pavés.

Pour moi, le « jour le plus long » me rappellera toujours le voyage de cet homme épuisé, harassé, ramenant son enfant au bercail, alors qu'ailleurs se jouait le destin de la France, que les canons grondaient, que des hommes mouraient, que la campagne était en feu ; je n'avais d'yeux, d'amour et d'admiration que pour celui qui, bravant vents et marées, m'avait ramenée à la tendresse de mon foyer.

C'étaient les derniers soubresauts d'une guerre qui allait finir.

Son agonie fut violente.

Réfugiés chez Mamie et Boum, nous campions. Suzanne et Chantal avaient réussi à nous rejoindre. L'appartement de la rue Raynouard, si élégant, si parfait, était devenu un immense dortoir où tout était mis en commun. Il n'y avait plus ni électricité, ni gaz. Il arrivait que l'eau aussi soit coupée. Maman se sentait en sécurité dans cet immeuble cossu, en pierre de taille. Surtout au 1er étage, nous ne risquions rien. Ça n'était pas une de ces maisons modernes en torchis !...

Les jours que nous vécûmes là furent pourtant rudes.

Les bombardements se succédaient sans trêve, inutile d'aller à la cave, nous n'aurions pas eu le temps d'y arriver. Maman et papa avaient mis des matelas devant les fenêtres afin d'éviter les éclats de verre et de stopper les balles perdues. Papa avait rapporté des lampes à acétylène de l'usine et leur lumière blafarde s'accompagnait d'une odeur âcre et très désagréable. Le peu d'alcool à brûler qui restait encore dans l'armoire aux provisions servait à faire chauffer l'eau, qui était la base de notre nourriture, avec le blé bouilli ou les lentilles pleines de charançons.

Nos tickets d'alimentation ne nous servaient plus à rien, il était trop dangereux de sortir et, de toute façon, les magasins étaient tous plus ou moins vides et fermés.

Nos seules distractions, à Chantal, Mijanou et moi, étaient de regarder par les fenêtres pendant les moments d'accalmie. Dehors, il y avait du soleil et de rares passants qui marchaient vite, pressés sans doute de rentrer chez eux, à l'abri. L'appartement était sombre avec de gros rideaux aux fenêtres, la lumière y entrait peu. L'immeuble d'en face, très grand, très haut, très beau, moderne et clair, me fascinait avec ses bassins vides dans la cour d'entrée. Mamie, qui était aussi curieuse que nous, avait remarqué un gros bonhomme qui arrivait toujours dans une belle voiture sans bouteilles de gaz sur le toit. Nous l'avions surnommé « le marchand de cochons », imaginant qu'il devait s'engraisser en faisant du marché noir. Ce qui était probablement exact. Nous guettions ses allées et venues, le nez collé aux carreaux.

Puis, il y eut des fusillades sur les toits de Paris, les F.F.I. chassaient les Allemands avec courage et détermination. Tapompon et Jean furent parmi les premiers à rentrer dans Paris aux côtés de la Division Leclerc. Mais Boulogne-sur-Seine n'était que ruines, les usines Citroën et Renault étaient visées à la fois par les Allemands et les Alliés.

Des hommes épuisés mais acharnés essayaient encore, au prix de leurs vies, de reprendre leur pays, leur capitale, leur liberté. Chez nous, une balle vint casser une pampille de cristal du lustre de la chambre dans laquelle nous nous étions réfugiés ! La mort était partout présente, elle nous étreignait dans son étau, mais il y avait au fond de chacun de nous un espoir passionnel, passionné qui, comme la flamme d'une veilleuse, était prêt à éclater.

En août 1944, Paris fut enfin libéré !

On avait sorti les drapeaux de la naphtaline pour pavoiser et décorer les fenêtres. Nous nous promenions dans la rue avec des petits drapeaux français en papier et les soldats américains nous donnaient du chewing-gum, du chocolat et des baisers. Le chewing-gum, je croyais que c'était pour reboucher les semelles de mes poupées. Le chocolat, je le découvrais avec délices, les baisers je les ai oubliés !

Ce fut une extraordinaire période d'euphorie.

Finis les bombardements et les couvre-feux, nous pouvions enfin aller nous promener au bois de Boulogne, y cueillir des « joues rouges » comme disait papa. Je découvris aussi le pain presque blanc, le lait à gogo, la crème fraîche, la joie de vivre des grandes personnes, les rires, les jeux au grand air.

Au mois d'octobre, les poches remplies de chewing-gum, je réintégrai le cours Hattemer. Ayant toujours détesté les études et le chewing-gum, ce dernier me permit de faire du troc. Je proposais à une camarade de copier son devoir en échange de quelques barres de gum. Le truc marcha trois jours ! Lorsque la maîtresse se rendit compte que j'avais exactement la même copie que ma voisine, elle fit un beau scandale.

Je remballai mes chewing-gums et ma honte, retrouvai « le trio des gourdes » et mes zéros pointés.

**

Ce fut à peu près à cette époque que mes parents engagèrent une gouvernante. J'étais terrorisée par l'arrivée de cette dame qui devait parfaire notre éducation. Elle me paraissait être une intruse dans notre famille. Il allait falloir lui obéir sans sourciller. Maintenant que la liberté éclatait pour tous, j'allais, à l'âge de 10 ans, être prisonnière d'une nouvelle tutelle !

Madame Legrand arriva, grande, imposante, veuve donc habillée de noir. Elle nous parlait moitié anglais moitié français, elle avait été dame de compagnie auprès de la vicomtesse de Lestrange et ne plaisantait pas avec les usages. Elle m'impressionnait terriblement mais il y avait en elle une générosité, une bonté profonde qui finirent par m'apprivoiser !

Madame Legrand me permit de l'appeler « la Big » puisqu'elle était grande et qu'elle parlait anglais. La Big qui avec le temps devint Bigou, puis mon Bigoudi, était une femme épatante, équilibrée et juste, qui arrondissait les angles entre parents et enfants, parent et parent, ou enfant et enfant. Au fur et à mesure que les années ont passé, nos liens affectifs se sont resserrés. Elle me considérait comme sa fille, m'appelait « sa préférence ».

Je l'ai suivie et gardée contre mon cœur jusqu'à sa mort.

III

Notre appartement de la rue de la Pompe n'était pas à proprement parler un havre de paix. C'était un immense appartement, avec un immense couloir, qui desservait quatre grandes chambres, une seule salle de bains, une cuisine et un office. L'entrée ouvrait sur la salle à manger, un salon, un petit salon, et « la chambre aux chapeaux ».

Papa et maman étaient des nerveux, des rapides, des impatients. Il régnait souvent dans cet endroit une atmosphère électrique. Maman s'énervait contre la gouvernante, qui s'énervait contre la bonne, qui s'énervait contre Mijanou et moi, qui fondions en larmes. Les scènes de ménage entre papa et maman ont terrorisé mon enfance. Je garde de ces moments horribles une peur panique. Il faut faire très attention à ne pas se disputer devant les enfants.

Je crois que papa et maman n'étaient pas un couple fantastique.

Ils avaient sans doute l'un pour l'autre une grande affection, une grande tendresse, une grande complicité, mais leurs chambres séparées me font douter d'un grand amour !

Combien de fois avons-nous été, Mijanou et moi, terrifiées par la mine fermée de papa qui claquait porte sur porte ? Combien de fois nous sommes-nous pris la main sous la table pendant un repas où l'on entendait uniquement le bruit des mâchoires et les grincements des fourchettes contre l'assiette ?

Après ce calme malsain venait la tempête.

Papa faisait tomber sa chaise et jetait sa serviette par terre, maman pleurait le nez dans son verre, puis se levait précipitamment, et s'enfermait avec mon père dans sa chambre en claquant la porte. Nous entendions alors des éclats de voix, des hurlements, des sanglots, des supplications. Nous restions à table, l'une contre l'autre, pétrifiées, affolées comme deux petits chiens perdus, à écouter, attentives, comment se déroulaient les choses dans la pièce à côté.

Ce genre de scène se répétait trop souvent. Quelquefois, la nuit, nous étions réveillées en sursaut par des cris, des bruits de pas et toujours ces horribles portes qui claquaient.

Mijanou était si traumatisée qu'elle se glissait dans mon lit, se serrait contre moi, et me faisait lui jurer que si papa et maman nous abandonnaient, moi, je la garderais toujours près de moi. Je jurais à ma petite sœur, qui, calmée, se rendormait sur mon épaule, et je restais encore seule, aux aguets, muette, glacée, à attendre le sommeil.

Un jour, la dispute dut être effrayante car mon père, après avoir fait sa valise pour quitter ma mère « définitivement », après qu'elle eut pleuré, crié, se fut mise à genoux, devant nous, devant la Big, après une dramatique « scène du III » dont nous étions les spectatrices meurtries, mon père, donc, décida d'enjamber le balcon et d'en finir avec la vie !

Nous habitions le 5e étage. Je revois toujours papa le corps entier courbé au-dessus du vide avec juste une jambe côté vie, et maman défigurée, cramponnée à cette jambe, essayant de faire basculer vers elle le corps de papa pour le sauver. Les hurlements de ces deux êtres malheureux, les pleurs atroces de Mijanou et de moi-même, les incantations de la Big, tout cela faisait un vacarme mélodramatique qui aurait peut-être amusé toute personne non concernée. Grâce à Dieu papa reprit vite ses esprits et son équilibre. Maman nous fit un évanouissement des plus fantaisistes, mais nous n'en étions plus à cela près !

Je garde de ces minutes une fêlure dans mon cœur. Je ne supporte ni les cris, ni les scènes, ni les disputes. C'est pourquoi, quand il m'arrive de me trouver dans une pareille situation, je m'en vais aussitôt.

Heureusement, la Big était là qui recollait les morceaux de cœurs cassés, qui soignait, qui apaisait, qui rassurait.

Entre deux scènes de ménage, mes parents éprouvaient l'un pour l'autre une immense tendresse. Ils formaient, quand tout allait bien, un couple parfait. Ils aimaient les jeux, l'esprit, les rires et les amis. Ayant été privés de dîners et de réceptions pendant de longues années, ils prirent une sérieuse revanche et se mirent à recevoir beaucoup. Ils adoraient donner des dîners par petites tables. A ces occasions, tous les employés de maison étaient réquisitionnés. Ma Dada, le couple qui travaillait à la maison, un extra pris pour la soirée, et souvent la cuisinière d'amis de mes parents venaient à la rescousse. La concierge assurait le vestiaire. J'adorais les préparatifs. On sortait toute l'argenterie de gala, et la vaisselle des grands jours.

Mijanou et moi étions embauchées pour nettoyer, déménager les petits meubles, farfouiller dans l'armoire à linge. Il y avait une effervescence agréable, comme si on préparait une pièce de théâtre. Maman dressait généralement une dizaine de tables de bridge, avec quatre couverts par table. Il y avait des charades pour trouver sa place. Les couples étaient séparés et j'entendais mes parents rire du rapprochement de un tel et une telle.

Ces soirs-là, Mijanou et moi étions envoyées de bonne heure au lit, après avoir léché les casseroles de chocolat et nous être fait réprimander d'être dans les jambes, d'encombrer à la cuisine ! Je me sentais frustrée, triste, j'avais collaboré de tout mon cœur, j'aurais bien voulu voir les belles dames et les beaux messieurs goûter les plats mijotés depuis si longtemps, savourer le gâteau. Maman nous promettait que, s'il restait quelque chose le lendemain, nous aurions le droit de le manger. Mais après les invités, et les employés, il ne restait que les restes les moins bons.

Ces soirs-là, maman était si affairée par sa toilette qu'elle oubliait de venir nous embrasser au lit. Je me souviens des rires, des tintements de verres, des pas, je ne dormais pas et essayais d'imaginer, d'après ces bruits, où en était la fête. Parfois, je me risquais à passer le bout du nez par la porte entrebâillée, je voyais le couloir éclairé *a giorno*, c'est tout ! J'allais alors en catimini dans le vestiaire, plein de manteaux de fourrure, de foulards, d'étoles de vison, et j'enfouissais mon visage dans toute cette douceur parfumée, je rêvais que j'étais grande et que j'avais le droit de dîner avec les autres.

Lorsque les parents ne recevaient pas ou ne sortaient pas, nous faisions la prière ensemble. C'était sacré, la prière ! La Big, dont le fils unique, Guy, était séminariste, nous entretenait dans une ferveur catholique très poussée.

A genoux, autour de nos lits jumeaux, nous regardions tous les quatre le crucifix et nous demandions à Dieu de nous pardonner tous nos péchés. Papa était grave, maman recueillie, Mijanou et moi attentives à ne pas nous tromper dans les *Notre Père* et les *Je vous salue Marie*. Ensuite, venaient les deux gros baisers sur nos joues. On éteignait les lumières et la vie commençait ou continuait dans les pièces à côté, cependant que Mijanou et moi entamions un dialogue à voix basse, dialogue bientôt interrompu par le sommeil de ma petite sœur. Je continuais donc à parler seule, longtemps, n'ayant jamais eu de facilités à m'endormir de bonne heure.

Je n'ai aucun souvenir de maman me faisant la cuisine, me mijotant un petit plat ou me préparant un bon gâteau ! Elle était allergique à ce qu'elle appelait « les dames confitures ». Pour elle, faire la cuisine, la pâtisserie, des confitures, devait rester l'apanage des « bobonnes ».

Maman était très jolie. Elle avait de belles mains, avec les ongles éternellement rouges et soignés, et souriait avec complaisance à tout ce qui pouvait refléter son image. Mais les jours, rares, où la Big était sortie, nous avions droit, Mijanou, papa et moi, à une tranche de jambon ou du rôti froid avec de la salade ! Je n'en ai pas vraiment souffert mais, comme tous les enfants, j'aurais adoré me régaler avec quelque chose fait par maman ! C'est pour combler cette lacune maternelle que j'ai appris à cuisiner. Actuellement, je peux me vanter d'être une assez bonne cuisinière, je suis heureuse de me donner du mal pour ceux qui sont à ma table. Cela ne m'empêche pas de vouloir être jolie, ni d'avoir des mains soignées, mais cela me permet de me passer de quiconque. De toute façon, j'ai toujours essayé d'apprendre le plus possible de choses afin de dépendre au minimum des autres.

Cela me rappelle une phrase que Georges Baume me disait au début de mes essais culinaires : « Je préfère manger un plat raté mais préparé avec amour par mon hôtesse, que de manger une spécialité fine qui vient de chez un traiteur ! »

**<center>*
* *</center>**

Ma Mémé Bardot avait enfin quitté « Le Cannet », près de Cannes, où elle avait passé une bonne partie de la guerre, et était venue avec Pauline, sa cuisinière barbue, s'installer au 4e étage du 1, rue de la Pompe, c'est-à-dire juste en dessous du nôtre, où Papa lui avait miraculeusement trouvé un appartement à louer. Mon grand-père Bardot était mort d'épuisement et de vieillesse quelques années plus tôt.

Mémé, paralysée depuis longtemps, était difficile à transporter. De plus, elle ne se déplaçait pas sans une grande partie de ses meubles et bibelots, des buffets et armoires lorrains, plus son lit, immense monument de bois sombre, plus la table de salle à manger qui devait être deux fois grande comme un billard, plus ses livres, pendules, boîtes à ouvrages, etc.

L'appartement était grand et Mémé avait proposé à mon oncle René, le plus jeune frère de papa, de le partager lorsque lui et ses filles, mes cousines, seraient à Paris.

Je découvris donc en même temps la tendresse d'une grand-mère étrangère jusqu'alors et l'amitié de quatre cousines totalement inconnues. Madeleine, France, Martine et Danielle devinrent très vite nos indispensables compagnes de jeux à Mijanou et à moi. C'était pratique, elles habitaient le même immeuble. Nous cavalions dans l'escalier dès que nous en avions la possibilité afin de les retrouver et de jouer jusqu'à épuisement à « cache-cache » dans les jupons de Mémé qui nous surveillait vaguement en faisant des « patiences ».

« Les filles d'en bas » furent notre joie de vivre pendant tout leur séjour à Paris. Les blagues faites à Mémé, les attaques de la cuisine afin de voler les gâteaux de Pauline, les ruses de Sioux dans le salon recouvert de housses afin de se cacher ! Chaque meuble était un complice, chaque rideau un havre, chaque tapis roulé un tunnel dans lequel se cacher. « Les filles d'en bas » étaient orphelines de mère. L'oncle René avait perdu sa femme, atteinte de tuberculose. Mijanou et moi les plaignions beaucoup, ne pouvant imaginer la vie sans notre maman.

C'est cette année que Jean Marchal se maria. Tapompon était très fière, il épousait une très belle femme, Janine Trio dite Tatou, une splendide beauté brune et aguichante qui ne fit guère son bonheur, malheureusement !

Ils se sont mariés à La Rochelle.

Quel beau souvenir, ce mariage. J'étais demoiselle d'honneur avec Mijanou, les mariés étaient beaux, La Rochelle était belle, le temps était beau et... Bernard était beau. Oh ! Bernard... le frère de la mariée ! Un athlète blond de 17 ans, scout de France, dont j'étais tombée amoureuse !

C'était la première fois de ma vie que j'éprouvais ce pincement au cœur, cette chaleur aux joues, ce trouble indéfinissable, cette gêne, cette chose bizarre. Je n'avais plus ni lunettes, ni appareil, j'avais une légère permanente et, ma foi, j'étais presque mignonne... En plus, mes seins se développaient et j'étais très fière de cette nouveauté.

Bernard, j'ai rêvé de toi la nuit... Je te buvais des yeux le jour... Je n'écoutais plus rien... Je pensais à toi toute la journée... J'étais ridicule ! Tu t'en es rendu compte, tu as été adorable, mais tu ne m'as pas embrassée, quel dommage ! Enfin, tu as pris ma main et j'ai cru m'évanouir de bonheur ! Tu as été mon premier amour, l'année de ma première communion, et cet amour a duré longtemps après mon retour à Paris, la mort dans l'âme !

Dans les semaines qui suivirent, j'étais toujours fourrée chez Jean et Tatou, je retrouvais en elle un peu de son frère. Quand je lui disais que je voulais me marier avec toi, elle souriait sans rien dire.

En attendant de me marier, je devais faire ma communion solennelle. Chaque chose en son temps ! Maman m'a envoyée faire une retraite chez les « sœurs de la Providence », rue de la Pompe. Je partais tôt de la maison, y passais la journée, et rentrais le soir en odeur de sainteté !

Les Sœurs nous mettaient en prières de 8 heures du matin à 6 heures du soir. Nous devions être pures pour recevoir le Seigneur. Je l'avais déjà reçu, ayant fait ma communion privée à l'âge de 8 ans et demi. Je ne comprenais pas bien ce qui avait pu m'arriver d'impur, à part mon amour pour Bernard, mais acceptais ce « Service Militaire du Christ ».

Ce qui me plaisait dans cette communion solennelle, ça n'était pas tant les dévotions, que la robe et les cadeaux ! J'attendais avec impatience de revêtir la ravissante robe d'organdi blanc qui avait été celle de maman, de Mamie et de Tapompon. Cette robe avait presque un siècle. Maman l'avait sortie du carton où elle reposait depuis vingt-deux ans ! Je vis des dentelles un peu jaunies, des petits plis « religieuse » (c'était de circonstance !), je vis une aumônière petite, ronde, ravissante, je vis le bonnet tout bordé de « tuyauté » et d'« entre-deux » de dentelle, et je vis le voile chiffonné mais magnifique !

Je trouvais dommage de ne pas profiter de la circonstance pour faire d'une pierre deux coups et épouser Bernard ! Enfin !

Je marchais les yeux baissés sur mon missel d'ivoire blanc, entre papa, maman et la Big. Mijanou était à côté de moi, un peu en retrait, et je me sentais pour une fois, supérieure, bien supérieure à elle. J'avais tort, elle me trouvait déguisée, démodée, comme au Carnaval. Je l'ai su plus tard, lorsqu'elle refusa cette magnifique tenue de communiante pour préférer l'aube (la robe de bure blanche et le voile style infirmière qui sont de mise aujourd'hui) ! Je me trouvai mal au milieu de la messe, les nerfs à vif, le ventre vide, l'émotion et l'odeur de l'encens... Enfin, ce fut passager, et j'eus droit en rentrant à un magnifique petit déjeuner.

L'après-midi ne fut qu'une longue fête !

Des maîtres d'hôtel, chargés de friandises et de boissons pétillantes, circulaient entre les invités. Mes cadeaux étaient exposés sur une table avec la carte de visite du généreux donateur. J'eus une dizaine de chapelets, de toutes les couleurs. Cinq ou six missels, somptueusement reliés. Une *Imitation de Jésus-Christ*. Trois stylos avec porte-mines dans leurs écrins, plus ou moins beaux. Un Christ en ivoire et ébène. Un triptyque représentant la Crucifixion. Deux médailles en or avec la date de ma communion au verso. Un bénitier en porcelaine. Une pendulette de voyage... et « trois ratons laveurs », comme aurait dit Prévert.

Lorsque tout le monde fut parti, la maison ressemblait à un champ de bataille. Je me retrouvais tout à coup seule, triste, fatiguée, à la fin de cette journée tant attendue !

J'allais devoir enlever ma belle robe pour toujours !

Je pleurais... Maman s'inquiéta, me dit de me coucher et de dormir. Je la suppliai de me permettre de faire une dernière fois le tour du pâté de maisons dans ma belle robe, au bras de ma Dada. Maman sourit et accepta. Il faisait encore beau, chaud et grand jour ! Je marchais lentement avec Dada, voulant absolument montrer au monde ce qui allait disparaître à jamais. J'étais à la fois fière et triste. Dada croyait que j'avais la fièvre ou une indigestion. Je prenais conscience, à mon insu, de la futilité et de la fugitivité trompeuse des parures.

Je ne remis jamais ma robe de communiante.

Je n'ai pour ainsi dire jamais eu d'autres vacances que celles que nous passions à Louveciennes. Cette belle propriété d'un hectare, avec de vieux et beaux marronniers, avait été partagée entre Mémé et sa sœur, tante Mimi. Cette dernière ayant hérité la maison mère et les dépendances, écuries, granges, et maisons de service, ma grand-mère avait eu l'autre moitié du jardin, mais vide. Elle avait alors fait venir de Norvège un chalet démontable, ce qui pour l'époque était jugé des plus fantaisistes !

Ce chalet ravissant, tout en bois, rococo à souhait, avait tout ce qu'il fallait pour plaire à ma mère, hormis une absence totale de confort et l'omniprésence de sa belle-mère !

A la fin de sa vie, Mémé, paralysée, sourde comme un pot, commandait tout son monde de sa voiture roulante. Si elle n'avait pas l'oreille, elle avait l'œil à tout ; comptait son linge, son argenterie et même les sucres du sucrier. Elle nous partageait les fruits à la fin du repas, en commençant par les « blets », ce qui fait que nous ne mangions que des fruits abîmés et chacun notre part ! Un quart d'abricot, un quart de pêche, un quart de prune, un quart de poire, cela faisait « une part ». Et pas de supplément ! C'est elle qui les distribuait et après, hop ! dans le garde-manger, dont elle gardait les clefs sur elle dans une grande poche sous ses jupons...

On finissait les restes jusqu'à ce que dégoût s'ensuive.

Bien que maman fût absolument allergique aux séjours à Louveciennes, nous y sommes allés relativement souvent du vivant de ma grand-mère. C'est dans cette maison que j'ai mes meilleurs souvenirs d'enfance. Les meubles de famille, sombres, imposants mais pratiques, le jardin à l'ancienne, plein de massifs, de bordures et d'allées, la source où poussait le cresson, les branches basses des arbres creux et le voisinage tout proche des cousins et cousines.

Comme je l'ai aimée, cette maison, et comme je suis heureuse aujourd'hui que Mijanou y habite, bien qu'elle ait vendu tous les meubles, et fait brûler tous les souvenirs du grenier, bien que la maison ressemble à un sauna suédois et que le jardin soit devenu un champ de mauvaises herbes.

C'est sa façon à elle de perpétuer une tradition familiale...

C'est à Louveciennes que, vers l'âge de 12 ans, je connus mon premier vrai flirt ! Mes parents avaient des amis qui habitaient notre immeuble. Ceux-ci avaient un fils, Guy, de trois ans plus âgé que moi. Guy et sa sœur Denise vinrent passer quelques jours à Louveciennes tandis que leurs parents et les miens partaient vers d'autres cieux. Nous avions été confiés à la mère de Chantal, chargée de garder tout ce petit monde...

Guy était très laid, grand, maigre, osseux, noiraud, avec des cheveux coupés en brosse, un grand nez, une bouche en fente de tirelire, bref, une horreur !

Mais c'était un jeune homme et il bénéficiait à nos yeux, Chantal et moi, de l'avantage d'appartenir à un sexe différent, et de pouvoir nous apporter de précieux renseignements à ce sujet... Suzanne n'avait pas les yeux braqués sur nous toute la journée, et les taillis du jardin nous permettaient, lors des parties de « gendarmes et voleurs », de nous isoler. C'est quand j'ai découvert Guy qui embrassait Chantal sur la bouche que j'ai piqué ma première scène de jalousie. Ils étaient verts de honte, et moi, je menaçais d'aller tout dire à sa mère si Chantal ne me laissait pas immédiatement la place pour que j'essaye moi aussi.

Ainsi fut fait. Morte de peur, effrayée par ce qui allait m'arriver, je fermai les yeux et la bouche hermétiquement, et attendis... Il embrassa mes lèvres bien closes et au même moment je fis un vœu, comme toujours la première fois que je fais quelque chose. Je souhaitai être embrassée un jour par un type moins vilain.

Nous passâmes, Chantal et moi, le reste des vacances à nous faire embrasser, l'une après l'autre, par notre Don Juan de fête foraine, toujours la bouche et les yeux fermés. Après, j'allais avec Chantal me confesser et, blanchies de notre faute, nous allions penser aux prochains baisers.

J'eus cette même année la chance d'être reçue au concours d'entrée au Conservatoire de danse. Nous étions 150 concurrentes. Il y eut 10 sélectionnées, dont moi.

Cette année fut rude, difficile !

Deux heures de danse quotidiennes plus les études de 4e au cours Hattemer. Mademoiselle Schwartz, mon professeur de danse au Conservatoire, ne plaisantait pas ! Si l'une de nous manquait la classe sans raison médicale plus de deux fois dans l'année, elle était purement et simplement renvoyée !

Je n'étais pas habituée à une discipline aussi rigoureuse.

J'ai dû m'y faire. La Big, ma dame d'accompagnement, assistait à chaque leçon. Elle tricotait pendant que je souffrais sur mes entrechats, elle somnolait tandis que mes pieds saignaient de trop recommencer un pas que je n'arrivais pas à faire parfaitement. Lorsque nous sortions de ces épreuves quotidiennes, elle était si fatiguée pour moi qu'elle s'arrêtait au comptoir du premier bistrot pour me faire boire une limonade que je partageais avec elle.

C'est toujours ma Big qui m'accompagnait au cours Hattemer, trois fois par semaine, montrer à mes professeurs ce que j'avais appris par correspondance le reste du temps. Madame Bergé, mon professeur de mathématiques, me terrorisait. Je n'ai jamais su compter que sur moi-même ou sur mes doigts. Alors, l'algèbre et la géométrie dans l'espace, pour moi, c'était du chinois. Lorsque je séchais au tableau, sous la risée de la classe, ma Big, discrètement, séchait ses larmes.

Monsieur Kervelle, mon professeur de latin, qui donnait de très bonnes notes aux devoirs que le Boum avait faits pour moi, était stupéfait devant mon mutisme, qu'il prenait pour de la timidité, lorsqu'il m'interrogeait ! La Big riait dans son tricot, car elle était alors la complice de ma paresse... Je n'avais aucune distraction et passais sans transition des exercices de barre à $(a + b)^2 = a^2 + 2ab + b^2$, enchaînant avec « *Partibus factis sic locutus est leo* ». C'est à peu près tout ce dont je me souviens de six années de latin et d'algèbre !

J'adorais la danse, mais à ce rythme, ça devenait une corvée. Quant aux $(a + b)^2$ et autres « Rosarum », je préférais n'y penser que lorsque le zéro arrivait sur le carnet de la semaine.

Un jour, ma Big dit à maman qu'elle m'emmenait me promener car j'avais mauvaise mine, que je travaillais trop, que j'avais besoin de respirer ! En réalité, ô surprise, ô merci ma Big, nous partîmes nous aérer au cinéma ! Ce fut la seule fois que j'allai au cinéma avec elle, en cachette, je m'en souviendrai toute ma vie. Nous avons vu *Félicie Nanteuil* avec Micheline Presle et Claude Dauphin. Quel beau film ! Ce que je l'ai aimée, cette escapade ! L'histoire d'amour a dû me fouetter le sang car, lorsque nous sommes rentrées, maman m'a trouvé bien meilleure mine !

Bon an, mal an, dansant, mathant, le mois de juin approchait et, avec lui, l'examen de fin d'année des classes au Conservatoire ! Ça se passait sur la scène de l'Opéra Comique, devant un jury impressionnant, présidé par Léandre Vaillat qui était un écrivain spécialisé dans la danse. J'étais morte de trac mais le travail très dur de cette première année de Conservatoire avait façonné chacun de mes muscles. J'étais prête à être récompensée. Je me souviens d'avoir très bien dansé. Maman qui était avec moi et me jugeait sans aménité pouvait être fière ! Elle a toujours été mon premier et mon plus sévère critique. En attendant les résultats dans ses bras, je bouillais d'impatience.

On annonça solennellement les deuxièmes accessits, récompense que j'aurais dû avoir... Mon nom ne fut pas prononcé. Je crus mourir de chagrin, c'était trop injuste, je me mis à pleurer sur l'épaule de maman lorsqu'on annonça les premiers accessits.

Miracle, ô merveille, j'entendis mon nom, je sautai de joie, je sautai un grade, je sautai sur scène les larmes aux yeux, un sourire éclatant aux lèvres, une folle fierté au cœur. Je partageais cet honneur avec Christiane Minazzoli qui est devenue depuis une célèbre comédienne de théâtre.

Cette année s'étant terminée avec des lauriers, maman et papa décidèrent de nous emmener en vacances à Megève. Chantal partit avec nous ainsi que Mamie, Boum et ma Dada. Nous avions loué un joli appartement avec vue sur le mont Blanc. Pour me récompenser et, en même temps, nous apprendre à nager, maman nous inscrivit, Chantal, Mijanou et moi, à la piscine de la Résidence, l'hôtel le plus chic de Megève. Le roi n'était pas mon cousin !

Cette piscine était une merveille, j'avais un peu peur d'apprendre à nager mais le maître-nageur était si beau ! Il s'appelait Kurt Wicks et avait vraiment l'air d'un maître-nageur de bande dessinée. Il y avait là toute une ribambelle de filles et de gars superbes, entre 16 et 20 ans, et je les regardais fascinée. Les filles avaient des bikinis et de longs cheveux blonds. Moi, j'avais un peu honte avec mon maillot de lainage une pièce qui venait du « Petit Matelot ».

Le soir, Chantal et moi couchions sur des divans dans le salon, séparé de la salle à manger par un mince rideau. Maman et Mamie causaient à côté, nous voyions leurs ombres chinoises. A voix basse, nous commentions cette première merveilleuse journée, nous riions sous cape pour des bêtises, nous étions si heureuses !

Maman nous entendit, elle se fâcha, nous devions dormir, nous n'avions pas le droit de parler au lit, et d'abord, pourquoi riions-nous ? Qu'y avait-il de si drôle ? Chantal et moi restions muettes, nous ne nous souvenions plus, et puis, nous avions peur de nous faire « attraper » ! Maman, très mécontente, croyant qu'on riait d'elle, m'accusa d'être responsable des moqueries qui la visaient, et pour me punir déchira mon abonnement d'un mois à la piscine. J'ai beaucoup, beaucoup pleuré cette nuit-là. Aujourd'hui encore, je ne comprends pas ce qui a poussé maman à ce geste si injuste !

Le lendemain, et les jours suivants, pendant que Chantal et Mijanou étaient à la piscine, je restai seule sur le balcon à contempler le mont Blanc et à maudire les grandes personnes.

Une semaine plus tard, la pauvre Mijanou me délivrait involontairement de ma punition. Elle avait attrapé la fièvre typhoïde. Son état alarmant et les risques de contagion ont poussé maman à se débarrasser de Chantal et de moi en nous confiant à des amis qui habitaient l'hôtel, et qui passaient leurs journées à la piscine.

Pendant que Mijanou luttait pour vivre et que ses forces l'abandonnaient chaque jour un peu plus, moi je luttais pour apprendre à nager. A la fin des vacances, Mijanou était sauvée, mais meurtrie, et Chantal et moi, nous savions nager la brasse.

*

Mémé est morte un jour de printemps.

Prévenus par Pauline qu'elle était au plus mal, nous étions tous partis au Cannet de Cannes, dans les Alpes-Maritimes, où Mémé avait une jolie petite villa qui s'appelait « Cerisette », car il y avait des cerises en céramique autour des fenêtres et de la porte d'entrée, et de vrais cerisiers dans le jardin.

J'étais triste, car je l'aimais beaucoup, cette grand-mère qui m'a appris tant de choses ! Mémé, malgré ses 86 ans et sa paralysie, pouvait encore se déplacer avec deux bonnes cannes et sa chaise roulante. Lorsque nous sommes arrivés, elle était clouée dans son grand lit de chêne, entourée de ses oreillers. Son beau visage, habituellement si rose, était aussi blanc que ses cheveux.

La nuit qui suivit, j'entendis un grand branle-bas de combat, des pas précipités dans l'escalier, des bruits de porcelaine, le glouglou de cuvettes qu'on vide, les passages dans la cuisine. Je n'osais pas sortir de ma chambre, car on ne me l'avait pas demandé. Je restais éveillée, sentant confusément qu'il se passait quelque chose d'irrémédiable.

Le lendemain, un silence inhabituel régnait dans la maison. Papa était défiguré par la tristesse, Pauline avait des larmes dans sa moustache, maman semblait résignée : Mémé était morte ! C'était la première fois de ma vie que je voyais quelqu'un de mort. J'étais terrifiée par cette immobilité d'objet qu'avait ma pauvre grand-mère.

Je repensais à toutes les farces que nous lui jouions quand nous essayions de lui voler ses bonbons dans la grande poche qu'elle tenait sous sa jupe, et qu'en souriant elle nous menaçait du pommeau de sa canne. Jamais plus, je ne jouerais avec elle à la crapette ou au puzzle, jamais plus je ne la verrais tricher, car elle détestait perdre !

Avec Mémé, mourait une petite partie de moi-même.

Encore maintenant, je refuse la mort, je suis bouleversée par cette chose inconnue, implacable. La mort me paralyse, m'effraie à un point inimaginable. J'aime la vie de toutes mes forces, je ne comprends ni n'admets la mort.

Depuis ma Mémé, j'ai malheureusement vu les êtres qui m'étaient les plus chers disparaître, et je ressens toujours cette impuissance atroce, cette question sans réponse, ce besoin soudain de croire à quelque chose de surnaturel qui adoucisse alors un peu l'horreur du moment présent, lorsqu'un être de chair et de chaleur se transforme en objet inanimé pour la nuit des temps. De là vient mon horreur de la chasse, de la guerre, des morts inutiles d'hommes ou d'animaux — peines capitales, abattoirs, vivisections, et autres martyres inhumains inventés par les humains et contre lesquels je m'élève de toutes mes forces.

Lorsque ma grand-mère est morte, papa a hérité de la maison de Louveciennes et maman a décidé d'en faire un endroit « habitable ».

Les portraits de famille sont partis au grenier, les gros meubles tristes ont été vendus, quant aux tables de toilette en marbre, aux cuvettes et aux brocs décorés, etc., on les a donnés aux bonnes sœurs, car c'était invendable et personne n'en voulait. Sont partis en même temps toutes les lampes 1900 à abat-jour de perles, les statuettes de bronze et autres bibelots qui valent des fortunes aujourd'hui. Tant mieux pour les bonnes sœurs si elles ont eu le nez de les garder dans un grenier... Tout ça a été remplacé par des lavabos, douches, peintures claires sur les murs, fauteuils club et tissus chatoyants.

Il y eut des garden-parties, et la maison était très gaie. Nous y allions chaque week-end, le Boum, Mamie, Dada, papa, maman, Mijanou et moi, entassés dans la vieille Citroën avec, sur les genoux, les paniers de victuailles préparés par Dada. C'était une expédition.

Arrivés là-bas, c'était la joie !

Chacun vaquait à ses occupations favorites. Le Boum, le patriarche, sortait « son » fauteuil d'osier, s'installait dehors, même à la nuit tombante, allumait sa pipe, et écoutait les oiseaux. Il me disait, rien qu'au son, quelle espèce d'oiseau chantait ! Au crépuscule, c'étaient les rossignols, mais dans la journée, j'ai appris le chant des bergeronnettes, celui des mésanges, des pies moqueuses qui me faisaient rire, des corbeaux, des geais, des « pierrots », des bouvreuils, des sansonnets, des rouges-gorges. J'ai appris à aimer la nature avec le Boum à Louveciennes. Il nous donnait aussi deux sous par moustique tué ce qui remplaçait le Fly tox et nous rendait utiles.

Mamie, elle, installait ses petites affaires ! Elle était d'un ordre parfait et passait des heures à ranger ses armoires qui sentaient bon la lavande. Après un ou deux « Léon, rentre, tu vas prendre froid, et la petite aura un rhume », elle refermait la fenêtre de sa chambre et laissait le Boum à ses rêveries...

Dada, ma Dada, mon amour de Dada, allait directement d'une cuisine à l'autre. C'est elle qui mijotait, préparait, servait, faisait la vaisselle, se faisait engueuler, frottait, lavait, nettoyait, et dormait peu ! C'est elle qui reste ancrée dans mon cœur d'enfant, c'est peut-être elle que j'ai le plus aimée. Elle était jolie ma Dada, une jolie petite Italienne, fine, une petite porcelaine. Dada restera presque toute sa vie au service de ma grand-mère. Ce n'est que vers la fin de ses jours que je l'ai reprise sous mon aile pour lui permettre de terminer sa vie sans travailler.

Papa partait directement à « La Bomberge », notre verger.
Il fallait faire à peu près 500 mètres à pied et nous nous trouvions dans un paradis ! Combien de cerisiers, de pruniers, d'abricotiers, de poiriers et de pommiers, combien de groseilliers, de framboisiers, de mirabelliers, y avait-il à la Bomberge ?
Tout ce que je sais, c'est que nous nous gavions de fruits chauds, c'est que nous alignions, bien rangées, des centaines de boussocs dans le cellier, c'est que les reines-claudes n'ont depuis jamais eu le même goût de soleil éclaté ! Il y avait, outre les arbres fruitiers, une cabane en planches desserties qui était le

domaine du jardinier. Cette cabane, c'était mon rêve ! J'y trouvais toute sorte d'outils, des brouettes, des vieilles bottes, une veste de velours côtelé usée, une pipe et du tabac. Le jardinier s'appelait Monsieur Kirié. Ce qui faisait dire au Boum, avec son sens de l'humour, qu'il avait un associé qui s'appelait « Leïsson »... Et il riait en disant « Kirié et Leïsson », phrase que j'ai souvent entendu dire à la messe !

Maman, elle, s'affolait du ménage mal fait, remettait les meubles en place, cueillait des fleurs en chantonnant, allumait de jolis éclairages, mettait le couvert et s'enfermait dans son cabinet de toilette pour se « faire belle ». Mijanou traînassait de-ci, de-là, un peu avec l'un, un peu avec l'autre. En attendant le dîner, elle bêchait son « petit jardin » dans lequel elle faisait pousser des fleurs exotiques imaginaires. Quant à moi, j'étais si heureuse d'être à la campagne que je voulais profiter de tout à la fois.

Les week-ends étaient beaucoup trop courts à mon goût.

Mon opinion n'a d'ailleurs jamais changé !

C'est à Louveciennes qu'un jour, armé d'un balai, papa a chassé dans la cave une malheureuse souris. Je voyais ce tout petit animal sans défense courir, affolé, de droite et de gauche, et le balai de papa, impitoyable, qui frappait à grands coups ce minuscule corps épuisé mais encore vivant. J'étais horrifiée par un procédé aussi barbare. Je pleurais et suppliais papa d'arrêter le massacre. Croyant que la souris était enfin morte, papa alla ranger le balai pendant que je prenais dans ma main le corps tremblant du petit animal. La souris vivait encore mais était morte de peur. Je la mis dans la manche de mon pull-over et allai rejoindre les autres pour le dîner.

Je me souviendrai toujours du petit corps chaud de la souris sur ma peau. Elle montait et descendait le long de mon bras gauche alors que nous étions à table avec papa, maman, le Boum, Mamie, Mijanou. Je la sentais qui me chatouillait en remontant vers l'encolure du pull-over, je faisais un petit geste et elle repartait dans ma manche. Personne n'en a jamais rien su, c'est une histoire entre elle et moi. Après dîner, j'allai la relâcher au fond du jardin, la suppliant de faire attention à papa.

Elle avait l'air en confiance. Je ne l'oublierai jamais.

IV

Un peu plus tard, un ami de mes parents, Christian Foye, qui fut le premier danseur étoile des ballets des Champs-Elysées, demanda à maman l'autorisation de me faire danser dans sa troupe qui devait donner une série de représentations à Fougères et à Rennes. L'autorisation fut donnée. Ça me ferait du bien de faire de la scène !

J'avais à l'époque quitté le Conservatoire et suivais des cours avec Boris Kniazeff. Je partis donc m'installer pour un mois à Rennes, confiée par maman à Christian Foye qui, n'aimant pas particulièrement les femmes, lui paraissait un chaperon épatant !

Le gros de la troupe habitait chez une femme médecin spécialisée dans la recherche sur le cancer. Il n'y avait pas de place pour moi et Christian me trouva un petit hôtel pas cher, car je ne gagnais pas grand-chose. Toute seule dans mon fourbi, je n'étais guère enchantée par ma première expérience d'indépendance.

Nous prenions nos repas chez le médecin, mais j'avais eu l'appétit coupé par la visite du laboratoire où étaient en train de mourir une dizaine de lapins adorables et bon nombre de petites souris cancéreuses. Matin et après-midi, et quelquefois tard le soir, nous répétions. J'étais ravie de danser pour de vrai dans un ballet qui n'était certes pas parmi les meilleurs, mais qui était néanmoins professionnel. Nous devions danser à l'Opéra de Rennes, et j'étais aussi fière que si cela avait été celui de New York. Les essayages des costumes me ravissaient. A part les concours du Conservatoire où je portais le tutu blanc et classique, je n'avais jamais dansé qu'en maillot et collant de travail. Le matin, dans mon hôtel minable, je me retrouvais pleine de cloques et de boutons. Je compris par la suite que mon lit était rempli de punaises qui me piquaient la nuit.

La danseuse étoile, Sylvia Bordonne, était presque aussi large que haute. Un jour, par maladresse, durant une répétition, elle a raté un mouvement et son bras gracieux, souple et néanmoins musclé, est arrivé par malheur sur la tempe de Christian, qui est resté K.O. pendant un quart d'heure. Forte de cette expérience, je gardais lorsque je dansais une certaine distance entre elle et moi.

Dans le premier ballet, je faisais le rôle d'un petit négrillon qui sautait et virevoltait. C'était rigolo comme tout. Dans le second, j'étais seule et dansais les *Scènes d'enfants* de Schumann avec des anglaises et une crinoline. Ensuite, il y avait le final, un ballet de Prokofiev où nous mimions des patineuses sur glace avec des tutus longs, des toques et des manchons de cygne bleu, rose, jaune, vert pâle.

C'était très joli.

Nous avions pensé à tout, sauf à une chose.

J'en fis la cuisante expérience le soir de la première représentation, à Fougères. Le petit négrillon du début était adorable, car j'étais vraiment noire, avec un fond de teint noir, une perruque noire et un maillot académique noir. Or, il y avait à peine dix minutes de battement entre la fin du négrillon et le début des *Scènes d'enfants*. Maman était venue pour l'occasion, et elle me dépiautait de mon collant et de ma perruque pendant que, la tête dans le lavabo, j'essayais en frottant mon visage au savon de Marseille, de faire partir vite, vite, ce sacré fond de teint noir.

Je sortis de là rouge vif, avec çà et là une belle traînée noire qui avait résisté à la lessive. La perruque avait aplati mes boucles, la transpiration aidant, il ne restait rien de ma coiffure. Je n'avais même pas le temps d'être catastrophée, un peu de poudre pour enlever le rouge de mes joues et de mon nez, pendant que maman brossait mes cheveux raplapla et essayait de faire tenir un semblant de queue de cheval...

« En scène, immédiatement ! »

Quelle horreur !

Ma crinoline n'était pas boutonnée, je perdais ma culotte qui m'arrivait aux pieds, je ne trouvais plus le petit livre que je devais faire semblant de lire au début de la variation. En serrant bien ma ceinture, ça tenait à la fois ma robe et ma culotte, mais je ne pouvais plus respirer ! Je me suis encore cassé la figure dans l'escalier, car ce fichu théâtre est ainsi fait qu'il faut passer sous la scène pour aller du côté cour au côté jardin.

J'ai dansé les *Scènes d'enfants* qui ont ressemblé à un strip-tease. J'ai commencé par perdre ma barrette et mes cheveux ont envahi mon visage, je ne voyais plus rien, mais je me consolais en me disant que de la salle, on ne devait plus distinguer les traînées de fond de teint noir sur mes joues ! Ensuite, délicatement, vers la fin, ma crinoline est descendue doucement ; pour la rattraper, j'ai jeté mon petit livre et j'ai pris mes jupes à pleines mains, cependant que ma culotte de petite fille modèle m'empêtrait les pieds et me faisait des crocs-en-jambe.

C'est quelque chose qu'il faut avoir vécu pour y croire !

Morte de rire et de honte, je me suis à nouveau cassé la figure dans le même fichu escalier pour réintégrer ma loge grande comme un mouchoir de poche. Maman et Christian Foye étaient pliés en deux, on aurait dit une distribution des prix au collège de Trifouillis-les-Batignolles.

Pendant le grand ballet des patineurs, la scène était si petite et les pieds de Sylvia Bordonne si grands, qu'au moment où Christian la faisait tourner sur elle-même en lui tenant la main, et qu'elle était en arabesque, la jambe tendue à angle droit derrière elle, son pied a attrapé le rideau et elle s'est enroulée doucement dedans comme dans un cornet à jambon, et a disparu aux yeux du public, enveloppée comme un paquet cadeau.

Les spectateurs de Fougères devaient être pétrifiés, mais nous, nous avons rarement eu un fou rire pareil ! Christian, qui dans la vie ne pensait qu'à s'amuser, ne pouvait plus contenir ses hoquets, ni ses larmes.

Cette soirée fut mémorable.

Nous décidâmes néanmoins d'intervertir l'ordre des ballets pour l'Opéra de Rennes, afin que j'aie le temps de me dénoircir le visage et de ne plus perdre ma culotte sur scène. Maman est restée quelque temps près de moi, mais nous n'avons plus jamais ri comme ce soir-là. Elle m'avait fait changer d'hôtel et nous partagions une chambre à deux lits dans un établissement propre et tout neuf avec une salle de bains qui me paraissait le paradis ! C'est une des rares fois de ma vie où j'ai vécu avec maman, pour moi toute seule, et c'est un souvenir inoubliable que d'avoir été pendant huit jours sa seule préoccupation.

**
*

En rentrant à Paris, la danse s'avérant peu concluante, j'eus l'opportunité de faire des photos de mode pour le *Jardin des Modes Junior*. Début 1949, une amie de ma mère, Madame de la Villehuchet, lui assura que mon nom serait cité, que je ne serais « pas payée » et, que c'est en tant que « jeune fille du monde » qu'on me demandait, et non comme « mannequin ».

Je fis les photos. Maman ne me quittait pas.

On ne sait jamais, avec les photographes !

J'étais fière, sans lunettes, sans appareil, j'étais mignonne, les photos plaisaient et sortirent. J'ai encore le journal, quel talisman ! Là-dessus, Hélène Lazareff ayant vu les photos me demanda, toujours par l'intermédiaire de l'amie de maman, de faire une couverture pour *Elle* en mai 1949.

Il y eut de grandes tergiversations à la maison. « Pas de cover-girl dans la famille », mais si je n'étais pas payée, c'était différent. Finalement, oui, j'y allai ! Morte de peur, timide, complexée, avec maman devant moi, j'arrivai au studio. Il y avait foule. J'étais affolée.

Maman connaissait tout le monde. Moi, je me sentais m'évanouir. On me regardait, on commentait mes dents, mes cheveux, mes ongles.

Non, je n'étais pas maquillée, je n'avais que 14 ans et demi !

Non, je n'avais pas de soutien-gorge, je n'avais que 14 ans et demi !

Non, je ne savais pas poser, je n'avais que 14 ans et demi !

En fin de compte, j'étais laide, effarouchée, et la seule possibilité était un profil. Mon nez allait à peu près, quant au reste, on ne le verrait pas. Comme dirait Sagan « profil perdu » ! Pas pour tout le monde !

Car un an plus tard presque jour pour jour je refis des photos pour *Elle*, un numéro spécial du 8 mai 1950 consacré à la mode « jeune fille et sa mère ». On me voyait sous toutes les coutures de « la couture » du matin jusqu'au soir. Je devins la mascotte de *Elle* et le destin se mit à marcher contre ma volonté car Marc Allégret vit les photos et demanda à me rencontrer.

Catastrophe ! Pas d'actrice dans la famille ! Ça suffisait comme ça ! Je ferais mieux d'étudier le latin ou l'histoire ! D'ailleurs, avec la tête que j'avais, je retournerais vite fait à mes cahiers !

Nouveau conseil de famille à la salle à manger : mon grand-père, le Boum, préside, les autres sont autour. Cette petite doit-elle oui ou non aller voir Allégret ? Nouvelles tergiversations, « les actrices sont toutes des filles de mauvaise vie », « notre famille n'en veut pas », etc.

Tout d'un coup, le Boum donne un grand coup de poing sur la table et déclare : « Si cette petite doit un jour être une putain, elle le sera avec ou sans le cinéma, si elle ne doit jamais être une putain, ce n'est pas le cinéma qui pourra la changer ! Laissons-lui sa chance, nous n'avons pas le droit de disposer de son destin. »

Merci mon grand-père d'avoir eu confiance en moi. Merci de m'avoir permis de tenter ma chance.

Et le grand engrenage a commencé.

En allant voir Allégret, j'ai été reçue par Vadim, son assistant. Maman était là, très à l'aise, amusée. J'étais affolée, timide, fière et terrorisée, voulant et craignant. Marc Allégret disait à maman ce qu'il voulait faire avec moi. Vadim ne disait rien, mais il avait l'air d'un loup sauvage, me regardait, me faisait peur, m'attirait, je ne savais plus où j'en étais.

Le soir, à la maison, au dîner, maman, volubile, ne tarissait pas d'éloges sur ce metteur en scène si bien élevé, merveilleux, loin de toutes les horreurs du cinéma, un homme de notre milieu, etc. Moi, le nez dans mon assiette, muette, inexistante, je pensais aux yeux de Vadim...

J'ai fait les essais, accompagnée par mon cousin Claude, qui avait 20 ans et me servait de frère. Maman avait autre chose à faire, et depuis qu'elle avait découvert la bonne éducation d'Allégret, elle m'avait confiée sans scrupules à mon cousin. Nous sommes arrivés aux studios lui et moi, novices, idiots, ne comprenant rien à rien.

Je n'étais pas la seule à faire des essais !

Il y avait là une vingtaine de filles de mon âge, toutes plus ravissantes les unes que les autres, des maquilleurs, des habilleuses, des assistants, une foule de gens inconnus, affolants, j'étais perdue ! Au milieu d'une grande effervescence, des lumières aveuglantes, des bousculades, d'une odeur spéciale de poussière, de maquillage et de caoutchouc chaud, des espaces immenses et des gens sur des passerelles qui réglaient des projecteurs, des jeunes filles, blondes et jolies, faisaient du charme à tout le monde, même à mon cousin, qu'elles prenaient pour quelqu'un d'important dans le cinéma. Claude m'a lâchée pour aller courir derrière les prétendantes au rôle, il en avait perdu la tête. Je me suis retrouvée avec deux centimètres de make-up sur la figure, mes cheveux tirés en chignon, habillée avec une vieille loque, et on m'a poussée sur le plateau.

J'étais affreuse, guindée, au bord des larmes.

Je sentais des centaines d'yeux braqués sur moi.

J'ai eu honte à en mourir.

Je comprenais pourquoi mes parents voulaient me protéger de ce mal que je ressentais à cet instant. Au moment où je sombrais dans un désarroi total, où j'avais même oublié les quelques phrases que je devais réciter, à ce moment-là, Vadim est arrivé, calme, souriant, gentil et beau, beau comme je n'avais jamais vu personne l'être.

« Vous tremblez ?

— Non, je pleure. J'ai peur, je me sens perdue.

— Mais non, tout ira bien. C'est moi qui vais vous donner la réplique, détendez-vous. »

Il parlait lentement avec une espèce de profondeur terrible dans son regard, il avait pris ma main et je m'étais accrochée à lui... fascinée.

Oh Vadim, merci d'avoir compris mon désarroi, mon trac, mon ridicule !

Grâce à toi, on m'a enlevé mes deux centimètres de make-up, on a laissé mes cheveux libres et mon corps aussi. Je me sentais mieux. Devant la caméra d'essai, pour la première fois de ma vie, j'ai entendu : « Silence, moteur, essai Bardot, première fois. » Devant moi, tu étais là, me faisant parler, rire, sourire ; détendue par ta présence, tournant la tête à droite, à gauche, j'oubliais que j'étais comme un cheval au marché à qui on regarde les dents avant de l'acheter. Lorsque les lumières se sont éteintes et avec elles ma grande angoisse, je n'ai plus retrouvé mon cousin qui, se faisant passer pour le fils du producteur, était parti raccompagner deux des dames qui avaient enfin trouvé à qui faire sérieusement du charme.

Vadim m'a donc proposé de me raccompagner chez moi. Mes parents étaient à table lorsque nous sommes arrivés. Stupéfaction ! Mais, bonne éducation primant tout, mes parents lui proposèrent de dîner avec nous.

Je me souviens du contraste entre ce dîner bourgeois et luxueux, avec maître d'hôtel, bougies et argenterie, et la présence de Vadim en col roulé élimé et cheveux longs. Il avait l'air d'un gitan et j'en étais folle. Son charme n'opéra qu'à moitié sur ma mère car, au café, elle demanda discrètement au maître d'hôtel de compter l'argenterie, ayant une peur panique que Vadim ne prenne quelques petites cuillères au fond de ses poches.

Il n'avait pas mis de cuillères dans sa poche, mais bel et bien un pied dans ma vie, et avait désormais une porte entrouverte à de nouvelles visites.

C'est moi qui fus choisie, le cheval devait être bon, mais le film ne se fit pas. Quelle importance ? Un peu de sang me venait au cœur, j'avais été choisie parmi vingt filles. Et puis ça se savait, et les autres metteurs en scène me demandaient.

Elle, qui a été mon porte-bonheur, publiait des photos de « leur » jeune fille qui allait faire du cinéma.

Vadim me voyait de temps à autre, puis de temps en temps, puis tout le temps. Toujours chez mes parents, puisque à 15 ans et demi, il m'était impossible de sortir seule.

Je travaillais avec lui *L'Ecole des femmes*.

Un jour, mes parents m'autorisèrent à aller travailler chez Danièle Delorme et Daniel Gélin, avenue de Wagram. Le lendemain, je ratai exprès mon cours et allai le rejoindre dans sa garçonnière. Il était 9 heures du matin et je pris mon autobus comme d'habitude mais, le cœur battant et mes livres de classe sous le bras, je descendis et changeai de direction. Il m'attendait, me l'avait dit et redit. J'avais encore plus peur que la veille chez Gélin, je n'avais jamais flirté, à peine avais-je déjà connu quelques petits baisers volés, mais j'ignorais tout de l'amour... Je marchais vers mon premier rendez-vous en imaginant les choses à ma façon. Y aurait-il du champagne ? A 9 heures du matin, ce serait inhabituel et joli ! Il devait vivre dans un atelier de peintre, avec des bougies partout, style bohème, comme dans les films.

Je me suis vue dans la glace d'une vitrine...

Mon Dieu, que j'avais l'air godiche avec mes chaussettes, ma jupe plissée et mon petit pull-over... mes cheveux plats et châtains coiffés en queue de cheval. Je faisais vraiment mon âge, et j'aurais voulu paraître 18 ans. Ma mère me défendait les bas et les soutiens-gorge, elle disait que j'avais bien le temps d'avoir l'air d'une femme. Enfin, j'arrive, je monte l'escalier quatre à quatre, mon cœur bat à tout rompre, je sonne...

Je n'entends aucun bruit.

Bizarre ! Je pousse la porte, elle s'ouvre... Je me retrouve dans le noir le plus complet, j'avance prudemment. J'entends des bruits de respiration... Mes yeux s'habituant à l'obscurité, je vois une petite pièce avec, pour tout mobilier, deux immenses lits et dans chaque lit, une tignasse qui dépasse. J'ai dû me tromper d'étage, je n'y comprends plus rien. Pour-

tant non, je reconnais son pull à col roulé par terre...
Qui est l'autre tignasse ? Et de quel côté est Vadim ?
Je m'approche du premier lit tout doucement... C'est
lui, il dort profondément, je regarde l'autre lit, il y a
un jeune homme qui dort tout aussi profondément.

Pour un premier rendez-vous d'amour, c'est raté !

J'ai envie de pleurer et de me sauver, ce que je fais,
mais je me trompe de porte dans le noir et j'atterris
dans la salle de bains. Quand mes livres tombent
par terre, je réveille tout le monde.

« Qu'est-ce que c'est que ce raffut ?

— C'est moi...

— Qui toi ?

— Moi, Brigitte !

— Qu'est-ce que tu fais ici à cette heure ?
D'abord, quelle heure est-il ? Neuf heures et demie !
Mais tu es folle !

— Je croyais que... qui...

— As-tu au moins apporté des croissants pour le
petit déjeuner ? Non ! Alors, tu es impardonnable.
Laisse-nous dormir et reviens à midi ! »

Je suis folle de rage : je rate un cours, je risque
que mes parents l'apprennent, j'arrive le cœur battant, folle d'amour, et tout ce qu'on me dit c'est de
repasser plus tard ! Ça alors, non !

Je ne peux plus aller au cours, il est trop tard ; ni
rentrer à la maison, il est trop tôt ! Ne sachant plus
que faire de moi, je m'assieds sur son lit, et je pleure
doucement. Je me retrouve tout habillée à l'intérieur
du lit avec la désagréable sensation de sentir mes
chaussures frotter contre les draps chauds. Ne
sachant plus très bien où j'en suis, je me rends
compte, après avoir bien pleuré, que je me trouve
dans le lit d'un homme et qu'à deux mètres de là, en
dort un autre...

Pour une première expérience, cela me semblait
un peu exagéré, mais je n'osais rien dire. Et puis,
tant que j'étais habillée, je ne risquais rien, alors...

Habillée, je le suis restée ce jour-là, chaste aussi...

J'ai par contre découvert qu'un homme endormi

présentait quelques différences avec un homme réveillé, car j'explorais son corps qui était doux et tendre pendant son sommeil, et dur et tendu à son réveil...

Quelle étrange découverte ! Je n'en revenais pas... Alors, pourquoi les hommes en maillot de bain n'étaient-ils pas dans le même état, puisqu'ils ne dormaient pas ?

Je revins le lendemain.

Le lit d'à côté était vide, et j'avais apporté des croissants. Cette fois, je me retrouvai nue à l'intérieur du lit, avec la merveilleuse sensation de sa peau contre moi, et l'absolue certitude qu'il était bien réveillé malgré l'air endormi qu'il prenait pour me parler.

Cette virginité encombrante, je m'en suis débarrassée par étapes successives. Chaque jour, il m'en restait un peu moins, et je m'inquiétais sérieusement auprès de lui, tout en me rhabillant, de savoir si, cette fois, j'étais enfin une vraie femme !

Ce fut une période de découvertes extraordinaires pour moi, car en même temps que son corps, je découvrais le mien. Pourtant, chaque soir, avant de me coucher chez mes parents, j'observais longuement la courbe de mon ventre et m'endormais apaisée lorsque je constatais qu'il était aussi plat qu'avant ! Mon comportement avait changé, je n'étais plus la même, je me sentais supérieure et forte, les problèmes quotidiens me semblaient stupides. Je me demandais comment on pouvait penser et vivre pour autre chose que pour l'amour... Je séchais systématiquement mes cours, je ne faisais plus rien, je ne vivais plus que pour les quelques heures brûlantes qui continuaient mes nuits jusque tard dans l'après-midi.

Le drame éclata d'une façon terrifiante !

Un soir que je rentrais à la maison, mon père me demanda comment se passaient mes cours, et quels avaient été les sujets de la journée... Je répondis en rougissant, et d'une façon évasive, sentant qu'il se passait quelque chose d'anormal. Avec un calme effrayant, mon père m'annonça alors qu'il savait que j'avais manqué mes cours depuis quelque temps, et qu'il avait décidé de m'envoyer poursuivre mes études en Angleterre, que je prendrais le train le lendemain matin, qu'il m'accompagnerait, et que j'y resterais jusqu'à ma majorité.

Il avait déjà tout organisé.

Je regardais ma mère avec affolement, mais rencontrais un regard déterminé. De ma sœur, je ne pouvais attendre aucune aide...

Ce fut mon premier désespoir, terrible impuissance de l'enfance, impression de solitude, incommunicabilité, face-à-face démesuré avec un ennemi froid comme la mort, implacable, comme peuvent l'être les parents ! Impossible de le revoir... non ! Mes parents, je voudrais vous parler, vous expliquer, vous me faites si mal...

Je ne peux pas supporter cette horreur !

Où est-il à cette heure ? Je ne peux même pas lui téléphoner...

Maman, aidez-moi, non, c'est insensé, je rêve ! Non...

Un tourbillon glacé me traversait la tête, un délire, une haine, je restais muette, morte !

Ce soir-là, il y avait un spectacle, je ne sais où, mes parents et ma sœur y allaient. Moi, je restai à la maison prétextant un mal de tête, ou du travail en retard...

Je me souviens avoir ouvert le gaz à la cuisine, bien fermé portes et fenêtres ; je me souviens, à 16 ans, m'être mis la tête dans le four, qui sifflait son odeur de mort. Après, je ne me souviens plus... Cette nuit-là, on m'a retrouvée, inanimée, la tête sur le tuyau du gaz avec un petit mot expliquant ma détresse. Tout ce que je sais, c'est que le spectacle ayant été annulé, mes parents sont revenus à la maison plus tôt que prévu, et m'ont trouvée dans le coma.

A mon réveil, il y avait un médecin « ami », par peur du scandale !

Je pleurais, j'étais anéantie ! J'entendais parler de pension en Angleterre, j'entendais des choses si vilaines me concernant que, malgré ma faiblesse, je me serais bien remis la tête dans le four.

Le lendemain il fut décidé que je ne reverrais Vadim qu'à ma majorité et que d'ici là, j'irais en pension apprendre l'anglais. Comme un chien perdu, sans maître, j'allai supplier ma mère de n'en rien faire. Elle était inflexible ! Je lui avais fait tant de mal... Tant de chagrin... Elle ne se serait jamais consolée d'un accident mortel... Et puis, elle voulait mon bonheur... Elle voulait pour moi un mari jeune, riche, beau, elle m'aimait... Et m'envoyait néanmoins pour cinq ans dans un pays étranger !

Finalement, à force de supplications, mon père se laissa attendrir... J'échappais à cet enfer anglais, mais n'épouserais Vadim que lorsque j'aurais 18 ans ! D'ici là... !

*

Mes parents ne soupçonnaient pas une seconde que je pouvais être sa maîtresse. Ils me considéraient toujours comme une enfant, et m'ont crue chaste et pure jusqu'à mon mariage.

Notre imagination, à Vadim et à moi, était débordante !

Pour trouver des prétextes de sorties, en partie contrôlées par mes parents, nous utilisions tous les stratagèmes. Faire l'amour était devenu une opération de contre-espionnage avec ses alibis, ses alliés... Quand mes parents allaient au théâtre, nous prenions même le risque de nous aimer au milieu du salon, d'où nous entendions arriver l'ascenseur, et où nous avions moins de chances d'être surpris que dans ma chambre, véritable ratière au fond de l'appartement.

Un soir, Vadim m'invita à une vraie sortie, une « première » importante au théâtre Antoine. J'étais à la fois fière et terriblement intimidée, n'ayant encore jamais été mêlée au « Tout-Paris ». Ce soir-là, maman m'avait elle-même habillée pour que je sois la plus charmante possible... J'arrivai donc au théâtre en bleu marine, col claudine et chaussettes assorties, queue de cheval, l'air plus jeune que jamais.

Il y avait plein de gens importants, Vadim les connaissait tous, il m'impressionnait, les tutoyait, me présentait... Tout intimidée, j'aurais voulu ressembler à une de ces splendides femmes blondes, parfumées et enveloppées de fourrure. Je me demandais pourquoi il avait choisi de sortir avec moi, alors qu'il aurait pu choisir une de ces merveilleuses créatures pour l'accompagner. Tout était confus, je ne me souviens plus bien de la pièce, sauf d'un brouhaha terrible !

Après, il y eut un dîner chez Maxim's !

Vadim voulait y aller ; pour lui, tout ça était normal, mais moi, je n'y étais jamais allée. J'en avais entendu parler, comme des Caraïbes, mais l'idée d'arriver dans ce sanctuaire de l'élégance avec mes chaussettes et mon col amidonné me faisait honte... Je me retrouvai à une grande table, pleine de convives, que présidait Madame Simone Berriau. Elle était directrice du théâtre Antoine et avait invité les personnages importants de la soirée...

J'en faisais partie malgré moi !

Perdue, là, au milieu d'une foule de journalistes, ministres, écrivains, actrices, metteurs en scène, j'aurais voulu disparaître dans un trou de souris et me faisais la plus petite possible. Malgré mon envie de passer inaperçue, tout le monde se demandait qui était cette petite bonne femme au bout de la table, tant et si bien qu'au dessert, la conversation ne roulait que sur moi.

Vadim ayant expliqué avec désinvolture et discrétion qui j'étais, Madame Simone Berriau m'adressa à brûle-pourpoint la parole au milieu d'un silence de mort : « Vous êtes charmante, mon petit, êtes-vous encore vierge ? » Tout le monde me regardait, des milliers d'yeux, des insectes ; vite, disparaître. Ils riaient... Ils se moquaient de moi... Ma voix répondit malgré moi, au milieu du même silence : « Non madame, et vous ? »

Le sang brûla mon visage, j'étais impertinente !

Un immense éclat de rire, quelques applaudissements, maintenant les insectes la regardaient, elle, vieille, aigrie, avec son ridicule chapeau ! J'avais marqué un point, je le sentais, je le voyais dans les yeux de Vadim qui brillaient et me regardaient au fond de l'âme. J'étais heureuse, j'avais gagné ma première bataille ! Pour éviter ce genre de questions à l'avenir, je mettrais des bas pour aller chez Maxim's !

Mes parents avaient décidé que je n'épouserais Vadim que... lorsque j'aurais mes deux bachots. Au train où allaient mes études autant dire que je resterais vieille fille ! En attendant, j'en ai vu des fils d'industriels, amis de papa, j'en ai vu des fils de médecins, amis de maman, j'ai été invitée, je suis sortie, fils de familles, fils d'avocats, fils d'écrivains, fils de ceux-ci, fils de ceux-là... Ils étaient ennuyeux avec leurs cheveux et leurs costumes bien coupés.

Un soir, j'eus la permission d'aller à une surprise-party avec le fils de notre médecin de famille, Gilles Martini. Il me faisait penser à Thomas Diafoirus. Maigrelet, avec des lunettes et de rares cheveux filasse, mais d'une éducation parfaite, d'une instruction complète, il était déjà étudiant en médecine ! Pour l'occasion, maman me prêta une de ses robes (trois fois trop grande, trop longue, trop large), et j'eus le droit de mettre des vrais bas nylon avec un porte-jarretelles... Qu'importait la robe, j'avais des bas ! J'étais fière, j'avais envie de retrousser mes jupes pour montrer à tout le monde que je n'étais plus une gamine ! Une gamine, je l'étais pourtant encore, malgré mon porte-jarretelles, car lorsque mon chevalier « servant » de nounou vint me chercher, mon père lui dit que j'avais la permission de minuit et que chez lui, le règlement était militaire lorsqu'il s'agissait d'obéissance ! Mon étudiant en médecine s'inclina et m'emmena.

La soirée dut être à l'image de celui qui m'y avait conviée.

A part mes bas, rien ne m'a particulièrement enchantée ce soir-là !

Nous rentrions à pied, car les jeunes gens de l'époque n'avaient ni argent de poche, ni voiture. En arrivant en vue du portail de mon immeuble, je vis une ombre derrière la vitre. C'était celle de mon père, qui arborait la mine fermée des grands jours.

Sans dire un mot, il regarda sa montre, nous fit voir qu'il était minuit dix exactement et, dans un silence glacial, m'attrapant sous son bras, il retroussa ma robe et m'administra une fessée notoire. J'ai encore, en écrivant cette scène, la honte qui me monte aux joues... Papa, vous m'avez humiliée au plus profond de mes pauvres 16 ans, vous avez fessé devant un jeune homme pétrifié une pauvre petite chose qui n'était plus assez gamine pour ce genre de punition, et qui plus est, portait bas et porte-jarretelles pour la première fois de sa vie !

Ce genre d'incident me dressait de plus en plus contre mes parents. Je me sentais étrangère au sein de cette famille. Je continuais de voir Vadim en cachette, je lui confiais ma détresse, mon amour, mon besoin de liberté. Je ne pensais qu'à une chose : fuir la maison, cette ambiance, cette guerre froide.

*

A peu près à cette époque, toujours pour m'éloigner au maximum de Vadim, mes parents sautèrent sur la proposition d'André Tarbes, qui organisait le spectacle d'une croisière de quinze jours sur le *De*

Grasse. Il fut décidé que je danserais, entourée de Capucine, qui devait présenter des modèles de haute couture, d'une jeune fille de famille dont j'ai oublié le nom, qui devait faire office de présentatrice, d'une chanteuse, d'un organisateur, d'un prestidigitateur, et patati et patata...

J'avais 16 ans !

Cette croisière, c'était le paradis sur la mer, l'occasion de quitter ma prison. Bien sûr, je ne verrais plus Vadim pendant quinze jours, mais j'allais voyager, moi qui n'étais jamais sortie de mon trou ! Je rêvais, j'étais folle de joie !

En attendant, il me fallait travailler dur. Je devais danser un soir sur deux, chaque fois une « variation » différente ! Mon cachet était de 50 000 mille francs de l'époque, 500 francs de maintenant, avec lesquels je devais me fabriquer moi-même mes costumes, car mes parents ne me donnaient pas un sou, et les faire faire par une couturière m'aurait coûté beaucoup plus encore.

Je quittais la machine à coudre pour le studio de répétition, et je travaillais d'arrache-pied, c'était le cas de le dire ! J'avais loué chez un costumier de théâtre les vêtements que je n'arrivais pas à coudre moi-même... J'ai bûché sur des ourlets, des pinces, des plis et des agrafes. Je me suis bien débrouillée, ces costumes avaient une certaine allure. J'avais même pensé que le paquebot tanguerait et roulerait, et que mes petits chaussons de danse dont la minuscule semelle était en cuir, allaient me trahir si je ne les ressemelais pas de caoutchouc.

Quand je suis partie en train pour Le Havre, j'étais un peu affolée.

Je me suis sentie tout à coup livrée à moi-même, partant pour l'étranger, au milieu d'étrangers ! J'étais habituée à être suivie par une gouvernante, surveillée par mes parents, couvée par mes grands-parents, aimée par Vadim. En plus, je laissais maman très malade dans une clinique où elle devait être opérée.

Sur le *De Grasse*, je partageais une minuscule cabine avec Capucine. Nous ne pouvions pas bouger tant l'espace était encombré de ses robes de grands couturiers et de mon fourniment de tutus, collants, chaussons, crinolines et autres accessoires ! Avant ce voyage, je ne connaissais pas Capucine. J'ai découvert une femme adorable, belle, gentille et simple.

Mon cœur, lorsqu'il n'était pas soulevé par le mal de mer, était serré par le trac ! Durant la croisière, j'ai appris à me débrouiller seule. L'après-midi, je répétais avec l'orchestre. Il n'y avait ni coulisses ni rideau ni décor, je devais danser sur une piste de boîte de nuit dont le parquet ressemblait à une patinoire. Selon la grosseur des vagues, je sentais le sol se dérober sous mes pieds et je perdais l'équilibre... L'orchestre, qui n'avait rien de classique, jouait mes partitions à la façon de la musique douce qu'on entend dans les bars américains.

Et pourtant, tant bien que mal, je m'en suis sortie !

Sur la route de Lisbonne, j'ai encore dansé les *Scènes d'enfants* de Schumann. Entre Lisbonne et Madère, j'ai essayé d'espagnoliser le Portugal, avec un flamenco qui n'était pas vraiment au point ! Ma formation classique m'empêchait de taper du talon avec la fougue nécessaire... Sur la route des Canaries, j'ai tapé des mains et des bottes sur *La Rhapsodie hongroise*. *Le Petit Tambour* (de je ne sais plus qui !) m'a permis de danser en tutu bleu, blanc, rouge, tambour en bandoulière, et calot à pompon sur la tête ! Vers les Açores, j'ai dansé en tutu long et romantique, une très belle variation classique de Prokofiev, et enfin, le dernier soir, alors que nous revenions vers Le Havre, il y eut un bal costumé !

Mon dernier numéro était sur les *Trois Gymno-pédies* d'Erik Satie. J'étais en maillot académique chair, sur lequel j'avais peint des algues comme si j'étais une sirène. Le problème était que je devais commencer à danser, couchée sur la piste, et que je ne savais pas comment arriver là sans qu'on me voie !

Parmi les passagers, il y avait Aymar Achille Fould et des amis à lui, qui s'étaient déguisés en pêcheurs portugais et qui eurent l'idée géniale de m'envelopper dans un grand filet de pêche, et de me déposer au milieu de la piste où j'ai pu commencer de danser allongée, comme prévu ! J'ai eu ce soir-là beaucoup de succès, et je le dois en partie à la gentillesse de Aymar Achille Fould !

J'ai gardé de ce voyage des souvenirs de découvertes extraordinaires. J'ai ouvert mes yeux tout grands sur des mondes qui me semblaient tout neufs. J'ai découvert l'élégance de Capucine. Je copiais ses maquillages et rêvais de ses robes, j'aurais voulu lui ressembler ! J'ai aussi connu les petites intrigues et les petits fornicotements, qui se tramaient au sein de cette société fermée et enfermée ! Mon âge, ma candeur et ma pureté m'ont laissée « de grâce » étrangère à tout ça !

J'ai connu des pays, des odeurs, des traditions.

Lorsque j'ai regagné Le Havre, j'avais du rêve et des larmes plein les yeux.

Papa et maman essayaient encore de me faire oublier Vadim. Pour eux, c'était une sorte de mésalliance que de me marier avec un homme aussi bohème, aussi démuni. Bien qu'il fût le fils du consul de Russie en France, il s'appelait néanmoins Plémiannikov, n'avait aucune situation, et était de « gauche ».

L'été de mes 16 ans, nous fûmes invités à passer un mois à La Croix-Valmer, chez des amis de mes parents qui possédaient un domaine magnifique au bord de la mer.

La maison avait été partiellement détruite par des obus et nous vivions moitié camping, moitié grand standing. Chacun avait son lit de camp et sa moustiquaire, seuls meubles disposés çà et là, au hasard d'un pan de mur encore debout ou d'un morceau de toiture. Nous nous éclairions aux bougies et aux lampes à pétrole, des caisses de bois recouvertes de foulards nous servaient de tables de nuit ou de chaises.

C'était d'un romantisme extraordinaire. Il régnait une ambiance de conte de fées. Nous prenions nos repas sur une terrasse qui dominait la mer. Une grande planche sur tréteaux nous servait de table, des paréos multicolores faisaient office de nappe, et nous avions une véritable argenterie qui contrastait avec le côté sauvage de cet ameublement de fortune.

C'est à Cap Myrthes, près de La Croix-Valmer, que j'ai découvert le soleil, l'odeur des pins et du thym mêlée à celle des fleurs d'oranger et d'eucalyptus, la douceur de l'air et la chaleur du sable la nuit lorsque nous regardions les étoiles. J'ai appris à vivre en sauvage, pieds nus, en bikini, j'ai fait brunir mon corps pour la première fois. Cette nouvelle manière de vivre me convenait parfaitement.

Ce furent mes premières et mes dernières vraies vacances avant longtemps. J'en garde un souvenir inoubliable. J'ai tenté depuis, en vain, de retrouver à travers « La Madrague » un peu de cette ambiance.

Il est des moments magiques dans la vie que l'on ne retrouve jamais. Mon séjour à Cap Myrthes, chez les Baille, fait partie de ces précieux instants qui font les merveilleux souvenirs.

**
*

Rentrée à Paris, je refis des photos de mode pour *Elle* (pour gagner un peu d'argent), je revis Vadim, et la vie reprit son cours. Les journaux commençaient à parler de moi, doucement.

Quel nom allais-je prendre ?

Mon père préférait que le nom de Bardot ne soit pas mêlé à tout ça. Le nom de jeune fille de maman était joli ! Mucel, cela ressemblait à Musset.

100

J'envoyai donc des clichés de « Brigitte Mucel », et les photos sortirent avec « Brigitte Bardot ».

Mystère, trop tard pour faire marche arrière !

Mais quelle merveille, en prenant mon autobus, de voir des gens qui lisaient des articles sur moi. La couverture de tel magazine, tel papier dans un grand hebdomadaire... Je n'en revenais pas !

Le monde m'appartenait, car je ne lui appartenais pas encore...

Je prenais tout sans rien donner. Délice suprême... J'étais intacte et recevais l'hommage de la célébrité sans être connue !

Il y eut la fameuse boule de neige : les metteurs en scène, curieux, voulaient me connaître. On me fit des offres de films... C'est mon père qui répondait au téléphone... Quel fouillis ! Il fallait vite un imprésario. Mais lequel ? Nous étions dépassés par les événements.

Mon bachot ? Mon premier prix de Conservatoire ? Un film ?

Je ne savais plus où donner de la tête !

Colette cherchait une jeune fille pour jouer *Gigi* au théâtre.

Vadim s'en occupait vaguement et eut un rendez-vous avec elle dans son appartement du Palais-Royal, pour parler de l'adaptation. J'allai avec lui et rencontrai donc à l'âge de 16 ans et demi cette femme extraordinaire !

Elle était allongée sur une chaise longue, devant une fenêtre qui donnait sur ces magnifiques jardins du Palais-Royal. Il y avait là son mari, Maurice Goudeket, Vadim et moi, et plein de chats. Elle me regarda longuement avec ses yeux si perçants, si intelligents. Elle m'intimidait énormément. Je me sentis transpercée, déshabillée, jugée, évaluée, je ne comprenais rien, n'étant venue là que pour accompagner Vadim. Finalement, elle me dit :

« Bonjour Gigi. »

Je restais éberluée.

Elle trouva que j'étais exactement le personnage, me demanda si j'étais comédienne et si j'aimerais jouer *Gigi*.

Je restai sans voix. Vadim répondit pour moi, expliquant ma timidité, mon désarroi, mon inexpérience. Je reverrai toujours ce salon sombre, encombré de meubles et de bibelots, avec cette tache claire de la fenêtre sur laquelle se découpait l'ombre de la chevelure de Colette. Je n'ai pas joué *Gigi*, c'est Danièle Delorme qui l'a créée, mais cette rencontre fugitive avec cette femme qui m'a appelée du nom de son héroïne restera à jamais gravée dans ma mémoire.

C'est toujours en suivant Vadim que je rencontrai Cocteau à Milly-la-Forêt. J'ai le souvenir vague et lointain d'une très belle maison, où chaque objet était précieux. Mais le plus extraordinaire fut la gentillesse et la galanterie que Cocteau eut pour moi.

Il me reçut comme une dame. Il était charmant, me faisait participer à la conversation, nous fit servir des rafraîchissements et me dit sans cesse que j'étais adorable. Vadim et lui parlaient d'un tas de choses compliquées, et moi, je regardais à m'en faire éclater les yeux tout ce monde nouveau et merveilleux, ces peintures, ces livres, cet homme si fragile et si grand.

Je ne l'oublierai jamais !

J'ai connu des personnages fabuleux grâce à Vadim. Je me souviens des frères Mille, Hervé et Gérard, deux homosexuels géniaux, qui habitaient un hôtel particulier somptueux rue de Varenne. Hervé fut directeur de *Paris-Match*, Gérard, décorateur à la mode. Ils étaient différents, mais semblables dans leur recherche du raffinement.

Vadim m'emmenait souvent dîner chez eux. Nous y retrouvions Nicolas Vogel, Christian Marquand, Jean Genet, Pitou de Lassalle, Juliette Gréco, d'autres que j'ai oubliés. L'hôtel, qui ouvrait sur un jardin privé, me fascinait. Tout comme les maîtres d'hôtel, les menus, la table dressée de dentelles, les candélabres d'or, les mets raffinés, caviar, queues de langoustine, ortolans, les desserts somptueux, le tout accompagné des vins les plus nobles et les plus rares...

C'est chez eux qu'ouvrant un jour, par hasard, un livre de photos de Cartier-Bresson je vis une photographie étonnante et morbide : « *Un homme mort de faim dans la rue aux Indes* ». Je me retournai vers Vadim en disant : « Regarde, la photo d'un homme mort de faim, prise sur le vif ! »

Je les ai bien fait rire. Eux m'ont beaucoup appris.

Vadim habitait avec Christian Marquand les chambres de bonnes d'un somptueux appartement du Quai d'Orléans, dans l'île Saint-Louis. Evelyne Vidal, la propriétaire, était très fauchée et louait ses chambres de service à ses anciens amants, et sa propre chambre à ses futurs.

C'est ainsi qu'un jour je trouvai en arrivant une effervescence inhabituelle. Vadim s'affairait à la cuisine, essayant de préparer un petit déjeuner à l'américaine avec œufs à la coque, jus d'orange, etc. La chambre d'Evelyne était louée à Marlon Brando qui dormait encore à 2 heures de l'après-midi. Comme j'avais très envie de le voir de près, je proposai d'apporter le plateau du petit déjeuner. J'entrai donc, après avoir frappé à la porte, dans l'intimité de ce monstre sacré qu'était Brando.

Ça sentait mauvais le tabac froid, le renfermé, la transpiration masculine. Il faisait noir comme dans un four, et j'allumai la lumière en annonçant le petit déjeuner. Je vis un visage bouffi et hirsute sortir des draps. J'entendis une voix pâteuse proférer des douceurs comme « go away, son of a bitch ». Je posai tant bien que mal sur le lit le plateau qui chavira immédiatement lorsqu'il se retourna pour continuer de dormir. Comme je ne partais pas assez vite, il prit les œufs et les envoya s'écraser sur le mur puis se rendormit baignant dans le jus d'orange, le lait, le café, les œufs cassés et la célébrité.

Je ne l'ai jamais revu et conserve de lui un souvenir très particulier qui ne correspond en rien à son image de marque. Comme a dit je ne sais plus qui, « *il n'y a pas de grand homme pour son valet de chambre* ».

Un vieil ami de papa, Maurice Vernant, me servit en fin de compte d'imprésario et me proposa de tourner un film avec Bourvil, *Le Trou normand*. Ça ne m'enchantait guère. Une histoire « cucu la praline » qui se passait comme son nom l'indique, dans un trou de Normandie, où je devais jouer une petite paysanne pas très sympathique, Javotte. J'étais la cinquième roue du carrosse, c'est à peine si mon nom figurait au générique ! Alors que maintenant, lorsque le film ressort, mon nom et celui de Bourvil ont la même taille. Les 200 000 francs anciens (2 000 francs actuels) que l'on m'offrait vinrent à bout de mon manque d'enthousiasme.

J'allais être riche, riche !

Adieu bachot, Conservatoire, je serais une vedette de cinéma !

Vadim haussa les épaules et me dit que j'avais tort de faire ce film. Il était seulement jaloux parce que le sien ne se faisait pas. Je ne l'écoutai pas, et partis à la conquête du monde, ou tout du moins de la Normandie... Il m'avait promis de venir me rejoindre souvent, et avait l'air un peu triste de me voir si joyeuse.

La date du début de tournage approchait, et avec elle, toute ma joie s'envolait. J'étais à nouveau terrorisée. J'allais plonger seule, parmi des professionnels, dans un métier qui m'était absolument inconnu.

Ce fut atroce !

Si l'enfer existe sur cette terre, ce premier film en fut un exemple.

Debout à 6 heures du matin, maquillée d'une

façon horrible, avec plein de fond de teint ocre et de rouge à lèvres pourpre, ne pouvant rien dire, bousculée, engueulée par des assistants vulgaires, des producteurs vicieux, des maquilleurs répugnants ! Mais aussi, jugée avec ironie par des acteurs de talent, oubliant mon texte, gauche dans mes mouvements, ridicule, j'avais perdu pied et je coulais doucement, sombrant dans les profondeurs de la honte et de la détresse.

A peine réveillée, on me jetait entre les griffes d'une maquilleuse, une grosse, une vulgaire et affreuse bonne femme, qui avait droit de vie et de mort sur mon visage. Elle prenait un malin plaisir à me torturer. Elle me couvrait la figure d'un ignoble fond de teint ocre foncé qui sentait le rance, j'avais l'air d'avoir un masque ; ensuite, elle collait sur cette pâte gluante un paquet de poudre de riz qui colmatait le tout. J'avais le droit de me mettre un tout petit peu de rimmel et mes yeux semblaient petits, petits, tout ronds, tout noirs, comme ceux des ours en peluche. Ma bouche, ah ! ma bouche ! Pour cette femme qui avait en guise de bouche une fente de tirelire, ma bouche posait un réel problème ! Il fallait la diminuer ! Une bouche pareille, c'était une tare ! Je me regardais dans le miroir qu'elle me collait sous le nez et j'avais envie de pleurer ! Pourquoi tout ce plâtras qui me défigurait, j'avais l'air d'une momie, une vilaine momie !

O maquilleuse, je te haïssais !

Là ne s'arrêtait pas ma torture, il y avait aussi la coiffeuse, une garce, aux cheveux rares et mités, qui lorgnait avec envie mes longs et lourds cheveux. Elle me les tirait, les collait, les plaquait. Je ressemblais à une noix de coco. Si je me permettais de dire quelque chose, ou de faire une suggestion, elle me répondait que j'aurais le droit de faire des « caprices » lorsque je serais une « star », mais que pour le moment mieux valait me taire... Le royaume des maquilleurs et des coiffeurs est un enfer pour les débutants...

Il fallait malgré tout tenir trois mois. Etre mortifiée, bafouée, ridiculisée, ne rien dire, essayer de bien faire, ravaler mes larmes, serrer les poings, et justifier mes 200 000 anciens francs de salaire.

Un malheur n'arrivant jamais seul, je m'aperçus un mois plus tard avec horreur que j'étais enceinte...

Perdue dans ce trou de Normandie, mineure, surveillée, attelée à ce film comme à un joug, mon cauchemar atteignit son paroxysme. Chaque odeur était un vertige, un haut-le-cœur, je me sentais défaillir à tout instant.

Le producteur, Jacques Bar, me demanda, un jour où j'étais particulièrement malade : « L'odeur du cigare ne vous dérange pas ? » Timidement, avec un horrible mal au cœur, je répondis : « Si monsieur, je ne me sens pas très bien. » En me regardant droit dans les yeux, il alluma froidement son cigare et, me soufflant la fumée à la figure, me dit : « C'est le métier qui rentre. » Je quittai l'endroit, prise de nausées, me jurant que si un jour je devenais célèbre, je ne travaillerais plus jamais avec lui.

J'ai tenu parole. Depuis, il m'a fait maintes fois des offres mirobolantes. Ma réponse a toujours été : « L'odeur du cigare est un plat qui se mange froid. »

Je voyais peu Vadim durant cette période. Il était sans le sou, et essayait de trouver du travail à Paris. Pourtant, il vint quelquefois. J'en avais bien besoin ! J'étais préoccupée et fatiguée, et bien loin de la folie amoureuse des premiers temps. Les nuits d'amour sont brèves quand on se lève si tôt et, que le soir, exténuée, il faut apprendre le rôle du lendemain.

Avec courage et résignation, je finis ce film comme on avale un très mauvais médicament. Puis je fis le serment de ne plus jamais recommencer, et rentrai à Paris, lasse, dépitée, vomissant sans arrêt.

J'étais très malade et refusais toute nourriture. Vadim n'avait toujours pas un sou, je n'avais que mes 200 000 anciens francs ! De plus, mes parents me surveillaient de près, impossible de penser à avorter... Maman, inquiète, me fit examiner par un grand professeur qui décréta : jaunisse virale, repos, aucune contrariété !

Depuis, je doute de la médecine...

Je suppliais mes parents de me permettre d'aller à Megève me reposer un peu. Ils acceptèrent. Je partis, retrouvai Vadim, filai en Suisse, avortai sur un coin de table, revins à Megève et téléphonai à mes parents pour leur dire que je me sentais mieux...

J'avais pourtant manqué mourir, par manque de soins...

J'ai gardé de cette expérience malheureuse une peur panique de la maternité, que j'ai toujours refusée et considérée comme une punition du ciel.

*
**

Mes parents, voyant ce qu'avait fait de moi cette première expérience cinématographique, et jugeant que Vadim était charmant, mais vraiment trop inconsistant et léger pour un futur gendre, essayèrent de me rendre la vie impossible. Un soir j'eus malgré tout le droit d'aller au cinéma avec lui. Ayant dépassé la permission de minuit, mon père, blanc de colère, nous attendait debout dans l'entrée.

« D'où venez-vous à cette heure-ci ? »

Vadim, très calme, répondit :

« Du cinéma !

— Du cinéma ! A 1 h 30 du matin !

— Monsieur, nous sommes rentrés à pied !

— Vous vous foutez de moi ! On ne met pas deux heures pour venir des Champs-Elysées !

— Nous avons marché lentement.

— Vous êtes un insolent ! Vous avez dû manquer de respect à ma fille ! »

Mon père sortit alors un revolver de son placard, le pointa sur Vadim et dit :

« Mon petit ami, je vous préviens que si vous touchez à Brigitte, je vous tue ! »

Maman arriva juste à ce moment, en robe de chambre. Elle prit le revolver des mains de papa, et nous avons poussé un « ouf » de soulagement. Mais, à son tour, elle le pointa sur Vadim et cria :

« Si mon mari n'a pas le courage de vous tuer, c'est moi qui le ferai si vous osez toucher à notre fille avant votre mariage. »

Quelle scène délirante !

Nous venions de faire l'amour, nous le faisions depuis près de deux ans, et je sentais mes parents capables de tout pour préserver ma virginité. J'eus très peur... Vadim était blême, mais calme. Il leur expliqua qu'il était prêt à m'épouser dès demain, qu'il m'aimait et qu'il « me respectait ». Enfin, il les calma !

J'eus peur, le lendemain, de devoir subir un examen médical...

Cette situation ne pouvait plus durer ; mariée ou pas, je voulais vivre avec Vadim, et ces mensonges devenaient intolérables et odieux ! Si je l'épousais, il fallait que je gagne ma vie, car il n'avait aucune situation. On me proposa un autre film, que j'acceptai. Je partis donc dans le Midi pour deux mois, tourner mon deuxième film, *Manina, la fille sans voiles*.

Je m'attendais à l'enfer, je ne trouvai que le purgatoire ! Le tournage se passait à Nice, Vadim était près de moi, il y avait du soleil et je gagnai à nouveau 200 000 anciens francs. Après quoi, je rentrai à Paris, refis des photos de mode et arrivai à économiser un peu d'argent...

Pendant ce temps, Vadim abandonnait sa carrière d'assistant pour celle, plus rémunératrice, de journaliste à *Paris-Match*. Il gagnait enfin régulièrement sa vie et vint donc demander sérieusement ma main.

Danièle Delorme et Daniel Gélin, grands amis de Vadim, nous servaient parfois d'alibi. J'allais souvent chez eux, avenue de Wagram, le retrouver. C'est ainsi que, lorsque Daniel Gélin fit sa première mise en scène, avec un film appelé *Les Dents longues*, il nous demanda à Vadim et moi de jouer les témoins de son mariage avec Danièle Delorme.

Après bien des refus, des tergiversations et des menaces, lorsque mes parents acceptèrent enfin, après presque trois ans d'attente, que j'épouse Vadim, Delorme et Gélin furent naturellement nos témoins à la mairie. En attendant, mes parents voulaient aussi me marier religieusement. Or le curé refusait de m'unir à un orthodoxe ! Il fut donc décidé, après bien des palabres, que Vadim suivrait deux fois par semaine des cours de catéchisme, afin d'arriver bon catholique au mariage.

Vadim, que toutes ces histoires exaspéraient déjà, faillit bien me planter là quand il apprit la nouvelle. Il devait m'aimer énormément car, au lieu d'aller au cinéma, nous sommes allés au catéchisme écouter le bon abbé Baudry. Quand je pense que nous avons par la suite représenté le vice, l'érotisme et tout le tintouin aux yeux du monde entier, alors que nous étions bien sages sur nos bancs de sacristie, un sentiment d'injustice m'étouffe encore...

Maman avait décidé que ma robe de mariée serait l'œuvre d'une de ses amies, Yvette Trantz, qui avait ouvert une maison de couture dans l'ancienne maison close que fréquentait Toulouse-Lautrec, au 6 de la rue des Moulins. Ironie du sort, ironie tout court, j'allais essayer une robe virginale dans un salon qui sentait encore la luxure. Je m'amusais comme une folle en me regardant dans le miroir tarabiscoté qui ne devait pas être habitué à refléter l'image d'une jeune fille en robe de mariée !

Voilà comment la mienne fut faite, dans un ancien bordel, avec le plus grand sérieux et le plus grand recueillement.

Nous nous sommes mariés à l'église de Passy le 21 décembre 1952.

J'avais ma robe blanche, et le Boum, mon grand-père aimé, m'accompagna jusqu'à l'autel. C'était émouvant et joli. On en parla beaucoup, j'étais l'enfant chérie des journaux, Vadim était l'enfant chéri du cinéma ! Nous étions beaux et insouciants. Nous allions pouvoir dormir ensemble, au nez et à la barbe des gens, et tout serait normal. La veille encore, après le mariage civil, mon père avait regardé Vadim d'un œil soupçonneux alors qu'il m'accompagnait jusqu'à ma chambre de jeune fille.

Aujourd'hui, j'avais acquis le droit de coucher avec un homme, j'avais signé des papiers devant des témoins, je pouvais faire l'amour légalement. Cette nuit-là, pourtant, il ne se passa rien, nous étions trop fatigués ! La légalité nous avait épuisés, et nous nous endormîmes heureux et enlacés.

Laissant là mon enfance, je tournai une page.

V

Me voilà à 18 ans, responsable de ma vie toute neuve, de ma carrière inexistante, et d'un appartement rue Chardon-Lagache que maman s'était fait acheter par papa, et avait gentiment mis à notre disposition, en attendant avec impatience qu'on en trouve un autre pour se faire un peu d'argent de poche en le louant. Ne pouvant travailler toute la journée pour rapporter deux francs trois sous, et assumer le ménage, je pris une bonne !

Elle s'appelait Aïda, avait 70 ans, et était princesse russe. J'étais très intimidée, ne sachant pas comment donner des ordres à cette dame qui aurait pu être ma grand-mère. Vadim, qui connaissait mon amour pour les animaux, et mon désespoir de n'avoir jamais eu de chien à moi étant enfant, me donna « Clown », magnifique cocker noir de 2 mois ! Au départ, il voulait que j'aie un compagnon car les nuits de bouclage à *Paris-Match* ne finissaient qu'à 6 heures du matin. Aïda partant à 6 heures du soir, je restais seule et terrorisée. Clown m'apportait une chaleur, une présence, qui me permettaient d'attendre calmement le retour de Vadim.

Voyant qu'il me manquait moins, Vadim se mit à passer ses soirées à jouer au poker, ou à autre chose !... Je le voyais assez rarement la nuit... Je dormais avec Clown lové contre moi, et souvent je me levais lorsque Vadim rentrait se coucher.

Christian Marquand, son meilleur ami, son frère de cœur, celui qui ne le quittait pour ainsi dire pas, avait une vieille BMW à vendre.

Vadim a toujours adoré les belles voitures, mais a rarement eu assez d'argent pour se les offrir. Le jour de mes 18 ans, j'avais passé brillamment mon permis de conduire au nez et à la barbe d'une dizaine de garçons qui hurlaient de rire en me montrant du doigt, certains de me voir bientôt recalée. Or, ce jour-là, je fus la seule à être reçue. Vadim avait été un bon professeur.

Nous avions donc acheté une Aronde d'occasion, ce qui me rendait folle de joie et ce qui le rendait fou de honte ! Christian Marquand venait au volant de sa belle voiture se moquer de notre vieille guimbarde pour retraités. Il faut dire que sa BMW était d'avant-guerre. Elle avait des roues à rayons, un spider dans le coffre, un capot qui s'ouvrait avec la raie au milieu, un marche-pied, un tableau de bord en bois de rose, des compteurs à l'ancienne. Et par-dessus tout, elle était décapotable !

Vadim qui n'avait pas un rond en était malade !

Finalement, un jour, Christian me demanda combien j'avais d'économies à la banque ! Après mon aventure en Suisse, mon installation de jeune mariée et le marché pour la semaine, il ne me restait en tout et pour tout que le cachet que j'avais touché pour *Manina, la fille sans voiles*. L'affaire fut conclue avant que j'aie eu le temps de dire « ouf ».

Je donnai le chèque à Vadim, qui le donna à Christian.

La BMW nous attendait devant la maison.

J'ai toujours eu horreur de me retrouver sans un sou devant moi. Vadim me dit que l'argent n'avait pas d'importance, qu'il fallait en profiter, qu'on en gagnerait d'autre, qu'il ne fallait pas s'en faire. Il en avait de bonnes, lui ! C'était mon argent, j'avais travaillé dur pour le gagner. Et qui achèterait l'essence ? Et le bifteck de demain ?

J'étais furieuse ! Il me traita de radine !

De là vient, peut-être, cette réputation qui ne m'a jamais plus quittée ! Radine ou pas, c'était moi qui avais acheté la voiture et c'était *ma* voiture ! Faisant contre « plus de fortune du tout, bon cœur », je proposai à Vadim d'aller immédiatement l'essayer au bois de Boulogne. Avec Clown, nous voilà partis ! J'étais assez fière au volant de ma décapotable qui faisait *vroom*, *vroom*. Puis elle fit *pschitt*, puis *poot*, puis *gling*, puis plus rien du tout...

Ah, on avait l'air fin, en panne, au milieu du bois de Boulogne, à 1 heure de l'après-midi !

Vadim, qui n'a jamais rien compris à la mécanique, avait plongé son nez dans le moteur et émettait des oh ! et des ah ! mais le moteur, lui, ne faisait plus rien, rien du tout. J'avais envie de tuer Vadim, de tuer Christian. La rage m'étouffait, je m'étais bien fait avoir ! Un « panier à salade » qui passait par là nous ramena gentiment à la maison, Clown, Vadim et moi. La voiture fut remorquée, puis réparée, il fallut changer le moteur. Coût : 700 000 francs de l'époque.

Christian refusa catégoriquement de me rendre mes 200 000 francs.

N'ayant pas le moindre centime pour payer la réparation, la voiture fut vendue six mois plus tard aux enchères. Depuis ce jour, je préfère être radine que stupide, et je me méfie comme de la peste des « amis » qui vendent leurs voitures.

A bon entendeur, salut !

J'ai pourtant toujours cru en Vadim, aveuglément.

Il m'apprit beaucoup de choses, me raconta des histoires sur André Gide, avec qui il avait joué aux échecs, me fit découvrir les livres de Simone de Beauvoir et de Sartre. Je l'écoutais, fascinée par son intelligence, son humour, son érudition, sa fantaisie.

Un jour, au cours d'une conversation, il me parla d'un œuf de rat qu'il avait trouvé à l'âge de 13 ans à Morzine où il avait passé son enfance. Je lui fis remarquer que les rats ne pondaient pas d'œufs !

« Comment, Sophie (il m'appelait souvent Sophie à cause des *Malheurs de Sophie* !), tu ne parles pas sérieusement ? Tu ne sais pas que les rats pondent des œufs ? »

A vrai dire, je n'étais plus vraiment sûre que les rats ne pondaient pas d'œufs... Et Vadim de me raconter une histoire pleine d'œufs de rats, avec les petits qui éclosaient en cassant leurs coquilles. Et les omelettes aux œufs de rats que les paysans des montagnes mangeaient pendant la guerre... Je le crus dur comme fer et, le lendemain, je racontai au cours d'un dîner la jolie histoire des œufs de rats. J'eus un franc succès, ma naïveté en prit un sacré coup et c'est uniquement parce que le ridicule ne tue pas que je suis encore en vie.

Un soir je racontai à Vadim ce que le Boum m'avait appris sur les horreurs que supportaient les soldats français pendant la guerre de 1914-1918. Il m'écouta gravement puis me dit : « Et tout ça n'est rien en comparaison de la fameuse histoire des poilus de 14.

— ???

— Comment, tu ne connais pas ? »

Et il me raconta très sérieusement que les malheureux poilus qui séjournèrent des heures et des jours dans les tranchées pleines d'eau s'aperçurent avec horreur que leurs « roupettes » s'allongeaient, s'allongeaient jusqu'à parfois traîner par terre.

J'étais médusée... Alors le Boum ?

« Oui, me répondit Vadim, et Pilou ton père aussi, mais comme il était plus jeune ça pendouillait moins. »

Non, non et non. Ça je ne pouvais pas le croire !

« Mais si, me dit Vadim, la preuve : les vélos ! Tu as bien vu que les vélos d'homme ont une barre horizontale que n'ont pas les vélos de femme. C'est pour "les poser dessus et qu'elles ne traînent pas au risque de se prendre dans les rayons..." »

La preuve était vraiment irréfutable.

Je m'étais toujours demandé pourquoi les vélos n'étaient pas tous pareils... Eh bien, j'avais ma réponse, mais quelle histoire ! Je n'en revenais pas. Le lendemain je courus voir le Boum. J'eus beau regarder son pantalon sous toutes les coutures, rien ne semblait anormal. Quant à papa, je l'avais vu en caleçon ou en slip à maintes reprises, mais n'y ayant jamais prêté une attention particulière, il fallait que je vérifie. Tout avait l'air parfait aussi chez papa. N'y comprenant plus rien je rentrai dire à Vadim qu'il se trompait. Il se mit à rire, à rire, à rire puis il me dit qu'évidemment, depuis le temps, les choses avaient repris leur place, que la peau est élastique et que c'était le même processus que pour le ventre des femmes enceintes.

Alors là, il avait raison bien sûr !

Je ne sus le fin mot de l'histoire qu'un jour où maman et moi parlions de choses et d'autres. Je me mis à plaindre de tout mon cœur le Boum et papa et lui racontai, bouleversée, l'histoire. J'ai cru qu'elle allait mourir de rire tandis que je la regardais, pétrifiée. Quelle honte de rire d'un pareil drame !

Depuis, je n'ai plus jamais cru les histoires de Vadim.

C'est dommage parce que c'était bien rigolo.

Ma naïveté ne m'abandonna pas pour autant.

Elle me suivit même une bonne partie de ma vie ! Quand je ne crus plus aux inventions diaboliques de

Vadim, je me mis à découvrir les petits à-côtés pas très jolis d'un couple. Les « tue-l'amour ».

Pour moi, l'amour a toujours été un miracle, quelque chose d'exceptionnellement beau, qui vous emporte loin du quotidien, dans un voyage à deux qui ne supporte aucune médiocrité, comme l'a si bien écrit et décrit Albert Cohen dans *Belle du Seigneur*. Hélas, les chemises à pans (elles existaient encore en 1953), les chaussettes en accordéon (elles existent toujours), les pantoufles — ah ! les pantoufles ! où sont passées mes pantoufles ? — les bruits divers, de chasse d'eau, de glouglou, de *crach-crach*, enfin les petits travers quotidiens sont les grands « tue-l'amour ».

J'ai toujours été très attentive à ça, ne supportant pas qu'on se laisse aller sous prétexte de vie commune.

Pour me consoler, je me mis à faire collection de mots agréables à prononcer. C'est vrai que certains vous emplissent la bouche comme du caramel fondant. Il y a des mots dont on reprendrait bien une deuxième fois tellement ils sont bons. Souvent, ils ont une signification tout à fait banale, ou même franchement terre à terre, mais leur substance est ronde, sensuelle, nourrissante. Je découvris mon premier mot de collection en prononçant : « Youpala. » Quel plaisir de le dire et le redire. Youpala... !

Puis je dénichai : « Profiteroles ». On en a plein la bouche quand on le dit. Ensuite ce fut « Douillette ». C'est doux, c'est rond, c'est fondant de dire : douillette. Plus tard je connus « Pragmatique » — un peu sec mais si envoûtant. Puis « Purpurine », pulpeux et tendre...

L'époque était difficile.

En plus des mots de collection je cherchais aussi mon chemin !

Les critiques de mes deux premiers films étaient tellement mauvaises qu'il suffisait qu'on prononce

115

mon nom pour voir les portes des maisons de production se fermer avec fracas. J'étais grillée, fichue !

J'ai toujours eu horreur des échecs, et horreur d'être mise à la porte. Je préfère m'en aller de moi-même ! J'avais une revanche à prendre, j'allais essayer de tout recommencer à zéro. Première étape, trouver un manager digne de ce nom. Le vieux monsieur, ami de mes parents, venait de mourir...

On me parla de Olga Horstig.

Je lui écrivis une lettre bien timide où je lui demandais de s'occuper de moi. J'allai la voir. Femme d'affaires, impressionnante, autoritaire, charme slave ! Après m'avoir rapidement jaugée, elle décida que je ferais partie de son « écurie ». Celle-ci devint mon deuxième foyer et Olga, ma seconde mère. Je ne l'ai jamais quittée et l'appelle tendrement « Mama Olga ». Elle a guidé tant bien que mal ma carrière, mais surtout elle a eu pour moi une affection maternelle et une grande indulgence. Il lui fallait justement une jeune fille pour jouer aux côtés de Jean Richard dans *Le Portrait de son père*, mis en scène par Berthomieu.

Deux mauvais films pour commencer ma carrière, et un troisième qui ne valait guère mieux ! J'acceptai pourtant ce nouveau navet... pour mettre du beurre dans les épinards ! Pour moi, les carottes étaient cuites !

*

Anatole Litvak, un grand metteur en scène américain d'origine russe, un homme splendide, aussi généreux et bon que plein de talent, qui ne s'occupait guère de ce qui se disait sur les uns ou sur les autres, me demanda, à travers Olga, de jouer le rôle d'une petite soubrette française dans son prochain film *Act of Love*.

Les protagonistes étaient Dany Robin et Kirk Douglas. Il fallait parler anglais. Je le baragouinais faiblement, et je fus engagée !

116

Le film se tournait en plein hiver, aux studios de Saint-Maurice (démolis depuis). Les loges étaient tristes et glaciales. Un chauffage au gaz empuantissait la mienne où je passais des heures et des jours à attendre que l'on m'appelle enfin sur le plateau. J'avais deux nattes, une blouse et un tablier, des chaussettes (décidément, j'étais vouée aux chaussettes !), et des semelles de bois.

Le film se passait pendant la guerre de 1940.

J'étais en admiration devant Dany Robin, si mignonne, si jolie. Elle aussi était une ancienne danseuse, je m'identifiais à elle, j'en rêvais... Le rêve se transforma en cauchemar quand j'appris qu'elle chassait à courre, à pied, à cheval et en voiture.

Kirk Douglas était l'acteur américain, le demi-dieu qu'on n'approche jamais. Moi, je l'approchais, je me jetais même contre lui dans les couloirs sombres et glacés. Il me disait « Sorry » et moi, je rougissais ! Il n'était pas très beau, je dois être plus grande que lui, mais il avait un charme extraordinaire.

Un « dialog coach » me faisait répéter mon texte. J'avais deux ou trois phrases à dire, mais il fallait que je les sache au rasoir. A force d'attendre dans ma loge, un jour, ce fut à moi de jouer ! Litvak était adorable sous sa couronne de cheveux blancs, et avec ses grands yeux clairs, il riait de mon émotion, de mon trac ! Je devais passer la tête dans le passe-plats et dire « Dinner is served ». C'était ma grande scène !

J'aurais joué Phèdre en anglais que je n'aurais pas été plus fière, ni plus terrorisée.

Lorsque maman est allée voir le film aux Champs-Elysées, elle était enrhumée et a éternué juste au moment où je passais la tête dans le passe-plats. Il a fallu qu'elle attende la deuxième séance pour me voir enfin trente secondes !

En avril 1953 j'accompagnais Vadim au Festival de Cannes où il devait interviewer Leslie Caron pour

Paris-Match. Leslie, je la connaissais. J'avais travaillé avec elle chez Kniazeff et j'étais fière de la connaître lorsqu'elle fut choisie pour jouer dans *Un Américain à Paris*.

A Cannes, c'est une star internationale que je revis !

Ça me faisait drôle ! Nous avions été comme les deux doigts d'une main, comme deux sœurs, un peu semblables dans notre morphologie, soudées dans notre travail quotidien. Elle était alors au sommet d'une réussite méritée et merveilleuse. Je gravissais péniblement les premiers degrés d'une échelle sans fin. Leslie avait des rendez-vous ponctuels avec les plus grands photographes, les plus brillants rédacteurs, pendant que je me laissais photographier sur la plage du Carlton par les copains, les touristes ou la presse locale.

Je mesurai alors ma médiocrité et le chemin qu'il me faudrait parcourir pour arriver un jour à une célébrité égale à la sienne.

Un porte-avions américain mouillait en rade de Cannes. Le commandant invita les vedettes à une « party ». Je suivis encore Vadim qui assurait avec Michou Simon, photographe, le reportage de cette entrevue exceptionnelle. Leslie Caron, Lana Turner, Etchika Choureau, Gary Cooper, Kirk Douglas et bien d'autres, furent accueillis par les marins, le capitaine et le commandant avec des « hurrah » de joie. Cachée derrière Vadim, je regardais ce spectacle, amusée et intimidée, lorsque le commandant vint vers moi, me salua puis m'attira au milieu du pont, et me présenta à l'équipage :

« That's Brigitte !!!»

Que faire ? Je levai les deux bras en hurlant : « Hello men ! » Ce fut un délire ! Les marins jetaient leurs bérets en l'air. Ils me soulevèrent de terre et je me retrouvai portée en triomphe par des centaines de marins américains qui scandaient : « BRID-GET ! BRID-GET ! BRID-GET » !

Ils ne savaient absolument pas qui j'étais, puisque

je n'étais rien. Moi je ne comprenais pas ce qui m'arrivait, mais quelque part, il y avait eu un « tilt » entre eux et moi pour qu'ils acclament la seule illustre inconnue du Festival.

Cette réaction aussi imprévisible que réconfortante en explique peut-être une autre : quelques années plus tard, ce sont également les Américains qui m'ont rendue célèbre après la sortie de *Et Dieu créa la femme*.

**

Olga, qui ne plaisante pas avec le professionnalisme des acteurs qu'elle représente, me conseilla de prendre des leçons d'art dramatique chez René Simon.

J'arrivai dans ce cours où une cinquantaine d'élèves, filles et garçons, riaient, parlaient, critiquaient, répétaient. J'aurais voulu disparaître, fondre et me désintégrer ! Je me fis la plus petite possible et me cachai dans le fond de la pièce pendant que Simon, personnage insensé, monologuait sur une petite estrade. Il racontait que le secret de la réussite était la jeunesse ! Que la jeunesse n'avait pas d'âge et que, pour lui, on était « jeune » tant qu'on pouvait « se voir pisser » *(sic)*. Ce qui équivalait à dire qu'il fallait fuir l'embonpoint car le ventre, s'il est énorme, empêche les hommes de se voir « pisser » ! Nous, les femmes, nous comptions pour du beurre, car ventre ou pas ventre, notre morphologie nous interdit cet exercice.

Ce fut ma première et dernière leçon d'art dramatique chez Simon !

Je quittai le cours, forte de cet enseignement hautement intellectuel, et secrètement convaincue qu'il n'est de meilleur professeur que le travail lui-même, que le temps et la vie se chargent de vous apporter ce qu'on appelle l'expérience ! Ayant été inscrite à son cours, je lui fis par la suite une énorme publicité ! Bardot « sortait » du cours Simon... ainsi fut écrit dans mon curriculum vitae.

André Barsacq me proposa de reprendre au théâtre de l'Atelier le rôle créé par Dany Robin dans *L'Invitation au château* de Jean Anouilh. Je n'avais pas le choix. Il fallait bien vivre, je gagnerais 2 000 francs anciens, soit 20 francs actuels « par soirée » c'était mieux que rien !

N'ayant jamais fait de théâtre, j'étais nulle ! Répétitions, horreurs, découragements, j'étais absolument ridicule. Anouilh me scrutait, il pensait que je serais une adorable Isabelle !

Le soir de la première, les plus grands critiques étaient venus, dont Jean-Jacques Gautier. Tous les « vieux de la vieille » étaient morts de trac, moi, je crevais de peur.

Trois coups... J'y allais, je fonçais, j'oubliais la vie, les gens, moi ! Je ne pensais qu'à Isabelle que je faisais vivre à travers le merveilleux texte d'Anouilh ! Avant d'entrer en scène, Anouilh m'avait envoyé des fleurs avec une carte sur laquelle il avait marqué : « *Ne soyez pas inquiète, je porte chance.* »

Je l'ai gardée et je constate qu'il a eu raison !

Le lendemain, j'avais les compliments de Jean-Jacques Gautier, et la plupart des critiques étaient bonnes, pour moi comme pour la pièce.

Un soir, alors que je jouais déjà depuis un mois, et que j'étais un peu plus détendue, il m'arriva, au milieu du deuxième acte, un horrible « trou de mémoire ». Accrochée à la première phrase qui me revint en tête, je sautai directement, sans m'en rendre compte, du deuxième acte au milieu du troisième. Grégoire Aslan qui me donnait la réplique à cet instant en resta pétrifié ! Il y eut un énorme charivari en coulisse, et l'arrivée affolée sur scène de celui qui devait répondre à ma phrase salvatrice ! La pièce fut écourtée d'une heure, il n'y eut pas d'entracte, les spectateurs n'y comprenaient rien...

Ce fut ma première et ma dernière apparition sur les planches.

J'ai quand même joué la pièce trois mois...

Les 2 000 anciens francs quotidiens du théâtre de l'Atelier ne me permettant pas de vivre, il me fallait absolument trouver autre chose !

*
**

Olga me proposa de tourner un lundi, mon jour de relâche, une scène dans *Si Versailles m'était conté*.

Sacha Guitry cherchait une jeune comédienne « pas chère » pour jouer Mademoiselle de Rosille, maîtresse d'un soir de Louis XV, interprété par Jean Marais. Je devais toucher 5 000 francs pour une journée de tournage à Versailles. J'acceptai avec joie !

Ce fameux lundi, je me présentai dès 9 heures du matin au « maquillage » dans les communs du château. Je devais être prête à tourner à midi ! Je dormais debout. La veille, j'avais joué matinée et soirée à l'Atelier, et je m'étais couchée tard.

Toujours cet enfer du maquillage où « plus qu'il y en a, plus qu' c'est beau ». Je ressemblais à une escalope viennoise avant de passer à la poêle. Avec ma poudre de riz, j'aurais aussi bien pu jouer dans la compagnie du mime Marceau. La coiffeuse me colla une perruque poudrée sur la tête, je ressemblais à une poupée de chiffon qui n'aurait eu ni œil, ni bouche. Pour couronner le tout, la perruque était légèrement de travers, ce qui me donnait un petit air penché des plus inattendus ! J'osais timidement en faire la remarque... Il me fut sèchement répondu que, pour ce qu'on me verrait à l'écran, je pouvais même ne pas en avoir du tout, personne ne s'en apercevrait ! Charmant ! Voilà qui donne confiance en soi.

A midi, j'étais fin prête !

On m'avait habillée avec une robe « d'époque », d'un rose des plus douteux... J'avais des paniers sur les hanches et des cerceaux autour des jambes... Empêtrée dans tout cet attirail, je n'osais plus m'asseoir. Je restai donc debout, répétant mon texte, et attendant le bon vouloir de ceux qui avaient sur moi droit de vie ou de mort.

A 3 heures de l'après-midi, épuisée, je finis par m'asseoir sur les marches d'un escalier, faisant du coup remonter ma robe par-dessus ma tête !

A 5 heures, j'avais faim ! Je demandai timidement si j'avais le temps d'aller manger un sandwich. On me répondit que j'étais payée pour attendre, et que je devais attendre ! Du reste, on allait avoir besoin de moi dans un quart d'heure !...

A 7 heures du soir, j'attendais toujours. Mon estomac faisait *glou-glou*, mes yeux se fermaient, et je m'endormis assise sur un fauteuil Louis XV ! Je me réveillai complètement abrutie à 10 heures. J'étais seule, oubliée, dans le noir le plus complet.

Allant aux nouvelles, je me fis sermonner par la maquilleuse ! Qu'avais-je fait de sa belle poudre de riz ? Je n'avais plus de fond de teint, et mon rimmel avait coulé ! Quant à ma perruque, elle était carrément tombée sur mes yeux, et faisait penser au béret de Paul Préboist.

J'eus beau lui expliquer que je poireautais depuis 9 heures du matin, que je n'en pouvais plus, que je voulais aller me coucher, rien n'y fit. On me repoudra, mon béret-perruque fut sèchement tiré en arrière, et l'on m'interdit de m'asseoir. Comme les chevaux, je faillis m'endormir debout, lorsqu'à minuit un assistant vint me chercher.

J'arrivai au milieu des lumières, aveuglée, dans le grand salon doré où je devais jouer ma scène avec Marais. J'avais sûrement une allure incroyable, défraîchie, avachie ! On me présenta à Guitry qui dirigeait d'une petite chaise roulante poussée par son assistant. Il avait chapeau, barbe et canne, me regarda longuement et, dubitatif, me demanda à brûle-pourpoint : « Quel âge avez-vous, mon petit ? »

Je répondis : « 19 ans, Maître. »

Avec un petit sourire complice, il me glissa : « A votre âge, mon petit, on a le temps d'attendre ! »

Maman, qui était souvent enrhumée, a encore éternué lorsque arriva ma scène avec Marais, le soir de la première du film. Elle ne m'a donc pas vue ! Mais elle me promit qu'à l'avenir elle ferait soigner son rhume chronique avant d'aller voir mon prochain film !

En attendant qu'enfin « Dieu me crée », j'ai eu de nombreuses épreuves à subir.

Martine Carol était à l'apogée de sa carrière. Tous les producteurs se l'arrachaient. Ils ne savaient plus quoi inventer pour attirer le client par son nom magique.

On me demanda alors de tourner un petit rôle dans un film de Jean Devaivre, *Le Fils de Caroline chérie*. Pourquoi pas « Le cousin germain de Lola Montès », ou « Le frère de lait de Nana » ? Enfin, lorsqu'un filon marche, on l'assèche jusqu'à sa dernière goutte. Celui qui devait définitivement couler cette pauvre « Caroline chérie » fut Jean-Claude Pascal, fils d'une rare beauté, chargé de perpétuer à sa façon les aventures galantes de son illustre mère. Hélas, il est extrêmement difficile d'assumer une aussi exceptionnelle ascendance, surtout lorsqu'on doit séduire bon nombre de jeunes et jolies femmes... Il y avait entre autres Magali Noël, extraordinairement sexy. La partie allait être dure pour tout le monde...

Vadim m'accompagna à Port-Vendres où les extérieurs devaient être tournés. Nous arrivâmes la veille au soir pour tourner le lendemain.

Tout était prêt, les costumes, les décors, etc. On avait seulement oublié de me teindre les cheveux en noir, moi qui jouais « Pilar », Espagnole de grande noblesse, que Jean-Claude Pascal épousait à la fin du film après avoir bien profité des autres !

Catastrophe !

A 10 heures du soir, le coiffeur du patelin était fermé, la coiffeuse du film n'avait pas de teinture, et moi, je pleurais une fois de plus en pensant à la belle couleur cendrée de mes cheveux qui allaient être souillés et abîmés, détériorés par les exigences de ce foutu cinéma !

Je voulus partir, mais le contrat m'en empêchait.

Je restai donc, ne dormis pas, morte de peur, et me rendis au maquillage le lendemain à 7 heures. Le coiffeur du patelin était toujours fermé, et la coiffeuse du film n'avait toujours pas de teinture ! On me badigeonna donc les mèches de devant au rimmel noir !

Ah, j'étais chouette ! Les cheveux collés, raides, pleins de bouboules noires pas fondues, le reste tiré en chignon, blond cendré et caché par une mantille noire. J'avais l'air d'une carte d'échantillons ! Elle était loin Martine Carol... Je n'étais pas près de la remplacer, avec cette allure. Inutile de vous dire les complexes que j'avais. Magali Noël était superbe, elle virevoltait et riait avec les uns et les autres, Jean-Claude Pascal lui aussi superbe et altier avait l'air de s'amuser avec elle. Et moi, j'avais l'air de tout sauf de la starlette en vogue...

Le soir de cette première journée, on me traîna chez le coiffeur du coin, enfin ouvert, on m'enduisit le cuir chevelu d'une pâte noire et gluante, et je ressortis de là noir corbeau, affreuse, avec des traînées de teinture sur le visage et le cou. Mes cheveux qui étaient et sont toujours ma fierté avaient été brûlés, abîmés, cassés. Je pleurais encore, maudissant le sort qui me contraignait à de tels sacrifices.

Le film fut très mauvais, Jean-Claude Pascal ne prit pas la place de Martine Carol, Magali Noël non plus et moi encore moins.

Avec ou sans fils, Caroline chérie sera éternelle, unique et irremplaçable.

Paris-Match envoya Vadim faire un reportage chez la vicomtesse de Luynes qui donnait une grande chasse à courre dans son château des bords de la Loire.

Je ne voulus pas rester seule à la maison, même

avec Clown. J'avais une peur bleue que Vadim ne rencontrât là-bas une belle dame et qu'il ne me fît porter sur la tête le même ornement que le pauvre cerf qui allait être tué. J'étais tiraillée entre la jalousie et le dégoût d'aller sur place voir, même de loin, ces scènes de chasse répugnantes. Arrivée au château, je commençai à sentir l'ambiance horrible qui précède les grandes tueries. Je m'enfermai dans ma chambre et attendis que tous les tueurs fussent partis pour mettre enfin le nez dehors. Me promenant seule dans la forêt, j'entendais au loin le son du cor, les aboiements des chiens, et tous les bruits qui violaient le silence de la belle forêt que les hommes allaient meurtrir.

Je me souviens d'avoir rêvé être une fée qui aurait arrêté tout ça !

Je me souviens d'avoir supplié le ciel de sauver ce malheureux cerf pourchassé par cette meute sanguinaire.

Je me souviens d'avoir pleuré, la tête contre le tronc d'un arbre, me demandant pourquoi une telle barbarie.

Je me voyais à la place du cerf, je ressentais son angoisse, sa peur, son affolement, lui si inoffensif, si tranquille dans sa forêt, coupable seulement de porter ces bois magnifiques que les hommes voulaient mettre en trophée sur leur cheminée.

C'est ce jour-là que je me mis à haïr les chasseurs. Je pris conscience de l'inutilité, de la cruauté, de l'inhumanité de la chasse. Je pensais que si l'on devait chasser ainsi tous les cocus pour leur prendre leurs paires de cornes il n'y aurait plus grand-monde sur terre.

La nuit était déjà tombée lorsque je rentrai au château. Là, je n'entendis que rires, voix aiguës de femmes en manque d'amour, voix plus graves d'hommes fiers de leurs meurtres. Je vis le corps du cerf, abandonné, sanglant, au milieu de la cour. Le sang de cet animal a taché mes yeux pour toujours. Je vois rouge, rouge sang, lorsqu'on me parle de la chasse. Je me jurai de tout essayer pour faire comprendre aux hommes leur erreur. Et je tins parole le soir même.

Ecœurée, j'entrai dans le grand salon retrouver Vadim qui se demandait où j'étais passée. Je ne saluai personne, même pas la maîtresse de maison. Je regardai les gens qui buvaient en se congratulant, je voyais cette fête alors qu'il s'agissait d'un enterrement ! Je refusai le champagne qu'un maître d'hôtel me présenta, j'avais une boule au fond de la gorge et un poids énorme sur le cœur, je n'étais pas intimidée, mais dégoûtée ! Ivre de tristesse, d'énervement et d'impuissance, je quittai les lieux et partis à pied pour Paris. Vadim me rejoignit en voiture quelques kilomètres plus loin, avec nos valises.

Tel était et est toujours mon caractère.

Malgré une timidité maladive, je n'ai jamais pu m'empêcher de faire ce que j'avais à faire.

Quelques jours plus tard, en rentrant je trouvai la maison sale, le frigo vide, Aïda la bonne et Vadim sur le tapis, en train de jouer à la roulette. Elle connaissait, paraît-il, une martingale infaillible, qu'elle vendait un million ancien et le prouvait à Vadim, médusé, en gagnant sans arrêt.

Je fis tout son travail pendant qu'elle empochait, en plus de ses gages, tout l'argent du ménage...

Persuadé de tenir un filon magique, Vadim se fit prêter un million par un ami, le cacha, devant Aïda, dans le tiroir du bureau, et tous deux partirent ensemble pour Deauville mettre à l'épreuve la martingale ! Si elle s'avérait efficace, Aïda aurait en rentrant son million. Sinon, Vadim le rendrait à son ami.

J'étais abandonnée ! Cette fois, je ne les suivis pas et restai seule avec Clown, plantée à la maison ! Pas pour longtemps ! Le lendemain, Vadim avait tout perdu, y compris Aïda qui était introuvable... En réalité, elle était rentrée à Paris et, profitant de mon absence, s'était emparée du million.

Nous n'en avons plus jamais entendu parler !...

Dégoûtée des bonnes, des martingales et des maris naïfs, je fermai la maison et allai m'installer avec Clown à l'hôtel Bellman.

Là, délivrée des problèmes ménagers, je commençai à travailler sérieusement en tournant *Futures Vedettes*, mis en scène par Marc Allégret avec Jean Marais comme partenaire.

J'ai passé au Bellman une des périodes les plus drôles et les plus insouciantes de ma vie !

Quelle merveille d'avoir à disposition la femme de chambre ou le maître d'hôtel qui ne vous demandent rien d'autre que ce que « vous désirez ». Clown n'a jamais eu de si bonnes « pâtées » trois étoiles avec de la viande et du riz de l'Oncle Ben's !

Vadim, que rien ne perturbait, était venu s'installer avec moi.

Je pris des habitudes de paresse terribles.

Le matin, je sonnais à peine réveillée, et le groom emmenait Clown faire pipi. Ensuite, je me choisissais un petit déjeuner de star, et tout était à l'avenant. Mon pick-up n'arrêtait pas de tourner. J'étais au dernier étage où toutes les chambres étaient occupées par des copains. Nous dansions le cha-cha-cha dans le couloir pendant que Vadim travaillait.

Odile venait passer ses fringales amoureuses d'adolescente. Il y avait dans sa chambre un éternel va-et-vient de jeunes et beaux garçons, ou de filles. Ma sœur Mijanou venait, dans la chambre d'un homme marié et néanmoins amateur de chair fraîche, apprendre comment l'esprit vient aux femmes. D'autres photographes ou reporters de *Paris-Match* y avaient leur chambre, tout près du journal et toute prête à accueillir l'aventure qui se présentait !

Enfin, c'était très gai, et la culotte oubliée, ou le slip abandonné, circulait parfois de chambre en chambre, afin de ne pas servir de pièce à conviction

127

dans un drame de jalousie éventuel. Souvent, ces vêtements atterrissaient chez moi qui n'avais rien à cacher, jusqu'au jour où Vadim, découvrant une demi-douzaine de slips dans le bas du placard, je faillis me mettre sur le dos un divorce à mes torts.

Odile était très belle, très impudique, très nature, très animale. Elle m'apprit à danser le cha-cha-cha sous le nez de mon chien-chien-chien. Elle avait 16 ans et moi 19 ! Je la trouvais merveilleuse car elle incarnait tout ce que mon éducation m'empêchait d'être vraiment. Je maudissais mes trois ans de plus et me trouvais vieille, elle me trouvait belle et, à force de « chachater » (plus ou moins habillées) sur des airs afro-cubains, nous avons fini par « chachater » un peu différemment sur un lit.

Ce fut ma première et dernière expérience de ce genre !

A ce moment-là je tournais donc *Futures Vedettes*, et côtoyais Jean Marais toute la journée dans ce film au titre plein de promesses. J'avais le rôle d'une future cantatrice. J'ai fait de la danse très longtemps, j'ai un peu appris la comédie, mais alors le chant, c'était zéro pour moi, surtout les roucoulades des sopranos.

Il fallut que j'apprenne à mettre la bouche en chemin d'œuf, à respirer et à prendre des airs de prima donna. Je chantais sur un play-back les airs célèbres de *La Tosca* ou de *Madame Butterfly*...

Une fois de plus, j'étais grotesque !

Quand j'avais fini de chanter mes classiques, je jouais des scènes d'amour avec Marais. Il fallait vraiment que je me donne un mal fou pour essayer d'y croire, car Jean ne me donnait pas l'impression d'avoir envie de recommencer ces scènes plusieurs fois de suite.

Décidément, entre Jean-Claude Pascal et lui, ma vertu ne risquait rien et Vadim non plus !

*
**

La pilule n'existait pas, la méthode Ogino n'était pas infaillible, chaque retard était une angoisse atroce, chaque angoisse une panique à me rendre folle !

Je passais ma vie à compter les jours du mois, à l'endroit et à l'envers, et mes nuits à me poser des questions sur la possibilité de remplir ce que je n'appellerai pas mon « devoir conjugal », car ça n'a jamais été un devoir pour moi, quant au côté conjugal, Vadim était loin d'avoir des manières de « mari » au sens péjoratif du terme. Bref, n'ayant jamais été très forte en calcul mental, mais ayant toujours eu la faiblesse d'aimer l'amour, je me retrouvai de nouveau enceinte !

Etant mariée, ça n'aurait pas dû être une catastrophe ! Eh bien si ! C'en était une. Je n'ai jamais eu de ma vie envie d'être mère... De plus, mon expérience précédente me laissait un souvenir abominable. Je ne voulais pas d'enfant, je préférais me tuer ! Et puis, je devais travailler, je commençais à avoir des petits rôles à jouer. Si je m'arrêtais, j'étais fichue !

La perspective de gâcher ma jeunesse à pouponner, à entendre le bébé hurler jour et nuit, à laver les couches, à sentir l'odeur de lait caillé qui flotte immanquablement autour du lit des nourrissons, puis la responsabilité à vie que cela supposait, tout ça me plongeait dans un état dépressif complet.

Je décidai, d'accord avec Vadim, de me faire avorter.

Mais à l'époque, l'avortement était puni de prison... Je jurai, mais un peu tard, de ne plus jamais, jamais faire l'amour de ma vie ! Que de tracas pour un fugitif moment de plaisir... Je devais être différente des autres femmes, comment faisaient-elles pour vivre, aimer et ne pas être enceintes ? Moi, il suffisait que je voie un homme se déshabiller pour attendre déjà un enfant !

C'était injuste !

Devant mon désespoir, mon gynécologue me promit de me faire un curetage si je trouvais celui ou celle qui déclencherait le saignement ! Je l'ai trouvé, au fond d'un appartement sale d'un quartier populeux. Je me suis laissé traficoter sans aucune hygiène et j'ai eu mon hémorragie. Il fallut me transporter d'urgence à la clinique et m'opérer sur-le-champ. C'est à ce moment que je fis une syncope blanche ! L'anesthésie devait être trop forte, ou bien je faisais une allergie au *penthotal*, ou bien la drogue n'était pas suffisamment au point. Mon cœur cessa de battre sur la table d'opération. On me fit alors un massage cardiaque, et grâce au ciel, mon cœur repartit !

Sous anesthésie, je ne me suis rendu compte de rien, je ne le sais que parce qu'on me l'a raconté plus tard, et qu'on m'a recommandé de ne plus jamais me faire endormir au *penthotal*. Je sortis très affaiblie de cette intervention et j'eus beaucoup de mal à m'en remettre. Je devais longtemps en garder des séquelles.

Ce qui est dramatique, c'est qu'une actrice n'a jamais le droit d'être malade. J'allais, quelque temps plus tard, en avoir la preuve cuisante. Maladie ou pas, un film commencé doit être terminé, et ce « Marche ou Crève » est un des revers les plus cruels du métier.

VI

La France ne m'appréciant pas tellement, je dus partir à la conquête de l'Italie. Rome me proposait du travail.

Je bouclai mes valises et quittai l'hôtel Bellman à Paris, pour l'hôtel de La Ville à Rome. Seule ombre à ma joie, je devais laisser Clown avec Vadim à cause de la quarantaine. Je découvrais une ville superbe, une vie agréable et le charme des Italiens !

Je me fis une amie. Elle s'appelait Ursula Andress et, comme moi, courait les maisons de production. Nous partagions la même chambre (mais pas le même lit), par souci d'économie. Notre succès n'était pas garanti. Nous étions toujours trop petites, trop grandes, trop jeunes, trop ceci ou trop cela. Si les producteurs de l'époque pouvaient se souvenir, ils se boufferaient les avant-bras de rage !

Je finis par décrocher un rôle dans un film américain, *Hélène de Troie*, avec Rossana Podesta. Je devais jouer son esclave. Mon anglais était minable, et mon trac formidable. Le jour des essais, il y avait 80 candidates. J'appris mon rôle sur le bout des doigts, je ne savais même pas ce que je disais, mais je le disais avec tant d'assurance que je fus choisie. Sans le savoir, j'avais mis mon petit doigt dans le grand engrenage des superproductions américaines.

Là, on ne plaisantait pas !

J'apprenais, avec beaucoup de mal, la discipline et l'anglais. Etant allergique aux deux, je considérais ce film comme une sorte de service militaire !

Vadim était toujours mon mari, il allait et venait entre Rome et Paris. Je l'aimais bien, mais ma passion avait passé avec le temps, et je passais le temps avec quelques beaux Romains... ayant un peu vite oublié mon serment de chasteté. C'est drôle, j'ai toujours eu besoin d'une racine. Vadim était cette racine, il m'était indispensable, et pour rien au monde je ne l'aurais quitté pour qui que ce soit !

Mon séjour à Rome se prolongeait. Je n'en pouvais plus !

Les Américains étaient charmants, mais pourquoi fallait-il se lever à 5 heures pour commencer de tourner à 9 ? Ma philosophie du travail les amusait, ils étaient ravis de la petite « french-girl » et s'en furent le dire par-delà le grand océan. Puisque j'étais sur place, je passai de la Warner-Bros à une petite compagnie italienne et tournai en vedette, avec Pierre Cressoy, un mélodrame ridicule : *Tradita*, qui me rapporta suffisamment d'argent pour envisager un éventuel retour en France.

En attendant, je retournai illico presto en clinique.

Les séquelles de mon opération et la fatigue accumulée sur ces deux films où je passais mes journées debout, à piétiner, me forcèrent à rester couchée, perdant mon sang abondamment. Je dus subir une nouvelle intervention dans cette clinique romaine tenue par des bonnes sœurs américaines. Le petit mélodrame que je tournais n'était pas terminé et se transformait en grand mélodrame car le film était arrêté par ma faute. Le producteur me supplia de venir travailler, trois jours seulement après l'opération. Je n'en avais que pour une semaine. Après, je pourrais me reposer toute la vie si le cœur m'en disait. N'ayant aucune envie de moisir dans cet hôpital où je me sentais si étrangère et si abandonnée, j'acceptai.

Résultat, le film dura encore plus d'un mois.

Je tournais une heure, puis, me trouvant mal, j'étais obligée de m'allonger... Le producteur m'exhortait à faire un petit effort et à reprendre le travail ; je le reprenais. Puis, exténuée, faisant hémorragie sur hémorragie, je rentrais à l'hôtel en espérant que le lendemain tout irait mieux ! Mais le lendemain ressemblait à la veille, et rassemblant toutes mes forces, il m'était impossible de travailler sans m'allonger immédiatement après.

C'est dans cet état pitoyable que toute l'équipe et moi-même partîmes finir le film dans les Dolomites, le Tyrol italien. Pour comble de malheur, on n'y parlait qu'allemand. Il faisait un froid de loup, il n'y avait aucune infirmière, et c'est la script-girl, une femme adorable qui m'avait prise sous son aile, qui me faisait dix fois par jour les piqûres nécessaires pour que je tienne debout encore un petit peu.

Tout a une fin, heureusement. Le film eut la sienne avant moi.

Rentrée en France, j'allai directement m'effondrer chez ma Mamie ! Là, je me refis une petite santé. J'étais gâtée, soignée, cajolée, entourée, je ne m'occupais de rien, tout était prévu, organisé en fonction de mon bonheur. Même Clown était aimé et caressé.

Le Boum semblait fou de joie de m'avoir à lui tout seul, Dada mijotait des petits plats extra pour me donner du sang et des forces, Mamie me couvait avec tant de tendresse attentive que j'avais l'impression d'être au paradis.

De son côté, Vadim me rendait de longues visites, désolé de voir dans quel état j'étais. Maman me dorlotait et pensait qu'il eût mieux valu que j'aie un enfant que de me retrouver aussi mal en point. Papa, qui ne comprenait pas bien de quoi il retournait, trouvait que le cinéma était décidément très néfaste à ma santé, et me conseilla très sérieusement d'envisager un nouveau métier, celui-ci me rendant systématiquement malade.

Enfin, j'étais bien, et serais probablement restée là éternellement, si Olga n'était venue prendre de mes nouvelles, et m'annoncer qu'on me demandait pour un film fantastique.

Le cinéma est un métier difficile.

Il ne faut jamais laisser passer la chance. Or, la chance, on ne sait jamais où elle se trouve, donc, il ne faut jamais rien laisser passer ! C'est une lutte, un combat permanent. Si on se laisse aller, on n'avance plus, et qui n'avance plus... recule.

J'ai une volonté de fer et une paresse d'acier. J'ai donc été perpétuellement prise entre l'une et l'autre, mais au dernier round, c'est toujours la volonté qui l'a emporté. J'ai quitté mon nid douillet qui ressemblait au ventre de maman avant ma naissance, et suis revenue à ce monde qui devait être le mien longtemps encore : « le cinéma ».

Grâce à Olga, j'ai eu la chance de tourner aux

côtés de Michèle Morgan et Gérard Philipe, un film dirigé par René Clair, *Les Grandes Manœuvres*.

Mon rôle n'était pas très important, mais il vaut mieux tourner un petit rôle dans un très bon film qu'un grand rôle dans un mauvais film ! Ces *Grandes Manœuvres* ont fait beaucoup pour moi ! René Clair était merveilleusement gentil et distingué. Il me dirigeait avec douceur et fermeté.

Morgan, je la regardais, n'osais pas lui parler, elle m'intimidait... Par contre je découvris sa doublure, Dany Dessaix, qui devint une amie. Gérard Philipe, lui, c'était un mythe ! Et lorsqu'il me posait une question, je rougissais jusqu'à la racine des cheveux. J'ai toujours rougi, par émotion, timidité, affolement ! Lorsque, plus tard, il m'arriva de répondre du tac au tac à un journaliste, une formule impertinente et drôle, avec une assurance feinte, je devenais de toute façon rouge vif. Sentant cette chaleur torride envahir mon visage, je me disais que ma réponse et ce rougissement n'allaient pas ensemble... Pour y remédier, je m'arrêtai un soir à la pharmacie de mon quartier, et demandai un médicament pour ne plus rougir. Sur ce, je devins rouge de la tête aux pieds. Très amusé, le pharmacien me répondit que ce genre de médicament n'existait pas, que rien n'était plus merveilleux que de voir une jeune femme rougir, que ça devenait rare et qu'il fallait rester comme ça. Je l'ai écouté, bien malgré moi, je suis donc restée « comme ça » !

*
* *

Vadim avait beaucoup travaillé pour moi et écrit le scénario d'un film rigolo dont je devais quelque temps après être la vedette : *En effeuillant la marguerite*.

J'étais contente, il m'avait donné un personnage charmant, un peu sexy, un peu ingénu, semant la pagaille sur son passage. Marc Allégret devait en assurer la mise en scène, ce qui était formidable car il était devenu un de nos grands amis, et avait envie de ne pas faillir à sa réputation de « découvreur de vedettes ». C'est vrai qu'il avait lancé Simone Simon et Danièle Delorme, qu'il fit tourner Danielle Darrieux, et bien d'autres, dont les initiales n'étaient peut-être pas doubles, mais cette coïncidence l'amusa. Il rendait célèbres les S.S., les D.D., et pourquoi pas une B.B. ?

Futures Vedettes n'avait pas été un gros succès, et Marc Allégret misait tout sur *En effeuillant la marguerite*. De fait, il y mit le paquet.

J'avais Daniel Gélin et Darry Cowl comme partenaires. Mon nom figurait au-dessus du générique, sur un carton seul, et j'avais comme seule rivale Nadine Tallier, une strip-teaseuse connue qui se fit mieux connaître encore en épousant plus tard le baron Edmond de Rothschild, qui couvrit sa nudité superbe de bijoux, plus superbes encore, mais comme elle était bien en chair, il dut en avoir pour assez cher.

Cette marguerite qui mit deux mois et demi à se faire effeuiller, allait donner un sérieux coup de rein à mon ascension cinématographique.

Les Italiens ne voulant pas rester en plan, la « Bardot » fut demandée pour un autre « péplum ».

Une phrase anglaise dit « *When you can take, you take !* » Je « takai » donc, et repartis pour Rome.

Clown me manquait, Vadim venait rarement, je découvrais l'amour à l'italienne dans les bras d'un beau crooner. Chaque soir, j'allais le retrouver dans le cabaret où il se produisait. Sa voix était chaude, envoûtante, j'étais chez moi dans cet endroit, et je passais la nuit à danser, à rire, à oublier que le lendemain j'avais un rendez-vous à 6 heures du matin. Celui qui m'attendait, à une heure aussi matinale, n'était autre que « Néron », interprété par Alberto Sordi. Moi, je jouais le rôle de Poppée, Gloria Swanson était Agrippine, et Vittorio de Sica, je ne sais plus qui...

Comme dans tous les films italiens, qui sont postsynchronisés, le son n'a aucune importance. Chacun dit ce qu'il veut, et chacun dans sa langue. Je parlais en français, Sordi et De Sica en italien, Swanson en américain. On tournait dans un charivari infernal, les machinistes clouaient le décor d'à côté pendant que le metteur en scène se faisait faire la barbe et injuriait le barbier qui lui faisait une estafilade. Au milieu de tout ce tintamarre, nous débitions nos âneries, conscients de notre talent, et indifférents à la stupidité de ceux qui ne savaient pas le reconnaître par un silence déférent et respectueux. Moi qui sortais juste du service militaire américain, j'étais jetée tout de go dans le style débraillé des orgies romaines à la petite semaine...

C'est dans ce film que, pour la première fois de ma vie, j'ai essayé mon pouvoir de vedette.

Poppée devait prendre son fameux bain de lait, et j'étais ravie de connaître l'effet que ça ferait sur ma peau... Quelle ne fut pas ma surprise d'apprendre que la super baignoire, genre piscine, était remplie d'amidon ! Je ne voulais pas rentrer là-dedans, j'allais en ressortir empesée et raide comme un col de smoking.

Je hurlai. Bref, je fis un drame.

Affolement sur le plateau... Que voulais-je à la place de l'amidon ? Je répondis : « du lait ». Les producteurs attendaient avec effroi que je leur demande du lait d'ânesse, mais, gentille, je ne l'exigeai pas ! Tout de même, cela faisait une fortune en lait, que pouvait-on faire ? Le couper d'eau... Moitié lait, moitié eau ! Aussitôt dit, aussitôt fait, j'eus mon bain de lait demi-écrémé !

J'ai été cruellement punie de mon caprice.

La scène devait en effet durer deux jours. Le premier, je me glissai, ravie et fière, dans mon immense bain de lait frais coupé d'eau tiède... Les projecteurs aidant, la chaleur, le maquillage, les heures passées... A la fin de la journée, je pataugeais dans une sorte d'ignoble yaourt grumeleux, et inutilisable le lendemain. Je sortis piteuse de ma mixture, et acceptai l'amidon pour le lendemain. C'est ainsi que prirent fin mes aventures romaines et mes caprices de star en herbe.

Riche d'expériences, et pauvre en devises, je rentrai en France.

Je retrouvai mon appartement étriqué de la rue Chardon-Lagache, dans ce Paris qui me semblait rabougri, avec ma nouvelle condition de petite star à la noix de coco. Rome m'avait appris les espaces, la grandeur, je reniflais autour de moi une médiocrité que je ne supportais pas !

Il y a un personnage dont je veux parler, une petite dame qui était ma concierge, et qui s'appelait Mademoiselle Marguerite.

Ce fut une rencontre entre une femme de 75 ans, seule et attendant la mort, et une jeune femme de 20 ans, presque seule, et attendant la vie ! J'ai eu pour elle une affection digne d'une petite-fille pour son aïeule.

Si j'en parle aujourd'hui, c'est parce qu'elle m'a apporté tant de gentillesse, tant de dévouement, que peut-être sans elle, je ne serais pas exactement qui je suis aujourd'hui... Elle vivait misérablement, dans une loge digne des romans de Zola, avec pour seul compagnon un serin appelé « Tino » qui chantait pour elle toute la journée.

Bénie soyez-vous, Mademoiselle Marguerite, vous qui étiez l'indulgence et la bonté mêmes !

A mon retour de Rome, Mademoiselle Marguerite était morte.

Il est un trait profond de mon caractère dont je n'ai pas encore parlé.

J'étais, je suis vulnérable et tendre !

J'ai toujours eu besoin, sinon d'amour, tout du moins d'affection ou de chaleur humaine, ce qui m'a fait m'accrocher tout au long de ma vie à celui ou à celle qui m'apportait cette tendresse pour moi presque vitale ! Cela doit venir d'un manque qui remonte au plus profond de mon enfance et qui ne m'a jamais lâchée. J'ai dépendu et je dépends toujours d'un geste d'affection. Je suis émue par la bonté que l'on me témoigne. Je suis reconnaissante jusqu'à la servilité à celui qui m'aime et me le montre !

J'ai voué à ma Dada un amour éternel car elle m'a entourée d'une tendresse illimitée !

J'ai adoré ma Big qui m'aimait avec générosité et indulgence !

J'ai vénéré mes grands-parents, mon Boum et ma Mamie, qui auraient donné leur vie pour moi !

J'ai essayé, maladroitement sans doute, de ressentir le même amour de la part de mes parents.

J'ai toujours recherché auprès de mes amants l'affection et la tendresse. L'amour physique, aussi intense fût-il, n'est jamais passé qu'au deuxième plan.

Puisqu'il fallait bien s'occuper à quelque chose entre deux films minables, j'acceptai pour un reportage télévisé d'aller déjeuner chez Maurice Chevalier à Marnes-la-Coquette et de poser pour le peintre Van Dongen. J'étais inconnue, ils étaient deux monstres sacrés ! Van Dongen, qui m'impressionnait à mourir, fit un extraordinaire portrait de moi. La télé filmait la progression de l'œuvre, et me filmait par la même occasion...

Impossible d'acheter ce chef-d'œuvre, je n'avais pas un sou. J'en crevai de rage. Je fis en vain du charme à Van Dongen qui préférait les billets de banque aux sourires ! Tant pis ! Ce portrait est maintenant dans le dictionnaire Larousse et passe pour l'un des chefs-d'œuvre du Maître.

Par la suite, j'ai recherché le tableau, qui avait été vendu à un Américain... Revenu en France, on m'a proposé de l'acheter en 1970 ; il valait alors 270 000 francs et j'avais l'impression de voir un plat d'épinards avec du jambon...

Les Américains ne m'avaient pas oubliée. Un splendide contrat de la Universal Company m'arrivait, « prêt à signer », après avoir franchi l'Atlantique.

Mon Dieu, que devais-je faire ?

D'un côté, c'était tentant d'être sous contrat pour sept années avec un bon salaire mensuel — une somme mirobolante pour mon compte en banque ! Mais de l'autre, j'avais l'interdiction formelle de faire aucun autre film que les leurs, ceux-ci étant aléatoires... J'hésitais.

Oh ! que c'était tentant ! Mais je n'aimais pas voyager. Il allait falloir que je quitte mes racines, faibles, mais racines tout de même ! Et puis, je n'avais plus d'argent, ça filait vite.

A propos, je n'avais pas repris de bonne, pour faire des économies, et comme j'aimais avoir des amis chez moi, je faisais la cuisine à mes moments de libre entre deux couvertures de magazine, trois rendez-vous chez les producteurs, et une visite chez l'épicier pour les courses quotidiennes.

Un jour, j'avais des amis à déjeuner. J'avais fait un rôti pour la première fois de ma vie, et pendant qu'il cuisait, je leur offrais un verre.

Horreur !

Je vis une épaisse fumée passer sous la porte de la cuisine... Je me précipitai... Le four brûlant mettait le feu à la table sur laquelle il était posé ! Je hurlais, en ouvrant la fenêtre de la cuisine pour que la fumée s'en aille ! Lorsqu'ils arrivèrent, affolés et toussant, les flammes jaillissaient carrément du four. Ce que voyant et me souvenant que les courants d'air étaient à éviter en cas d'incendie, je sortis précipitamment de la cuisine et fermai la porte brutalement, la tenant de toutes mes forces, les enfermant de ce fait au milieu du brasier. Je me souviens de leurs hurlements, moi toujours cramponnée à la porte pour éviter les courants d'air...

Bref, Vadim, très calme, riant comme un fou, est venu les délivrer.

Nous avons été au restaurant et j'ai décidé, ce jour-là, que chacun sa spécialité, et les vaches seront bien gardées ! Moi, je ne ferais plus la cuisine ! J'ai failli depuis à mon serment.

En attendant, le contrat attendait, mon imprésario attendait, et moi j'attendais de savoir ce qui m'attendait !

Quelque temps auparavant, avait éclaté « l'affaire Rosenberg », comme une bombe d'injustice. Je ne comprenais rien à la politique, je n'y comprends du reste toujours rien, mais il y aura éternellement dans mon cœur une place pour vous : Ethel et Julius Rosenberg ! Même si depuis on me le reproche. J'ai suivi votre procès, j'ai suivi vos angoisses, et vos espoirs, ils étaient devenus miens. La nuit qui précéda votre exécution, j'allai jeter des tracts, écrits de ma main, des centaines de petits bouts de papier, où j'avais crié votre innocence. Je les ai éparpillés partout où ma voiture me conduisait. Je regrette de ne pas en avoir eu suffisamment pour que les trottoirs et les rues de Paris en aient été recouverts comme par une neige, une neige blanche comme votre cœur et votre âme.

Ethel et Julius, en mourant si courageusement, grillés sur la chaise électrique, vous avez non seulement changé le cours de l'histoire, mais aussi la destinée d'une petite Française appelée Brigitte que les Américains convoitaient. Me souvenant de votre mort, de votre ignoble et horrible torture, moi, petite inconnue, petite rien du tout, je vous ai un tout petit peu vengés.

J'ai pris le beau contrat américain et je l'ai déchiré.

J'en ai fait des confettis, je les ai remis dans une enveloppe qui ressemblait à une corbeille à papier, et j'ai renvoyé le tout à l'expéditeur...

Quelle joie de dire merde à ceux qui avaient assassiné des innocents !

Petite parenthèse, je n'ai jamais accepté de faire une carrière aux Etats-Unis. Même au plus fort de ma gloire, j'ai toujours refusé d'aller y travailler, ne vous demandez pas pourquoi... J'ai un sens de la justice et de la dignité qui font passer le martyre des Rosenberg avant les dollars et la gloire achetée à contrecœur. Ethel et Julius, ici s'arrête notre complicité commune qui continuera éternellement dans mon cœur.

Il est certaines manières de tuer les gens qui, même s'ils sont coupables, restent inadmissibles.

Si les Américains avaient pris leur gifle, restaient les Anglais...

Heureusement, car les francs, eux, ne restaient pas.

C'était l'époque des séries anglaises *Doctor at...* avec Dirk Bogarde. On me proposa de tourner un épisode. Et me voilà larguant de nouveau les amarres, et partant pour deux mois, à la conquête de l'Angleterre.

Comme je détestais ces départs !

Je quittai encore mes racines, Vadim, Clown, ma maison. Olga m'accompagna en ferry-boat (car je n'avais encore jamais pris l'avion). Elle m'installa au « Dorchester », me présenta à mes futurs partenaires, producteurs, metteurs en scène, comme une enfant que l'on mène en pension et que l'on confie à la directrice. Puis, toujours pressée par le temps, m'abandonna à mon film, et rentra sur Paris, non sans m'avoir préalablement recommandé d'être sérieuse, disciplinée, ponctuelle, travailleuse, etc.

Je me retrouvai seule dans ma chambre d'hôtel, complètement perdue, et bien souvent je m'effondrai en larmes.

Toujours ce besoin de protection, cette angoisse de la solitude, cette panique devant tout ce qui ne m'était pas familier. *Doctor at sea* fut un excellent exercice linguistique pour moi. Personne, absolument personne ne parlait un mot de français sur le plateau ! Je répétais les phrases anglaises comme un perroquet, ne sachant pas la plupart du temps ce qu'elles voulaient dire !

C'était pratique !

Je devais me lever à 5 heures du matin, les studios de Pinewood étant à une heure et demie de voiture de Londres. Après la journée épuisante, et le trajet du retour, je m'effondrais dans mon bain, puis dans mon lit, et m'endormais le nez dans le pudding qui me servait de dîner.

Le samedi et le dimanche, nous ne tournions pas... Semaine anglaise ! Ne sachant trop que faire de ma solitude, je passais ces deux jours au lit, essayant de récupérer le sommeil en retard. Je m'ennuyais ferme !

Un dimanche, je fus invitée à déjeuner, chez Dirk Bogarde.

Il fallut faire deux heures de voiture pour arriver à son cottage. Là, je me trouvai au milieu d'habitués qui se connaissaient tous ! L'anglais me donnait la migraine, j'aurais échangé mon droit d'aînesse contre une phrase en français... Quand Jacques Sallebert s'est présenté à moi ! Il tenait le bureau de l'Agence France Presse à Londres, et il se proposa gentiment de m'aider à passer un séjour moins monacal. Sa femme et lui furent charmants, me présentèrent des amis, me sortirent au théâtre et au cinéma. Le film se termina comme il avait commencé. Ce ne fut pas un chef-d'œuvre, mais un film charmant, où j'étais charmante, sans plus ! Je commençais à aimer Londres, son charme secret, son passé extraordinaire lorsque je repris le ferry-boat.

Je retrouvais ce pauvre Clown qui en avait assez de passer sa vie à m'attendre ! Je retrouvais mon mari et mes racines.

*

Vadim continuait de vaquer de gauche et de droite, il écrivait un roman qui s'appelait *Hellé*.

Moi, j'acceptai un film qui s'appelait *La Lumière d'en face*. Le producteur était Jacques Gauthier. Sa compagne est devenue mon amie pour toujours. J'avais une vingtaine d'années, elle en avait vingt de plus que moi.

Elle est, était, et sera, Christine !

Il est difficile dans ce milieu superficiel de rencontrer des êtres rares. Elle était de cette race en voie de disparition. Belle, grande, généreuse, elle me prit sous son aile, et me protégea. J'ai toujours eu besoin de protection, consciemment ou non. Je sais aujourd'hui que la tendresse de cette amie a transformé ma vie.

Le film se déroulait sur la Côte d'Azur. L'équipe était sympathique. Je n'étais pas vraiment connue, mais pas totalement inconnue non plus. Ce film restera pour moi un souvenir fantastique. On me mettait en valeur, je me sentais jolie, bien maquillée, entourée. Mes partenaires, Raymond Pellegrin et Roger Pigaut, étaient charmants. Nous tournions à Bollène, sur les berges du Rhône.

C'est dans ce film qu'arriva l'anecdote que raconte Jeanne Witta, la scripte, dans son livre *La Lanterne magique*. J'étais encore très pudique et refusai catégoriquement de me mettre nue pour traverser une rivière. Christine Gouze-Renal eut beau insister, faire du charme, elle se heurta à un mur. Désespérée, la production alla chercher une doublure qui me ressemblait vaguement de dos et qui, en échange d'un joli billet de banque, se mit immédiatement nue et traversa la rivière à ma place.

L'ennui, c'est qu'elle avait le cul bas !

Christine me dit : « Regarde, son cul traîne par terre, tout le monde va croire que c'est toi, c'est dommage », etc. etc. Piquée au vif, je décidai de m'asseoir sur ma pudeur du haut de mon cul et c'est ainsi que je me mis nue, taille et cul hauts. Le premier pas était fait, non sans une certaine honte, mais noblesse oblige.

Christine me couvait, m'encourageait.

C'était presque une joie de travailler. Elle m'apprenait le bon côté des choses... A cette époque, je ne pouvais pas vivre seule, — j'entends par *vivre* non pas le quotidien (car en fait de solitude, je passais ma vie entourée de cinquante personnes), mais la solitude du soir, du lit, du réveil, des moments d'abandon. Cette dépendance, ce besoin d'une épaule, d'un bras, d'un corps contre lequel me réchauffer la nuit me rendront esclave une bonne partie de ma vie.

Il est difficile de remarquer le visage de quelqu'un caché derrière une caméra, et pourtant, malgré le voile noir qui le recouvrait, je l'ai vu et reconnu. C'était pour lui qu'allait battre mon cœur pendant toute la durée de ce film. C'était pour lui que j'allais être belle, pour qu'il soit fier de moi ! Il s'appelait André, il était cameraman, et horreur ! il était marié. Mais, moi aussi, j'étais mariée. Double horreur ! Mais après tout, les films sont comme des petites oasis dans la vie, et chaque oasis a sa petite existence indépendante du reste du monde. Je l'adorais, il me photographiait comme si j'étais une déesse.

Il était beau, il était communiste !

Mon partenaire, Roger Pigaut, était absolument charmant, il était beau, il était communiste !

Raymond Pellegrin était adorable, intelligent, il était communiste !

J'en déduisis que le parti communiste était une pépinière de types extraordinaires et ça me donnait envie de m'y inscrire.

Voilà à 20 ans comment je comprenais la politique...

Depuis, j'ai vu Georges Marchais et j'ai changé d'avis !

Le film s'est terminé un peu comme la fin d'une

joyeuse colonie de vacances. Adieu mon beau cameraman, mon équipe de rêve, mes adorables partenaires, adieu Nice, la vie d'insouciance, adieu « la
lumière d'en face ».

Ce qu'il y a de cruel dans un film, c'est qu'on
forme une réelle famille, soudée, pendant trois
mois, et que le jour où le film se termine, la famille
se disperse, et il est bien rare de retrouver des éléments qui, eux-mêmes, ne sont plus dans le même
contexte. Donc, la fin d'un film est une petite mort,
une page tournée, un pas en avant dans l'inconnu.
Jamais on ne refera la même chose avec les mêmes
amitiés.

Seule, Christine restait et restera.

Elle s'amusait de mon aventure de collégienne en
vacances. Elle riait de ma nostalgie. Elle en avait vu
d'autres, et juste ciel ! étant mon amie, en verra
d'autres, ô combien ! La complicité de deux femmes
est une chose extraordinaire, quand elle est réelle et
profonde. J'ai eu la chance de connaître cette complicité avec Christine. Elle se retrouvait en moi
ayant un peu le même caractère, et moi, j'aspirais à
devenir comme elle. Elle était un peu mon modèle,
quoique très différente physiquement. Nous nous
comprenons d'un regard, d'un geste, d'un sourire.

Quand Jacques Gauthier, son compagnon, mourut subitement des suites d'une opération de
l'appendicite, Christine se retrouva seule, sans un
sou, affreusement triste. Elle eut envie de continuer
la tâche entreprise par Jacques. Elle devint productrice, grâce à son courage, son esprit d'entreprise, et
à la signature que j'apposai au bas du contrat qu'elle
me proposait... Ce contrat, sans date, allait faire de
Christine un être privilégié. J'expliquerai pourquoi
plus tard.

Rentrée à Paris, démoralisée, tout me paraissait
gris ! Quelle tristesse de me retrouver seule, rue
Chardon-Lagache. Vadim travaillait toute la jour-

née, soit à *Paris-Match*, soit à un scénario pour telle ou telle maison de production. Clown me faisait une fête terrible, mais je sentais bien qu'il avait lui aussi besoin d'espace !

Je n'avais pas d'amis, ni d'amies.

Chantal, mon amie d'enfance, s'était mariée avec un super bourgeois, et nos vies avaient complètement divergé. Je voyais donc Christine, déjeunais ou dînais avec Christine, vivais avec Christine, m'accrochais à Christine. Olga, qui commençait à me connaître un peu, a vite compris elle aussi que nos rapports seraient affectifs avant d'être professionnels ! Je voyais donc Olga, déjeunais avec Olga, vivais à travers Olga, m'accrochais à Olga !

Ces deux femmes ont remplacé ma mère durant toute la période professionnelle de ma vie. Elles étaient mes bouées de sauvetage, mes confidentes, mes complices, mes conseillères. Elles me soignaient lorsque j'étais malade, me gâtaient à chaque Noël, n'oubliaient jamais mes anniversaires, recréaient autour de moi une famille différente, moins sévère.

Pourtant, parfois, l'une ou l'autre savait se montrer implacable, quand il s'agissait de m'empêcher de commettre une erreur. Elles m'ont aidée moralement à assumer ma condition de star et, parallèlement, ont su soutenir la petite fille dépassée par les événements...

*
**

Après m'avoir vue dans *Les Grandes Manœuvres*, Michel Boisrond, l'assistant de René Clair, eut envie de me donner une chance, en en prenant une, lui aussi. Il devint metteur en scène pour *Cette Sacrée gamine* qui me mit sérieusement le pied à l'étrier !

Michel, qui était la fantaisie, la gaieté et l'élégance mêmes, réalisa un film à son image. Il sut utiliser mes talents de danseuse, et rendre à l'image une Brigitte rigolote et détendue qui me ressemblait trait pour trait. C'était mon premier film « sur mesure ».

Désormais considérée comme une « vedette », j'avais pour la première fois de ma vie « une maquilleuse pour moi toute seule ».

J'avais, depuis mon premier film, été allergique à cette corporation, et m'en étais toujours méfiée comme de la peste ! « Ma maquilleuse pour moi toute seule » s'appelait Odette Berroyer, elle était jeune, jolie, gaie, elle sentait bon, et découvrait avec moi le cinéma car elle n'était pas professionnelle depuis longtemps. Dire ce qu'est devenue Odette dans ma vie, c'est l'associer à toutes les minutes et les heures, tous les jours et les mois qui suivirent. Jamais mariage ne fut plus fidèle que notre amitié. Jamais chez moi la plus folle passion n'a duré le dixième du temps de notre amitié qui dure toujours !

Odette est devenue Dédette, puis mon « Dédé », nous nous sommes appuyées l'une sur l'autre et l'autre sur l'une, au fil des années, des voyages, partageant déprimes, malheurs, bonheurs, solitudes, maladies. Nous ne nous quittions jamais et sommes restées collées comme des bonbons pendant vingt ans. Mon bonheur, mon succès, étaient les siens, mes malheurs, mes échecs, l'atteignaient au fond du cœur.

En attendant, Vadim écrivait un scénario, traficotait et papotait avec un producteur, Raoul Lévy.

Vadim, qui n'avait rien fait, Raoul Lévy, qui n'avait rien produit, et moi qui n'avais rien prouvé, nous décidâmes de tourner un film qui s'appellerait *Et Dieu créa la femme*. Mais nous ne faisions pas sérieux. Nous avions l'air de trois rigolos qui préparent une fête de patronage.

Aucun financier ne voulait risquer un sou sur ces trois toquards.

Raoul Lévy faisait pourtant une esbroufe sensationnelle ! Déjeuners, dîners, chez Maxim's, à La

Tour d'Argent, etc. Je n'avais pas l'habitude de tout ce cirque. Je n'avais rien à me mettre sur le dos, hormis un pantalon et un tee-shirt. Si je me mettais une robe, j'étais horrible ; avec un chignon, j'avais l'air d'une institutrice ; sur des talons hauts, on aurait dit que je suivais une rééducation après une fracture des deux chevilles.

Mon Dieu ! Ce que j'ai pu pleurer, me trouver laide, piquer des rages contre ces conventions stupides d'élégance. Vadim, relax, partait dîner chez Maxim's avec Raoul et X, Y ou Z qui devait financer le film, et moi, après avoir changé dix fois de tenue, essayé trois coiffures différentes, après avoir pesté, crié, vidé une bouteille de rouge pour me calmer, je me couchais ivre de rage et de vin, en maudissant le fait de ne pas être un homme et d'avoir autant de problèmes vestimentaires !

Vadim était habitué. Mon attitude le faisait rire. Il me disait que mon problème était dans ma tête, car lui me trouvait très jolie. Je n'avais pas à me préoccuper, tout m'allait très bien... Son opinion me laissait perplexe, car il était tellement distrait qu'il lui arrivait de sortir avec une chaussure marron et l'autre noire et que, parfois, il cherchait pendant une heure le costume qu'il avait sur le dos !...

J'appelai « S.O.S. Christine ».

Elle me traîna chez « Marie Martine » où j'achetai quelques robes ! Mais je n'avais pas de chaussures... J'achetai des souliers, puis des bas, puis des pull-overs de cachemire. Elle m'apprit à coordonner le tout.

Je n'avais pas de manteau de fourrure ! C'était une tare pour une vedette en herbe... Il me fallait un vison, ou rien. Pour moi, c'était rien, car j'étais déjà allergique à la fourrure. Mais maman, qui refit surface pour l'occasion, me traîna chez une amie à elle qui aurait sûrement une fourrure de prix à bas prix ! Effectivement, j'y trouvai un vison « à quatre places » tant il était long et large, mais, comme disait maman, il valait mieux nager dedans que d'avoir l'air de pleurer pour l'avoir ! Non seulement j'étais grotesque, mais mon compte en banque, du coup, était à sec.

Je ne me sentais bien que les cheveux défaits, pieds nus, et habillée comme si je venais de sortir du lit... Je décidai, un beau jour, que ce serait comme ça que l'on m'accepterait ; sinon, c'est moi qui n'accepterais plus les autres.

Malheur à celle par qui le scandale arrive !
Malheur à moi car le scandale est arrivé !

Les préjugés ne tiennent debout que par la valeur qu'on leur attribue. L'éducation, la bienséance n'existent que par ceux qui les ont inventées. Moi, j'ai inventé le contraire. Et n'étant plus retenue par « ce qui se fait », je vivais pleinement « ce qui ne se fait pas... » C'est ainsi que je suis arrivée un soir chez Maxim's, cheveux au vent, robe moulante, ballerines faciles à enlever sous la table, et en guise de bijou, un énorme suçon que je m'étais fait faire par un amoureux obscur, mais néanmoins fougueux, et que je portais, fière et altière, comme s'il s'agissait d'un diamant de 15 carats !

*
*

Tout ça était bien gentil mais n'était pas sérieux. Or, le financement d'un film est quelque chose de très, très sérieux.

C'était l'époque du Festival de Cannes, en avril 56, il fallait que j'y aille ! Ça me barbait, mais pour le moment, même en tirant toutes les ficelles, nous arrivions péniblement à avoir de quoi faire un film en noir et blanc... alors qu'il devait être en couleurs.

Pour moi, le Festival de Cannes c'était l'horreur !
Mais puisqu'il fallait se jeter à l'eau, j'y allai !

Comme tous les grands timides, l'insolence et l'agressivité ont toujours été mes meilleurs boucliers, et mon arrogance a souvent caché une atroce vulnérabilité. Je fis décolorer mes longs cheveux. Le blond doré m'allait très bien. J'avais l'air d'une lionne ! Ce changement de couleur de cheveux a été un tournant dans l'évolution de mon personnage.

A Cannes, j'étais la starlette de service, la starlette qui montait, qui marchait pieds nus, la starlette au bikini minuscule et aux immenses décolletés, la starlette dont on parlait ! Heureusement, car il nous fallait de l'argent pour financer ce fichu film *Et Dieu créa la femme*.

Pour les besoins d'un reportage photographique, on me fit rencontrer Picasso.

Mon Dieu, quel homme ! Quelle personnalité ! Il n'y avait plus de starlette ceci, ou cela, il y avait une jeune femme émerveillée devant un homme qui était une sorte de demi-dieu. J'étais de nouveau timide, rougissante. Il me montra ses toiles, ses céramiques, son atelier. Il était simple, intelligent, un peu indifférent, et adorable.

Ce fut notre première et dernière rencontre.

Souvent, j'ai eu envie de lui demander de faire mon portrait mais je n'ai jamais osé...

L'Aga Khan et La Bégum invitèrent les personnalités du Festival à déjeuner dans leur superbe propriété du Cannet « Yakimour ». Je parle du vrai Aga Khan, aujourd'hui décédé, qui était le roi des rois, qui pesait 150 kg, et recevait chaque année son poids en or de la part de ses sujets !

Georges Cravenne, le célèbre public-relation qui était notre ami à tous, s'arrangea, rendant ainsi service à Raoul Lévy, pour que je sois invitée. C'était un honneur, un privilège... Rendez-vous fut pris pour le lendemain, à midi précis. Il fallait être ponctuel. J'avais dans la main un superbe bristol blanc et or avec une couronne gravée : l'invitation à mon nom.

J'hésitais entre la fierté et la panique !

Pas question d'y aller dépoitraillée, pieds nus, cheveux raides ! L'éternel problème ressurgissait. Qu'est-ce que j'allais me mettre sur le dos ? C'était un déjeuner, donc, exclue la robe du soir. A part ça, je n'avais que des jeans et des bikinis...

Pourquoi faut-il toujours avoir des problèmes vestimentaires ? « C'est à cause de ma culotte », aurait répondu le Boum. Quant à Mamie, elle m'aurait dit « si on te le demande, tu diras que tu n'en sais rien ! » Forte de ces deux conclusions, hautement philosophiques, qui ne résolvaient le problème d'aucune façon, je décidai de remettre au lendemain ce que j'aurais dû faire le jour même, et essayai d'oublier mes tracas en allant passer une soirée décontractée.

C'était l'époque du cha-cha-cha. L'orchestre était formidable, je dansais seule ou avec n'importe qui, pieds nus, libre, déchaînée, irritante pour les femmes, excitante pour les hommes !

Raoul Lévy, Vadim, et d'autres amis me regardaient d'une drôle de façon. Au diable, le Conservatoire et sa discipline stricte et implacable ! Mes hanches roulaient, tanguaient, j'avais chaud, je me défonçais, je mimais l'amour au rythme fou des tam-tams, c'était comme si une autre moi-même possédait mon corps ! Le champagne me rafraîchissait la gorge, et puis zut ! j'avais trop chaud, et renversai mon verre sur ma poitrine, mes épaules, mes cuisses !

C'était froid ! C'était bon ! C'était fou ! J'étais devenue folle !

Ce soir-là, Vadim décida de rajouter dans son film une scène où je danserais follement, et sans pudeur. Cette séquence ferait le tour du monde...

En attendant, la nuit était grandement entamée. Il fallait vite rentrer se coucher, demain, il y avait le déjeuner chez l'Aga Khan ! Je dormais, j'adorais dormir, je flottais dans cette inconscience totale qui libère le corps, l'esprit, qui repose l'âme.

Soudain, le téléphone sonna ! J'émergeai.

Qui osait m'appeler si tôt après la nuit que j'avais passée ? Au téléphone, Georges Cravenne me dit qu'il était midi et qu'il m'attendait dans le hall pour partir au déjeuner ! Quoi ?... Ah mon Dieu, c'était horrible. En une seconde, je compris. Je lui dis que c'était impossible, je ne pouvais pas y aller.

Silence glacial au téléphone !

Cravenne était fou de rage ! Lui qui avait réussi à me faire inviter en usant de toutes ses relations, si je lui faisais ça, c'était un affront public, une honte pour lui et pour moi, l'assurance d'une faillite totale.

Ce fut ma première réelle excentricité.

Je ne le fis pas exprès, mais comme disait Mamie « je ne fis pas exprès de ne pas le faire ! » Je ratai le déjeuner chez l'Aga Khan, et au lieu d'en faire un drame, j'en fis une victoire ! Par la suite, bon nombre de choses qui me furent reprochées arrivèrent de la même façon ; je ne le faisais pas exprès, mais je ne baissais pas la tête après l'avoir fait, d'où cette réputation « d'insolente » quand je n'étais que « négligente ».

N'arrivant pas à trouver les capitaux nécessaires au financement en couleurs de *Et Dieu créa la femme*, Vadim et Raoul jouèrent leur premier coup de poker en écrivant en une nuit un rôle supplémentaire pour Curd Jurgens qui était déjà une immense vedette. Tous les films se montaient grâce à son nom et il était pris trois ans à l'avance. Ils prirent l'avion pour Munich le lendemain matin, scénario sous le bras, et jouant le tout pour le tout, allèrent présenter « l'œuvre » à Jurgens.

Ils avaient tous les deux énormément de persuasion, d'envergure et l'habitude du poker ! Il était difficile sinon impossible de leur résister. Curd Jurgens accepta d'intercaler le tournage entre deux autres films signés depuis longtemps déjà... Il leur donnait exactement dix jours. Quand je dis « donnait », je veux dire qu'il leur « vendait » son nom à un prix faramineux, et il avait raison ! D'après le contrat, ce nom fabuleux, acheté si cher, devait figurer seul au-dessus du titre du film ! J'étais reléguée en dessous...

La femme que Dieu allait créer prenait l'allure de parente pauvre !

La suite nous montra pourtant l'élégance de Curd Jurgens à ce sujet, puisqu'il proposa, après avoir vu le film, de me faire passer avant lui, au-dessus du titre, en première place ! Quoi qu'il en soit, Curd Jurgens nous permit de monter l'affaire. Grâce à lui, toutes les portes et portefeuilles s'ouvraient ! J'ai une dette à son égard. Sans lui, j'aurais peut-être eu un parcours bien différent !

Ce film, qui fut le tournant décisif de ma carrière, devait se faire à Saint-Tropez. Je quittai donc quelques jours plus tard Cannes et ses pompes, que je trouvais funèbres, pour Saint-Tropez qui devait devenir mon refuge.

VII

Installée à l'hôtel de l'Aïoli, attendant le début du tournage, uniquement occupée par la costumière qui m'habillait chez « Vachon », je découvrais avec émerveillement ce petit village de pêcheurs, encore préservé à l'époque...

Jamais tournage ne fut plus merveilleux. Je ne jouais pas, j'étais !

Vadim me connaissait si bien qu'il ne faisait en général jamais recommencer la scène plus de deux fois, sachant que mon naturel s'en allait au fur et à mesure des prises de vues. Les scènes avec Curd Jurgens n'étaient pas finies, et il devait impérativement rejoindre le surlendemain son prochain film. Vadim changea le scénario en le faisant partir en croisière au beau milieu du film, ce qui permit à Jurgens de s'envoler pour Munich.

J'avais une « doublure-lumière » qui était celle de Morgan.

La ressemblance n'a aucune importance pour une doublure-lumière, seules comptent la couleur des cheveux et la taille. Dany restait debout à ma place pendant que l'on réglait les éclairages.

Ce métier est très ingrat, très fatigant.

La doublure doit répéter, au centimètre près, les gestes de l'actrice, ses déplacements. Elle doit rester immobile des heures durant, dans le froid ou la chaleur. Elle connaît tous les mauvais côtés du cinéma sans profiter des bons... J'ai eu le temps de l'observer, de la regarder, et de l'apprécier. Elle est devenue mon amie, une amie d'une fidélité à toute épreuve, une fille solide et droite, sur laquelle j'ai toujours pu compter, une collaboratrice qui a fait une grande partie de mes films. Elle s'est intégrée à ma petite famille de cinéma, qui comprenait déjà Dédé, ma maquilleuse, Christine, ma productrice préférée, Laurence, ma fidèle habilleuse, et Olga, mon imprésario.

A force d'être naturelle dans mes scènes d'amour avec Jean-Louis Trintignant, mon partenaire dans le film, je finis tout naturellement par l'aimer ! Mes rapports avec Vadim étaient devenus ceux d'un frère et d'une sœur. J'avais pour lui une immense affection, il était ma racine, mon foyer, mon ami. Il n'était plus mon amoureux, je ne brûlais plus pour lui. J'éprouvais pour Jean-Louis une passion dévorante. Effacé, profond, attentif, sérieux, calme, puissant, timide, il était si différent, tellement mieux que moi.

Je plongeais à corps perdu dans ses yeux, sa vie, et avec lui dans l'eau bleue de la Méditerranée qui fut le seul témoin de nos rencontres !

Adieu excentricités, cha-cha-cha, night-clubs, robes du soir, cocktails et interviews, adieu Vadim !

Jean-Louis me voulait seule, nue, naturelle, simple, sauvage. Il m'apprenait les étoiles, la nuit, couché sur le sable chaud de la plage où nous dormions. Il m'apprenait la musique classique qui avait remplacé sur le pick-up de ma loge les musiques afro-cubaines. Il m'apprenait l'amour total, intense ! La dépendance d'une femme pour l'homme qu'elle aime...

Je vivais alors comme une bohémienne.

Toutes mes valises étaient dans le coffre de la voiture de Jean-Louis, nous dormions n'importe où, cela n'avait pas d'importance du moment que nous étions ensemble.

Le matin, nous arrivions heureux sur le lieu de tournage.

Nous avions les yeux cernés et graves. Nous ne nous quittions pas.

C'était pénible pour Vadim d'avoir à nous diriger dans les scènes d'amour du film, et il nous était encore plus pénible de mimer devant lui et toute l'équipe ce que nous faisions si bien lorsque nous étions seuls, loin, très loin des autres ! Ces « autres » qui papotaient, cancanaient, commentaient, se moquaient du petit drame qui se déroulait sous leurs yeux. La pureté de notre amour nous faisait planer, haut, beaucoup plus haut que tout ça ! Rien ne nous atteignait, rien ne nous écorchait, rien ne nous tachait. Même les journaux qui me traitaient de dévoreuse d'hommes, d'infidèle, d'impudique !

J'étais purement et simplement *AMOUREUSE* !

Jean-Louis était marié à Stéphane Audran. J'étais mariée à Vadim.

Nous avons donc tout quitté pour ne pas nous quitter !

J'ai vécu avec lui la période la plus belle, la plus intense, la plus heureuse de toute cette époque de ma vie. Période d'insouciance, de liberté, et encore, ô merveille, d'incognito, d'anonymat !

Rentrés à Paris par le chemin des écoliers, dans sa vieille Simca, nous ne savions où aller ! Nous avons atterri au « Relais Bisson » où nous n'avions visiblement pas le standing nécessaire pour être bien vus. Nous avons déménagé au « Queen Elisabeth », où nous sommes restés quelque temps, mais la vie d'hôtel, et dans un palace de surcroît, était contraire à nos aspirations. Il y avait bien la rue Chardon-Lagache, mais une certaine pudeur me retenait d'y aller, me souvenant que j'y avais vécu quatre ans avec Vadim.

Je passais mes jours le nez dans les petites annonces du *Figaro* pendant que Jean-Louis synchronisait son film précédent. Je visitais ce qu'on appelle des deux pièces-cuisine, cherchais la deuxième pièce qui était en général un placard sans fenêtre. Quant à la cuisine, il s'agissait d'un réchaud dans la salle de bains, qui elle-même n'avait pas de baignoire. Mes retours à l'hôtel étaient pitoyables, mais j'appréciais plus encore le confort de notre chambre !

Je ne voyais plus ni Dany, ni Christine, ni Odette, ni Olga.

Je ne voyais que Jean-Louis et les employés d'agences.

Les journées étaient longues, et je tournais souvent en rond dans ma jolie chambre d'hôtel, attendant le soir pour le retrouver !

Un jour, je décidai d'aller rue Chardon-Lagache voir ce qu'il s'y passait. Je déménageai tout, rangeai, triai, fis peau neuve. Je jetai, le cœur serré, certains souvenirs encore chauds qui me faisaient mal ! Après mon passage, l'appartement était différent, la chambre était dans le salon, et le salon dans la chambre. Tout était chamboulé, tout était nouveau, rien n'était plus gênant ! Exténuée, mais heureuse, je rentrai à l'hôtel prévenir Jean-Louis que nous allions y passer notre dernière nuit. Le lendemain, nous nous installions dans cet appartement petit, mais nouveau et charmant !

C'est là que Jean-Louis me fit connaître Charles Cros, que je découvris avec lui William Saroyan, que j'écoutais Brassens et Albinoni des heures entières. C'est là que je vécus enfermée, mais non prisonnière, sortant peu, le regardant faire la cuisine pour moi, enregistrer au magnétophone des poèmes pour moi, vivant comme Adam et Eve dans un paradis du 3e étage, sans ascenseur, au 79 de la rue Chardon-Lagache à Paris.

Il n'est pas de paradis sans serpent.

Il prit pour nous forme de pellicule et s'appela le cinéma.

Pendant que nous vivions en dehors du temps, du monde, sans radio, sans télévision, sans ami, sans téléphone, sans journaux, uniquement préoccupés l'un de l'autre, le temps, le monde, la radio, la télévision, les amis, le téléphone et les journaux s'occupaient de nous !

Le film était en premier montage, on nous attendait pour la synchro. Les avis étaient très partagés. Les uns dithyrambiques, les autres franchement hostiles. *Paris-Match* voulait une couverture de moi. Il fallait que je sorte de mon cocon et que je redevienne celle qui avait joué Juliette dans *Et Dieu créa la femme*.

Christine, que je n'avais pas revue depuis longtemps, avait négocié le contrat sans date que j'avais signé pour elle auparavant. Elle avait trouvé un sujet ravissant *La Mariée est trop belle* d'Odette Joyeux. Je l'acceptai, j'étais bien obligée. Et pourtant, j'aurais voulu ne plus jamais tourner, j'aurais souhaité passer ma vie dans ce monde préservé que nous nous étions fabriqué, Jean-Louis et moi.

Olga était enchantée. On parlait de moi avant même la sortie du film ! Les propositions affluaient et elle était étonnée de me voir si indifférente à cette gloire toute neuve !

Il m'arriva alors une histoire incroyable.

Vadim me demanda de rencontrer Jean-François Devay qui faisait la pluie et le beau temps au journal *France-Soir* et voulait écrire un papier sur le film. C'était très important. Et Jean-François faisait partie de nos amis lorsque j'étais encore mariée avec Vadim. Mais Jean-Louis était jaloux, ce rendez-vous pris par Vadim ne lui plaisait pas. Comme d'habitude, je commençai à m'habiller et à me déshabiller, ne sachant toujours pas ce que je devais mettre. Bref, je tergiversais, gagnais du temps, partais, puis revenais vite embrasser Jean-Louis, tant et si bien que j'arrivai une demi-heure en retard au rendez-vous.

Je trouvai un Jean-François Devay glacial et hautain.

Sans me dire bonjour, il me montra sa montre (ce qui me rappela mon père et une fessée mémorable). Ce fut une gifle morale que je reçus ce jour-là, car sans que j'aie eu le temps de dire quoi que ce soit, il déclara sèchement qu'il avait horreur d'attendre, qu'en ce qui me concernait, il allait employer tout son talent, toute sa ruse, et toute sa puissance à me descendre en flammes, que je serais oubliée, ridiculisée, enterrée, avant même que le film ne sorte, qu'il y mettrait un point d'honneur car il n'aimait pas qu'on se paye sa tête.

Là-dessus, il me tourna le dos et disparut.

Je rentrai chez moi, hébétée. La réaction si injuste de cet homme m'a fait beaucoup plus de mal que les centaines d'articles épouvantables qu'il a, par la suite, écrits sur moi, essayant sans y parvenir, avec virulence et sadisme, de m'enterrer. Il n'y est pas arrivé. Il est mort, il y a quelques années, sans avoir gagné le pari qu'il s'était fait à lui-même.

Dieu ait son âme !

Si je perdais un ami, j'en gagnai d'autres !

C'est à cette époque que je me suis liée d'amitié avec ceux et celles qui sont mes proches aujourd'hui. Je n'étais pas assez connue pour craindre que l'amitié nouvelle fût uniquement intéressée.

Un jour, Mijanou me demanda de recevoir un jeune peintre qui habitait Cassis. Complètement fauché, il avait besoin qu'on lui présente des gens riches, susceptibles de lui acheter ses toiles. Ne

158

connaissant moi-même que des fauchés, et de surcroît, ne sortant jamais, il me semblait impossible de lui être d'une quelconque utilité.

Néanmoins, pour ne pas les décevoir, j'acceptai.

C'est ainsi que je fis la connaissance de Ghislain Dussart qui devint « Jicky » et mon frère adoptif par la même occasion.

Comme nous n'avions, Jean-Louis et moi, aucun moyen d'information, un soir, pour avoir des nouvelles, nous avons fait I.N.F. 1 sur le cadran de notre téléphone. Il était minuit et demi, le disque des informations était arrêté, mais par contre, nous avons découvert tout un réseau de gens qui parlaient entre eux sous des pseudonymes.

C'était extraordinaire !

« Napoléon » racontait des idioties à « Arsène Lupin » qui lui-même faisait la cour à « Sarah Bernhardt », qui disait des âneries à « Bigoudi ». Il y avait au moins une vingtaine de personnes qui parlaient en même temps et au moins autant qui, comme nous, écoutaient sans rien dire. Tout le monde était parfaitement anonyme.

C'était passionnant. Je me hasardai timidement à dire « bonsoir ». Aussitôt, flairant une « nouvelle », trois ou quatre voix me demandèrent en même temps qui j'étais. Prise de court, je dis « Chouchou », nom que je devais porter dans mon prochain film *La Mariée est trop belle*. Et on me posa des questions... Et j'en posais aux autres.

Il fallait faire attention de ne pas se trahir !

C'était follement amusant !

Nous avons passé des nuits entières, Jean-Louis et moi, riant comme des fous avec ces inconnus. « Chouchou » avait beaucoup de succès, sa voix plaisait, et « Chouchou » disait qu'elle avait 70 ans, mais était restée très gamine et personne ne croyait « Chouchou ». Pendant que je m'amusais la nuit au téléphone, la sortie de *Et Dieu créa la femme* se préparait.

La première avait lieu à Marseille.

Je quittai Jean-Louis quelques jours, après être allée avec Christine m'acheter une robe « sexy », et avoir ressorti de sa housse mon vison à quatre places.

J'ai toujours été très sensible au cadre dans lequel je dois passer une nuit. Il m'est maintes fois arrivé de déménager les meubles d'une chambre d'hôtel, de laquelle je devais repartir à 6 heures le lendemain matin. Je ne peux vivre et m'endormir que dans une certaine harmonie. Souvent, j'ai aussi visité toutes les chambres libres d'un hôtel, avant de choisir celle dans laquelle j'allais me poser. Les chats ont l'habitude de tourner en « ron ron » avant de choisir le coussin qui leur conviendra, les chiens reniflent avec soin avant de se coucher dans leur coin préféré. Pour eux, c'est l'instinct ! Pour moi, ce furent des « caprices ».

Si je n'avais jamais été célèbre, on aurait dit que j'étais fantaisiste et amusante, que le fait de déménager de chambre ou de meubles rompait la monotonie. Etant devenue une « vedette », il était indispensable que je sois « capricieuse ». L'hôtel de Marseille ressemblait à une station de métro en construction, il y avait des poutrelles d'acier partout, des verrières si sales que le jour filtrait avec peine au travers. Tout était poussiéreux, triste, défraîchi, un vrai cafard... naūm.

Ma chambre, c'était le pompon. Sinistre, immense, elle ressemblait à un tombeau sans lumière. Sitôt rentrée, sitôt sortie !

Assise sur mes valises dans le couloir, je refusai catégoriquement d'y séjourner ! Mon « caprice » fut révélé aux journalistes par le directeur de l'hôtel qui, furieux que j'aille chez un concurrent, me fit une publicité aussi sinistre que l'endroit qu'il dirigeait. J'étais déjà une dévoreuse d'hommes, une briseuse de ménage, l'impudeur faite femme. Je devenais de surcroît « capricieuse » ! Les réputations se font

160

d'une façon tellement légère... J'ai toute ma vie cruellement souffert du masque de calomnies qui cachait ma véritable personnalité. Et si j'écris ce livre aujourd'hui, c'est aussi pour remettre une fois pour toutes les choses dans leur véritable contexte.

En France, le film de Vadim fut accueilli avec une certaine réserve. *Les Cahiers du cinéma*, à travers François Truffaut, nous firent une critique assez tiède. Ils reprochaient la facilité du sujet et le choix des acteurs (Jurgens excepté). Ils me jugeaient sans indulgence, trouvant que j'avais le verbe traînant et l'articulation douteuse. Paul Reboux, carrément plus direct, disait de moi que j'avais le physique d'une boniche et la façon de parler des illettrés ! Du coup, l'exclusivité des Champs-Elysées ne dura que la moitié du temps prévu par le contrat !

Raoul Lévy et Vadim s'arrachaient les cheveux !

Il n'y avait plus qu'à exploiter l'étranger en espérant que ça marcherait mieux. « Nul n'est prophète en son pays ! »

J'avais entre-temps commencé le tournage de *La Mariée est trop belle*, et pendant que j'étais à Libourne aux côtés de Louis Jourdan et de Micheline Presle, Jean-Louis était appelé sous les drapeaux, le sursis de sept ans qui lui avait été accordé ayant pris fin.

Ce fut notre épreuve la plus insurmontable.

Je ne pouvais envisager sans fondre en larmes d'être séparée de lui pour trois ans. Et puis, cette terreur de l'Algérie, cette peur atroce de le perdre ! Chaque samedi soir, je prenais le train jusqu'à Paris et passais le lendemain contre lui (il avait une permission le dimanche, car il faisait ses classes à Vincennes). Le soir je reprenais le train pour Libourne et arrivais le lundi matin, juste à temps pour commencer à travailler.

J'avais envie de tourner comme de me jeter par la fenêtre !

Et encore, par moments, j'aurais préféré me jeter par la fenêtre !

Je n'étais pas à mon travail, je pensais à lui toute la journée...

J'étais anxieuse, angoissée, triste.

Christine et Odette étaient désolées ! L'une pour la bonne marche de son premier film, duquel dépendait sa future carrière de productrice ! L'autre, pour la qualité de mon visage en projection, le maquillage n'évitant ni les cernes ni les boutons, ni les marques de larmes et de fatigue !

C'est durant le tournage de ce film qu'éclata une bombe terrifiante...

En août 1956, Nasser nationalisait le Canal de Suez.

L'angoisse était à son paroxysme !

L'essence était devenue introuvable !

On nous distribuait des tickets, comme pendant la guerre !

Je faisais du charme à mon garagiste, Monsieur Cochonou, qui avait le physique de son nom, et grâce à lui, je pus continuer à rouler tant bien que mal !

Crevée et dépressive, je me tournai vers les seuls êtres qui pouvaient peut-être m'aider. J'allai voir mes parents.

Quoique mon divorce récent d'avec Vadim et cette aventure publique avec Jean-Louis ne leur eussent pas bien plu, ils m'accueillirent à bras ouverts ! Ils m'avaient prévenue, je n'aurais jamais dû épouser Vadim, j'étais trop jeune, eux savaient ce qui était bien pour moi... Et puis, je gâchais ma vie, je vivais sans être mariée, tout ça ne se faisait pas ! Enfin, ils en avaient pris leur parti, mais n'aimaient pas ma mine, ni ma tristesse, ça ne me réussissait pas d'être majeure, je ne savais pas prendre soin de moi ! Le fait de ne plus dépendre de leur tutelle me fit les voir différemment. J'étais libre, et cette indépendance me permit de les aimer davantage.

Papa me présenta un ami à lui. Je m'attendais à trouver un monsieur d'un certain âge, et rencontrai un jeune homme de 19 ans, guitariste, bohème, amusant, plein de talent. C'était Jean-Max Rivière, qui m'écrivit par la suite bon nombre de chansons, dont *La Madrague*, *C'est rigolo*, *On déménage*, etc.

Après Jicky, Jean-Max, ou « Maxou », devint à son tour mon frère adoptif ! La famille s'agrandissait...

*
**

La nouvelle éclata un jour en provenance des Etats-Unis. Là-bas, *Et Dieu créa la femme* cassait la baraque ! C'était un succès extraordinaire, les critiques se montraient dithyrambiques, je devenais soudain la Française la plus connue outre-Atlantique !

Le film rapporta des centaines de milliers de dollars (pas à moi, je n'avais touché que deux millions anciens), Vadim fut sacré le meilleur metteur en scène des dix dernières années, et j'étais du jour au lendemain catapultée « star number one », « french sex kitten », etc.

Tout ce battage me fit un drôle d'effet. C'est à la fois incroyable, miraculeux, et effrayant. C'est un conte de fées inattendu, ça fait du bien au moral, au physique, ça fait peur aussi, ça serre le cœur, c'est le début d'un tourbillon dangereux et envoûtant ! Je me suis toujours vue avec énormément de lucidité, j'ai regardé « du haut de mon balcon », sans me laisser jamais griser ! J'ai été étonnée, ravie, surprise, fière, mais j'ai pu garder les pieds sur terre, sachant parfaitement que tout ça était fragile, superficiel, aléatoire, et surtout dérisoire !

Toute cette gloire qui m'enveloppait soudain, et moi qui ne pensais qu'à Jean-Louis ! Il devait être envoyé à Trèves, en Allemagne. Au moment où, sachant qu'il allait quitter Vincennes incessamment, je ne pensais qu'à profiter au maximum de nos dernières rencontres, la mort dans l'âme, le suicide à la bouche, ne pouvant vivre sans lui, pauvre petite bonne femme, malheureuse et amoureuse, j'étais au même instant l'actrice la plus demandée, la fille la plus à la mode !

Le téléphone n'arrêtait plus de sonner, le courrier s'amassait, je devenais folle !

Je pris un secrétaire. Jean-Louis le choisit avec moi, Alain Carré, est ainsi rentré dans notre vie. Homosexuel (ça arrangeait Jean-Louis), plein de gentillesse, et très dévoué, cet ancien acteur de 30 ans s'identifia à moi et devint mon seul soutien, mon seul appui, mon seul confident pendant quelques années... Jean-Louis me confia donc à lui avant de rejoindre la caserne de Trèves !

Je crois que ce jour-là, ce départ-là, cet arrachement-là, je m'en souviendrai toute ma vie, même si je devais vivre cent ans ! Au diable toutes ces simagrées de publicité stupide, au diable les films, les Américains, l'argent, la gloire, au diable la vie !...

Mais la vie, elle, continuait.

Christine, Olga, Odette, Alain, toutes mes « femmes » veillaient au grain. Mon cocon s'était soudain refermé sur moi, j'étouffais, je tournais en rond, sans but, ne sachant plus quoi faire de moi.

J'ai toujours eu besoin de vivre pour ou à travers quelqu'un.

Tout ce que j'ai fait de bien, je l'ai fait à travers une personne qui me donnait la force d'entreprendre. Toute ma personnalité, ma puissance, ma force, mon opiniâtreté sont nulles, si je me retrouve seule face à moi-même. C'est pourquoi j'ai une peur panique de la solitude. Je ne supporte pas le silence d'une maison où je n'entends que ma propre présence. L'angoisse s'installe alors, et ne me quitte plus...

Moi, qui ai toujours été le symbole de la « femme libre », je me retrouvais, lorsque je l'étais, dans un état d'abandon total, que personne ne pouvait comprendre. Je me comparais alors au chien perdu, sans maître, qui échoue à la S.P.A. pour y attendre la mort.

Raoul Lévy, qui avait fait un bon début de fortune, avec *Et Dieu créa la femme*, mijotait, en catimini, avec Olga et Vadim, une nouvelle recette qui devait nous réunir à nouveau, pour un autre film, *Les Bijoutiers du clair de lune*.

Christine, elle, me faisait prendre chaque matin par une voiture, pour aller synchroniser *La Mariée est trop belle*. C'était un bulldozer qu'elle aurait dû m'envoyer, car pour me sortir de mon trou, c'était difficile !

Je faisais mon travail sans âme !

Alain me servait de nounou, il était à la fois mon secrétaire, ma cuisinière, mon chauffeur. Le soir, lorsque je rentrais épuisée de la synchro, je trouvais une maison douce, chaude, propre, avec un petit dîner appétissant qu'il partageait la plupart du temps avec moi. Après quoi, il rentrait chez lui. Je me retrouvais seule, avec cette vilaine bête qu'on appelle « le cafard ».

Quel contraste il y avait à cette époque dans ma vie !

Qui pouvait imaginer que cette jeune femme fraîchement catapultée au rang de « star », passait ses soirées seule, pleine de tristesse et d'angoisse !

Pour couronner le tout, c'est en cette période d'octobre-novembre 1956 qu'eut lieu « la Révolution hongroise ». Les chars russes entrèrent dans Budapest et tuèrent les Hongrois par milliers.

On aurait cru la fin du monde !

Il régnait une atmosphère lourde, pleine d'angoisse et d'effroi !

Une guerre mondiale aurait pu éclater... Tout était possible. Ce massacre de la population hongroise par les Russes m'a beaucoup marquée !

J'ai trouvé ça ignoble !

Je trouve toujours ignoble l'usage de la force contre la faiblesse !

Un photographe de *Match* qui était mon ami, est mort en reportage à Budapest : il s'appelait Jean-Pierre Pedrazzini ! Je hais les guerres, les révolutions, le sang versé inutilement, je hais les armes à feu, je hais le service militaire, car il apprend à tuer.

Un jour, Christine, n'en pouvant plus de me voir dans cet état, m'organisa un rendez-vous avec un haut responsable auprès du ministre des Armées. Christine connaissait beaucoup de monde dans la politique — son beau-frère, François Mitterrand, que j'avais eu l'honneur de rencontrer au dernier Festival de Cannes, lui obtenait généralement l'entrevue souhaitée !

Elle m'assura donc qu'un certain A.T., fonctionnaire influent au ministère, pouvait, s'il le voulait, faire revenir Jean-Louis en France. Le salon dans lequel on m'introduisit était immense et plein de dorures. Un homme assis derrière son bureau se leva pour m'accueillir. C'était A.T. J'avais l'impression d'être en face d'un docteur, qui pouvait me sauver, s'il le voulait. Je lui exposai mon problème, franchement, sans honte, lui disant mon désespoir.

Il souriait, goguenard, un peu condescendant, sûr de lui...

Il me demanda si j'étais prête à tout faire pour « récupérer » mon amoureux. Je répondis « oui » sans arrière-pensée.

Il me proposa alors de dîner le lendemain soir avec lui, ce serait, disait-il, plus pratique de parler de tout ce « courrier du cœur », au restaurant plutôt qu'au ministère.

Je me retrouvai le lendemain, en cabinet, presque « particulier »...

Ce monsieur n'arrêtait pas de me baiser les mains, en attendant probablement de me « baiser » tout court ! J'étais très ennuyée. Je devais lui résister sans le froisser, sinon, adieu le retour de Jean-Louis.

Il me collait comme un bonbon, me suçait les doigts, me buvait des yeux...

Quelle situation épouvantable !

Je lui demandai à brûle-pourpoint s'il pouvait, oui ou non, faire quelque chose pour nous. Il me répondit très détaché que ça dépendait de moi. Si j'acceptais d'être, très, très gentille avec lui, alors, peut-être, pourrait-il faire revenir Jean-Louis. Sinon, peut-être l'enverrait-il directement de Trèves en Algérie... Le pourpre me monta aux joues. En le toisant du regard, je lui dis mon horreur du chantage, mon amour pour Jean-Louis, ma fidélité, et mon manque d'habitude de me servir de mon corps comme monnaie d'échange... Là-dessus, je rentrai m'écrouler de désespoir dans la solitude de mon appartement. J'ai toujours eu une piètre opinion de l'humanité en général, mais ce soir-là, je me souviens avoir atteint le paroxysme de la misanthropie !

Comment un homme digne de ce nom pouvait-il être aussi vil ?

Le lendemain, meurtrie, je décidais avec Alain de partir pour Trèves.

J'étais sûre que le haut responsable en question allait tout faire pour se venger et voulais prévenir Jean-Louis à tout prix.

Ce voyage ressemblait à certains passages des romans de Simenon ! Cette campagne grise et noire, ces maisons austères et glacées, ce ciel plombé qui n'arrêtait pas de cracher une petite pluie fine et tenace !

Alain et moi avions l'air de deux fantômes.

Arrivés à Trèves, toujours sous la pluie, la bruine, et le brouillard, nous nous sommes précipités dans le premier hôtel. Alain réussit à ramener Jean-Louis en permission exceptionnelle jusqu'au lendemain matin. Notre chambre d'hôtel est devenue presque belle, une chaleur brûlante a envahi mon corps, nous nous sommes réfugiés sur l'île déserte de notre lit, et le temps a passé trop vite.

Rentrée seule à Paris, pour me changer les idées, je décidai de changer d'appartement. Pendant que je cherchais un duplex avec terrasse (mon rêve), Olga et Raoul Lévy avaient déjà toute une liste de films à me proposer. J'avais lu les sujets, et ils me plaisaient, surtout *En cas de malheur* de Simenon, que Lévy voulait faire diriger par Claude Autant-Lara. Il y avait aussi *Les Bijoutiers du clair de lune* avec Vadim.

Olga, qui voyait mes prix s'envoler avec ma renommée, se frottait les mains ! Ses 10 % étaient assurés et plus je tournerais, plus elle toucherait ! Elle me proposa donc, en plus, *Une Parisienne* avec Michel Boisrond, produit par Francis Cosne. Christine, qui ne voulait pas être en reste, voulut monter à tout prix *La Femme et le Pantin* avec Julien Duvivier.

Bref, j'avais du pain sur la planche pendant deux ans !... Mais, encore un peu de temps libre pour moi car *Une Parisienne*, le premier film que je devais tourner, ne débutait qu'au printemps prochain 1957.

Ça me faisait drôle de penser qu'on *se m'*arrachait ! Ça ne me disait rien d'être prise pendant deux ans, car je ne m'appartenais plus, j'étais vendue à ces différentes compagnies et ne pouvais plus rien décider par moi-même, pour moi-même ! Qu'importe ! Je commençais à être riche, et pouvais envisager de dépenser 10 millions (anciens) pour mon duplex.

Je finis par le dénicher au 71 de l'avenue Paul-Doumer, dans un immeuble avec ascenseur. J'étais ravie ! Il y avait une petite terrasse et je reniflais que j'allais bien m'y plaire.

*

Olga m'appela un jour, super excitée, j'étais invitée à la « Royal Command Performance », grand gala annuel qui se passe à Londres et où je devais être présentée à la reine...

Me voilà encore prise entre la fierté et la timidité ! Cette fois, il n'était pas question de refuser.

Qu'allais-je bien pouvoir me mettre sur le dos ?

Olga et Christine m'emmenèrent chez Balmain, le couturier classique par excellence, tout indiqué pour m'habiller en cette circonstance ! C'est fou ce que les robes de grands couturiers sont chères ! C'est à devenir communiste ! Je ne me voyais pas claquant tout ce fric pour être « élégante » un soir. C'est encore de là, probablement, que vient ma réputation de « radine » ! A force de tergiverser et de discutailler, Balmain me « prêterait » une robe blanche brodée de perles et strass, avec un immense manteau de cour en faille noire.

On aurait dit qu'il me prêtait le saint sacrement.

Odette, ma maquilleuse, me prépara un vanity-case où je trouverais tout pour me pomponner et être belle ! Je sortis de sa housse mon vison à quatre places, fis mes valises et attendis avec angoisse le moment du départ. J'aurais bien donné un an de ma vie pour rester à Paris, toutes les démonstrations publicitaires m'ont toujours déplu, ce sont de véritables corvées. Toutes les valises alignées dans l'entrée, plus le carton de Balmain (ça faisait chic !), plus mon vanity-case, Jean-Louis (en permission, que j'allais devoir quitter !), Alain et moi nous attendions qu'Olga passât me chercher en taxi pour aller prendre le ferry-boat. Je n'avais encore jamais pris l'avion et n'avais aucune envie de commencer.

L'heure fatale arriva avec Olga.

Je voyais Alain et Jean-Louis sur le trottoir qui m'envoyaient des baisers, et je maudissais tout ce qui m'attendait. Olga qui est diplomate et intelligente a attendu que nous soyons dans le train pour me faire la leçon. Là, elle était sûre que je n'allais pas rentrer à la maison... Elle me dit la chance que j'avais. Des milliers de femmes aimeraient être à ma place, je ne devais pas pleurnicher. D'ailleurs un peu de poudre sur mon nez serait bienvenu avant d'aller au wagon-restaurant !

Je cherchais mon vanity-case et ne le trouvais pas ! Pas plus de vanity-case que de beurre en branche ! Je l'avais oublié à la maison dans l'effervescence du départ. Je m'effondrai en larmes pour de bon, voulus tirer la sonnette d'alarme. Jamais je ne pourrais débarquer sans maquillage sur le quai de la gare de Londres ! Et mes cheveux ! Après une nuit de train, ils allaient être raides et emmêlés, pas de brosse, pas de peigne, rien, rien, rien !

Olga, qui n'a jamais été coquette, fouillait dans son sac et me proposa une poudre ocre saumon, ignoble, un peigne minuscule, bon à peigner mes sourcils, et un rouge à lèvres fuchsia qui me fit frémir d'horreur. Elle finit par me donner un calmant et je m'endormis assise pour ne pas me décoiffer.

L'arrivée fut épique. Mon vison à quatre places me servait de cagoule, et mes lunettes de soleil cachaient le reste. Je m'étais fait une espèce de chignasse qui tenait par l'opération du Saint-Esprit et n'avais qu'une hâte, arriver le plus vite possible au Savoy. Ce que les photographes peuvent gâcher comme pellicules, c'est inouï ! Les flashes n'arrêtaient pas de crépiter, toujours pour prendre le bout de mon nez et le haut de mon chignon. Aucun intérêt !

L'appartement de l'Hôtel Savoy était exquis, dominant la Tamise, rempli de fleurs offertes par Pierre, Paul ou Jacques.

Je me sentais de nouveau en sécurité.

Je ne souhaitais qu'une chose, c'est aller acheter de quoi me faire belle. Mais on était samedi, il était midi, et jusqu'à lundi, toutes les boutiques seraient fermées ! J'étais de nouveau dans tous mes états. Le gala avait lieu dimanche soir, et je n'y assisterais pas, c'est tout !

Raoul Lévy, qui nous accompagnait, a alors eu une idée de génie. Il a téléphoné à Jean-Louis de porter immédiatement mon vanity à Orly et de le confier à l'hôtesse du premier vol pour Londres. Lui,

Raoul, irait à l'aéroport chercher l'objet du délit et me l'apporterait avant ce soir.

Ainsi fut fait !

En attendant, je devais participer à la répétition générale de la présentation à la reine.

Il y avait là une foule de gens, dont le chef du protocole et la doublure de la reine. Il y avait aussi des acteurs américains et anglais. Je recommençais à paniquer et collée à Olga, je n'osais plus bouger. Enfin, nous défilons en rang d'oignon, on se serait cru à un conseil de révision. La doublure de la reine passait devant chacun de nous, et nous devions faire la révérence protocolaire c'est-à-dire fléchir les genoux, mais garder le buste droit, répondre à sa première question par « Yes, your Majesty », et à la deuxième question, s'il y en avait une, par « Yes, Madam ». Emue comme je l'étais, je ne répondis rien du tout, sûre ainsi de ne pas me faire réprimander par le chef du protocole.

Même chose pour la doublure de la princesse Margaret qui suivait, il fallait répondre « Your highness » à la première question, et « Madam » à la seconde.

Je commençais à trouver tout ça enfantin et ridicule, lorsqu'on nous annonça que le noir était interdit à la cour. Seule la reine était autorisée à en porter. Et mon manteau ? Je n'allais pas venir au théâtre avec les bras nus, j'allais attraper une bronchopneumonie, mon Dieu, quelle complication ! Et puis, les décolletés aussi étaient interdits, et ma robe qui était échancrée jusqu'au nombril !

Je décidai de repartir en France, chez moi, dans mon trou, de me mettre ce que je voulais sur le dos et de dire merde à tout le monde.

Mais Olga usa de toute sa diplomatie et donna un bon pourboire à la femme de chambre pour qu'elle couse un tulle pudique sur mon décolleté. Elle m'expliqua que je ne mettrais le manteau que pour le trajet, et l'arrivée de Raoul portant mon cher vanity finit de me convaincre de rester.

Le grand jour était arrivé, j'étais pomponnée, guillochée, coucounée, les seins cachés, les cheveux bien rangés, les yeux et les lèvres à peine maquillés, je me sentais mal dans ma peau, trop élégante pour mon goût. La reine était là, cette fois en chair et en os, ainsi que Margaret, le duc d'Edimbourg, Lord Snowdon et plein de lords et ladies.

C'est là que je l'ai vue, et n'ai vu qu'elle : Marilyn.

Ravissante, blonde dans une robe dorée, décolletée jusqu'aux chevilles, elle ne s'embarrassait pas du protocole, on avait envie de l'embrasser tant ses joues étaient roses et fraîches. Ses mèches rebelles coulaient sur son cou et autour de ses oreilles, elle avait l'air de sortir de son lit, heureuse et naturelle !

Je me retrouvai aux « Ladies » avec elle, moi pour tirer sur mes mèches et les décoiffer, et découdre en hâte le tulle qui cachait mes seins, elle pour se voir dans la glace, se sourire à gauche, puis à droite, elle sentait le *Numéro 5* de Chanel. Je l'adorais, la regardais, fascinée, oubliant mes cheveux. J'aurais voulu être « Elle », avoir sa personnalité et son caractère.

C'était la première et la dernière fois de ma vie que je la voyais, mais elle m'a séduite en trente secondes. Il émanait d'elle une fragilité gracieuse, une douceur espiègle, je ne l'oublierai jamais et lorsque j'appris sa mort quelques années plus tard, j'eus un pincement douloureux au cœur comme si un être très cher venait de me quitter.

La reine qui était beaucoup plus petite que moi, me tendit sa main gantée de blanc, je fis ma révérence, lui répondis, puis une fois encore, j'étais la seule Française et elle me posa un tas de questions en français concernant le cinéma de mon pays. La princesse Margaret fut charmante, tout le monde fut charmant, le prince charmant aussi.

Anita Ekberg avait une paire de seins si énormes qu'on avait l'impression qu'elle avait rembourré son soutien-gorge avec deux obus. J'étais hypnotisée par ces deux bombes. J'attendais qu'elles fassent éclater sa robe, mais rien ne s'est passé.

Ainsi, s'est terminée mon entrevue avec la reine d'Angleterre.

**

Je commençais à recevoir pas mal de lettres « d'admirateurs ».

Alain était submergé par tout ce courrier, et j'envisageais sérieusement de lui faire « un bureau » pour lui tout seul, dans mon futur appartement. En attendant, c'était mon lit ou le tapis du salon, qui servait de bureau. J'aidais Alain à ouvrir, classer et répondre à toutes ces lettres. En général, on me demandait une photo dédicacée. J'avais fait tirer un joli cliché de moi à plusieurs centaines d'exemplaires, et après l'avoir signé nous l'envoyions à « l'admirateur ».

Mais un jour, j'ai lu une lettre « pas comme les autres ».

Elle était écrite par une jeune fille de 15 ans, qui me disait être l'aînée d'une famille pauvre, de six enfants, habitant Grenoble. Elle était jolie, et pleine de poésie cette lettre... C'était au mois de décembre, et cette petite Bernadette, qui n'avait jamais eu de cadeau, ni de surprise pour Noël, m'écrivait comme si elle écrivait à une fée, me disant qu'une réponse personnelle serait son premier et son plus joli cadeau. J'étais très émue, et décidai d'être ce qu'elle attendait de moi. Le lendemain, Alain et moi sommes allés lui acheter quelques cadeaux que nous avons expédiés avec un mot où je lui disais ma joie de pouvoir la gâter un peu, et la tendresse que j'avais pour elle sans la connaître !

Sans nous être jamais vues, nous nous sommes écrit et aimées.

Je prenais bien soin de ne jamais oublier un Noël, et elle me rendait au centuple dans ses lettres le peu de chose qu'était le cadeau envoyé. Beaucoup plus tard, lorsqu'elle m'annonça son mariage, je lui

173

offris, toujours sans l'avoir jamais vue, sa robe de mariée !

Maintenant, je la connais un peu. Bernadette est jolie, douce, charmante, pure, et poétique. Elle ressemble à ses lettres, et notre amitié dure depuis quarante ans !

Pour Noël, Jean-Louis est revenu en permission.

Plantant là appartement, film, producteur, « patin et couffin », nous « filions » vers le soleil à Cassis chez Jicky, qui nous prêtait son cabanon.

Jicky, je ne l'avais vu que deux ou trois fois, mais il y avait eu entre nous un courant d'amitié extraordinaire. Peintre, fauché, il habitait avec sa femme, Jeanine, un minuscule atelier à Saint-Germain-en-Laye.

Il avait à Cassis un petit cabanon qu'il adorait.

Vieille petite bâtisse de pierres sèches, perdue dans la colline, au milieu de la garrigue, cette maison était toute sa vie. Il n'y avait aucun confort, ni salle de bains, ni chauffage, ni eau chaude. Mais, il y avait une âme, du soleil, des odeurs de romarin, des poutres, des tomettes, et de la chaux sur les murs ! Lorsque je lui demandai la clef de son paradis pour y passer un Noël tranquille avec Jean-Louis, Jicky me la donna immédiatement, me prévenant seulement des inconvénients que j'y trouverais...

Merci Jicky !

Ce fut un séjour extraordinaire.

Dans cette petite bergerie rustique et authentique, il y avait une cheminée dans laquelle nous faisions brûler jour et nuit le bois ramassé sur la colline. Ça sentait bon la pomme de pin ! Le feu chauffait en permanence une bassine d'eau qui servait, soit à laver la vaisselle, soit à laver le linge, soit de *tub* !

Nous nous lavions alors, l'un après l'autre, dans ce baquet fumant, au milieu de la chambre, bien au chaud, contre cette merveilleuse cheminée. C'est là aussi que Jean-Louis me faisait griller de bons et beaux morceaux de viande, aromatisés de thym, de laurier, de romarin, et piqués d'ail. Il n'y avait l'électricité que pour le pratique de l'ampoule nue au plafond, mais nous ne nous en servions pas. Les bougies, les flammes de la cheminée nous faisaient un éclairage de fête perpétuelle et bien suffisant !

Nous avons vécu là dix jours de rêve, de simplicité, à la façon de nos aïeux, oubliant le XXe siècle et son triste apanage de modernisme démystificateur. Nous étions plongés dans le romantisme d'une époque sans nom qui s'appelait « amour » !

N'ayant pas de voiture, nous marchions chaque jour énormément, pour aller jusqu'à Cassis faire le marché. Ce marché de Provence était si joli que j'avais envie de tout acheter, mais nous devions tout rapporter à pied et ne prenions que le strict nécessaire ! Après, c'était le petit « coup de blanc », à la terrasse de « Chez Nine » et parfois, une promenade en barque dans les fameuses calanques ! La seule visite que nous ayons reçue au cabanon est celle d'un superbe chat sauvage ! Il habitait la colline et avait l'air d'un petit tigre ! Chaque jour, je lui donnais à manger...

Le soir de Noël, nous avons été à pied à la messe de minuit. J'imaginais alors que j'étais devenue un des « santons » de mon enfance. J'aurais voulu apporter sur ma tête, au petit Jésus, une énorme jarre de terre cuite remplie de belles et bonnes choses, mais sur ma tête, il n'y avait que le petit foulard de coton provençal qui ressemblait à ceux que portent les femmes de la crèche !

Le dernier soir de l'année 1956, nous l'avons passé seuls, devant notre cheminée, à boire du champagne tiède, car il n'y avait pas de réfrigérateur. A minuit, nous sommes sortis au milieu de cette belle campagne, sauvage et odorante, et les étoiles nous ont servi de « gui » !

Je n'ai plus jamais, jamais retrouvé une sérénité, ni une douceur de vivre, aussi vraies que pendant ce trop court séjour. Les responsabilités de toutes sortes, ma célébrité, le confort et le luxe que nous jugeons, bien à tort, indispensables à notre bonheur, tout cela a éloigné définitivement de ma vie le calme désuet et naturel de cette merveilleuse maison de poupée, où j'ai vécu intensément les dix plus beaux jours de ma vie !

Parfois, une odeur de pomme de pin, une senteur de romarin, ou l'odeur particulière des vieux murs secs, font remonter en moi une bouffée de bonheur qui me transporte fugitivement dans la garrigue de Cassis !

J'ai toujours, dans ma vie, recherché avant tout la simplicité.

J'ai toujours préféré la compagnie des gens simples, à celle insupportable des snobs, et des mondains !

J'ai toujours préféré un cadre de vie joli, chaleureux, à tout ce luxe pompeux, inutile et glacial dont on me submergeait à longueur de voyages et de films, pensant me faire plaisir ! Plus la distance est importante, entre la nature et moi, moins je me sens à l'aise. C'est pourquoi je déteste les villes, les buildings, le béton, les plafonds hauts, les maisons à étages, les grandes pièces, les ascenseurs, le néon, le formica, le plastique et les appareils électroménagers.

Je déteste aussi être « servie ».

Je ne supporte pas ce qu'on appelle communément une ou un « domestique » ! Car qui est l'esclave de l'autre ?...

J'ai toujours eu ma vie empoisonnée par les personnes qui étaient à mon service ! Car qui est au service de l'autre ?...

Cette éternelle présence, ce témoin de l'intimité de ma vie, cette susceptibilité latente, cet espionnage constant, m'exaspèrent ! Surtout qu'ayant l'habitude de faire par moi-même énormément de choses dans une maison, je n'en ai en général besoin qu'au moment où soit leur service est terminé, soit c'est leur jour de sortie, soit c'est le repos syndical des deux heures libres de l'après-midi !

J'ai passé ma vie à essayer de trouver une complicité, une chaleur humaine, un dévouement, une honnêteté, une générosité, une confiance réciproque chez les gens que j'employais !

Je me suis heurtée à un mur de mauvaise foi.

Ayant été absolument obligée, de par le métier que j'exerçais, d'avoir du « personnel », je dus les subir toute ma vie ! Et devoir, vingt-quatre heures sur vingt-quatre, subir un être dont la présence est pesante, déplaisante, encombrante... un être qui vous épie, vous juge, vous jauge, sans aucune aménité, un être qu'on voudrait familier, et qui est étranger ! Un être qui vous trahira en écrivant ses « Mémoires », un être qui papotera, déformera, envenimera, un être qui vendra aux journaux un secret volé, un être qui vous volera le meilleur de vous-même... c'est insupportable !!!

J'ai parlé de tout ça car ma vie a été empoisonnée par ces gens-là à de rares exceptions près !

A Cassis, je n'avais pas encore mis le doigt dans l'engrenage de cette monstrueuse domesticité ! C'est pour cette raison que cette période de ma vie m'apparaît maintenant comme privilégiée et bénie !

*
**

Sa permission terminée, Jean-Louis était reparti pour Trèves, et moi pour Paris.

Je commençais mon déménagement, essayant de donner à la « Paul Doumer » un peu de l'âme de Cassis !

J'avais retrouvé Alain avec joie !

Olga, Christine et Raoul Lévy me sautèrent dessus. Ma fugue les avait inquiétés, ils se demandaient si j'allais revenir un jour... Je voulais attendre Jean-Louis pour y passer ma première nuit. J'avais donc déménagé toutes les choses jolies qui allaient entourer notre nouvelle vie ; ne restaient rue Chardon-

Lagache que les vieilleries, que je laissais derrière moi. C'est dans cette atmosphère abandonnée, que je continuais de passer mes nuits, moitié camping, moitié lendemain de tremblement de terre !

Mes journées se passaient à découvrir ma nouvelle maison, à installer, à décorer, à faire du feu dans la cheminée de bois, que j'avais fait faire spécialement (il avait fallu trouer le plafond), à grimper et à descendre le petit escalier qui reliait ma chambre au salon, j'avais l'air d'un « ludion » !

Je faisais mon trou, je reniflais chaque coin, chaque angle, je rangeais mon armoire à linge, comme j'avais vu faire Mamie, mettant des sachets de lavande un peu partout. Organisant la cuisine, petite, mais rigolote, j'accrochais au mur des tresses d'oignon et d'ail, rapportées de Cassis, emplissais des paniers de fruits, mettais des petits rideaux à carreaux rouges à la fenêtre. Je plantais moi-même des fleurs dans les bacs sur « ma terrasse ». Je mettais du lierre sur les murs, j'essayais de retrouver au 7e étage en plein Paris, sur dix mètres carrés de terrasse, un peu de cette nature qui me manque tant quand j'en suis éloignée !

J'étais très heureuse. La Paul Doumer était ma première maison à moi ! J'avais 22 ans, et j'allais y passer les quinze prochaines années de ma vie. J'ai, par la suite, acheté bon nombre de maisons, propriétés et appartements, mais cette sensation que j'ai eue lors de ma première acquisition, je ne l'ai plus jamais ressentie aussi intensément.

Il y avait un piège à la Paul Doumer.
C'était la « chambre de bonne ». Puisqu'il y avait une chambre de service, j'étais donc presque obligée de prendre une bonne... Alain avait maintenant un bureau pour lui. Il avait l'air d'un vrai secrétaire, avait un vrai travail de comptabilité et de courrier, et n'avait plus le temps de me faire la cuisine.

Et voilà la course à la « bonne » qui commença...
Pourquoi ce nom de « bonne », étant donné

qu'elles ne sont « bonnes » à rien en général, et sont « mauvaises » comme des teignes, bien souvent ?

Jean-Louis, miraculeusement, fut muté à Paris. Son métier d'acteur, son intelligence lui valurent de devenir gratte-papier dans un ministère... Ma récente intervention au ministère des Armées y était-elle pour quelque chose ? Tout ce que je sais, c'est que ce fut la fête !

Nous pendîmes la « *crémière* » à la Paul Doumer !

Passant enfin une nuit heureuse dans ce nouvel appartement, que nous allions pouvoir habiter ensemble. Si ce n'était son uniforme militaire, j'aurais pu croire que Jean-Louis menait une vie normale. La perle rare, enfin dénichée par Alain, se battait les flancs à la cuisine, battait rarement les tapis, et me battait froid du matin au soir !

La Mariée est trop belle allait sortir.

Christine et Olga étaient en effervescence !

Il fallait que j'assiste à la « première », que j'accorde des interviews, que je pose pour des photographes de talent, tels que Richard Avedon, qui a fait de moi une photo historique, qui fait partie de son superbe livre. Je passais mes journées à recevoir des journalistes qui essayaient de me coincer à chaque question, étant intimement persuadés que j'étais « une jolie fille complètement idiote » ! Je tiens de maman un sens de la repartie qui m'a bien souvent tirée d'affaire, et je tiens de papa un sens de l'humour qui a rendu certaines de mes réponses très célèbres. Le téléphone n'arrêtait pas de sonner, Alain était débordé, et je commençais à en avoir sérieusement assez !

Je n'étais pas au bout de mes peines... Si « la mariée » était trop belle, elle n'était pas assez bonne. Le film était charmant, mais le public m'attendait aussi sexy que dans *Et Dieu créa la femme*.

Nobody's perfect !

Puisque sexy je devais être, eh bien sexy je serais.

De toute façon, j'étais déjà devenue « le rêve impossible des hommes mariés », « le pékinois sexy », « la femme-enfant perverse », etc.

Lorsque je sortais dans la rue, les photographes me mitraillaient.

Ça commençait à m'énerver...

VIII

A cette époque, je voyais peu mes parents.

Ils m'ont toujours dit que c'était par discrétion, qu'ils ne voulaient pas s'immiscer dans ma vie. Maman ne voulait à aucun prix passer pour une mère abusive. Mais à force, la discrétion finit par ressembler à de l'indifférence. Ma vie partait dans un sens totalement opposé à celle de mes parents. Le fossé se creusait de plus en plus.

Je leur faisais de temps en temps des visites, qui étaient très protocolaires. Je prenais le thé en leur racontant comment se passait ma vie. Maman ne comprenait pas que je ne profite pas plus des occasions de sorties qui m'étaient offertes. Elle me trouvait « mal ficelée », « fagotée », et prenait le ciel à témoin du gâchis que je faisais de la chance qui m'était donnée. Maman trouvait que je perdais mon temps avec mon commis pâtissier, c'est ainsi qu'elle appelait Jean-Lou ! Elle rêvait pour moi d'un homme riche, en vue, style ministre ou P.-D.G.

Quant à papa, il voulait à tout prix que je lui présente telle ou telle actrice qu'il trouvait « charmante », et que je ne connaissais pas, n'ayant jamais eu beaucoup de relations dans ce milieu, ce qu'il ne comprenait pas ! Pour lui, si on faisait du cinéma, on devait automatiquement connaître tous ceux qui faisaient le même métier !

Il m'arrivait aussi d'aller en coup de vent embrasser le Boum, Mamie et Dada. Ils m'appelaient leur

« rayon de soleil » tant mes apparitions illuminaient leur vie.

Le Boum me posait tout un tas de questions sur mon métier, la moralité de ceux que je côtoyais, me mettant en garde contre la superficialité et la fragilité de la gloire. Mamie, elle, s'inquiétait de me voir prendre froid, que je ne mange pas assez et que je travaille de trop. Ma Dada était contente de voir que « je ne me croyais pas », que j'étais restée sa petite fille toute simple, et que ma gloire toute neuve ne m'avait pas « tourné la tête ».

Puis ils me regardaient partir, des larmes plein les yeux, me demandant de revenir bien vite.

Quant à Mijanou, elle avait passé brillamment ses deux bachots, faisait « propédeutique » et la fierté de mes parents en même temps.

Je n'avais rien à lui dire et elle non plus.

Nous avons commencé à prendre deux voies, deux vies différentes qui n'ont fait que diverger au fil des années.

En fin de compte, j'étais mise, consciemment ou non, au ban d'une certaine partie de ma famille.

Ainsi n'ai-je plus jamais revu les oncles, tantes, cousins et cousines de mon enfance, à part « La Baille », le fantaisiste, l'oncle peintre qui trouvait tout ce qui m'arrivait merveilleux ! C'est peut-être à cause de cela que j'ai eu toute ma vie une impression de grande solitude, perdant pied dès que mon amant m'aimait moins, et m'accrochant désespérément à l'affection d'amis tels que Jicky.

Ma nouvelle famille, je me l'étais faite toute seule. C'était Jean-Lou, Alain, Olga, Dany, Christine et Odette. Entre nous, aucune contrainte, il y avait toujours un couvert mis pour l'un chez l'autre et pour l'autre chez l'un. Nous avions les mêmes horaires, les mêmes sujets de conversation, les mêmes buts.

La folie qui entourait ma personne me semblait irréelle, je ne comprenais pas bien « pourquoi moi » ? Il m'était toujours resté de l'enfance l'impression d'être moche et je me trouvais vraiment quelconque, et avais l'impression qu'en me cachant le visage derrière une frange en désordre et des cheveux plein la figure, ça se verrait moins. Cette insécurité physique ne m'a jamais quittée, elle m'a empêchée de devenir trop sûre de moi et m'a permis de garder une espèce d'humilité qui a fait partie, peut-être, de ma réussite.

J'ai toujours douté de moi à un point incroyable.

J'étais émerveillée qu'un homme me trouve belle, je lui en savais une infinie reconnaissance, et j'avais peur qu'une fois démaquillée, il me trouve affreuse. C'est pourquoi j'ai dormi pendant des années sans enlever le rimmel de mes yeux. Le résultat est que, le lendemain matin, j'avais du noir barbouillé sur tout le visage. C'était encore une façon de me cacher derrière quelque chose...

Cette vie de star, je n'y étais pas préparée.

Ça m'est tombé dessus sans crier gare.

Déjeuners, dîners avec des producteurs, essayages pour le prochain film, rendez-vous avec des journalistes (ah ! ceux-là !), premières de ceci et de cela... J'en faisais le minimum, au grand désespoir d'Olga, mais je n'avais plus une minute à moi. J'ai fait les beaux jours et les gros titres de *France-Dimanche* et *Ici-Paris*. Ce que j'ai pu y lire comme mensonges c'est à ne pas le croire. Entre autres, que j'avais acheté des snack-bars et des laveries automatiques, ce qui était parfaitement faux, mais la rumeur m'a poursuivie toute ma vie. Résultat : mon contrôleur d'impôts, croyant que je possédais toutes ces fortunes, a mis le nez dans mes comptes, histoire de me coincer ! Quarante ans après, les impôts cherchent encore les laveries et snack-bars qui n'ont jamais été miens, mais pure invention de journalistes en mal de copies.

Ce que la presse peut faire comme mal, ce qu'elle peut salir, abîmer, ridiculiser, c'est honteux !

Ainsi mon histoire si jolie avec Jean-Lou était-elle

tournée en dérision. On parlait de « la star et du ver de terre », du « symbole sexuel et son troufion », etc.

Beaucoup plus tard j'ai entendu des journalistes prétendre que je devais ma célébrité à la presse. En fin de compte, elle seule m'aurait créée, modelée, lancée, et patati et patata. En attendant, ils m'ont pourri la vie à un point qu'ils ne soupçonnent pas. Avec ou sans eux, j'aurais été ce que je devais être, mais sans tous les problèmes qu'ils m'ont créés.

Toutes ces histoires me faisaient vivre dans un état de nerfs anormal ! Mon trou de la Paul Doumer, cerné par les photographes était devenu invivable ! Finies la quiétude et la tranquillité ! Je me mis à avoir de l'herpès, un genre de bouton de fièvre, d'origine nerveuse, qui se place en général sur les lèvres.

J'étais chouette avec mon « plouf » sur la bouche !

Déjà qu'elle est grande, mais avec ce truc-là, c'était une entrée de métro !

Je devais commencer le tournage de *Une Parisienne* dans huit jours, c'était une catastrophe !

Francis Cosne, le producteur, s'arrachait les cheveux.

Michel Boisrond, le merveilleux metteur en scène qui m'avait fait tourner *Cette Sacrée gamine*, m'appelait avec humour « la môme aux boutons ». Olga, ma Mama Olga, m'emmena chez le docteur. Elle avait, elle, une crise d'urticaire, ce qui équivalait aux 10 % de mon herpès. Pour guérir, il me fallait du calme, de la tranquillité, et une détente nerveuse complète. Or j'avais quinze coups de fil par jour pour savoir où en était mon « bouton ». Chaque coup de fil déclenchait une crise de nerfs, chaque crise de nerfs me donnait un nouveau bouton. Je devenais folle...

Les journaux titraient : « *Les boutons de B.B. coûtent tant de millions au producteur !* » « *Les boutons de B.B. lui permettront-ils de continuer sa carrière ?* » « *Elle avait pris un bon départ, son acné juvénile tardive nous privera-t-elle de la suite ?...* »

On me faisait quotidiennement des piqûres intra-veineuses de vitamine C, qui me faisaient tomber dans les pommes ! J'avais honte, une honte folle, une honte honteuse ! J'aurais aimé être un homme et avoir des moustaches, j'avais beau secouer mes cheveux dans tous les sens, je ne pouvais pas cacher ce « plouf » de malheur ! Je restais cloîtrée chez moi, refusant le téléphone, ne lisant plus les journaux, ne recevant personne.

Enfin, dix jours plus tard, le « plouf » était fini et le film commençait !

Henri Vidal et Charles Boyer, mes partenaires, étaient exquis, drôles, charmants. Michel Boisrond nous dirigea avec talent, gentillesse, humour, gaieté. Il régnait sur le plateau une ambiance décontractée qui sentait bon la réussite. Les extérieurs devaient se tourner sur la Côte d'Azur. Quelle joie !

J'avais demandé que l'on engage Jicky pour faire de la figuration. Il n'avait pas un rond, et j'avais envie de lui rendre un peu du bonheur éprouvé dans sa maison de Cassis.

Nous sommes donc descendus dans le Midi, Jicky, sa femme Jeanine, Jean-Lou et moi. On aurait dit le départ d'une colonie de vacances.

C'est là qu'un dimanche, en allant déjeuner sur la Grande Corniche dans un adorable restaurant de grillades au feu de bois, j'ai croisé un âne sur la route. Il semblait seul et s'était visiblement perdu. Pas question de le laisser là, il allait se faire écraser ! Je l'accrochai donc avec une ficelle au pare-chocs de ma Simca décapotable et nous reprîmes la route, Jean-Lou, Jicky, Jeanine et moi-même au volant, au rythme de l'âne. Au restaurant, après lui avoir donné des carottes et avoir dégusté un bon steack nous sommes repartis, toujours avec l'âne, à La Colle-sur-Loup où nous avions trouvé un hôtel qui ressemblait à tout sauf à un palace.

Nous avons mis trois heures pour faire 15 kilomètres.

Arrivés « Chez Joseph », il n'y avait pas d'écurie !

Drame ! L'âne ne pouvait pas prendre une chambre au premier étage ! J'ai décidé qu'il dormirait au garage.

Après lui avoir donné toutes les salades et carottes du restaurant, plus des sucres et des gâteaux, nous avons souhaité « bonne nuit » à notre compagnon et sommes allés dormir ! Le lendemain, je tournais et ne pouvais pas emmener mon âne sur le plateau ! Bien m'en a pris ! Tous les journaux du coin ne parlaient que d'un âne volé la veille ! Le propriétaire avait porté plainte et donnait une récompense à qui le lui rendrait ! J'étais catastrophée ! J'ai téléphoné à cet homme, me suis excusée, lui ai raconté l'histoire, et j'ai rendu l'âne sans rendre l'âme !

C'était le début de ma passion pour les animaux.

Pendant que nous terminions le film aux studios de la Victorine, à Nice, le Festival commençait à Cannes.

Mille fois par jour, Francis Cosne, le producteur, me suppliait d'aller y faire un tour.

Mille fois par jour, excédée, je lui disais non, non et non, je n'en ai rien à faire, ça m'emmerde !

Mille fois par jour, il me disait qu'il était indispensable que les journalistes me voient, m'interviewent, me photographient...

Je le menaçais d'un nouvel « herpès » s'il continuait à me tanner de la sorte. Je décrétai que, si ces fichus journalistes voulaient tant me voir, ils n'avaient qu'à se déplacer et venir jusqu'à Nice, je les attendais ! J'avais lancé ça comme une boutade, pour me débarrasser du problème !

Eh bien, ils sont venus !

Oui, en car, entassés comme des sardines, les Anglais, les Allemands, les Américains, les Espagnols, les Italiens, les Français ! J'étais prise à mon propre piège ! Ils attendaient sagement au bar, devant des menthes glacées, que j'aie le bon vouloir ou le temps de leur consacrer une demi-heure ! On en avait même interrompu le tournage !

Je n'en revenais pas ! Mais, avant d'en revenir, il fallait y aller !

Et moi, je ne voulais pas y aller !

En fin de compte, j'ai pris l'affaire à la rigolade. Je me suis cachée dans une caisse de jus de fruits, deux machinistes ont porté la caisse au bar, et vlan ! je suis sortie de là en jean et tee-shirt, hurlant de rire !

Un moment extraordinaire, une ambiance super-amicale. Ils s'attendaient à voir arriver une star prétentieuse, enroulée de satin, avec toute sa suite. Ils m'ont vue, moi, telle que j'étais, que je suis, que je resterai, ils ont rigolé, trinqué et plaisanté avec moi. On a parlé en anglais, français, italien, les rapports étaient d'égal à égal, je les ai bien aimés et eux m'ont bien aimée aussi, j'en suis sûre.

Jusqu'au jour d'aujourd'hui, j'ai été la seule au monde pour qui le Festival de Cannes se soit déplacé ! Il ne faut pas oublier que tout ça se passait en 1957 à une époque où la décontraction n'existait pas encore. Sophia Loren et Gina Lollobrigida, les *big stars* du Festival de cette année-là, n'apparaissaient en public que seins et diamants en avant ! Fourrures de prix et toilettes somptueuses, Rolls, enfin, toute la panoplie indispensable à ce qu'obligeait leur noblesse cinématographique. Je n'étais pas entrée dans ce système, et c'est ce qui était original et déroutant !

J'ai toujours aimé faire le contraire des autres, je n'aime pas suivre les sentiers battus. La mode, je m'assieds dessus. C'est pourquoi on m'a taxée de suppôt de Satan, de provocatrice, de femme de mauvaise vie, alors qu'il n'y a pas plus simple, plus naturelle, plus franche que moi !

Le film allait être un grand succès, une comédie fine et spirituelle, pleine d'humour et d'amour. Henri Vidal et moi formions un couple idéal, le public nous aimait et le producteur décida de nous faire faire une série de comédies du même style où nous serions les « Fred Astaire » et « Ginger

Rogers » français. *Une Parisienne* fit partie des films dont je suis fière, il n'y en a pas eu beaucoup. Cette réussite me stimula et j'eus envie de continuer à me donner du mal pour mon métier.

La Paul Doumer me voyait rarement.

Alain était merveilleux, s'occupait de tout et de Clown, Jean-Lou me retrouvait le soir, épuisée et préoccupée par les rendez-vous du lendemain. Il en avait marre de ce service militaire à la con ! Il avait raison, il ratait plein de films, ne gagnait rien, il finissait par être complexé vis-à-vis de moi et je le comprenais. Mais il n'y avait rien à faire, il fallait accepter cette situation bon gré, mal gré.

Les bonnes défilaient à la maison avec une telle rapidité que je n'avais pas le temps d'en appeler une par son prénom que déjà, elle était remplacée par une autre.

C'est dans le brouhaha de ce début d'été 1957, le 10 juillet, qu'un des rares moments de repos que j'avais pris fut interrompu par un coup de téléphone. Alain était absent, je pris donc la communication moi-même. C'était maman, elle avait une voix blanche. Je pressentis un drame.

Jean Marchal, le fils de Tapompon, le médecin, le garçon rigolo, plein de fantaisie que nous aimions tous comme un frère, venait de se tuer en voiture, au hameau de Brézolles en Eure-et-Loir. En écoutant maman, je regardais le soleil entrer en vrac sur le tapis et le lit de ma chambre, et je ressentais au fond de moi le néant de sa fin, l'obscurité sans limite qui entoure la mort...

Maman me demanda de venir immédiatement à son domicile, elle avait quelque chose à me dire. Je trouvai ma Tapompon transformée en mannequin de cire. Son fils, son seul fils, son unique amour était mort ! Il y avait aussi le Boum, papa et ma Mamie, Dada et maman, et puis Tatou, la jolie femme de Jean, Jacques et Betou, ses enfants.

On m'apprit que Jean était à la morgue, on faisait son autopsie.

Je ne comprenais pas...

Maman me dit en très grand secret qu'il s'était suicidé...

Suicidé ! Lui, Jean qui aimait tant la vie, mais pourquoi ? A cause de sa femme. Elle voulait le quitter pour aller vivre avec son meilleur ami... et Jean a pris sa voiture et s'est jeté contre un arbre en laissant un mot pour expliquer ce geste.

J'étais bouleversée... Je le suis toujours. Fallait-il que cet homme fantastique, qui avait prouvé son courage pendant la guerre en se battant comme un lion, fût désespéré pour en arriver à une fin si tragique et déterminée. Je le compris plus tard, lorsqu'il m'arriva, à moi aussi, de me sentir trop seule, trop triste et trop désemparée pour continuer de lutter. Je le compris lorsque tout se retira de moi, comme la mer quitte le rivage et que la marée vous submerge et vous empêche de voir qu'à l'horizon, le ciel est peut-être bleu.

La mort d'amour de Jean Marchal, qui n'avait alors que 37 ans, a été la première brisure de la chaîne familiale. Le plus jeune mourait le premier...

Le Boum ne s'en remit jamais, c'était un peu son fils qu'il perdait. Maman, qui était fille unique, considérait son petit cousin comme un petit frère, quant à Mamie et Tapompon, sœurs très unies, c'était « leur » enfant qui disparaissait.

Moi, je comprenais l'irréparable de cette mort, je me souvenais de son rire, de ses yeux bleus qui étaient comme des étoiles, de son intelligence, de son courage et surtout de sa volonté de bonheur.

Sitôt enterré, Jean fut remplacé par son meilleur ami, qui épousa Tatou, enlevant définitivement toute famille à Tapompon.

*
**

Les Bijoutiers du clair de lune, mon prochain film, devait se tourner en Espagne. Il fallait encore partir, quitter Jean-Lou qui ne pouvait en aucun cas passer la frontière, Alain, Clown...

J'étais si triste...

Je ne connaissais pas l'Espagne, et je devais y passer trois ou quatre mois, selon la durée du tournage.

C'était inhumain...

Jean-Lou était malheureux, Alain aussi, et même Clown.

Seule la bonne s'en foutait.

Le départ fut compliqué.

Pas d'avion, je m'en étais assurée sur mon contrat ! J'avais trop peur ! Le train allait mettre vingt heures, mais tant pis ! Odette m'accompagnait, elle n'avait jamais pris l'avion non plus, nous étions les deux seules rétrogrades de l'équipe. Jean-Lou me quitta sur le quai de la gare, ses yeux accrochaient mes yeux et nos larmes se mélangeaient ! Quelle connerie de quitter l'amour de ma vie pour un film dont je me foutais comme de l'an 40 ! Mais j'avais signé au bas du contrat « lu et approuvé, bon pour accord », il n'y avait aucun doute possible, j'étais prisonnière ! Raoul Lévy, le producteur, Vadim, le metteur en scène, Alida Valli et Stephen Boyd, mes partenaires, m'attendaient à Madrid, je devais y aller !

Odette pleurait aussi, car elle quittait Pierre, son mari, qu'elle adorait, et ses deux fils, Jean-Pierre et Michel.

Le voyage fut sinistre, long, fatigant, démoralisant.

Je me retrouvais à Madrid dans un hôtel style Hilton, sans aucune personnalité, il y avait dans ma chambre un énorme bouquet de fleurs envoyé par Raoul Lévy, et Vadim, assis sur une chaise et qui me regardait les yeux ronds.

Il me connaissait par cœur et voyait que ça n'allait pas fort.

Quel ami merveilleux, ce Vadim. Il comprend tout sans qu'on lui parle, il a un cœur si généreux qu'il se couperait en mille morceaux pour donner du bonheur à celui qui est triste. Je m'effondrai en larmes, lui disant mon désespoir d'avoir quitté Jean-Lou, mon manque d'envie à vivre ici, mon mépris du cinéma, enfin, je déballai mon gros cœur avant mes valises !

Pauvre Vadim, merveilleux Vadim, mon complice, mon frère.

Il eut alors une idée de génie !

Il me dit que le tournage allait durer plus long-temps que prévu. Au lieu de demander de l'argent supplémentaire, je n'avais qu'à exiger une place d'avion aller et retour, chaque week-end, afin de retrouver Jean-Lou le dimanche à la Paul Doumer...

C'était ma seule échappatoire et l'idée me donnait du courage.

J'oubliais la tristesse de l'hôtel, j'oubliais les quatre mois de prison, j'oubliais tout et ne pensais plus qu'à mon avion ! Le soir, au restaurant avec Odette, je retrouvais Jeanine, la femme de Jicky que j'avais fait engager comme doublure lumière pour moi.

Lorsque je leur racontai mon projet de week-end, Odette voulut partir avec moi et Jeanine sourit, lais-sant entendre que je ne le ferais sûrement pas long-temps !

Je ne parlais pas un mot d'espagnol, mais par contre, l'italien me revenait sans effort, c'est ainsi que très sûre de moi, j'appelai le maître d'hôtel et lui demandai « un poco di burro per favore ».

Il restait le crayon levé, les yeux exorbités et me regardait comme si je lui avais demandé la lune ! Je ne voulais qu'un peu de beurre !

Pourquoi ne comprenait-il pas ?

Quel imbécile !

Je fis mine de beurrer mon pain avec mon doigt, et il se mit à rire comme un fou ! Il répondit : « mantequilla, si señora ! » Puis, il revint avec un pot de beurre et la photo d'un âne !

Comment savait-il déjà que j'aimais les animaux ?

Quelle méprise, un âne se dit *burro* en espagnol, et *burro* veut dire beurre en italien. Je lui avais donc demandé un âne pour mettre sur mon pain, d'où ses yeux ronds et sa mine ahurie.

Ma salade n'étant pas assez assaisonnée, je l'appelai à nouveau pour avoir du vinaigre. Je demandai en italien « aceto per favore ».

Il revint avec la bouteille d'huile...

Décidément quel con ce type !

En fin de compte, en espagnol, l'huile se dit *aceite* et le vinaigre *vinagre*. Je décidai d'oublier illico l'italien et d'apprendre au plus vite l'espagnol. Les premiers mots que j'appris furent *Hora mismo* qui veut dire « tout de suite » en théorie, mais qui veut dire « demain » en pratique ; *mañana* qui veut dire « demain » en théorie, mais « jamais » en pratique.

Le samedi soir, après le turbin, je devais prendre mon avion. J'étais terrorisée, malade, j'avais mal au ventre, aux tripes, c'était un suicide ! Je pris un billet pour Odette, ne voulant pas mourir seule. C'étaient encore des avions à hélices, quadrimoteurs qui mettaient un temps fou ! Je fis mon signe de croix, attachai ma ceinture, pris la main d'Odette et attendis...

Lorsque la première hélice se mit en route, je fis un bond sur mon siège et j'enfouis mon visage dans l'épaule d'Odette. Au démarrage, alors que je voyais défiler toute ma vie, une puissance formidable m'entraînait vers le ciel. Lorsque le train d'atterrissage rentra, je crus qu'il y avait une panne et sentis le sang quitter mon corps, puis ce fut le changement de régime, et je crus que les moteurs s'arrêtaient. Bref, à force de me voir si angoissée, Odette s'évanouit pour de bon, et je me retrouvai avec mon amie dans les pommes. Du coup, j'oubliai ma panique, et ne pensai plus qu'à lui passer de l'eau de Cologne sur le front pour qu'elle retrouve ses esprits.

J'arrivai exténuée, mais heureuse à Orly.

J'avais eu mon baptême de l'air.

Les 24 heures de permission dont je disposais, je les passai au lit avec Jean-Lou. J'étais crevée, moralement et physiquement. Le fait de retrouver mon territoire, pour si peu de temps, m'empêchait d'en profiter vraiment. Les heures passèrent si vite que j'eus l'impression, lorsque je me retrouvai dans l'avion pour Madrid, le dimanche soir, que j'avais rêvé !

Et le lundi matin à 7 heures, le travail reprenait !

Le cinéma est un métier fatigant. Ce qui est tuant, ce sont les heures d'attente durant lesquelles on ne peut rien faire.

Ce qui est horripilant, ce sont les gens qui viennent vous parler, vous présenter leurs petites cousines ou le beau-frère de leur tante, dont on se fout éperdument, et avec qui on est obligé de grimacer des sourires et des phrases conventionnelles. Ce qui est épuisant, ce sont les répétitions à n'en plus finir pour la lumière, pour le son, pour le jeu !

Lorsque, enfin, « on tourne », on est déjà crevés et il faut alors se concentrer terriblement pour tout oublier et ne plus penser qu'à l'instant que l'on est en train d'immortaliser. Lorsque vous êtes enfin complètement pris par votre jeu et que vous vous y jetez à corps perdu, on coupe parce qu'il y a eu l'ombre du micro dans le champ, ou bien la lumière est mal réglée, ou bien encore vous étiez trop de profil ! Et il faut tout recommencer... Et de nouveau couper parce que ci ou ça ! Et encore recommencer. Lorsque, enfin, la prise est complète, c'est vous qui étiez moins bonne que dans les autres, et hop ! on recommence encore et encore ! C'est une tension nerveuse de chaque seconde et ce pendant les huit heures de travail. Le soir, vous ne pensez qu'à prendre un bain et à dormir !

Je n'ai jamais été une actrice dans l'âme.

Ce que je préférais dans le cinéma, c'était le soir, quand le travail était fini, et que je pouvais enfin me détendre et penser à autre chose. Mais la fatigue accumulée toute la journée, la chaleur des projecteurs, l'air vicié des studios me laissaient épuisée dans ma chambre, et je n'avais plus le courage de me changer et de me remaquiller pour sortir dîner. Je me faisais donc généralement monter un plateau de fruits que je grignotais en téléphonant à Jean-Lou.

Les rares soirs où je sortais, c'était parce que Jicky, Jeanine et Odette violaient mon apathie pour que je bouge un peu. Grâce à eux, j'ai connu les petits restaurants typiques où flottait l'odeur de l'huile chaude et les notes merveilleuses de la guitare flamenco. Après avoir bu la sangria et mangé les beignets de gambas, j'étais prise par l'ambiance et le rythme des danses. Je ne voulais plus rentrer me coucher, je tapais dans mes mains frénétiquement, mes pieds et mon corps vibraient, enivrés par cette danse envoûtante et animale. Parfois, je me levais et dansais, ne pensant plus qu'au balancement de mes hanches et à la nervosité de mes jambes. J'ai dansé pieds nus, bien avant *la chunga*.

Ils m'appelaient « Guapa » (jolie fille), me lançaient des mots tendres et gutturaux que je ne comprenais pas. C'est avec certains de ces gitans inconnus que j'ai commencé à apprendre mes trois premières notes de guitare.

Les réveils, le lendemain, étaient pénibles, je dormais debout. Le chef opérateur me scrutait avec son œilleton, me trouvait mauvaise mine, mon maquillage tournait, j'oubliais mon texte. J'étais de mauvaise humeur, je boudais, je me faisais engueuler par tout le monde. On me disait qu'on ne pouvait pas être du soir et du matin, que je n'avais aucune conscience professionnelle.

J'ai toujours eu un besoin énorme de sommeil, et le fait de m'endormir n'importe où, n'importe comment, me redonnait la force nécessaire pour assumer le reste de la journée. Il m'est arrivé de m'endormir dix minutes au milieu du plateau, sous les lumières, en plein bruit. Cette faculté de récupération rapide m'a énormément aidée.

Je m'achetai une guitare, et m'appliquais à jouer et rejouer les trois accords que je connaissais en essayant de ne pas me tromper. J'ai toujours adoré la guitare. C'est pour moi le plus bel instrument de musique. Je n'ai jamais su en jouer correctement, mais j'ai passé ma vie à glaner à gauche et à droite des accords de flamenco, de samba ou de folklore d'Amérique latine que je joue plus ou moins bien, mais qui me permettent de m'accompagner lorsque je chante.

Un jour, Jicky arrive dans ma loge, essoufflé, rouge, hors de lui, tenant dans ses bras une petite chose qui ressemblait à un chien mort de peur. Il me dit que des gamins dans la rue voulaient la pendre, que la pauvre bête se débattait au bout de la corde lorsqu'il était arrivé, et l'avait détachée.

J'étais atterrée, horrifiée !

Comment pouvait-on chercher à tuer un petit animal aussi inoffensif ? Mon cœur et ma gorge en étaient serrés. Je pris la petite chose blanche, tachetée de noir, dans mes bras, je plongeai mes yeux dans ses yeux noisette, ses yeux doux et profonds, implorants et craintifs, je lui dis que je l'aimais, et que, désormais, il ne lui arriverait plus rien de triste, que je l'adoptais. C'était une petite chienne, style papillon.

Je la trouvai jolie et l'appelai « Guapa ».

C'est ainsi que commença une histoire d'amour qui dura quinze longues années.

IX

Je ne vous apprendrai rien en vous disant que j'adore les animaux, et les chiens en particulier. Cet amour n'a fait que croître tout au long de ma vie, car je me suis rendu compte qu'un chien ne vous trahissait jamais, qu'il vous aimait quoi qu'il vous arrive, qu'il était fidèle, à vos côtés, dans les pires moments. On n'a que de bons souvenirs avec un chien, on peut compter sur sa tendresse, sur son affection, sur sa présence. Un chien ne boude pas, il vous fait la fête quand il vous retrouve, il n'a pas de rancune.

Guapa est donc venue s'installer à l'hôtel avec moi. Le portier a fait une drôle de tête, et le concierge n'était pas d'accord. Encore, avec un beau chien de race, bien toiletté, il pourrait fermer les yeux, mais ce bâtard !

Je lui dis que c'était Guapa et moi, ou plus personne.

Et Guapa fut tolérée.

Je n'avais pas de laisse et n'en ai jamais mis à Guapa. Je lui achetai un joli collier avec mon nom sur la plaque, et elle devint ma princesse. Elle comprit sans que je lui explique qu'il ne fallait pas faire pipi dans la chambre. Elle pleurait devant la porte lorsqu'elle voulait sortir. Elle me suivait comme mon ombre, et d'elle et moi, je ne sais qui aimait l'autre le plus. Ma vie était changée. Je n'étais plus jamais seule, je dormais contre son petit corps tout chaud, nous partagions tout, les mêmes repas, les mêmes promenades, les mêmes regards.

Comme je l'ai aimée.

Je continuais d'aller passer mes dimanches à Paris, mais avec moins d'enthousiasme. Je confiais Guapa à Odette ou à Jicky et Jeanine, mais j'avais mal en la quittant. J'étais heureuse de la retrouver le dimanche soir.

De toute façon, nous devions quitter Madrid pour tourner les extérieurs du film à Torremolinos qui se trouve dans l'extrême sud de l'Espagne. De là, aucun moyen de retourner passer le week-end en France. Il n'y avait pas d'aéroport et les trains pour Madrid mettaient à cette époque vingt heures.

J'avais déjà passé deux mois et demi dans la capitale espagnole !

C'est dans la voiture de production, conduite par mon chauffeur Benito Sierra, que Jeanine, Odette, Dany ma doublure, Guapa et moi partîmes pour ce bout du monde qu'était Torremolinos. Jicky nous abandonnait, il devait retourner en France essayer de vendre ses toiles. J'étais triste qu'il ne nous accompagne pas. J'aimais sa présence, sa vitalité, son optimisme, il me rassurait.

Et puis, ce départ vers ce coin inconnu et perdu de l'Espagne m'angoissait. La coupure allait être longue avec Jean-Lou. Le téléphone était précaire. Il était déjà presque impossible d'obtenir Madrid, les attentes duraient parfois plusieurs heures, alors Paris...

C'est le 4 octobre 1957, jour du lancement du premier satellite russe, que nous fîmes le voyage Madrid-Torremolinos !

La radio ne parlait que du « bip-bip » du « Spoutnik », cependant que nous traversions les déserts brûlants des sierras espagnoles, scrutant le ciel en espérant voir quelque chose de terrifiant comme dans les films de science-fiction.

L'arrivée en pleine nuit fut extraordinaire.

Nous nous trouvions dans un petit bourg espagnol qui ressemblait à un village de poupée. Toutes les maisons étaient blanchies à la chaux, et croulaient sous les fleurs : bougainvilliers, géraniums, hortensias. Il n'y avait pas de voitures, mais des petits ânes qui portaient des paniers sur leurs deux flancs. Comme les journées étaient très chaudes, les gens vivaient la nuit.

196

Il y avait donc sur la place du village une petite animation ; quelques personnes aux tables de bois de la « Posada », deux guitaristes assis par terre, des amoureux qui regardaient la mer, des marchands de cacahuètes, des enfants qui mendiaient, des chiens qui erraient. En cherchant bien, nous finîmes par découvrir notre hôtel Montemar. C'était une suite de bungalows très simples, sur la plage. Chaque maison avait son jardin rempli de fleurs, et au milieu de ce petit hameau, il y avait des tables sur la plage où les quelques clients prenaient encore leurs repas à 2 heures du matin. C'était un rêve, un endroit idyllique, presque désert, un endroit pour aimer.

Ma toute petite maison blanche s'appelait « Las Algas ».

Il y avait deux chambres, un salon moitié dedans, moitié dehors, et une salle de bains. C'était simple, rustique, charmant, tout de bois et de chaux, comme j'aime. De plain-pied avec le sable, la plage, la mer ! Les bougainvilliers rentraient dans la maison par les portes et les fenêtres, les plantes grimpantes se bousculaient et s'enchevêtraient, ça sentait la fleur d'oranger, on entendait les grillons, les cigales, et le clapotis des vagues. Le ciel plein d'étoiles se confondait avec la mer, je regardais encore si je voyais le « Spoutnik », mais tout était calme, rien ne semblait perturber l'immensité de l'océan et du ciel.

J'étais heureuse !

Quitter une ville comme Madrid où on étouffait de chaleur, où il n'y avait pas un souffle d'air et où je venais de passer deux mois et demi d'été dans du béton brûlant et me retrouver en pleine nature, dans mon élément, me paraissait miraculeux !

Jeanine et moi avons décidé de partager le même bungalow, Odette et Dany s'installèrent dans celui à côté qui s'appelait « La Tortuga », car il était tout rond comme une tortue.

Nous ne dormîmes pas de la nuit.

Guapa était folle de joie, elle découvrait une nature inconnue pour elle, il y avait en plus plein de chiens qui venaient lui dire des choses aimables, et qui étaient prêts à lui faire visiter la plage en pleine nuit, ce qui me paraissait prématuré ! Mais Guapa ne m'aurait pas quittée pour un empire, et je finis donc par me rassurer.

Odette, à chaque retour de Paris, rapportait dans sa valise plusieurs fromages et, en particulier, du camembert.

Elle faisait donc sa distribution de fromages à tous les Français de l'équipe, qui étaient fous de joie, et s'en gardait quelques-uns pour elle et pour nous. Il faut dire que tout ça se passait en plein été, et que je repérais à l'odeur où était la valise d'Odette à l'aéroport, tant elle sentait mauvais !

La pauvre Odette, si raffinée, si soignée, en était malade, toute sa garde-robe sentait le camembert, mais son amour du fromage l'emportait, et le fait de faire plaisir autour d'elle lui permettait d'oublier ce genre de détail. Je crois que j'ai choisi de partager mon bungalow avec Jeanine plutôt qu'Odette à cause de ces fichus fromages. Décidée d'en finir avec ces fromages, je proposai à mes filles de faire un petit casse-croûte chez Odette. Nous avons commandé du vin rouge du pays, et du pain, un peu de viande pour Guapa, et nous avons attaqué les fromages ; ils étaient coulés, aplatis, n'avaient plus figure humaine...

Nous en avons liquidé la moitié...

Bonne chose de faite !

Le tournage ne devait reprendre que trois jours plus tard, donc trois jours de vacances et n'ayant à craindre aucune engueulade du lendemain, je pris un bain de 4 heures du matin avec Jeanine et Guapa. Nous étions nues, libres, folles de joie, l'eau glissait sur mes cheveux, coulait sur mon visage, me

198

lavait de la poussière de la chaleur, le temps s'arrêtait pour nous entendre rire et chanter. Nous avons fait les quelques mètres qui nous séparaient de la maison, nous nous sommes retrouvées nues et assises dans les fauteuils d'osier du préau.

Jeanine était très belle, blonde, grande, racée.

J'ai toujours aimé avoir de jolies amies, je trouve qu'on se met mutuellement en valeur.

Mon séjour à Torremolinos commençait bien.

Le lendemain matin, nous nous sommes retrouvés avec quelques personnes du film pour le petit déjeuner « au restaurant », c'est-à-dire sur la plage, à des tables bancales, sous un énorme toit de chaume soutenu par des piliers de bois. C'était superbe. Le soleil était déjà haut dans le ciel, il faisait chaud. Le paradis.

Certes, il n'y avait pas de thé, les villageois ne savaient même pas ce que c'était. On m'apporta du café au lait « de chèvre » que je crachai immédiatement et du beurre si rance qu'il était immangeable ! Je pris un jus d'orange et grignotai un bout de pain sec ! Puis je voulus téléphoner à Jean-Lou. Il fallait douze heures d'attente. Il n'y avait qu'une ligne à la poste pour les quelque dix téléphones installés dans le village, et cette ligne n'avait jamais appelé Paris. En attendant, je me baignais, la plage était déserte, traversée parfois par un paysan et son âne.

Odette, qui ne supporte pas la grosse chaleur, se sentait mal à l'aise, son mari lui manquait, elle se sentait coupée de tout. En revanche, Jeanine était épanouie, son mari ne lui manquait pas du tout, elle adorait le soleil, et semblait mûre pour une aventure sentimentale, je le voyais à l'éclat de ses yeux.

Moi, j'étais à la fois comme Dédette et comme Jeanine, un peu angoissée et un peu comme sur un bateau, libérée de toute contingence. Je flottais, ne sachant plus exactement qui j'étais, ni où j'étais.

Au restaurant, nous avons retrouvé Vadim, Stephen Boyd et sa doublure, un bel Espagnol « Manci Sidor », ce qui faisait dire à Vadim « Sidor, il n'est pas réveillé ». Le pauvre Manci ne comprenait pas un mot de français et avait toujours l'air absent des gens qui restent en dehors de toute conversation, l'air abruti, quoi ! On nous servit du poisson cuit à l'huile rance, une salade mal lavée assaisonnée à l'huile rance, du fromage de chèvre qui sentait le savon de Marseille... rance, bref, je commandai à nouveau un jus d'orange et mangeai un morceau de pain sec. Sidor et Jeanine se mangeaient des yeux. Tant mieux pour eux ! Il valait mieux vivre d'amour et d'eau fraîche dans ce pays si on voulait subsister...

Le soir, morte de faim, je me précipitais sur le reste des fromages de Dédette quand on vint enfin me chercher pour le fameux appel de Paris. Il n'y avait pas de cabine, l'appareil était sur le bar et le bar était plein de gens du film.

« Allô ! »

Je n'entendais rien, puis la téléphoniste me baragouina un truc inaudible. Alors, loin, très loin, au milieu d'une friture incroyable, j'entendis la voix de Jean-Lou. Impossible de parler d'amour au milieu de trente personnes qui faisaient un raffut terrible. J'avais envie de pleurer.

Mon Dieu, mais qu'est-ce que je faisais là, au milieu de tous ces gens, dans le trou du cul de l'Espagne, alors que chez moi dans mon pays, un homme m'aimait et m'attendait ! Je m'endormis enroulée autour de Guapa, moins optimiste que la veille.

Comme prévu, Sidor vint dormir à Las Algas dans le lit de Jeanine, ce qui me fit dire que « Sidor avec Jeanine, il n'est pas près de se réveiller... »

J'écrivis à Jean-Lou, mais les lettres mettaient deux semaines.

Les nouvelles arrivaient avec tant de décalage que je finis par ne plus écrire...

Après trois jours d'interruption, le tournage avait repris, ma doublure et la doublure de Stephen Boyd

« sidormaient » toute la journée, Dany reprit sa fonction et Serge Marquand, l'assistant de Vadim, doubla Stephen Boyd, et me doubla aussi pour les scènes dangereuses.

C'est ainsi que je vis un jour ce grand gaillard, baraqué et costaud, qui avait une tête simiesque, arriver avec une perruque blonde en chignon avec quelques mèches dégoulinant sur les oreilles (pour les cacher !), une petite jupe rouge et un corsage blanc décolleté bateau, avec tous ses poils qui sortaient. Il me doublait au volant d'une voiture américaine décapotable qu'il devait conduire en prenant des risques énormes. Il était épouvantable déguisé en « moi », on aurait dit un monstre, mais de loin, on pouvait y croire...

Je décidai de fêter mon anniversaire avec quelques jours de retard. J'organisai une fête aux environs du 10 octobre. Tous les gitans, guitaristes, chanteurs du pays furent invités à Las Algas. Il y avait également toute l'équipe du film, plein de sangria, de saucisson, de pain et un énorme gâteau avec 23 bougies. J'avais mis plein d'autres bougies sur la plage, on aurait dit que les étoiles continuaient de scintiller sur le sable !

Stephen Boyd me faisait un peu la cour, comme ça, sans y croire vraiment ! Il faisait chaud, tout le monde dansait, je m'amusais.

Comme cadeau d'anniversaire, Raoul Lévy m'avait offert un bébé âne ! Je l'appelai « Chorro » parce que nous tournions dans les gorges du Chorro. Il était à peine plus gros qu'un chien et Guapa le regardait d'un mauvais œil ! Chorro vivait sur la plage, mangeait les géraniums du jardin, et couchait dans ma chambre avec Guapa ! Je l'emmenais en voiture sur le tournage, il se baladait et mangeait les herbes fraîches autour du torrent, puis le soir, je rembarquais ma ménagerie à Las Algas. J'avais un peu l'air d'une bohémienne, bronzée, les cheveux jusqu'à la taille, toujours pieds nus et habillée d'une petite robe noire déchirée et moulante, avec mon âne et ma chienne qui ne me quittaient pas !

J'aimais bien cette vie !

Et puis, la production avait pris une cuisinière française pour la cantine de plein air, heureusement.

Guapa avait trouvé un amoureux plus petit qu'elle, et tout frisé, il ressemblait à un balai O'cédar. Je l'appelai « Rikiki » et le fis entrer dans ma ménagerie.

Nous tournions dans des petits villages à l'intérieur des terres, des villages en dehors du temps, qui n'avaient ni électricité, ni confort, ni téléphone bien entendu.

Les femmes allaient puiser l'eau au puits de la place et jetaient leurs seaux de toilette par la fenêtre. Les ruelles étaient en pente, pavées, avec une rigole au milieu dans laquelle se déversaient tous les excréments. La chaleur était accablante, l'odeur atroce. Les mouches se comptaient par milliers. Les enfants jouaient au milieu de cette pourriture, ils étaient sales et bancroches. A l'un manquait une jambe, à l'autre un bras, l'un avait les deux yeux crevés, l'autre était plein de pustules. Je vis même un enfant qui avait ses deux mains accrochées directement à l'os de l'épaule, je croisai aussi un nain et un bossu ! Sans parler d'un chien kangourou, né sans pattes de devant, qui sautait sur ses pattes de derrière pour avancer. Il était perpétuellement debout !

Je regardais ce spectacle effrayant et commençais à comprendre les peintures de Goya. La misère à l'état pur, la misère sans recours ! Je n'arrivais pas à chasser les mouches qui se posaient par dizaines sur mon visage, mes bras, mes jambes ! Je n'arrivais pas à écarter de moi les enfants curieux, avides, purulents, qui m'entouraient, me regardaient, me touchaient !

Quel cauchemar !

Merci mon Dieu d'être comme je suis, merci de m'avoir faite belle, saine, en bonne santé.

Un soir, en rentrant exténuée d'une de ces journées éprouvantes et malsaines, je vis que le ciel devenait noir de nuages et qu'un gros orage se préparait. Tant mieux, il y aurait moins de poussière, de saleté, de microbes autour de nous ! Les premières gouttes tombèrent, énormes, lourdes, l'atmosphère était écrasante, les éclairs fulgurants et le roulement du tonnerre m'impressionnaient. Le vent se mit alors à souffler en rafales cinglantes.

L'orage prenait des allures de tornade !

Puis l'électricité s'éteignit brutalement. L'âne, Guapa, Rikiki et tous les chiens errants de la plage étaient réfugiés dans le salon, terrorisés. Odette ne pouvait pas rentrer chez elle, l'eau tombait à seaux !

J'avais peur !

Il y avait des courants d'air partout, aucune porte, aucune fenêtre ne fermait, l'eau et le vent envahissaient la maison. Il se mit à faire froid. Nous nous sommes enroulées dans deux couvertures, nous n'avions rien de chaud dans nos bagages. Nous avions soif et faim après cette journée de travail. La mer faisait un bruit épouvantable, les vagues énormes battaient les murs de la maison, nous recevions les embruns. J'ai pensé que nous allions mourir, emportées par un raz de marée...

Nous avons passé la nuit sans lumière, à essayer de pousser les meubles devant les ouvertures, à éponger l'eau qui coulait du plafond, à calmer les pauvres bêtes paniquées qui gémissaient sans cesse. Au petit matin, il y avait dix centimètres d'eau sur le sol, les chiens étaient tous montés sur les tables et les fauteuils. La tempête continuait à faire rage.

Dehors, le spectacle était saisissant !

Sur la plage, que l'eau avait envahie, je distinguai un amas de choses informes, le corps d'un mouton mort, plusieurs chaises démantibulées, une table, un sommier, une canne, un chapeau, des arbres arrachés, de la boue, de la boue... Le tout sous une lumière glauque et une pluie battante, avec le bruit infernal des vagues. C'était une vision d'apocalypse.

Qu'allions-nous devenir ?

J'eus dans ma vie quelques grandes peurs, une sur une barque pendant un orage effrayant aux Bahamas, une en hélicoptère dans le blizzard, au Canada, une au-dessus de Chambéry, en avion privé, avec des trous d'air de plusieurs dizaines de mètres. Mais celle-ci fut la première et l'une des plus intenses.

Cette impuissance devant la nature déchaînée, ce sentiment de faiblesse, cette soumission forcée, cette attente, cette angoisse !

Finalement, le directeur de production, Roger Debelmas, un homme formidable, est arrivé, pieds nus, enfonçant jusqu'aux chevilles dans la terre boueuse, trempé jusqu'aux os. Il apportait quelques boîtes de conserve, de l'eau minérale et de mauvaises nouvelles. Nous étions bloqués, coupés du monde, l'ouragan avait tout détruit, routes, chemins de fer, téléphone, câbles électriques. Les maisons de torchis des villages s'étaient écroulées, il y avait des morts par dizaines, les troupeaux avaient été emportés par le torrent de boue qui descendait de la montagne, détruisant tout sur son passage. Plusieurs voitures avaient disparu, emportées elles aussi par cette terre mouvante déchaînée. On craignait une épidémie, tous ces cadavres en décomposition autour de nous !

Il n'y avait plus de vivres, très peu d'eau minérale !

Il nous tiendrait informés, et repartit, trempé, pieds nus, porter aux autres ce qui lui restait de provisions dans son sac. Je lui demandai de dire à Dany de nous rejoindre si jamais il la trouvait. Manci et Jeanine, blottis au fond de leur lit ne « sidormaient plus du tout » ! J'avais l'impression que nous étions les seuls survivants d'une planète détruite. Le sol de la maison n'était qu'un tas de boue, nous pataugions pieds nus dans ce magma.

J'étais gelée, frigorifiée.

Odette tremblait des pieds à la tête, elle toussait, avait la fièvre.

Il n'y avait pas moyen de chauffer de l'eau, ni quoi que ce soit, aucune source de chaleur, rien que cette humidité transperçante qui nous glaçait les os. Dany est arrivée, dégoulinante, dégouttante de boue, puis Vadim à son tour, trempé jusqu'à la moelle. Il ne voulait pas me laisser seule, savait à quel point j'avais peur. Nous avons campé, partagé nos petits pois glacés, nos biscottes et notre eau minérale. Le chorizo a été donné aux chiens avec l'accord de tout le monde, quant à Chorro, il irait manger le reste des plantes grimpantes lorsqu'il pleuvrait moins. De toute façon, les plantes ne grimpaient plus mais gisaient enfouies sous la boue devant la maison.

Je suppliai Vadim de me renvoyer à Paris, je ne voulais pas rester ici, film ou pas film, j'allais tomber malade, je n'en pouvais plus, j'étais à bout de tout, je voulais partir, partir à tout prix ! Il sourit, me disant qu'on ne pouvait pas partir, que tout était détruit, que personne ne pouvait venir nous porter secours mais que, dès que les communications reprendraient, il me jurait de me renvoyer chez moi. De toute façon, le film était en sinistre, plus aucune image ne raccorderait avec les plans précédents. Il allait falloir trouver une façon de terminer le film ailleurs !

Un peu d'espoir revint en moi, j'allais pouvoir partir, oui, mais... quand ?

Notre campement prenait des allures d'Arche de Noé.

Hommes, femmes et bêtes, nous partagions tout. Les chiens nous réchauffaient, blottis contre nous, enroulés dans nos couvertures. Chorro dégageait une puissante chaleur. Il déambulait dans la maison, ses sabots claquant sur le carrelage boueux, et finit par avaler tous les crayons de maquillage qu'il trouvait dans la salle de bains.

Nous nous grattions sans cesse.

La ménagerie s'agrandissait : nous étions envahis par les puces !

Le lendemain, la pluie a cessé, et nous avons pu aller constater les dégâts.

Un immense cloaque, une fin du monde, la mort sous toutes ses formes. Le petit cimetière dans lequel nous tournions il y a encore deux jours n'était plus qu'un amoncellement de tombes éventrées, de squelettes, d'os, de morceaux de cercueils, de lambeaux, de vêtements enchevêtrés les uns dans les autres.

Une horreur !

Je tombai malade.

Dans mon lit, qui ressemblait à un grabat, sans draps, sale, pleine de boue, enroulée dans une couverture pleine de puces, je sentais la fièvre me gagner et une forte douleur me labourer le bas-ventre et le rein droit. Le docteur espagnol qui nous avait suivis à Torremolinos en cas d'accident de travail, diagnostiqua une forte crise de colibacillose aiguë. Il me fallait des médicaments qu'il n'avait pas, et boire beaucoup d'eau, que nous n'avions pas !

Il me fit une piqûre calmante !

Odette me veilla toute la nuit, assise dans un fauteuil.

Le lendemain, je me réveillai rongée par la fièvre et les puces.

Je dis à Odette que je voulais partir. J'allais faire mes bagages, qu'elle essaye de son côté de trouver une voiture, ou n'importe quoi, mais je voulais partir. Je rassemblai ce qui avait été mes affaires et qui n'était plus qu'un tas de boue dans ce qui avait été ma valise, je m'habillai le plus proprement possible et attendis.

Vadim vint me dire que ça n'était pas prudent, que

les routes étaient coupées, que ma voiture était dans un état épouvantable, etc. Je lui confiai Chorro pour qu'il le donne à un gentil paysan, avec le reste de l'argent espagnol que je possédais, et plein de recommandations pour son bonheur d'âne que j'aimais ; mais je voulais partir et je partirais... Vadim me promit que Chorro serait bien placé, me déconseilla encore de prendre la route.

Arriva Roger Debelmas qui me redit la même chose.

Je lui confiai Guapa qu'il devait ramener en voiture jusqu'à Paris car je ne voulais pas qu'elle prenne l'avion. Je lui dis que si Rikiki avait l'air trop malheureux, qu'il le ramène aussi... J'avais une grande confiance en Debelmas, il aimait les animaux, il était sérieux, et responsable de ce qu'il entreprenait. Guapa me quitta, l'oreille basse, la mine déconfite, j'avais moi aussi envie de pleurer, mais à la guerre comme à la guerre ! Je la retrouverais à Paris dans quelques jours !

Nine et Sidor vinrent me dire au revoir. Ils avaient l'air heureux et absents. Jeanine me chargea d'annoncer à Jicky qu'elle était enceinte et qu'elle restait à Madrid avec Manci ! C'était gai...

Depuis ce jour, je ne l'ai jamais plus revue !...

Je pris mon baluchon sous le bras, laissant ma valise bien en vue avec un mot « *je suis partie à pied pour Paris* ». Malade comme j'étais, je marchais lentement, mes pieds s'enfonçaient à chaque pas dans la boue, et ça faisait *floc-floc*.

Je songeais au paradis que j'avais trouvé en arrivant et à l'enfer que je quittais.

Quand je pense que, quinze ans plus tard, lorsque j'y suis retournée, je n'ai plus rien reconnu de Torremolinos, les tours de béton avaient envahi la plage, les « Holiday Inn » et les « Sofitel » se disputaient l'étage le plus élevé. Mon petit hôtel Montemar avait été détruit. A la place, il y avait un immeuble de 15 étages... C'était américanisé, ignoble, impersonnel. On se serait cru à Courchevel, ce qui veut tout dire ! On avait construit un superbe aéroport et le charme avait disparu avec l'arrivée de la civilisation. Il n'y aurait sûrement plus jamais de cataclysme aussi effrayant que celui que j'avais vécu, mais en perdant le mauvais côté de l'authenticité de la vie, on en perdait aussi forcément le bon.

La voiture de la production, conduite par Benito Sierra, avec Odette et les valises, me rattrapa quelques kilomètres plus loin.

Nous avons mis 18 heures pour rejoindre Madrid, bloqués à plusieurs reprises par des amas de détritus et des trous d'eau aussi grands que des lacs qui coupaient la route. Benito Sierra passa la nuit la tête à la fenêtre de la voiture, se donnant des claques pour se réveiller tout en conduisant.

Madrid m'apparut comme un paradis.

Après nous être reposées, lavées, désinfectées et soignées, ayant enfin retrouvé nos visages et notre allure à peu près normale, nous prîmes, Dédette et moi, l'avion pour Paris avec deux « allers simples ».

Mon retour ne fut pas des plus brillants !

Effondrée sur mon lit à la Paul Doumer, j'essayais de recouvrer ma santé, de retrouver Jean-Lou et de me retrouver moi-même !

Tout me paraissait étranger... Je revenais de si loin, j'avais vécu tant de choses qui *lui* paraissaient indifférentes. Les séparations sont mortelles pour les couples. La vie vous sépare tout doucement quand elle n'est plus commune. Chacun est préoccupé par ses petits problèmes qui ne sont plus ceux de l'autre... Et puis, il y a la jalousie rétrospective !

Jean-Lou était persuadé que je lui avais été infidèle pendant tout ce temps... Il n'avait plus de nouvelles depuis plus d'un mois... Alors, étais-je retombée dans les bras de Vadim, regrettant de l'avoir quitté ? Quelles preuves irréfutables trouver pour lui prouver son erreur ? Je n'avais pour seuls arguments que ma bonne foi et ma bonne conscience. C'était peu comparé à ma réputation mondiale de « bouffeuse d'hommes ».

Clown me reniflait avec désapprobation, je sentais une drôle d'odeur, celle d'une chienne espagnole du plus mauvais goût... Il bouda par jalousie, mais son œil en coin quêtait les caresses et les câlins que je lui donnais avec toute ma tendresse, lui expliquant qu'une petite sœur allait arriver et qu'il fallait qu'il soit gentil avec elle.

Alain me colla sous le nez une liste impressionnante de chèques à signer. Il y avait un retard fou dans les factures à payer, et notamment le paiement des impôts. Et puis la bonne qui donnait ses huit jours !

Le Frigidaire était cassé...

Bref, tous les emmerdements, d'habitude étalés sur quatre mois, me tombaient dessus en l'espace de cinq minutes. Pour couronner le tout, Jicky arriva, l'œil soupçonneux, et me demanda pourquoi Jeanine n'était pas rentrée avec moi. Je dus lui annoncer la bonne nouvelle avec le plus de diplomatie possible... J'ai cru qu'il allait me tuer !

Ce n'était pourtant pas de ma faute...

Si ! J'étais un exemple déplorable pour une femme honnête, personne ne résisterait à la vie de débauche que je faisais mener à mes amies, etc. La tristesse l'égarait ! Il claqua la porte et partit immédiatement pour Madrid essayer de récupérer sa femme, qu'il ne récupéra pas, inutile de vous le dire !

La seule vraie joie de mon retour à Paris fut l'arrivée de ma Guapa !

Debelmas me remit mon précieux petit animal, en pleine forme, et m'annonça que le film se terminerait à Nice, aux studios de la Victorine où on avait fait reconstituer une partie du village espagnol, une partie du petit cimetière et un morceau de l'arène de Ronda.

Ma crise de colibacillose était calmée, mais non guérie, puisque j'en garde encore aujourd'hui des séquelles.

Clown accueillit Guapa avec suspicion. Il n'arrêtait pas d'aboyer et essayait de la mordre. Elle se réfugiait sous mes jupes et rampait, la queue basse, sous le premier meuble qu'elle rencontrait. Lorsque deux jours plus tard, je pris le train pour Nice, Guapa sous un bras, Odette sous l'autre, je n'étais pas fâchée de quitter Paris et son crachin de novembre, ni de quitter la Paul Doumer qui pour la première fois m'avait paru hostile.

Toute la fin du film fut tournée en gros plans, le décor derrière faisait authentique. Le soleil était remplacé par un énorme projecteur et la petite brise de mer par un immense ventilateur fonctionnant au ralenti.

On s'y serait cru !

Je dus encore subir une épreuve bien pénible avant d'en terminer avec *Les Bijoutiers du clair de lune*.

Dans une scène, je devais toréer une vachette noire dans l'arène de Ronda. Inutile de vous dire que je fus doublée en plan d'ensemble par un jeune torero espagnol, habillé et coiffé comme moi. De loin, il me ressemblait un peu de dos. Mais après, il fallut faire les raccords en gros plan à Nice. On trouva donc une vachette noire (extrêmement rare chez nous), on l'attacha des quatre membres à un pilier dans le décor représentant l'arène. La pauvre bête, entravée, ne pouvait pas bouger, mugissait à fendre l'âme et mourait de chaud sous les projecteurs depuis plusieurs heures.

La caméra placée derrière la vachette devait cadrer les cornes et entre les cornes, mon visage. Or, comme elle remuait la tête sans arrêt, il était impossible au cadreur de voir mon visage. On appela donc un vétérinaire et la production lui demanda de faire une piqûre calmante à la vachette.

Cet imbécile dut lui injecter un anesthésiant puissant.

Je vis devant moi la vachette tomber empêtrée dans ses chaînes, ses yeux se révulsèrent, elle se mit à geindre lamentablement, puis à baver de longs filets de salive blanchâtre. Elle mourut en quelques minutes, sous une chaleur accablante. Probablement d'une allergie à la drogue trop forte que lui avait administrée cet assassin.

Je pleurais la mort stupide et inutile de cette jolie et gentille petite vache noire. Pauvre bête, pauvre bête ! Tout ça pour un film, pour rien, même, puisqu'elle n'avait même pas été filmée...

Pourquoi avait-on le droit de vie et de mort sur les animaux ? Comment pouvions-nous les tuer sans craindre la moindre punition ?

J'étais retournée, bouleversée, écœurée. Je refusai de tourner cette scène avec une autre vachette : refus net et sans appel.

X

Rentrée à Paris, je courus voir Claude Autant-Lara.

En cas de malheur devait commencer quelques jours plus tard.

Les essayages de costumes, les essais de maquillage et de coiffure... Heureusement, Raoul Lévy était encore le producteur. Il pouvait donc reculer un peu le premier tour de manivelle afin de me laisser respirer une semaine !

Tanine Autré, la costumière, me cherchait partout des robes un peu putes et des chaussures à bracelet. Claude Autant-Lara n'était pas un metteur en scène rigolo ! Il n'était pas question de discuter ses idées d'habillement ni de coiffure. De plus, j'étais terrorisée de tourner avec Edwige Feuillère et Jean Gabin.

Lorsque je rentrais le soir, fourbue, crevée, après les essayages, les courses dans les magasins, les rencontres avec Autant-Lara, je pleurais dans les bras de Jean-Lou ! Alain était consterné, Clown et Guapa venaient me renifler et léchaient mes larmes. Moi qui suis paresseuse, qui aime prendre le temps de vivre, moi qui adore les vacances, j'étais condamnée à une forme de travaux forcés ! Et puis, c'était la première fois de ma vie que j'avais un rôle aussi important dans un film sérieux, avec un metteur en scène intransigeant et des partenaires mondialement reconnus comme acteurs chevronnés.

Je voyais arriver le premier jour de tournage avec une angoisse grandissante.

C'est à ce moment-là que Gilbert Bécaud a téléphoné.

Il voulait que je tourne avec lui un petit show pour la TV qui devait passer le soir du 31 décembre 1957.

Je n'avais pas le temps !

Mais il est difficile de résister à Bécaud, il est terriblement persuasif, il rit, il plaisante, il remercie avant même que vous lui ayez dit « oui ». Je me suis donc retrouvée aux studios des Buttes-Chaumont avec Bécaud, tout son orchestre, et tout mon trac !

Ça m'a changé les idées !

Il régnait une immense gaieté sur le plateau, Gilbert était charmeur, me faisait un peu la cour, comme ça, pour rire ! En plus, j'adorais ses chansons. Je devais me promener entre les paniers pleins de fruits des *Marchés de Provence*. Je devais être la fameuse et mystérieuse séductrice de *Alors, raconte, comment ça s'est passé* et puis, allongée sur un piano à queue, un peu sexy, un peu ingénue, je devais regarder Gilbert jouer et chanter pour moi une très jolie chanson. Après quoi, nous devions présenter

212

aux téléspectateurs tous nos vœux pour l'année 1958.

Lorsque les projecteurs se sont éteints, les yeux de Gilbert étaient toujours rivés aux miens. J'étais fascinée, sous le charme, un peu envoûtée, en dehors du temps, en dehors du monde. J'étais tombée amoureuse, un coup de foudre imprévisible et qui me tenaillait les tripes.

Il ne manquait plus que ça !

En rentrant à la Paul Doumer, j'étais toute chose.

Je commençais à mentir un peu, je me sentais mal dans ma peau et tirais des plans sur la comète pour revoir Bécaud, tout en gardant Jean-Lou. Je n'ai jamais pu rompre facilement car j'ai toujours eu peur de lâcher la proie pour l'ombre. Plus je me sens coupable vis-à-vis d'un homme, plus je suis attentive et attentionnée avec lui. Pour que Jean-Lou n'ait aucune angoisse, je lui achetai le rêve de sa vie, une Austin sport décapotable qui, malheureusement, était vert pomme, couleur de l'espérance !

N'ayant aucun moment de libre dans la journée qui était un amoncellement de rendez-vous, d'essayages et de répétitions, je pris le risque de voir Gilbert, un soir à la Paul Doumer, sachant que Jean-Lou avait à faire tard dans la nuit pour son travail au ministère.

Mon rendez-vous galant, mais encore chaste, a été interrompu par l'arrivée inopinée de Jean-Lou ! C'est comme si la foudre m'était tombée dessus, la maison est devenue un gouffre d'angoisse et j'ai pensé aux vaudevilles, dont on rit mais qui sont en réalité d'une tristesse atroce.

Tout s'est déroulé très vite.

Les deux hommes sont partis à peu près en même temps, me laissant seule, ce qui pouvait m'arriver de mieux. Là, je pesai le pour et le contre, j'avais sommeil, j'étais crevée, je ne comprenais pas vraiment ce qui m'arrivait. Le film commençait le surlendemain, il fallait que je sois formidable, et un scandale dans ma vie m'empêcherait absolument d'assumer mon travail. Je me couchai entre Guapa et Clown et pensai que le sommeil et le temps arrangeraient les choses.

Je m'étais trompée.

Jean-Lou est revenu, calme et déterminé, pour reprendre ses affaires. Il avait raison, il était pur, intègre, il ne voulait pas partager. Se sentant en état d'infériorité, il laissait le champ libre, partait, et m'abandonnait la voiture. Pétrifiée mais consciente, je le regardais emballer ses vêtements sans faire un geste !

Que dire ? Que faire ? Mentir ? Encore mentir ?

Non ! Je lui demandai humblement de garder la voiture, je le suppliai et il finit par accepter. En quelques minutes, je voyais s'effondrer deux années de ma vie et j'étais là, idiote, immobile, soumise à une force qui, comme dans les cauchemars, m'empêchait de bouger.

Au bout du compte, j'ai fini par sortir de ma léthargie, et à force de parler, de lui parler, je me suis convaincue de mon innocence, puis je l'ai convaincu de ma bonne foi. Tout ça n'était qu'une connerie sans nom, c'étaient la fatigue et l'inconscience qui m'avaient fait agir aussi stupidement.

Et la vie a continué avec lui et le film a commencé avec Gabin et Feuillère. J'étais si perturbée que, pendant la première scène, qui se passait avec Gabin dans son bureau d'avocat, je n'arrivais pas à dire mon texte sans me tromper à chaque prise. J'étais affolée !

Autant-Lara commençait à s'énerver en triturant sa casquette, l'équipe me jugeait, Odette me mettait de la poudre sur le nez en me chuchotant de me calmer, la tension était à son comble.

C'est alors que Gabin a été extraordinaire. Sentant mon angoisse, ma timidité, mon affolement, voyant que j'étais au bord de la crise de nerfs, il a fait *exprès* de se tromper à la prise suivante. Il a bougonné alors que « ça arrivait à tout le monde » ! Il a détendu l'atmosphère, et j'ai enfin pu dire mon texte sans me tromper. Merci Gabin ! Sous vos allures rustres vous aviez une sensibilité immense et, grâce à vous, j'ai été très bien dans *En cas de malheur*.

Pour le reste ce qui devait arriver, arriva !

J'étais prise au charme de Gilbert qui me couvrait de fleurs, de petits mots, de coups de téléphone. Je l'avais dans la tête et dans le cœur et, si j'arrivais à jouer la comédie aux studios de Saint-Maurice pour le film, je ne pouvais absolument pas la jouer en rentrant à la Paul Doumer !

La rupture définitive eut lieu un soir lorsque je rentrai crevée du studio. Jean-Lou est parti parce que je ne l'en empêchais pas, parce que je ne savais plus où j'en étais.

C'est facile d'écrire ça des dizaines d'années après !

C'est affreux de le vivre, de le subir, de l'accepter.

J'aimais Jean-Lou à la folie, je l'ai aimé comme je n'ai peut-être plus jamais aimé, mais je ne le savais pas, j'étais trop jeune, j'avais une soif de vie qui n'acceptait aucune contrainte, aucune concession. D'ailleurs, les concessions sont synonymes de mort, et moi, je voulais *VIVRE*.

Ah oui, pour vivre, j'ai vécu !

Seule, triste, avec Alain le soir pour tout potage et un coup de téléphone de Gilbert comme dessert ! Heureusement que Clown et Guapa me donnaient leur chaleur, leur tendresse, mais je n'avais aucun bras, aucune épaule, aucune présence sur lesquels m'appuyer. Le film était exténuant. Je prenais de l'*Actiphos* pour tenir le coup. Le plateau surpeuplé me tenait chaud, les gens étaient gentils, c'était peut-être superficiel mais on s'occupait de moi. Je travaillais dur, Odette, Laurence mon habilleuse, et Dany m'entouraient de leur gentillesse ; il y avait aussi des fleurs envoyées par Bécaud qui était Dieu sait où.

Mais quand je rentrais chez moi, j'avais envie de mourir.

A qui raconter ma journée ? Avec qui dîner ou regarder la TV ?

Bien sûr, Bécaud m'appelait tous les soirs, ou plutôt toutes les nuits, vers 3 ou 4 heures du matin, alors que je dormais profondément. Lui était en pleine forme, à Bruxelles ou à Genève, ou à Munich. Il partait dîner avec des amis et m'aimait, m'aimait, m'aimait ! Moi j'allais bientôt me lever pour une dure journée. Furieuse de son éloignement, jalouse de son succès, je ne faisais que rouspéter au téléphone.

Le soir du 24 décembre 1957, après un champagne d'honneur offert par la production à l'occasion de Noël, après avoir chaleureusement embrassé Raoul Lévy, Claude Autant-Lara et sa femme Ghislaine, avoir souhaité « un joyeux Noël » à toute l'équipe, serré la main de Gabin, après avoir dit à Dédette, Dany et Lolo toute ma tendresse, je me retrouvai seule, seule, à la Paul Doumer.

Je me souviens que Mijanou, qui n'avait pas beaucoup d'argent, m'avait laissé plusieurs petits paquets adorables qui renfermaient des épingles à cheveux, des bonbons, une savonnette, un crayon de couleur, etc. Maman m'avait fait porter un petit arbre de Noël tout décoré avec une ravissante chemise de nuit et un châle noir magnifique.

Je passai la nuit de Noël à pleurer, entourée de Clown et Guapa qui me regardaient sans comprendre cette tristesse, cette nuit-là étant pour eux pareille aux autres.

Je pensais à Jean-Lou. Où était-il ?

Je me rappelais mon Noël de Cassis avec lui !

Puis je pensai à Gilbert. Il devait être avec sa femme et ses enfants à la campagne, au Chesnay, près de Versailles. Je n'avais même pas son téléphone. Je me souviens avoir déambulé toute cette nuit de Noël dans ma Paul Doumer avec ma jolie chemise de nuit et mon châle sur le dos, jurant mais un peu tard qu'un homme marié n'était pas pour moi. Guapa et Clown dormaient gentiment sur mon lit, ils étaient ma seule présence.

Le lendemain, je fis un immense plaisir à papa et maman en allant déjeuner chez eux. Ils n'en revenaient pas. Il y avait si longtemps que nous n'avions pas été tous réunis ! Mais ma grise mine inquiétait maman.

Pourquoi être triste à 23 ans lorsque tout vous sourit et que la vie s'offre devant vous ?

Je lui ouvris mon cœur et mes bras et mes larmes, je lui racontai ma rupture, mon nouvel amour, ma peur, ma solitude, je lui confiai ma peine, mes remords, mon angoisse, bref, je me libérai de cet immense secret qui m'étouffait. Maman m'a toujours montré la vie sous son plus beau jour et ce qu'elle m'a dit à ce moment-là m'a tellement remonté le moral que j'ai quitté mes parents joyeuse et heureuse.

Rentrée à la Paul Doumer, j'eus un coup de fil de Gilbert.

Il viendrait me voir ce soir et m'apporterait un cadeau ! Chacune de ses visites était une fête, chaque fête un événement rare qu'il fallait célébrer comme il le méritait. Ce soir du 25 décembre, la Paul Doumer était un petit palais éclairé de bougies. J'étais belle Clown et Guapa étaient superbes, j'avais lâché les colombes de leur cage et elles volaient en liberté, ça sentait bon le parfum et la table de dentelle était pleine de bonnes choses que j'avais prévues au cas où...

Gilbert est arrivé, mystérieux, passionné, oubliant sa vie à la porte et ne pensant plus qu'à moi, à nous ! Quel drôle d'effet ça fait d'aimer quelqu'un de célèbre dans le monde entier ! Je regardais son visage de près, de très près, je ne le reconnaissais pas et pourtant c'était lui !

C'était lui !

Ce soir-là il m'a passé au cou une petite chaîne de platine avec un diamant qui venait de chez Cartier. Moi, n'ayant pas prévu de cadeau, je lui donnai la clef de la Paul Doumer qui dans sa main ressemblait à un talisman. La nuit fut courte, le réveil sonna à 2 heures du matin et il repartit comme il était venu, mystérieux, passionné — vers sa famille, sa femme, sa maison.

Il avait des racines, ces fameuses racines qui vous aident à vivre !

Et moi, je n'en avais pas.

Je décidai donc d'en chercher en m'achetant une maison, à moi, au bord de la mer. Maman avait une petite maison de pêcheur à Saint-Tropez. Elle m'aida, et Alain aussi, en écrivant à toutes les agences de la Côte.

C'est en cette fin d'année que l'on me remit, au cours d'une soirée de gala, ma première récompense d'actrice : « La victoire du cinéma français », résultat d'un référendum du journal professionnel *Le Film français* auprès des directeurs de salles.

Par ailleurs l'émission du 31 décembre, que j'avais faite avec Gilbert, eut un réel succès à la TV.

L'ennui, c'est que les journalistes avaient flairé quelque chose et que les articles sortirent, pleins de sous-entendus. Nous étions le couple de la nouvelle année, mariés ou célibataires on nous fiançait officiellement au nez et à la barbe du monde.

Quelle horreur !

Et pourtant, ce réveillon qui nous avait réunis sur le petit écran, je l'avais encore passé seule, pendant qu'il fêtait la nouvelle année au Pavillon d'Armenonville, avec sa femme et des amis.

Désormais, j'étais épiée par les photographes qui ne me lâchaient plus. Ils me guettaient le matin, me suivaient jusqu'au studio, revenaient le soir avec moi jusqu'à la Paul Doumer, et dormaient dans leur voiture devant ma porte... Je commençais à réaliser l'insupportable de la situation. D'autant que Gilbert, qui avait basé son image de marque sur sa vie familiale, voyait d'un très mauvais œil la publicité tapageuse qui entourait notre idylle.

Nous n'étions pourtant jamais sortis ensemble, ni au restaurant ni au cinéma ni même chez des amis. Nous nous étions vus secrètement, chez moi, la nuit, lorsqu'il n'y avait plus ni bonne ni Alain.

Alors, comment cela s'était-il su ?

France-Dimanche et *Ici-Paris* titraient « *Bécaud et Bardot inséparables* » inventant des stupidités à l'eau de rose censées faire pleurer les midinettes. Je me suis toujours demandé comment et pourquoi chacun de mes faits et gestes, même les plus secrets, avait été jeté en pâture au public, alors que rien au monde ne pouvait les laisser supposer, même à mes amis les plus proches.

Résultat, Gilbert me téléphonait toujours la nuit, m'envoyait des fleurs anonymement mais ne vint plus me voir, prétextant la peur du scandale, la peur d'être photographié rentrant chez moi, la peur de l'opinion publique, la peur de ceci, la peur de cela !

Mais la peur de me perdre, il ne m'en parla pas !

**
*

En ce début d'année 1958, toutes mes journées se passaient donc au studio où je me donnais à fond. J'essayais de réussir ma vie et de mériter, à la sueur de mon cœur, les galons de mon ascension professionnelle. Mais les journalistes qui venaient assister au tournage et bien que scrupuleusement triés sur le volet par le chargé de presse, ne me parlaient que de Bécaud.

C'était un comble !

Je restais muette, ou me montrais franchement odieuse, leur répondant qu'ils se trompaient de film, que Bécaud ne tournait pas avec moi mais que, si ça les intéressait, il fallait qu'ils sachent que Gabin et

Feuillère étaient pour moi des partenaires merveilleux.

J'avais les nerfs à vif.

Le soir, je m'enfermais à la Paul Doumer, attendant un coup de fil de Gilbert. Je ne voyais plus personne. Alain, toujours fidèle au poste, trouvait la maison bien triste. Il s'occupait de Clown et Guapa pendant que je travaillais, donnait les instructions à la bonne, répondait au courrier, triait les papiers et me préparait chaque soir une liste impressionnante de chèques à signer. Puis il partait retrouver ses amis. Parfois, dans ma chambre, un immense bouquet de roses envoyé anonymement.

Je savais que c'était « Lui » !

Il y avait aussi des messages téléphoniques. Christine voulait me voir. Elle me mijotait un film exceptionnel avec Duvivier, *La Femme et le Pantin*. Le contrat était prêt à signer. Le livre de Pierre Louÿs m'attendait sur mon lit. Olga était d'accord, Duvivier aussi, Aurenche et Bost devaient faire l'adaptation, on n'attendait plus que moi. Et moi j'attendais le coup de fil de Gilbert en lisant *La Femme et le Pantin*.

Il y avait aussi des réponses d'agences immobilières qui envoyaient des photos de maisons « les pieds dans l'eau » à Cassis, à Juan-les-Pins, à Bandol, à Trifouillis-les-Bégonias.

Je regardais tout ce courrier, absente, loin, loin, perdue dans un voyage sans limite au fond de moi-même.

Alors, c'était ça la vie ?

Se crever au boulot. Etre belle et bonne actrice, être forte, malléable et corvéable à merci. Et le soir rester seule, attendre un coup de téléphone aléatoire, tourner en rond comme un derviche dans un appartement vide pendant que la presse mondiale me prenait comme tête de Turc parce que j'étais tombée amoureuse d'un chanteur célèbre.

Ah, la belle vie que voilà !

Etais-je vraiment amoureuse de Gilbert ?

Je n'en savais plus rien. J'étais plutôt amoureuse d'un téléphone !

Moi qui aimais le soleil, la vie, le sable, la chaleur, la campagne, les animaux, moi qui aimais courir pieds nus, libre, folle, moi qui aimais la mer, l'amour, les odeurs de foin coupé, je vivais comme une recluse, enfermée du matin au soir sans voir le ciel, comme une plante privée d'oxygène. A 23 ans je me fanais !

Alors, j'ai eu envie de dormir et j'ai trouvé de l'*Imménoctal* dans la pharmacie. Pour être sûre de dormir j'en ai pris quatre ou cinq d'un coup ! Et puis comme je pleurais et que j'étais fatiguée, j'en ai encore repris plusieurs.

Plus tard, le téléphone a sonné et je l'entendis sans savoir vraiment s'il sonnait ou si je rêvais. Alors j'ai décroché mais je pleurais et je n'entendais qu'un vague gargouillis à l'autre bout du fil. Et puis le gargouillis a hurlé : « C'est Gil, Brige, réponds-moi ! » Alors j'ai parlé, parce que ce téléphone était enfin devenu humain et pouvait me comprendre. Je serrais le combiné noir contre mon oreille et je lui confiais ma détresse, ma lassitude. J'embrassais ce morceau de plastique, humide de mes larmes. Puis j'ai entendu un ordre bref qui reflétait une angoisse folle : « Brige, lève-toi et va ouvrir la porte d'entrée. »

J'en étais incapable. Je me sentais partir loin, loin.

Du fond de ce loin, une voix de coton m'a de nouveau hurlé d'aller ouvrir la porte. Je suis tombée du lit avec le téléphone.

Comme dans les anesthésies, j'ai entendu « ouvrir la porte, ouvrir la porte, ouvrir la porte », et inconsciemment je me suis traînée, j'ai rampé, « ouvrir la porte, ouvrir la porte », il y avait des cloches qui bourdonnaient dans mes oreilles. « La porte, la porte ! » Le docteur envoyé par Gilbert m'a retrouvée la tête sur le paillasson dans le coma, mais la porte était ouverte, grâce à Dieu. Gilbert qui était à Marseille avait téléphoné à un ami toubib et lui avait dit de venir d'urgence au 71, avenue Paul-Doumer, 7e gauche.

Je n'ai aucun souvenir de ce docteur, mais grâce à lui, je peux aujourd'hui relater cet épisode de ma vie. On m'a raconté qu'il m'avait fait un lavage d'estomac, et que j'étais restée 48 heures sous perfusion.

C'est Alain Carré qui, en arrivant à 8 h 30, a trouvé le docteur à mon chevet. Il a immédiatement appelé maman, et ma solitude est devenue un défilé d'amour, de tendresse, mais je n'étais pas en mesure de m'en rendre compte. On m'attendait au studio pour tourner.

J'étais dans un semi-coma.

Maman, qui savait que la presse m'épiait et que chacun de mes faits et gestes était déformé, était là auprès de moi. Elle n'était pas encore vraiment sûre que je m'en tirerais, elle pleurait, ne comprenait pas, mais elle a eu une présence d'esprit formidable. Elle a téléphoné au directeur de production et lui a raconté que j'avais été empoisonnée par des moules avariées, que j'étais très malade — au lit — impossible pour moi d'aller travailler.

Quand un film était interrompu par la maladie d'un acteur, le producteur mettait ce film en « sinistre » et les assurances prenaient les frais en charge. C'est pourquoi, avant chaque début de tournage, les acteurs devaient passer une visite médicale auprès du médecin agréé par l'assurance. Celui-ci, qui était toujours le même, le brave Docteur Guillaumat, décidait si l'acteur était apte à assumer ou non l'épreuve qui l'attendait.

Mais en cas de maladie, qui mettait les assurances dans l'obligation de payer, ce brave docteur venait voir si le diagnostic de son confrère correspondait au sien. Evidemment, les suicides, même manqués, n'étaient pas pris en charge par l'assurance, et c'est

le producteur qui devenait matériellement responsable de l'interruption de tournage.

Je me souviens de la voix de maman qui me répétait : « Bichon, le Docteur Guillaumat va venir te
voir. Tu lui diras que tu as été empoisonnée par des
moules avariées, tu entends mon chéri, des moules
avariées ! »

J'avais une aiguille fichée dans la veine du bras et
le bocal était suspendu au lampadaire de ma
chambre. Il faisait noir et j'avais l'impression d'avoir
mangé du carton bouilli, ma langue pesait une
tonne, j'avais mal au cœur et lorsque j'ouvrais les
yeux, je voyais double. On me donnait des gifles
sans arrêt, on me soulevait les paupières en m'appelant très fort : « Brigitte, Brigitte, tu m'entends ? »

Le brave docteur est venu le lendemain et il a été
très étonné que des moules avariées mettent une
jeune femme en bonne santé dans un tel état comateux. Surtout que, comme je l'aimais bien, lorsque
j'ai senti sa présence, je me suis mise à pleurer, le
suppliant de ne plus jamais me faire retourner au
studio, lui disant ma fatigue, mon épuisement
moral et physique. Bref, il a très bien compris, mais
comme lui aussi m'aimait bien, il a confirmé
l'empoisonnement et m'a donné une semaine de
repos.

Quarante-huit heures après, je voguais encore
entre deux eaux, ne sachant pas si c'était le jour ou
la nuit, refusant de reprendre conscience et m'abandonnant totalement au gouffre noir dans lequel je
m'étais enfoncée. Maman, mignonne, me mettait
des gants de toilette frais et humides sur le front, me
tenait la main très fort, me disait qu'elle m'aimait,
que rien ni personne au monde ne méritait qu'on se
rende malade, qu'on abîme sa santé.

Elle avait eu si peur.

Je l'écoutais, un peu absente, et je pensais qu'à
part elle, qui m'aimait pour de vrai, les autres se
foutaient pas mal de mes états d'âme, pourvu que je
vive et que je finisse le film !

Ah, quelle catastrophe si j'étais morte !
Quelle catastrophe financière !

C'est à ce moment-là que Christine Gouze-Renal est arrivée.

Elle était bouleversée. Elle m'aimait, elle aussi ! Il fallait que je mette de l'ordre dans ma vie, que je me « vertèbre ». Elle était très ennuyée car je devais signer le contrat de *La Femme et le Pantin* qu'elle s'était permis d'apporter afin que je le régularise enfin !

Si je ne signais pas aujourd'hui même, toute l'affaire risquait de péricliter car tout reposait sur mon nom, une fois de plus ! Et puis Christine me disait que le film serait aussi amusant à tourner que *La Lumière d'en face*. Nous irions à Séville pour la féria. Ça me changerait les idées, je danserais des danses espagnoles et elle s'occuperait de moi sérieusement car elle voulait mon bonheur.

J'étais encore très faible, mes yeux ne supportaient pas la lumière et il régnait dans ma chambre une semi-obscurité. Je voyais cependant le visage de Christine et je me demandais si ce qu'elle me disait était sincère ou si c'était uniquement « ma » signature qui l'intéressait.

J'étais incapable de lire, je voyais flou, et puis cette aiguille dans la veine de mon bras droit m'empêchait de bouger et à plus forte raison d'écrire. Alors Christine m'a lu elle-même le contrat en me disant qu'Olga l'avait déjà approuvé, puis elle m'a dit que si j'achetais une maison au bord de la mer, j'allais avoir besoin d'argent et grâce à ce film j'allais en toucher beaucoup ! Si tout allait bien, j'aurais presque un mois de vacances entre la fin d'*En cas de malheur* et le début de *La Femme et le Pantin* qui était prévu pour avril.

Epuisée par le ronron de sa voix, lasse de réfléchir, incapable de m'opposer à une telle vitalité, à une telle volonté, je signai !

Je voudrais bien revoir aujourd'hui à quoi ressemblait le graffiti que je m'appliquais à apposer au bas du contrat, précédé de la mention « Lu et approuvé, bon pour accord », ce devait être un aggloméré de pattes de mouches où les lettres se chevauchaient les unes les autres.

Enfin, j'allais pouvoir me rendormir.

**

Grâce à la sollicitude de maman et aux coups de téléphone de Gilbert, je guéris enfin. J'ai su par la suite qu'ils avaient eu ensemble une longue conversation à mon sujet, inquiets l'un et l'autre de mes réactions imprévisibles et démentes !

Gilbert m'aimait certainement mais aimait avant tout son travail, sa réussite et l'image qu'il donnait de lui au public, c'est pourquoi il était inenvisageable qu'il puisse devenir mon compagnon officiel. Il avait néanmoins compris qu'il m'était impossible de continuer à vivre dans une telle solitude morale. Il vint me voir un soir, accompagné d'un jeune homme charmant qui serait ma « nounou » lorsque lui-même ne pourrait rester près de moi.

Des nounous, j'aurais pu en avoir d'autres... Alain mon secrétaire si dévoué, ou Jicky mon ami, mon frère, ou Olga, ou Christine, ou Dany, ou Dédette ! Mais le fait d'être un ami de Gilbert me donnait l'impression d'être plus proche de lui que des autres...

C'est ainsi que je fis la connaissance de Paul Giannoli, surnommé par mes soins « Pinocchio » à cause de la taille de son nez. Pinocchio était journaliste mais avant tout le grand ami de Gilbert. Il ne profita jamais de notre intimité pour faire un papier sensationnel. Grâce lui soit rendue, car à l'époque même les meilleurs amis auraient vendu leur mère pour donner en pâture au public un article à scandale.

Ma vie reprit donc normalement aux studios de Saint-Maurice, mais le soir, en rentrant, je trouvais

Pinocchio, Alain, Clown et Guapa qui me faisaient la fête ! C'était très gai, très chaud, très charmant !

Si j'étais fatiguée, nous dînions à la maison tous ensemble. Alain faisait la cuisine, tandis que Pinocchio me parlait de Gilbert et encore de Gilbert !

D'autres fois, nous sortions au théâtre, au cinéma, ou dans un de ces fameux petits bistrots typiquement parisiens où le patron, en bras de chemise, offrait le coup de beaujolais et trinquait avec nous, si fier de m'avoir chez lui et de me faire signer son « livre d'or ». Quand les photographes ne faisaient pas la planque en bas de chez moi, le samedi soir, Pinocchio m'emmenait danser au Club Saint-Germain, tenu à l'époque par Jean-Claude Merle, ou à la Pergola où Régine s'occupait des vestiaires.

Nous prolongions parfois ces nuits de fête en faisant un tour à L'Escale rue Monsieur-le-Prince. Là, les joueurs de guitare sud-américains se succédaient au fur et à mesure de leur disponibilité. Il y avait une poule sur un perchoir au-dessus du bar, elle dormait la tête sous l'aile malgré le bruit, la fumée, les cris et les rires.

Je me sentais bien, adoptée par ces gens de toutes nationalités qui chantaient leur pays les yeux fermés, nous faisant partager la chaleur de leur langue et la nostalgie de leur folklore.

Je fis la connaissance de Pedro, un Indien, et de Narcisso, un Vénézuélien noir qui faisaient partie du groupe les « Guaranis ». Pour moi, ils chantaient en jouant de la guitare, jusqu'à des heures très avancées de la matinée.

Lorsque nous quittions cet endroit de rêve, nous croisions généralement un étrange clochard qui dormait sur une banquette pas loin de la poule. Le patron me dit que c'était un grand pianiste qui avait renoncé à tout, à la suite d'une atroce déception amoureuse. Il n'avait pas un sou, était vêtu de hardes et avait recollé ses chaussures avec du sparadrap. Il émanait pourtant de lui une allure, une classe qui se confirmèrent lorsqu'on me le présenta et qu'il me fit un baisemain impeccable. Ses yeux étaient profonds et fiévreux, ses mains extrêmement belles et soignées ! Quel contraste !

J'étais très intriguée.

Je découvrais aux côtés de Pinocchio toute une vie nouvelle pour moi, des êtres passionnants, l'envoûtement du folklore d'Amérique latine et certaines « premières », les rendez-vous d'un Tout-Paris aussi mondain qu'odieux.

Guapa grossissait à vue d'œil !

Je n'avais pas encore acquis cet instinct infaillible qui me fait renifler aujourd'hui le plus minime changement dans l'état de santé de mes chiens. Je pensais qu'elle manquait d'exercice et mangeait trop. Je la mis donc au régime et demandai à Alain de l'emmener avec Clown faire de longues promenades au bois de Boulogne. Lorsque je ne tournais pas, je les accompagnais, si je n'étais pas traquée par un petit pigiste à la con !

Guapa, morte de faim, continuait de grossir !

J'allais être grand-mère !

Je regardais Clown d'un œil navré, pensant qu'un mélange de cocker noir et de petite bâtarde style papillon allait me donner une étrange descendance ! Qu'importait après tout, ce seraient leurs petits à eux deux et je les aimerais.

Pinocchio avait beaucoup insisté pour que je l'accompagne à la « Première du Lido ». Je n'en avais pas vraiment envie, mais il me le demandait si gentiment et je voyais son grand nez s'allonger si tristement devant mon air indécis que je finis par céder !

Là il fallait que je sois somptueuse.

D'abord parce que j'allais être prise en photo sous toutes les coutures et que je voulais que Gil pâlisse de jalousie de ne pas être à mes côtés. Ensuite parce que, sortant très peu, il fallait que mes rares apparitions soient à mon avantage, sinon attention aux médisances, aux calomnies, aux potins, aux réflexions de tous ces « braves » gens qui vous baisent les mains en souriant et vous assassinent dès que vous tournez le dos. Il ne me fallait laisser aucune prise à mon endroit, ni du reste à mon envers !

Grâce à Christine, Givenchy me prêta une très belle robe de la collection, juste pour la soirée.

Odette était venue me coiffer. Un petit chignon habilement tortillé qui laissait pendre ici et là des petites mèches volontairement indomptables. C'est ce qu'Olga appelait avec désespoir ma coiffure « spaghetti ». Pour elle tout ce qui n'était pas peigné, laqué, impeccable, style Morgan, Feuillère, avec pas un poil qui dépasse, était taxé de négligé. Pauvre Olga, elle n'était pas au bout de ses peines, car après le style « spaghetti » je lui fis avaler le style « choucroute ».

Mais cela est une autre histoire.

Pinocchio, très élégant en smoking, attendait que je sois prête en sirotant un champagne avec Alain.

Il a attendu toute la nuit ! Au moment où j'allais enfiler ma robe, j'ai entendu un gémissement très long, très profond qui venait de ma chambre. Sur mon lit, Guapa souffrait les douleurs de l'accouchement. Elle me regardait implorante, confiante, offerte à cette intolérable souffrance qui ne cesserait qu'avec les vies nouvelles qui sortiraient de son corps. Adieu, veaux, vaches, cochons, couvée, adieu Lido, spaghetti, je me retrouvais contre son petit corps meurtri et accouchais avec elle, près d'elle, l'aidant, l'aimant, la caressant, l'assistant.

Pour une première, c'était une première !

La plus belle de toutes les premières de ma vie ! Nous avons eu trois beaux bébés ! Pinocchio et Alain jouaient les pères affolés, passant la tête de temps en temps pour savoir si tout allait bien.

Odette faisait office de sage-femme. Clown reniflait les petites boules piaillantes en remuant son petit bout de queue d'un air satisfait.

Ils furent baptisés « Lido », « Bluebell » et « Première », circonstances obligent !

Un soir, en rentrant du studio, je ne vis ni Pinocchio, ni Alain. Seuls Clown et Guapa m'attendaient devant la porte. Gilbert était dans le salon, assis par terre, devant mon magnétophone, un verre de whisky à la main, il chantait tout doucement dans le micro, il chuchotait... Je restais pétrifiée, folle de bonheur, n'osant pas le déranger, j'écoutais :

> Je me recroquemitoufle
> au fond des pantoufles,
> quand tu n'es pas là
> et la vie me semble fouine,
> blette et filandrine
> quand tu n'es pas là !
> Oh ! là ! là ! Que le temps me dure !
> Oh ! là ! là ! Tire tire là...

J'interrompis cet enregistrement de fortune, en pleurant de joie !

J'étais, ce soir-là, la femme la plus heureuse du monde !

L'homme que j'aimais était enfin près de moi et il me faisait cadeau d'une si jolie chanson pour moi toute seule ! Il l'avait composée en m'attendant. Les mots qui lui venaient aux lèvres étaient des mots d'amour enfantins, simples, vrais. Ce soir-là, je sentis vraiment l'amour que Gil avait pour moi ! Il me donnait, outre *Croquemitoufle*, 24 heures de sa vie. Il resterait près de moi jusqu'au lendemain soir. Ça ne nous était jamais arrivé encore d'avoir toute une nuit et toute une journée à nous ! Je pensais avec horreur que, le lendemain matin, je devais aller travailler au studio, mais il serait bien temps d'y penser alors. Je voulais que rien ne ternisse les merveilleux moments que nous allions voler à la société.

Alain, qui était dans le secret des dieux, avait préparé un petit dîner pour amoureux : blinis, caviar, champagne !

Nous avons pique-niqué par terre, nous nous mangions tellement des yeux que nous n'avions plus faim pour le reste. Seul le champagne glacé que je buvais dans sa bouche, ou qu'il buvait dans la mienne, a été liquidé jusqu'à la dernière goutte. Il me faisait écouter son dernier enregistrement, un disque souple, tout frais sorti du studio où il avait travaillé l'après-midi :

Il y a toujours un côté du mur à l'ombre...
Mais jamais nous n'y dormirons ensemble...
Faut s'aimer au soleil, nus, comme innocents...

Il me dit l'avoir composé pour moi, en pensant à moi.

Nous nous sommes endormis très tard car Gil aimait vivre la nuit !

Qu'importe ! j'étais heureuse.

Cet homme me fascinait. Il était hors du commun, son charme était irrésistible. Il avait un talent et une vitalité qui forçaient l'admiration, et tenait dans ses bras une femme, et cette femme, c'était moi !

Le réveil fut un martyre.

Je laissai un mot à Gil lui disant que je lui enverrais le chauffeur pour qu'il me retrouve au studio vers 3 heures de l'après-midi.

XI

Je tournais, ce jour-là, la scène finale d'*En cas de malheur*.

230

La police me trouvait égorgée par mon amant, Franco Interlenghi, dans sa sordide mansarde.

C'était sinistre, morbide, et moi j'étais rayonnante de joie !

J'attendais Gil ! !

Dédette, Dany, Laurence, toutes les femmes étaient au courant et descendaient dans la cour les unes après les autres avec des airs de conspiratrices pour guetter son arrivée « top secret ». Vu le côté peu réjouissant de cette scène et l'exiguïté du décor, il n'y avait par chance aucun journaliste sur le plateau ni dans les couloirs, ni au bar.

J'attendais Gil ! !

Dédette m'avait barbouillé le cou d'hémoglobine et un habile maquillage simulait une plaie béante dans ma gorge. J'avais bien sûr tenu à conserver le petit diamant que m'avait donné Gil pour Noël. Claude Autant-Lara était furieux de cette décision et piétinait encore sa pauvre casquette en hurlant : « Quand on a la gorge tranchée, il est impossible d'avoir encore autour du cou une chaîne minuscule et un diamant ! C'est grotesque ! Enlève cette chaîne immédiatement ! ! »

— Non.

— C'est un ordre.

— C'est une superstition ! ! »

C'était vrai ! Pour rien au monde je n'aurais enlevé cette chaîne qui me reliait à Gil pour toujours. Si je l'avais retirée, ne serait-ce qu'un instant, j'aurais eu l'impression d'insulter le sort et de rendre possible une sorte de rupture.

Gil est arrivé pendant que j'étais sur le plateau, je l'ai retrouvé tout intimidé dans ma loge. Il n'était pas dans son élément, il avait eu si peur d'être reconnu qu'il avait traversé la cour avec son écharpe sur la tête !

Quand il m'a vue ensanglantée, il a été très impressionné, il n'osait pas m'approcher... Il faut dire que je n'étais pas particulièrement attirante, dégoulinante de sang, les cheveux collés, les lèvres blanches, le visage blafard, puisque j'étais morte !

Je lui montrai le petit diamant, devenu rouge sang lui aussi.

Après être resté un moment avec l'air d'avoir « le cul entre deux chaises », Gil a remis son écharpe sur sa tête et est reparti vers d'autres cieux pendant que je filais vers le plateau en terminer avec cette mort qui, tout d'un coup, devenait insupportable puisque je n'attendais plus Gil ! Qu'attendais-je au juste ?

Au fond de moi, je savais très bien que je ne ferais jamais ma vie avec Gilbert. D'abord parce que la sienne était déjà faite, mais ça n'était pas l'empêchement majeur, le divorce ou les séparations existent depuis longtemps ! Non, au fond j'étais plus flattée et fière qu'amoureuse. L'amour, en tout cas pour moi, c'était autre chose de plus profond, de plus vrai.

C'était ce que j'avais connu avec Jean-Louis.

L'amour est le partage de chaque instant, c'est une complicité, un mélange total de deux êtres, or rien de tout cela n'existait entre Gil et moi. En revanche j'étais absolument radieuse lorsque Alain me rapportait un journal, comme *France-Dimanche* ou *Ciné-Revue*, où l'on parlait à mots couverts, puis découverts, de mon idylle avec Bécaud. Il représentait pour moi la réussite dans tous les domaines. Etre associée à lui me donnait l'impression de m'élever vers un monde qui m'était inconnu, qui me faisait peur mais qui me fascinait.

Il faut dire que ma vie à l'état brut n'était pas particulièrement amusante.

Je travaillais énormément mais sortie du studio mon univers se bornait à Alain, Pinocchio, papa et maman de temps en temps, Olga pour prévoir un autre film, Jicky parfois et c'était tout ! J'avais beau avoir atteint une célébrité déjà mondiale je vivais en recluse, ne voyant personne, traquée par les paparazzi en mal d'un scoop, affolée par la foule, n'ayant aucune relation, mis à part mes relations de

232

travail ! Gil évoluait dans un milieu bigarré, plein de fantaisie. Il travaillait avec Louis Amade, connaissait les plus grands rédacteurs de journaux, les ministres, le Tout-Paris.

J'avais une admiration certaine pour cette réussite.

Je me souviens qu'à cette époque je m'ennuyais terriblement.

Je ne savais quoi faire de moi lorsque je rentrais le soir fourbue à la maison. Les dimanches étaient des jours angoissants que je passais souvent seule. Ce jour-là Alain était de congé, la bonne aussi, chacun était en famille, à la campagne ou chez des amis. J'étais trop fatiguée pour aller encore chez les uns ou chez les autres. Alors je regardais la TV avec Clown, Guapa et les bébés qui grandissaient.

La solitude de la Paul Doumer me prenait à la gorge, je guettais le bruit de l'ascenseur. Je rêvais d'une vie gaie, auprès d'un homme que j'aimerais et qui m'aimerait, je rêvais de pays tropicaux, de plages de sable blanc.

De temps en temps, Pedro et Narcisso mes petits copains guitaristes rencontrés à L'Escale, me téléphonaient et passaient me voir. Avec eux j'oubliais tout, nous chantions des mélodies chaudes et rythmées qui me donnaient des frissons dans les jambes. Avec eux, je me suis mise sérieusement à la guitare, répétant pendant des heures des accords difficiles pour moi, jusqu'à ce que j'y arrive.

Gil m'avait donné sa cravate de scène, une cravate porte-bonheur, bleue à pois blancs. Il en avait des dizaines toutes pareilles, c'était son « fétiche », il ne serait jamais monté sur scène sans sa cravate bleue à pois blancs. Celle qu'il m'avait donnée avait fait l'Olympia, et une émission TV que je venais de regarder quand il vint me retrouver. En même temps que la cravate qu'il enleva de son cou, il m'annonçait une surprise. J'allais le retrouver à

Genève et je suivrais la tournée avec lui. Quel bonheur, le film se terminait, j'étais libre comme l'air et j'allais partager un peu la vie de Gil et son travail. Pas question de partir avec Pinocchio, Gil me voulait seule ! Il avait sans arrêt une cour autour de lui, moi aussi. Cette fois, il voulait que nous nous retrouvions sans témoins, mis à part ses musiciens, son imprésario, son chargé de presse, etc. Tous indispensables puisqu'il serait en tournée...

Il avait très peur que la presse n'apprenne ma venue et me demanda de voyager et de m'inscrire sous un faux nom, à l'hôtel du Rhône où il m'attendrait. De cacher mes cheveux, de mettre des lunettes noires, enfin il ne me demanda pas de mettre une fausse moustache et je lui en fus reconnaissante !

Aujourd'hui encore, je déteste voyager seule, mais à l'époque c'était une épreuve terrible ! Ma timidité, mon manque d'autonomie, la peur de me retrouver dans un contexte inconnu, livrée à tous ces gens qui l'entouraient et qui ne me connaissaient pas, sans un ami, sans une bouée de sauvetage... Et puis suivre la tournée, ça voulait dire changer de ville chaque jour, changer d'hôtel, voir Gil très peu !

J'étais très angoissée, mais décidai d'y aller quand même. On n'a rien sans rien ! Il était normal que je fasse à mon tour un petit effort pour lui, qui avait déjà fait tant de voyages pour venir me retrouver.

Je pris un wagon-lit pour Genève dans le plus grand secret.

Alain m'accompagna à la gare. Il faisait très froid en ce mois de février 1958 et je m'étais enroulée dans mon vison à quatre places !

Il neigeait lorsque j'arrivai à Genève le lendemain matin, je m'emmitouflai donc avec un foulard sur les cheveux, mon manteau jusqu'au nez, et mes lunettes noires. Bien malin qui m'aurait reconnue ! Je m'inscrivis sous le nom de Mademoiselle Mucel, le nom de jeune fille de maman dont nous étions convenus avec Gil, et arrivai sans incident dans la chambre qui m'était réservée à l'hôtel du Rhône. Là m'attendait un énorme bouquet de fleurs, avec un message m'annonçant que Gil serait retardé, sa voiture ayant eu une panne ! Je commençais à tourner en rond, je regardais la neige tomber sur le fleuve... je m'ennuyais, j'étais angoissée.

Le soir, il chantait à Genève.

S'il arrivait tard, il aurait autre chose à faire que me voir !

J'essayais de lire, puis téléphonai à Alain. Je lui expliquai que je me trouvais enfermée dans une chambre et que je m'ennuyais ferme ! Il me dit d'aller boire un verre au bar, ça me changerait les idées !

Je ne pouvais pas aller boire un verre emmitouflée dans mon manteau avec mon foulard sur la tête...

Tant pis ! Après tout, j'en avais marre de jouer les fantômes. Je descendis déguisée en Brigitte Bardot et mon arrivée ne passa pas inaperçue !

Je m'installai carrément au bar et commandai un jus de tomate.

Ce fut comme une traînée de poudre, je voyais les gens chuchoter puis me regarder furtivement... Les employés de l'hôtel passaient leur tête par la porte comme des « coucous ». Je ne restai pas seule longtemps ! « Vous vous souvenez de moi, nous avons été présentés chez Trucmuche il y a cinq ans, vous étiez mariée à Vadim ? »

Habituellement, je l'aurais envoyé sur les roses, mais ce jour-là je fis à ce monsieur mon plus charmant sourire, trop contente d'avoir quelqu'un à qui parler, de ne plus être seule à ce bar observée comme un animal étrange. Ravie de mon escapade, mais m'ennuyant encore plus en tenant le crachoir à cet inconnu, je remontai dans ma chambre et me remis à attendre, mais différemment ! J'avais révolutionné l'hôtel et n'étais plus une parente pauvre qui attend l'aumône de son maître !

J'étais moi, il était lui, et nous avions rendez-vous ici...

Je me sentais d'égale à égal et ça me faisait du bien.

Gil arriva comme un tourbillon, me fit tourner dans ses bras, me présenta son frère et factotum, Jean, me dit qu'il m'aimait, qu'il m'adorait puis il repartit au théâtre comme une tornade. Je compris pourquoi on l'appelait Monsieur 100 000 volts !!! Après son passage on savourait le calme, les choses reprenaient leurs dimensions normales, et Jean put enfin me dire deux mots.

« Raymond Bernard, le chef d'orchestre de Gil, viendra nous chercher juste avant le spectacle et nous emmènera au théâtre dans la loge de Gil ! »

Bien sûr il fallait que je me déguise de nouveau en « homme invisible » avec cagoule, lunettes, etc.

Tout se passa très bien jusqu'à l'entrée des artistes. Là il y avait une foule serrée, des photographes, comme un mur infranchissable.

Raymond Bernard, affolé, me mit carrément mon manteau sur la tête et me fit avancer comme une aveugle. Je trébuchais, ne voyant rien, étouffant sous ce manteau au milieu de cette foule en délire.

Enfin j'arrivai dans la loge de Gil, ça sentait le maquillage, la fumée de cigarettes, le whisky et l'eau de Cologne pour homme. On me poussa dans un réduit et on me dit d'attendre. En enlevant enfin mon manteau je m'aperçus que j'étais dans un petit cabinet de toilette exigu. J'entendais des bruits de voix, des rires, le rire très particulier de Gil, comme un crescendo rauque, le tintement des verres. Puis les gens sont partis, Gil devait rentrer en scène très bientôt puisque j'entendais la sonnerie qui annonce le début du spectacle. Quand je n'entendis plus rien, j'ouvris la porte pour regarder.

La loge était vide...

Ce silence me faisait du bien. Je me servis un verre de scotch (que je déteste !), j'avais besoin d'un remontant. J'étais fatiguée, lasse, je me demandais ce que j'étais venue faire dans ce théâtre, dans cette ville, seule, considérée comme une lépreuse qu'on cache, dont on a honte.

J'étais triste.

J'entendais Gil qui chantait sur scène, toutes ces chansons que je connaissais par cœur, que j'aimais. Je savais que sa vraie femme l'attendait toujours en coulisse avec un verre d'eau pour qu'il se désaltère entre deux chansons. Jamais je ne pourrais lui tendre un verre d'eau à mon tour, j'étais sa maî-tresse, celle qu'on cache !

Gil a fait irruption dans la loge, m'a trouvée là ! Il était en sueur, heureux, m'a dit qu'il chantait pour moi ce soir. Ça me faisait une belle jambe, cloîtrée dans cette loge ! Qu'importe, il m'aimait, m'adorait !

Je lui ai quand même tendu un verre d'eau. Ses yeux brillaient...

Je pensais à ce vers de Victor Hugo : *Donne-lui tout de même à boire !*

Avant la fin du spectacle, Jean est venu me deman-der très poliment de réintégrer mon cabinet de toi-lette jusqu'à ce que les journalistes, photographes et amis de toute sorte qui inévitablement allaient assaillir la loge, soient partis. N'ayant aucun autre siège à ma disposition dans cet endroit peu accueillant je finis par m'asseoir sur les toilettes et attendis. Je fumais cigarette sur cigarette et les minutes passaient très lentement. Après l'énorme brouhaha de la sortie de scène, j'entendais les félici-tations, puis les demandes d'autographes, puis le déclic des flashes, les interviews, quelques rires de gorge de femmes en chaleur, puis des claquements de porte, des « au revoir », puis plus rien !

Ils ne tarderaient plus à venir me chercher main-tenant. Gil avait dû partir entouré de ses fans et Jean allait bientôt me libérer, je n'osais pas sortir de mes chiottes pensant que peut-être quelqu'un était encore dans la loge.

Brusquement, la lumière s'éteignit.

C'était trop ! J'en avais ma claque de toute cette comédie absurde.

J'allumai mon briquet, sortis de cet endroit si peu propice au rêve romantique que j'attendais, et me retrouvai dans la loge, elle aussi plongée dans le noir le plus complet. Les couloirs, les coulisses, tout était noir. Le théâtre était fermé et j'étais prisonnière.

Je pleurais de rage, d'impuissance, de détresse, de fatigue, je jurais une fois de plus, mais un peu tard que jamais, plus jamais de ma vie je ne serais la maîtresse d'un homme marié. Plus jamais je ne serais enfermée dans un placard, pire dans un chiottard ! Plus jamais je ne me cacherais. Plus jamais, jamais ça !

A ce moment précis, la lumière s'est rallumée et Jean est venu me rechercher, s'excusant de son retard, mais il fallait que tout le monde soit parti, y compris les habilleuses, les machinistes, etc. Maintenant nous pouvions sortir tranquilles, personne ne me verrait, il était 2 heures du matin...

Seulement Gil était dans un restaurant avec des amis, ils soupaient alors nous allions passer le chercher... Mais bien sûr, il ne fallait pas qu'on me voie, je devrais l'attendre dans la voiture.

Jean a garé la voiture un peu, beaucoup, passionnément loin du restaurant, et est allé chercher Gil, il en avait pour un quart d'heure maximum, le temps de régler l'addition. Je n'avais rien mangé de la journée, ni la veille au soir du reste... J'avais faim, j'avais froid, il y avait de la neige partout, j'avais sommeil, j'en avais marre, plus que marre. J'ai mis la radio, il y avait un super programme musical, puis j'ai mis le moteur en marche pour avoir un peu de chauffage. A 3 heures du matin, personne n'était revenu. Je ne savais pas où était ce restaurant, j'avais des petits souliers à talon, je ne pouvais pas partir à la recherche d'un taxi dans ce coin désert avec la neige et le verglas.

J'ai décidé que, puisque je ne pouvais pas aller chercher du secours, ce secours viendrait à moi sous

238

la forme de policiers. J'ouvris toutes les fenêtres de la voiture et mis le poste à la puissance maximum. Ça faisait un charivari de tous les diables, il y avait des cha-cha-cha formidables et je pris le parti d'en rire. Les fenêtres des immeubles alentour s'ouvraient les unes après les autres et les braves Suisses réveillés par ce tintamarre commencèrent à protester.

Moi, je commençais à m'amuser.

Un concierge tout endormi me menaça d'appeler la police. Je ne bronchai pas. Des jeunes gens qui rentraient d'une soirée, un peu éméchés, s'approchèrent de la voiture en hurlant des insanités. Je ne bronchai pas !

Alors, quelqu'un m'a reconnue !

« C'est Brigitte Bardot !
— Mais non, ça va pas ! !
— J'te dis qu'c'est elle.
— Mais qu'est-ce qu'elle foutrait là, à c't'heure ?
— J'vais lui d'mander.
— Vous seriez pas Brigitte Bardot des fois ? »
Je ne bronchai pas !

Puis la police est arrivée, voulant me dresser procès-verbal pour tapage nocturne. Enfin bref, lorsqu'à 4 heures du matin Gil est arrivé avec Jean pour rentrer à l'hôtel, c'est une révolution qu'ils ont trouvée.

Il était furieux ! C'était la moindre des choses !

J'étais enchantée ! C'était la moindre des choses !

Le lendemain, c'est-à-dire quelques heures plus tard, je pris le train pour Paris laissant là, pour toujours, un Gilbert éberlué ne comprenant pas pourquoi je le quittais alors que tout allait si bien !

Ça n'a rien arrangé à ma réputation de capricieuse.

**

J'arrivai à la Paul Doumer dans un état de fatigue morale et physique intense. Alain n'en croyait ni ses yeux ni ses oreilles de me voir revenir si vite, sans prévenir, et d'entendre tout ce que je lui racontais.

Ma maison m'apparaissait comme un paradis avec Clown, Guapa et la famille, si heureux de me revoir, de me renifler. Mais j'étais vide dans mon cœur, dans ma tête... abattue, cafardeuse, j'appelais cet état d'âme « kring-krong ».

J'étais complètement *kring-krong* !

Qu'allais-je faire de moi ?

Au moins, lorsque je tournais, j'avais un but, j'étais obligée de me donner des coups de pied dans le derrière pour aller travailler. Au studio je retrouvais des amis, j'étais trop occupée par mon travail pour avoir le temps d'être *kring-krong*. Mes journées étaient programmées à la minute près, je n'avais pas à m'assumer, je n'étais plus responsable de moi-même, mais seulement de mon travail.

Tandis que maintenant....

Qu'allais-je faire seule de toutes ces journées, de toutes ces nuits ?

Où aller me reposer seule au mois de février ?

Je détestais les sports d'hiver !

Sortir ? Où et avec qui ? Et puis aller au théâtre ou au cinéma cela occupe deux heures de la soirée, mais les autres heures de la nuit...

Aller visiter des musées ? Quel ennui ! Je déteste toutes ces œuvres d'art alignées en rang d'oignon, il y en a tant et tant qu'on ne sait plus où donner de la tête et de l'œil... Faire du shopping ? Impossible, il y avait presque toujours un photographe planqué en bas de chez moi qui me suivrait partout, créant autour de moi un attroupement, me faisant devenir le point de mire de cette foule désœuvrée que je fuyais, qui me faisait peur ! Alors je décidai de commencer par lire mon courrier et m'occuper de ma maison.

Quand j'étais *kring-krong* j'adorais déménager les meubles de leur place. J'avais l'impression qu'en changeant la physionomie de l'appartement, je changeais un peu ma physionomie intérieure. C'est à cause de cette drôle d'habitude que Jean-Max Rivière m'a écrit plus tard une chanson qui s'appelle *On déménage*.

Les chiens étaient affolés, Alain et moi trimbalions canapés, tables, tapis, fauteuils d'une pièce à l'autre. Comme il n'y en avait que deux, ça allait assez vite. Après, épuisée mais ravie, je contemplais ma nouvelle maison. Souvent, ça ne me plaisait pas et hop ! on remettait tout en place ! Ce qui non seulement nous faisait faire de la gymnastique mais ce qui nous permettait de faire le ménage à fond, dans les coins, et de découvrir des stylos, des pièces de monnaie, des cigarettes, parfois un objet perdu depuis longtemps.

A croire que la bonne ne l'était pas tant que ça... bonne !

Le courrier m'apportait une franche distraction, en ayant le temps de le lire je découvrais à travers lui la bizarrerie de certaines personnes !

Oui, j'ai dit bizarre, comme Jouvet, pour ne pas dire franchement brindezingue !

Des lettres d'insultes, des demandes d'argent, des lettres d'amour, des lettres carrément pornographiques, j'aurais dû en garder quelques-unes... J'ai tout jeté.

Il y avait aussi une invitation pour Cortina d'Ampezzo, station italienne de sports d'hiver très renommée... Et des photos de jolies maisons sur la Côte d'Azur... Et le lot de factures habituelles, plus les impôts, les charges et tout le tintouin.

J'allais voir un peu mes grands-parents qui se ratatinaient de tristesse ne m'ayant pas vue depuis trop longtemps. Le Boum avait l'air fatigué, il ne travaillait plus, Dada avait tellement envie de me faire de la *pastasciutta* !

Et moi j'étais si bien près d'eux.

Mamie me conseilla d'accepter l'invitation à Cortina d'Ampezzo. Elle adorait l'Italie et tout ce qui était italien, y ayant passé la moitié de sa vie. Maman était d'accord, ça me changerait un peu les idées.

Je partis donc passer une semaine dans la neige italienne accompagnée de Mijanou et Dany ma doublure.

Je pensais trouver un petit hôtel de bois style Blanche-Neige, c'est dans un palace pur style 1900 avec tourelles et balcons de fer forgé que nous avons échoué. En fait de petites chambres intimes, nous avions hérité de la suite royale avec lustre de cristal, meubles Louis XVI, bronzes, marbre, dorures.

J'ai failli repartir aussi sec !

Mais j'étais invitée ainsi que mon escorte par la ville de Cortina, le maire, les conseillers municipaux et tout le tralala. Je ne pouvais, sans créer un incident diplomatique, tourner les talons et rentrer chez moi. En fin de compte je leur servais de support publicitaire, donnant donnant !

On n'a rien pour rien !

En échange de la suite royale de l'hôtel Cristaldi, je devais être suivie par des photographes, des journalistes tout au long de mon séjour.

Pour un jeu de cons, c'était un jeu de cons !

Un certain Gérard de Villiers, de *France-Dimanche*, se montra particulièrement vicieux et indiscret. Par chance je retrouvais là-bas Paul Chaland, journaliste à *Match*, copain de Vadim, que je connaissais bien.

Grâce à lui, ce séjour publicitaire a été supportable. Il nous emmenait dans des petites trattorias qui étaient de vrais chalets de bois, avec des nappes à petits carreaux et des fenêtres pareilles. Dany, Mija et moi couchions dans le même lit, immense catafalque de plus de deux mètres de large dans lequel je serais morte de peur si j'avais dû y dormir seule.

Nous avions pendu au lustre tous nos collants, foulards, écharpes de couleurs. C'était chamarré et ça donnait un peu de fantaisie à cette pièce rigoureuse. La femme de chambre, très stylée, montait

chaque jour sur une chaise pour ranger tout cet attirail dans les tiroirs Louis XVI, et chaque jour nous
les remettions en les envoyant en l'air jusqu'à ce
qu'un morceau s'accroche enfin à une pampille de
cristal, le tout scandé par des hou ! hou ! youpi ! je
l'ai ! hip hip hip ! hourrah !

Après la réception officielle (un cocktail à mourir
d'ennui dans le salon de notre hôtel), après avoir
posé pour la postérité avec le maire, sa femme, sa
fille, sa cousine, le directeur de l'hôtel, son gendre,
son comptable, sa belle-mère et... trois ratons
laveurs, je pris mes cliques, mes claques, mes deux
chéries sous le bras, et m'enfuis !

Le seul bon souvenir fut notre passage à Venise,
d'où nous prenions le train. Nous avons découvert,
enfin seules, une Venise d'hiver, pleine de brumes et
de cornes de brume, sans un seul touriste, ce qui est
quand même un événement !

**
*

Pendant mon absence, Gil avait téléphoné plusieurs fois, il voulait me parler, Alain était resté
assez laconique. Bravo, Napoléon avait raison : « *En
amour il n'y a qu'une seule victoire, la fuite.* »

Jicky était venu voir si j'avais envie d'aller faire un
tour sur la Côte avec lui, Alain était encore resté éva-
sif.

N'ayant pas encore acquis une solidité morale suffisante pour résister à un coup de fil de Gil, je décidai de repartir aussitôt vers le soleil d'hiver de Cassis avec Jicky, qui n'allait pas fort depuis le départ
de sa femme. La maison et les chiens confiés à
Alain, ayant troqué dans ma valise mes gros pulls et
mes après-skis contre un jean et un pull marin, nous
sommes partis dans ma Simca décapotable, mais
non décapotée, cicatriser nos blessures mutuelles au
soleil de Provence.

J'aime beaucoup Jicky, mon confident, mon ami.
De dix ans mon aîné il a toujours été un appui, un

grand frère. Son expérience et son bon sens terrien m'ont appris les choses essentielles de la vie. Il savait me conseiller dans les situations délicates.

Il aime les choses simples et vraies, la mer, le soleil, les collines de Cassis. Il aime les gens authentiques et renifle les « jobards » comme il dit ! Jicky a le génie de transformer chaque minute de la journée en moment unique. Il est conscient du temps qui passe et profite de chaque moment comme si c'était le dernier.

Pendant ce voyage Jicky m'a appris Epicure. Il me racontait que c'était un Grec qui goûtait tous les plaisirs sensuels et sensoriels de la vie, d'où le mot « Epicurien ». Par exemple, me disait-il, quand Epicure mangeait une orange, il en profitait pleinement : il la mangeait avec le nez, avec les yeux, avec les doigts, avec la bouche...

Depuis ce jour-là Epicure est resté pour moi « le type qui aimait les oranges » !

Jicky peignait à sa façon les villages de Provence, les portraits de femmes, les buildings de New York. J'adore les croquis qu'il faisait au crayon sur un bout de papier, au hasard du temps.

Nous sommes allés visiter toutes les maisons dont les agences m'avaient vanté la beauté, la situation, le calme, etc. Aucune ne me plaisait, elles étaient trop grandes, trop tarabiscotées, trop loin de la mer, trop chères. Dégoûtés, nous avons décidé de passer par Saint-Tropez et d'aller retrouver papa et maman qui étaient dans leur petite maison de pêcheur de la rue Miséricorde.

Comme c'était beau Saint-Tropez l'hiver !

Nous avions loué des vélos et nous nous baladions dans toutes les petites ruelles, dans tous les petits recoins. Je découvris un village insoupçonné, un village du Moyen Age, que j'avais si mal vu pendant le tournage de *Et Dieu créa la femme*. J'en tombai folle et décidai que ce serait là que j'aurais ma maison.

Et rebelote pour les agences !

Mais de maison à vendre, il n'y en avait point !

Surtout les pieds dans l'eau ! Tant pis, j'attendrais !

J'allais beaucoup mieux, Jicky aussi. Papa et maman étaient heureux de me voir enfin vivante et bien dans ma peau. Nous riions souvent pour des riens. Le soir, nous faisions des jeux autour de la petite cheminée qui chauffait le salon, alimentée par des tonnes de pommes de pin, avec François de l'Esquinade et Félix de l'Escale, de vieille noblesse tropézienne !

Pendant que je coulais des jours simples et heureux, la presse, elle, commençait à faire ses gros titres sur mon idylle avec Gilbert ! Ils étaient vraiment en retard d'un métro !

Résultat, les photographes de *Nice-Matin* et *Var-Matin* ont commencé à me « planquer » pensant que j'étais là incognito avec Gilbert.

La vie redevenait odieuse !

Adieu balades en vélo, sorties au soleil le nez en l'air, les flashes partaient au quart de tour dès que je sortais de la maison avec Jicky.

Pauvre Jicky, que les autres prenaient pour Bécaud ! Quant aux autres, ils ont dû se faire passablement engueuler par leur rédacteur en chef quand, tout fiers, ils sont arrivés avec « le scoop » Jicky et moi. Pour ne pas perdre la face, les journaux du coin laissaient entendre qu'il était mon dernier amant en date ! Voilà comment on a dit que j'attirais le scandale, que j'avais des amants en chapelet, comme des saucisses. Je cherchais la tranquillité et la presse à travers moi cherchait le scandale ! Cela a été toute ma vie comme ça, cela m'a pourri l'existence, cela m'a fait une réputation abominable dont j'ai eu beaucoup de mal à sortir.

Cela a été la grande injustice permanente de ma vie.

C'est en cette année 1958 que par l'intermédiaire de Michel Renaud, premier danseur-étoile de l'Opéra, ami de « papa-Pilou », que j'allais rencontrer deux personnages qui défrayeraient plus tard la chronique.

C'était pour la bonne cause.

On me demanda d'aller au Val-de-Grâce, visiter les blessés de la guerre d'Algérie. A l'époque, des stars comme Marilyn ou d'autres étaient souvent appelées auprès de ces jeunes hommes qui avaient risqué leur vie et donné une part d'eux-mêmes pour défendre leur patrie. Je partis donc, ce matin-là, accompagnée par mon secrétaire, retrouver les instigateurs de cette visite.

C'est ainsi que je fis la connaissance de Jean-Marie Le Pen qui était accompagné de Pierre Lagaillarde.

Ils étaient jeunes eux aussi et me vouaient une reconnaissance sans bornes pour ma gentillesse. Toute cette escorte sympathique m'accompagna au chevet de tous ces pauvres soldats détériorés dans leurs corps mais si heureux de me voir. Je repensais à la très belle chanson de Francis Lemarque : « *Des hommes, il en faut toujours, car la guerre, car la guerre, se fout des serments d'amour, elle n'aime que le son du tambour !* »

Je prenais des mains dans mes mains, je recevais l'hommage des yeux dans mes yeux, j'étais porteuse d'étranges cœurs à cœur. Je sortis révoltée de cette enclave de douleurs inutiles et stupides qu'était le Val-de-Grâce ! Mais qu'on leur foute la paix à ces jeunes soldats qui allaient désormais vivre une vie d'infirme à l'âge de 20 ans.

Je ne suis pas une politique, mais j'ai des idées bien précises sur certaines évidences et un instinct qui me trompe rarement.

J'aime la justice. Mon signe en est une évidence.

J'ai de nouveau revu, par hasard, Jean-Marie Le Pen en 1992 lors d'un dîner donné par mon avocat Maître Jean-Louis Bouguereau à Saint-Tropez le

7 juin. J'ai rencontré ce soir-là un homme charmant, intelligent, révolté comme moi par certaines choses, érudit et passionnant d'anecdotes historiques ou actuelles, mais ma destinée fut chamboulée par un coup de foudre mutuel qui me fit m'unir à un de ses amis Bernard d'Ormale pour le meilleur et pour le pire.

Toute ma vie, je fus diabolisée, jugée à tort et à travers, descendue en flammes par les bien-pensants et les mal lunés ! Je ne ressens aucun ressentiment devant personne, mais je peux aussi avoir une certaine réticence devant certains dans mes opinions.

Qu'importe la couleur pourvu qu'on ait l'amitié !

Mais si l'adversité est là, qu'on ne vienne pas me parler de racisme !

Le bouchon est poussé un peu loin !

Christine Gouze-Renal voulait me faire rencontrer Duvivier, car le film commençait dans un mois. Il y avait les essayages de costumes, les essais de maquillage et de coiffure. Mon partenaire, à cause de la coproduction, était, paraît-il, un bel hidalgo du nom d'Antonio Vilar.

Mais le plus urgent c'était les cours de danse flamenco.

Tout le film tournant autour du fait que j'aguichais les hommes en dansant. Christine qui voulait que *La Femme et le Pantin* soit réussi, ne me quittait pas d'une semelle, veillant elle-même à chaque détail, à chaque couleur de robe, à chaque faux ou vrai pli dans mes cheveux ! Elle me servait de mère, m'accompagnant même aux cours de danse espagnole.

C'est Lélé de Triana, un danseur très réputé, qui m'enseigna les balbutiements de cette danse sauvage et sensuelle qu'est le flamenco. J'adorais ça ! J'étais très douée, je tapais des pieds en balançant des hanches avec une fougue de jeune gitane. Si la *chunga* n'avait pas existé, j'aurais pu l'inventer et la devenir. Mes mains dessinaient des volutes dans l'air

épais de la salle de danse tandis que mes yeux regardaient effrontément un public imaginaire et que ma
taille cambrée tournait sur elle-même.

Christine était enchantée, Lélé aussi, moi aussi.

Christine m'emmena au théâtre Antoine voir *Vu
du pont* d'Arthur Miller, que jouait Raf Vallone.

Elle m'obligea à aller féliciter les acteurs après le
spectacle et me contraignit à accepter l'invitation à
souper que nous proposait Raf.

Bien que je ne sois jamais sûre de moi ni de rien,
ce soir-là, je fus certaine que j'avais une touche avec
Monsieur Vallone. J'étais très flattée de voir qu'il ne
me quittait pas des yeux, j'étais aussi très intéressée
par l'intelligence et l'érudition de cet homme dont la
beauté était l'apanage le plus connu du public.

Christine et lui parlaient littérature, théâtre,
musique. Je les écoutais, essayant d'apprendre un
peu à travers eux. Rares étaient les conversations
qui me passionnaient. Habituellement tout tournait
autour de la nourriture, des cors aux pieds, de l'augmentation des prix, de la dernière mode ou de qui
couchait avec qui — ce qui avait le don de me faire
mourir d'ennui.

Christine et Raf me firent passer une soirée merveilleuse.

Sous prétexte de me donner à lire une pièce de
théâtre qui serait sur mesure pour moi, Raf m'arracha un rendez-vous pour le lendemain soir. Il avait
relâche ! Ça tombait bien ! Pourquoi pas après tout,
j'étais libre, célibataire et pouvais disposer de mon
temps comme je l'entendais. Christine m'envoyait
des œillades de connivence. Quel bonheur pour le
film si je retrouvais un peu ce stimulant physique et
moral que m'apporte toujours l'amour.

J'ai dit un jour « *quand je ne suis pas amoureuse,
je deviens laide !* »

C'est absolument vrai.

Lorsque ma vie est morne, plate et sans sel, je me
mets à lui ressembler. C'est toujours le fait d'aimer

ou d'être aimée qui m'a donné le punch, la force nécessaire pour extérioriser ce qu'il y avait de beau, de bon, ou d'exceptionnel en moi. Sans l'amour je me dégonfle comme une baudruche et deviens un parasite. Cette rencontre providentielle avec Raf tombait on ne peut mieux ! Mais je ne pouvais sortir avec lui que dans une tenue très élégante ! Sa liaison avec une actrice très distinguée venait de défrayer la chronique. Il était italien et les Italiens sont très sensibles à la beauté, au luxe et à l'élégance !

Le nez dans mes placards je passais en revue les possibilités... Ayant déjà moi-même été enfermée dans un placard, au sens moral et physique du mot, je n'étais pas dépaysée... Mais mon nez dans les placards ne faisait pas surgir la robe pour ce soir ! Nous devions dîner chez « Monseigneur », un des restaurants russes les plus chic de Paris !

Christine me tira d'affaire en m'emmenant encore une fois chez « Marie Martine » où je trouvai un fourreau doré, court mais fendu sur la jambe. Avec quelques chaînes en sautoir et mon vison à quatre places, ça irait !

Chez « Monseigneur » je découvris émerveillée le luxe de l'ancienne Russie. Nous buvions du champagne dans des coupes en vermeil. Le caviar, le saumon, les blinis, les candélabres en argent massif, les couverts en or, les sanglots des violons... les yeux de Raf !

Ces yeux bleus, profonds, presque inquisiteurs qui me fouillaient l'âme à travers le corps. Je n'étais pas amoureuse, mais fascinée, fascinée par cet homme qui pour une fois avait l'air d'aimer mon cœur, ma fraîcheur, ma naïveté avant mon corps.

Je pense qu'il ne vit ma robe qu'au moment de l'enlever !

Il me fit d'abord l'amour avec ses yeux, me regardant, me regardant encore et toujours... Il me parlait, me rassurait, m'apprenait la nuit, la douceur d'une épaule, la profondeur d'un regard.

Si je le voulais bien il reviendrait chaque soir après le théâtre, dormir près de moi, avec moi !

Si je le voulais bien il m'emmènerait souper dans les plus beaux restaurants russes de Paris.

Si je le voulais bien il m'apprendrait la musique classique qu'il aimait, Vivaldi en particulier. Il me ferait lire les plus belles œuvres des plus grands écrivains du monde.

Et je le voulais bien.

Avec Raf, j'ai appris énormément de choses, y compris le silence. Je n'ai jamais appris ce qu'était un placard italien avec lui ! Et pourtant il était marié, mais avait le courage de ses actes et était fier de la femme qu'il aimait.

Une nuit, alors que nous écoutions pour la énième fois *Les Quatre Saisons* de Vivaldi, le téléphone a rompu le silence qu'exige cette merveilleuse musique ! Comme je ne répondais pas il décrocha lui-même...

Gil était à l'autre bout du fil !

La conversation fut brève :

« Non, ça n'est pas Brige !

— Je n'ai pas l'impression qu'elle ait envie de vous parler !

— Bonsoir. »

Mon cœur battait à tout rompre. « A tout rompre », c'est le cas de le dire ! car à compter de ce jour, Gil ne m'a plus jamais retéléphoné.

✳✳

J'ai dû quitter Raf, Vivaldi et la Russie parisienne pour Séville, *La Femme et le Pantin*, et le flamenco !

Je déteste toujours quitter ce que je connais pour l'inconnu. J'étais si bien avec Raf, j'étais confiante, je m'épanouissais. Si je le voulais bien, il m'appellerait chaque soir en rentrant du théâtre.

Les journaux qui en étaient toujours à mon aventure avec Bécaud n'avaient pas encore eu le temps de rattraper leur retard. Il y avait bien eu quelques photos volées ici ou là à la sortie d'un restaurant avec Raf, mais nos rapports publics passaient encore pour purement professionnels. Nous devions préparer en secret un film ! Mon départ pour Séville coupa court à tout nouveau scandale d'alcôve !

A l'hôtel Cristina m'attendaient mes filles, Laurence et Dédette. Manquait Dany ma doublure (qui ne me ressemblait pas du tout) que Christine et Duvivier avaient remplacée par Maguy Mortini. Cette Maguy ne m'a plus quittée pour un bon bout de temps. Elle avait déjà doublé certaines scènes des *Bijoutiers du clair de lune* et notre ressemblance de dos était si frappante que de loin je serais incapable de vous dire laquelle de nous deux était à l'image.

Le père Duvivier, surnommé « Dudu » par l'équipe, n'était pas à proprement parler un rigolo. Coiffé éternellement d'un chapeau il passait son temps à mâchouiller sa langue, ou à remettre son dentier en place. Cela ne retirait rien à son talent, mais je subodorais immédiatement que nos rapports seraient difficiles, sinon impossibles. Il scrutait tout, avec ses petits yeux de souris malicieuse, et peut-être que lui-même pensait de moi la même chose de son côté.

Nous devions commencer le tournage pendant la fameuse « féria » de Séville, cette grande fête annuelle qui se déroule pendant la semaine sainte. Une grande avenue de la ville est alors interdite aux voitures et, sur les trottoirs, les gens fortunés ou les aristocrates se font dresser des tentes magnifiques, style émir arabe, de toutes les couleurs, les plus luxueuses possible selon leurs fortunes ou leurs standings. Puis au milieu de l'avenue défilent tous les meilleurs joueurs de flamenco avec danseurs et danseuses.

Une foule bigarrée, bruyante et excitée, se désaltère à la sangria tous les trois mètres. Comme le soleil est déjà très chaud et que le sang espagnol n'a rien à lui envier, je vous laisse imaginer l'état dans lequel se trouvent tous ces gens au bout de 24 heures...

Tout est permis pendant la féria, c'est une sorte de défoulement collectif qui vient après un très sévère carême catholique. Il n'est pas rare d'enjamber des couples qui s'étreignent à même le caniveau, ou de marcher sur un corps qui a la tête sous un tonneau en perce et qui se douche avec du vin. La foule est si dense qu'on dirait une marée humaine. Seuls les privilégiés qui ont leurs tentes, appelées « cabanas », assistent à ce spectacle avec un semblant de dignité très superficiel. La seule différence c'est que ces aristocrates font l'amour entre eux, partousent entre eux, assouvissent leur libido entre eux, bien cachés derrière leurs tentures précieuses, et que l'honneur reste sauf.

Maguy qui me doublait a été lâchée là-dedans pour que le cameraman puisse repérer le parcours que je ferais au moment du tournage. Les gens ont cru que c'était moi et Maguy a failli mourir étouffée, piétinée, violée. On l'a sortie de ce flot monstrueux, hagarde, les vêtements déchirés, le visage tuméfié ! Je l'avais échappé belle !

Il était impossible de tourner avec moi un plan pareil ! Eh bien Dudu pensait le contraire, pour lui c'était la vérité et il fallait que j'y aille !

Je refusai net !

Après avoir vu ce qu'il était advenu de Maguy c'était de la folie de m'envoyer à mon tour me faire saccager par ces sauvages ! Ça commençait bien ! Dudu s'assit tranquillement, se mit à mâchonner sa langue, et attendit que j'obéisse à son ordre !

Je m'assis de mon côté en attendant qu'il change d'avis !

Christine était folle ! Le film commençait vraiment mal... elle jouait les diplomates en allant de l'un à l'autre, essayant de nous faire entendre raison ! Dudu et moi avions un seul point commun, l'obstination ! Quand l'un de nous avait décidé

252

quelque chose il était presque impossible de le faire changer d'avis !

Ça allait être gai !

Après une perte de temps considérable, il fut convenu que j'irais au milieu de cette foule délirante, encadrée par une sérieuse escorte d'hommes de l'équipe. Il en fallait au moins une dizaine pour me protéger, et des costauds tant qu'à faire. Trouver dans une équipe dix hommes dont le travail n'est pas indispensable au moment du tournage équivaut à dire qu'ils ne servent à rien ! Il n'y eut donc aucun volontaire ! Il fallut demander gentiment aux photographes de presse qui étaient là et aux amis qui traînaient par bonheur leurs guêtres dans cette galère.

C'est ainsi que je fus jetée en pâture au milieu de cette foule hurlante, accrochée à Michou, un copain de *Match*, Jean-Claude son frère, et d'autres bien gentils mais que je ne connaissais pas.

Nous avons vite fait connaissance !

J'étais littéralement soulevée de terre. Ma robe était remontée sous mes bras, quant à ma culotte, des milliers de mains venues de je ne sais où essayaient de me l'enlever, se glissant partout sur mon corps. Je hurlais, m'accrochais à Michou, essayant de grimper sur lui pour dégager mon ventre et mes jambes de ce magma infernal, de ces mains monstrueuses qui m'attiraient vers une horreur sans nom. Michou et Jean-Claude, pourtant baraqués, sombraient écrasés par cette foule incontrôlable, incontrôlée. Les autres amis avaient été emportés et voguaient plus loin au gré du flux et du reflux qui roule et qui s'enroule et qui s'écroule...

Comment m'a-t-on sortie de là, je ne m'en souviens pas car j'avais à moitié perdu connaissance !

Même la police ne s'aventure jamais au milieu de la féria ! Du coup, bon nombre de crimes sont commis à cette occasion. On ne s'en aperçoit que lorsqu'on retrouve les corps, une fois la fête terminée.

Seul Dudu était ravi, il se frottait tranquillement

les mains, tout content de lui : « Tu vois, tu n'es pas morte ! »

Par bonheur, le sous-sol de notre hôtel Cristina avait une boîte de nuit, « La Bodega ».

Pour oublier les ennuis, à l'époque j'avais l'habitude d'aller danser. Que dis-je danser ? Donner un spectacle à moi toute seule mais uniquement pour le plaisir, non payée, libre de faire ce que j'avais envie de faire. Maguy et moi, flanquées de Michou et Jean-Claude, avons été les vedettes de cette soirée mémorable !

Quelle santé il me fallait à l'époque pour assumer un tel succès « boîte de nuitesque » après le travail harassant de la journée ! Qu'importe, il fallait vivre à 100 %. Je dormais peu mais si profondément que les coups de téléphone de Raf arrivaient à peine à me réveiller.

Avant de partir au tournage tôt le matin, je recevais du concierge les messages, les lettres, les fleurs déposés pour moi. Un jour où j'avais l'œil plus ouvert que d'habitude à une heure aussi matinale, je remarquai ce concierge.

Ma foi, il était bien jeune et bien charmant, et je m'en voulus de ne pas avoir ouvert l'œil, et le bon, plus tôt ! Je n'ai jamais été regardante sur la condition des hommes qui m'ont plu. Concierge ou pas concierge, celui-là était beau et qu'importait le reste... Mais il est toujours difficile, sinon impossible, de draguer au réveil, à 7 heures du matin, à moins qu'on ne sorte d'une boîte de nuit, ce qui n'était pas le cas !

J'avais à ce moment-là 23 ans et demi ! Il semblait être plus jeune que moi, mais après tout ! Il s'appelait Xavier, était le neveu du propriétaire de l'hôtel et faisait son stage pour l'école hôtelière. Il travaillait jusqu'à 18 heures le soir, moi aussi, ça tombait bien ! Je lui dis de commander un fiacre à 19 heures car j'avais envie de découvrir Séville avec lui !

Il était au rendez-vous. Moi aussi.

Il avait troqué sa jaquette de concierge contre un jean et un tee-shirt, moi j'étais démaquillée et heureuse, le fiacre nous attendait. Il me fit visiter Séville comme un parfait guide touristique, m'expliquant ceci et cela, me montrant tel ou tel monument ! Ma main traînait contre sa cuisse, cela ne lui faisait aucun effet !...

A la fin, agacée par ses explications stupides sur des lieux qui m'exaspéraient, je lui demandai s'il n'avait pas autre chose à dire au soleil couchant que ces banalités pour vieilles Anglaises...

Il resta figé mais attentif, n'en revenant probablement pas que je puisse, moi, m'intéresser plus à lui qu'à ces merveilles ! Le retour fut comme je l'espérais ! La main dans la main, les yeux dans les yeux, le trot du cheval rythmant les battements de nos cœurs à travers ces ruelles de chaux blanche, pleines de grilles croulantes sous les géraniums et les bougainvilliers. Mais mon concierge ne voulut pas qu'on le vît avec moi et se fit déposer quelques mètres avant l'entrée de l'hôtel. Je comprends et ai toujours essayé de tout comprendre, mais qu'un concierge d'hôtel ait honte de se montrer dans un fiacre à Séville avec Brigitte Bardot reste encore pour moi une énigme !

Qu'importe. Nous avions pris rendez-vous dans mon appartement à minuit précis.

Après mon exhibition de cha-cha-cha avec Maguy, Michou et Jean-Claude à « La Bodega », je réintégrai ma chambre et attendis mon amoureux avec une bonne bouteille de Moët et Chandon bien glacée ! Il avait une peur bleue qu'un des employés de l'hôtel ne l'ait vu se glisser dans ma chambre. Je le regardai avec des yeux ronds et lui offris un peu de champagne ! Il adorait ça et en redemanda ! Lorsque je lui pris la main, il la retira si vite que j'eus peur. Moi qui n'étais pas sûre de moi, ça n'était pas fait pour arranger les choses !

Il était peut-être homosexuel ?

Ou alors puceau ! !

Pourtant à 20 ans, surtout un Espagnol doit connaître la vie !

Alors ?

Alors il me dit, des larmes dans la voix, que sa grand-mère était morte la veille et que ceci, et que cela.

Bref, je me retrouvai au lit avec un grand garçon de 20 ans pleurant la mort de sa grand-mère ! Je passai une grande partie de la nuit à le consoler jusqu'au coup de téléphone de Raf qui le fit fuir comme un lapin, ce qui me permit de jurer mes grands dieux à Raf que j'étais seule, triste et abandonnée ! Je ne mentais pas !

Il ne s'est rien passé entre Xavier et moi.

L'énigme demeure. Le regrette-t-il maintenant, je n'en sais rien ! Toujours est-il qu'il est redevenu le parfait concierge qui me donnait messages et courrier, et lorsque je lui demandai beaucoup plus tard s'il était toujours aussi affecté par la mort de sa grand-mère, il me répondit que sa mère était actuellement en dépression nerveuse, ce qui me fit comprendre qu'il n'était pas à la veille de se libérer en amour avec une femme ! C'est un cas unique et c'est pourquoi j'en parle !

C'est à Séville qu'on m'a fait connaître et voir ce qu'était une course de taureaux !

Je ne savais pas, je détestais déjà le principe, mais Georges Cravenne, notre chargé de presse, et Christine ont trouvé que, publicitairement parlant, c'était un dépucelage intéressant.

Alors un beau dimanche où je m'ennuyais un peu, on m'emmena voir ce que je ne reverrai plus jamais de ma vie, ce contre quoi je m'élève de toutes mes forces ! Assise sur les gradins, à l'ombre, comme toute personnalité importante, je regardais l'arène, si blanche, si belle ! Autour de moi des milliers de têtes humaines, que dis-je humaines ? Des têtes inhumaines ! Des têtes qui dépassaient des gradins avec des chapeaux, des éventails, des têtes d'hommes et de femmes qui avaient des yeux brillants, des dents aiguisées, qui attendaient la mort.

J'en faisais partie et j'avais honte !

Il y avait une horloge au-dessus de la porte du toril. Lorsqu'un taureau entrait dans l'arène, il avait exactement vingt minutes pour mourir ! J'étais fascinée par les aiguilles qui dans mon cœur rejoignaient les banderilles !

Vingt minutes pour mourir... au 4ᵉ top, il sera exactement... mort !

Lorsqu'il était mort, ce bel animal, cette force de la nature, cette puissance à l'état brut, des chevaux le traînaient jusqu'à l'équarrissage et là, des hommes le dépeçaient pour donner son cadavre en bifteck aux hôpitaux de la ville ! Alors on faisait entrer le deuxième taureau et la fête recommençait pendant vingt minutes... Après quoi le toréador-boucher recevait les hommages de la foule, les oreilles et la queue s'il avait été particulièrement bon boucher !

Et cela six fois de suite !

J'étais écœurée, et je le suis toujours, mon écœurement ne fait que grandir.

Mesdames et messieurs qui aimez les courses de taureaux, pourquoi n'allez-vous pas assouvir votre soif de sang dans les abattoirs ?

Le plaisir que vous en tirerez sera démultiplié ! Là, au moins, vous verrez la mort atroce, la mort en série, sans hypocrisie de spectacle ! Vous aimez le sang, l'agonie, la soumission intense de la vie animale à la force de l'être humain, alors, allez-y, ne faites pas les mijaurées, les puceaux, ayez le courage de vos opinions, visitez les abattoirs et continuez de manger de la viande si vous n'avez pas eu le cœur soulevé par ce que vous y aurez vu !

En attendant, un photographe de la production et

des photographes de presse guettaient mes réactions !

Je n'étais pas ce que je suis aujourd'hui. On m'avait dit qu'il fallait que j'applaudisse, alors j'applaudissais ! Je hurlais avec les loups, écœurée, mais docile aux ordres reçus.

Oui j'ai applaudi, pour les photos, à une course de taureaux à Séville, mais au fond de mon cœur j'étais à jamais marquée par ce spectacle de mort qui ne m'a jamais quittée et auquel je n'ai plus *jamais, jamais* assisté.

*

Christine Gouze-Renal est une femme qui, comme presque toutes les femmes, a toujours été très attirée par les bijoux. Moi, ça me laisse froide. Je trouve que les vrais bijoux d'une femme sont sa jeunesse, sa beauté, ses cheveux, son cœur. Le reste c'est du superflu. C'est ce qu'on achète qui n'a aucune valeur.

Néanmoins (et « pieds en plus » comme dirait un de mes amis), Christine savait qu'il y avait un petit bijoutier « extra » dans la Calle Sierpes. Un soir, après le tournage, elle décida de nous y entraîner, Dédette, Maguy et moi. Pourquoi pas ?

Vêtue de ma robe noire moulante, super sexy, les cheveux à la bohème me tombant jusqu'à la taille, pieds nus, comme dans le film, ne prenant pas le temps de me changer car le bijoutier fermait à 18 h 30, je suivis mes filles à pied jusqu'à la Calle Sierpes. Derrière moi, la moitié de la population de Séville avait emboîté le pas.

Or la Calle Sierpes était une petite impasse qui montait le long d'une colline. La boutique du bijoutier « extra » se trouvait au fond de cette impasse. Nous y sommes entrées, toutes les quatre, mais nous n'avons jamais pu en ressortir. Des dizaines d'hommes nous bouchaient la rue, en exhibant tout ce qu'un attribut masculin peut avoir d'attirant, vu en groupe à travers la vitrine d'un bijoutier.

Leurs bijoux de famille, j'imagine !

Quelle horreur !

Les yeux de Christine allaient de la topaze brûlée aux sexes brandis, qui nous attendaient de l'autre côté de la vitrine !

Il fallut pour pouvoir sortir appeler d'urgence la police.

Malgré l'intervention des guignols que sont les flics espagnols, notre fuite tourna à l'épopée ! Et rebelote pour les mains qui sortent d'on ne sait où et qui se baladent sous les jupes. Des gosses de 5 ou 6 ans, des petits gitans, se glissaient entre nos jambes et leurs mains remontaient nos cuisses ! C'est une honte, à ne pas croire, mais c'est comme ça !

Si vous aimez les émotions fortes, allez chez le bijoutier de la Calle Sierpes à Séville, vous serez servis.

Après avoir dansé pieds nus sur des tables, avoir chevauché en croupe, accrochée à Antonio Vilar, avoir séduit, enjôlé dans des patios inondés de soleil et de fleurs, je rentrai à Paris, les « extérieurs » du film étant terminés.

Ma petite famille à quatre pattes était devenue un peu encombrante. Il y avait cinq chiens à la maison dans un appartement trop petit pour devenir un chenil ! Et pourtant quel bonheur ce fut pour moi de les retrouver, de me laisser envahir par toute cette tendresse chaude et désordonnée que vous donnent les chiens lorsqu'ils vous retrouvent après une assez longue absence. Il fallait être raisonnable et trouver de nouveaux parents à mes trois bébés.

Alain avait déjà tout prévu.

Lido fut adopté par un restaurateur de l'île Saint-Louis qui l'adorait et attendait mon retour pour venir enfin le chercher. Bluebell partit à la campagne près de Paris chez des gens charmants. Première fit le bonheur d'un ami d'Alain qui vivait seul.

Ces départs successifs de petits êtres qu'on a mis

au monde, qu'on a aimés et soignés, m'ont arraché le cœur. Il y avait les petits jouets qui traînaient encore un peu partout. Il y avait les traces de pipi sur la moquette, il y avait le souvenir de quelque chose de beau, de vrai, de pur. Il y avait Guapa qui cherchait ses chiots en gémissant. Il y avait moi qui pleurais.

Je me promis qu'un jour j'aurais plein de chiens autour de moi, que j'habiterais la campagne et que plus jamais je ne laisserais partir des petits êtres dont j'avais la responsabilité à vie, puisque je les avais fait naître.

C'est en avril 1958 qu'eut lieu à Bruxelles l'Exposition Universelle !

Le Pavillon du Vatican y figurait en bonne place, avec une salle réservée aux saints de toutes provenances, au « Bien », aux miracles, etc., une autre prévenant des méfaits du « Mal », du soufre, du démon, de la luxure, de l'enfer.

Et qui symbolisait ces péchés, cette excommunication ?

MOI !

Une photo de moi, du mambo de *Et Dieu créa la femme !*

Ce fut un scandale !

Papa, fou de rage, fit des pieds et des mains, alla voir tous les archevêques et évêques de Paris, de France et de Navarre, tant et si bien que mon effigie fut retirée dix jours après, laissant une place vide à la représentation du vice sous toutes ses formes, mais associant pour longtemps mon image et ma vie au scandale, à l'immoralité, au péché de chair, au diable cornu, au symbole de la plus grande dépravation.

J'en ai beaucoup souffert, mes parents aussi.

Quand j'y pense aujourd'hui et que je compare avec tout ce que l'on voit quotidiennement, je mesure à quel point l'injustice fut grande à mon égard de la part d'une religion qui se veut amour et tolérance vis-à-vis du prochain.

Le film reprit aux studios de Boulogne dans des décors de Georges Wakhevitch, extraordinairement reconstitués. J'avais l'impression d'être toujours à Séville !

Dudu, aussi aimable à Paris qu'en Espagne, m'attendait encore au tournant, en tournant !

Pendant les répétitions d'une scène où je devais envoyer promener Antonio Vilar, Dudu décida que je lui tirerais la langue !

Moi, tirer la langue et en gros plan par-dessus le marché...

Je refusai net !

« Tu tireras la langue.

— Non.

— Et pourquoi ?

— Parce que c'est mal élevé, que mes parents m'ont toujours interdit de tirer la langue, et qu'une langue en gros plan n'a rien d'esthétique. »

Et Dudu se mit à mâchouiller la sienne en attendant que je tire la mienne. On éteignit les lumières, chacun se mit à vaquer à ses occupations, le film était momentanément interrompu !

Christine n'était pas là !

Fred Surin, le directeur de production pour qui chaque minute valait des milliers de francs, était hors de lui.

« Comment, toute cette histoire pour une langue ? »

Jamais langue n'avait coûté aussi cher. Il fut même question de faire venir un huissier pour faire un constat. Les assurances ne remboursant pas les « refus par l'actrice de tirer la langue ».

En attendant, celles des autres allaient bon train.

Après plusieurs heures de débat, Christine est arrivée, folle de rage. Alors elle ne pouvait même pas aller un après-midi chez le coiffeur, sans qu'il se passe un drame sur le plateau ? Et tout le monde se mit à tirer la langue pour me montrer que ça n'était pas si terrible que ça ! Même Christine tirait la langue ! Et plus je voyais ces langues pendantes, plus je décidais de ne surtout pas leur ressembler et fermais la bouche hermétiquement.

J'eus le dessus !

Le tirage de langue fut remplacé par une grimace que j'essayais de faire la moins horrible possible !

A la suite de cet incident les mauvaises langues s'en sont donné à cœur joie

Un jour, au mois de mai, j'étais dans ma loge en attendant qu'un des assistants de Dudu vienne me chercher, fin prête, maquillée, à moitié nue dans ma robe noire déchirée, quand Laurence, mon habilleuse, m'annonça qu'un visiteur demandait à me voir.

J'ai toujours détesté les visites impromptues qu'on pouvait me faire au studio ! Les gens arrivaient, sachant que je tournais un film, et demandaient un entretien. Ça n'en finissait pas, et ça avait le don de m'énerver à un point incroyable. Mais qu'on me foute la paix !

Je devais tourner ce jour-là une scène difficile et avais envie de rester seule et de me concentrer. Laurence me dit que le « Monsieur » insistait beaucoup, que je le connaissais de L'Escale, rue Monsieur-le-Prince.

Je pensai immédiatement à Pedro ou Narcisso.

C'était le « clochard » !

J'eus un mouvement de recul en le voyant puis me ressaisis. Il était tout rafistolé de partout : sparadrap sur son pull-over, chatterton autour des godasses, un vieux chiffon en collerette autour du cou !

Ah, il était chouette mon admirateur !

Mais ses yeux étaient profonds et fiévreux, ses mains belles et propres. Après tout il avait autant de valeur que quiconque, et peut-être même beaucoup plus !

Il avait faim, il avait soif !

Je demandai à mon habilleuse de nous apporter un déjeuner pour deux dans ma loge. La tête de Laurence, je m'en souviendrai toute ma vie ! Elle était un peu ma petite maman de cinéma ! Sa discrétion était chose rare et son amour pour moi sans limite. Elle dut avoir peur et alla chercher Odette. Je la vis donc arriver pour voir si « je n'avais besoin de rien » ! Ses yeux bleus devinrent ronds comme des soucoupes en voyant le « type » ! Puis elle alla chercher « un tel », qui lui-même alla chercher « une telle », enfin ce fut un défilé de têtes horrifiées dans l'entrebâillement de la porte de ma loge.

S'ils avaient su comme cet homme était merveilleux, passionnant, érudit, comme cet homme était loin d'eux, de nous, de moi, seul sur son nuage de beauté, de vérité, dans la solitude de l'intégrité !

Nous avons déjeuné, servis par Lolo, maussade et réprobatrice.

Un tête-à-tête d'amoureux, un clodo et une star, ça valait son pesant de cancans !

La belle et le clochard !

Mais un clochard de classe, qui se tenait remarquablement bien à table, montrait une éducation parfaite et s'exprimait dans un français impeccable ! Il me parlait de Bach, Beethoven, Mozart, me disant son amour de la musique, sa passion pour une femme, sa déception, sa capitulation. L'arrêt de sa vie pour un amour trahi. Je l'écoutais, fascinée, le croyant sans le croire, tout en le croyant !

Quel être extraordinaire !

Il ne me faisait absolument pas la cour, il vidait son cœur, ses tripes. Je regardais ses mains, j'étais sûre qu'il ne mentait pas, qu'il était un grand pianiste ! J'en étais sûre mais voulus en avoir la confirmation.

Dans le magasin des accessoires du studio, il y avait un piano !

En le raccompagnant à la porte, je lui demandai si ça l'amusait de visiter les coulisses d'un studio de cinéma. Il était ravi et accepta. Je traînais derrière

263

nous tous les membres de l'équipe qui reniflaient un drôle de truc, plus Dédette, Lolo, Maguy. Le monde du cinéma est exécrable ! Tout ce qui ne reflète pas l'argent est à foutre à la poubelle. Mon clochard eut droit à tous les quolibets, les insultes, les mépris.

Rien ne l'atteignit ! Il semblait invulnérable à mes côtés.

Quand je vis le piano, j'eus l'air surprise et lui demandai de nous jouer quelque chose. J'étais angoissée, mais n'ayant jamais aimé qu'on se fiche de moi, je le mis au pied du mur ! Il ne se fit pas prier, fit quelques gammes magistrales, demanda un tabouret, et nous joua avec maestria une sonate.

Quelle leçon !

Toute l'équipe était fascinée, envoûtée. Les yeux de Dédette étaient humides, Lolo respirait fort comme lorsqu'elle était très émue. Moi j'étais fière, fière de lui, fière de ce qu'il avait eu le courage de devenir en ayant dans les mains cette fortune qu'il avait rejetée pour une femme ! Peu de gens sont capables d'une telle abnégation. Lui l'avait fait.

Il est parti comme il était venu, avec cette différence qui s'appelle « le respect ». Je ne sais pas son nom, je ne l'ai jamais su, c'est un anonyme immortel !

Le soir, je racontai cette rencontre à Raf qui ne parut pas surpris !

Il me fit entendre le concerto pour piano de Mozart et m'apprit aussi Bach. Je découvrais un concerto pour deux violons dont l'adagio avait été inspiré par la respiration humaine !

Je passais mes soirées à respirer au rythme des violons !

C'était vrai ! Bach avait adapté son adagio à un souffle doux et calme ! Le jour, je tapais des talons au rythme des flamencos de *La Femme et le Pantin*, le soir je respirais doucement dans les bras de Raf à la cadence de l'adagio du concerto pour deux violons de Bach.

XII

Un soir, maman me téléphona de Saint-Tropez. Elle avait trouvé une maison « les pieds dans l'eau », mais il fallait donner une réponse immédiate à l'agence car beaucoup de clients étaient acquéreurs.

C'était le 15 mai 1958 !

Je fus obligée, à cause du film, d'attendre le samedi soir pour prendre le train pour Saint-Raphaël. Maman m'attendait et m'emmena directement visiter « La Madrague ».

J'arrivais dans un paradis tropical. Il y avait des « cannisses » un genre de roseaux sauvages, des cactus de toutes sortes, des mimosas, des figuiers, et au bout de tout ça une maison enfouie sous un bougainvillier violet, avec la mer presque dans le salon ! J'ai toujours su ce que je voulais ! Et je l'ai voulue !

J'achetai donc « La Madrague ».

Ce dimanche-là chez le notaire de Saint-Tropez resté ouvert exceptionnellement. C'est Madame Moisan qui me la vendit 24 millions d'anciens francs, meubles compris ! Le dimanche soir, je repris le train pour Paris car je devais tourner le lundi matin. Mon portefeuille en avait pris un coup et il allait falloir que je travaille dur pour éponger une somme pareille !

Maman rentra avec moi d'urgence à Paris.

Le Boum était au plus mal !

Du studio, alors que je tournais des scènes tourbillonnantes, je téléphonais pour prendre des nouvelles du seul homme qui ait vraiment compté dans ma vie, mon grand-père, le Boum. Il avait un cancer des poumons qui commençait à se généraliser...

Le soir, après le tournage, je passais des heures à son chevet, lui racontant La Madrague où il allait venir se reposer dès qu'il se sentirait mieux. Les larmes aux yeux, je mentais pour rien, car son intelligence et sa lucidité acceptaient mon mensonge avec indulgence. Il était devenu squelettique, respirait avec d'énormes difficultés et souffrait dans son corps et dans son orgueil de rester impuissant, cloué dans un lit, dépendant de tout et pour tout.

Pauvre Boum, lui si gai, si actif, si vivant, si indépendant, si courageux.

Je sortais de là, épuisée, triste, écœurée par l'injustice de la vie, de la mort ! Je faisais des efforts surhumains pour danser le flamenco le lendemain, pour accepter cette vie de poudre aux yeux, de décors de comédie que j'étais obligée de jouer pendant que mon grand-père se mourait.

Le 7 juin 1958 à 8 heures du matin, maman m'appela au téléphone pour m'annoncer la mort du Boum... la mort du Boum, la mort du Boum ! Cela résonnait dans ma tête, dans mon corps, dans mon cœur, la mort du Boum, cet homme exceptionnel n'existait plus, ne serait plus qu'un souvenir, pour qui ? Pour moi... pour maman, pour Mamie, pour Mijanou, pour combien de temps ? Je téléphonai au studio que je n'irais pas tourner pour cause de décès. Pour cause de décès ! Quelle phrase impersonnelle, froide, stupide.

Sur son lit de mort le Boum ressemblait à un gisant des époques lointaines. Il avait la beauté, la finesse, la droiture des seigneurs. Un ami de la famille, le peintre Kiffer, l'a dessiné dans toute la noblesse de son éternelle immobilité. Cette immobilité qui me terrorisait, qui m'épouvantait, qui immobilisait avec elle une certaine partie de mon sang, de ma propre vie !

Alors c'était fini à jamais, finis les « à la zim, à la zam, à la boum, à la zim, bam, boum, à la zim, bam, boum, à la zim, bam, boum ».

Finis les voyages dans les livres géographiques, finies les lectures dans le texte en latin, finis les « si c'est arrivé, c'est à cause de ma culotte ». Finies les polkas endiablées dans le vestibule. Fini le Boum !

Maman, Mamie, Tapompon, Dada et papa étaient

prostrés dans différents coins de l'appartement. Seules Mijanou et moi avions encore la force que donne la jeunesse devant la mort. Le Boum s'était éteint dans des conditions affreuses, il avait étouffé durant des heures avant de se révulser définitivement dans un dernier spasme inhumain. Ne voulant ni fleurs ni couronnes nous l'avons porté en terre provisoirement à Louveciennes. Recouvert du lierre de la propriété qu'il adorait.

Maman devait par la suite prendre un caveau dans le joli petit cimetière de Saint-Tropez où le Boum fut transféré et où il fut le premier de la famille à être inhumé, un endroit qui demeura, jusqu'à ce que le maire, Monsieur Blua, le fît agrandir honteusement, un des plus beaux cimetières du monde.

Je bâclai la fin du film, n'ayant plus qu'une idée en tête, aller à La Madrague, me reposer, oublier tout, tout, tout.

Cette maison m'était totalement étrangère. Elle était à moi, certes, mais je ne savais rien d'elle, ne l'ayant vue que quelques minutes. Je chargeai Alain d'acheter une 2 CV Citroën d'occasion comme voiture de service à laisser là-bas. Nous l'avons bourrée de valises de linge de maison, de batterie de cuisine, de cages de tourterelles, plus Clown et Guapa, et en route mauvaise troupe. Alain partit dans la 2 CV tandis que je prenais le wagon-lit pour Saint-Raphaël.

J'avais décidé de prendre de longues vacances, les premières vraies vacances depuis bien des années. J'étais libre de tout engagement professionnel, mon prochain film *Babette s'en va-t-en guerre* ne devant commencer qu'au début de l'année 1959. Le soleil, la chaleur de ce début juillet, la douceur de l'eau de mer et l'installation de mon nouveau domaine eurent vite fait de me changer les idées. Je découvris rapidement que ce petit paradis qui était le mien allait m'apporter bien des tracas. Une maison n'est pas un appartement. C'est un univers à elle seule qui ne possède ni syndic, ni copropriétaire, ni concierge, ni rien du tout pour vous aider.

C'est le chauffe-eau qui, le premier, tomba en panne ! Puis la pompe qui tirait l'eau du puits s'arrêta elle aussi, le moteur grillé par manque d'eau ! Enfin tout le dispositif électrique sauta, il n'y avait pas de disjoncteur ! Je commençais à regretter l'hôtel, ou la location... Le lendemain, la maison fut envahie par différents corps de métier. Il fallait changer le moteur de la pompe à eau, remplir la citerne... Puis l'électricien changea toute l'installation et mit un disjoncteur... J'étais furieuse de dépenser autant d'argent pour des choses aussi obscures qu'indispensables. Je me mis immédiatement à écrire des pancartes que j'accrochai dans les deux salles de bains de la maison : « *Ne pas laisser couler l'eau inutilement et ne tirer la chasse qu'en cas d'extrême urgence.* »

Je n'étais pas au bout de mes peines !

Christine et son mari Roger Hanin étaient venus passer quelques jours pour m'aider à m'installer. Ils étaient dans la chambre d'amis avec leur pancarte en vue dans la salle de bains et une seule lampe pour les éclairer, car dès qu'on allumait plus d'une ampoule par pièce, tout disjonctait.

Voilà qu'un matin tous les lavabos, éviers, bidets, douches et baignoires de la maison étaient bouchés ! Ne parlons pas des « wawa » qui débordaient à qui mieux mieux ! Moi aussi je débordais, j'en avais ma claque de cette maison, « les pieds dans l'eau » peut-être mais pas le « derrière dans l'eau ». Le plombier ne pouvait rien faire. C'étaient les puisards et les fosses septiques qui devaient être bouchés par des racines, la maison n'ayant pas été habitée depuis longtemps.

Il ne manquait plus que ça !

Et où étaient-ils ces puisards de malheur ?

Personne n'en savait rien !

Il fallut faire venir l'entreprise « La Rose »,

vidanges en tous genres, et le jardin ne fut plus qu'une tranchée béante. Il fallait coûte que coûte trouver le puisard.

Pendant que le jardin ressemblait à Verdun aux pires moments de la guerre 14-18, nous essayions de faire contre mauvaise fortune bon cœur en nous servant de la mer comme d'une grande salle de bains.

C'est à ce moment-là que Raf Vallone me fit la « surprise » de débarquer à l'improviste dans sa somptueuse Lancia. Il avait bien choisi son moment ! Il arrivait impeccable, élégant, lavé, pomponné, parfumé... et nous, nous étions tout poisseux de sel et de sable mêlés par la chaleur et l'énervement !

Les puisards, finalement découverts, laissaient flotter autour d'eux une odeur nauséabonde pendant que le camion-pompe aspirait le tout dans un bruit infernal et que les marteaux-piqueurs dégageaient les racines qui obstruaient les conduits.

Je ne sais pas quelle idée il a pu se faire de La Madrague mais j'imagine qu'il ne doit pas en avoir eu la vision paradisiaque que ce mot magique procure en général lorsqu'on le prononce. Après avoir été reçu comme un chien dans un jeu de quilles, après n'avoir pu ni se laver les mains, ni me voir cinq minutes, j'étais trop occupée à reboucher les tranchées avec Alain et les ouvriers, Raf a repris ses cliques, sa claque et sa Lancia et est reparti sans avoir jamais compris ce qui lui était arrivé.

Un de perdu, dix de retrouvés !

L'élégance raffinée d'un acteur italien s'accordait bien mal du côté sauvage, primitif, un peu bohème de ce bord de mer, tropical par sa végétation et rudimentaire par son confort.

Maguy, ma doublure, est venue nous retrouver.

Pour elle nous avons transformé le garage à bateau en chambre d'ami, faisant installer provisoirement un lavabo derrière un paravent.

Puis Jicky est arrivé. La chambre d'Alain s'est

transformée en dortoir, on mettait des matelas par terre. C'était très gai, on s'amusait bien.

Un soir, je jouais de la guitare sur la petite plage de sable, nous avions fait un feu de bois, nous avions l'air de gitans, nous étions heureux, lorsque nous avons vu passer un « pointu », petit bateau de pêche du pays. Ce bateau, genre de grosse barque rustique, était visiblement vide et dérivait lentement au rythme du courant. Jicky ne fit ni une ni deux, plongea et, comme il était excellent nageur, rattrapa le pointu et nous le ramena sur la plage.

Quelle aubaine, un bateau, ça nous manquait vraiment !

Allez hop ! En deux minutes tout le monde était à bord, y compris Clown, Guapa et ma guitare !

Jicky ramait, je chantais, nous riions, il y avait un clair de lune magique, il faisait chaud, nous glissions sur l'eau calme et silencieuse de cette belle soirée d'été. C'était la première fois que nous pouvions voir La Madrague de la mer, quand tout à coup, *boum ! crac ! chtock !* stop ! nous avions heurté un rocher ! Nous voilà tous les uns sur les autres, Clown tombant à l'eau, enfin l'interruption soudaine d'un programme musical qui s'est terminé en hurlements, en aboiements, en cris de toutes sortes. Nous étions pris dans un haut fond qui longe la côte et dont nous ignorions l'existence. Ce haut fond m'a par la suite protégée naturellement des visites touristiques. Bon nombre de bateaux, allant à fond de ballon, y ayant fini leurs jours tout en protégeant les miens.

En attendant c'est nous qui étions pris au piège !

Et nous voilà tous dans l'eau marchant sur des algues visqueuses, et sur des oursins, poussant, tirant, essayant de dégager notre pointu d'un soir. Nous avons fini la nuit les pieds dans des bassines d'eau de Javel tiède, armés de pinces à épiler, effeuillant les épines d'oursins qui truffaient nos plantes de pied.

Le lendemain on nous a presque accusés de vol

lorsque le propriétaire a retrouvé son pointu sur ma plage. Pourtant sans nous il aurait peut-être dérivé jusqu'en Corse !

Voilà comment on nous remercie d'une bonne action !

Et pourtant, la nuit, lorsque je me retrouvais seule dans mon lit, je rêvais de Jean-Lou, je regrettais Jean-Lou, j'aurais aimé découvrir cette maison avec lui ! Il me manquait, il aurait aimé écouter le bruit de la mer en regardant les étoiles et en me serrant contre lui.

J'étais *kring-krong* !

La maison était pleine et pourtant je me sentais seule.

Alain s'en rendait compte, Jicky aussi qui me présentait un tas de copains à lui. De beaux garçons sportifs qui m'emmenaient au clair de lune pirater des amphores, ce qui était formellement interdit mais, justement, si excitant ! J'ai remonté à la force de mes poignets et à l'aide d'un treuil, une amphore pleine d'huile, de sable et d'eau qui devait bien peser 400 kg et qui n'avait pas vu le jour depuis plus de 2 000 ans, couchée par quarante mètres de fond au milieu de centaines d'autres.

C'était émouvant de voir lentement remonter de la nuit des temps ce magnifique objet aux formes féminines. J'ai toujours été très impressionnée par les histoires que pourraient nous conter les meubles, les bibelots, les bijoux, les objets de toutes sortes qui ont par miracle échappé aux incendies, à la casse, aux guerres, au temps !

Les chevaliers de la mer qui avaient été me la choisir, habitaient sur leur bateau, c'était rudimentaire, simple, vrai ! Ils pêchaient du poisson qu'ils me faisaient griller entre deux pierres sèches sur une plage, m'apprirent les premiers rudiments de la plongée sous-marine avec bouteilles. Ils faisaient du ski nautique, du mono bien entendu.

Je me laissais vivre en jouant de la guitare au rythme doux du clapot des vagues contre la coque.

A ce moment précis, j'aurais tout donné au monde pour être mariée... avoir des racines ! Voilà encore mon problème de racines qui me reprenait.

Maguy, qui n'a jamais eu de problèmes de racines, sauf de racines de cheveux avant sa décoloration, me ramena un jour son amoureux. Elle l'avait « madragué » dans une boîte de nuit, « l'Esquinade ».

Je vis arriver un jeune homme brun, très bronzé, pas très grand, qui avait de très larges épaules et des yeux d'un vert superbe. Il s'appelait Sacha Distel, était le neveu de Ray Ventura, et jouait de la guitare comme un dieu. Il regardait le cul de Maguy avec un œil langoureux en lui disant « le plus beau du monde ». C'était charmant, ça ne tirait pas à conséquence ! Puis Maguy dut partir pour Paris...

Sacha resta à La Madrague et joua de la guitare en regardant mes fesses d'un œil langoureux sans oser rien dire ! A vrai dire, je ne le voyais pas. Il était là, comme d'autres, c'était tout ! Pourtant il m'en faisait du charme... Sa belle voix grave, son œil humide, j'étais agacée ! Je n'ai jamais piqué l'amoureux d'une copine et si « les amis de mes amies sont mes amis », les amants de mes amies ne sont pas forcément mes amants.

Bref, comme Maguy ne revenait pas, qu'il faisait chaud, que j'étais triste et seule, qu'il me faisait une cour non dissimulée et que la chair est faible, je l'accueillis à draps ouverts. Le lendemain, je fus extrêmement étonnée de le voir revenir à La Madrague chargé de valises et de copains. Tout ce petit monde prit possession de la chambre d'ami, du garage à bateau et du dortoir.

Alain et moi nous nous regardions mi-affolés, mi-amusés. Jicky fou de rage devant cette invasion quitta la maison en me souhaitant bonne chance avec ironie.

« Là, au moins, je ne me sentirai plus seule. »

Il n'y avait pas un jour sans qu'un copain photographe ne vienne boire un verre et faire une petite photo comme ça, en passant. C'est fou ce que Sacha avait comme copains photographes ou journalistes. Moi qui les avais toujours fuis, voilà qu'ils avaient leurs petites et leurs grandes entrées dans la maison.

Notre idylle inonda la presse mondiale comme un raz de marée. Sacha Distel devint célèbre, Claude Deffe, son manager, avait fait d'une « Brigitte » deux coups !

J'étais submergée par toute cette publicité tapageuse, entraînée malgré moi dans une escalade vertigineuse qui risquait de se terminer très mal, ayant toujours détesté qu'on me force la main avant de me la demander. Dès que l'ombre d'un objectif se profilait, Sacha se penchait tendrement vers moi en roucoulant.

Puis il y eut le grand bal de l'amirauté à Toulon. Je reçus une invitation de l'amiral lui-même. C'était généralement le genre de courrier qui partait directement à la poubelle. Or Sacha, Claude et Christian Deffe, Marc Doelnitz et compagnie me persuadèrent d'y aller !

Il faisait chaud et nous avions décidé de voyager en jeans et de nous changer dans un hôtel à l'entrée de Toulon. Nous nous arrêtons devant un hôtel simple, modeste mais correct. Sacha et moi descendons demander une chambre. Tête de la réceptionniste en me reconnaissant...

« Nous voudrions une chambre, madame.

— C'est pour une nuit, monsieur ?

— Non c'est pour un quart d'heure.

— !!!

— Vous avez des bagages, monsieur ?

— Oh oui madame, et des amis ! »

Alors devant une femme médusée qui n'en croyait ni ses yeux ni ses oreilles, nous sommes montés au « 12 », Sacha, Claude, Christian, Marc, Jicky, Michou et moi, plus les portemanteaux, le fourre-tout, etc.

On aurait vraiment cru les Marx Brothers ! Re-tête de la bonne femme en nous voyant revenir de cette passe insolite avec des allures de milliardaires ! Seule faille à son rêve, Michou la supplia de lui donner une cuiller à soupe pour pouvoir enfiler ses chaussures.

Je me rends compte aujourd'hui que la vie était beaucoup plus facile et simple que maintenant. Nous étions toute une bande de copains, il n'y avait qu'une malheureuse femme de ménage dépassée par les événements et un jardinier qui venait deux heures par jour. Malgré ça, tout marchait comme sur des roulettes. Chacun assumait une charge dans la maison et ça n'était une corvée pour personne, au contraire. Le fait de mettre la main à la pâte nous amusait, nous rapprochait et donnait à chacun la responsabilité de son choix.

J'imagine le même mode de vie aujourd'hui.

Ce serait une catastrophe.

Peut-être parce que nous avons vieilli, peut-être parce que les amis sont devenus égoïstes et gardent leur énergie pour leurs propres maisons, peut-être parce que, tout étant devenu si compliqué, plus personne ne s'amuse en faisant le marché, la cuisine, ou le ménage.

Les employées de maison, que j'appelle des bonnes en langage franc, étant devenues introuvables et plus cher payées que des prix Nobel, la responsabilité d'une maison incombe dans son ensemble à la maîtresse de maison. Or, étant en général toujours la maîtresse de maison, je croule, je m'effondre sous le poids de tout ce que je dois assumer pour le plaisir de ceux que je reçois. Je deviens l'employée de ma propre maison. Du petit déjeuner que je prépare avec soin jusqu'au dernier verre de fine d'après le dîner, en passant par le marché, le déjeuner, le couvert, la vaisselle, le verre d'avant dîner, le dîner, la re-vaisselle, le café et le pousse-café, je n'y arrive pas !

Le soir je m'effondre dans mon lit, les jambes en

compote, les mains rugueuses, la tête vide, pensant avec horreur que demain ça recommencera !

Alors, puisque mes amis se laissent servir sans réagir, je ne les invite plus pour pouvoir enfin profiter un peu de la vie.

C'est au cours de cet été 1958 à La Madrague que Sacha décida de devenir chanteur. Il fallait battre le fer pendant qu'il était encore chaud. Il jouait déjà divinement bien de la guitare, mais ça ne nourrissait pas son homme. Devenir le « Sinatra » français serait bien plus rémunérateur.

Toute la journée Sacha tâtonnait, susurrait, roucoulait, essayant de composer le chef-d'œuvre de sa vie qui devait évidemment s'appeler *Brigitte*.

Pendant ce temps, n'écoutant que d'une oreille plutôt critique, je vaquais à mes occupations, pensant avec nostalgie au talent de Bécaud. Comme Sacha n'y arrivait pas tout seul, Claude Deffe fit venir un des Compagnons de la chanson Jean Broussole, qui composait leurs chansons les plus réussies. Je n'entendais plus que « Brigitte » par-ci, « Brigitte » par-là, sur des slows, des Sacha-cha-cha, des rythmes lancinants ou plus rythmés... « *Brigitte, Brigitte viens vite, viens vite, reposer sur mon cou ta jolie tête blonde* » !

Quel chef-d'œuvre !

Pour ne plus entendre ces âneries, je prenais mon bateau et partais loin en mer, me laver de toute cette médiocrité. J'étais piégée !

Les journaux ne parlaient que du couple romantique que nous formions Sacha et moi. Devant la plage de La Madrague, les photographes déguisés en touristes et armés d'énormes téléobjectifs n'arrêtaient pas de mitrailler :

« *Sacha jouant de la guitare sur le sable pour moi...* »

« *Sacha m'enlaçant tendrement pour m'aider à monter en bateau...* »

« *Sacha par-ci, Sacha par-là...* »

Je ne me sentais plus chez moi.

Il y avait des feuilles de papier à musique partout, des magnétophones, des guitares électriques, des amplis, des micros... et la voix de Sacha : « *Brigitte, Brigitte, viens vite, viens vite*, etc. »

« Comme le chien de Jean Nivelle qui s'en va quand on l'appelle », dès que j'entendais le début de cette merveille, je fichais le camp en me bouchant les oreilles !

C'est en fuyant la maison que je me retrouvai un jour en train d'essayer une robe chez Vachon, le couturier du pays, qui faisait des modèles charmants en tissu provençal.

J'étais arrivée là par hasard, accueillie à bras ouverts par Madame Vachon elle-même. Mais, pendant que je m'amusais à essayer les robes paysannes, les badauds qui m'avaient reconnue s'agglutinaient contre la vitrine. Les autres, voyant un attroupement, vinrent voir à leur tour ce que les premiers regardaient. En moins de cinq minutes, près de 200 personnes obstruaient l'entrée du magasin.

Il fallut appeler la police !

On me sortit de là à la force des poignets. Les gens se piétinaient pour pouvoir me toucher. On me traitait de putain, de salope, d'ordure, ou alors on m'aimait, on m'adorait. Une femme tint son bébé à bout de bras, me suppliant de le toucher pour lui porter bonheur. J'étais à la fois le diable et Bernadette Soubirous.

Je hais la foule, j'ai peur des gens, ils sont excessifs et fous.

Je décidai de ne plus jamais sortir seule.

**
*

Septembre arriva enfin.

Je devais présenter *En cas de malheur* au Festival de Venise.

Ce départ allait me libérer et je préparai mes

bagages huit jours à l'avance afin de ne prendre personne en traître.

Mais j'avais péché par optimisme !

« Allons, allons, me disait Claude. Tu vas aller à Venise avec Sacha, en voiture, c'est un voyage magnifique, et puis tu n'as jamais aimé l'avion, quant au train il y a trop de correspondances ! Allons ma petite, vous allez faire un joli voyage de noces tous les deux, et vous m'enverrez une carte postale. »

C'est vrai, changer de train ne me disait rien, quant à l'avion on connaît mon point de vue là-dessus. Et puis Sacha, quand il ne chantait pas, avait de bons côtés. Il était attentionné, bien élevé, intelligent, tendre. J'allais sûrement être perdue à Venise, jetée en pâture à la presse, au public. J'aurais certainement besoin de lui.

L'arrivée dans la cité des Doges me donna raison !

Des centaines de photographes se bousculaient, nous piétinaient, hurlant, criant, tombant les uns sur les autres.

J'étais tout simplement paniquée !

Quant à Sacha, tout sourire, il n'en menait néanmoins pas large.

Heureusement, Raoul Lévy et Olga Horstig étaient là et nous ont conduits au pas de course dans l'appartement qui m'était réservé au Lido. Venise, quelle Venise ? En regardant par la fenêtre, je voyais une plage populeuse qui ressemblait au camping des Mûres en plein mois d'août... Mais de canaux, point... ni de gondoles ! Nous étions dans la ville nouvelle, dans un palace moderne, style Sofitel ! Voilà qui valait le déplacement ! Je pensais avec nostalgie à la beauté des couchers de soleil de La Madrague !

On s'étonne aujourd'hui que je ne voyage plus...

Tu sais, j'en ai fait des voyages, j'en ai vu d'autres plages, comme dit une chanson que j'ai chantée. Mais à de rares exceptions près, ce que je me sens bien, ce que c'est beau chez moi !

Mais ça n'était pas le moment de philosopher...

Il y avait au moins 100 personnes, les « intimes », dans l'appartement. Sacha se présentait aux uns, aux autres, mais qui n'en avait déjà entendu parler ? Georges Cravenne, le chargé de presse, annonçait l'emploi du temps !

Demain : Conférence de presse,
                Séance de photos,
                Cocktail au Danieli,
                Présentation du film au Palais du festival, puis,
                Soirée exceptionnelle dans un magnifique palais... avec tous les invités de Raoul Lévy et la presse mondiale !

N'en jetez plus !

J'étais fatiguée, j'aurais voulu prendre un bain, foutre à la porte tous les morpions qui me pompaient l'air, j'aurais voulu être seule, ailleurs, au calme !

Dans ma chambre, il y avait des glaïeuls par centaines, je déteste ces fleurs raides comme des manches à balai. Il y avait des corbeilles de fruits et du champagne, mais tout me semblait triste et laid. Le lendemain était la journée « Bardot ». Des avions loués par Raoul Lévy écrivaient d'immenses B.B. de vapeur blanche dans le ciel bleu de Venise.

J'assumais mon travail de star, me laissant photographier, souriant, répondant aux questions, habillée en bikini, puis en robe du soir. Pas une minute de répit ni de repos. Sacha assumait son travail de chevalier servant. Quelle promotion ! Claude Deffe devait se frotter les mains !

Le soir, notre très bon film fut accueilli avec une certaine réserve. *En cas de malheur* restera pourtant un des meilleurs que j'ai tournés, avec *La Vérité*, *Viva Maria*, *Et Dieu créa la femme* et *L'Ours et la Poupée*.

Raoul Lévy pensait que nous allions obtenir le « Lion d'or ».

Moi je pensais à ficher le camp le plus vite possible.

Pourtant je dus assister à la merveilleuse soirée donnée en mon honneur dans cet authentique palais du temps des doges, où j'arrivai en gondole, aux côtés de Sacha, avec Mama Olga et Raoul Lévy. Nous étions suivis par une horde de paparazzi en vaporetto qui ont bien failli nous faire couler corps et biens ! Cette profession gâche, abîme, détruit tout sur son passage. Ils sont les Attila du XXe siècle, les fléaux de Dieu et le cauchemar des stars.

Je regardais intensément ce vieux, très vieux palais plein de lézardes, de dorures, de peintures de maîtres sur les murs et sur les plafonds. Il y avait une immense table éclairée uniquement par des candélabres de vermeil et je pensais que nous faisions revivre peut-être pour la dernière fois les fastes du temps jadis, disparus à jamais dans une civilisation moderne, laide, triste, où le luxe et la beauté n'avaient plus place.

Adieu Venise, adieu beauté méconnue qu'un public avide de photos viole, bafoue, salit, sans savoir, sans voir, sans en comprendre l'essentiel.

Venise me faisait penser à moi.

C'est finalement le film de Louis Malle avec Jeanne Moreau *Les Amants* qui obtint... le Lion d'argent.

Tant mieux pour eux, tant pis pour nous.

Je reçus quand même cette année-là, et les suivantes, jusqu'en 1961, le premier Prix de popularité décerné par *Ciné-Revue*.

***

Rentrée à La Madrague, je retrouvai ma famille chiens, Alain, et, grâce à Dieu, personne d'autre !

Mon anniversaire approchait. J'allais avoir 24 ans le 28 septembre 1958. C'est ce jour-là que je votai pour la première fois de ma vie à la mairie de Saint-Tropez. Je donnai ma voix, ma confiance et mon respect à de Gaulle. J'ai toujours eu un faible pour ce grand homme intègre, courageux, solide et rassurant.

C'est lui que je suivis pendant des années.

C'est lui que je regrette depuis des années.

Et puis, « *on a rangé les vacances dans des valises en carton et c'est triste quand on pense à la saison du soleil et des chansons* ». Cette *Madrague* je l'ai chantée quelques années plus tard, mais ces mots résument à eux seuls toute la nostalgie d'une fin d'été.

Je déteste vivre à Paris.

Je m'y sens prisonnière, je cherche l'herbe, la terre, les arbres, les odeurs de campagne, et je ne trouve que du béton, encore du béton, toujours du béton.

A Paris on ne voit plus les saisons, on ne sait pas si la lune est pleine ou à son déclin, on ignore le bruit du vent ou de la pluie, on ne sent pas la rosée ni l'odeur humide de la terre après un orage. On est barricadés dans un univers de problèmes, de tracas, de soucis permanents. On vit en casiers, les uns par-dessus les autres, bien alignés comme des bouteilles.

C'est affreux.

L'homme est né pour être libre, pour marcher, pour courir, pour travailler la terre avec ses mains. A la ville, l'homme devient une caricature, ses jambes raccourcissent, son ventre s'alourdit, ses épaules tombent entraînées par des bras mous qui ont à peine la force de tourner le bouton du poste de TV. Il perd ses cheveux, ses yeux sont mornes, ses joues s'avachissent, son cerveau aussi.

Parfois, curieuse, je regarde les gens passer dans la rue. C'est un spectacle si déprimant qu'en rentrant chez moi je remercie le Bon Dieu de m'avoir donné la possibilité de me maintenir en forme.

Bien sûr tout le monde ne peut pas être beau, c'est évident. Mais tout le monde peut faire un petit effort pour essayer d'être moins moche. L'obésité, les gros ventres, les plis et les replis, les cheveux sales, gras, les mains aux ongles en deuil ou rongés, les vêtements sales, décousus, les gens qui se tiennent voûtés, qui marchent en crabe, qui se mettent les doigts dans le nez, qui crachent, qui se curent les dents...

Ah ! Humanité, tu te laisses aller, tu te laisses aller.

Avant les gens un peu patraques réagissaient, essayaient de lutter et ne s'alitaient et ne se droguaient qu'en dernier recours. Maintenant pour un oui pour un non, arrêt de travail et intoxication par absorption d'un nombre incalculable de médecines gratuites. D'où les mines verdasses, les yeux creux, les teints cireux, les allures malsaines et scrofuleuses de toutes ces victimes d'une société qui promet leur sécurité et obtient leur dégénérescence.

Voilà à peu près ma vision de l'humanité.

On comprend, j'espère, pourquoi je préfère les animaux.

**
*

Je réintégrai donc mon petit casier du 7e étage avenue Paul-Doumer.

A cette époque-là, la religion était encore immuable. Rien n'avait changé depuis des lustres. On disait la messe en latin, de dos aux fidèles, les micros n'existaient pas dans les églises et le bon curé faisait son sermon du haut de sa chaire. A vrai dire j'aimais bien le mystère des prières en latin, j'aimais bien voir le dos du curé car il regardait Dieu et non le public comme sur une scène de théâtre. J'aimais l'atmosphère feutrée, recueillie, un peu protocolaire de la messe du dimanche.

Tout ça pour en venir au fait que la religion n'avait pas encore changé la date de la Sainte-Brigitte qui se fêtait le 8 octobre.

Quelques jours plus tard, profitant de ma fête, Sacha, Claude Deffe, Ray Ventura et Bruno Coquatrix le directeur de l'Olympia avaient eu une idée « géniale ».

Sacha, qui sitôt rentré à Paris avait enregistré un

45 tours avec la fameuse chanson *Brigitte*, allait, le jour de ma fête, signer son disque dans le hall de l'Olympia. Evidemment je devais être là et le signer avec lui, sinon ça n'avait vraiment aucun « intérêt » pour personne.

A l'Olympia j'avais entendu dire que ceux qui étaient reçus dans ce sacro-saint temple du show-business passaient en « lever de rideau... » en « première » ou en « deuxième partie » (la vedette). Je n'avais encore jamais entendu parler du « Hall ».

Enfin il faut bien commencer par quelque chose même si ça fait drôle d'entendre « je passe le 8 octobre à 18 heures précises au "Hall" de l'Olympia ».

En réalité, il n'était pas question que j'y aille. Je ne l'aurais pas fait pour moi-même, alors à plus forte raison pour quelqu'un d'autre. Et puis j'aime être fière de la personne pour laquelle je me déplace. Je serais venue avec plaisir si Sacha avait enregistré un disque de guitare, notamment *Nuages* de Django Reinhardt qu'il jouait magnifiquement bien. Mais pour « *Brigitte, Brigitte, viens vite, viens vite appuyer sur mon cou ta jolie tête blonde...* »

En plus, comble de l'abus de confiance, Sacha avait fait éditer en couverture du disque une photo de nous deux prise à La Madrague, sans me demander mon accord. C'était trop tard, la pochette était déjà tirée à des milliers d'exemplaires, je n'allais pas faire un procès à l'homme qui partageait ma vie, même si ce partage était un partage de dupes. Ma présence avait été annoncée partout.

Olga me téléphona très inquiète : « Comment Bri-Bri, vous n'allez pas aux premières de vos films et vous allez faire la promotion de ce jeune chanteur inconnu, qui a peut-être beaucoup de talent mais qui est inconnu tout de même ! »

J'étais affolée !

Comment me sortir de cette ratière ?

Je pensais à Gil, à l'admiration que j'avais pour lui, à son talent ! J'aurais tant aimé être dans la même situation avec lui. Le charme que me fit Sacha, le côté un peu paresseux de mon caractère qui n'aime pas les complications, la gentillesse de Raymond Ventura, les pitreries de Claude Deffe et l'amitié de Bruno Coquatrix eurent raison de moi. Je me retrouvai avec Sacha le jour de la Sainte-Brigitte derrière un stand décoré de nos photos dans le « Hall » de l'Olympia.

Il y avait des dizaines de photographes et des centaines de badauds, de curieux, d'admirateurs ou de détracteurs. La foule, la foule atroce, que je fuis, que je hais, qui me fait peur. J'ai appris depuis que j'étais bel et bien agoraphobe. En leitmotiv passait le disque de Sacha, c'était sucré, tartignol. J'avais envie de pleurer de rage ! Nous signions les pochettes des gens qui achetaient le disque... Pour couronner cette première inoubliable, Sacha se mit à envoyer des pochettes à la foule hurlante. Hurlante et scandalisée quand elle se rendit compte que les pochettes étaient vides.

« Radins ! Jean-foutre ! On n'en veut pas de tes pochettes ! »

Et les pochettes nous revenaient sur la tête, comme autant de boomerangs, accompagnées des quolibets les plus infâmes !

J'aurais voulu mourir, disparaître, ne plus exister, être une bulle...

On en parla en bien, on en parla en mal, mais on en parla... beaucoup trop à mon goût, pas assez au goût de Sacha. En attendant il avait un nom et était le « crooner » de l'avenir selon certains papiers, et le chevalier servant et chantant selon d'autres. L'avenue Paul-Doumer était devenue une annexe de La Madrague. On composait de nouveaux succès à la pelle. Après *Brigitte* qui n'avait pas l'air de marcher très fort, le brain-trust s'orienta vers un style différent mais cette fois amusant et nouveau : *Scoubidou*, « *Des pommes, des poires et des scoubidous, bidous, yé...* »

Tant que ça n'était pas des navets !

J'écoutais vaguement cette primeur de primeurs en remerciant le ciel de ne plus y être mêlée, souhaitant pour lui que ça fasse un tabac !

Marguerite Duras publiait le 23 octobre 1958 un magnifique article « la Reine Bardot » dans *France-Observateur.*

Ironie du sort, ironie tout court.

Alain me remit un jour la lettre d'un des directeurs de la TV qui, vu le succès de celle de l'année précédente me demandait de refaire une émission pour Noël.

Je les voyais venir... Bécaud en 1957, Sacha en 1958 !

Eh bien non !

Puisque je faisais ces émissions gratuitement, qu'elles étaient mon cadeau de Noël aux téléspectateurs, je choisirais de faire ce qui m'amusait et me faisait plaisir. J'optai pour la difficulté, mais si je réussissais, quel défi à moi-même, quelle victoire !

Je voulus donc danser le pas de deux de *Sylvia* de Léo Delibes avec Michel Renaud, premier danseur étoile de l'Opéra.

Je n'avais plus dansé depuis l'âge de 16 ans et j'en avais 24 ! Il restait deux mois avant l'enregistrement. Il me fallait travailler d'arrache-pied.

Je me remis à la danse classique avec acharnement.

Ce fut dur, difficile, parfois décourageant.

Je sortais de ces répétitions épuisée, courbatue, les muscles noués jusqu'à la crampe, les pieds en sang, meurtrie dans mon corps mais fière et heureuse dans mon cœur. J'ai vaincu les années, et les craintes. J'ai vaincu mon propre corps. J'ai délié et assoupli mes muscles. J'ai retrouvé la grâce des bras et le maintien du dos, qui donne l'équilibre. Michel Renaud était un professeur extraordinaire, il ne m'a rien laissé passer, aucun défaut, aucun à-peu-près, il voulait que je danse ce pas de deux comme si j'étais la première danseuse étoile de l'Opéra de Paris.

Et nous l'avons dansé !

Ce fut peut-être mon plus beau cadeau de Noël, pour moi et pour ceux qui allaient le regarder, car c'était fait avec amour, uniquement pour l'amour de cet art magnifique qu'est la danse.

Un bel hommage me fut décerné le 20 décembre par Raymond Cartier : « B.B. phénomène social » paru dans *Paris-Match* !

Je gagnais doucement mais sûrement mes galons.

Libre de tout engagement cinématographique, je profitais pleinement de cette période de ma vie.

Sacha me fit découvrir le monde du jazz, univers de génies, de fous, de drogués ou d'alcooliques, mais qui prenait aux tripes. Nous passions des nuits à écouter les plus grands noms du jazz dans des endroits comme le « Blue Note » ou le « Mars Club ». Sarah Vaughan, Claude Luter, Henri Crolla, René Worthefer, Miles Davis, Stéphane Grappelli et tant d'autres faisaient des « bœufs ». Improvisation spontanée de gens qui n'avaient jamais joué ensemble. Sacha prenait souvent la guitare jusqu'à des heures avancées de la nuit, se mêlant d'emblée à tous les musiciens. C'était extraordinaire.

Comme j'avais du temps libre, l'après-midi, quand je n'étais pas suivie par une voiture de photographes, j'en profitais pour aller regarder les vitrines. C'est ainsi qu'un jour en faisant du lèche-carreau Faubourg Saint-Honoré, je m'arrêtai en extase devant un magasin rempli de robes ravissantes. Le hasard qui fait bien les choses venait de me faire découvrir « Réal » qui, pendant plus de vingt ans, allait m'habiller à la ville et à l'écran. Hélène et Willy Vager, Arlette et Charles Nastat, frère et sœur et beau-frère et belle-sœur, m'apprirent le goût, la personnalité et l'insolence de l'élégance décontractée et adaptée à mon tempérament.

C'est avec eux que, bien des années plus tard, j'allais monter ma ligne *La Madrague*.

XIII

C'est en janvier 1959 qu'eut lieu la première émission télévisée de *Cinq Colonnes à la une*, grand événement pour la télévision et pour ceux qui la regardaient.

Pierre Lazareff, Pierre Desgraupes, Pierre Dumayet et Igor Barrère proposaient une nouvelle formule d'information qui fut un immense succès pendant de nombreuses années. J'eus le grand honneur d'être parmi les rares qui participèrent à cet événement en direct des Buttes-Chaumont. Papa avait confié à Lazareff un petit bout de film 8 mm qui me représentait à l'âge de 3 ou 4 ans faisant de la bicyclette accompagnée d'un petit garçon de mon âge. Cette promenade se terminait dans un champ de blé où le petit garçon me renversait et m'embrassait longuement, pendant que les quatre fers en l'air, je me débattais en riant !

C'était tout un programme ! C'était charmant !

Cela illustrait avant la lettre la séductrice que le cinéma, le vrai, avait faite de moi.

C'est France Roche qui commenta ce petit document exceptionnel — qu'on ne nous a jamais rendu malheureusement — et qui m'interviewa, me faisant ainsi participer à une page historique de l'histoire de la télévision française.

Au seuil de cette nouvelle année, on commença à parler de « la Nouvelle Vague ».

Ils étaient tout un groupe de jeunes réalisateurs et interprètes qui avaient inventé un nouveau style cinématographique. Malgré mes 24 ans tout neufs, je me sentais reléguée déjà au rang des vieux croûtons !

Godard, Truffaut, Chabrol mettaient en scène des films avec un sang nouveau. Les vieux tabous étaient oubliés, le réalisme, la décontraction avec un petit rien de provocation étaient à la mode. De jeunes acteurs comme Gérard Blain, Jean-Claude Brialy, Jacques Charrier, Pascale Petit, Juliette Mayniel et Bernadette Lafont étaient devenus les égéries de ce nouveau souffle.

« Babette » allait s'en aller en guerre contre cet assaut imprévu.

Christian-Jaque, bien que bourré de talent, était lui aussi relégué au rang des vieux croûtons. En plus, le scénario que l'on avait soumis à mon approbation me faisait hurler d'horreur et de désespoir. Comment *Babette*, ce film que j'imaginais charmant et drôle, pouvait-il être devenu un scénario aussi minable et sans intérêt ? Je renvoyai le script, chaque page barrée de crayon rouge où j'avais écrit « c'est de la merde » ! Sur la dernière page qui devait porter ma signature et mon approbation, j'écrivis : « Je ne tournerai *jamais* une merde pareille » et je signai !

Furieuse, ulcérée, trompée.

Comment aurais-je pu prévoir un pareil retournement ?

J'avais accepté l'idée charmante de cette petite résistante malgré elle, et je me retrouvais avec une histoire de Mata Hari sexy, vulgaire, qui couchait avec tout le monde. Je veux bien dans la vie assumer un maximum de choses, mais je ne pouvais pas écrire mes dialogues et mes scénarios.

Chacun son métier et les spectateurs seront bien gâtés !

Ce fut un scandale !

Raoul Lévy qui me connaissait bien savait que si j'avais dit « non », c'était « non ». Il n'y aurait pas à revenir là-dessus. Mais d'autre part, le film devait se faire. Tout était prêt. Les studios loués, une partie de la distribution engagée, les décors déjà construits. Il pensa alors à Gérard Oury qui, avant d'être le merveilleux metteur en scène qu'il est devenu et après avoir abandonné sa carrière d'acteur, eut une période transitoire de scénariste-dialoguiste de talent.

Raoul, Christian et Gérard se mirent au travail jour et nuit. Ils remodelèrent une Babette naïve mais efficace, ils recollèrent des bouts de chandelle afin que les acteurs déjà engagés puissent être au mieux dans cette nouvelle version ! Ce fut un raccommodage extraordinaire, les coutures étaient invisibles et la trame n'en souffrit pas, au contraire !

Quelques jours plus tard, après avoir lu attentivement la nouvelle *Babette*, j'apposais ma signature au bas du script, non sans tresser une couronne de lauriers à Gérard Oury sans qui le film n'aurait probablement pas existé, avec moi en tout cas !

Restait à trouver mon partenaire ! Je fis une journée d'essais aux studios de Saint-Maurice, avec Pierre, Paul et Jacques !

Justement, Jacques Charrier en l'occurrence me plaisait bien !

Il plaisait aussi à Raoul Lévy, à Christian-Jaque et à Gérard Oury.

Jacques Charrier était la vedette incontestée des *Tricheurs* de Carné, film qui cassait la baraque et marchait du « feu de Dieu ». Il était le nouveau Gérard Philipe, romantique, beau, bien élevé et, que demande le peuple, fils de colonel, de surcroît. Que demander de mieux pour jouer un jeune officier français, amoureux de Babette ?

La grande roue du destin s'était mise à tourner, elle aussi.

Toute la journée au studio, je voyais Jacques, je parlais avec Jacques, je répétais avec Jacques, je déjeunais avec Jacques, je jouais l'amour avec Jacques et le soir, en rentrant à la Paul Doumer, je voyais Sacha, je dînais avec Sacha, je dormais avec Sacha... en rêvant de Jacques !

Les scoubidous, les hulla-hoops et autres accessoires de chansons ou de danses qui traînaient à la maison commençaient sérieusement à m'exaspérer. Je ne vivais qu'en arrivant au studio m'accrochant jusqu'au soir à ses yeux bleus, à la douceur de sa voix, à la chaleur de son corps qui m'enveloppait lors des scènes de tendresse, Jacques Charrier m'apprivoisait doucement mais sûrement. J'ai toujours eu dans la vie un côté extrêmement terre à terre, même si je donnais l'impression d'une grande folie amoureuse. Je n'ai jamais voulu lâcher la proie pour l'ombre. Or, pour le quart d'heure, ma sécurité, ma présence, l'homme qui partageait ma vie c'était Sacha. Mais mon rêve, mon idéal, mon prince charmant, mon utopie c'était Jacques ! J'étais complètement partagée entre ces deux hommes, trouvant à chacun des avantages et des inconvénients.

Mon côté Balance m'a beaucoup aidée.

Je penchais vers Jacques le jour, et Sacha me sécurisait la nuit !

Mon caractère harmonieux m'interdisait une décision brutale, tout était si bien comme ça ! Ça aurait pu durer des lustres si...

Un jour, Sacha, qui ignorait tout de mon faible pour Jacques, me dit fou de joie qu'il partait en tournée chanter *Scoubidou* et le reste ! Il ne s'inquiétait absolument pas de me laisser seule à la Paul Doumer, fatiguée et triste ! Il ne pensait qu'à sa tournée avec tout son état-major, à la gloire, quoi !

Tout à coup, la Star du couple c'était lui !

Lui avec ses contrats, ses musiciens, son brain-trust, son public-relation. S'il avait su à cette époque que son premier public-relation c'était moi... Il ne s'en aperçut que trop tard, quand tout retomba, à zéro, ou presque ! D'autres firent la même erreur.

Si j'en parle avec autant d'assurance, c'est que la vie m'a, hélas pour eux, prouvé à plusieurs reprises que c'était vrai ! Les hommes qui ont partagé ma vie ont tous eu leur moment de gloire, qu'ils aient été chanteurs, acteurs, play-boys, peintres ou sculpteurs. Ils ont tous cru que cette gloire n'était due qu'à eux seuls et ont été cruellement déçus en s'apercevant qu'elle allait auréoler leur successeur, les abandonnant à leur triste réalité. Je ne parle pas de Sacha, qui a su maintenir à force d'acharnement et de travail, une renommée acquise peut-être trop facilement, mais son cas est exceptionnel, et mérite l'estime que l'on doit au courage.

Bref, Sacha partait et je n'aimais toujours pas me retrouver seule le soir. Alain Carré, mon complice, me suggéra de préparer un petit dîner pour Jacques et moi.

Quelle bonne idée !

Pourtant, tout à la maison reniflait l'odeur de Sacha et la brusque arrivée de Jacques me la fit ressentir davantage. Le champagne, la musique, les bougies, la douceur du feu de bois aidant, je finis par m'endormir dans ses bras, sous l'œil rassuré de Clown et Guapa.

C'est le premier pas qui compte !

Il était franchi et pourquoi ne pas recommencer les soirs suivants ?

Pourtant j'étais inquiète ! Sacha me téléphonait à n'importe quelle heure. Je me précipitais au salon lorsque j'étais dans la chambre, ou dans la chambre quand Jacques et moi étions au salon, pour pouvoir parler librement. Mais mon ton n'était pas naturel, je me sentais fautive, mes « Je t'aime » étaient furtifs, j'avais peur que Jacques écoute ou surprenne ma conversation. Un jour, il m'obligea à répondre au téléphone devant lui, ne comprenant pas cette comédie ridicule et croyant que j'avais rompu avec Sacha depuis belle lurette.

C'était bien fait pour moi.

Je le lui avais plus ou moins laissé croire. La situation devenait extrêmement tendue. Jacques ne plaisantait pas, il m'aimait, voulait m'épouser et ne supporterait pas plus longtemps ce partage qui n'en était pas un. Quant à Sacha, il me trouvait bizarre mais pensait que son absence m'avait déprimée. D'autre part, le succès qu'il remportait alimentait la conversation qui roulait plus sur lui que sur moi, ce qui m'arrangeait. Ma petite organisation aurait pu encore durer cahin-caha pas mal de temps si...

Un soir où j'étais tranquillement couchée auprès de Jacques à la Paul Doumer, j'entendis arriver l'ascenseur.

Qui pouvait bien arriver à 1 heure du matin ?

Je ne fis qu'un bond jusqu'à la porte de ma chambre que je fermai à clef, au moment même où j'entendais s'ouvrir celle de l'entrée. Puis la voix de Sacha qui criait « Hou ! Hou ! c'est moi, je te fais une surprise » ! Je restai glacée d'effroi, ne sachant plus ni que faire, ni que dire. Ma chambre était une véritable souricière !

Aucun moyen d'en sortir si ce n'est en sautant par la fenêtre du 7e étage !

Jacques, éberlué, enfilait son pantalon en vitesse, pensant qu'un bon cassage de gueule allait clarifier une fois pour toutes une situation qu'il souhaitait nette et précise !

Pendant ce temps, Sacha de l'autre côté secouait la porte ne comprenant pas pourquoi je n'ouvrais pas et ne disais rien. Je serrais ma clef dans ma main, comme si la force que je mettais à la garder au fond de ma paume avait pu me faire disparaître comme dans les contes de fées. Ils se parlaient, Sacha et lui, à travers la porte, tapant chacun de son côté sur cette malheureuse, s'injuriant mutuellement et se promettant coups et blessures, mort et mille morts !

Jacques voulut me prendre la clef.

N'étant pas assez forte pour lui résister, j'ouvris la fenêtre et la laissai tomber dans la rue, sept étages au-dessous !

Adieu petite clef !

J'avais l'impression de vivre une espèce de cauchemar comme lorsqu'on est cloué au sol et que l'on souhaite se réveiller à tout prix. Jacques et moi étions enfermés à double tour, Sacha hurlait dans l'entrée, les chiens aboyaient, je pleurais, il y avait un charivari, un tintamarre monstre. Je finis par prendre la parole, conjurant Sacha de se calmer et de s'en aller, suppliant Jacques de ne plus insulter Sacha, leur expliquant que j'avais jeté la clef par la fenêtre, et que pour ce soir, nous n'avions plus aucune chance de pouvoir nous rencontrer pour une explication.

Sacha finit par partir avec force claquements de portes.

Puis le calme revint !

Nous étions livides, hébétés, à bout de nerfs.

J'eus envie de boire un coup de cognac cul sec, mais la foutue porte était fermée. Comment faire pour sortir ? Appeler la concierge !

A 2 heures du matin, j'appelai Madame Archambaud, ma gentille gardienne. Je lui demandai de sortir dans la rue avec une lampe électrique et d'essayer de récupérer la clef de ma chambre, que j'avais par inadvertance et maladresse, laissée tomber par la fenêtre.

Elle a dû me prendre pour une folle !

Mais un quart d'heure plus tard, elle apportait la clef et nous libérait enfin.

La rupture se fit malgré moi et l'harmonie que j'aime tant fit place pendant quelques jours à un drame latent.

J'arrivais au tournage les yeux rouges, n'ayant pas dormi de la nuit, Sacha... Jacques, Jacques... Sacha, je devenais folle, jalousie de l'un, de l'autre, suspicion, vérifications. Ah ! si j'avais pu en trouver un troisième !

Quand Sacha eut définitivement déménagé,

j'éprouvai subitement une atroce impression de vide et d'abandon. J'avais du chagrin.

Quant à Jacques, se souvenant de la fameuse nuit du drame, il refusa de venir dormir de nouveau à la Paul Doumer. Il loua un meublé minable, triste, moche, lugubre et sale et décréta que, dorénavant, nous passerions là nos nuits d'amour.

Les bras m'en tombèrent ! !

Moi qui aime tant ma maison, mon trou, mes habitudes, mes objets, mon confort douillet, mon petit déjeuner au lit avec un joli napperon et une rose sur le plateau... et mes chiens et Alain et la bonne ? Je n'allais pas après une journée de travail crevante, rentrer dans un gourbi sans confort pour le seul plaisir de passer une nuit auprès d'un type dont au fond je me fichais comme d'une guigne !

Ah ! je m'étais mise dans un beau pétrin.

Il y eut une période de tirage entre Jacques et moi, chacun restant sur ses positions. Je lui proposais des soirées douces et confortables qu'il refusait, me proposant à son tour de passer au drugstore acheter deux croque-monsieur et deux bières et d'aller camper chez lui, du côté de la rue Legendre. Quel quartier !

Et puis les photographes qui ne me lâchaient plus, ayant entendu des rumeurs de rupture avec Sacha, reniflaient une idylle entre Jacques et moi. Nous devions être extrêmement prudents. Je rentrais donc le soir seule chez moi, poursuivie par une meute de paparazzi ! Maguy vint habiter quelque temps avec moi, c'était moins triste. Jacques passait ses nuits à me téléphoner, adorable, séduisant, enjôleur, possessif, amoureux, quel charme il avait même au téléphone ! Il fit tant et si bien que je cédai et allai dormir une nuit chez lui avec des ruses de Sioux pour semer les photographes colle-bonbon.

Ah ! ce n'était pas les Mille et Une Nuits !

Mais Jacques était attendrissant. Il avait préparé un petit dîner aux chandelles, par terre car il n'y avait pas de table. Il y avait des draps dans le lit, mais pas d'oreiller. Quant à la baignoire, elle était hors d'usage, seule la douche fonctionnait, et encore. Plus le jet était faible, plus l'eau était chaude. Il n'y avait ni volets, ni rideaux aux fenêtres et je mis des heures, en me tournant dans le lit, à essayer de trouver le sommeil. J'avais juste la lumière du bec de gaz en plein dans la figure, nous étions au premier étage.

On dit qu'une femme est le reflet de ce qu'un homme fait d'elle !

Je me demande de quel reflet je pouvais avoir l'air le lendemain matin en arrivant au studio, mais mes filles poussaient des exclamations en voyant ma mine avachie et tristounette. J'avais, d'après elles, été malade ou alors j'allais l'être, mais jamais elles ne me crurent quand je leur dis « Ma nuit chez Jacques ». J'ai toujours détesté le côté étudiant, bohème, douteux dont certains jeunes gens ou jeunes filles raffolent. Or, Jacques, qui avait deux ans de moins que moi et que je considérais comme un gamin charmant, se complaisait dans le camping rudimentaire. Après deux ou trois expériences du même ordre qui prouvèrent ma bonne volonté, mais me laissèrent dans des états physiques et moraux pitoyables, je décidai d'en finir.

C'était un peu fort, Maguy ma doublure et amie, menait à la Paul Doumer avec Alain une vie de princesse. Champagne, petits dîners servis par la bonne, linge lavé et repassé, bains chauds, ménage fait, et moi pendant ce temps, après avoir trimé tout le jour, j'arrivais exténuée dans un appartement où il me fallait faire la vaisselle de la veille, le lit et le ménage, réchauffer le dîner tout prêt. La bière me faisait gonfler et les sempiternels croque-monsieur me faisaient grossir ! Quant au linge sale de Jacques, il m'apparaissait comme un tue-l'amour des plus flagrants.

J'avais beau me dire qu'en me lavant les mains, par la même occasion, je pouvais lui donner un petit coup à son tee-shirt, à ses chaussettes et ses slips, le romantisme de tout ça m'échappait. Et puis si je n'avais pas pu faire autrement, sûrement je m'en serais accommodée, mais j'avais les moyens de vivre agréablement.

Alors pourquoi choisir le pire ?

Uniquement parce qu'un homme décrétait que c'était lui qui commandait !

Je me mis à regretter Sacha.

Les plateaux de la Balance que je suis oscillaient dangereusement. Je savais que je n'avais qu'à claquer dans mes doigts pour récupérer Sacha. Mais d'autre part, ça n'était pas non plus « *my cup of tea* » comme disent les Anglais. Et puis je déteste la soupe réchauffée, je n'y crois pas et n'ai jamais recommencé ou repris un amour fini, de ma vie !

Patatras ! les journaux à scandale titraient sur mon nouvel amour avec le jeune premier, si beau, si patati, si patata... Nous avions été piégés deux ou trois fois dans l'entrée de la Paul Doumer ou dans sa voiture, les photos du film illustrant le reste... ! Sacha, en photo dans un coin du journal, la mine décrépite, jouait le rôle de l'amoureux transi, bafoué, mais il gardait néanmoins toute sa dignité.

Jacques avait celui du séducteur, de l'amant irrésistible !

Et moi, j'étais la salope, l'infâme, la putain, celle qui prend et qui jette, la mante religieuse, la bouffeuse d'hommes, la profiteuse !

Ah ! s'ils avaient su ces pauvres imbéciles que je lavais les chaussettes du séducteur dans de l'eau froide, et que je balayais des planchers poussiéreux, au lieu de me rouler dans le stupre et la luxure... !

Cette image déformée de mon vrai moi, qui a toujours été jetée en pâture au public, m'a exaspérée au plus haut point. Je n'étais ni plus ni moins salope que quiconque, ma vie a toujours été simple, « *je vivais comme tout le monde en étant comme personne* », comme disait Cocteau. Mais, il se projetait de moi une image démesurément fausse, qui ne montrait qu'une face de la médaille et cachait l'autre.

La chasse à ma vie privée était rouverte.

Tous les coups étaient permis !

J'étais redevenue gibier dans un monde de chasseurs sans aucun scrupule. Le moindre de mes faits et gestes était épié, décortiqué, photographié au téléobjectif, sali, abîmé, ridiculisé par des chroniqueurs comme Bouvard ou Edgar Schneider.

Un jour, je croisai papa en bas de mon immeuble qui venait m'apporter une rose. C'était rituel chez papa, il me prouvait sa tendresse en déposant régulièrement une rose « rose » avec un petit mot charmant chez ma concierge.

Or, ce jour-là, bien que sachant que j'étais traquée par des photographes planqués dans des voitures ou cachés sous les porches des immeubles d'en face, je pris le temps d'embrasser tendrement mon papa, je le remerciai pour la rose et lui proposai de monter à la maison, mais il refusa ne voulant pas me « déranger ».

Quelques jours plus tard, j'eus la triste surprise de voir une des photos prises ce jour-là, paraître dans un journal style *Minute* où la légende disait à peu près ceci : « *Elle ne se contente plus de séduire les jeunes gens en série mais essaye maintenant son pouvoir sur les hommes plus que mûrs, comme en témoigne la photo ci-dessus.* »

Je ressentis une rage froide, une impuissance terrible, que pouvais-je faire ? Un démenti qui paraîtrait une semaine plus tard, alors que tout le monde aurait déjà oublié, sauf moi bien entendu !

« C'est mettre de l'huile sur le feu ! » me dit mon avocat.

Ah ! comme j'aurais voulu être un homme, avoir la force physique nécessaire pour casser la gueule de ce sale « jean-foutre », de cet abruti de journaliste, de ce lâche anonyme !

Je me souviens lorsque j'étais très jeune, 16 ans à peu près, un sale type nommé Richard Balducci avait écrit une horreur sur la vie privée de l'acteur Georges Marchal.

Celui-ci, après avoir découpé l'article avait coincé Balducci à la sortie de son journal et lui avait demandé ce qu'il en pensait. L'autre, arrogant, sûr de lui, avait répondu : « Mais c'est bon, très bon ! » « Très bon ? » lui dit Georges Marchal : « Si c'est si bon que ça, tu vas le manger ton torchon. » Et il lui avait fait avaler l'article du journal !

Bravo Georges Marchal, quelle chance vous avez eue de pouvoir humilier pareillement un salaud qui vous avait sali. Mais voilà, je n'étais pas Georges Marchal et j'ai souvent maudit ma condition féminine. Tout ça me perturbait terriblement. J'étais sans arrêt sur le « qui-vive », traquée, n'osant plus rien faire en dehors des allers et retours au studio.

J'étais recluse, prisonnière de moi-même. Pourquoi ?

Jacques avait compris cet état de fait et ne me demandait plus de venir dormir chez lui, nous aurions été cernés comme dans une souricière. Il me rejoignait parfois au milieu de la nuit, en passant par l'escalier de service qui donnait dans une rue opposée à l'avenue Paul-Doumer. Il repartait à l'aube en suivant le même chemin ! C'était pratique !

Ah ! vraiment l'amour n'est agréable qu'au grand jour. Toutes ces ruses, ces complots finissent par user les meilleures volontés et les plus grandes passions.

Pour comble de malheur, Maguy tomba malade. Une crise d'appendicite.

Le dimanche suivant, je décidai d'aller passer la journée près d'elle à la clinique, non loin de chez moi. J'arrivai à l'heure du déjeuner et pris l'ascenseur avec une fille de salle qui portait un plateau à un malade. Nous étions seules et l'ascenseur était extrêmement lent. Elle me dévisageait méchamment. Je ressentis une angoisse étrange. J'eus peur !

Tout à coup, elle éclata !

« C'est bien vous hein ! Espèce de salope, ordure, fille de rien, vous prenez tous les hommes aux pauvres femmes comme nous ! Ah ! j'ai bien envie de vous défigurer, de vous crever les yeux ! »

Alors elle s'empara de la fourchette et fonça sur moi.

Je hurlai et n'eus que le temps de me protéger le visage avec mes bras, la fourchette se ficha dans la manche de mon manteau. J'envoyais des coups de pied, ne voulant pas risquer de mettre ma figure à nu. Je sentais son haleine tout contre mes cheveux, elle continuait de m'insulter, de me griffer avec sa main libre, la fourchette était toujours prise dans les mailles du tissu de ma manche.

J'avais l'impression que cela avait duré un siècle !

Arrivée au 4ᵉ étage, je sortis enfin, hagarde, plus morte que vive, pour m'effondrer au pied d'une infirmière tandis que l'ascenseur avait repris son lent chemin vers le 5ᵉ. Je racontai mon histoire au directeur, j'avais la fourchette comme pièce à conviction, je demandais que l'on recherche la fille de salle, j'étais dans un état de nerfs effroyable, je pleurais, je criais ; il fallut m'administrer un sédatif.

On n'a jamais retrouvé la femme qui m'avait attaquée dans l'ascenseur, son signalement ne correspondait à aucune des employées de l'établissement. Quant au plateau du déjeuner, il y avait déjà une heure que tous les repas avaient été donnés, et en plus, au 5ᵉ étage, il n'y avait que les salles d'opération et aucune chambre de malade !

Pourtant cette anecdote épouvantable m'est arrivée au mois d'avril 1959 à la clinique de Passy, rue Nicolo.

Louis Malle dans *Vie privée* a repris la scène différemment, elle se passe dans l'ascenseur hydraulique de mon immeuble avec une femme de ménage au petit matin. La fourchette est remplacée par un balai, mais le symbole de l'agression représentée reste le même.

*
**

Papa et maman étaient effarés par la tournure que prenaient les événements. Ils étaient toujours en retard d'un amant. Me croyant avec Sacha, ils me découvraient avec Jacques en lisant leur journal habituel ou en écoutant les ragots de leur concierge, de leurs amis.

Cela dit, ils n'étaient pas mécontents du changement, Sacha ne leur ayant jamais vraiment plu ! Maman trouvait qu'il profitait un peu trop de la situation. Jacques avait ce bon genre de fils de famille française qui les séduisit immédiatement. « Marie-toi dans ta rue », m'avait toujours dit maman qui avait déploré mon mariage avec Vadim, me voyait mal partie avec Jean-Louis d'origine trop modeste, regrettait la religion différente que j'avais avec Sacha, mais approuvait à première vue mon idylle avec Jacques. Le mariage, ils n'avaient que ce mot à la bouche, mais il n'en était pas question !

Pourtant j'étais très mal dans ma peau. Si mal qu'un jour, le 22 avril 1959, Jacques me prit entre quatre z'yeux et me déclara que j'avais besoin d'avoir un enfant. Il me le dit très sérieusement, très gravement, très profondément !

Un enfant ? Mais il était fou !

Non. Un enfant m'équilibrerait, m'apporterait la sécurité, la force, la tendresse, l'amour dont j'avais tant besoin. J'aurais un enfant à moi, qui serait ma vie, mon Dieu, ma chair, tout le reste me paraîtrait dérisoire, stupide, inutile. Lui, Jacques, m'aimait follement, voulait mon bonheur, me voulait pour femme et voulait un enfant de moi. Je pleurais, je voulais tant le bonheur, je voulais tant la paix, l'équilibre. Je rêvais d'une vie douce et normale. Je m'accrochai à Jacques.

Je voulais le croire. Je le crus !

Il me fit cet enfant ce jour-là avec tout l'amour du

299

monde, toute la force que donnent la passion de la jeunesse et l'inconscience de l'immaturité. Quand cette folie hors du temps fut apaisée et que je repris mes esprits, je me dégageai de lui pour foncer tête baissée à la salle de bains. Mais il m'en empêcha ! Il était même furieux que j'aie eu ce geste. J'étais redevenue lucide et je ne voulais pas d'enfant !

Mon Dieu, surtout pas !

Je me débattais comme un diable dans un bénitier. Les idées qui passaient dans ma tête à 100 km à l'heure me rendaient folle. J'étais au milieu du cycle, juste au moment dangereux. J'arrivai à me dégager mais Jacques, plus rapide, me barrait la porte de la salle de bains !

C'était trop tard, je ne pouvais plus rien faire.

Folle, j'allais devenir folle, ou je l'étais déjà.

Ma vie était déjà si compliquée, s'il me fallait tout assumer seule, avec un enfant par-dessus le marché, ce serait du joli. Et puis Jacques était bien gentil mais je ne serais pas morte d'amour pour lui, on n'a pas un enfant avec quelqu'un parce qu'il est bien gentil. Je fis contre mauvaise fortune bon cœur, croisant très fort les doigts derrière mon dos, croyant au miracle, essayant de ne plus y penser, puisqu'il n'y avait plus rien à faire qu'à attendre.

Quand je dis plus rien à faire, je plaisante.

Le tournage de *Babette* battait son plein. Nous devions partir pour Sète tourner les extérieurs. Je n'ai jamais été aussi casse-cou de ma vie. Et je te monte à cheval et je te grimpe sur l'avion, et je te dégringole du parachute et je te saute les murs, et je te tombe à plat ventre par-ci et par-là. J'étais crevée. Mais si moi j'étais crevée, le fœtus informe que j'avais peut-être dans le ventre ne devait pas en mener large non plus. J'allais sûrement l'avoir à l'usure, à cet âge-là on n'est pas très résistant.

Jacques était adorable avec moi. Il y avait du soleil et j'aimais le soir aller dîner dans un de ces fameux bistrots du port, où l'on déguste des coquillages en regardant les petits bateaux de pêche multicolores qui ressemblent à des jouets d'enfants.

Jacques m'emmena à Montpellier pour me présenter au colonel et à Madame Charrier. Je découvris une famille nombreuse très unie et sympathique qui m'accueillit avec une certaine réserve.

J'étais à la fois une star scandaleuse, une jeune femme de bonne famille et la partenaire de Jacques dans *Babette*. Rien de plus n'étant encore envisagé pour le quart d'heure.

Rentrée à Paris, l'angoisse ne me quitta plus.

J'avais beau scruter mon calendrier, compter les jours à l'endroit ou à l'envers, épier tous les indices, telle sœur Anne, je ne voyais rien venir. Quand je repense à la panique que j'éprouvais à cette époque, je trouve que les femmes d'aujourd'hui ont une chance folle d'avoir à leur disposition tous les moyens contraceptifs actuels. Sans parler de l'avortement légal.

Faire l'amour devient un plaisir !

C'est le don total de soi, c'est le partage absolu des sens, des fantasmes, du cœur, de l'esprit. C'est un moment qui doit être infini, c'est le bonheur à l'état pur, la tendresse sans pudeur. L'aboutissement, la communion totale, la détente absolue. Mais à l'époque, tout ce qui aurait pu être si beau était perpétuellement gâché par la peur de l'accident. Je ne pensais qu'à me transformer en Zatopek pour courir à la salle de bains où l'eau glacée envahissait brutalement mon corps alangui. Je trouvais que tout ça manquait totalement de poésie et d'humanité. Maintenant que la pilule pourrait permettre à la réelle beauté de l'amour de s'épanouir, il y a ce retour de bâton que donne aussi le fait de ne plus rien craindre.

Les couples « baisent » en copains, « tirent un coup » entre deux séances de ciné. Les filles n'y attachent plus aucune importance, elles sont devenues les égales des hommes. On donne son corps comme on fumerait une cigarette. C'est dommage ! Cela manque aussi totalement de poésie et d'humanité.

Pour l'heure, qu'allais-je devenir ?

Je me souvenais avec terreur de la triste expérience de mon dernier avortement. Et puis en juillet, je devais tourner *Voulez-vous danser avec moi ?* J'avais signé le contrat depuis au moins deux ans ! Francis Cosne le producteur de *Une Parisienne* avait décidé de refaire un film avec Michel Boisrond, qui réunirait à nouveau le couple Henri Vidal-Brigitte Bardot que le public adorait.

J'étais littéralement affolée.

Pourquoi étais-je si effrayée par l'idée d'avoir un enfant ?

C'est une question qui restera toute ma vie sans réponse. Je me la suis souvent posée. Je ne suis pas un monstre, loin de là ! J'aime les animaux, leur vulnérabilité, leur dépendance, leur côté « enfant ». J'aime réchauffer le cœur et l'âme de ceux qui sont dans la détresse, dans la solitude, dans la souffrance. Je prends en charge, je suis responsable de gens âgés, de gens malades. Alors ? Pourquoi ce refus viscéral de la maternité ?

Peut-être parce que ayant moi-même trop besoin d'un appui solide que je n'avais pas trouvé, je me sentais incapable d'être à mon tour une racine pour un être qui dépendrait de moi toute sa vie.

Toujours est-il que ce fut la panique au studio lorsque j'annonçai à mes filles ma semaine de retard. Pauvre Babette que je devais faire vivre à travers tant d'angoisses ! Pourtant, il fallait bien le terminer ce film, gai, charmant !

Et en avant les piqûres de *Prostygmine Roche* qui donnent des contractions, abrègent les retards qui ne sont pas irréversibles, viennent à bout des ébauches mal fixées et des faiblesses de constitution. Tout cela en cachette de Jacques qui m'aurait tuée s'il l'avait appris. Malgré les doubles doses qui me tordaient les entrailles et me faisaient me trouver mal entre chaque plan, il ne se passait rien. Je ne fais jamais les choses à moitié, et rien en moi ne lâche prise à aucune attaque !

J'appelai Christine au secours !

Elle était effondrée, mais connaissait un gynécologue qui pourrait peut-être m'aider ! J'allai voir maman en désespoir de cause, ne sachant plus à quel saint me vouer. Elle aussi me conseilla un gynécologue mais uniquement pour s'assurer de la situation. Il était inutile de me mettre dans des états pareils tant que je ne serais pas sûre d'être enceinte ! Après le studio, en cachette de Jacques, je courais les cabinets médicaux !

Ils étaient tous formels !

J'attendais un enfant.

Je n'aimais pas assez Jacques pour envisager de faire ma vie avec lui. Mais je ne voulais absolument rien casser entre lui et moi ayant trop peur de me retrouver seule et fille-mère, ce qui aurait été un scandale sans précédent. Jacques ne savait toujours rien et j'étais bien décidée à tout tenter pour interrompre cette grossesse avant de lui dire quoi que ce soit. Je jouais auprès de lui une comédie d'insouciance charmante, après avoir joué dans la journée une comédie de bande dessinée, alors que j'avais le cœur si lourd de désespoir !

Je vis des faiseurs d'anges et des faiseurs de démons, des sages-femmes qui n'avaient de sage que le nom ! Je proposai des sommes fabuleuses à des médecins plus ou moins véreux !

Personne, absolument personne ne voulait prendre le risque de faire avorter « Brigitte Bardot », vedette illustrissime au sommet d'une gloire internationale, qui aurait ruiné la vie de celui ou de celle qui par malchance aurait pu être l'auteur d'un accident involontaire.

Jean-Claude Simon, mon ami de longue date, avec qui j'avais passé des moments de folle gaieté à Séville, lors du tournage de *La Femme et le Pantin*, avait une petite amie suisse, Mercédès, qui connaissait à Genève un médecin qui aurait fait les choses au mieux ! Mais comment aller à Genève sans éveiller les soupçons de Jacques ? A Paris, j'aurais pu avoir un accident... une fausse couche est si vite arrivée... mais à Genève ! J'essayai bien de dire à Jacques que Jean-Claude avait prévu de me faire monter une société cinématographique en co-production avec une société suisse, que je devais m'y rendre d'urgence pour discuter des détails, mais Jacques voulait m'y accompagner de peur que je ne me fasse rouler. Il ne m'aurait pas quittée d'une semelle !

Il était temps que la guerre de *Babette* s'arrête car la mienne commençait.

Je me mis à vomir ! Chaque cigarette me rendait malade, l'odeur du fond de teint me donnait des haut-le-cœur, les effluves de cuisine la nausée.

Jacques fut fou de joie en apprenant la merveilleuse nouvelle.

Son bonheur m'éclaboussa, après tout il avait peut-être raison !

C'était beau d'avoir un enfant !

J'ai toujours été en perpétuelle contradiction avec moi-même, d'où mes hésitations, ma terreur des décisions, mon angoisse au moment d'un choix. Par contre, je suis extrêmement énergique, je sais ce que je veux dans la vie, je ne tergiverse jamais devant un risque à prendre, je le prends ! Drôle de caractère, pas facile à vivre, ni pour les autres, ni pour moi-même. Ne pouvant jamais m'appuyer de tout mon poids sur une épaule solide, ballottée de-ci, de-là, j'ai toujours été et je suis encore dépendante de la main qui se tend vers moi au moment où je me noie.

Cette main, j'allais la donner pour le meilleur et pour le pire encore une fois, sachant que ce ne serait pas pour toujours. Je la donnais sincèrement, tristement, fatalement pour sauver l'honneur.

L'honneur qui ressemble à deux lettres près à

l'horreur ! L'honneur qui ne représente plus rien et qui m'a été inculqué toute mon enfance. Mot dérisoire, démodé, mais qui en 1959 avait encore l'éclat qui précède la disparition, la désintégration, l'oubli !

Le sens de l'*honneur* ! La Légion d'*honneur* !

La parole d'*honneur* ! Le serment sur l'*honneur* !

Que de choses qui furent et ne sont plus !

L'honneur qui à deux lettres près ressemble aussi au bonheur, je crois qu'on le porte en soi un peu comme une religion. Pour préserver l'honneur de la famille, je devais me marier et vite !!! Ce n'était pas si simple, car pour toute union la mairie doit publier les bans deux semaines auparavant. Si nous le faisions, c'était l'appel à la presse mondiale, le charivari, le tohu-bohu infernal, il fallait une dispense de bans et une discrétion absolue.

Les parents de Jacques et les miens essayèrent désespérément d'attendrir les municipalités de Montpellier, de Paris (XVIe arrondissement), de Saint-Tropez et de Louveciennes. Nous devions nous marier à un endroit où nous étions nous ou notre famille domiciliés !

A force de dons pour la commune, l'asile des vieux, le syndicat de ceci, l'école de cela, papa finit par convaincre le maire de Louveciennes !

Ce fut dingue de dons.

Ding ! Deng ! Dong !

Surtout ne prévenir personne.

Bien sûr !

Juste les parents c'est tout.

Evidemment !

Ne pas rester ici, ne revenir que la veille et nous marier en vitesse, en cachette le 18 juin 1959.

Mais bien sûr !

En attendant nous voilà partis pour Saint-Tropez.

Je délaissais La Madrague, n'ayant plus la force, ni le courage de faire marcher une maison pleine de souvenirs si présents, si différents de ce que j'étais devenue. Nous allâmes nous installer dans la petite maison de pêcheurs de papa et maman.

Entre deux vomissements, je voyais passer Mijanou et Sacha Distel tendrement enlacés dans la voiture décapotable de Sacha, juste sous la terrasse de la maison, ils nous appelaient et nous envoyaient des petits baisers !

J'étais écœurée, dans tous les sens du mot !

Il y a quand même assez d'hommes sur les places de France et de Navarre pour ne pas aller séduire mon dernier amant en date lorsqu'on est ma sœur !

Voilà encore où va se nicher l'honneur !

Je n'ai jamais de ma vie pris l'amant ou le mari d'une amie ou d'une copine, encore moins de ma sœur. Cet étalage me rendait malade.

Jacques faisait des allers-retours entre Paris et Saint-Tropez. Il devait bientôt commencer un film avec Alain Delon et Marie Laforêt, *Plein Soleil*, sous la direction de René Clément. C'était une belle histoire un peu policière, un peu d'amour, qui se passait sur un bateau, entre la France et l'Italie !

Pendant ce temps, moi, je devais tourner *Voulez-vous danser avec moi ?* aux studios de La Victorine à Nice ! Quel métier que celui d'acteur, nous n'allions pas nous voir beaucoup ! Je pleurais seule le soir dans mon lit dans cette jolie et douce maison qui était celle de ma famille. Dada, ma Dada était là, dans ses fourneaux, essayant de me faire des petits plats alléchants. Je ne supportais que les pâtes !

Mamie, veuve depuis l'année dernière, adoptée complètement par maman, cousait ou tricotait à longueur de journée, n'ayant qu'une peur c'est que je ne prenne froid, ou ne fournisse un effort trop grand qui m'aurait fait perdre mon bébé. Grâce à ma stupidité, Mamie allait être arrière-grand-mère et elle m'en vouait une reconnaissance éternelle. Maman par contre allait prendre un sacré coup de vieux en devenant grand-mère à 47 ans !

Quant à papa qui traversait la vie « une rose à la

main », il trouvait très joli d'avoir un petit enfant à qui il pourrait lire ses poèmes et raconter encore les histoires de *Madame la pie*.

Lucide et cartésienne, j'analysais l'avenir d'un œil froid. La Paul Doumer serait trop petite avec un enfant ! Il allait falloir déménager et engager une nurse, une fille formidable qui saurait me remplacer complètement. Où trouver cet oiseau rare ?

D'autre part, pendant le film que j'allais tourner, je deviendrais grosse, ça se verrait, comment allais-je m'en sortir ? Quel docteur allais-je choisir pour l'accouchement ? Et où irais-je accoucher, traquée comme je l'étais par la presse mondiale ?

Et puis surtout ma vie ne faisait que commencer, je ne voulais pas être prisonnière d'un enfant et d'un mari que je n'aimais pas assez ! Quel est l'homme qui me prendrait plus tard avec un enfant à charge ? Je n'étais pas encore mariée que déjà je pensais à une autre vie avec un autre homme...

Pendant ce temps, Jacques à Paris enregistrait un joli disque 45 tours, quatre chansons d'amour, ravissantes, qu'il me dédiait de tout son cœur. Décidément, dès qu'un homme m'approchait, je le faisais chanter, ça devenait une habitude déplorable. Ce n'est pas en fredonnant des conneries qu'on allait pouvoir assurer matériellement la venue au monde d'un enfant. C'est encore moi qui devrais gérer tout le quotidien de cet événement si peu désiré. Mais qu'avais-je fait au Bon Dieu pour mériter une pareille punition ? J'avais eu une vie fabuleuse, j'avais rendu des hommes malheureux, j'avais fait ce que j'avais eu envie de faire, insolente envers la société.

Maintenant je payais la facture et quelle facture !!!

De la fenêtre de ma chambre, au premier étage de la petite maison, je guettais derrière les volets entre-bâillés la présence des photographes planqués tout au long de la ruelle tortueuse qu'était la rue Miséricorde. Je les voyais qui m'attendaient cachés derrière une voiture, un volet de garage, au coin de la rue, derrière un mur. Il y en avait même sur le toit de la petite maison d'en face, allongés sur les tuiles romaines, cachés par le bougainvillier. Tous les télé-objectifs ressemblaient à des bazookas, à des armes de guerre, ils étaient là, tous braqués sur moi afin que le moindre de mes gestes fasse la « une » des journaux du monde.

Je n'osais plus sortir.

Je devins dépressive !

Il faisait si beau, j'aurais eu envie de me baigner, de courir au soleil, de profiter de tout ce que ce village merveilleux et encore préservé pouvait m'offrir et j'étais là, à 24 ans, cachée dans une maison aux volets clos, comptant les heures sur mes doigts entre ma grand-mère, Dada et maman.

Les Tropéziens, les vrais, sont des gens formidables !

Lorsqu'ils apprirent par maman la séquestration que je subissais de force à cause des photographes, ils les chassèrent eux-mêmes du village avec en tête, Félix de l'Escale, Félix de Tahiti, François de l'Esquinade, Gaby que j'avais connu avec Jicky, Augustin le maçon, Marguerite la voisine qui lavait le linge, la crémière, le marchand de poisson, Marcel le pêcheur, etc. On aurait dit les santons de la crèche en révolution pour protéger leur petit Jésus.

Merci à eux de tout mon cœur !

Grâce à ce beau ménage, je pus enfin vivre à peu près normalement jusqu'au 17 juin où nous partîmes tous pour Louveciennes, par petits groupes pour ne pas attirer l'attention.

XIV

Je me marie demain, c'est aujourd'hui la fête, voilà que j'ai envie de reprendre ma main... comme disait la chanson !

La maison de Louveciennes ressemblait à une grande ruche silencieuse. Nous n'osions pas parler trop fort de peur qu'on ne nous entende dans la rue. Les parents de Jacques, les miens, Mamie, Dada, Mijanou, Alain, Clown et Guapa, nous étions au complet.

Le matin très tôt papa alla à la mairie voir si tout allait bien. Le pauvre homme tomba sur 200 photographes et journalistes de tous les pays ! Il revint blanc comme un linge, catastrophé, nous annoncer la nouvelle. Le maire, ce salaud, avait accepté de ne pas publier les bans en échange de sérieuses compensations, mais avait dû monnayer à prix d'or une information qu'il était le seul à connaître à part la famille.

Nous étions mis devant le fait accompli.

Ou nous ne nous mariions pas...

Ou nous nous mariions mais dans quelles conditions...

J'essayais de réfléchir entre deux allers-retours à la salle de bains. Mon cœur se soulevait au sens propre et au figuré. L'humanité était véritablement une pourriture ! Maman m'entraîna dans sa chambre : « Brigitte que décides-tu ? Te sens-tu le courage d'affronter tout ce remue-ménage ?

— Non, maman, je préfère rester ici tranquille, je n'en peux plus. »

Maman fut mon porte-parole et l'annonça aux autres.

Jacques monta me voir, super énervé, j'étais allongée sur le lit de maman. « Tu ne peux pas faire encore un caprice le jour de ton mariage ? Mes parents sont là, je suis là, tout le monde t'attend, tu ne peux pas ne pas venir, je t'aime, je t'aime.

— Je peux faire ce que je veux, et je ne veux pas, c'est tout !

— Brigitte, apprends à prendre sur toi, ne te laisse pas uniquement guider par ton instinct, sois adulte, courageuse, va au bout de tes désirs !

— Mes désirs ?... »

Et vlan ! je disparaissais dans la salle de bains. La tête au fond du lavabo, je réfléchissais. Si je ne me mariais pas aujourd'hui, je ne me marierais jamais avec Jacques, je serais donc fille-mère. Or, ce que je voulais c'était un appui, un homme, un mari, non un enfant pour moi toute seule... J'en étais au deuxième mois, si je n'avais pas pu me faire avorter le premier mois, il n'en était pas question le deuxième, alors ?

Alors, quand il faut y aller, faut y aller ! J'y allai !

Pauvre papa qui avait cru m'amener à son bras jusqu'à Monsieur le maire. Ce fut un pugilat sans précédent ! Nous avons dû nous frayer un chemin à coups de poing et de pied au milieu d'un mur de photographes.

Ils étaient montés sur les tables, avaient envahi la salle de mairie, bousculé les chaises, les fauteuils des mariés, même le buste de Marianne était tombé par terre. Je pleurais, enfouissant mon visage dans l'épaule de Jacques qui comprenait mais trop tard, son erreur ! Lorsque les photos parurent dans la presse, la légende disait que je le serrais contre mon cœur au moment du « oui » traditionnel et que l'émotion m'avait terrassée.

Aidé du colonel Charrier, papa reprit son autorité de capitaine du 155e régiment d'infanterie alpine. Ils déclarèrent que si tous les photographes ne quittaient pas immédiatement et sans délai, la salle des mariages, eh bien ! il n'y aurait pas de cérémonie ; que nous n'étions pas au cirque, ni à la Foire du Trône, mais que nous allions célébrer un mariage, chose sérieuse entre toutes, et que nous avions le droit de le faire dans le calme et le respect que cela impliquait.

310

Aidés par les gendarmes arrivés en hâte, ils finirent par parquer les photographes dans la pièce d'à côté, mais lorsqu'ils voulurent fermer la porte, le maire rappela que le mariage était public et qu'un huis clos était impossible, sinon le mariage serait nul et illégal. Les gendarmes firent office de portes, barrant de leurs corps les issues pour empêcher les photographes de se ruer de nouveau sur nous. C'est dans cette ambiance atroce, surtendue, devant les visages crispés et traqués de nos parents, sous les flashes incessants des photographes, que Jacques et moi avons été unis. J'avais des larmes plein les yeux, Jacques était vert, pourtant nous étions beaux, jeunes, simples, nous ne demandions rien à personne, qu'un peu de solitude, de compréhension, d'intimité. Cela nous était refusé.

J'avais ce jour-là une robe en vichy à carreaux roses et blancs faite par Réal. Ce fut le départ d'une mode effrénée. Pourtant j'avais choisi cette robe pour la douceur de ses couleurs et sa simplicité. Malgré moi je lançai ce 18 juin 1959 la mode du vichy à carreaux, des cheveux longs et blonds et des ballerines.

La petite propriété de famille qu'était Louveciennes et où maman avait préparé un déjeuner champêtre pour fêter ce qui aurait dû être un « joli » mariage, s'était transformée en annexe de l'ONU. Des photographes de toutes nationalités en avaient fait le siège. Il y en avait accrochés aux fenêtres, d'autres à cheval sur le portail, ou encore debout sur leurs voitures ou leurs camions. Papa était pendu au téléphone appelant la police au secours, pendant que j'étais pendue à la chaîne des petits coins, vomissant mon cœur, mon âme, ma vie.

Je m'en souviendrai du jour de mon mariage ! Mieux vaut encore rester vieille fille, fille-mère, mère d'enfant, merde enfant.

**
*

Notre voyage de noces commença par un retour

au pas de course pour essayer de semer les photographes sur le quai de la gare de Lyon, direction Saint-Raphaël.

A Saint-Tropez, ce fut la révolution.

Je dus quitter la jolie maison de mes parents et aller me réfugier à La Madrague où un arbre particulièrement pratique comme perchoir à photographes fut baptisé l'« arbre à cons » ! Jacques et moi, seuls avec Alain et les chiens, cela changeait des scoubidous de l'année précédente. Mais la maison était froide, inhabitée, étrangère, cernée de toutes parts par les téléobjectifs.

Jean-Claude Simon, encore mon ami à l'époque, me conseilla de prendre un chien de garde, un vrai, qui ferait uniquement office de gardien. Il avait sûrement raison, en connaissait un terrible à Saint-Raphaël, me le ferait apporter dès le lendemain.

J'étais seule à La Madrague lorsqu'un éleveur me livra « Kapi ».

Je réceptionnai un croisé-loup-chacal, qui montrait les dents et avait au fond de l'œil une lueur jaune inquiétante. Bien que mon amour des chiens ait toujours été de notoriété publique, je n'y allais que d'une fesse comme disait le Boum ! Tant que l'éleveur fut là, ce furent des « petit Kapi » par-ci, des petits câlins sur la tête en enlevant la main prestement, des « oh ! qu'il est mignon », réponse « Greu, greu, greu, rrrrrrrrrrwaaaa ! » et en avant les dents à la retrousse et la lueur jaune ! J'avais pris en main la situation et la laisse de Kapi qui n'en finissait pas de flairer les vieux pipis de Clown et Guapa (heureusement en balade avec Alain).

Ne pouvant éternellement garder l'éleveur près de moi sans encourir de graves reproches de la part de mon mari, je dus bien à un moment le remercier et me retrouver seule avec « mon » chien ! Je l'avais détaché pour qu'il prenne connaissance librement de son « territoire ». En me dirigeant tranquillement vers les chambres d'amis qui donnent directement sur la mer et qui sont complètement indépendantes

312

de la maison, j'entendis un grognement épouvantable. Kapi me suivait, prêt à bondir, les babines retroussées, la lueur jaune plus inquiétante que jamais au fond de l'œil !

Le temps de prendre mes jambes à mon cou en m'enfermant dans la première chambre, et « mon Kapi » avait déjà le museau grondant contre la vitre. J'étais prise à mon propre piège. J'avais beau lui susurrer des douceurs à faire damner tous les hommes de la Création, « mon Kapi » ne désarmait pas et me prouvait qu'il était bel et bien un redoutable gardien qu'on n'achète pas avec des mots doux. Il avait des crocs énormes, l'animal.

J'étais terrorisée et il le sentait !

J'ai appris par la suite qu'on ne doit jamais montrer sa peur à un animal, il le sait et en profite. Il faut toujours jouer la carte de la complicité ou du plus fort, se montrer le maître, se faire respecter.

En attendant j'étais coincée, seule dans une pièce qui ne communiquait avec rien, sans téléphone, à la merci du bon vouloir d'un chien de garde que je venais d'acheter une petite fortune et qui m'avait prise comme tête de Turc.

C'est Jean-Claude Simon qui me délivra.

Arrivant à La Madrague comme dans un moulin, il administra un sérieux coup de pied au cul du chien qui s'en alla piteux. Kapi tout au long de sa longue vie, mordit tous mes amis, y compris Monsieur Marette ministre des P.T.T. qui me rendit, un jour, une visite de courtoisie et dont je dus mercurochromer la cuisse !

Par contre, il laissa gentiment les voleurs cambrioler à maintes reprises La Madrague, ayant probablement été élevé dans le culte du socialisme, et trouvant normal que chacun ait sa part du gâteau.

Pendant que je jouais les dompteuses amateurs, s'abattait sur le monde un cyclone journalistique sans précédent. Mon mariage avec Jacques s'étalait en couverture des journaux internationaux. Comme il n'y a pas de fumée sans feu, certains laissaient même sous-entendre la venue d'un heureux événement. Il n'en fallait pas plus pour mettre le feu aux poudres chez les responsables de mon prochain film !

Je recevais des coups de fil de félicitations de Francis Cosne le producteur, qui finissait en demandant doucement si tout allait bien, si rien n'était changé. Michel Boisrond le metteur en scène me félicitait également pour mon mariage et terminait disant « tu ne vas pas nous faire un bébé j'espère, tu es trop jeune, trop belle, trop sollicitée, trop célèbre ! »

Ma réponse était plutôt négative évidemment, je niais, démentais, trouvant ces allusions déplacées, abondant dans leur sens, mais n'en menant pas large.

Seule dans la confidence, à part mes filles, Olga se rongeait les ongles. C'était une sorte de malhonnêteté que de mentir aussi effrontément au nez et à la barbe d'une évidence qui ne ferait que se confirmer au fil des jours. Je regardais dans la glace mon ventre encore plat et lisse comme on regarde pour la dernière fois un être cher avant de refermer le couvercle du cercueil.

Et puis, les assurances s'en mêlèrent.

La visite médicale obligatoire avant chaque tournage nous obligeait, outre à un examen approfondi, à répondre sous la foi du serment aux questions écrites que nous devions signer. Pour les femmes, il était demandé : « Etes-vous actuellement enceinte ? » « A quand remontent les dernières règles ? » Je ne passais pas cette visite habituelle au cabinet parisien de mon bon Docteur Guillaumat, mais à Nice chez un médecin inconnu et suspicieux qui me scrutait par-dessus ses lunettes. Lorsque j'eus répondu « non » à la première question, « il y a quinze jours » à la deuxième et que j'eus signé, le vilain docteur voulut me faire faire pipi dans un bocal afin de procéder à une « lapine », test irréfutable de grossesse.

J'étais coincée !

Mais impossible de faire pipi, je n'avais pas du tout envie ! Il voulut me sonder... je hurlai que je n'étais pas venue me faire charcuter mais passer un examen d'état général. C'était un peu fort ! Je savais bien que je n'étais pas enceinte ! Je dus néanmoins m'engager à faire une « lapine » au labo de Saint-Tropez, et à lui envoyer le résultat d'urgence, sinon pas d'assurance et pas de film !

Comme la vie est compliquée !

C'était déjà un calvaire que de cacher cette grossesse. Tiens ça me fait penser à... « grosses fesses ».

Enfin passons.

Jacques revint, il avait mauvaise mine.

Nous nous disputions le privilège d'aller vomir le matin au réveil.

Un coup toi ! Un coup moi ! Quel duo !

Lorsque nous étions coordonnés, nous foncions ensemble, têtes baissées, le premier choisissant la cuvette des wawa ou le lavabo. C'était adorable ! En y réfléchissant, ça me paraissait bizarre !

Un homme qui attend un enfant n'a généralement pas ce genre de symptômes. Il devait me cacher ou me couver quelque chose !

Quand j'allais mieux, Tanine Autré, la costumière du film, me faisait essayer les robes que je devrais porter dans *Voulez-vous danser avec moi ?* Elles étaient ravissantes en vichy vert et blanc, faites par Réal, bien serrées à la taille, ou alors extrêmement sexy et moulantes. Je demandais à la couturière de ne pas trop m'étriquer, de laisser du mou, prétextant la chaleur du mois d'août et mon besoin de me sentir à l'aise. Je faisais poser une double rangée d'agrafes à la taille et me gonflais lors des essayages.

Tous ces problèmes n'étant pas suffisants, la production m'appela, réclamant mon pipi. Ah ! je l'avais oublié celui-là !

Qu'est-ce qu'ils croyaient ? Que j'allais donner comme ça mon pipi à n'importe qui ! pour faire n'importe quoi ! Pas question. On n'allait pas en parler pendant 25 ans de cette histoire de pipi, cela commençait à m'emmerder sérieusement. Alors Mama Olga m'appela, très grave et très sérieuse, ou je faisais pipi dans un bocal ou il n'y aurait pas de film. Elle connaissait l'issue de ce fichu test, mais honnête jusqu'au bout, elle voulait sombrer avec le navire, moi en l'occurrence.

Il était un petit navire, il était un petit navire qui n'avait pas encore sombré, qui n'avait pas encore sombré ! ohé ! ohé !

J'allai voir Dada qui m'aimait comme sa fille.

« Dada j'ai besoin que tu me rendes un petit service...

— Mais Brizzi, tout cé qué tou voudras mon *trrrésorrrrr.*

— Dada, fais pipi dans un bocal à confiture bien propre et donne-le-moi.

— ???

— Dada, je t'en prie, ne pose pas de questions, c'est très important. »

Et c'est le pipi de Dada que je portai au laboratoire, étiqueté « Brigitte Bardot ». Je voulais savoir à quoi correspondait cette « lapine » inquiétante. On m'expliqua qu'on injectait l'urine à une lapine. Si les ovaires s'enflammaient c'est que la personne attendait un bébé, sinon c'était négatif.

Le prix que je payais incluait la lapine. Je demandai donc que, exceptionnellement, on la recouse après l'intervention afin que je la ramène chez moi. On me regarda avec des yeux ronds, mais j'étais dans mon droit. Je n'allais pas laisser crever une pauvre lapine pour un test bidon, stupide, faux, qui ne faisait plaisir qu'à ces sadiques des compagnies d'assurances.

Le lendemain, le test négatif sous le bras gauche et la lapine sous le bras droit, je réintégrai La Madrague très fière de moi.

C'est alors que Jacques fut transporté d'urgence à la clinique, et opéré d'une appendicite à chaud.

J'allai m'installer auprès de lui.

Nous avons passé une semaine de lune de miel en clinique rêvant avec nostalgie des gondoles de Venise ou des cocotiers des Bahamas. C'étaient nos derniers jours de vie commune. Sitôt rétabli Jacques devait retrouver René Clément et Alain Delon pour tourner *Plein Soleil*. Moi je devais rejoindre Nice et attaquer, bon pied, bon œil *Voulez-vous danser avec moi ?*

Cette séparation me semblait insurmontable.

Me retrouver seule, avec le poids de mon fardeau secret, la responsabilité d'un film très important, mon état de fatigue et d'infériorité, en sachant mon mari parti loin sur un bateau, intouchable, même au téléphone, j'en pleurais du matin au soir et du soir au matin. Jacques conscient du problème vivait une véritable tragédie morale. Emu par mon désarroi sincère, il décida de profiter de son état pour faire annuler son contrat de *Plein Soleil*.

C'était pour lui un immense sacrifice.

Il me donnait sa présence contre l'abandon d'un rôle fantastique, qui, repris par Maurice Ronet, fit de ce dernier une vedette. Jacques m'offrait la consécration dont tout acteur a tellement besoin.

Laissant La Madrague et Kapi aux bons soins d'un couple de jardiniers italiens, Angelo et Anna qui y passaient quelques heures par jour pour l'entretien, Alain, Jacques, Clown, Guapa et moi partîmes nous installer au haut de Cagnes, où la production m'avait loué pour la durée du film une belle et ancienne maison qui appartenait à un antiquaire pédé.

J'ai toujours eu un mal fou à m'adapter à un environnement étranger surtout lorsque j'y retrouvais, avant d'avoir eu le temps de m'y acclimater, le comité de réception, inévitable à toute Star internationale qui arrive officiellement pour un tournage de film. Francis Cosne, Mama Olga, Michel Boisrond, Dédette ma maquilleuse, Maguy ma doublure, Anna mon habilleuse niçoise (Laurence, celle de Paris, n'ayant pas été prise à cause des défraiements à payer), Tanine Autré la costumière, l'antiquaire et ses petits amis... Ils envahissaient une maison qui aurait dû être la mienne et qui ressemblait à un studio de cinéma.

La place sur laquelle donnait la maison était noire de monde. Le décorateur du film, Jean André, un vieux copain, avait beau avoir mis des clôtures, les gens y avaient fait des trous et regardaient sans vergogne tout ce qui se passait chez « moi ». Sans parler des inévitables paparazzi qui, juchés sur les arbres, mitraillaient à qui mieux mieux.

Francis, surnommé Fran-Fran par mes soins (j'ai la manie de doubler la première syllabe de tous les noms de mes amis), que j'aimais bien, avait essayé de m'accueillir avec le plus de gentillesse possible. Champagne, saumon, caviar, fruits exotiques, tout le monde se régalait, sauf moi qui avais encore le cœur au bord des lèvres.

J'appris ce jour-là que mon secret était celui de Polichinelle. Toute la production connaissait ma grossesse « grosses fesses », mais Francis me vouait une immense reconnaissance de l'avoir cachée aux assurances, ce qui lui permettait de faire son film ou tout du moins de le commencer.

Etant récemment mariée, je pouvais en cours de tournage me retrouver enceinte, les assurances devraient alors assumer. Le tout était de commencer dans la légalité, après il s'en lavait les mains.

Ouf ! j'avais déjà des alliés dans la place !

Mama Olga me trouvait folle mais très courageuse, elle avait l'œil mouillé en me serrant contre son cœur, espérant que tout irait bien. Elle m'annonça qu'elle allait passer quelques jours ici avec moi pour m'aider à m'adapter et me soutenir en cas de besoin. Les mâchoires de Jacques se contractèrent en entendant cela. Il ne l'aimait pas, la trouvait envahissante et estimait que sa présence à lui devait me suffire.

Je quittai tous ces pots de colle et allai seule à la découverte de cette maison si jolie mais surpeuplée.

Me retrouvant par hasard à la cuisine, je tombai nez à nez sur une femme qui me sourit, me dit s'appeler « Moussia » et être là pour me gâter, m'aider à assumer la responsabilité de la maison. Enfin j'eus l'impression de me trouver en face d'un être vrai, simple, intelligent, gentil, désintéressé. Je m'installai près d'elle et me sentis bien.

Au fond je ne me sentais moi-même qu'avec des gens qui faisaient semblant de ne pas savoir qui j'étais. Alors le dialogue s'installait, je me détendais, le courant passait. Cela sentait la soupe, les herbes provençales, la cire fraîchement passée, cela sentait « Moussia ».

**
*

Je compris mais un peu tard, que j'avais fait une erreur monumentale en empêchant Jacques d'aller tourner *Plein Soleil*, de vivre sa vie d'homme, sa vie d'acteur, en le privant de la possibilité de se retrouver sur un pied d'égalité avec moi.

La tension entre Mama Olga et lui ne faisait que s'accentuer. Nous n'avions pour ainsi dire plus aucune intimité. Entre Alain, le courrier, les factures, les commandes, Moussia, les menus, les courses, les repas, le téléphone, le ménage et Mama Olga, les projets, le scénario, les changements de dialogues, etc., Jacques et moi ne nous retrouvions seuls que très tard le soir, alors que je tombais d'inanition et que lui, en pleine possession de ses moyens d'homme jeune, voulait enfin profiter un peu d'une femme qui s'endormait au lieu de répondre à ses désirs bien naturels !

Il y eut comme un malaise !

Je n'en pouvais plus. Je ne pouvais pas me transformer en « repos du guerrier » avant la lettre et jouer les folies amoureuses, alors que je ne pensais qu'à un bain chaud et au sommeil.

Et puis chat échaudé craint l'eau froide ! Même s'il est vrai que je ne craignais plus rien pour le moment, je voyais d'un œil terne tout ce qui ressemblait de près ou de loin à un attribut masculin et cela me faisait horreur, horreur, horreur !

Ce fut un calvaire !

Jacques devenait fou, et je le comprends, mais je me comprenais aussi ! Nous ne parlions plus le même langage. Nous devenions des ennemis, il me fatiguait et je le fuyais, ne me sentant en sécurité qu'avec une tierce personne.

C'est ainsi que la veille du premier tour de manivelle, le 14 Juillet 1959 au soir, nous nous retrouvâmes, Olga, Alain, Moussia, Jacques et moi sur la terrasse en train d'admirer le superbe feu d'artifice qui embrasait la Baie des Anges.

Il y avait du champagne, cela sentait la Provence, il faisait chaud, les grillons chantaient, Clown et Guapa terrorisés par le bruit se cachaient sous les chaises longues. C'était beau, je me sentais presque bien malgré cette angoisse du début de tournage pour le lendemain.

C'est ce moment presque béni des dieux qu'Olga choisit pour m'annoncer que Raoul Lévy et Henri-Georges Clouzot me proposaient de tourner à partir de mai 1960 *La Vérité*, film extraordinaire entre tous, qui ferait de moi la tragédienne, l'actrice reconnue, enfin la consécration de ma carrière.

Je sentis Jacques se contracter !

Olga continuait à égrener tous les avantages qu'un tel film pourrait m'apporter. Le ciel était en feu, les milliers de petits éclats de toutes couleurs retombaient à jamais dans l'éternité de la nuit. Je ne disais rien, sentant l'orage imminent qui allait s'abattre sur nous. Et pourtant j'aurais voulu sauter au cou d'Olga, lui dire ma joie qu'une telle proposition me soit faite, j'aurais voulu danser, embrasser qui vous voulez, j'aurais voulu rire. J'étais fière, si fière que des gens comme Clouzot et Lévy me fassent encore confiance.

Jacques se leva.

Il avait la mine fermée, les poings serrés. Il se mit à faire les cent pas, se découpant en ombre chinoise sur le fond incandescent du feu d'artifice. Puis se tournant brusquement vers Olga : « Vous pourriez peut-être me demander mon avis... je compte pour quelque chose dans toutes vos combines, je suis son mari ! C'est moi qui dorénavant déciderai de ce que ma femme tournera ou ne tournera pas ! Or je n'ai plus envie qu'elle tourne, il faudra qu'à l'avenir elle s'occupe de son bébé. Ce film est le dernier que je l'autorise à faire car il était signé avant mon arrivée dans sa vie ! »

J'étais pétrifiée d'horreur, on n'était plus à l'époque de Balzac !

Comment ce petit mec, que j'entretenais par-dessus le marché, pouvait-il tenir des propos pareils à mon imprésario, devant mon secrétaire, ma bonne et moi-même ? C'était intolérable.

La fureur me rendit muette mais je sentis monter en moi une chaleur, une vague de force herculéenne qui me submergeait. J'aurais volontiers tué cette espèce de macho à la petite semaine qui se mêlait d'une façon si malvenue de ce qui ne le regardait pas. Olga sut garder un calme apparent et répondit qu'elle ne comprenait pas cette intervention inopinée dans une conversation d'affaires qui ne regardait qu'elle et moi.

A ces mots, Jacques se précipita sur elle, l'attrapa à la gorge et hurla : « Je suis son mari, vieille maquerelle, c'est moi qui décide maintenant et ce sera non, non et non, à jamais, finie la poule aux œufs d'or, finie, finie, finie. »

Alain était déjà en train de les séparer, adjurant Jacques de se calmer pendant que Moussia m'avait pris la main me sentant prête à bondir.

Je bondis en effet comme mue par un ressort et

administrai à Jacques une somptueuse paire de gifles digne des plus grands moments du cinéma international. Ce fut le début d'un pugilat sans nom, un défoulement trop longtemps rentré de part et d'autre, une mise au point violente, incontrôlée, incontrôlable, où les gestes et les mots dépassaient les limites permises. C'était une lutte à mort, un de nous deux était de trop sur cette terre, dans cette maison, et devait disparaître à jamais. Je le haïssais, je me haïssais de l'avoir épousé, de porter un enfant de lui, je voulais mourir, crever, disparaître en le laissant invalide à jamais, impuissant. Je donnais de grands coups de genoux entre ses jambes, voulant le blesser par là où il m'avait le plus humiliée.

Olga, Alain et Moussia eurent beaucoup de mal à nous séparer.

Je gisais sur le sol, le visage tuméfié, des douleurs fulgurantes au bas-ventre. J'allais probablement faire une fausse couche ! Olga appela maman et lui dit de venir d'urgence, que j'étais au plus mal, que j'avais épousé un fou furieux.

Jacques était parti, bon débarras !

Le docteur, appelé en hâte, me fit des piqûres anti-spasmodiques. J'aurais tant voulu la faire cette fausse couche ! Mais j'étais si fatiguée, si lasse, si triste, si désemparée, que je me laissais aller aux mains de ceux qui m'avaient prise en charge après ce cauchemar inoubliable. Je n'étais évidemment pas en état de tourner le lendemain matin.

Ça commençait bien !

Dès le premier jour, il y avait déjà des problèmes à la production à cause de moi. Et pourtant ce n'était pas de ma faute, oh non !

Maman arriva rapidement par le « Mistral ». Elle ne prenait pas l'avion. J'avais auprès de moi mes deux mamans. Leur tendresse, leurs soins, la vigilance d'Alain et de Moussia, la douceur de Clown et Guapa me permirent de me remettre rapidement.

Je commençai le tournage, comme on avale un médicament indispensable à sa survie. J'étais ailleurs, je ne sais où, je pensais à Jacques. Malgré tout, je me sentais dépendante de lui, il était le père de l'enfant qui dormait, en faisant sûrement des cauchemars, au fond de mon ventre.

J'avais besoin de lui !

Où était-il parti ? Aucune nouvelle !

Mes mères me conseillèrent de divorcer au plus vite, elles m'aideraient à élever l'enfant mais au moins je serais libre de ma vie, de mes décisions, de mon avenir. Sinon je finirais un jour comme la mère de Jacques, avec quatre ou cinq gosses, à la tâche, aux fourneaux, esclave soumise d'une famille nombreuse dont il serait le chef ! Cette image faisait revenir en moi cette nausée si redoutée qui s'était pourtant faite de plus en plus rare ces derniers temps.

Elles avaient raison ! Mais alors pourquoi m'être mariée ?

Pourquoi ? Pourquoi ? Pourquoi tout ?

Jacques me téléphona un soir. Il était à Paris, avait voulu essayer de rattraper son film, mais trop tard. Maurice Ronet avait déjà commencé. Il semblait triste, désespéré, ne savait plus où il en était, il m'aimait, il était si malheureux ! Moi, c'était pareil. Nous voulions l'un et l'autre nous retrouver. Maman et Olga manquèrent s'évanouir en apprenant la nouvelle. Elles ne resteraient pas une minute de plus dans cette maison si Jacques revenait ! Elles n'étaient pas des girouettes et je ne devais plus compter sur elles si je changeais d'avis comme de chemise ! Je faisais mon propre malheur ! Je me complaisais dans les drames et les complications, enfin toute la panoplie des mères nobles et outragées y passa.

Jacques revint, mes deux mères partirent.

J'étais heureuse. Lui aussi. La maison était gaie, les chiens joyeux, le film se déroulait dans le bonheur. Tout allait pour le mieux dans le meilleur des mondes possibles !

Je reçus une jolie lettre de Bernadette Gérome, ma petite protégée que je suivais déjà depuis longtemps. Elle m'annonçait son mariage ! Son plus grand bonheur aurait été que j'y assiste, évidemment !

Son plus grand désespoir était de ne pas avoir les moyens de s'acheter la robe blanche dont rêve toute vraie jeune fille. J'appelai « Pronuptia » à Grenoble où elle habitait, donnai en mon nom un crédit illimité pour la robe de ses rêves et la lui offris en cadeau de bonheur !

Je passais mes journées à danser dans les bras de Dario Moreno qui reprenait des rumbas — *Tibidibidi, poï, poï !* Je volais dans les bras de Philippe Nicaud sur des rocks effrénés ! Je séduisais Henri Vidal en me déhanchant langoureusement au rythme de blues super sexy.

Je n'arrêtais pas !

Mon quatrième mois commençait à se voir. Le petit ventre plat s'était légèrement arrondi, mais le plus spectaculaire restait mes seins. Tous les trois jours, la costumière devait aller m'acheter des soutiens-gorge d'une taille supérieure. Je commençais à ressembler à un polochon serré par le milieu ! On me mettait une guêpière à la taille pour qu'elle reste bien fine. Mais cela repoussait les bourrelets vers le haut et vers le bas !

J'en arrivais à avoir peur de mettre au monde un enfant anormal, qui aurait eu la tête déformée, ou aurait été traumatisé par mes sauts, mes pirouettes, mes tours et mes détours.

**
*

La femme de Francis Lopez, Sylvia, 25 ans, d'une beauté à couper le souffle, jouait le rôle d'une sorte de Mata Hari maîtresse de mon mari, Henri Vidal.

324

Je la regardais un peu envieuse de sa beauté, de sa ligne, de son allure. La partie allait être dure avec une concurrente pareille. Pourtant elle paraissait vulnérable, fatiguée ! Elle avait au poignet droit une blessure inguérissable et suppurante qu'il fallait cacher par de gros bracelets d'or et d'argent, et qui la faisait souffrir. Des bruits atroces se répandaient, on parlait de leucémie...

Un jour, aux studios, je reçus la visite imprévue de Raoul Lévy et de Clouzot ! Jacques n'était pas là, grâce à Dieu ! Clouzot venait passer le mois d'août à La Colombe d'Or, à Saint-Paul-de-Vence, et désirait mieux me connaître. Raoul était comme d'habitude, relax, beau, sûr de lui et de ses projets. *La Vérité* serait leur morceau de bravoure, je devais en être l'héroïne, et voilà tout !

Clouzot que je n'avais encore jamais vu me fit un effet bizarre. Ce petit homme sec et affreux avait un côté diabolique et émouvant.

Que je sois enceinte et que Jacques s'oppose formellement au film leur était parfaitement égal ! Ce qui leur importait c'était mon avis à moi, un point c'est tout ! Ils me laissèrent le synopsis, ils reviendraient quelques jours plus tard afin que je donne ma réponse. Ce que je tenais entre mes mains était de la dynamite. C'était aussi pour moi l'occasion d'être, une fois dans ma vie, une actrice, une vraie, capable de jouer sur une gamme qui allait de la comédie légère à la tragédie profonde.

Le drame éclata lorsque Jacques me vit en train de lire cette ébauche de *La Vérité*. Il m'interdit une fois pour toutes de penser à tourner un pareil film, un rôle où je me serais déshonorée vis-à-vis de lui, de sa famille, de l'enfant qui allait naître, emportant dans ma chute tout ce qui allait constituer notre vie commune et heureuse.

Je ne supporte pas de recevoir des ordres qui n'ont aucun sens, ça me donne subitement une envie de vaincre ce que j'appellerais la connerie à l'état pur. J'étais un être indépendant, responsable de moi et de ceux qui étaient dans mon sillage, j'étais en droit de prendre des décisions, libre de toute contrainte extérieure. Cette dictature maritale que Jacques exerçait sur moi me rendait folle.

Je décidai de l'ignorer !

Ce fut pire que tout.

Jacques déchira le synopsis, donna à Alain l'ordre de ne plus jamais me passer ni Clouzot, ni Lévy au téléphone. Il m'enferma dans ma chambre pour me donner le temps de réfléchir. Cette chambre donnait à pic sur un vallon très en contrebas. Impossible de sauter par la fenêtre, sinon pour mourir ! Cela m'attirait comme l'aboutissement d'un cauchemar, une façon de se réveiller ailleurs. Une lassitude soudaine s'empara de moi. Pourquoi étais-je là à lutter désespérément contre la vie, contre Jacques, contre moi-même, contre mon état de femme enceinte, contre ma solitude désespérée, contre un film aléatoire qui allait peut-être ne m'apporter que des problèmes ?

J'eus une crise de nerfs !

Je hurlais, me bourrant le ventre de coups de poing, me jetant contre les meubles, essayant de me mutiler, de tuer définitivement l'être que je portais au prix de trop d'abnégation.

Il y avait des comprimés de *Gardénal* dans le tiroir de ma table de nuit. Le docteur me les avait donnés en cas d'insomnie ou d'énervements dus à la fatigue trop éprouvante de mes journées. J'avalai le tube en entier. Savais-je vraiment ce que je faisais ? Je cherchais une délivrance dans tous les sens du mot, ne pouvant la trouver nulle part, prisonnière de mon personnage trop connu, autant que de la tutelle de Jacques, prisonnière de mon corps, de mon visage, de mon enfant, je voulais m'échapper autrement.

Si je n'avais pas vomi en partie ce poison, je serais probablement morte. Je passai une semaine entre la vie et la mort, plus ou moins inconsciente, avec des

326

crises de coliques néphrétiques occasionnées par l'absorption des somnifères qui me bloquèrent les reins ; voilà le triste bilan que ce geste incontrôlé eut sur moi.

Le film arrêté, les journalistes en éveil, le scandale évité grâce à la présence d'esprit du producteur qui déclara une entorse due à trop de danses acrobatiques de ma part.

Jacques disparu de nouveau. Dédette, Alain, Moussia à mon chevet jour et nuit. L'arrivée d'Olga. Le bon Docteur Guillaumat venant constater pour les assurances. Je me retrouvais le centre d'attraction, alors que j'aurais tant voulu disparaître à jamais. Peut-être certains d'entre vous, en lisant ces lignes, hausseront les épaules, me trouvant stupide, légère, lâche, gâtée. D'autres peut-être plus subtils, plus sensibles, comprendront le désarroi total dans lequel je me trouvais et ne me jugeront pas.

Tandis que le film continuait cahin-caha, on tournait les scènes de Sylvia Lopez, qui n'allait pas bien non plus. Je me remis mais restai extrêmement fragile.

Maman prenait quotidiennement de mes nouvelles, mais ne voulait pas risquer de se retrouver à mon chevet, nez à nez avec Jacques qu'elle s'était mise à détester. Olga me remit en selle, organisa des rendez-vous avec Clouzot et Raoul. Par défi, je signai le contrat me liant à La Vérité. Je ne savais plus si un jour j'aurais encore la force de tourner un film, mais je me prouvais, en l'envisageant, que j'étais encore maîtresse de mes décisions.

Je me fatiguais vite. Il fallut me faire doubler par Maguy dans toutes les scènes trop éprouvantes physiquement. On n'y voyait que du feu, elle était ma copie conforme, en plus fine, plus svelte, plus mince, puisque je m'alourdissais de jour en jour.

Bernadette et son mari Bernard vinrent me rendre visite à La Victorine. Je découvris une petite jeune fille toute timide, rougissante, discrète, un vrai petit oiseau ! Elle avait en elle une poésie, une douceur, une reconnaissance qui m'émurent. Comme les choses étaient encore en porte à faux ! Elle rencontrait pour la première fois de sa vie « Brigitte Bardot » qui représentait pour elle le comble de la réussite, du bonheur, de la chance, de la vie extraordinaire de Star de cinéma ! Elle ne trouva qu'une femme fatiguée, moralement et physiquement, bien loin de la gloire stéréotypée qu'elle imaginait.

Elle était sûrement beaucoup plus heureuse que moi.

Je vis Clouzot de temps en temps.

Il essayait de saisir le fond de ma personnalité pour pouvoir mieux me diriger. Ces visites me mettaient mal à l'aise. Clouzot, malgré son côté scrofuleux, faisait figure de Don Juan parmi ses interprètes. Il n'en est pas une qui n'y soit passée. Le fait que j'attende un bébé ne le rebutait pas, au contraire, il trouvait ça très excitant ! Il me dégoûtait et j'avais un mal fou à le remettre à sa place. Quand il eut enfin compris, je passai avec lui des moments étonnants. Son intelligence, sa sensibilité, sa lucidité, son machiavélisme, son sadisme, sa vulnérabilité aussi, sa solitude, sa désespérance m'apprirent à le mieux connaître, à l'apprécier, mais toujours à m'en méfier. C'était un être négatif, en conflit perpétuel avec lui-même et le monde qui l'entourait. Il émanait de lui un charme étrange, une force destructrice.

La Côte d'Azur, devenue le domaine des aoûtiens, s'était transformée en déversoir à vulgarité. Des plaques de camping-eczéma défiguraient, salissaient la beauté du paysage. Une foule transpirante, trop cuite ou pas assez, avait envahi les moindres recoins d'un territoire qui fut naguère le privilège des princes et d'une aristocratie chassée à jamais par la puissance de la médiocrité.

328

Je rêvais de bains de mer et de soleil. Trop de monde, surtout le dimanche, mon seul jour de libre. Les plages, les piscines étaient prises d'assaut, alors si j'y avais montré le bout de mon nez, ç'aurait été l'émeute à coup sûr !

Jacques finit par revenir.

Il réintégrait en quelque sorte le domicile conjugal, mais son retour ne provoqua pas l'enthousiasme de la dernière fois. Je savais qu'il repartirait dès que je lui aurais avoué avoir signé le contrat de *La Vérité*.

Pour moi, il était de passage.

La tiédeur de nos rapports ne m'apporta aucun réconfort, si ce n'est le bateau qu'il loua un dimanche pour m'emmener au large passer la journée. Mon ventre ressemblait à une petite bouée à laquelle je m'accrochais en faisant la planche au milieu de cette immensité salée et désertique. Je me coulais dans l'eau, me séchais au soleil, sentant la vie se réveiller au fond de mes veines, de mon cœur, de mon corps. Comme j'ai besoin de soleil pour survivre, comme j'aime la mer et son secret.

J'étais très attachée à Moussia et lui demandai si elle accepterait d'être la nurse de mon bébé. Elle me connaissait, savait l'ambiance « cabaret » qui régnait à la maison, était au courant de mes rapports avec Jacques. Elle avait l'indulgence que donnent la sagesse et la gaieté des gens d'origine slave. Elle aurait pu être ma mère et pourrait être celle de mon enfant. Elle accepta avec joie, ce qui me soulagea. Alain et elle s'entendaient comme larrons en foire ; il fut même décidé que lorsque Moussia prendrait son jour de sortie, c'est Alain qui ferait la nurse de remplacement, ne voulant laisser à aucun étranger le privilège de s'occuper du bébé.

Je vivais mon cinquième mois !

Ça se voyait un peu, beaucoup ! Je n'avais plus de taille, on ne pouvait me filmer qu'en plan américain coupée sous les « richesses », comme disait Louis Née le cadreur, un vieux titi parisien, la crème des hommes, le roi du cadrage ! « Les richesses » parlons-en, c'étaient deux obus, la grosse Bertha et sa jumelle, c'en était presque indécent. Abondance de « richesses » peut nuire.

Le film pour moi était sur le point de se terminer. Il était temps ! Lorsqu'une nouvelle affreuse, incroyable, me cloua sur place : Sylvia Lopez venait de mourir de leucémie. Aucun médecin, aucun traitement, rien n'y aurait rien changé, elle s'était éteinte et laissait le monde en deuil de sa beauté, de sa jeunesse, de sa volonté de vivre et de réussir. Je ne pouvais m'empêcher de penser que c'est moi qui aurais dû mourir, j'avais fait ce qu'il fallait pour !

Cette disparition, outre la tragédie qu'elle représentait en elle-même, était une véritable catastrophe pour le film. Pour finir plus rapidement avec moi, Boisrond avait laissé de côté quelques scènes de Sylvia pour les tourner plus tard. Il allait falloir tout recommencer avec une autre actrice alors que je ne pouvais plus tourner qu'en gros plan ! Quelques éléments du décor furent conservés en prévision des prises de vues à venir avec la remplaçante de Sylvia Lopez, car le contrat qui liait la production à La Victorine se terminait. Nous devions laisser la place à un autre film et dûmes entasser nos bouts de décor sur un seul plateau. Pendant ce temps, Francis Cosne cherchait désespérément une actrice pour reprendre le rôle au pied levé.

Ce fut Dawn Addams !

Toutes les scènes furent retournées avec elle ! A la va-vite, souvent en gros plan, les décors nous manquaient et mon ventre prenait trop de place. Il me semblait voir Sylvia et c'était Dawn. Henri Vidal et moi étions extrêmement éprouvés par cette disparition aussi subite qu'imprévue. Mais c'était la loi du spectacle, un accident arrive, tout doit continuer.

Je repassai par La Madrague avant de regagner Paris où je me préparais à déménager dans un appartement plus grand, lorsque ma voisine de palier me prévint qu'elle vendait. Quelle aubaine !

Un appartement me tombait du ciel, je n'aurais qu'à traverser le palier pour aller voir mon enfant. Il serait chez lui avec Moussia, et moi je pourrais rester dans ma Paul Doumer que j'aimais tant.

Comme tous les gens très chic, il était prévu que j'accouche à la clinique du Belvédère, le nec plus ultra du snobisme de l'époque.

En attendant, j'installais doucement l'appartement qui devait servir de nurserie. Il y avait une chambre qui serait celle du bébé, plus un immense living-room très ensoleillé flanqué de cinq fenêtres qui devint le bureau de Jacques. Cela m'amusait de le décorer. J'ai toujours adoré faire d'un taudis un palais. Je crois avoir beaucoup d'idées, de goût, d'inventions rigolotes et pratiques.

C'est à ce moment de calme relatif que Jacques fut appelé sous les drapeaux. Cette nouvelle nous bouleversa ! Son sursis ayant pris fin et n'étant pas renouvelé, il devait rejoindre son corps d'armée à Orange pour les fameux trois jours qui précèdent l'enrôlement définitif. A l'époque, le service durait entre deux ans et demi et trois ans ! Nous étions en pleine guerre d'Algérie.

J'en aurai fait des services militaires par personne interposée ! J'en connaissais un bout sur les règlements, sur les trucs pour avoir de l'albumine, sur la bêtise des adjudants, sur la perte de temps que tout cela impliquait. Je devenais anti-militariste, militante même.

Qu'allais-je devenir sans Jacques pendant trois ans ?

Et lui, finie sa carrière d'acteur, finis ses projets fabuleux, ses ambitions de producteur. Où allait-il être muté ? A Petaouchnock bien sûr !

Nous pleurions dans les bras l'un de l'autre, mais nos larmes n'attendrissaient que nous-mêmes, tandis que le lourd carcan de l'administration se refermait doucement sur cette jeunesse qu'un homme parmi tant d'autres devait offrir à la France. Jacques me jura que, pour moi, il se ferait réformer, même s'il devait y laisser sa santé, sa peau et sa réputation.

Il partit le 20 septembre, jour de la sortie dans les salles de *Babette s'en va-t-en guerre*. Les affiches le représentaient en fringant lieutenant. Il avait fière allure à mes côtés sur les murs de Paris, et dans les pavés publicitaires des journaux.

Le soir de cette première, je restai prostrée à la maison, incapable d'aller présenter le film à la presse et aux invités odieux mais néanmoins indispensables à toute grande manifestation parisienne. Raoul Lévy, désespéré, s'arrachait les cheveux. Ni Jacques ni moi ne l'aidions au lancement de cette loterie si particulière qu'est la sortie d'un film. Olga eut beau venir me dire que ce petit effort de ma part représentait 80 % de la réussite, que j'étais très belle malgré mes yeux rouges et mon petit côté arrondi, autant parler à un mur, je ne l'écoutais même pas !

Je pensais à Jacques, à sa détresse, à cette caserne glacée et carcérale dans laquelle il allait se retrouver, pauvre troufion à la merci des quolibets, des moqueries qu'inflige toute célébrité. Le fait d'être mon mari étant un handicap supplémentaire.

Babette s'en tira avec les honneurs de la guerre, et fut accueillie avec sympathie par un public attiré par le couple que nous formions, par les acteurs sensationnels tel Francis Blanche, qui nous entouraient et par le côté farfelu et rigolo d'une guerre ironique.

Jacques par contre revint déprimé de son week-end aux armées. Aucune excuse bidon n'était prise au sérieux à cette époque pour se faire réformer. Etaient bons pour le service même les plus chétifs de nos enfants de France. On raclait les fonds de tiroir, on rameutait la lie des santés défaillantes, nos régiments devaient parfois ressembler à des cohortes de rachitiques.

Comme dans ce fameux restaurant Chez Dupont, *tout était bon* !

Jacques avait misé sur un déséquilibre psychique. Son état moral aidant, il avait sans mal joué la dépression nerveuse, entamé une grève de la faim, et manifesté un désintérêt total de tout et pour tout. Sa forme physique ayant été jugée trop satisfaisante, il fut décrété « bon pour le service ». Les états d'âme des jeunes recrues étant sans intérêt pour les militaires. Jacques décida avec l'aide du Docteur D., un ami, de se détruire la santé avant son enrôlement définitif afin d'échapper à ce cauchemar qu'était, pour lui et pour moi, ce service militaire interminable et inutile. Il ne mangeait plus, se bourrait de café et de *Maxiton*, amphétamines puissantes ! Il ne dormait plus, et ingurgitait alors des calmants ou des somnifères. Il était devenu hâve, ses yeux étaient cernés et ourlés de rouge. Son état nerveux était alarmant ! Sa faiblesse incommensurable ! Le Docteur D. vérifiait sa tension artérielle qui baissait régulièrement !

J'étais affolée.

Je vivais auprès d'un grand malade, malade de cette société inhumaine, de cette société qui prend le meilleur et ne rend que le pire. Jacques se détruisait, allait peut-être y laisser sa santé à jamais, tout ça afin de rester auprès de moi pour la naissance de notre enfant.

Quelle injustice !

Pourquoi l'homme n'est-il pas libre de choisir la guerre ou la paix ? Pourquoi la guerre est-elle imposée à ceux qui la rejettent, qui la haïssent ?

Nous vivions en vase clos à la Paul Doumer.

Bien sûr en traversant le palier, nous avions dans l'appartement d'en face encore quelques mètres carrés pour tourner en rond. Mais nous devenions fous ! Comme je comprends mieux maintenant la détresse des animaux emprisonnés à vie dans les cages exiguës de leur ménagerie !

Le Docteur Laënnec, qui devait m'accoucher, m'avait conseillé de marcher une heure par jour au bois de Boulogne avec mes chiens. Comment aurais-je pu aller faire ce footing indispensable alors que des dizaines de voitures remplies de photographes attendaient en bas de chez moi ?

J'avais fait venir des perruques brunes à cheveux courts de chez Dessange. Ne pouvant plus sortir, je voyais s'allonger la racine foncée de mes cheveux blonds. J'avais besoin d'une décoloration mais étais bien incapable de me la faire moi-même. Je vivais avec mes perruques sur la tête, c'était très joli mais le soir, lorsque je les enlevais, mes cheveux étaient collés, ternes, on aurait dit du foin et avec cette grande ombre châtain à la racine, je faisais sale, négligée. Pourtant mes cheveux longs, denses, étaient mon orgueil, ma véritable parure. Qu'en avais-je fait ?

Un jour, je décidai, perruque noire sur la tête, d'aller chez Dessange me refaire une beauté. Jacques me vit fin prête, alors que j'allais sortir accompagnée d'Alain qui conduirait la voiture :

« Où vas-tu ?

— Chez Dessange me faire une décoloration.

— Je te l'interdis !

— Je voudrais bien savoir en vertu de quoi ?

— Parce que je te l'interdis un point c'est tout !

— J'irai quand même ! »

La gifle partit avant que j'aie eu le temps de la prévoir. Ma tête alla cogner durement contre le placard et le fracassa, laissant une brèche dans la moulure ! La puissance du choc me mit K.-O. quelques secondes et je tombai. Heureusement, ma perruque amortit un peu la violence de l'impact. Je sentais ma tempe battre très fort au rythme de mon cœur. Je restai longtemps à terre recroquevillée sur moi-même en pleurant.

J'aurais voulu mourir.

Je n'avais même plus le courage de me relever, la vie avait raison de moi. Pourquoi, mais pourquoi toujours être en adversité avec tout ? Même avec l'être que j'aimais le plus au monde, que je soutenais envers et contre tous ! Si je n'avais même plus le droit d'aller chez le coiffeur alors ? Je ne voyais plus personne, je devenais moche et difforme, sale et négligée !

Alain m'attendit longtemps devant la porte, cerné par les photographes qui m'attendaient aussi. Ne voyant rien venir, il finit par remonter et me trouva prostrée en position de fœtus, la tempe bleue, en pleine dépression.

Mon rein droit était fragile et le poids du bébé appuyant dessus à la suite de ma chute déclencha le soir même une douleur insupportable ! Le docteur appelé d'urgence crut encore à une fausse couche, puis diagnostiqua une crise de coliques néphrétiques. Je souffrais le martyre, il fallut me faire de la morphine. Je découvrais les bienfaits de cette piqûre miraculeuse. Ma douleur s'estompa puis je voguai dans un univers extraordinaire.

Tout le monde il était beau, tout le monde il était gentil !

Même Jacques penché sur moi me paraissait un être merveilleux. Maman, douce et inquiète, me passait de l'eau glacée sur les lèvres, je délirais dans un bonheur sans limites, inquiétant les autres, me rassurant moi-même.

Ce fut la première crise d'une longue série qui ne me quitta qu'avec la naissance de Nicolas.

Depuis cette gifle mémorable, je regardais Jacques avec haine. J'attendais maintenant son départ pour l'armée, souhaitant qu'il y reste le plus longtemps possible et qu'il me foute la paix. Le placard fendu me rappelait sa violence, sa méchanceté, son autorité stupide. Je rêvais qu'il soit traité comme il m'avait traitée, sans indulgence.

Et pourtant, le jour de son départ, en le voyant si minable, si faible, si désespéré, j'oubliai tous mes vilains instincts ne pensant plus qu'à son calvaire, qu'à ma solitude de fille-mère abandonnée par la faute d'une administration cruelle et inébranlable.

J'eus de nouvelles crises de coliques néphrétiques.

Etant seule à la maison, j'appelais, en général au milieu de la nuit, l'assistante du Docteur Laënnec. Elle m'administrait ma piqûre de morphine bienfaisante puis s'endormait sur le fauteuil à côté de moi, pendant que je voguais sur des mers de délices. Le Docteur Laënnec, très inquiet de ces crises répétées, et de l'influence néfaste de la morphine sur le bébé, vint m'examiner à la maison et me conseilla de faire une radiographie pour s'assurer de la bonne place de l'enfant. Il était indispensable que j'aille chez le radiologue celui-ci ne pouvant pas venir chez moi avec tout son attirail !

J'étais toujours assiégée, les photographes ayant élu domicile au bistro d'en bas, chez les concierges environnantes, et ayant même été jusqu'à louer à prix d'or les chambres de bonne de l'immeuble d'en face qui donnaient directement dans mon salon. Je vivais fenêtres et rideaux fermés, me méfiant de tout et de tous ! Il allait falloir sortir et affronter l'armée adverse ! Comment faire ?

Avec une perruque brune et des lunettes je me déguisai en Nana Mouskouri et décidai qu'Alain m'attendrait avec la voiture devant la porte de service de l'immeuble d'à côté. Ce que je ne savais pas, c'est que les langues étaient allées bon train et que cette stratégie et ce passage secret avaient été dévoilés à coups de pourboires.

Je sortis confiante du 28, rue Vital.

Pas de voiture. J'étais seule !

Je ne le restai pas longtemps ! Deux photographes se précipitèrent sur moi... j'entendais les clic-clac des objectifs, ils me cernaient, m'acculaient contre le mur, m'avaient à leur merci... Affolée je poussai la porte de service par laquelle j'étais sortie pour essayer de les semer. Mais ils me suivirent, me bousculèrent dans l'entrée étroite et malodorante, encombrée de poubelles. Tel un animal traqué, je tentai de passer entre eux et les boîtes à ordures. Ils me poussaient, me barraient le chemin et je finis par tomber dans cette énorme poubelle de plastique verte, qui béante, m'attendait. Moi, enceinte, dans une boîte à ordures.

Voilà le scoop qu'ils souhaitaient depuis des jours !

J'ai su que Alain, dans la voiture, avait été bloqué par trois photographes au début de la rue, créant un embouteillage monstre, ils attendaient pour libérer la voie que j'aie été photographiée, humiliée, cernée et rendue à leur merci. La perruque de travers et la honte au front, je rentrai dans mon univers précaire du 7e étage. La vie était décidément contre moi. Malgré toute ma bonne volonté, il m'était impossible de continuer à lutter comme la chèvre de Monsieur Seguin. J'avalai tous les somnifères qui me tombèrent sous la main. Ceux que Jacques avait laissés, ceux que le Docteur m'avait ordonnés.

Ce fut extrêmement grave ! Les médecins se relayaient à mon chevet sans arriver à me tirer du coma profond dans lequel je me trouvais. Impossible de m'emmener à la clinique ou à l'hôpital sans créer un incident qui aurait défrayé la chronique du monde entier.

Pendant ce temps, Jacques, ignorant tout, avait été transféré d'urgence au Val-de-Grâce dans un état désespéré, il s'était ouvert les veines.

Mon heure n'était pas venue... je repris connaissance.

Mais ces allers-retours dans l'au-delà me fatiguèrent énormément. Je restai clouée dans mon lit, souffrant mille morts avec ces coliques néphrétiques qui ne me lâchaient pas. M'étant à peine réveillée d'un coma dû aux somnifères, on m'envoyait de nouveau dans un nirvana différent avec de la morphine.

Dans mon désarroi total, je trouvais grâce à la morphine un véritable soulagement. Le cafard et la

337

solitude aidant, mes crises, vraies ou fausses, devinrent de plus en plus fréquentes. Le Docteur Laënnec ayant décrété qu'il ne me ferait plus de morphine, trop toxique pour l'enfant et moi-même, c'est le Docteur D., l'ami de Jacques que j'appelais en pleine nuit pour avoir ma dose. Ce gentil docteur, sachant le problème qui me minait et connaissant la manière radicale dont Laënnec m'avait soulagée, ne lésinait pas sur le *Palfium*, le *Nockhel*, ou autres dérivés de la morphine.

Grâce à lui, j'eus encore de beaux rêves ! !

Je reprenais conscience difficilement vers midi, me traînant de mon lit à la salle de bains, avec un mal fou à m'habiller. Alain me faisait part du courrier dont je me fichais comme d'une guigne.

De temps en temps, un magazine comme *Paris-Match* ou *France-Dimanche* sortait des photos scandaleuses. Jacques fut pris par un téléobjectif derrière les grilles de sa cellule du Val-de-Grâce ! Il avait l'air d'un pauvre animal de zoo. Moi, j'eus droit aux photos de ma corrida dans les poubelles !

De quoi avions-nous l'air ?

Je n'avais aucune nouvelle de Jacques. Parfois, son infirmier, un brave garçon, me téléphonait pour me dire qu'il était au secret dans un état épouvantable, c'est tout !

C'est à ce moment, minable entre tous, qu'une société de publicité sortit sur les murs de Paris des affiches gigantesques vantant les mérites d'une eau minérale : « *Bébé aime Charrier.* » Eh oui ! il y avait une eau « Charrier », perdue, oubliée depuis des lustres au plus profond de la terre française, qu'un homme d'affaires efficace avait fait ressurgir au bon moment.

Maître Jean-Pierre Le Mée, mon avocat du moment, me déconseilla un procès. Ils étaient dans leur droit le plus strict. La source Charrier existait depuis belle lurette, elle existe encore du reste, mais n'a eu qu'une gloire fugitive due à la diabolique formule qui était tant d'actualité à l'époque. Quant à Bébé, il était formulé et écrit comme un bébé et non comme mes initiales si célèbres B.B. Pourtant cela aurait pu donner matière à un délibéré très sévère. Je ne suis pas sûre qu'ils auraient forcément gagné !

Toujours est-il que pendant que « *Bébé aimait Charrier* » sur les murs de Paris et de province, B.B. attendait Charrier dans l'angoisse et l'impatience avenue Paul-Doumer.

Quand les malheurs arrivent, c'est toujours en pointillé.

Ils se suivent sans se ressembler. C'est ainsi qu'en pleine nuit, le 2 décembre, toute une partie de la population de Fréjus fut noyée parce que le barrage de Malpasset avait cédé. L'eau bouillonnante et glacée envahissait les maisons endormies emportant avec elle hommes, femmes, enfants, vieillards, bêtes, meubles, murs, voitures, tracteurs.

Ce fut une catastrophe sans précédent.

Ces pauvres gens, saisis en plein sommeil, furent des victimes innocentes, incapables de la moindre défense. Les dégâts furent immenses, les morts incalculables. Tous les médias, radios, télés, journaux ouvrirent des souscriptions pour leur venir en aide. Bien sûr, on demanda mon concours. Je le fis avec tout mon cœur.

R.T.L. envoya un jeune reporter Christian Brincourt. Déposant moi-même un chèque de 1 million, je demandai à tous de participer à cet appel désespéré. Christian est depuis resté un de mes amis fidèles. Nous nous sommes connus grâce à cette catastrophe et en avons traversé bon nombre d'autres depuis.

Cette rupture du barrage restera toujours pour moi le comble de l'horreur, de l'injustice, de la force démesurée des éléments en face de l'homme si faible en comparaison de la nature déchaînée.

Le 10 décembre 1959, je fus réveillée par le téléphone.

Fran-Fran, la voix blanche, m'annonçait la mort
d'Henri Vidal...

Quoi ?

Je hurlais dans le téléphone en proie à une crise
incontrôlable !

Je hurlais en pleurant, c'était impossible, je ne
voulais pas, non pas lui, trop vivant, trop gai, trop
jeune, trop beau.

Non, non, nooonnn...

Ma voix s'était muée en plainte, comme un chien
désespéré, je répétais un « non » qui n'en finissait
plus. Et pourtant « si » : Henri était mort dans la
nuit d'une crise cardiaque à l'âge de 40 ans. C'était
trop injuste, trop affreux, je ne pouvais, je ne voulais
pas le croire. Le destin s'acharnait sur le film *Voulez-vous danser avec moi ?* Après la mort de Sylvia
Lopez, si belle, si jeune, la mort d'Henri, en pleine
force de l'âge, en pleine santé ! Jamais deux sans
trois, la troisième ce serait moi, j'allais mourir pendant mon accouchement. Pitié, mon Dieu ! Pitié !

J'enfilai un manteau sur ma chemise de nuit et dis
à Alain de me conduire immédiatement à l'Hôtel
Lambert, le domicile d'Henri dans l'île Saint-Louis.
Qu'importaient tous ces guignols de photographes
qui, tels des vautours, attendaient leur proie. Mon
ami, mon copain, mon partenaire adorable était
mort, le reste du monde pouvait bien s'écrouler,
je volais vers lui, même si je ne pouvais plus rien
pour lui.

Cette mort me bouleversa.

Une semaine plus tard, le 18 décembre 1959, sortait en grande pompe funèbre, *Voulez-vous danser
avec moi ?* Ce n'était plus un film qui passait sur les
écrans parisiens, mais un cimetière !

Jacques revint avec une réforme provisoire en
guise de Légion d'honneur.

Il était à moitié fou. Moi aussi.

Nous allâmes essayer de calmer nos esprits à la campagne. Il y avait une charmante auberge à Feucherolles « Le Clos St-Antoine », tenue par Germaine, une femme qui en avait vu d'autres ! J'y fis la connaissance d'un médecin gynécologue merveilleux, le Docteur Boinet. Sa simplicité, son naturel me séduisirent. Pour lui, un accouchement était normal, il ne fallait pas avoir peur, au contraire. C'était l'acte d'amour à l'envers ! Il savait rassurer, rendre les choses si belles ! Je décidai sur-le-champ d'abandonner Laënnec et ses mondanités pour Boinet, sa simplicité, « sa force tranquille » ! A un mois de mon accouchement, je changeais de médecin ! Hurlements de maman, d'Olga, d'Alain, de Patin, de Coufin, etc.

Seul Jacques me comprenait et m'approuvait. Boinet le fit participer à mes exercices d'accouchement sans douleur ! Il lui expliqua tout ce qui allait se passer, afin que Jacques soit concerné directement, lui aussi, par la naissance de son enfant.

Le siège de la Paul Doumer était devenu pire que celui d'Alésia. Pas une fenêtre d'en face sans un télé-objectif braqué sur nos fenêtres à nous. Nul ne pouvait entrer ou sortir sans recevoir les éclairs des flashes et les bousculades des photographes.

Je pensais aux locataires de l'immeuble !

Les pauvres gens, si tranquilles habituellement, n'échappaient pas à cette intrusion forcenée dans leur vie privée. Heureusement qu'il n'y avait pas, parmi eux, un couple adultère venu cacher ses amours coupables dans cet immeuble bon chic, bon genre qui offrait toutes les garanties d'un secret bon ton.

Devant ce raz de marée journalistique international, qui en aucun cas ne m'aurait permis de partir en clinique au jour J sans une manifestation hurlante, flashante et horrifiante, mon médecin, mes parents, mon mari et moi-même dûmes prendre des mesures immédiates. Il fallait installer une salle d'accouchement dans l'appartement d'en face réservé au bébé. Je vis une société spécialisée, elle apporta bon nombre d'instruments de torture dignes de l'Inquisition. Les murs et le sol furent recouverts de plastique blanc ! Une table d'accouchement en acier présidait. Il y avait des bouteilles d'oxygène et d'azote, munies de leurs manomètres, de leurs tuyaux articulés et du masque en caoutchouc si redoutable. Des boîtes d'acier renfermaient des instruments petits mais acérés. C'était une panoplie effrayante digne du plus angoissant des films de Frankenstein. On m'avait défendu l'appartement d'en face, pour ne pas m'affoler. Comme tout ce qui est interdit, cela m'attirait et j'imaginais des ruses de Sioux pour essayer de voir à travers les petits carreaux de la porte pourtant protégés, eux aussi, par un rideau de plastique blanc.

J'avais acheté un berceau, une commode à langer, des chauffe-biberons, une voiture anglaise à grandes roues pour les promenades. Mais de layette, je n'en avais pas beaucoup. Mamie avait tricoté des petits rikikis blancs, je ne voulais que du blanc. C'était si petit qu'il était difficile de penser qu'un bébé allait rentrer dedans. Une maison de layette devait m'envoyer en cadeau toute la gamme indispensable au premier et au deuxième âge.

Moussia était arrivée et régnait sur son domaine d'en face.

Clown et Guapa se posaient des questions en aboyant sans arrêt. Clown plus nerveux que Guapa sautait sur toute personne qui passait d'un appartement à l'autre, les portes restant grandes ouvertes pour faciliter les allées et venues. Il fallut que je le mette en pension chez le Docteur D. qui l'aimait beaucoup. J'étais désespérée d'être obligée de me séparer de mon adorable petit cocker !

Décidément cet accouchement était une épreuve.

Je le prenais comme une facture à payer à la vie, bien décidée, si je m'en sortais, à ne plus jamais être esclave de ce bébé qui bouleversait si maladroitement une vie de femme mal préparée à tout cela. J'étais devenue énorme, même en serrant le plus possible « ma gaine de grossesse ». Je ne mangeais rien pensant qu'en me privant, je ne grossirais plus ! Je pesais 60 kg ! Poids qui me paraissait être le comble de l'obésité par rapport à mes 52 kg habituels !

Jacques était très fatigué, dépressif, l'épreuve qu'il avait dramatiquement traversée lui laissa des séquelles à vie ! Comme aurait dit mon Boum « vos actes vous suivent ».

Les fêtes de fin d'année passèrent sans la crèche ni les santons. Seule maman m'envoya un sapin tout décoré afin que Noël soit présent dans sa tradition. Je passais près de lui en pensant : « Ça sent le sapin » !

Sans commentaire !

XV

A partir du 1ᵉʳ janvier 1960, les nouveaux francs entraient en vigueur. Il fallut apprendre à libeller les chèques en enlevant deux zéros à nos vieilles habitudes. Gare à celui ou celle qui oubliait que le million devenait 10 000 francs, son compte en banque risquait d'en souffrir cruellement.

Le 10 janvier 1960 au soir nous regardions la télé, Jacques, Guapa et moi. C'était un dimanche, la bonne était sortie. J'étais allongée et admirais une retransmission de *Carmen* à l'Opéra avec Jane Rhodes et l'Orchestre de Roberto Benzi. C'était un événement que *Carmen* soit entré au répertoire de l'Opéra et je pensais à Bizet qui aurait été si heureux d'être enfin reconnu, tant d'années après sa mort, lorsque je ressentis une douleur fulgurante dans le ventre. Pliée en deux, le souffle court, la bouche sèche, j'arrivai à prévenir Jacques que « ça y était ».

« Ça y est quoi ? » me répondit-il.

Les hommes ont parfois des lenteurs d'esprit d'attardés mentaux !

Pendant que tonitruait le fameux air du toréador dont le cœur n'est pas en or, je me convulsais dans les spasmes d'une telle intensité que mon organisme n'y résisterait sûrement pas.

J'étais la troisième victime de *Voulez-vous danser avec moi ?*

J'allais mourir, c'était inévitable.

Je ne suis pas douillette. J'ai connu dans ma vie des douleurs physiques à la limite du supportable, je les ai toujours affrontées. Ce qui me tarauda le ventre, ce qui m'ouvrit en deux entre 10 heures du soir et 2 heures du matin cette nuit-là, dépassait de loin les normes de la résistance humaine. Tel un animal blessé à mort, je hurlais sans aucune retenue, tout offerte à ma souffrance. Les contractions étaient si proches les unes des autres que je n'avais pas le temps de reprendre mon souffle.

Je voulus me jeter par la fenêtre !

En sueur, les cheveux collés, vomissant, bavant, pleurant, hurlant, je gisais par terre agitée par de telles convulsions que je me retrouvais à l'autre bout de la pièce, roulant sur moi-même, comme ces êtres possédés par le démon qui se calment à la vue d'un crucifix.

Le Docteur Boinet essaya bien de me faire respirer comme les petits chiens, en haletant très vite et très fort, ce que j'avais appris et répété souvent, rien n'y fit ! Une autre vie en moi, plus forte que la mienne se servait de « mon corps » pour assumer sa destinée. J'étais devenue un cocon inutile que la chrysalide abandonne au moment de sa mutation définitive.

On me transporta sur cette table glacée, où l'on offre son sexe comme sur un autel au moment du sacrifice. Je voyais des têtes penchées entre mes jambes écartelées. Moi qui étais pudique de l'intimité de mon corps, du mystère de mon sexe, voilà que béante je m'offrais comme un étal de boucherie, sanglante, à la dissection visuelle de ces étranges étrangers. Une force puissante m'obligeait à me vider de moi-même. Je poussais des hurlements en poussant mes entrailles hors de moi. Je respirais une odeur atroce, j'étouffais, le masque de l'anesthésie me fit suffoquer. Il y eut des tintements de cloches diaboliques qui se mélangèrent à des cris de nouveau-né, je vis des lignes jaunes et bleues et, j'entendis faiblement des échos répétés à l'infini, mon corps prenait feu par le centre de moi-même.

C'était fini, je mourais...

Quand je rouvris les yeux, je fus étonnée de ne plus voir cette montagne de chair tendue à l'extrême, qu'était mon ventre, mais à la place quelque chose de chaud, que je pris pour une bouillotte de caoutchouc. Je brûlais partout entre mes jambes. C'est cette douleur-là qui était présente, l'autre n'existant plus ! Ma « bouillotte en caoutchouc » remuait doucement contre mon ventre, ses premiers contacts avec la vie.

Quand ma conscience revenue me permit de comprendre que c'était bien mon bébé qui nageait doucement sur moi, je me mis à hurler suppliant qu'on me l'enlève, je l'avais porté neuf mois de cauchemar, je ne voulais plus le voir ! On m'annonça que c'était un garçon !

« Je m'en fous, je ne veux plus le voir. »

Et ce fut la crise de nerfs...

Tout cela peut paraître incohérent, excessif, difficile à admettre.

Pourtant, je refusais mon enfant !

C'était un peu comme une tumeur qui s'était nourrie de moi, que j'avais portée dans ma chair tuméfiée, n'attendant que le moment béni où l'on m'en débarrasserait enfin. Le cauchemar arrivé à son paroxysme, il fallait que j'assume à vie l'objet de mon malheur.

Impossible, je préférais mourir !

Je ne dormis pas de la nuit en proie à une angoisse épouvantable. Il m'était difficile d'imaginer la présence d'un enfant dans ma vie, et pourtant il était bel et bien là. Pauvre petite chose innocente et déjà si lourde de reproches, de responsabilités, de sens du devoir, qui dormait sa première nuit rejeté, loin de moi, séparé par un palier de deux portes cadenassées. Je devais être un monstre !

En bas, l'avenue Paul-Doumer s'était transformée en marée humaine. La circulation était interrompue par la présence de centaines et de centaines de photographes et journalistes. Le public aussi, les badauds, les taxis, les automobilistes, les facteurs commentaient la naissance du bébé le plus célèbre de l'année. Ma concierge, Madame Archambaud, avait fermé à clef le portail de l'immeuble après avoir rejeté à coups de balai les plus rusés des photographes planqués à chaque étage. Un policier appelé par papa montait la garde devant la maison comme pour un chef d'Etat. Les klaxons scandaient les bons vœux qui m'étaient adressés par toute cette foule anonyme et fière !

Dès le matin, la maison fut envahie par des milliers de fleurs, magnifiques ou modestes, envoyées par tous ceux qui m'aimaient, riches ou pauvres. Robert Hossein me fit porter une ravissante cage dorée dans laquelle chantaient deux adorables canaris.

Jacques, extrêmement ému et bouleversé, me regardait avec une reconnaissance sans limites. Il était comblé de joie par la naissance de ce fils si attendu, si désiré. C'est lui qui de nous deux avait la fibre maternelle ! Il m'apporta un paquet de lainage blanc au milieu duquel sortait la petite tête négroïde qui avait provoqué tant de remue-ménage. Il fallait que je l'allaite. Non, non et non ! Je ne donnerais pas le sein.

Je ne m'astreindrais pas à cette discipline inhumaine et déformante de nourrice ! Il existait maintenant des laits proches du lait maternel. Que Moussia se débrouille ! Mes seins énormes et gonflés me faisaient souffrir, le lait s'en échappait inondant ma chemise et mes draps, mais je ne voulais plus rien donner de moi-même, même si je devais en crever !

Nous avions, Jacques et moi, choisi deux prénoms, « Marie » pour une fille, « Nicolas » pour un garçon. Jacques partit donc pour la mairie déclarer la naissance de « Nicolas, Jacques Charrier » survenue le 11 janvier 1960 à 2 h 10.

Il ne put passer inaperçu au milieu de la foule délirante qui assiégeait la maison. Il fut mitraillé par les photographes, invité à boire le champagne par les rédacteurs au bistro d'en bas. C'était une petite révolution. Chaque journal, chaque agence suppliait Jacques de les laisser monter pour prendre une photo du bébé avec moi ! Ils étaient au moins mille !

Jacques revint après avoir enfin déclaré « Nicolas », une pile de journaux sous le bras. Tous titraient en première page : « *B.B. maman* » « *Jacques et Brigitte ont un fils superbe de 3 kg 500.* »

« *Le bébé le plus célèbre est né cette nuit à 2 h 10.* » « *La maman la plus célèbre et la plus jolie a mis au monde un fils !* » etc.

Les télégrammes aussi arrivaient du monde entier.

Alain répondait au téléphone, courait chercher des fleurs en bas, remontait chargé de cadeaux, de lettres, de messages. C'était une folie, une liesse générale pour tous ceux qui n'étaient pas concernés. C'était un petit drame pour mes proches. C'était une catastrophe pour moi.

La Maison des Layettes fit livrer des cartons entiers de brassières, de culottes, de chaussons, de burnous ! Gentiment et publicitairement, ils offrirent de ma part une layette complète à tous les enfants nés ce 11 janvier dans toutes les cliniques et hôpitaux parisiens. Je sus par la suite, grâce aux remerciements de tous ces gens anonymes, que furent appelés « Nicolas » ou « Brigitte », bon nombre de bébés nés le même jour à Paris.

Jérôme Brierre, directeur d'Unifrance-Film, que je connaissais depuis mes débuts dans le cinéma et en qui j'avais une entière confiance, forçant les barrages de police, de secrétariat, de famille arriva à entrer dans ma chambre. C'était un vieux copain, il pouvait me voir dans n'importe quel état ! Et Dieu sait qu'il me vit, ce jour-là, dans une immense décrépitude morale et physique. Après les félicitations et congratulations d'usage, il m'expliqua sa présence. Je ne pouvais rester assiégée par des centaines de photographes ! Les gens de l'immeuble s'étaient plaints et les journalistes risquaient d'envahir, par la force, l'immeuble afin d'avoir enfin la photo du siècle !

Lui, Jérôme, se proposait, si je voulais bien, de faire une série de photos de Nicolas avec moi et avec Jacques. Nous les choisirions ensemble, écartant les mauvaises, ne laissant que les bonnes, et il les distribuerait gratuitement au monde entier ce qui m'éviterait de recevoir un millier de photographes, un à un, sans aucune garantie pour les photos. J'étais crevée, moche, sale, mes draps et mes cheveux étaient encore collés de la sueur de mon incommensurable souffrance et je devais payer ce tribut à ma célébrité : faire des photos !

Mais quel métier ! Je n'étais pas sur un plateau de cinéma !

Je venais d'accoucher, j'étais meurtrie, je portais encore les stigmates de la douleur dans mon corps, au plus intime de moi, et il fallait que je me laisse photographier !

Je pleurai longtemps, maudissant le sort qui m'accablait !

Maman et Mamie essayèrent bien de le faire comprendre à Jérôme. Il fallait attendre un peu, un jour ou deux ! Mais Jérôme était un professionnel ! L'actualité était l'actualité ! Si je ne me laissais pas photographier, nous risquions un scandale, un type qui arriverait à entrer par n'importe quel moyen, qui prendrait n'importe quelle photo et la balancerait sur le marché.

Les couloirs des chambres de bonne, à l'étage au-dessus, étaient déjà envahis de photographes. Si Yvonnette, ma caméraste, par inadvertance, allait vider la poubelle sans penser à prévenir Alain de refermer la porte derrière elle, il est certain que cela risquait d'arriver ! Et puis cette vie d'assiégés ne pouvait plus durer. Le médecin, l'infirmière, Jacques, papa, maman, Mamie, Dada allaient et venaient, un incident grave risquait d'arriver à tout moment.

Prenant sur moi, j'acceptai.

J'allai dans la salle de bains aidée par maman pendant que Mamie, Yvonnette, Dada faisaient de ma chambre une chambre de reine ! Le shampooing sec avait décollé mes cheveux que je brossai longuement. Les bains étant interdits, je pris une douche très chaude qui détendit mon corps. Maman m'apporta une ravissante chemise de nuit bleue en soie et dentelles dans laquelle mes seins éclataient, mais tant pis ! Je me maquillai tant bien que mal et remontai certaines mèches trop raides de ma chevelure, me faisant une coiffure négligée mais charmante, qui fut à l'origine de la fameuse « choucroute » des années suivantes.

Jérôme fit des centaines de photos de cette jeune femme et son bébé ! Quelques-unes avec Jacques. Il y avait des fleurs partout y compris sur les draps où elles étaient bleues. Ces photos firent le tour du monde, la couverture de tous les grands hebdomadaires, la « une » de tous les quotidiens et le bonheur de tous ceux qui les virent.

Christine Gouze-Renal n'avait jamais pu avoir d'enfants.

Je la choisis comme marraine. Elle apporterait à Nicolas une tendresse sécurisante, une présence lors de mes déplacements et une éducation rigoureuse qui ne serait pas dénuée d'humour.

Pierre Lazareff avait été mon père putatif dans le domaine journalistique. N'était-ce pas grâce à mes nombreuses couvertures et photos dans *Elle* que je fis mes premiers pas dans le cinéma ? Je le choisis comme parrain. Il apporterait à Nicolas un savoir, un courage, une philosophie, une dimension et peut-être une réussite. Pierre était juif, il lui fut interdit de prendre Nicolas dans ses bras sur les fonts baptismaux, c'est Alain qui servit de remplaçant ! La religion catholique m'étonnera toujours avec son racisme, ses interdictions ! Tout cela manque de générosité, d'indulgence, d'envergure.

Au moment où j'écris ces lignes, j'ai 47 ans et un merveilleux Nicolas de 22 ans qui est ma famille, mon appui. Je l'aime plus que tout. Et je remercie le ciel de me l'avoir donné, pour rien au monde je ne recommencerais une vie sans lui, mais à l'époque !

**
*

Exténués par tous ces événements, Jacques et moi décidâmes d'aller les oublier à la montagne, dans la neige. Laissant Nicolas à la garde vigilante de Moussia et d'Alain, sachant que Mamie, en tant qu'arrière-grand-mère, superviserait tout, que maman, en tant que grand-mère poule, veillerait au moindre détail. Nous partîmes à l'aventure du côté des Alpes.

Evitant les grands hôtels et leur soif de publicité, nous tombions en général dans des petits chalets-hôtels pour sportifs ! Après avoir pris bon nombre de téléphériques, nous avons fini par le dénicher, perdu dans la montagne, petit chalet chapeauté d'une épaisse couche de neige, isolé, tranquille apparemment !

Il était trop tard pour repartir, les bennes s'arrêtant à 4 heures, lorsque nous avons pris conscience de notre erreur. Nous nous sommes alors retrouvés perdus au milieu d'une bande de montagnards envahissants. Ah ! ils nous avaient bien reconnus ! Mais pour eux nous étions des gens comme les autres ! Et hop ! je recevais une grande claque sur les fesses.

Ah ! Bardot, nous on s'en fout !

On aime la montagne, on s'en tamponne de Bardot !

Et vlan ! un coup de poing dans le dos ! Et je te trinque à grandes rinçades de « fendant » ou de « crépy » ! Et s'en fichant de Charrier et de Bardot et de Bardot et de Charrier. Les gosses hurlaient, les grands traînaient leurs godillots sur le plancher, parlant fort, riant gras. Je demandai timidement ma chambre. « Mais c'est qu'ici y a pas d'chambre, tout le monde y dort au dortoir ! » Je regardai Jacques comme un condamné regarde celui qui peut le gracier !

Nous avons subi, cette nuit-là, la promiscuité ronflante et malodorante d'une bande de sportifs assoiffés de boyscoutisme. A 8 heures du matin, les laissant à leurs skis et leurs hurlements, nous prîmes la première benne et retrouvâmes notre voiture tel un havre de paix !

Le Guide Michelin aidant, nous partîmes vers Cordon où le chalet des Roches Fleuries offrait le calme, le panorama et le côté familial et tranquille que nous recherchions.

Notre arrivée fut un événement.

Reine, la patronne, courut avertir sa vieille mère en cuisine, battit des mains pour rameuter les postières en villégiature dans son hôtel. C'est sous leurs yeux attendris et curieux que nous nous sommes enfermés à double tour dans une chambre pour nous tout seuls !

Nous avons passé un séjour adorable aux Roches Fleuries.

Après le premier étonnement, nous avons côtoyé des gens simples et charmants qui ne savaient que faire pour me rendre la vie douce et agréable. Tels furent Fonce et Jacques Aumont, vieux couple faisant partie des meubles, pleins d'humour, de gaieté, qui me séduisirent à vie puisque encore aujourd'hui j'entretiens des relations amicales avec Jacques, resté seul.

Je suis souvent retournée chez Reine et j'y ai, chaque fois, trouvé un accueil chaleureux et discret, cette ambiance douce et familiale que j'ai cherchée tout au long de ma vie, sans jamais la trouver ailleurs.

Pourtant il fallut partir, Jacques devait retrouver un ami à Chamonix. C'est à l'hôtel du Mont-Blanc, en plein cœur de la ville, que nous échouâmes. Je déteste, je détestai Chamonix, cette ville de neige avec ses feux de croisement, sa boue dans les caniveaux, son côté industriel, cette foule, ces montagnes écrasantes qui vous encerclent, vous coupant la vue et le souffle. Où étaient les fermes, les abreuvoirs, les scieries qui sentaient si bon le bois fraîchement coupé, de Cordon ?

N'ayant rien à voir par ma fenêtre qui donnait sur l'immeuble d'en face, je fermai les volets et me couchai en plein jour, bien décidée à ne me relever que pour partir. Pour m'aider à dormir, j'ingurgitai quelques somnifères. Quand Jacques revint, il me trouva en plein délire. Il fallut appeler un médecin. La patronne de l'hôtel fut merveilleuse. Elle me soigna comme sa fille, me parla, me rassura.

Remise sur pied une fois de plus, elle me présenta les guides les plus connus de ces montagnes sans merci. Lionel Terray venait de mourir. Sa femme nous reçut avec d'autres guides. Ce fut une soirée émouvante et inoubliable autour d'une fondue savoyarde. Je fis la connaissance d'êtres rudes, vrais, sains, généreux, courageux et bons vivants.

Je me trouvais transportée dans un univers si différent du mien, si attachant, si cruel aussi. Ici les choses avaient leur réelle importance. Les femmes acceptaient leur solitude, leur veuvage. C'était la dure loi de la montagne. Elles se soumettaient sans se résigner et perpétuaient la tradition avec une sérénité admirable. Je pensais à mes fuites, à mes dérobades dues à l'empoisonnement chimique des somnifères. Elles portaient la tête haute. Seules des rides, dues aux larmes, ensoleillant le tour de leurs yeux étaient révélatrices. Les femmes de montagnards sont des femmes-courage.

Forte de cette leçon humaine si positive, je repartis vers Saint-Tropez.

Kapi fut si heureux de nous revoir !

Pilar Fernandez à qui j'avais proposé de garder les lieux, nous avait préparé une maison qui aurait voulu être accueillante mais qui, en hiver, restait froide avec un jardin tout déplumé. Comme La Madrague peut être différente selon les saisons ! L'été c'est une maison tropicale, la végétation y est luxuriante, le soleil rentre à flots dans les pièces et les baigne d'une lumière chaude et douce. L'hiver c'est une catastrophe. Les algues envahissent le jardin, les embruns brûlent toutes les feuilles. Les pièces trop grandes manquent d'intimité et de chaleur. C'est triste, froid, humide, désolé.

Je décidai de faire construire une « petite Madrague » qui serait la maison de Nicolas. Je ne m'embarrassai ni de permis de construire, ni d'architecte. Une grande pièce avec une cheminée très rustique, une baie sur la mer, une petite salle de bains, des grosses poutres, un plafond très bas suivant la pente du toit, le tout blanchi à la chaux et voilà !

J'engageai un entrepreneur et m'occupai moi-même des dimensions, prenant les mesures à « grands pas », au pifomètre. Mettant la main à la pâte en volant leur niveau d'eau et leur fil à plomb, je voulais que les murs soient un peu de travers pour faire ancien. Dès qu'un coin présentait une arête vive, je passais la main dessus afin d'arrondir les angles, c'est le cas de le dire. J'étais très occupée, cela m'amusait beaucoup.

J'allais me baigner, l'eau de mars était glacée mais cela raffermissait les chairs encore distendues de mon ventre.

Pendant ce temps, Jacques voyait Jean Aurel et Cécil Saint Laurent qui avaient un projet de film avec lui.

Ils ressemblaient aux Pieds Nickelés tous les trois.

Ils buvaient beaucoup, parlaient beaucoup, travaillaient peu !

Ils n'avaient pas l'air très sérieux devant leurs pastis dès 11 heures du matin. Je les rejoignais pour le déjeuner, du plâtre plein mon jean et mes cheveux. Je compris plus tard qu'ils me lorgnaient pour interpréter le rôle féminin de leur prochain chef-d'œuvre, dont Jacques serait le producteur et le jeune premier. Ils me racontèrent l'histoire, qu'ils inventaient au fur et à mesure de leur imagination, le tout entrecoupé de hoquets et de rires un peu avinés. Je n'y attachais qu'une importance amusée, sachant parfaitement que, d'une part, je n'étais pas libre avant deux ans, d'autre part, ne voulant pas les vexer, j'approuvais d'un air extrêmement sérieux tout ce qu'ils disaient.

Ils le prirent pour argent comptant !

Ce fut encore matière à scènes violentes entre Jacques et moi.

« Comment, tu fais des films avec n'importe qui mais avec moi comme producteur tu refuses ?

— Mais Jacques tu sais très bien que je ne suis pas libre avant deux ans, demande à Olga.

— Ah, celle-là je ne veux pas en entendre parler, et toi tu n'as qu'à te libérer pour tourner avec moi, sinon... »

Ça se terminait mal. Jacques partait en claquant

les portes me laissant seule en pleine nuit avec Kapi. Il allait avec ses deux sbires noyer sa déception dans l'alcool et la médisance. Ce genre de tête-à-tête me fatiguait. Ce séjour devenait odieux. Je n'étais heureuse que seule avec les maçons et le chien. Dès que Jacques revenait, je me crispais.

Laissant la maison se terminer sans moi, Kapi à la garde de Pilar, je décidai de rentrer à Paris.

**
*

Nicolas avait les yeux ouverts et bleus.

Il ressemblait au colonel Charrier, le père de Jacques, ce qui me désespéra !

Je retrouvai tout le quotidien, les factures, les impôts, les ennuis de toute sorte : la bonne qui voulait partir, Alain amoureux d'un chanteur de charme à la petite semaine, enfin tout le comité d'accueil habituel ! Seule ma Guapa ne m'apportait que bonheur et fête. Clown était parti à la campagne où le Docteur D. l'avait confié, provisoirement, à son boucher. Il vivait paraît-il comme un prince, courant le lapin à longueur de jour, mangeant tous les bas morceaux de la boucherie, rongeant les os, s'empiffrant comme un chancre.

La réforme de Jacques n'étant pas définitive, il devait repasser en conseil de révision. C'est pourquoi il ne pouvait ni travailler, ni se montrer, ni envisager l'avenir sous aucune forme. Ce nouvel examen de médecine militaire n'étant pas fixé, Jacques vivait avec une épée de Damoclès constamment au-dessus de la tête. Nous ne voyions plus personne, complètement recroquevillés sur nous-mêmes, seul le Docteur D. avait ses entrées et ses sorties à la maison. Il aidait Jacques de son mieux.

Raoul Lévy recommença à me téléphoner. *La Vérité* devenait un film extraordinaire qui allait faire couler beaucoup d'encre. Clouzot voulut me voir pour me parler de la distribution, aucun acteur n'ayant encore été retenu. Olga, après avoir joué les mères-poules, reprenait son rôle d'agent de star et parlait business.

Jacques ne supportait plus tout cela et craqua.

Etait-ce une jalousie de mari, d'acteur ?

Etait-ce ce sentiment d'impuissance devant un être qui paraissait atteint au plus profond et qui renaissait de ses cendres ? Toujours est-il qu'il eut une véritable dépression nerveuse. Le Docteur D. lui administra des piqûres de *Calcibronat* intra-veineuses qui le laissèrent comateux pendant une semaine. A la suite de quoi il me conseilla d'aller à la campagne le plus possible, afin que Jacques se remette au calme.

C'était le comble. J'avais porté pendant neuf mois un enfant que j'avais mis au monde dans des conditions infernales, je subvenais à tout dans notre vie, je préparais un film difficile qui serait l'enjeu de ma carrière et en plus, je devais assumer un mari dépressif au point de devenir un fardeau.

J'en avais assez, assez, assez !

Néanmoins, je pris Jacques sous le bras et partis faire le tour de la campagne environnante. Nous nous promenions dans les champs, déjeunions dans de délicieuses auberges, parfois nous couchions dans un relais de campagne. Nous avions des rapports de frère et sœur. Jamais, au grand jamais, je n'aurais pu refaire, de ma vie, l'amour avec lui. J'étais traumatisée, frigide à jamais ! Le Docteur Boinet a qui j'en avais parlé m'avait rassurée, me disant que ça passerait bien un jour.

Dédette qui savait mon obsession d'une grossesse m'avait dit : « tu oublieras, c'est le mal joli ». Tu parles, « le mal joli », aujourd'hui encore j'y pense comme au mal le plus atroce qui existe ! Résultat, une belle fille, jeune, sexy et tout et tout, mais glaciale !

Ce qui m'intéressait c'était de trouver une maison de campagne. J'avais une envie folle de fuir Paris, de voir des arbres, de l'herbe, de la terre. Je profitais de nos escapades pour visiter toutes les fermettes, maisons ou domaines qui s'affichaient dans les vitrines des agences immobilières. Jacques et moi avons vu des horreurs. Guapa, ravie, gambadait de gauche et de droite, elle reniflait des odeurs et venait me faire part de ses découvertes, elle rajeunissait.

Les yeux de Nicolas devinrent marron ! Il me regardait, souriant, content de son tour de prestidigitation ! Moussia ravie me disait qu'il avait pris 20 grammes au dernier biberon, ce qui me laissait perplexe !

Jacques fut rappelé pour son examen.

Seule j'assumais tout ce tintouin qu'est une famille, une maison, un brain-trust. Alain me lâchait. Visiblement son cœur et son esprit étaient ailleurs, avec son chanteur. Il ne me manquait plus que ça ! Yvonnette était partie me laissant seule avec de nouvelles bonnes à mettre au courant, au courant... à la chaise électrique, oui ! Moussia heureusement était là, prête à mettre la main à la pâte.

C'est à ce moment un peu embrouillé que Christine Gouze-Renal m'annonça la sortie officielle de *La Femme et le Pantin* à Lisbonne. Nous étions invités tels des chefs d'Etat. Le gouvernement portugais mettait à ma disposition un service d'ordre, des motards, des gardes du corps. Ce n'est pas que je fusse particulièrement fière de ce film mais l'idée de me changer les idées pendant 48 heures me séduisit.

Je trouvai une robe somptueuse chez Réal, un tailleur superbe pour le voyage, je pris Jacques sous le bras droit, Christine et son mari Roger Hanin sous le bras gauche, et nous nous envolâmes pour Lisbonne.

On l'a vu, j'ai toujours eu une peur bleue de l'avion ! La peur ce jour-là fut particulièrement forte et déclencha une hémorragie qui correspondait plus ou moins à ce que l'on appelle « un retour de couche ».

Nous avions tout prévu, sauf cela !

Ce fut une catastrophe !

On m'allongea dans la cabine des hôtesses. Tous les kleenex et cotons à démaquiller furent réquisitionnés pour éponger cette fuite intempestive et angoissante. J'avais taché ma jupe, ma veste, comment allais-je sortir de cet avion devant la presse, les officiels, les photographes ? Debout, je sentais ma vie s'écouler à grands flots entre mes jambes.

J'étais au bord de l'évanouissement.

Je tournai ma jupe pour que la tache se trouve devant et tins devant moi un grand foulard que me prêtait Christine. Jacques me mit sa veste sur le dos qui cacha la tache de la mienne et je débarquai en grande pompe à Lisbonne, accueillie par les flonflons d'un orchestre, le président du Conseil municipal, mon partenaire Antonio Vilar et une foule hurlante ! Nous regagnâmes l'hôtel le plus vite possible, escortés tels des chefs d'Etat par quatre motards devant et quatre derrière.

Si je n'avais pas été dans cet état lamentable, j'aurais sûrement apprécié cet accueil hors pair. J'étais assise sur la veste de Roger Hanin afin de ne pas salir les coussins de la Mercedes 600 qui nous emmenait à travers cette campagne magnifique et pour moi inconnue qu'était le Portugal. Arrivés à l'hôtel, nouvelles formalités et discours qui n'en finissaient pas, porto d'honneur, musique, danses folkloriques et moi me tenant foulard à l'arrière et vanity-case à l'avant, essayant de participer, ne pensant qu'à m'allonger, épuisée, vidée, honteuse.

L'appartement que l'hôtel mit à ma disposition était somptueux. J'avais une chambre immense, décorée d'une manière ravissante, un salon digne de celui de la reine d'Angleterre, une autre chambre pour Roger et Christine aussi belle que la mienne, le tout couvert de fleurs, de fruits, de présents, de cadeaux. Enfin seule, si je puis dire, je m'effondrai sur mon lit, appelant par le standard un docteur !

« Quel genre de docteur, madame ?

— Un gynécologue, madame, d'urgence ! »

La presse apprit l'existence de cet appel téléphonique avant le docteur lui-même ! Lorsqu'il arriva, escorté de toute la délégation hôtelière, et qu'il examina mon cas après avoir renvoyé tout le monde, il me conseilla, avec le plus grand sérieux, de garder la chambre pendant 48 heures sans bouger. Il me fit des piqûres pour enrayer l'hémorragie, des piqûres de calmants, des piqûres de tout un tas de trucs qui me laissèrent complètement groggy !

Mais la première avait lieu le soir même !

Christine, effondrée, essaya de me secouer, de me faire tenir debout, Jacques et elle tentèrent même de m'enfiler ma robe du soir, j'étais en coton, incapable de me tenir sur mes jambes, saignant sans cesse.

La première de *La Femme et le Pantin* eut lieu malgré tout avec moi.

Dans ma loge couverte de fleurs, je n'en menais pas large. Il y eut un souper extrêmement élégant où toute l'aristocratie et le gratin portugais étaient réunis en mon honneur. Toute une ville me fêtait, m'attendait, levait son verre à ma gloire, à celle du film, et ce fut ma meilleure thérapie. Les étudiants me firent un chemin d'honneur de leurs capes mises à terre, c'était grandiose et émouvant, triomphal aussi.

XVI

Mon heure de « Vérité » approchait.

Je fis des essais avec plusieurs jeunes acteurs. Je réapprenais le studio, la comédie, en donnant leur chance à de jeunes hommes pétrifiés par le trac. Clouzot me fit jouer la même scène pendant une journée complète avec : Jean-Paul Belmondo, Hugues Aufray, Gérard Blain, Marc Michel, Jean-Pierre Cassel et Sami Frey.

C'était une scène d'amour !

Je les prenais dans mes bras, sentant leur panique, leur sueur, leur trac. Je leur disais les mêmes mots avec la même conviction, ils me répondaient chacun avec leur personnalité différente.

Jean-Paul Belmondo était trop sûr de lui, même si son cœur battait si fort contre moi. Jean-Pierre Cassel n'avait pas le physique adéquat ! Gérard Blain était plus petit que moi ! Hugues Aufray était trop angoissé, je crus qu'il allait s'évanouir entre mes bras. Marc Michel n'avait pas assez de personnalité, il était trop « comme tout le monde », même si le trac l'empêchait d'être lui-même ! Sami Frey était comme il fallait être, lointain et proche, tendre et dur, amoureux et lucide. Il fut engagé avec Charles Vanel, Paul Meurisse, Louis Seigner, Marie-José Nat, et Jacqueline Porel pour *La Vérité*.

Rentrée à la maison, le Docteur D. m'annonça que Jacques était en clinique privée, quelque part aux environs de Paris, son cas étant jugé définitivement inapte au service armé. C'était à la fois une victoire et une défaite. Alain, fou d'amour, n'était pas venu depuis longtemps. Le courrier s'amoncelait, la bonne n'avait rien fait. Seule Moussia, fidèle au poste, veillait sur Nicolas.

J'étais fatiguée, si fatiguée. Je rêvais d'une vie différente avec un homme solide, présent, assumant, je n'en pouvais plus ! J'essayais les costumes avec Tanine Autré, je fis des essais de photo avec Armand Thirard. Le 2 mai 1960, je tournais la première scène aux studios de Joinville, sous la direction de Clouzot.

Le soir, j'allais voir Jacques à la clinique. Il était complètement déboussolé. Je pleurais sur lui, sur moi, sur nous !

En rentrant j'assumais les problèmes de lait caillé de Nicolas, les amours d'Alain et les questions domestiques. Il me fallait une sacrée énergie pour supporter tout cela. Chaque matin, je partais pour une journée harassante, ne sachant pas ce que le soir allait me réserver. Jacques revint mais dut garder le lit pendant de longs jours.

Actrice la journée, garde-malade la nuit, tel était mon programme.

Un soir Lazareff m'appela :

« Ma petite Brigitte êtes-vous d'accord avec les révélations de votre secrétaire ?

— ???

— Mais si, Brigitte, ne faites pas l'enfant ! Etes-vous d'accord avec la publication des Mémoires de votre secrétaire ?

— Je vous assure, Pierre, je ne suis au courant de rien ! Je ne comprends rien !

— Mais Brigitte, il a vendu ses Mémoires pour 50 millions anciens à *France-Dimanche*, dont je suis le rédacteur en chef, alors vu les liens amicaux qui nous unissent je voulais avoir votre avis ! »

Le sol s'effondrait sous moi.

Quoi ? Alain, mon confident, le seul sur qui je comptais, avait vendu 50 millions à *France-Dimanche* mes états d'âme, mes secrets, ma vie si perturbée ? C'était impossible !

« Je vous remercie, Pierre, je n'étais pas au courant, ce doit être un malentendu, je vous rappellerai demain après enquête. »

Il était tard. J'appelai immédiatement mon avocat, Maître Jean-Pierre Le Mée :

« Jean-Pierre, je viens d'apprendre par Lazareff que Alain a vendu ses Mémoires à *France-Dimanche*, est-ce possible ?

— Oui Brigitte, aucun secrétaire n'est tenu au secret professionnel !

— Je n'arrive pas à y croire, c'est impossible. Quel recours avons-nous ?

— Aucun, chère Brigitte, sauf celui de discuter à l'amiable chaque ligne de ces soi-disant Mémoires. »

J'étais effondrée, bouleversée !

Comment Alain avait-il pu faire une chose

pareille ? Je rêvais, c'était impossible ! Pourtant, depuis ses amours avec ce chanteur stupide, Alain avait changé. Je n'avais aucun téléphone où le joindre. Je ne dormis pas de la nuit et attendis son arrivée. Durant ces heures de veille, Jacques me manqua, j'aurais voulu en parler avec lui, mais il dormait terrassé par les piqûres calmantes du Docteur D. J'étais seule une fois de plus à assumer le drame d'une trahison impardonnable.

A 9 heures, debout dans l'entrée, j'entendis l'ascenseur puis le farfouillage de la clef dans la serrure. Alain entrait fringant et souriant ! Ma mine sévère l'arrêta net !

« Mais Brigitte que se passe-t-il ?

— Alain, répondez-moi franchement, avez-vous, oui ou non, vendu vos Mémoires à *France-Dimanche* ? »

Je le vis blêmir. Il n'avait pas la force de me mentir, ni celle de m'avouer la vérité.

« Brigitte, de quoi parlez-vous ? Je ne comprends pas !

— Alain, vous comprenez très bien ! Avez-vous, oui ou non, vendu mon intimité à *France-Dimanche* pour 50 millions ?

— Mais Brigitte, je ne comprends pas ! Qu'avez-vous ce matin ? »

Il était blanc.

« Alain, Pierre Lazareff qui est le parrain de Nicolas m'a tout raconté. Je veux que vous me disiez si c'est vrai ou faux !

— Ah !... Pierre Lazareff vous a téléphoné ?... pourtant j'ai eu affaire à Max Corre qui m'avait promis le secret absolu !

— C'est donc vrai ?

— Mais de quoi parlez-vous ? J'ai proposé à *France-Dimanche* un petit papier anodin que Max Corre, le rédacteur, m'a acheté, c'est tout !

— Alain, dites-moi si oui ou non, vous avez vendu

vos Mémoires de secrétaire de B.B. à *France-Dimanche* pour 50 millions ?

— Oui Brigitte, mais ça n'est pas de ma faute, c'est mon ami qui m'a obligé sinon il me quittait, je l'aime, je suis si malheureux !

— Alain, donnez-moi la clef de la maison. »

Il me la tendit.

Je lui fis faire demi-tour sur le palier et refermai la porte sur lui à jamais !

Ma soif de justice et d'intégrité m'a parfois mise dans des situations épineuses. J'avais balayé Alain de ma vie car il m'avait salement trahie. Je me retrouvais seule avec un nourrisson, un mari malade, une maison à faire tourner, pas de bonne, un film à réussir. Une situation difficile à équilibrer pour tout être normal, impossible en ce qui me concernait.

J'appelai maman au secours.

Un accord fut passé entre la *Franpart*, le groupe *Elle, France-Soir, France-Dimanche, Ici-Paris* dont Lazareff était le grand patron, et mon avocat Maître Le Mée. Lazareff, Max Corre, rédacteur de *France-Dimanche*, mon avocat et moi-même allions lire le texte d'Alain Carré. Chaque mot ou phrase ou situation fausse serait obligatoirement supprimé. Mais rien ne les empêchait de publier ces Mémoires, si intéressants pour le public, qu'ils avaient payés si cher.

Je pensais avec dégoût que le responsable d'une telle saleté, outre Alain Carré, était Lazareff le parrain de mon fils.

Le soir, après ma journée de tournage, je retrouvais au salon de la Paul Doumer tout ce petit monde. C'est Max Corre qui lisait. J'entendais des choses si vraies, si atrocement vraies que j'avais envie de crier « Au scandale » ! Je me taisais sachant que seul le mensonge pouvait être exclu ! J'eus même droit à la pire des trahisons. Un petit mot de moi, griffonné à la hâte, prévenant Alain que j'étais partie faire le tour du lac du bois de Boulogne, que j'étais dépressive et souhaitais ne pas me jeter dedans ! Ce bout de papier avait été photographié avec mon écriture. Tout y passa, tout y passait !

Je suis d'un naturel pudique.

Même si j'ai montré mon corps nu dans les films, c'était toujours en situation, ça voulait dire quelque chose. L'acte n'était pas gratuit. Je montrais mon corps, belle enveloppe, pourquoi pas ?

Je n'ai jamais montré mon âme !

Je n'ai jamais dévoilé un au-delà de moi-même. C'est pour cette raison que j'ai souffert doublement lors de mon accouchement. Démystifier mon intimité, même pour un acte aussi naturel, me paraissait d'une impudeur extrême. Etre livrée au public, être nue dans mes pensées les plus secrètes, offerte en pâture pour quelques francs, me paraissait la pire des injustices, des trahisons. Et pourtant je dus le supporter. Les articles à sensation sortirent chaque semaine pendant quelques mois. Le monde se délectait de mes angoisses, de nos querelles, de mon accouchement, de mon refus de maternité, de ma somme payée aux impôts, de mon courrier, de mes états d'âme, de mes suicides manqués et secrets.

**
*

Pendant ce temps, tel un vaillant petit soldat, je continuai de tourner, en butte aux commérages des figurants, aux gorges chaudes des maquilleurs, des chauffeurs, des habilleuses.

Un jour, Jean-Claude Simon arriva dans ma loge, trois photos à la main. Elles représentaient un saule pleureur magnifique, une chaumière adorable, un petit étang. C'était une maison à vendre à Bazoches près de Montfort-l'Amaury. Le dimanche suivant, j'allai la visiter avec lui. C'était mon rêve, une ancienne bergerie de chaume, un terrain vallonné avec des arbres centenaires et une pièce d'eau.

J'achetai immédiatement !

364

J'y serais bien restée, mais je devais continuer à tourner. Je lui dis « au revoir », bien décidée à venir m'y cacher dès que j'en aurais la possibilité.

Mes rapports avec Jacques étaient devenus invivables !

Il était convalescent d'une maladie plus ou moins imaginaire, j'étais active, battante et bataillante. Tournante par-dessus le marché ! Le matin, j'arrivais au studio déprimée, triste, fatiguée par la vie minable que je menais chez moi. Mes filles me remontaient le moral. Clouzot me le redescendait pour que je sois dans le ton.

Clouzot était despotique.

Il me voulait à lui tout seul et régnait sur moi en maître absolu. S'il me disait de pleurer, je devais pleurer. S'il me disait de rire aux éclats, je devais m'exécuter immédiatement. Or, rien n'est plus dur pour une actrice que de pleurer ou rire sur commande.

Un jour je devais jouer une scène particulièrement dramatique. Clouzot me prit dans un coin, me parla doucement de choses tristes, horribles, essayant de faire monter en moi une émotion qui provoquerait les larmes. Puis il me laissa me recueillir. Il y avait un silence de mort sur le plateau. Tout le monde attendait que je pleure. La tête dans mes mains, je pensais à mes parents, à la tragédie que serait leur disparition. Entre mes doigts, je voyais les machinistes regarder leur montre, j'entendis quelqu'un tousser. J'eus conscience, tout à coup, du ridicule de la situation et me mis à éclater d'un rire nerveux que je ne pouvais pas arrêter.

Consternation dans l'équipe.

Clouzot arriva, furieux, et me balança deux paires de gifles retentissantes. Sans réfléchir, je les lui retournai sur-le-champ.

Il était hébété ! Jamais on ne lui avait fait ça !

Hors de lui, mortifié, humilié devant témoins, il m'écrasa les pieds avec les talons de ses chaussures.

J'étais pieds nus, je poussai un hurlement et me mis à pleurer de douleur. Il demanda instantanément le « moteur » profitant de ces larmes bienvenues pour tourner la scène. Mais boitillante et claudiquante, je quittai le plateau telle une reine offensée et réintégrai ma loge où je demandai que l'on fasse venir un huissier.

Ayant fait constater officiellement l'état lamentable dans lequel Clouzot avait mis mes petits doigts de pied, je rentrai chez moi, prévenant la production que je ne reviendrais que lorsque je serais rétablie et que Clouzot se serait excusé.

Une autre fois, je tournais une scène de suicide.

J'étais censée avoir avalé des barbituriques et devais divaguer en respirant bruyamment au fond de mon lit. Ce genre de choses m'était malheureusement familier... Je pensais être on ne peut plus naturelle dans mon semi-coma, mais ça ne plaisait pas à Clouzot. C'était la fin de la journée, tout le monde était crevé, il faisait sur le plateau une chaleur accablante. Clouzot voulait que je transpire, que je bave, il me faisait mettre de la mousse au coin des lèvres, de l'eau glycérinée sur le front. J'avais mal à la tête, j'en avais assez de recommencer sans arrêt cette scène déprimante.

Je demandai qu'on m'apporte un verre d'eau avec deux aspirines. Clouzot me dit en avoir sur lui et j'avalai les deux comprimés blancs qu'il me tendit.

Je me sentis bizarre, une torpeur m'envahit, mes yeux pesaient une tonne, j'entendais comme à travers du coton... On dut me ramener à la maison portée par deux machinistes. Dédette affolée prévint maman que Clouzot m'avait droguée en me faisant absorber deux somnifères puissants à la place de l'aspirine que j'avais demandée.

Je mis 48 heures à me réveiller !

Mais la scène était réaliste et on ne peut plus vraie !

Papa, fou de rage, alla trouver Clouzot le menaçant de le poursuivre devant les tribunaux. Raoul Lévy fut obligé de lui faire une lettre afin qu'il s'engage à ne plus jamais recommencer pareil abus ! Cela fit une histoire pas possible.

Tel était Clouzot qui ne reculait devant rien pour arriver à ses fins.

Sami Frey m'intimidait terriblement.

Il était très réservé, renfermé même, un peu distant, posait sur tout un regard ironique et légèrement moqueur. Il lisait Brecht entre deux scènes, parlait peu, ne se livrant pas. C'était un acteur au sens profond du mot.

Il adorait répéter les scènes un nombre incalculable de fois, essayant toujours de s'améliorer. Le contraire de moi ! Les répétitions me barbaient, je ne donnais la quintessence de moi-même qu'au moment du tournage. Pourquoi se défoncer pour une répétition, ça ne rimait à rien.

Sami était poli, sans plus, fuyant, comme je le comprends, l'extravagance de tout ce que je représentais. Je savais qu'il partageait sa vie avec Pascale Audret, c'est tout. Il était d'une extrême discrétion. Cette indifférence un peu lointaine me perturbait. Cela me gênait de ne pas avoir de rapports plus amicaux avec l'homme qui allait m'aimer d'amour fou dans des scènes d'une passion hors du commun. Il devait me trouver primaire et stupide, peut-être qu'il me trouvait moche ou que je le dégoûtais. Quand il me prenait dans ses bras, je me sentais rougir jusqu'aux oreilles. Son regard devenait d'une extrême douceur pendant les scènes de tendresse. Ce qu'il me disait était si naturel que parfois j'avais une folle envie d'y croire. Le « coupez » de Clouzot arrivait tel un couperet, tranchant subitement un univers de rêve dans lequel je m'abandonnais, laissant un peu trop longtemps ma tête sur son épaule après que la scène fut finie.

Je m'apprivoisais à lui sans qu'il s'apprivoise à moi !

Un jour, j'arrivai très déprimée.

Une scène violente avec Jacques m'avait brisée.

Sami et moi attendions derrière un panneau le moment où la petite lampe témoin s'allumerait pour rentrer dans le décor. Nous étions seuls, chacun renfermé sur lui-même. J'essayais, sans y parvenir, de ravaler les larmes qui me montaient aux yeux. Sami s'en aperçut. Il ne dit rien, me prit la main, la serra très fort, ne la lâcha plus. Cela me fit du bien, je ressentis un bonheur intense. Depuis ce moment, chaque fois que nous nous retrouvions seuls, Sami me prenait la main, ou me serrait sur son cœur me disant avec ses yeux tout ce qu'il eût été impossible de dire autrement.

Ce que c'était bon d'être amoureuse !

Comme la vie devenait différente !

Ma tendre complicité avec Sami avait illuminé mon visage et mon existence. Pour lui j'essayais de donner le meilleur de moi-même, ne rechignant plus sur les répétitions, sachant mon texte sur le bout des doigts, évitant les caprices et les énervements inutiles. Clouzot n'en revenait pas, j'étais presque docile. Mes filles avaient reniflé quelque chose et s'éloignaient discrètement quand Sami s'approchait. Le soir, la voiture de la production s'arrêtait quelques mètres après l'entrée du studio, où la voiture de Sami m'attendait.

Nous voulions garder secret notre amour tout neuf, par respect pour Jacques et Pascale et aussi pour éviter les ragots. Les « pia-pia » qui salissent tout et seraient inévitablement arrivés aux oreilles des chroniqueurs à scandale. Tout doucement Sami me découvrait si différente de ce qu'il imaginait. Notre retenue, notre timidité ne facilitaient pas les choses. Nous nous livrions l'un à l'autre avec énormément de pudeur. Nous avions le temps, nous prendrions le temps, nous nous aimerions pour longtemps.

Les retours à la Paul Doumer étaient difficiles.

Je n'y retrouvais que des problèmes.

Maman m'avait déniché « une secrétaire » parmi ses relations. Madame Malavalon très « bon chic-bon genre », femme d'officier de marine à la retraite, travaillait pour la première fois de sa vie.

Et quel travail !

Remettre à jour un courrier amoncelé depuis deux mois, où les lettres étaient parfois pornographiques, où les factures auraient affolé le ministre des Finances en personne. Cette dame d'un certain âge, pleine de charme et de discrétion, passait ses journées à piquer des fards et m'avoua en avoir appris plus avec moi en quelques mois de secrétariat qu'en trente ans de mariage.

C'est avec Madame Mala qu'écœurée par l'histoire de Caryl Chessman, j'écrivis au président Eisenhower pour lui demander sa grâce.

Caryl Chessman était cet Américain accusé de viol sans preuve véritable. Il avait été emprisonné en 1948 et, depuis, avait eu le temps de réviser tout son procès. Il avait écrit un livre relatant son aventure, et sa condamnation à mort sans cesse reculée devait avoir lieu une fois de plus en ce printemps 1960.

Décidément, les Américains se conduisaient comme des brutes, avec une inhumanité indigne d'un peuple qui se considérait comme le leader du monde et qui voulait secouer les vieilles traditions poussiéreuses des ancêtres européens.

Je reçus une réponse de la Maison-Blanche me conseillant de demander la grâce de Chessman au gouverneur de l'Etat de Washington. Je n'eus pas le temps d'envoyer cette nouvelle lettre. Caryl Chessman fut exécuté quelques jours plus tard. Le cyanure de la chambre à gaz fut choisi pour son supplice.

Quand, quelques années plus tard, je revis le merveilleux film *Je veux vivre* avec Susan Hayward qui se termine dans la chambre à gaz, je ne pus m'empêcher de penser à Caryl Chessman assassiné douze ans après son arrestation sans preuve véritable de sa culpabilité.

Honte à vous, hommes, capables de telles erreurs, de telles cruautés, de telles injustices.

Moussia m'annonçait la croissance en âge et en sagesse de Nicolas, mais s'interposait chaque fois que je voulais le prendre dans mes bras !

Les microbes ! ! Les virus ! !

Tout ce monde infiniment petit montait une garde vigilante prête à sauter sur le pauvre bébé et m'éloignait de lui à grands coups de « attention aux maladies » ! N'ayant déjà pas la fibre maternelle extrêmement développée, il n'en fallait pas plus pour me décourager.

Seule ma Guapa m'apportait toute la vraie tendresse, la chaleur, la spontanéité que j'attendais tant. Jacques me voyant câliner ma chienne faisait des allusions mal placées, trouvant que cet amour aurait dû être donné à mon fils. Mais voilà, Guapa se foutait éperdument des microbes, des virus, des maladies, je pouvais me repaître de sa chaleur, de son corps, de ses yeux, sans que personne ne s'interpose.

Sami loua un studio près du parc Monceau.

Un rez-de-chaussée sombre, triste, sale ! Dieu que les appartements de Paris peuvent être vilains ! Mais c'était notre unique moyen de nous retrouver seuls, tranquilles, un peu éloignés de ce monde que nous fuyions tant. Nous écoutions *Aranjuez*, le concerto pour deux violons de Bach, celui pour clarinette de Mozart, Dvořák. La musique nous entourait, élargissant les murailles tristes et grises du quotidien.

Sami était un être rare, un volcan de tendresse, un gouffre de chaleur et de profondeur. C'est lui qui a été et restera l'homme de ma vie que j'ai malheureusement rencontré dix ans trop tôt !

Au mois d'août, Sami partit en vacances quelques jours avec Pascale Audret. Nous commencions à tourner les scènes de tribunal dans lesquelles il n'apparaissait pas, puisque je l'avais tué.

Ces scènes furent extrêmement pénibles.

Clouzot me mettait en condition chaque matin, me montrant la vie sous son jour le plus désespéré, le plus injuste, le plus cruel. Je tournais sans maquillage, les cheveux tirés en un petit chignon ingrat, habillée d'un tailleur noir étriqué et minable. J'étais dans le box des accusés, seule contre tous, me heurtant à l'incompréhension bourgeoise que donne la bonne conscience. Mes avocats, Charles Vanel et Jacqueline Porel, essayaient sobrement et intelligemment de sauver ma tête, face à un avocat adverse redoutable, Paul Meurisse.

Ces scènes étaient déprimantes.

Dehors il faisait beau, le mois d'août donnait envie de vacances, d'horizons, de sable, de bains de soleil. La salle des assises, reconstituée en studios, était étouffante, sentait la sueur, le caoutchouc chaud et la fumée de cigarettes. Je finissais par me prendre réellement au jeu. Il me semblait que se déroulait mon propre procès. Il était question de ma mauvaise réputation, de ma façon de vivre scandaleuse, de ma légèreté, de mon absence totale de moralité. Cette vie dissolue qui me faisait changer d'amants comme de chemises pouvait s'adapter aussi bien à Brigitte Bardot qu'à Dominique Marceau, le personnage du film.

On me montrait du doigt, on m'accusait, on voulait me détruire !

Clouzot en rajoutait chaque jour davantage, dessinant un net parallèle entre ma vie et celle que j'interprétais. Après tout, j'avais abandonné mon mari et mon enfant, et mon amant m'avait, lui, provisoirement abandonnée. J'étais le symbole de la perversion, méprisée par tous, et j'étais seule, seule, seule !

Complètement déprimée, les larmes aux yeux à longueur de journée, je subissais le calvaire de cette situation si ambiguë. J'eus à dire un monologue très long, très émouvant, très sincère. Ce devaient être mes dernières paroles, mon dernier sursaut, ma dernière tentative pour attendrir les jurés.

La salle était pleine de figurants. Le tribunal au complet, les jurés, les avocats, les flics, les huissiers.

On m'attendait au tournant !

Il allait probablement falloir recommencer une dizaine de fois, j'allais me tromper, bafouiller, oublier mon texte. Ils me regardaient tous, ces acteurs chevronnés, avec un petit air goguenard, comme on regarde le dompteur qui va se faire bouffer par le lion.

Clouzot vint me voir.

Je savais mon texte au rasoir mais si je me trompais, ça n'avait pas d'importance, je devais continuer, inventer, parler avec mes tripes, avec mes mots. Il me serra les deux mains très fort, me disant que c'était le morceau de bravoure du film, qu'il fallait que je les possède, que ma sincérité ait raison de leur technique, de leurs critiques à tous ces cons qui me regardaient.

Vanel se retourna juste avant le « moteur » et me dit un « merde » plein de tendresse. Il m'aimait bien et voulait que je sois ce qu'il savait que je pouvais être. Il y avait un silence de mort.

« Moteur ! » « Ça tourne ! » « Vas-y ! »

J'attendis une seconde ou deux. Je les regardais, ceux-là, qui me jugeaient parce que j'osais vivre !

Puis ma voix s'éleva. Cassée, rauque, puissante, je leur dis ce que j'avais à leur dire, à tous. Ma force venait de mes entrailles, je vibrais, je jouais ma tête, ma vie, ma liberté. Je pleurais, brisée par les larmes, ma voix hoqueta mais je continuai jusqu'à la fin et tombai assise, la tête entre les mains, en proie à une véritable crise de désespoir.

Il y eut un moment de silence puis Clouzot cria « coupez ».

Alors, toute la salle du tribunal m'applaudit, les figurants pleuraient, les juges étaient émus, les jurés impressionnés. Ce fut une des plus grandes émotions de ma vie. J'étais vidée, à bout, mais c'était réussi.

J'avais gagné.

Bien sûr, on ne recommença pas.

Clouzot était content, Vanel fier de moi, Dédette pleurait sur sa houpette. Les machinos me disaient « tu sais, tu nous as eus, et pourtant on a l'habitude d'en voir ! ». A défaut d'avoir sauvé la tête de Dominique Marceau, j'avais sauvé ma réputation de comédienne.

Je n'ai jamais été une comédienne pourtant ! Soit je m'en fichais et récitais mon texte comme il se présentait, sans aucun effort, soit je vivais pleinement ce que j'interprétais, allant même jusqu'à me détruire, y croyant comme si c'était pour « de vrai ». Je ne me suis jamais mise dans la peau d'un personnage, mais ai toujours mis les personnages dans ma peau. La différence est d'importance.

Puis il y eut la scène du suicide de Dominique Marceau dans sa cellule, à la prison de la Petite Roquette.

Là mon désespoir atteignit son comble !

Clouzot me maintenait délibérément dans un état de dépression totale. La vie n'avait aucun intérêt, les gens étaient des monstres, l'humanité une pourriture, la mort seule pouvait apporter une paix, un repos tant attendus. Je devais casser la glace de mon poudrier et m'ouvrir les veines avec l'un des morceaux. Défaite, hâve, à la limite de la folie... les cheveux collés par la sueur, les yeux cernés, il me fallait appuyer très fort sur la veine de mon poignet gauche tout en pressant la poire que j'avais dans la main qui libérait l'hémoglobine sur mon avant-bras. Je sentais le liquide poisseux et tiède. Croyant m'être véritablement mutilée, les larmes jaillissaient spontanément de mes yeux, qui devaient se révulser petit à petit, laissant à la fin de la séquence mon corps vidé sur sa paillasse.

C'est dans cet état de négativité complète que je retrouvai Sami.

Il avait rompu avec Pascale Audret, leurs vacances avaient été un enfer. En rentrant il avait trouvé sa convocation militaire et devait partir fin septembre. Un an, jour pour jour, après Jacques. Normal, il avait un an de moins que lui !

Mon Dieu, pourquoi étais-je à ce point poursuivie par cet odieux service militaire ? Parce que je choisissais, sans le savoir, des hommes toujours plus jeunes que moi !

Jacques avait plus ou moins quitté la maison, il allait et venait, sans donner d'explications. Je ne lui en demandais du reste pas. Je pense qu'il exerçait une surveillance hypocrite de mes faits et gestes auprès de Moussia, de Madame Malavalon et de la bonne.

Dany, ma doublure dans *La Vérité*, avait un très bel appartement boulevard Saint-Germain, juste au-dessus de la Rhumerie. Elle me proposa, gentiment, de nous héberger Sami et moi, pour nous permettre de nous retrouver au calme, sans avoir peur de voir Jacques débarquer.

Un soir, alors que nous quittions le studio pour nous rendre directement chez Dany, quelle ne fut pas notre surprise de découvrir Jacques qui nous attendait devant le porche. Un direct dans la mâchoire de Sami fut sa première parole. Puis une dizaine de photographes débarquèrent de je ne sais où et mitraillèrent la scène ! Jacques m'avait attrapée par le bras et ne voulait plus me lâcher. Sami me tirait par l'autre main, essayant de m'entraîner vers la voiture. J'étais écartelée entre ces deux hommes, livrée aux photographes qui s'en donnaient à cœur joie. Mon sac tomba, Jacques le ramassa, j'en profitai pour fuir à toutes jambes vers la voiture, abandonnant mon sac, mes papiers, mon argent, les lettres de Sami. Jacques nous poursuivit, cognant encore Sami par la fenêtre ouverte de la voiture... Les flashes crépitaient, la foule nous barrait le passage. Sami avait du sang qui lui tombait dans l'œil, il fallait faire très attention à ne pas accrocher un de ces badauds, friands de scandale qui se pressaient contre la voiture. Nous partîmes droit devant nous. L'air frais de la nuit nous fouettait et nous faisait du bien. Sami s'arrêta en pleine campagne, se nettoya le visage avec le vieux chiffon de la voiture.

Nous étions choqués, hébétés ! Nous ne parlions pas.

Que d'images indignes et trop présentes se pressaient dans nos têtes !

C'est chez Yves Robert et Danièle Delorme que nous débarquâmes à une heure avancée de la nuit. Ils nous reçurent à bras ouverts dans leur moulin campagnard. Nous soignèrent, nous nourrirent, nous hébergèrent.

*

Sami et moi ne pensions qu'à mourir !

Seule la mort pouvait être notre complice.

Nous en avions assez de la société, de son administration et de ses bons usages. Nous nous envolions ensemble dans un paradis de sommeil, aidés par les somnifères plus ou moins forts que nous absorbions. Nous nous aimions désespérément et n'arrivions pas à nous trouver une place dans cette société qui nous rejetait.

Sami dut partir rejoindre l'armée !

Il me jura de se tuer s'il n'arrivait pas à se faire réformer.

Je lui jurai à mon tour de mourir pour le rejoindre.

Restée seule à la Paul Doumer, je continuais à dormir pour échapper à la réalité quotidienne. Maman affolée par mon état dépressif voulut me faire changer d'air. Elle se mit d'accord avec Mercédès, la petite amie de Jean-Claude Simon, et nous envoya toutes les deux à Menton dans une maison isolée que des amis de Mercédès avaient gentiment mise à notre disposition.

Là je serais tranquille.

Pas de téléphone, pas de bonne. Seul un vieux jardinier sourd comme un pot passait une fois par jour. Je me laissais faire comme un légume. Ne mangeant plus, ne réagissant à rien, n'ayant même pas envie de voir la mer, boudant le soleil, je restais au fond de mon lit en attendant que passent les heures.

Le 28 septembre, jour de mon anniversaire, Mercédès revint du village sans courrier, aucune nouvelle de Sami dans la boîte postale qu'elle avait prise à son nom. Me voyant si triste, elle avait organisé un petit dîner chez des amis qui habitaient à quelques kilomètres. L'œil fixé sur rien, sur le vague de mon âme, je regardais passer cette journée qui était celle de mes 26 ans. Les cigales me faisaient une aubade, le soleil était chaud encore, à perte de vue les petits buissons sauvages et odorants de la garrigue me séparaient de cette société que je haïssais. Vers 6 heures du soir, Mercédès m'offrit du champagne et trinqua à « mon joyeux anniversaire » !

Mes larmes tombaient dans le verre et se mettaient à pétiller...

Je voulus rester seule et refusai d'aller au dîner. Mercédès très ennuyée par ce contretemps fut prise entre deux feux. N'ayant pas le téléphone, il fallait pour les prévenir aller jusque chez eux. Si elle me laissait seule, elle avait mauvaise conscience... Je la conjurai d'y aller. Je pouvais très bien rester seule, après tout, c'était un jour comme un autre. Elle fêterait joyeusement mon anniversaire avec ses amis sans moi. De toute façon je n'avais envie de voir personne, j'étais fatiguée, j'allais dormir...

Une fois qu'elle fut partie, je finis le champagne en avalant avec chaque gorgée un comprimé d'*Imménoctal*. Toute la boîte y passa. J'étais déterminée à mourir, à m'échapper de cette vie insupportable pour laquelle je n'étais pas faite. Je sortis, la nuit était douce. Je serrais dans ma main droite la lame de rasoir avec laquelle j'allais m'ouvrir les veines. J'avançai au hasard dans le noir et m'arrêtai à une bergerie. Les moutons sentaient bon, ils bêlaient faiblement. Je m'assis par terre, enfonçai de toutes mes forces la lame d'acier dans mes deux poignets, l'un après l'autre. Ça ne faisait absolument pas mal. Le sang coulait à flots de mes veines. Je m'allongeai, regardant les étoiles au milieu des moutons. J'étais sereine, j'allais me dissoudre dans cette terre que j'ai toujours aimée.

Mercédès, prise de remords, revint à la maison, juste après avoir bu un verre chez ses amis. Elle ne me trouva pas, m'appela, sortit dans le jardin, me chercha en vain. Inquiète, elle alla chez les voisins les plus proches, des fermiers, demander si personne n'avait vu une jeune femme blonde. Alors, elle mobilisa toute la famille et avec des torches électriques on me chercha dans la campagne.

Lorsqu'ils me trouvèrent, je respirais encore, très faiblement, j'étais dans un coma profond, barbouillée de sang et de terre.

C'est à l'hôpital Saint-François de Nice que, 48 heures plus tard, je repris peu à peu connaissance.

Attachée, pieds et poings liés à la table de réanimation, des tuyaux traversant mon corps de part en part, chaque seconde où je reprenais conscience était un martyre de douleur. Seule, abandonnée à moi-même dans cette salle aseptisée, les gémissements que j'émettais faiblement n'étaient audibles pour personne. Mon retour sur cette terre fut un cauchemar. Prise pour une folle par les médecins, ceux-ci me confièrent à des psychiatres.

J'eus droit à une camisole de force !

J'étais si faible !

On me fit des radios de la tête, des électroencéphalogrammes... Toujours attachée à ma table de souffrance, la chair meurtrie, je me débattais sans pouvoir bouger afin d'éviter, sans y parvenir, les crampes et autres meurtrissures qui assaillent un corps immobilisé trop longtemps sur une plaque d'acier. L'arrivée de maman mit fin à ce calvaire. J'eus droit à une chambre, à un lit, à un traitement presque humain. On m'enfermait tout de même à clef dans ma chambre où la fenêtre avait des barreaux.

Etant trop épuisée pour me lever, prisonnière de la perfusion qui immobilisait mes bras l'un après l'autre, je me demandais pourquoi tant de précautions pour éviter mon évasion. Mes poignets étaient emmitouflés de gaze et de bandes Velpeau.

Seule maman avait le droit de visite. Nous restions sans parler des heures durant. Je savais le mal que je lui avais fait, mais étais trop triste moi-même, pour m'en excuser.

J'avais raté ma mort, mon envol, ma délivrance.

J'étais punie d'homicide contre moi-même, emprisonnée, traitée comme une démente, sans aucune circonstance atténuante. Le psychiatre venait régulièrement me poser des questions sans indulgence sur mon geste ! Je compris rapidement que ma seule rédemption serait d'abonder dans son sens, sinon, je risquais de rester ici à perpétuité. J'appris aussi que l'hôpital était cerné par les photographes, que le siège durait depuis mon arrivée, que c'est pour éviter une photo volée que l'on m'enfermait dans ma chambre. Les infirmières se refilaient *France-Dimanche* et *Ici-Paris* où mon suicide s'étalait en gros titres et en première page. J'étais tournée en dérision ayant eu l'effronterie de ne pas en mourir.

Dans quel monde me retrouvais-je ?

J'ai toujours su que l'humanité était cruelle, méchante, injuste, fourbe, inhumaine, j'ai voulu la quitter, pour de vrai, lui préférant une autre pourriture plus saine, celle de la mort. Cette désintégration

378

qui me fut refusée s'exercera sur moi d'une autre façon tout au long de mon existence. C'est la vie à travers ceux qui la partagèrent avec moi qui me détruira doucement, petit à petit, au fil des jours, des larmes, des déceptions.

Raoul Lévy et Francis Cosne vinrent aider maman à me sortir de là. Ils étaient mes producteurs mais surtout des hommes responsables qui assumaient aux moments les plus tragiques.

C'est au bras de Fran-Fran que je quittai cet enfer, mitraillée par la presse mondiale, alors que je tenais à peine debout. Raoul Lévy nous conduisit, maman et moi, jusqu'à Saint-Tropez où je devais commencer une convalescence longue et surveillée. Dans la petite maison de la rue Miséricorde je couchais avec maman dans son lit, elle ne voulait pas me quitter d'une semelle, ayant trop peur que je ne récidive.

On m'a toujours dit que lorsqu'on se noie et qu'on touche le fond, on remonte automatiquement. Ayant touché le plus profond des fonds, j'allais remonter à la surface, c'était inévitable.

En attendant, je nageais entre deux eaux troubles.

Maman qui avait toujours eu horreur de la solitude fit venir des amies. La maison fut subitement envahie par toutes ces femmes charmantes et légèrement superficielles qui me dirent, dans un bruit de volière à perruches, que la vie était belle, qu'il ne fallait pas s'embarrasser de problèmes, que les bijoux, les amants, les voyages, les spectacles étaient leurs seules préoccupations, qu'elles étaient heureuses d'aller chez le coiffeur, d'avoir des maris riches, etc. J'étais dans un autre monde, parallèle à tout cela, bien décidée à ne jamais faire partie du leur.

Toutes ces dames étaient bien envahissantes.

Elles me prenaient maman. Je me sentais seule à cause d'elles. Elles ouvraient le courrier et faisaient leurs commentaires sur les lettres qui m'étaient adressées. Un jour, elles lurent à haute voix, en faisant des ho ! et des ha ! une lettre anonyme qui déplorait que je me sois ratée, ça aurait fait une salope de moins sur la terre, la prochaine fois, on me conseillait de me jeter du 7e étage, au moins ce serait efficace, en attendant si je m'occupais un peu de mon enfant ça m'empêcherait de faire la pute... Un peu à l'écart, j'écoutais leurs rires, leurs commentaires !

J'étais brisée. Pourquoi n'étais-je pas morte ?

Ça aurait arrangé tout le monde. Ce long parcours, truffé d'obstacles, que j'avais à parcourir jusqu'à la fin, me paraissait insupportable. Je me mis à étouffer entre maman, son lit, ses amies, leurs propos ridicules !

Les photographes faisaient les cent pas à l'affût dans tout le village.

J'étais de nouveau prisonnière.

Jean-Claude Simon arriva m'apportant une lettre de Sami. Il m'attendait dans une maison de campagne aux environs de Paris. Il avait été réformé, son état physique et moral s'en ressentait profondément. Je partis le soir même en voiture avec Jean-Claude malgré les gémissements de maman et les cris de ses copines.

La maison était isolée, ancienne, louée par Marceline Lenoir, l'imprésario de Sami, pour cacher nos retrouvailles. Ce fut pathétique ! Sami squelettique, se tenait à peine debout, moi, j'avais encore les poignets bandés, la mine défaite. Nous avions peur de nous casser en nous serrant l'un contre l'autre. Marceline et Jean-Claude nous laissèrent complètement livrés à nous-mêmes, après nous avoir acheté des provisions et nous avoir bien recommandé de ne jamais, jamais sortir afin que personne ne sache que nous étions là.

Il n'y avait pas le téléphone, le village était à 4 kilomètres.

Nous avons vécu là, Sami et moi, une convalescence commune à huis clos, avec un feu de bois, nos disques classiques et notre amour. Nous avions trouvé notre autre monde, si différent de celui des vivants et aussi de celui des morts. Quand les provisions furent épuisées, nous nous fîmes de la Blédine premier âge.

Tout ce qui n'était pas « nous » était parfaitement étranger.

Sami me raconta son enfance.

Le concerto pour deux violons de Bach nous enveloppait, le feu nous éclairait.

Un jour, en 1941, sa mère coupait des tissus rue des Rosiers à Paris, il était tout petit, 3 ou 4 ans, il jouait par terre, lorsqu'il entendit du bruit dans l'escalier. Alors sa mère le cacha sous une pile de tissus, lui dit que c'était un nouveau jeu, qu'il ne fallait pas qu'il bouge, pas qu'il parle jusqu'à ce qu'elle lui dise que le jeu était terminé. Il entendit frapper très fort contre la porte, puis des voix étranges et des bruits de bottes. Croyant que ça faisait partie du jeu, il resta immobile. Puis il entendit sa mère ouvrir la porte et dire « attendez, je prends un manteau, je suis seule ici, je vous suis ! » Il y eut quelques bruits de meubles renversés, toujours ces voix étrangères, ces bottes claquant sur le plancher, enfin la porte se referma, les pas s'atténuèrent dans l'escalier, puis plus rien !

Il s'endormit.

Lorsqu'il se réveilla il faisait nuit, il avait faim, le jeu commençait à l'ennuyer, alors il sortit de sa cachette et chercha sa maman. Comme il ne la trouvait pas il finit par ouvrir la porte et se retrouva seul sur le palier. Là il se mit à pleurer, à pleurer jusqu'à ce que la voisine le trouve enfin.

Il ne revit jamais ni son papa, ni sa maman déportés à Auschwitz.

Son enfance se passa trimballé entre les différents voisins, cousins éloignés, fermiers qui l'hébergèrent et où il gardait les vaches. Il alla à l'école en pointillé, fut baptisé catholique, exploité par les uns et par les autres, cachant ses origines sémites sous un manteau de complexes. Fuyant les hommes tel un petit animal sauvage, terrorisé, ballotté, rejeté.

Je l'écoutais m'ouvrir son cœur, lui qui n'avait jamais connu la tendresse, la chaleur d'un foyer et qui, encore maintenant, se cachait avec moi de ce monde qui le rejetait.

Comme certains êtres sont poursuivis par un destin implacable !

Plus tard, en lisant les romans de Jerzy Kozinski *L'Oiseau bariolé*, *Les Pas*, je pensais à Sami, juif polonais comme lui, maudit d'une certaine manière comme lui !

Marceline revint nous voir. Elle avait une lettre d'Olga pour moi, un contrat pour Sami. Brusquement la vie des autres faisait irruption dans notre univers préservé.

J'avais tout oublié. Mais pas eux !

Olga me rappelait très délicatement, outre son existence, un peu vexée de n'avoir aucune nouvelle, l'urgence de faire la synchro de *La Vérité* et l'existence d'un contrat de Francis Cosne pour un film mis en scène par Jean Aurel, qui devait commencer en janvier et s'appelait *La Bride sur le cou*. Je l'avais complètement oublié celui-là ! Jacques m'avait poussée à le rencontrer à Saint-Tropez. Mon Dieu, pourvu que Jacques n'en soit ni le producteur, ni l'interprète ! Pourquoi m'étais-je encore laissé embobiner dans une histoire pareille ? Pour avoir la paix !

Eh bien, c'est la guerre que j'allais trouver !

Il fallut réintégrer Paris, la société, l'avenue Paul-Doumer ! Après un mois et demi d'absence, je retrouvais une maison étrange et étrangère. Nicolas allait mieux, Moussia était attentive et parfaite. Madame Malavalon menait tant bien que mal tout ce petit monde, ayant épuisé l'argent que j'avais laissé ! Guapa me fit une fête émouvante.

Je découvris une nouvelle bonne, à ne pas confondre avec une bonne nouvelle.

Tout reprenait son cours habituel. Les factures, les impôts, l'aspirateur cassé, le bidet qui fuyait, les voisins qui se plaignaient du va-et-vient sur le palier entre les deux appartements ! Les charges qui avaient augmenté, le courrier qui attendait depuis des mois ma signature, ma maison de Bazoches où je n'avais encore jamais mis les pieds et qui avait été cambriolée ! Jacques qui avait demandé le divorce... La Madrague qui avait ceci, cela, etc.

J'eus une envie folle de repartir droit devant moi à jamais.

Mais pourquoi toutes ces mauvaises nouvelles et rien de sympathique, rien de rigolo, rien de positif, jamais, jamais ?

Sami habitait chez Marceline Lenoir à Neuilly. C'est là qu'avec Guapa je passais mes nuits me noyant en lui, me laissant submerger d'amour jusqu'au lendemain matin.

Un soir en rentrant de la synchro de *La Vérité*, je trouvai Jicky.

Il avait l'air d'un chat qui a fait dans la braise, tournait en rond, n'osant visiblement pas me parler de ce pour quoi il était là. Finalement, il me demanda si j'avais toujours la chaumière de Bazoches et s'il pouvait y emmener quelques jours une jeune fille dont il était tombé follement amoureux. Je lui donnai les clefs.

**
*

Le 2 novembre 1960 *La Vérité* sortit dans les salles parisiennes. Evidemment, cette fois encore, je n'assistais pas à la « première ». Et pourtant malgré mon absence le film fut bien accueilli et eut un énorme succès.

Ainsi, Jean de Baroncelli dans *Le Monde*.

« *Brigitte Bardot telle qu'en elle-même enfin.*

Clouzot la change. D'abord semblable à son personnage d'enfant gâtée évaporée et boudeuse, elle se métamorphose en femme dans son box de criminelle.

Alors, véritablement elle est autre : par sa voix, son regard et ce corps brusquement effacé. Quand elle crie son amour et l'amour de celui qu'elle a tué, elle émeut. Et son regard de bête traquée, la nuit, dans la prison, à l'instant où elle saisit son morceau de miroir, ce regard fait mal... Quelle est la part de fascination du réalisateur dans cette métamorphose ? Il est difficile de le dire mais elle est certainement prépondérante. »

Avais-je au prix de ma vie acquis enfin mes galons de comédienne ?

A vrai dire, j'avais plus envie d'être crue, d'être vraie, d'être moi-même meurtrie ou victorieuse, plutôt que d'être la « comédienne » que je ne fus jamais !

Le film eut un énorme succès populaire et il reste à ce jour l'une de mes plus grandes réussites cinématographiques. Il fut récompensé dans de nombreux festivals internationaux, et je fus reconnue aussi, plusieurs fois, à l'étranger comme la meilleure actrice de l'année.

Ça fait tout de même plaisir !

En mettant le courrier à jour avec Mala, nous sommes tombées sur une lettre bouleversante.

Un jeune handicapé de 18 ans photographié dans une petite chaise roulante me demandait pour Noël un accordéon, seule possibilité pour lui de réaliser son rêve, sa famille trop pauvre ne pouvant le lui acheter. Certaines lettres me vont droit au cœur, celles de Bernadette m'avaient touchée. Je n'ai eu que des joies en laissant parler mon cœur pour elle, cette lettre me fit un effet similaire.

Nous partîmes donc, Mala et moi, à la recherche d'un accordéon dans tout Paris. Quel ne fut pas notre étonnement lorsque nous en apprîmes le prix. Un bon accordéon neuf valait 20 000 ou 30 000 francs, et la boîte entre 5 000 et 7 000 francs. J'étais effondrée ! J'appelai mon copain, Jean-Max Rivière, musicien professionnel, afin qu'il me trouve quelque chose de bien à un prix raisonnable. Un peu

1. 3 août 1933 : mariage de mes parents, Louis Bardot dit « Pilou »
avec Anne-Marie Mucel dite « Toty », à l'église Saint-Germain-des-Prés.

28 Septembre 1934.

M^R & MME LOUIS BARDOT
sont heureux de vous faire
part de la naissance de leur
fille Brigitte.

5, Place Violet XVe

2. Mon faire-part de naissance écrit de la main de mon papa.

3. Bébés dans ma chambre
avec mes jouets.

4. 1939 : un après-midi champêtre
à Louveciennes, dans la propriété de mes
grands-parents, avec ma douce et jolie maman.

5. J'ai 8 ans et j'étudie la
danse au cours Bourgat. C'est
ma première photo d'artiste.

6. Juin 1945. En communiante dans la robe d'organdi
blanc qui avait été celle de Mamie et de maman.

7. Camille Legrand dite « la Big ».
Ma première gouvernante, une femme
épatante et généreuse qui finit par
m'apprivoiser à l'âge de dix ans.

8. Marguerite Grandval-Marchal dite
Tapompon, la sœur de Mamie.
Infirmière dévouée, elle perdit très tôt
son mari et son fils unique. Je me
sentis alors responsable d'elle
jusqu'à la fin de sa vie.

9. Jeanne Grandval-Mucel, dite
Mamie, ma grand-mère maternelle.
Elle m'appelait « son hirondelle »,
elle était ma préférence, je l'adorais.

10. Jeanne Bardot dite Mémé, ma
grand-mère paternelle, me couvrait de
baisers en chapelets. Elle avait le
physique et la bonté des vraies
grand-mères d'autrefois.

11. 1946. Déjà « vedette » au cours de danse Bourgat, je donne la main à ma copine Cécile Aubry (assise au piano).

12. 1945. Est-il vraiment nécessaire de préciser que, dès l'enfance, j'adorais les animaux ?
Ici avec mon petit chat *Crocus*.

13. J'ai 16 ans. Mon premier spectacle de danse en public sur le « *De Grasse* ». Pas si simple de faire des pointes sur un bateau qui tangue !

14. 1949. La danse est devenue ma raison de vivre : viens d'obtenir le premier accessit au Conservatoir C'est sûr : je serai une grande danseuse

15. *Elle* n° 232 du 8 mai 1950.
Le destin se mit en marche contre ma
volonté car le réalisateur Marc
Allégret vit cette deuxième couverture
Elle et demanda à me rencontrer.

16. Premiers essais
pour *Les lauriers sont
coupés*, de Marc
Allégret. Le film ne
se fit pas, mais j'avais
rencontré le jeune
assistant Vadim
Plemiannikov et
découvert l'Amour...

17. 21 décembre 1952.
Très émue, avec mes
parents et Propidon, la
mère de Vadim, le jour
de mon mariage.

18 et 19. J'adorais taquiner mon grand-père maternel dit « le Boum », mon ami et mon confident. C'est le seul homme qui a réellement compté dans ma vie.

20. 1951. À Louveciennes, un moment de bonheur infini et de complicité avec ma maman Toty si gracieuse et si belle.

21. Les week-ends familiaux de Louveciennes avec papa Pilou, maman Toty, le Boum et ma petite sœur Mijanou.

22. Paris. Chez Marc Allégret. Élaboration avec Vadim des futurs scénarios qui devraient faire de moi une vedette.

23. Avec ma Dada chérie, ma nounou d'origine italienne. Femme de chambre de Mamie, elle passa sa vie près de moi et mourut en 1971. Elle repose à Bazoches près de ma maison de campagne.

24. Été 1952. Très amoureux, avec Vadim, main dans la main sur les chemins de Megève.

25. Octobre 1953. Clown, mon gentil cocker, m'encourage dans ma loge du théâtre de l'Atelier où je joue *L'Invitation au château*. Le soir de la première, l'auteur, Jean Anouilh, m'avait écrit : *« Ne vous inquiétez pas, je porte chance. »* Ce fut mon unique expérience théâtrale.

26. 1954. Rome. Devant « La Bouche de la Vérité ».
Clown se demande quel est encore ce nouveau jeu.

27. 1955. Rome. La célèbre scène du bain de Poppée dans *Les Week-ends de Néron*
avec Alberto Sordi. J'avais exigé que l'on remplace l'amidon par du lait...
qui tourna en yaourt sous la chaleur des projecteurs.

28. Festival de Cannes 1956. Picasso m'invite dans son atelier. Je suis fascinée mais je n'ose pas lui demander de faire mon portrait... Il avait fait celui de *Sylvette David*, qui me ressemble comme deux gouttes d'eau.

29. 29 octobre 1956. Empire Theater de Londres. Ma timide révérence à la Reine Elisabeth II lors de la *Royal Command Performance*. Ma robe est une création de Pierre Balmain.

Lors de cette cérémonie, j'ai eu la joie de bavarder avec la sublime Marilyn Monroe. Malheureusement, aucun photographe n'immortalisa cette rencontre unique et inoubliée.

30 et 31. 1956. La fameuse scène du mambo du film *Et Dieu créa la femme* qui allait me révéler au monde entier... sous les yeux de mon partenaire Jean-Louis Trintignant.

32. 1956. Une autre scène avec le lapin Socrate et Jean-Louis dont j'allais tomber amoureuse. J'ai vécu avec lui la période la plus belle, la plus intense et la plus heureuse de cette époque de ma vie.

33. Le jour de mes vingt-quatre ans à la Madrague. Avec ma Mamie chérie dans la jolie maison que je viens d'acheter à Saint-Tropez pour fuir « l'enfer » de la popularité.

34. Dans certains films, je devais monter à cheval mais, contrairement aux apparences, ce ne fut ni un plaisir, ni une partie de rigolade.

35. Pour jouer dans *La Femme et le Pantin*, on m'enseigna les secrets de cette danse sauvage et sensuelle qu'est le flamenco. Olé !

36. Une rencontre inoubliable avec Jean Cocteau lors d'un gala à l'Opéra.
Il a dit de moi que *« je vivais comme tout le monde en étant comme personne »*.

37. Septembre 1958. Festival de Venise. Radieuse, avec Sacha Distel (à droite)
et Raoul Lévy (à gauche), l'heureux producteur de *Et Dieu créa la femme*
puis d'*En cas de malheur* qui n'obtint pas le Lion d'or.

38. Avec Jacques Charrier, je fais mon cinéma... de l'autre côté de la caméra !

39. Tendres instants avec Jacques, mon partenaire du film *Babette s'en va-t-en guerre*, qui deviendra mon deuxième mari le 18 juin 1959 à Louveciennes dans une cohue indescriptible.

40. Jicky.

41. Un nouveau rôle inattendu pour moi : avec mon fils Nicolas (né quelques mois plus tôt le 11 janvier 1960) le jour de son baptême.

43. 1963. En Italie. Escapade amoureuse sur le tournage du *Mépris*. Sami, un être rare, sensible, angoissé et érudit qui resta longtemps l'homme de ma vie.

42. 1960 : *La Vérité* avec Sami Frey. Mon film préféré ! Il fut récompensé dans le monde entier et fit de moi une comédienne enfin reconnue...

44. 1963. Tournage du *Mépris*
de Godard à Capri,
dans la villa de Malaparte.

45. Mon bébé, Nicolas, a grandi et
vit désormais avec son papa
Jacques Charrier. Mais nous nous
retrouvons avec joie pour les
vacances à Méribel.

47. 1966. Camille : une vraie petite « star ». Si pure et si mignonne, telle qu'elle est restée encore aujourd'hui.

46. Au baptême de Camille, ma nièce et filleule, fille de Mijanou.

48. Mijanou ma sœur, qui ressemble à Garbo, et son mari, le comédien Patrick Bauchau.

. 1965. Mexique. Tournage de *Viva
..ria*. J'avais adopté un gentil petit
..ard qui me suivait partout. Toute
..quipe du film me taquinait et voulait
..asser à la casserole.

50. Papa Pilou me fit l'immense joie de
me rejoindre au Mexique.
Ensemble, nous fûmes immortalisés
devant la fabuleuse pyramide de Tajin.

51. Été 1965. Déguisée en « négresse », avec Bob, lors d'une grande fête costumée à la Madrague.

52. Avec Anne Dussart et un invité. Suis-je à droite ou à gauche ?

53. Avec Henri-Georges Clouzot, mon sévère metteur en scène de *La Vérité*, venu s'amuser à ma soirée.

54. Eh oui, c'est bien moi !

55. 28 septembre 1965 : un an de plus ! Avec Jeanne Moreau et Bob Zagury, à l'auberge *La Bonne Fontaine* à Gassin tenue par mon amie Picolette.

56. Au Beverly Hills Hotel à Hollywood, j'ai rencontré les plus grandes stars américaines. Ici je suis fascinée par le regard bleu de Paul Newman.

57. Décembre 1965. Seule face à une meute de journalistes internationaux lors d'une conférence de presse pour le lancement américain de *Viva Maria*. Grâce à de l'humour et de la répartie, je m'en suis sortie indemne.

58. Février 1966 à Méribel. Star-system oblige,
je viens de m'offrir une Rolls-Royce
et je m'initie consciencieusement
à la mécanique auto.

59. Un coup de
foudre réciproque et
une pluie de roses sur
la Madrague firent du
play-boy
milliardaire allemand
Gunter Sachs mon
troisième mari le
14 juillet 1966.
Un vrai seigneur.

60. Été 1966 à la Rechena
Allemagne. Pour faire plaisir à Gunte
à ma belle-famille, j'avais adopt
nouveau look aux couleurs bavaroi

61. Journée d'adoption au refuge SPA de Gennevilliers. Émue et scandalisée par la souffrance animale, j'adopte sur-le-champ cinq chiennes et dix chats qui iront vivre à Bazoches.

62. Juin 1967.
Gunter aimait me présenter à toute la jet society. Mais je restais telle quelle, simple et pieds nus, même chez Maxim's, le très chic restaurant parisien.

63. Je n'ai jamais voulu habiter le somptueux appartement de Gunter, avenue Foch. Je fais donc « appart-à part » au 71 avenue Paul-Doumer, avec ma chienne Guapa.

Octobre 1967.
J'avais dit à Serge Gainsbourg :
« *Écris-moi la plus belle*
chanson d'amour que tu puisses
imaginer. »
Il m'écrivit en une nuit :
Je t'aime moi non plus.

64. Avec Serge dans le clip *Bonnie*
and Clyde. Serge m'a transformée et
dirigée magistralement dans le
show Bardot. J'étais sa muse, son
inspiratrice. Serge et moi c'était bien,
c'était bon, c'était pur. C'était nous.

65. Fin 1967. Au faîte de ma gloire, j'enregistrai *Harley Davidson*,
composée par Serge. Devenue mythique, cette chanson m'éleva au rang
de sex-symbol international.

66. C'est bien moi...
en Charlot !

67 et 68. Telle une reine, entourée de mes
amazones, je reçois les hommages de
mes invités et amis lors de la fête délirante
du 7 juillet 1968 à la Madrague.

69. J'ai voulu incarner définitivement la France. C'est fait.

70. Automne 1968. Présentation à la princesse Margaret lors de la première à Londres du western américain *Shalako* avec Sean Connery.

71. Imperturbable et résignée lors d'une première avec Rolls et photographes déchaînés. Patrick, mon nouveau chevalier servant, souhaitait que j'aie un train de vie digne de mon statut de star.

72. Avoriaz 1970. Rencontre inoubliable avec Papillon, cet ancien bagnard, ce baroudeur sans concessions. Devant un pittoresque hôtel qui ressemblait à une grotte troglodytique, immense ruche grouillante.

73. 17 avril 1970. Présidente du 37e Gala de l'Union des Artistes, avec Jean-Paul Belmondo et Jean-Pierre Cassel, mon partenaire de *L'ours et la Poupée*. Patrick a l'air de bien s'ennuyer !

75. Le 31 mars 1971, en tenue tricolore, devant 30 000 spectateurs, je donne le coup d'envoi d'un match de foot France/Brésil au stade de Colombes. Le Roi Pelé me présente son équipe.

74. Courchevel 1971. Christian essaie de me faire oublier tout mon passé.

76 et 77. La Madrague à Saint-Tropez. Acquise en mai 1958 pour vivre au calme. Devenu aussi célèbre que moi dans le monde entier, ce lieu mythique draine des centaines de touristes qui m'obligent à fuir l'été venu...

78. 1973. Encore bébés à
la Madrague, Pichnou (à gauche), que
j'ai achetée cinquante francs à un
inconnu à Saint-Tropez pour la sauver
et Nini (à droite), adoptée chez mon
coiffeur, qui fut la première de la
lignée de mes setters anglais.

79. Sarlat 1973.
Tournage de
Colinot.
Suivie par la
fermière à qui je
viens d'acheter
ce bébé-chevreau
pour le sauver
d'une mort
certaine dans
un méchoui.

80. Pichnou et Colinette, ma chèvre,
partageaient mon lit malgré la réticence du directeur de l'hôtel.

81. Tapompon souffle ses 86 bougies !
Elle est devenue une de ces vieilles dames
dont j'aime m'occuper afin de leur
apporter sérénité et bonheur.
C'est mon jardin secret...

82. Avec Suzon Penière, devenue ma protégée
qui, en 1961, mourante d'un cancer de la
gorge m'offrit sa bague de fiançailles.
Heureusement, elle vécut encore vingt ans,
me donnant tout l'amour d'une grand-mère.

83. À Méribel avec Madame
Renée, ma fidèle gouvernante,
qui restera quinze ans près de moi.

84. 28 septembre 1973. Mes 39 ans à *L'Assiette au beurre*, l'inoubliable restaurant de Jean Bouquin, mon couturier et ami, lors d'une soirée 1900. Avec Mama Olga, mon infatigable imprésario depuis 1953.

85. Dédette, ma maquilleuse, maquillée en mère supérieure dans *Les Novices* entre ses deux vedettes, Annie Girardot (à droite), et moi.

86. Bazoches-sur-Guyonne. J'ai eu un coup de cœur en mai 1960 pour cette ancienne bergerie que j'ai entièrement restaurée. Un farfouillis, véritable Arche de Noé, où je vis en harmonie avec mes animaux et mes rares amis.

87. *Brigitte en Tunisie*.

88. 1973. La dernière image de mon dernier film *Colinot Trousse-Chemise*,
est un symbole de ma vie future consacrée aux animaux.
Adieu le cinéma !

Il est un temps pour réussir dans la vie,
il est un temps pour réussir sa vie.

La Rochefoucauld (1613-1680)

plus tard, il arriva avec un accordéon d'occasion, état neuf, sauf la boîte un peu usagée, le tout pour 5 000 francs. Ne sachant ni lui, ni Mala, ni moi jouer de cet instrument, il fallait y aller avec les yeux de la foi. Folle de joie, j'envoyai l'accordéon en paquet cadeau Noël au jeune handicapé avec un joli petit mot, lui souhaitant tout le bonheur du monde.

La réponse fut cinglante.

Comment avais-je osé, avec tout mon pognon, avoir le culot de lui envoyer un accordéon d'occasion... Pour me faire pardonner, je n'avais plus qu'à envoyer à sa mère une machine à laver *neuve*. De toute façon, il n'était pas handicapé, s'était fait photographier dans une petite chaise afin de voir si j'étais aussi radine qu'on le disait dans les journaux. Il m'avait bien eue et mon avarice confirmée, il attendait la machine à laver !

Ce fut pour moi un choc terrible. J'éclatai en sanglots. Encore fragile et dépressive, incapable de réaliser qu'une telle méchanceté pût exister !

Ecœurée par l'humanité en bloc, par la vie, je me tournais doucement vers Nicolas et lui préparais son premier Noël. Hélas ! Jacques avait pris possession de *son* fils, je le retrouvais immanquablement au chevet de Nicolas à n'importe quelle heure du jour et de la nuit.

Trop lasse pour supporter encore ce genre de confrontation, j'espaçai mes visites, demandant à Moussia de me prévenir lorsque le champ serait libre. Cette vie hachée entre Nicolas, Sami et mon appartement n'était pas faite pour m'équilibrer. Aucune ambiance de famille à la Paul Doumer, Mala partie, le soir la maison était vide et silencieuse. Seule Guapa, petite boule de chaleur me réchauffait l'âme.

Le fait d'être dans deux appartements différents creusait forcément un fossé entre nous.

En janvier je commençais *La Bride sur le cou* avec Michel Subor comme partenaire.

J'avais tant envie d'être « une autre » que je m'étais fait teindre les cheveux en châtain, ma couleur naturelle, ce qui ne plaisait pas du tout aux producteurs, Jacques Roitfeld et Francis Cosne. De toute manière, ce film était une ânerie !

Je sortais d'une très grave dépression, je me foutais pas mal de ce qu'il en adviendrait. C'était une façon comme une autre de me changer les idées.

Jean Aurel, le metteur en scène, se trouvait génial. Moi, je ne le trouvais pas, je le cherchais même désespérément. Il avait la mollesse hésitante et le contentement de soi redoutable pour un chef d'entreprise qu'est un metteur en scène. Le soir, en regardant les rushes de la veille, désespérants de nullité, nous entendions les éclats de rire de Jean Aurel, ravi, trouvant que chaque plan était le chef-d'œuvre du siècle...

**

Jicky, qui était tombé amoureux d'Anne, se cachait avec elle à Bazoches. Il m'avait raconté, avec humour, leur première nuit dans cette maison inconnue et inhabitée. L'arrivée fut merveilleuse, une chaumière perdue et glaciale réchauffée par un immense feu de bois, seul éclairage, quel romantisme !

Mais l'amour et l'eau fraîche... c'est peu.

Surtout quand il n'y a pas d'eau !

Jicky prit un seau et partit dans la nuit noire en chercher à la source de la Cressonnière. Il tomba dedans, revint trempé et frigorifié son seau à la main ! Puis ils eurent faim ! J'avais vaguement demandé que l'on livre quelques conserves au cas où... Ils trouvèrent « l'armoire à provisions », pauvre placard à moitié vide où se battaient en duel deux boîtes de cassoulet, de sardines, et trois paquets de nouilles. Ils optèrent pour le cassoulet... mais les haricots blancs et les saucisses n'étaient pas de première fraîcheur. Ils furent malades toute la nuit. Le seau d'eau ne suffisant pas, Jicky dut aller cinq fois de suite à la Cressonnière. Il attrapa un rhume carabiné en plus de la colique qu'ils eurent tous les deux pendant 24 heures.

Depuis, Jicky avait fait rétablir l'eau et l'électricité. Il avait aménagé une pièce très agréable qui leur servait de loge de concierge et dans laquelle ils dormaient, mangeaient, s'aimaient et nous invitèrent Sami et moi un dimanche.

C'était le plein hiver, la campagne que j'avais vue si belle était désolée, chauve. La maison que j'avais achetée en mai et qui croulait sous les rosiers grimpants, était comme une vieille dame dont les rides forment sur la peau des sillons profonds que la voilette des fleurs et des feuilles ne cachait plus. J'étais désespérée ! Je n'osais pas rentrer... j'avais peur de tout ce que j'allais trouver à faire, à refaire, à arranger. Lorsque je poussai la petite porte d'écurie séparée en deux, je fus émerveillée. Jicky avait fait un miracle, les quelques meubles étaient là vivants, jolis, un grand lit, une table de ferme cirée, accueillante, pleine de salades, de bouteilles, de verres, de bougies. Une immense flambée dans la cheminée.

Une odeur de bonheur, une odeur de « Cassis », cette maison que j'avais tant aimée, une odeur de Jicky, lui seul savait redonner la vie à une maison morte.

Je découvris Anne, une ravissante petite bonne femme avec l'air buté des filles des îles lointaines. Elle se laissait vivre, trouvant tout naturel que Jicky fasse tout, assume tout ! Comme elle avait raison de profiter de cette période bénie qui précède le véritable accouplement social et quotidien. Cette journée nous fit du bien, n'ayant moi non plus à m'occuper de rien, j'en savourais chaque minute pleinement. Je décidai de ne plus vendre Bazoches et demandai à Jicky la permission de venir y passer les dimanches. Comme c'était bon de pouvoir venir chez soi en étant reçue comme chez des amis ! Ne s'occuper de rien et jouir pleinement du moment présent, moi qui croulais déjà sous tant de responsabilités !

Le film que je retrouvais au début de chaque semaine devenait peu à peu le plus grand navet du siècle. Un jour, je fis venir les producteurs dans ma loge et leur déclarai tout de go « j'arrête ! ».

La Vérité venait de sortir, c'était un chef-d'œuvre.

J'y étais reconnue comme une « actrice » à part entière, les critiques les plus acerbes y allaient de leurs : « *Il faut reconnaître que Brigitte Bardot...* » même si cela leur arrachait la plume !

Je n'allais pas tout gâcher, au prix que cela m'avait coûté, pour une connerie monumentale qui me fatiguait et m'emmerdait à mourir. Je pris le risque d'un procès retentissant, qui eut lieu d'ailleurs, et proposai deux solutions : soit j'arrêtais purement et simplement de tourner, soit il fallait changer le metteur en scène. Je me rendis compte que je prêchais des convertis, les producteurs étaient atterrés par la tournure que prenait le film. Ils furent ravis que je décide du renvoi de Jean Aurel.

Un caprice de plus ou de moins, au point où j'en étais !

Le problème était de trouver un remplaçant. La corporation des metteurs en scène est très unie, aucun des « Bons » ne voulut reprendre la place d'un camarade licencié, même si ce renvoi était dû à une incapacité totale. Vadim, par amitié pour Francis Cosne, par tendresse pour moi et parce qu'il vouait un mépris total à Jean Aurel, accepta de nous sortir de cette situation extrêmement délicate.

Rien n'est plus difficile que de reprendre un tournage au pied levé !

Il fallut que Vadim remodèle le scénario à son image, engage un nouveau dialoguiste Claude Brûlé, visionne les rushes, en garde un minimum afin de ne pas jeter trois semaines de travail à la poubelle.

Tout ce ravaudage, ce raccommodage était dix fois plus pénible qu'une création originale.

Pendant ce temps, je fus convoquée au tribunal pour une conciliation avec Jacques ! Mais ils étaient fous, ces juges, de penser que j'allais me réconcilier avec Jacques. Si nous avions décidé de divorcer, ça n'était pas pour nous tomber dans les bras dans le bureau des conciliations.

Ce que toutes ces formalités peuvent être tristes et déprimantes. Accompagnés chacun de nos avocats, évitant de nous regarder, parlant à voix basse nous étions devenus plus étrangers que des étrangers. Nous avions pourtant eu quelques beaux moments, quelques passions, quelques complicités, nous avions eu un enfant, nous nous étions étreints avec tendresse, toutes ces belles images du livre que nous allions refermer disparaissaient au milieu d'un amoncellement de ratages, de tristesse, de désespoirs, d'incompréhension.

Pourquoi les choses se détériorent-elles toujours ? Je repensais à notre mariage, en répondant « oui » à la question habituelle « êtes-vous sûre et certaine de désirer le divorce ? » « Oui » pour s'unir, « oui » pour se désunir, quelle dérision ! Je sortis de là déprimée.

Mamie était toujours auprès de Nicolas.

Elle adorait son arrière-petit-fils et passait des heures à quatre pattes à jouer avec lui. Il venait d'avoir un an. Son anniversaire avait été fêté en famille, même Jacques avait participé à ce petit événement. Il y avait eu un gâteau dont il se fichait comme d'une guigne, beaucoup plus intéressé par la flamme de la bougie que par le gâteau lui-même.

Chaque fois qu'il me voyait arriver, il se mettait à hurler !

J'étais consternée...

Mamie l'appelait « son cher trésor » et lui trouvait toutes les excuses. Moussia avait pour lui un sens de la propriété qui m'excluait de leur univers. Elle me reprochait l'état dans lequel ma vision le mettait. C'était gai ! Je me demandais vraiment ce que je fichais là et m'en allais la queue basse rejoindre Guapa.

*
**

La Bride sur le cou reprit avec Vadim.

Nous partîmes tourner les extérieurs à Villard-de-Lans. Un peu de neige, l'ambiance sports d'hiver donnerait du peps à l'intrigue. Ayant laissé Sami à Paris, j'étais d'une humeur de dogue et tournais en rond dans une chambre d'hôtel tendue de rideaux poussiéreux, dont les meubles avaient l'apparence vernissée du plus beau style Levitan. C'était encore plus moche qu'à Cortina d'Ampezzo, et pourtant ! La neige semblait sale à travers les vitres sales ! Les levers à 7 h 30 du matin, en pleine nuit, le maquillage à 8 heures sous les lumières électriques me laissaient blafarde, à 9 heures, lorsque nous commencions à tourner dans un petit jour glacial. Le froid crispait mes traits, rougissait mon nez, verdissait mon teint. Tout le talent de Dédette, houppette figée, crayons gelés, rose à joue glacé, n'y pouvait rien.

Chacun était là avec sa chacune. Vadim traînait derrière lui une petite brunette de 17 ans qui se coiffait comme moi, s'habillait comme moi, et s'appelait Catherine Deneuve. Elle avait un côté nunuche qui était parfois exaspérant.

Un jour nous partîmes tourner à la « Moucherotte », un refuge perdu, uniquement accessible par téléphérique. Là-haut, dans ce nid d'aigle protégé des voitures, des routes et de toute civilisation, la nature reprenait ses droits et m'apparaissait enfin belle et pure.

L'hôtel tout en bois mais extrêmement confortable avec son immense cheminée et ses canapés de peaux de chèvre ressemblait enfin à ce que l'on espère trouver à la montagne. Il y avait du soleil, le travail était agréable et détendu. Vers 3 heures de l'après-midi, de gros nuages arrivèrent poussés par un vent violent. Espérant que le soleil allait réapparaître, nous attendîmes devant de grands verres de vin chaud à la cannelle. Mais plus le temps passait, plus le vent redoublait et plus les nuages devenaient noirs. Lorsque l'on tourne, personne n'a le droit de quitter les lieux avant la fin de la journée de travail même s'il se met à pleuvoir où à neiger, les producteurs espérant toujours le petit rayon de soleil tant attendu qui permettrait de continuer la séquence.

Résultat, lorsque à 6 heures de l'après-midi on nous annonça que chacun pouvait rentrer chez soi jusqu'au lendemain, le directeur de l'hôtel nous expliqua avec grandes courbettes désespérées que la tempête empêchait le téléphérique de fonctionner.

Impossible à quiconque de partir. Bloqués, nous étions bloqués !

Il n'y a qu'à moi qu'il arrive de telles histoires, mais quelle connerie ce téléphérique même pas fichu de marcher au moindre souffle d'air. J'écumai de rage et décidai de partir à pied, ne supportant pas de me sentir prisonnière de quoi que ce soit. A peine sortie, je fis rapidement demi-tour. Une tempête de neige digne des steppes de la Grande Russie fouettait les vitres et les portes avec sauvagerie. On n'y voyait pas à un mètre. La ligne de téléphone était coupée, le vent hurlait dans les sapins un message de terreur, Dracula n'était sûrement pas loin ! Il fallut bien se résigner.

Les quelques chambres furent mises à la disposition des femmes, les machinistes eurent droit à des lits de camp et des sacs de couchage. L'électricité s'éteignit brutalement, seul le feu de la cheminée et quelques bougies nous éclairèrent. On nous servit une fondue au fromage pour cinquante personnes.

Cela finissait par prendre des allures de roman de Jules Verne.

Ce qui m'exaspérait, c'était de ne pas avoir de

brosse à dents et de ne pas pouvoir prévenir Sami qui allait téléphoner toute la nuit à l'hôtel, se demandant pourquoi je n'étais pas rentrée. J'aurais beau lui jurer mes grands dieux que j'avais été bloquée en haut de la « Moucherotte », jamais il ne me croirait.

Nous nous étions installées Dany, Dédette et moi dans une adorable petite chambre mais, n'ayant aucune envie de dormir, nous allâmes retrouver les autres dans la salle commune qui ressemblait à un abri pour réfugiés.

Vadim et Serge Marquand aidés par Michel Subor jouaient aux échecs pendant que Catherine Deneuve se désolait de ne pas avoir de chemise de nuit ! Claude Brasseur qui avait le rôle du copain de Michel Subor, faisait des tours de cartes à une jeune figurante un peu ronde, coiffée comme un pâtre grec, qui s'appelait Mireille Darc et que Francis Cosne, l'air aussi triste qu'un cocker, couvait des yeux. William Sivel, l'ingénieur du son de presque tous mes films, un homme très laid mais extraordinairement sympathique, vivant, généreux, racontait « la croisière jaune », une aventure qu'il nous avait déjà contée cent fois, mais qu'il arrangeait à de nouvelles sauces et qui faisait rire Robert Lefèvre, le chef-opérateur, discret, effacé, plein de talent. Les machinos sympa jouaient à la belote en trichant ! Je les connaissais tous, mais je les découvrais avec un regard neuf.

Cela finissait par être rigolo cette nuit forcée par le destin.

Dehors la tempête faisait rage.

A l'intérieur, le feu de bois et les bougies éclairaient nos mimiques lorsque nous jouions aux « Ambassadeurs », dont le but est de faire comprendre à ceux de notre camp une phrase, un titre de film, ou de livre sans dire un mot, uniquement par gestes, par mimes, par contorsions, ce qui donnait lieu à de fameuses rigolades. Il y avait « les bons » et « les mauvais ». Ceux qui comprenaient au quart de tour et les empotés, les cons-cons, ceux qui ne pigeaient que « couic ». Claude Brasseur, Vadim et Serge Marquand faisaient partie des « sublimes ». Je me situais avec Dédette, la scripte, Francis Cosne et Michel Subor dans « les bons », puis il y avait une ribambelle de « mauvais » dont Catherine Deneuve, Mireille Darc et Dany qui avaient l'air gauche et emprunté, des timides sans imagination !

Je gardai un souvenir émerveillé de cette « Moucherotte », me jurant bien d'y revenir un jour passer mes vacances.

Le film se terminait à Paris en studio. Je dansais à moitié nue, pour vendre le film plus cher probablement ; Vadim avait inventé un rêve de Michel Subor, ce qui permettait toutes les invraisemblances...

La réalité, je la retrouvais le soir.

Elle s'appelait Sami, Nicolas, Moussia, Mala, Guapa ! La Paul Doumer avait des allures de navire abandonné par son capitaine. Je décidai d'y réintégrer mes pénates avec Sami. Après tout, j'étais en instance de divorce, ne demandais aucune pension, ni alimentaire ni autre, étais séparée de corps et de biens de Jacques et avais le droit d'avoir, si le cœur m'en plaisait, l'homme que j'aimais dans mon lit !

Ce fut difficile d'apprivoiser Sami !

Il faisait partie de cette race qui n'accepte pas de dépendre d'une femme, même s'il l'aime à corps perdu. Je dus tout déménager à la maison ! Le salon devint la chambre avec le grand lit en coin plein de coussins, ma chambre devint celle de Nicolas et Moussia, le petit bureau restait le domaine de Mala. L'appartement d'en face fut mis en location meublée. C'était une sorte de camping de luxe, mais tout était changé et Sami n'accepta de s'installer avec moi qu'à cette condition.

Christine Gouze-Renal qui vint me voir trouva le changement bizarre. Coucher dans le salon lui parut une aberration, ce genre de loge de concierge où on dormait, mangeait, recevait les amis alors que l'appartement offrait d'autres solutions plus pratiques était un non-sens pour elle. Lorsque la « bonne », une souillon à lunettes, nous apporta le champagne, la bouteille sous le bras gauche et deux flûtes entre les doigts de la main droite, son exaspération atteignit son comble :

« Comment, Brigitte, peux-tu admettre un service pareil, toi ?

— Mais Cricrou, comment veux-tu que je lui explique, je n'ai pas le temps, elle ne comprendra rien et va s'en aller !

— Mais ma chérie tu es une *Star*, tu dois être servie, recevoir d'une façon décente, il faut que tu prennes un couple !

— Un couple ?

— Oui, elle fera la cuisine et le ménage, et lui sera maître d'hôtel et s'occupera de ta voiture, etc. !

— Mais la chambre de service est rikiki et le lit a une place !

— Ne t'inquiète pas, dès demain, je te fais porter un lit de deux personnes et toi tu me fais le plaisir de te faire servir convenablement. »

Sitôt dit, sitôt fait.

Il y eut un défilé de « couples » à la maison.

Mala faisait le tri. Ils étaient d'une exigence incroyable !

Ils s'en allaient, l'air méprisant, après avoir vu l'exiguïté de la chambre et l'air minable du petit lavabo, seul vestige d'un confort d'hygiène inexistant. Finalement, je trouvai des Italiens. J'étais ravie de parler leur langue et me léchais les babines d'avance en pensant aux plats de *pastasciutta* qu'ils allaient nous mijoter.

Mais la maison n'était pas organisée pour un service luxueux. Il fallut aller acheter des assiettes, des plats, des seaux à champagne, du linge de table, des vestes de maître d'hôtel, des blouses noires et des petits tabliers blancs, des plumeaux, des balais, des mixers, des épluche-ceci, des broie-cela, enfin tout un attirail que nous ne sûmes absolument pas où ranger. Je déménageai un de mes placards à vêtements pour installer tout cet inventaire ménager, mais ne sus plus où mettre mes robes et mes pulls, que j'entassai dans une malle d'osier.

Le matin, nous étions réveillés dès 7 h 30, Sami et moi, par un vacarme de batterie de cuisine et les litanies italiennes de notre couple enfermé dans la cuisine contiguë au salon, attendant notre réveil avec impatience afin de commencer « le ménage ». J'étais obligée de sortir de notre « chambre-salon » pour aller à la salle de bains qui se trouvait juste en face de la cuisine. Je me trouvais régulièrement nez à nez avec mon maître d'hôtel qui regardait ma presque nudité d'un œil lubrique, pendant que sa grosse dondon de femme lui hurlait des injures de la cuisine.

C'était insupportable !

Je fis venir Christine pour boire un thé qui fut servi dans les règles de l'art, table roulante avec napperon, tasses, théières d'argent, petits fours, tout le tintouin. Le type au garde-à-vous derrière sa table, occupé à ce qu'il ne nous manque rien, nous empêcha de nous dire un mot. Il écoutait notre conversation, les bras croisés derrière le dos de sa veste blanche, bon chic, bon genre.

J'étais au bord de la crise de nerfs !

Christine était aux anges.

Voilà la vie que je devais avoir, mon standing !

Comme c'est rigolo de penser que la belle-sœur de François Mitterrand, le premier socialiste de France, prônait un service impeccable alors que moi qui ai toujours été de droite m'en foutais éperdument !

Le lendemain, je les congédiai, préférant encore faire tout le fourbi moi-même, plutôt que d'être à ce point privée d'intimité. Toute la batterie de cuisine, si encombrante, fut mise à la cave et mes robes retrouvèrent mon placard chéri.

A chaque sortie, Sami et moi, lorsque nous étions ensemble, empruntions l'escalier de service afin de ne pas risquer de nous trouver nez à nez avec Jacques. Or, malchance, Jacques lorsqu'il venait voir Nicolas prenait, lui aussi, l'escalier de service afin de ne pas nous rencontrer ! Résultat, nous tombions les uns sur les autres !

XVII

En ce mois de mars 1961, je multipliais les week-ends à Bazoches, « Chez Jicky et Anne ». La petite chaumière du XVIIIe siècle était un havre de calme et de douceur de vivre.

Le samedi soir après le turbin, Sami et moi débarquions pour le dîner. Ça sentait bon le pot-au-feu, la campagne, le feu de bois, la moisissure d'une pièce inhabitée dans laquelle nous couchions et qui avait été aérée et chauffée à la hâte. Les draps glacés recevaient la visite de la bassinoire remplie de braises que Jicky venait passer avant notre coucher. Nous vivions à l'ancienne sans confort mais avec une chaleur humaine qui valait, ô combien, tous les progrès modernes. La neige tomba, tout était blanc et glacé, le soir au coin du feu je parlais de la « Moucherotte » avec nostalgie.

Nous décidâmes d'y partir dès le lendemain afin de changer d'air. Jicky conduisait ma Renault décapotable mais hermétiquement close. Avec lui, Anne, mais aussi, Macha, la chatte blanche qui vivait à Bazoches et qui m'avait été donnée par Jean-Paul Steiger, un jeune ami des animaux qui, à l'âge de 12 ans, avait commencé une lutte farouche pour la protection animale et avait un jour trouvé ce bébé chat mourant dans un caniveau du bois de Vincennes. Sami et moi dans l'Océane Simca suivions avec Guapa.

L'autoroute n'existait pas.

Les routes étaient verglacées ; nous nous arrêtâmes pour dormir dans un hôtel à Bourg-en-Bresse. On nous demanda de remplir des fiches. Personne ne m'avait reconnue... Sami marqua *Camillo Guapa — danseur espagnol* et Jicky donna son vrai nom, Ghislain Dussart, mais marqua comme profession : *funambule*. Nous étions ravis de notre coup !

Quelle ne fut pas notre surprise le lendemain matin en lisant le journal local, déposé sur le plateau du petit déjeuner, de voir : « *Brigitte Bardot a passé la nuit incognito à Bourg-en-Bresse, accompagnée de Camillo Guapa et du célèbre funambule Dussart.* » Il n'y avait vraiment aucun moyen d'échapper à cette presse gluante et stupide qui glorifiait des noms absolument inconnus uniquement parce qu'ils étaient associés au mien. « Le célèbre funambule Dussart » resta à jamais dans nos mémoires. Jicky garda l'article et le fit encadrer, trop fier d'être reconnu comme « funambule » alors que le vertige le prenait dès qu'il avait à traverser un pont suspendu.

Arrivés enfin à la « Moucherotte », nous laissons nos voitures et avec chatte, chienne et bagages, nous prenons « le » téléphérique.

Arrivés là-haut, ce fut un délire de joie !

C'était beau, c'était calme, nous étions les seuls clients, c'était préservé, c'était le paradis ! Anne et moi étions des passionnées de la « crapette ». Nous voilà installées immédiatement à une table en train de jouer pendant que Sami et Jicky s'occupaient des bagages et des animaux.

Le lendemain matin le réveil fut angoissant.

Une tempête de neige nous bloquait une nouvelle fois et pour un temps indéterminé. Le téléphérique impraticable, la plate-forme à bagages immobilisée, nous étions coincés. J'étais au bord de la crise de nerfs ! Jamais patron ne fut insulté comme ce jour-là. Tous les noms d'oiseaux y passèrent. J'étais hors de moi, ne supportant absolument pas cette seconde incarcération. Qu'on en fasse une prison de cette « Moucherotte », mais pas un hôtel, au prix de la pension, les jours de détention coûtaient cher ! Ils le faisaient exprès, ma parole, afin de garder les clients le plus longtemps possible ! J'étais furieuse, payai la note de la nuit et décidai de descendre à pied.

Qui m'aime, me suive !

Guapa la première m'emboîta le pas, puis Sami portant les valises. Anne suivait loin derrière, ses petites chaussures à talon et son sac Chanel l'empêchant d'aller vite. Quant à Jicky, la chatte dans son pull-over dont la tête sortait à hauteur des pectoraux, des sacs de voyage dans chaque main, il fit la moitié du parcours sur les fesses.

Nous avons mis au moins deux ou trois heures pour arriver jusqu'en bas. Jicky était en sang, la chatte s'accrochant de toutes ses griffes à sa chair à chaque chute. Les valises firent le voyage seules, à grands coups de pied dans le couvercle. Nous étions trempés de neige et de sueur, n'ayant plus figure humaine.

Le premier bistrot venu fut un havre.

Jicky se mit à poil dans les W.-C et se lava de fond en comble sous l'œil atterré de la serveuse. Je commandai du champagne afin de nous remettre joyeusement de toutes ces émotions !

Du champagne ?!

Et la serveuse « potiche » me regarda avec des yeux ronds. D'avoir vu Jicky à poil ne lui avait pas fait l'effet d'un électrochoc ! Ma parole elle ne savait pas ce que c'était ! J'appelai le patron, une espèce de « plouc » qui n'avait d'humain que sa carte d'identité. Ses yeux avinés s'arrondirent aussi. Décidément le sort était contre nous. Guapa but de l'eau, Macha du lait et nous de la bière, le champagne du montagnard retardé !

Nous rentrâmes le soir même à Bazoches, roulant toute la nuit afin de ne pas avoir à affronter de nouveau la presse locale à cause de la présence du *célèbre funambule Dussart* et du non moins *célèbre danseur Camillo Guapa* ! La petite chaumière dormait sous une épaisse couche de neige. Tout était calme et beau. Je me demandais pourquoi j'avais eu la fâcheuse idée d'aller chercher ailleurs ce que je possédais ici !

Manque de sagesse !

*
* *

Je n'ai jamais suivi la politique avec beaucoup d'intérêt.

Mais j'avais pour de Gaulle une admiration presque filiale. Cet homme exerçait sur le peuple français une autorité rassurante. Il était notre chef, un peu notre père, son expérience et sa compétence à nous gouverner avec sagesse et fermeté nous permettaient de nous reposer sur lui en toute confiance. Il avait eu le courage de donner son indépendance à l'Algérie... Cela ne plut pas à tout le monde ! Le F.L.N., l'O.A.S., toutes ces initiales dont j'entendais parler ne me traumatisaient pas outre mesure. Ce qui me fit prendre conscience de la gravité de la situation que nous vivions, ce fut un soir d'avril en revenant de Bazoches, la vision de dizaines de chars bloquant le pont de Saint-Cloud !

C'était donc la guerre !

Cela me rappelait mon enfance !

J'eus beaucoup de mal à réintégrer l'avenue Paul-Doumer. Les informations de la T. V. et de la radio étaient on ne peut plus pessimistes.

Paris sentait mauvais !

Je décidai immédiatement de partir pour Saint-Tropez avec Nicolas, Moussia, Sami et Dédette. Au moins là, il n'y avait pas de chars, ni de bateaux de guerre, tout semblait normal. C'était le début du printemps, La Madrague reprenait jour après jour son allure tropicale, la vie aurait pu y être douce avec Kapi heureux de me revoir et Guapa heureuse de retrouver un amoureux. Mais je me heurtais de

399

nouveau aux multiples problèmes du quotidien. Moussia faisait la gueule car je l'avais installée avec Nicolas dans les chambres d'amis donnant directement sur la mer. Elle trouvait que cela manquait de confort, que c'était humide, que le pauvre petit allait y attraper la crève !

Résultat, Nicolas couvert comme un oignon n'avait pas le droit de mettre le nez dehors... même avec un soleil magnifique, il passait ses journées au fond de son lit, emmitouflé de couvertures.

J'étais folle de rage ! Quelle façon d'élever les enfants !

Pendant ce temps, Sami faisait la gueule parce que Dédette l'énervait, elle ne pensait qu'à bouffer !... Petits plats par-ci, nouvelle recette par-là, goûtez donc un peu de cette nouveauté !

Sami n'aimait pas manger.

Pour lui, c'était une nécessité et non un plaisir. Il restait cloîtré dans notre chambre avec des biscuits de *Milical*, nourriture sveltesse pour femmes guettées par l'embonpoint. Dédette se retrouvait donc seule à table en face de ses mirontons dont même Moussia ne voulait pas, trouvant cette nourriture trop riche et trop grasse pour Nicolas. Moi, je courais de l'un à l'autre essayant d'arrondir les angles, goûtant un peu de ceci, appréciant cela, n'aimant pas trop ou adorant, m'en foutant comme d'une guigne !

Laissant Sami à ses problèmes métaphysiques, Dédette à ses fourneaux et Moussia à ses revendications, je fuyais ma maison essayant de trouver ailleurs un peu de gaieté, un peu de chaleur !

Sur le port encore désert, cela sentait l'iode, le bois humide, les mouettes criaient en tournant autour des petits chaluts qui revenaient chargés de poissons. François de l'Esquinade, Félix de l'Escale sirotaient un pastis au soleil. Ils avaient l'accent chaud des Méditerranéens, me trouvaient belle, me faisaient rire avec leurs histoires truculentes. Roger

Urbini, associé de François, était italien et avait en lui une joie de vivre et un humour qui transformaient en fête le moment le plus banal. Ils interpellaient les touristes en les appelant « maman » ou « papa », ce qui donnait lieu à des situations comiques. Ou alors ils se mettaient à danser le cha-cha-cha sur le port, empoignant la première bonne femme venue pour la faire virevolter dans leurs bras.

Avec eux le temps passait vite, je m'amusais.

Depuis combien de temps n'avais-je plus ri ?

Je traînais derrière moi un fardeau douloureux et encombrant qui ternissait mes jours, ne me laissant plus voir que le côté négatif de la vie. J'avais 26 ans, par le plus grand des miracles je vivais, mais si peu en définitive ! J'eus soudainement envie de me débarrasser de toutes ces choses impalpables et trop lourdes qui m'entravaient dans ce que j'avais de plus précieux au monde, ma jeunesse !

Mon signe de la Balance, rarement équilibré, peut me faire passer d'un extrême à l'autre en l'espace d'un éclair. Au diable le pessimisme de Sami, les prouesses culinaires d'Odette, la tête lorgnon de Moussia et les jérémiades de Nicolas. Je me laissais entraîner par la joie saine de mes amis, en m'enivrant de liberté, de danse, de rires, de gin-tonic. Ils me prenaient la taille, leurs yeux me renvoyaient une image de moi qui me rassurait. François était particulièrement tendre et attentionné. Après tout, j'avais bien le droit de profiter un peu de la vie !

Mes absences de La Madrague n'arrangeaient rien. Sami décida de rentrer à Paris pour préparer une pièce de Brecht qu'il devait jouer au Studio des Champs-Elysées. J'en profitai pour rapatrier Moussia, Nicolas et Odette. Ouf !

Christine et Roger Hanin prirent la relève.

La maison redevint ce que j'aimais.

François ne me quittait plus...

Il s'entendait divinement bien avec Christine qu'il faisait rire et Roger avec qui il rivalisait d'histoires drôles, l'un prenant l'accent de Bab el Oued (Roger) et l'autre l'accent de Marseille (François). Je me laissais flotter dans une douce béatitude, ne m'occupant plus de rien. François me déchargeait de tout. Il avait l'habitude de préparer de bons dîners, de jolies soirées, toujours avec un goût parfait. Il faisait beau, j'oubliais Sami et ses tortures morales dans les bras de François qui, de 16 ans mon aîné, m'apportait enfin l'épaule solide dont j'avais tant rêvé.

Après le dîner, nous partions tous à « l'Esquinade », la boîte de nuit qui fit les beaux soirs de Saint-Tropez, tenue par François et Roger Urbini. Là, nous n'en finissions plus de danser, de rire, de flirter. Christine buvait du petit lait en me voyant si en forme.

Je devais commencer en juin un film dont elle était productrice, mis en scène par Louis Malle : *Vie privée*, qui racontait ma vie revue et romancée à la sauce cinématographique. Christine comptait beaucoup sur la réussite de ce film pour son standing de productrice.

La Vérité n'en finissait pas de me catapulter au rang de véritable comédienne, tragédienne ! Par contre, *La Bride sur le cou* entravait par sa médiocrité et sa banalité cette glorieuse ascension.

Christine avait réuni des atouts majeurs dans son jeu. Marcello Mastroianni, la grande star italienne, serait l'homme de ma vie. En attendant, j'avais signé pour début mai un contrat qui m'unirait pour la première fois à Alain Delon dans un des sketches des *Amours célèbres*, mis en scène par Michel Boisrond : *Agnès Bernauer*.

Je confiai Kapi et La Madrague à Jicky et Anne, maudissant une fois de plus ce fichu métier d'actrice qui m'obligeait toujours à quitter ma maison au moment le plus agréable pour gagner ma chienne de vie !

Nous partîmes en voiture à la nuit tombante. Christine et Roger devant, dans leur américaine décapotable, François et moi suivant dans sa Jaguar, avec Guapa.

Le voyage fut un rêve.

Arrivés en Avignon, nous nous sommes arrêtés pour dîner. Un air de cha-cha-cha particulièrement entraînant passait à la radio. Mettant les voitures en stéréo, nous avons dansé tous les quatre sur la place sous l'œil amusé des clients. Il faisait chaud, il faisait bon, nous nous amusions franchement. Si je fus reconnue, je ne m'en aperçus pas... ce qui ajouta à mon plaisir ! Le reste du voyage fut à l'avenant. Profite ma fille, profite ! !

Arrivée à Paris, je quittai à regret François devant la Paul Doumer. Lui n'en menait pas large non plus. Les amours de vacances sont les plus belles, comme disait la chanson. Je retrouvais Sami envoûté par Brecht et *La Jungle des villes*. Il ne me parla que de ce chef-d'œuvre mis en scène par Antoine Bourseiller au Studio des Champs-Elysées dont il était le principal interprète. J'écoutais d'une oreille, pensant de l'autre que j'aurais bien envie d'un thé au lait pour me remettre du champagne ingurgité à chaque étape du retour.

Nicolas hurla en me voyant. Moussia l'emmitoufla, craignant une angine rétrospective. Mala me présenta le lot habituel de factures, de tracas, de soucis, amoncelés depuis mon départ.

La « bonne » nouvelle avait dans l'œil l'intelligence d'une vache qui regarde passer un train ! Heureusement que Christine n'était pas là, elle me l'aurait fait mettre à la porte sur-le-champ... ce qui aurait été le comble pour une vache.

Je pensais avec nostalgie aux cha-cha-cha, aux nuits de l'Esquinade, aux yeux de François, plissés et tombants comme ceux d'un cocker, pleins de tendresse, d'humour et d'amour. Il me fallait faire vite. Agnès Bernauer dans *Les Amours célèbres* m'attendait avec Alain Delon.

Tanine Autré, ma fidèle costumière, avait donné toutes mes mesures, mais il me fallait essayer au moins une fois ces merveilleuses robes moyen-âgeuses. C'est Georges Wakhevitch qui avait dessiné les décors et les costumes. Il avait tant de talent que je conservai les maquettes ainsi que celles de *La Femme et le Pantin* que j'ai chez moi encore aujourd'hui, encadrées et vénérées.

Mon tournage durait une semaine. C'était un film à sketches dont je partageais la vedette avec d'autres immenses acteurs. Outre Alain Delon il y avait Pierre Brasseur, Jean-Claude Brialy, Suzanne Flon, Michel Etcheverry, Jacques Dumesnil. Dans les autres sketches, Belmondo, Dany Robin, Philippe Noiret, Simone Signoret, Pierre Vaneck, François Maistre, Edwige Feuillère, Annie Girardot, Marie Laforêt.

C'est toujours plus difficile de défendre une courte participation, de se retrouver en compétition avec d'autres acteurs qui m'étaient totalement étrangers, que d'assumer un rôle sans rival qui peut être plus long, mais permet certaines faiblesses.

Le premier jour de tournage, j'arrivai aux studios de Boulogne un peu nerveuse. Pas coiffée, des lunettes noires sur le nez, mon sac à la main, un peu en retard comme d'habitude, je courais dans le hall quand je me heurtai à quelqu'un.

« Pardon » et je faillis m'évanouir ! C'était Jean-Lou, je ne l'avais pas revu depuis, depuis... depuis notre séparation.

« Comment vas-tu ?

— Je vais bien.

— Tu tournes un film ici ?

— Oui.

— Bon, eh bien au revoir !

— Oui, au revoir... »

Je pensais à ces mots « au revoir », « te revoir »,

« se revoir », « nous revoir » et ça rimait trop avec « noir » ou « cafard ».

Je grimpai l'escalier comme une somnambule.

Je l'avais tant aimé, je l'aimais encore, mais je n'avais pas pu lui dire, j'étais trop émue, trop pressée, lui aussi. Et puis, j'étais moche avec mes lunettes, sans aucun artifice d'aucune sorte. Cela s'est passé au mois de mai 1961.

Je ne l'ai jamais, jamais revu.

J'arrivai bouleversée dans ma loge, pleine de fleurs envoyées par le metteur en scène, la production, mon partenaire, Dédette, une petite rose dans le verre à maquillage, etc. Je racontai à mes filles ce qui venait de m'arriver.

« J'ai vu Jean-Lou.

— !!!

— Je suis retournée, j'ai eu l'air con, je lui ai dit des banalités !

— ??? »

Elles étaient stupéfaites de ma réaction. Je ne pensais qu'à Jean-Lou, alors que j'allais tourner avec Delon et que je vivais avec Sami Frey.

Delon m'agaçait au plus haut point.

Il faut dire qu'à cette époque il était odieux, ne pensait qu'au bleu de ses yeux, qu'à sa petite gueule d'amour et jamais à sa partenaire. Je regardais derrière lui et trouvais les yeux violets, une tête d'homme superbe, un corps magnifique qui appartenaient à Pierre Massimi qui jouait le rôle de son écuyer. Comme Alain ne me regardait jamais dans les scènes d'amour, mais qu'il regardait le spot placé dans mon dos pour faire ressortir le bleu de ses yeux, je fis la même chose, déclarant ma flamme en regardant derrière Delon les yeux de Pierre Massimi qui me le rendait bien.

Ce fut sublime !

Delon disant son amour à un projecteur, moi à son écuyer ! Et on s'étonne que le sketch fut mauvais !

Si, à la place de Delon, on avait mis Pierre Massimi, on aurait pu y croire !

Si à ma place on avait mis une lanterne, on aurait pu y croire aussi.

Le cocktail Delon-Bardot s'avéra sans relief !

Dommage, car je considère aujourd'hui Alain Delon comme un des acteurs français les plus beaux, les plus authentiques, les plus capables de remplacer Gabin ou d'autres. Son talent est irréfutable, son physique a évolué comme son caractère, il s'est durci, s'est embelli. Quand je pense aux jeunes premiers actuels, je remercie le ciel d'avoir arrêté de faire du cinéma.

*
**

Les Amours célèbres empaquetées, je fis mes valises pour Genève où nous devions commencer *Vie privée*. Moi qui déteste voyager, je passais ma vie à dire « au revoir » à ceux que j'aimais, à prendre des avions, à me déraciner.

Christine, fine mouche, adorable, avait loué pour nous sur les bords du lac une magnifique maison qui appartenait à Peter Notz, Monsieur « chocolat et noisette » comme nous l'appelions, mais qui n'avait rien à voir avec la fameuse marque. C'était un play-boy suisse avec la lenteur que cela suppose à tous points de vue.

Louis Malle avait été un des amoureux de Mijanou, ma sœur, et sortait encore tout chaud des bras de Jeanne Moreau dont il avait été un des amants lors du film du même nom qui m'avait devancée d'une longueur au Festival de Venise 1958. Je me retrouvais en pays de connaissance. Louis Malle était froid et plein de tendresse. Il avait honte de montrer ses sentiments et les cachait sous des couches de pudeur qui le rendaient invulnérable.

Au départ je ne m'entendis pas très bien avec lui.

J'étais exubérante, spontanée, franche, tout d'une pièce et me heurtais à un être réfléchi, méthodique qui cassait toute improvisation, tout élan pour en faire des actes pensés, pesés, répétés, foutus quoi ! Ce fut difficile, il y avait incompatibilité d'humeur et d'humour entre Louis Malle et moi.

Le soir je rentrais avec Christine dans notre superbe villa au bord du lac et je pleurais. J'en avais assez avant d'avoir commencé. Ce type était le contraire de ce qu'il me fallait comme metteur en scène, j'allais être mauvaise comme un cochon une fois de plus !

Alors, Christine me fit une surprise.

Un soir, rentrant démoralisée comme d'habitude, je trouvai quelqu'un au salon. C'était François ! Avec lui revenaient la joie de vivre, la rigolade, les yeux de cocker qui me trouvaient belle, la chaleur de Saint-Tropez, les blagues, la sécurité d'un bras autour de mes épaules.

Ah ! François quel bonheur ce fut pour moi de te retrouver ce soir-là ! La maison devint belle, je ne l'avais pas vue avant, je découvris la douceur du lac à mes pieds et la beauté de la pleine lune sur nos têtes. Comme rien n'est jamais facile, je répondais aux coups de téléphone de Sami, de la chambre de Christine ! Je vous trompais tous les deux à la fois, mais je ne le faisais pas méchamment, j'avais choisi d'être heureuse. Bonheur précaire sans doute, mais bonheur tout de même !

Le lendemain, je tournais de nuit avec Mastroianni, Ursula Kübler et Dirk Sanders dans un des vieux quartiers de Genève. Nous devions sortir d'une pizzeria avec des paquets de victuailles pour aller pique-niquer chez des amis. Tout à coup au milieu de la scène que nous tournions, tombe un pot de géraniums à trois centimètres de ma tête. Puis il y eut un « tollé » général, on nous bombarda de tomates, de vieux cageots, de pots pleins d'eau.

Les insultes fusaient : « *la putain, en France* »,
« *qu'elle aille chez elle faire ses saloperies* »,
« *la paix en Suisse* »,

« *qu'elle crève* »,

« *des ordures pour les ordures* »,

« *qu'on rouvre les maisons closes pour la mettre dedans avec une caméra* », etc.

Je mis quelques minutes à comprendre que ces beaux discours m'étaient adressés. Cependant que les projectiles de toutes sortes se croisaient au-dessus de moi, je sentis une main m'attraper et me tirer dans l'ombre, loin derrière la caméra, là où le public des badauds s'amoncelait en grappes pour « regarder ».

C'était François ! Je fus catapultée dans une voiture et me retrouvai dans le silence de « La Crique », notre maison au pied du lac. Je ne comprenais pas. Qu'avais-je fait ? Mon travail, un point c'est tout !

J'avais failli mourir...

Pourquoi cette haine contre moi ?

Pourquoi me traitaient-ils de putain ?

Pour me redonner l'envie de fuir, de mourir encore une fois ?

Mes nerfs trop fragiles craquèrent une fois de plus. Je m'effondrai en larmes au bord du lac, au bord de la crise, au bord du désespoir.

Christine arriva bouleversée. Louis Malle vint à son tour épouvanté ! J'étais meurtrie au fond de moi-même. Qu'avais-je fait à cette humanité pour qu'elle me haïsse à ce point ? J'étais moi-même, un point c'est tout. Je n'avais en moi aucune hypocrisie, je ne jouais aucun personnage, je ne donnais pas le change ! On me fit dormir à coups de pilules et de piqûres qu'un docteur, appelé d'urgence, m'administra avec volupté dans les fesses. Mon cul, symbole sexuel mondial, représentait, même pour un toubib suisse lent à comprendre, autre chose qu'un déversoir à seringues.

Je m'en remis, je m'en suis toujours remise rapidement.

Retour à Paris où nous tournions les intérieurs aux studios de Saint-Maurice. C'était le mois de juillet, il faisait doux et beau, je rêvais à La Madrague, à la mer, aux couchers de soleil. Lever 8 heures — Départ pour le studio 9 heures — Arrivée 10 heures — Maquillage, habillage et babillage qui sont les trois mamelles du cinéma, jusqu'à midi — Midi prête à tourner — 19 h 30 fin de tournage — Retour à la maison 20 h 30. Douze heures de ma vie par jour pour un film !

Je revenais, lasse, crevée.

Et dire qu'on m'enviait ! Eh oui, je faisais « du cinéma ». Pendant ce temps, tous les culs qui n'étaient pas des symboles sexuels, « eux », se doraient au soleil, nageaient dans l'eau salée que j'aime et se faisaient faire l'amour en vacances !

Moi, je faisais du cinéma !

Alors, pas de vacances ! Douze heures de travail par jour, samedi compris, et le mois d'août idem, pareil, kif-kif !

Pas d'été pour les stars scandaleuses.

Je jouais un rôle qui était le mien sans l'être véritablement. La honte me prenait parfois aux tripes lorsque je devais mimer un événement dramatique de ma vie. Il y avait de moi tout le superficiel, tout le connu, le déjà vu et déjà donné en pâture aux journaux. Il n'y avait pas le profond, le pourquoi, le déséquilibre, le vrai désespoir.

Une des dernières scènes tournées à Paris fut la reconstitution dans un ascenseur, avenue d'Eylau, de l'horrible et véritable épisode de la clinique de Passy. A 6 heures du matin dans un ascenseur, une femme de ménage armée de balais, de pelles, essaye de me crever les yeux lorsqu'elle me reconnaît, en m'insultant, me traitant de salope et de pute. Dur, dur !

J'avais retrouvé Sami avec bonheur.

Cela peut paraître idiot, mais il faisait partie intégrante de moi. François n'était plus qu'un souvenir merveilleux et attaché à une certaine « forme » d'existence. Sami devait tourner un film avec

Mylène Demongeot sur la Côte d'Azur pendant que je partirais finir *Vie privée* à Spoleto au mois d'août ! Nous nous retrouvions pour déjà nous séparer. Allez comprendre après pourquoi les couples d'acteurs ont la vie courte !

Là-dessus, revalises, redépart, reavion ! Destination Spoleto en Italie. Spoleto est un merveilleux petit village fortifié à l'intérieur de la campagne italienne qui peut faire penser à Ramatuelle dans le Var ou à tout village français préservé des promoteurs, et resté intact dans son intégrité du XVIIe siècle.

A Spoleto, il y a une place comme dans tous les villages anciens. Autour de cette place, il y a des maisons en hauteur comme elles étaient jadis — un peu comme les maisons de pêcheurs de Saint-Tropez. Une de ces maisons, la plus belle, appartenait à Gian Carlo Menotti, un ami de Louis Malle qui nous l'avait prêtée pour la durée du tournage. Louis Malle avait pris le rez-de-chaussée et le premier étage. Christine et moi devions partager le deuxième étage. En haut, il y avait une petite terrasse couverte de tuiles romaines et de bougainvilliers.

C'était merveilleux !

Je couchais dans le salon, laissant la chambre à Christine. Nous partagions la salle de bains. A l'étage au-dessous, Louis Malle (Loulou pour les intimes) avait installé ses amis en nombre, ses femmes ou ses fiancées selon la carte ! Cela ne nous regardait pas. Il y avait un éternel tohu-bohu en bas qui montait jusqu'à la terrasse du haut faisant de notre étage une étape inutile et bruyante sans pour autant nous permettre de profiter de la fête.

Cloîtrée dans cette jolie maison, cernée jour et nuit par les paparazzi, j'eus envie de participer à la joie de vivre de Loulou et de ses amis. Un soir avec Christine, je montai sur la terrasse. Il y avait des guitaristes, Antoine Roblot, grand ami de Louis Malle, Claude Davy, le chargé de presse du film, Marcello

410

Mastroianni, Jean-Paul Rappeneau, le scénariste, une femme très belle, très discrète qui était visiblement « la » femme du jour. Il y avait des pâtes comme je les aime et j'avais faim. Il y avait des étoiles dans le ciel, il faisait chaud, j'étais presque heureuse lorsque tout à coup nous fûmes mitraillés par des milliers de flashes partis de tous les toits alentour.

C'était la guerre. Une guerre froide, sans merci, sans armes pour nous défendre. Les flashes crépitaient comme des éclairs un soir d'orage sec. Louis Malle me demanda très poliment, mais fermement, de redescendre « chez moi ».

J'étais renvoyée à ma solitude !

J'étais la cause de tout ce dérangement. Je gâchais tout par ma présence et pourtant je me faisais si discrète, si effacée. Je fus pourtant bien obligée de me plier à cet état de fait. Le soir, après le tournage, « ils » s'en allaient tous dans une trattoria sympathique et fraîche passer une soirée agréable, pleine de *chianti*, *de pastasciutta et de canzonetta napoletana* pendant que je rongeais mon frein et une cuisse de poulet froid, enfermée à doubles rideaux et à triple tour au deuxième étage de la maison de Gian Carlo Menotti.

Cette anecdote donna à Louis Malle l'idée de la fin du film. Cloîtrée, rideaux tirés, je passe le temps comme je peux dans « notre » chambre, n'ouvrant la porte qu'à un très grand ami, Antoine Roblot. Marcello Mastroianni est le metteur en scène de *Katarine de Heilbronn*, de Kleist, qui doit être joué sur la place de Spoleto, qui m'est dans le film aussi interdite que dans la vie. Le soir de la première de la pièce, voulant à tout prix participer à l'œuvre de l'homme que j'aime, je me faufile sur les toits pour regarder. Antoine Roblot, notre ami photographe, me voit et m'envoie un flash dans l'œil qui me fait perdre l'équilibre. Je tombe longuement dans un néant qui n'en finit plus, sur la merveilleuse musique du *Requiem* de Verdi. C'était, selon certains, ma seule échappatoire. C'était aussi la mienne.

Comme il était étrange de retrouver une vérité que je voulais fuir à tout jamais. La mort, cette mort qui m'était familière, que j'avais appelée, côtoyée, qui m'envoûtait en me faisant peur, mais qui m'apparaissait comme la seule issue à mes problèmes, à mes angoisses, à ma vie même.

Qu'était-elle cette vie ?

Une succession de scandales, d'amants, de films. Seule la mort pouvait m'apporter la sérénité dont j'avais tant besoin ! Longtemps je l'ai cru. Je me baladais avec des tubes de somnifères, sachant que je pouvais les utiliser « en cas de malheur ». Cela me donnait une force. Si je n'en pouvais plus, j'avais mon évasion.

Beaucoup plus tard, après avoir raté pas mal d'évasions, j'ai trouvé un autre mode de vie, très différent qui me permet de supporter l'existence en me mettant au service d'une misère incommensurable, la misère animale. Mais nous en reparlerons !

En attendant, à Spoleto, j'étais prisonnière. C'est dur d'être incarcérée lorsque l'on n'a commis que le crime de célébrité. Roger Hanin était venu rejoindre Christine, Louis Malle et sa fiancée roucoulaient. J'étais seule, triste, abandonnée dans mon canapé du salon.

Le dimanche nous ne tournions pas.

C'était le jour du Seigneur, le jour du repos. C'était mon angoisse. Les autres jours, je tournais, je travaillais, je voyais du monde, j'étais photographiée, bien sûr, mais en fin de compte j'étais payée pour ça ! Même si ça me faisait suer, si j'en avais marre, s'ils m'horripilaient, j'étais en représentation, je tournais un film et je devais les supporter.

Mais le dimanche !

Tout le monde partait au bord d'un lac... se baigner.

Moi, en rampant, j'atteignais la terrasse où je prenais, aplatie contre le mur, un peu de soleil. Bientôt, je crevais de chaud et de faim. Seule dans la grande maison, je prenais une douche froide, le nez dans le frigo, je grignotais un gratin de nouilles glacées. Le temps n'en finissait plus de passer.

Un dimanche, n'en pouvant plus, je décidai d'accompagner Roger Hanin et Christine jusqu'au lac afin de me baigner, de me détendre, de vivre enfin comme les autres. Je me déguisai avec foulard, lunettes de Christine, vieux châle, vieille jupe, genre bonniche italienne ! Personne ne remarqua ma sortie de la maison ni mon entrée dans la voiture. Je me tenais voûtée. J'étais folle de joie ! Libre, libre, enfin libre, j'allais pouvoir passer un dimanche *LIBRE* ! Arrivés au lac, j'envoyai promener tous mes accessoires de déguisement et en bikini me roulai sur la pelouse fraîche.

Roger, Christine et moi étions heureux.

Eux, d'être en amoureux, moi d'être tranquille. Je me baignais. Ils se baignèrent. Je me séchais sur la rive lorsque j'entendis une barque arriver. Dans la béatitude où j'étais, je ne compris pas immédiatement. Un commando de paparazzi débarquait, nous envahissant en l'espace d'une minute.

Je fus piétinée ! Je hurlais !

Roger Hanin essayait de casser la gueule de trois mecs qui piétinaient aussi Christine. J'étais seule. Je devais m'en sortir seule.

Ce fut affreux.

Je me levai d'un bond faisant basculer dans le lac deux photographes qui me marchaient dessus. Puis au hasard, j'attrapai la courroie d'un appareil et, me servant du tout comme d'une masse, j'envoyai des coups d'appareil dans toutes les directions frappant un visage, un bras, une main, un crâne, une jambe... J'envoyai un photographe à l'eau bardé de ses appareils.

Ce fut la débandade.

Mais les téléobjectifs fonctionnaient, eux, et res-

taient hors de portée de mes tourniquets ! Roger
était tombé dans le lac avec un autre photographe
avec qui il se battait, Christine hurlait sur la berge.
Je ne pensais qu'à fuir.

Ce fut abominable !

Nous avons été cernés, traqués, ils nous ont empê-
chés de rentrer dans la voiture, j'ai été leur proie, ils
m'ont coursée, jetée à terre, repiétinée, violée au
sens moral du mot, j'ai reçu des crachats, des coups
de pied dans la figure, je me suis battue de toutes
mes forces avec mes poings, mes pieds, mes genoux,
puis épuisée, je suis tombée la face contre terre.

*
**

Je m'en remis, je me remets toujours très vite de
tout.

Christine appela Olga. Olga appela Sami. Sami
vint me rejoindre.

Il partagea mon incarcération qui, avec lui, devint
un choix d'amour. Nous ne vîmes rien de Spoleto
mais comme des aveugles, entendîmes le son des
cloches et des heures, le cri des hirondelles au coucher du soleil, le bruit de la foule tassée devant la
porte de la maison de Menotti, le silence de la nuit,
l'éveil des cigales et des grillons.

Ma peine ayant pris fin avec les derniers jours du
mois d'août, je quittai en voiture avec Sami et pour
toujours Spoleto un matin au lever du jour lorsque
les humains sont encore endormis et que le droit de
vivre paraît être le même pour tous. Je ressemblais
en cela aux animaux sauvages et traqués.

La traversée de l'Italie me parut une épreuve supplémentaire insurmontable.

Mes nerfs étaient à bout. Je voyais des téléobjectifs partout.

Impossible de s'arrêter où que ce soit pour se
nourrir ou se rafraîchir. Une foule bruyante, criarde,
transpirante, curieuse, désœuvrée, envahissait tout.
Je me sentais épiée, reconnue dès que la voiture
ralentissait. N'en pouvant plus, nous sommes passés

414

par la Suisse. Là, je trouvai un peu de calme, de fraîcheur et de tranquillité. Nous avons dormi à Brigg dans un petit chalet d'alpage où seules les vaches nous regardaient de leurs grands yeux si doux, faisant tinter leurs cloches en signe d'amitié.

Je serais bien restée toute ma vie dans ce petit paradis où les collines étaient pleines de fleurs sauvages, où le silence s'écoutait avec recueillement, où les murs en bois sentaient la résine, où la couette ressemblait à un gros ventre tendre et où le fromage était si frais qu'il sentait encore la vache ou la brebis.

Arrivée à Saint-Tropez, je retrouvai avec bonheur Kapi et Guapa, Jicky et Anne, venus passer leurs vacances sur la Côte.

Mais ma maison était aussi cernée par les téléobjectifs. Il y en avait partout, sur les bateaux ancrés devant, sur les arbres alentour. L'angoisse me reprit les tripes. Chacun de mes gestes était épié, photographié, disséqué. Je n'en pouvais plus. J'avais déjà payé mon dû de photos, de films, d'interviews, j'avais besoin d'un peu de détente, d'un peu de repos et ça m'était refusé.

Il y avait presque un an, j'avais voulu mourir pour échapper à tout cela et je me retrouvais au même point, traquée comme un gibier, sursautant à la vue de la moindre feuille qui bougeait, m'enfuyant au moindre bruit, flairant l'air comme un animal, scrutant tout ce qui pouvait ressembler de près et de loin à un appareil-photo. Mes nerfs étaient tendus à l'extrême. Je vivais en recluse, ne sortant jamais ni dans un restaurant ni dans une boîte de nuit.

Je redevins dépressive.

Un jour que je prenais le soleil recroquevillée dans un petit coin protégé entre le portail et le ponton, je vis arriver une grotesque Américaine qui nageait en poussant devant elle un cageot de bois. Je pensais que c'était une Américaine car elle était affublée d'un bonnet de bain de plastique multicolore représentant toutes les fleurs de la Création et que seules les Américaines osent se baigner avec de tels accoutrements.

Jicky me la fit remarquer en riant.

Anne et Sami dormaient au soleil. Je me recroquevillais encore davantage dans l'angle du mur me demandant pourquoi cette bonne femme nageait avec un cageot en venant directement vers nous. Les chiens se mirent à aboyer furieusement et soudain l'Américaine se leva, sortit en deux secondes l'appareil du cageot et me mitrailla à bout portant avec un objectif superprofessionnel.

Trop tard, j'étais piégée, prise à mon propre abri, coincée dans l'angle du mur. Jicky rapide comme l'éclair était déjà en écran entre elle et moi l'injuriant copieusement lorsque enlevant son bonnet ridicule, nous reconnûmes Georges Kalaédites, un des plus redoutables photographes de presse à scandale.

C'était de bonne guerre.

Il avait fait son boulot avec une imagination diabolique. Jicky et lui riaient comme des fous, trouvant l'idée très drôle ! Moi, je ne riais pas. J'avais encore été photo-traquée dans mon coin comme une bête sauvage, aucune détente ne m'étant permise. Pour eux, ça devenait un jeu. C'était à celui qui y arriverait et qui vendrait à prix d'or une photo sans intérêt d'une pauvre fille recroquevillée dans le coin le plus caché d'une maison merveilleuse.

Mais qu'avais-je fait au Bon Dieu pour être punie de telle manière ? C'est ce que doivent se dire les pauvres animaux tués au cours de safaris ou pris vivants pour perpétuer les zoos.

Qu'ont-ils fait au Bon Dieu ?

Mais eux, c'est de leur vie ou de leur liberté à jamais perdue qu'ils payent tribut à l'humanité... C'est honteux de faire subir un calvaire aussi atroce à des animaux qui n'ont pour tout délit que le fait d'être rares, sauvages et libres.

Quand les photographes me laissaient une paix

relative, c'est le public, les « gens », qui m'envahissaient. Ils escaladaient les clôtures, passaient leur nez par-dessus le portail, entraient carrément par la mer, se postaient devant le ponton et n'en bougeaient plus pendant des heures. Certains ont même été jusqu'à grimper sur le toit de La Madrague.

Combien de fois au bord de la crise de nerfs ai-je appelé la police ? J'en ai trouvé dans ma salle de bains, dans mon salon, sur la balancelle du jardin ou tout simplement installés sur les chaises longues au bord de l'eau. « La plage, elle est à tout le monde ! », voilà en général tout ce que ces cons me répondaient lorsque j'essayais en hurlant de les faire partir !

« La plage, peut-être, imbéciles, mais pas ma baignoire, ni mon canapé, ni mes meubles de jardin ! Foutez-moi le camp, bande de dégueulasses !

— Viens, Robert (ou Marcel), ici c'est tous des singes. »

Et les cons partaient avec mon pied dans le cul, à coups de jet d'eau ou de balai ! Inutile de dire dans quel état je me retrouvais après de tels pugilats ! La police faisait des rondes pour me protéger.

Un jour, Jicky ouvrit le portail à 14 h 30 pour aller faire une course. Un énorme car rempli d'Allemands attendait de l'autre côté. Jicky, ne comprenant rien, fut aussitôt encerclé par tous les touristes !

« Ach ! Ça ouvre enfin, on attende depuisse eine heure bour la viside de la maisonne de Brigitte Bardotte. »

Jicky, abasourdi, eut un mal de chien à les empêcher d'entrer. Il referma le portail à toute vitesse, puis essaya de comprendre. C'était soi-disant une visite du Club Méditerranée. Les billets à souches portaient bien l'en-tête du Club. Jicky, fou de rage, téléphona au Club en les insultant de belle manière. Hélas, on leur avait volé un carnet de visites et le voyou qui avait fait le coup avait disparu après avoir vendu à prix d'or une visite de La Madrague à un car de touristes allemands.

Une autre fois, tout un pensionnat de jeunes filles envahit la plage à côté. Elles montaient sur les arbres, passaient le nez partout en minaudant : « On voudrait la voir, on voudrait tant la voir. Ah ! La voir une fois ! !» Jicky, exaspéré par toutes ces agressions ininterrompues, leur répondit :

« Vous voulez vraiment la voir ?

— Oh oui ! On veut la voir, on veut la voir... »

Alors Jicky baissa son maillot, leur montra sa quéquette et leur dit :

« Voilà, vous l'avez vue, alors ne me faites plus chier et barrez-vous, bande de connes ! »

Un jour, n'en pouvant plus, cernée de toutes parts, je décidai de me défendre comme je le pouvais. Je pris une caisse de pétards et les balançai sans interruption partout où je voyais passer une ombre, une jambe, un appareil-photo, un nez, une tête, un bras. Ce fut extrêmement efficace. Les pétards ressemblant à s'y méprendre à des coups de fusil. Mais cette guerre me fatiguait. Je n'avais pas acheté La Madrague pour y jouer Fort Chabrol.

Jicky, pensant que le sport quel qu'il soit était un bon dérivatif aux dépressions, me fit faire une belle démonstration de ski nautique mono par Anne. J'étais fascinée. Comment cette petite bonne femme tenait-elle sur un mono ? Ils partaient du ponton, elle se relevait telle une déesse marine, je n'en croyais pas mes yeux !

Je voulus faire pareil. Mon grand défaut est de toujours vouloir faire aussi bien que les autres sinon mieux. Mon grand problème, le soir vers 20 heures, lorsque la baie était enfin vide, fut d'essayer de sortir en ski nautique. Jicky me mit des bi ; je hurlais, écartelée, ne sortant que le bout des skis, la tête sous l'eau, me noyant complètement. On me soutenait sous les bras dans vingt centimètres d'eau, le bateau partait, mes skis se séparaient, ma souplesse de danseuse ne supportait pas l'écartèlement, je tourniquais sous l'eau prenant souvent un ski sur la tête ce qui me renvoyait aux profondeurs d'un gouffre étrange.

J'étais furieuse.

Bien sûr, Anne avait eu tout l'été pour apprendre pendant que je travaillais, mais quand même ! Si elle sortait en mono, je devais sortir en mono ! Jamais la baie des Canoubiers n'entendit autant de jurons ! Jicky me traitait de « sale conne incapable » tout en conduisant le bateau. Moi, au fond de l'eau, essayant de rattraper mon ski, je lui disais pis que pendre sur sa façon de tirer un skieur, sur ses méthodes d'apprentissage, sur lui-même, sur sa famille, sa descendance et son ascendance.

Bref ! Nous étions les charretiers de la mer !

Mon orgueil en prenait un sacré coup !

Mais pendant ce temps-là, je ne pensais ni aux téléobjectifs, ni aux photographes, c'était le but recherché par Jicky. Je m'acharnais à sortir en mono ! J'en ai bu des tasses. J'en ai dit des horreurs à Jicky ! Il m'en a répondu ! ! Puis, au bout d'une semaine, je me suis retrouvée debout derrière le bateau, alors j'ai eu si peur que j'ai tout lâché ! !...

Le lendemain, je recommençais, hurlant mes injures habituelles, puis me retrouvais à nouveau debout derrière le bateau. Cette fois, je ne lâchais pas ! Je fis le tour de la baie, pétrifiée, mais debout sur mon mono, dans le sillage. Les jours suivants, j'appris à passer le sillage du bateau, j'étais si raide que je tombai des milliers de fois. Puis, apprenant à plier les genoux aux passages de la vague, je finis par aller et venir de gauche et de droite, comme Anne ! Ce jour-là fut un jour béni.

Je rentrai à Paris maudissant le sort et le film que je devais tourner dès les premiers jours de l'année 1962, *Le Repos du guerrier*. En attendant, Sami jouait au studio des Champs-Elysées *Dans la jungle des villes* de Brecht. Je n'assistai pas à la première, mais vins plusieurs fois le voir et l'applaudir des coulisses ou d'une avant-scène vide ce soir-là.

*
**

Il m'arriva alors une chose incroyable.
Je reçus une lettre dont voici le texte :

« *Le jour viendra où tous les Français unis, de Dunkerque à Tamanrasset, retrouveront la joie de vivre.* »
Cet extrait du discours prononcé le 21 septembre 1961 par le Général d'armée Raoul Salan, Commandant en Chef de l'O.A.S. sur les ondes de Radio-France, résume la lutte que nous menons contre le pouvoir de fait de Monsieur de Gaulle, dernière étape avant la prise du pays par les communistes.
L'O.A.S. est la dernière chance de la France. Rempart contre le collectivisme, elle mène une lutte sur plusieurs fronts : le pouvoir, les communistes et le F.L.N. Sa puissance croît de jour en jour, mais de gros sacrifices sont nécessaires ; des hommes payent quotidiennement de leur vie.
La tâche est lourde. Il nous faut le soutien de tous les Français.
En conséquence, l'O.A.S. a décidé, vu votre situation : actrice, fille de Louis Bardot, Administrateur de Société, de vous imposer pour la somme de 50 000 francs. Des instructions vous seront données ultérieurement quant au mode de versement de cette somme. Toutefois, dès réception de la présente, vous devez être en mesure de remettre cette somme à toute personne venant de la part de Monsieur Jean Francat.
Nous vous signalons d'autre part que :
1) Cette somme sera comptabilisée et vous sera remboursée dès que possible.
2) L'inexécution de cet ordre amène l'entrée en action des sections spéciales de l'O.A.S.

Pour le Général d'armée Raoul Salan
Commandant en Chef de l'O.A.S. en mission
J. Lenoir, *Chef des Services financiers*
12 novembre 1961

420

Je restai figée !

Comment, on me rançonnait ? J'en avais mal au ventre ! Je ne savais plus quoi faire ! Le danger était grand. Déjà Françoise Giroud et Michel Droit avaient été plastiqués chez eux pour ne pas avoir répondu positivement à l'appel de Salan. J'en parlai à mes parents.

Ce fut un drame, un cataclysme.

Papa fit immédiatement appel à la police pour me protéger. Maman fit préparer un faux passeport à Nicolas grâce à un de ses amis Jacques Coutant (alias Roger La Ferté pour les mots croisés) et expédia le petit et Moussia en Suisse ! Cela ne résolvait pas mon problème. Je me retrouvai seule à la Paul Doumer avec la menace d'un plastiquage en bonne et due forme. La police nous envoya gentiment nous faire foutre ! Ils étaient débordés de demandes de ce genre. Qu'on s'adresse à une police privée.

En attendant, toute la Paul Doumer mourait de peur.

Baisser la tête n'a jamais été mon genre.

Je décidai une fois de plus d'être combative. Philippe Grumbach, mari de Lilou Marquand, amie intime de Vadim, était rédacteur en chef de *L'Express*. Je lui téléphonai, lui expliquai la situation et lui demandai deux pages de son journal pour une réponse en lettre ouverte à Salan et son brain-trust. Il accepta. Ce qui prouvait, à l'époque, un certain courage. Bravo. Voici ce que j'écrivis :

Monsieur le Rédacteur en Chef, vous trouverez ci-jointe la lettre que je viens de recevoir de l'O.A.S. Je vous la communique pour que vous l'utilisiez de la manière la plus efficace dans le cadre de votre combat contre cette organisation.

Je vous informe que j'ai porté plainte par l'entremise de mes avocats pour tentative de chantage et d'extorsion de fonds. Je suis persuadée en effet que les auteurs et les inspirateurs de ce genre de lettre seront rapidement mis hors d'état de nuire s'ils se heurtent partout à un refus net et public de la part des gens qu'ils cherchent à terroriser par leurs menaces et leurs attentats.

En tout cas, moi, je ne marche pas parce que je n'ai pas envie de vivre dans un pays nazi.

Je vous prie de croire, Monsieur le Rédacteur en Chef, en mes sentiments les meilleurs.

BRIGITTE BARDOT.

Commentaire de *L'Express* :

L'O.A.S. vient d'écrire à Brigitte Bardot.

La lettre a été postée rue Crozatier du bureau de poste d'où sont déjà partis la plupart des tracts et des lettres signées « Salan ». Le texte ci-dessous est ronéotypé, sauf deux lignes dactylographiées, celles indiquant le nom de la victime désignée du chantage et la somme qui lui est réclamée. Plusieurs personnes ont déjà reçu des lettres identiques. Toutes se sont tues. Certaines ont payé, d'autres hésitent encore.

Brigitte Bardot a écrit à L'Express. *En même temps, cette semaine ses avocats, Maîtres Jean-Pierre Le Mée et Robert Badinter, ont remis sa plainte entre les mains du doyen des juges d'instruction. C'est la première plainte pour tentative de chantage et d'extorsion de fonds déposée en justice contre l'O.A.S.*

L'Express.

Je me suis toujours battue seule en prenant parfois énormément de risques. Cette réponse en est un exemple. Après tout, c'est moi-même et moi seule que je mettais en jeu. Nicolas, tranquille en Suisse avec Moussia ! Sami, à l'écart pour quelques jours, le temps que tout ça se calme ! Papa et maman, trop loin du 71, avenue Paul-Doumer pour avoir à subir les retombées d'une bombe... Et moi, terrorisée, au 7e étage, ne sachant plus à qui demander de l'aide.

422

Une certaine police privée se trouvait sous les ordres d'un ancien de *Paris-Match*, copain de Vadim, Joël Le Tac. C'est lui qui m'envoya deux flics en civil, un pour l'escalier principal, l'autre pour l'escalier de service. Trois fois par jour, le changement se faisait. Trois fois huit égale vingt-quatre. Il fallait me surveiller 24 heures sur 24. Chaque huit heures, de chaque côté, me coûtait une fortune. Mais ma vie valait bien cela.

Je recevais beaucoup de cadeaux à ce moment-là, surtout en cette période précédant Noël. La concierge avait pour consigne d'aller chercher le gardien du 7ᵉ, côté maîtres, lorsque les colis ou les lettres arrivaient. Sur le trottoir il ouvrait tout, puis donnait ce qui lui semblait inoffensif à Madame Archambaud qui me le montait. Un jour, la concierge reçut un colis qui faisait « tic-tac, tic-tac, tic-tac, tic-tac ». Ce fut une révolution. Chacun pensait qu'une bombe était envoyée pour faire sauter mon appartement. Le gardien civil fut avisé. Il partit loin dans l'avenue ouvrir précautionneusement le paquet. Quelle ne fut pas sa surprise de découvrir une très jolie pendule suisse qu'un admirateur avait envoyée de Lausanne.

Une autre fois, l'ascenseur arriva avec à bord ma voisine de palier, une vieille Anglaise style bon chic, bon genre, qui se retrouva avec un pistolet sous le nez ! Drame auprès du syndic !... C'était rassurant mais pas pratique.

***

Claude Bolling et Jean-Max Rivière pensaient que je devais chanter. En fait de chantage, j'étais déjà servie ! Mais leur détermination eut raison de ma timidité.

J'écoutais éblouie Jean-Max me chanter le soir *La Madrague*. Comme il avait bien su trouver les mots qui reflétaient ma maison, ma nostalgie des vacances terminées :

« *On a rangé les vacances dans des valises en car-*

ton et c'est triste quand on pense à la saison du soleil et des chansons. »

« Le mistral va s'habituer à souffler sans les voiliers mais c'est dans ma chevelure ébouriffée qu'il va le plus me manquer. »

Jean-Max était un magicien des mots, de la guitare, de l'amitié. Bolling était déjà un des as de l'adaptation orchestrale.

Je me retrouvai devant un micro ânonnant mon texte sur une musique superbe. Jour après jour mon ânonnement devenait plus chantant, plus musical, les fausses notes s'effaçaient devant une certaine insolence qui prenait le pas sur la timidité maladive de mon fichu caractère.

Ce n'est qu'un an plus tard que j'enregistrai professionnellement cette chanson mythique. Il y avait aussi *Faite pour dormir*, chanson difficile sur mes amours au fond de l'eau avec un poisson-chat qui avait pris la place de mes amants trop souvent absents. Je m'amusais en chantant.

C'était un timide *Bonne année Brigitte* que je présentais aux téléspectateurs en cadeau de Nouvel An, chantant en public pour la première fois de ma vie, sous la direction de François Chatel. J'étais seule responsable de ce cadeau, car c'en était véritablement un, je refusais de recevoir à cette occasion aucun salaire. C'était une sorte de récréation pour moi, et le fait d'être à nouveau rémunérée m'aurait donné l'impression d'effectuer un travail. Chatel était intimidé par moi, qui étais intimidée par lui ! Jean-Max et Bolling n'étant intimidés ni par l'un ni par l'autre, eurent vite fait de remettre d'aplomb une situation qui aurait pu devenir dramatique.

En cette période de Noël, complètement perturbée par tous ces événements tragi-comiques, je reçus une lettre exceptionnelle et bouleversante. Elle venait d'une vieille dame hospitalisée à Lariboisière, seule au monde qui se mourait d'un cancer de la gorge. Scotchée sur une feuille de

424

papier se trouvait sa bague de fiançailles, son seul trésor qu'elle m'offrait, m'ayant choisie sans me connaître comme l'héritière de son cœur.

J'étais émue aux larmes.

La lettre écrite à l'encre violette était extrêmement bien tournée, elle ne me demandait rien, ne se plaignait pas, acceptait son destin avec beaucoup de dignité, mais tenait à ce que cette bague, porteuse de tant de souvenirs, ne finisse pas n'importe comment. Si je l'acceptais elle mourrait tranquille.

Mala et moi étions bouleversées.

Encore sous le choc de l'accordéon du faux handicapé, je chargeai Mala de vérifier auprès du médecin de l'hôpital si cette histoire était bien vraie. Hélas oui ! Je ne fis ni une ni deux, achetai une télé portable, un sapin tout décoré, des chocolats, une robe de chambre en laine des Pyrénées, du champagne, et chargée de tout ce fourbi, je débarquai le lendemain à l'hôpital Lariboisière, aidée de Mala et du chauffeur de la production que j'appelais dans ce genre de panique.

Mon arrivée fit sensation.

Personne ne s'attendait à voir débarquer Brigitte Bardot en chair et en os, chargée comme la mule du pape d'un tas de paquets pour Madame Suzon Pénière, la malade mourante de la chambre 218. Escortée par tout le personnel hospitalier de l'étage, je frappai puis entrai. Le petit bout de femme qui se trouvait là, me vit, eut un hoquet et s'évanouit d'émotion !...

Ce fut un branle-bas de combat inimaginable ; le docteur appelé d'urgence remit rapidement tout en ordre en me conseillant d'éviter à l'avenir ce genre de choc à des personnes dans son état, me remerciant aussi d'apporter à Suzon, par ma présence, l'espoir d'une guérison à laquelle il ne croyait plus.

Ma petite souris de Suzon pleurait de joie !

Elle avait eu l'ablation totale des cordes vocales, ne pouvait donc plus parler, mais ses yeux en disaient bien plus long que tous les discours du monde. Elle prit ma main, vit sa bague que je ne quitterais désormais jamais plus et me donna à travers son regard, sa vie, son amour, sa tendresse sans limites.

Elle avait alors 64 ans, mesurait 1,55 mètre.

Je l'ai aidée à guérir, à quitter Lariboisière et à se réinstaller dans son petit trou de souris de La Ferté-sous-Jouarre.

Je fus pendant les vingt années qu'elle vécut après ce coup de foudre réciproque, sa seule famille, son seul soutien, sa seule attente.

J'ai aimé Suzon, comme partie intégrante de moi-même. Cette petite femme intelligente, courageuse et lucide qui pouvait être acide et même perfide parfois a été mon porte-bonheur, ma première petite grand-mère d'adoption. Au fur et à mesure que ma famille me quittait, ma Suzon fut mon aide, mon conseil, ma sagesse.

*
**

1962 était arrivé.

Jean-Paul Steiger, mon jeune ami des animaux, s'était fait engager comme tueur aux abattoirs de la Villette. J'avais quotidiennement un coup de fil de lui me disant son dégoût, son horreur de ce qu'il y voyait. Il avait fait clandestinement des photos abominables de pauvres bêtes sacrifiées de façon inhumaine. Jean-Paul avait à l'époque 20 ans et il lui fallait un sacré courage pour assumer une telle tâche dont le but était uniquement d'avoir des documents interdits par la loi afin de pouvoir dénoncer l'horreur et l'abomination des abattoirs français.

Les animaux étaient déjà pour moi une raison de vivre, mais à laquelle je ne comprenais rien. Seul mon cœur réagissait ! Je n'avais aucune notion légale de ce qui se faisait ou non. Je déplorais simplement de tout mon être qu'il pût se passer quotidiennement pour le seul bien-être de l'homme tant d'horreurs cachées.

Lorsqu'un soir de janvier 1962 Jean-Paul vint

m'apporter à la Paul Doumer ses photos et le récit de ses trois semaines d'abattoir, je fus hors de moi. Comment l'humanité pouvait-elle accepter, tolérer et même approuver de telles méthodes ?

Que faisait le gouvernement ? Il restait aveugle, comme d'habitude.

Je fus malade, malade d'horreur, malade d'impuissance, malade de douleur. Je donnai immédiatement des ordres stricts à la bonne : « Plus de viande, jamais plus de viande, pour aucun repas ! Jamais ! Vous entendez, ni pour vous, ni pour moi. »

Puis, je pleurai longuement sur la photo d'un petit veau qui, les pattes cassées, gisait sanglant la gorge ouverte sur un X de torture, pire qu'aux pires moments du Moyen Age ! Puisque personne au monde n'avait le courage ou les moyens de dénoncer ces abominables tueries sanglantes moi je le ferais !

Avec Jean-Paul, je rencontrai Madame Gilardoni qui venait juste de créer l'« Œuvre d'Assistance aux Bêtes d'Abattoirs ». Je me heurtai à une femme au visage chevalin, dont tout sentiment était exclu. Elle me jaugea avec peu d'indulgence, pensant probablement que j'allais tirer un profit publicitaire d'une campagne qu'elle aurait aimé et voulu faire elle-même. Qui aurait écouté Jean-Paul Steiger ? Qui aurait prêté attention à la mère Gilardoni ? Par contre, merci mon Dieu, mon nom était un sésame pour toutes les portes.

N'écoutant que ce que mon cœur me dictait et ce que Jean-Paul me répétait, je jouai le tout pour le tout. Je demandai à Pierre Desgraupes, un des trois Pierre qui firent les beaux jours de *Cinq Colonnes à la une*, de m'accorder pour les abattoirs un espace dans leur célèbre émission.

Comme il est difficile parfois de se faire entendre !

La réponse des « Pierre » fut étonnante. Ils voulaient bien m'accueillir dans leur émission, mais trouvaient que mon symbole sexuel correspondait mal à une séquence aussi dure sur les abattoirs !

Comme à l'époque les gens se battaient pour avoir de moi une interview, une apparition télévisée ou quoi que ce soit de journalistique et que je refusais tout, tout, tout, ils finirent par accepter mes conditions.

Je fis donc en direct *Cinq Colonnes à la une*, le 9 janvier 1962, épaulée par Jean-Paul Steiger, le Docteur Triau (le vétérinaire de Guapa) et confrontée à trois tueurs professionnels d'abattoirs.

Le sujet n'avait rien de *glamorous* et je sortis de là larmes aux yeux, mais ayant montré au public de mon pays que la viande ne se trouve pas dans un potager, que chaque bifteck est la mort abominable d'un animal innocent et martyrisé. Desgraupes alla même jusqu'à me demander si je faisais ça pour ma publicité !

Je fus traumatisée par cette émission.

Ayant été confrontée à des bouchers indifférents, obligée de me battre avec mon cœur contre des arguments qui, eux, n'étaient motivés que par l'argent, le succès matériel de telle ou telle entreprise d'abattage industriel, je rentrai chez moi écœurée, ne pensant qu'à la vie de ces pauvres bêtes, sacrifiées pour le profit de ces ignobles chevillards qui ne vivent que de la mort en gros de milliers d'animaux adorables et innocents.

Je ne pus dormir, ni manger quoi que ce soit pendant une semaine. Francis Cosne, le producteur du *Repos du guerrier* que je devais commencer le 5 février, s'inquiétait énormément. Je n'essayais pas les robes, refusais les essais de maquillages et autres babioles dont je me foutais comme de l'an 40 ! Je tournais en rond à la Paul Doumer, tentant de trouver une solution à ce problème douloureux. Je finis, conseillée par Jean-Paul, par demander à Mala, ma fidèle secrétaire, de m'obtenir un rendez-vous auprès de Roger Frey, ministre de l'Intérieur.

Mes gardes du corps étaient toujours en faction sur les deux paliers de la Paul Doumer. Chaque jour était une angoisse, chaque nuit une épreuve.

Entre-temps, l'O.A.S. avait écrit une lettre à papa disant que si je ne payais pas les 50 000 francs demandés, ils allaient me vitrioler, purement et simplement. Les parents ne me le dirent pas. Ils se mirent d'accord avec mon avocat, Maître Jean-Pierre Le Mée, pour essayer de me faire protéger légalement par la police officielle. Une nouvelle fois ce fut peine perdue. La police et le gouvernement avaient d'autres chats à fouetter que de protéger une petite Française menacée de vitriol et de plasticage parce qu'elle refusait de se soumettre à un indigne chantage. Peu importe que cela aille à l'encontre des opinions du chef d'Etat qu'elle avait choisi de son plein gré en votant pour lui.

Même si cette petite Française rapportait à l'époque autant de devises à la France que la régie Renault, il fallait qu'elle assume seule la responsabilité de ses actes et de sa survie.

C'est ce que je fis toujours et pour tout !

C'est pourquoi ne me parlez jamais de politique car je vous répondrai en riant que ce sont *tous* des pourris, que je ne crois en personne, que chacun tire un maximum de couverture à lui et ne s'en sert pour rien de valable, que toutes les politiques sont uniquement des tremplins à la gloire de ceux qui y accèdent. Je déplore que le pouvoir donné serve si rarement à quelque chose d'efficace, de positif. J'en ai vu des ministres, dans différents régimes, je leur ai toujours demandé de faire quelque chose pour adoucir cette souffrance animale qui me hante, je me suis toujours heurtée à des murs d'hostilité, à des dialogues de sourds, à des phrases pontifiantes et incompréhensibles : « *Etant donné la conjoncture actuelle, il me paraît excessivement difficile de me désolidariser d'une manière de faire ancestrale et coutumière... etc. etc.* »

Allez vous faire foutre, ministres, secrétaires

d'Etat et autres pique-assiettes, jean-foutre, freluquets du gouvernement !

La France s'asphyxie et devient une peau de chagrin dont vous êtes seuls responsables.

J'ai un profond mépris pour tout ce qui est administratif. Plus c'est haut placé, plus ce mépris est grand. « *Plus il vous sera donné, plus il vous sera demandé* », c'est écrit dans la Bible. Je n'ai jamais demandé quoi que ce soit pour moi, toujours pour les animaux. Il m'a trop souvent été refusé. Pourquoi mon Dieu, pourquoi ?

Mais fermons cette parenthèse et revenons à nos abattoirs.

Roger Frey m'accorda une entrevue au ministère de l'Intérieur, place Beauvau à Paris. J'avais, bien sûr, prévenu Jean-Paul qui demanda à Madame Gilardoni, présidente de l'O.A.B.A. de me confier quelques prototypes de pistolets d'abattage destinés à assommer le gros bétail afin que la mort lente et consciente par saignement soit abolie dans la plupart des cas, grâce à la projection d'une flèche dans le cerveau qui paralysait les centres nerveux.

Pour ne rien vous épargner, vous devez savoir que la viande n'est consommable que si la bête se vide entièrement de son sang. Il faut pour cela que le cœur batte le plus longtemps possible. L'animal ne peut donc être tué. Il doit vivre sa mort jusqu'à ce qu'il soit vidé complètement de son sang par égorgement.

C'est contre ce supplice que je me battais.

Je voulais que l'on évite une trop grande souffrance en rendant la bête inconsciente tout en restant vivante pour permettre au cœur de vider de son sang tout ce grand corps, rendu insensible à l'ignoble réalité. Jusqu'alors, la seule pratique utilisée et adoptée par les tueurs était le coup de gourdin sur la tête. C'était devenu un jeu très amusant et les concours allaient bon train. Dès 4 heures du matin, le coup de rouge aidant, ces messieurs montraient leur force et leur virilité en assénant des coups de masse à tort et à travers sur le museau, les yeux, les oreilles des bœufs, des vaches, des moutons et des chèvres. Il en résultait des blessures insoutenables ; les yeux giclaient hors des orbites, les crânes se fendaient, les animaux hurlaient leur incommensurable douleur. Qu'importait puisqu'ils allaient de toute manière mourir : « Alors, vas-y p'tit Louis, tape bien, fais-toi les muscles ! » Le sang coulait sur les hommes et se mélangeait aux taches de vin rouge. Parfois, l'odeur du sang les poussait à des instincts sexuels les plus vils. On se tapait la chèvre qui, la gorge ouverte, était secouée des spasmes de la mort, ou on profitait de la douceur de la langue du petit veau qui agonisait lentement, étouffé par les flux de sang chaud qui lui envahissaient la gorge.

C'est pourquoi l'adoption du pistolet d'abattage était pour moi liée à la dignité de l'homme.

Je partis donc seule un soir glacial de janvier 1962, avec mon sac Vuitton et trois pistolets d'abattage qui pesaient un âne mort, au rendez-vous que m'avait accordé Roger Frey. Avant de partir, j'avais longuement regardé une photo montrant un pauvre cheval baignant dans son sang, les pattes brisées, sur le quai de Marseille où, après avoir subi un voyage atroce depuis la Grèce, son état pitoyable ayant empêché les tueurs de l'emmener jusqu'à l'abattoir, on l'avait purement et simplement égorgé sur le quai. Je pleurais sur cette photo, jurant à ce pauvre cheval que je passerais ma vie à essayer de le venger.

Ainsi j'arrivai au ministère de l'Intérieur seule, timide, affolée, portant mon sac plein de pistolets. Un huissier élégant et impressionnant me fit asseoir dans l'antichambre. Je me faisais penser à Bécassine ! Deux hommes en civil, l'air sévère, passèrent et repassèrent devant moi. J'étais terrorisée... Nous étions en pleine période O.A.S. et j'arrivais au ministère de l'Intérieur un sac plein de pistolets à mes pieds.

Je n'y coupai pas.

L'un des hommes, soupçonneux, voulut me fouiller. C'était la règle avant de rencontrer le ministre. J'opposai une résistance outrée. Comment osait-on me faire un tel affront, savait-il seulement qui j'étais ? Même si j'avais été le pape, il voulait à tout prix savoir ce que contenait ce sac à mes pieds.

Je n'en menais pas large ! Pour une fois que j'aurais aimé que ma célébrité me serve à quelque chose, je me voyais traitée comme une terroriste par des types qui, visiblement, n'allaient jamais au cinéma et lisaient rarement les journaux à scandale. Heureusement, Roger Frey, entendant tout ce tinta-marre, ouvrit la porte de son bureau et me reçut à bras ouverts.

Il riait de cette situation vaudevillesque, moi je ne riais pas du tout, pensant aux atrocités que je connaissais et sachant que les pistolets que je vou-lais faire accepter légalement par le gouvernement n'engendreraient que la mort, encore la mort de tous les animaux de boucherie. Je m'aperçus ce jour-là qu'un sourire est parfois plus efficace auprès d'un ministre que toutes les larmes du monde. Pourtant, sourire en présentant des engins de mort, me parais-sait aberrant ! Ravalant les larmes de mon déses-poir, je souris donc et essayai de parler le même lan-gage que l'homme qui, en face de moi, représentait le pouvoir. Il était plus intéressé par ma carrière cinématographique que par la mission difficile qui m'amenait à lui. Nous plaisantions sur mille futili-tés et chaque fois je revenais sur le problème qui me tenait tant à cœur.

Je dus l'exaspérer au plus haut point !

Qu'a donc à faire un ministre de la souffrance de milliers d'animaux ? Il me promit néanmoins de se pencher sur ce douloureux problème dès que les menaces de l'O.A.S. n'occuperaient plus du tout son temps. J'en profitai pour lui dire le chantage qu'ils exerçaient sur moi et le peu de protection que j'avais trouvée au sein du gouvernement. Cela l'amusa beaucoup ; il n'y avait que moi pour être une si fière victime.

Ah ! la France devrait me prendre en exemple !

Puis, ayant épuisé mon temps de visite, je repartis, laissant sur le bureau du ministre les trois prototypes de pistolets d'abattage, qui ne furent agréés et mis en service que dix ans plus tard dans tous les abattoirs conventionnés de France.

C'est à la suite de démarches comme celles-ci que je mesurais mon inutilité, ma petitesse, mon inefficacité. A quoi me servait donc cette fameuse renommée mondiale si je n'arrivais pas à obtenir la promesse d'une mort plus douce pour les animaux d'abattoirs ?

Je ne demandais pas la lune ! D'ailleurs je demandais quelque chose que je n'aurais pas dû avoir à demander et qui aurait dû être réalisé sans mon intervention !

Beaucoup plus tard, je rencontrai Marguerite Yourcenar, la première femme académicienne. Elle m'avoua être végétarienne parce que, me dit-elle, « je ne veux pas digérer l'agonie ».

Il est difficile sinon impossible lorsque l'on sait ce qui se passe dans les abattoirs, de continuer de manger de la viande. Je me suis arrêtée moi aussi et pourtant, j'adorais le goût d'une entrecôte aux herbes de Provence. Mais ce goût devient un dégoût quand l'image de l'horreur s'intercale entre mes yeux et l'assiette. Je ne demande à personne de devenir végétarien, mais peut-être de réfléchir à ces lignes et d'essayer de manger moins de viande, morceau d'une chair animale remplie des toxines de la souffrance et de l'angoisse dues à une mort atroce.

Les êtres humains se nourrissent mal.

Cela peut entraîner des troubles graves de l'appareil digestif. Maman qui était extrêmement carnivore, est morte à 66 ans d'un cancer des intestins dû, en grande partie, à l'inflammation qu'occasionne la digestion ininterrompue de nourriture à base animale. « Nourriture cadavérique », nous diront les sages hindous que plus personne n'écoute.

Ayant accompli ma mission, je me préparais à entrer pour une période de trois mois en vie cinémonacale pour interpréter, sous la direction de Vadim, *Le Repos du guerrier*, avec Robert Hossein. Ce fameux roman de Christiane Rochefort avait défrayé la chronique mondiale en scandalisant par la liberté de son langage et de ses mœurs ceux qui auraient aimé en faire autant, mais n'osaient pas. Ils étaient nombreux ! Le fait que j'interprète le rôle de Geneviève Le Theil allait encore faire couler de l'encre d'imprimerie, de celle qui salit les mains de ceux qui y touchent.

Que n'allait-on pas encore raconter ?

J'étais réellement fatiguée de tout ça. Mais j'étais obligée de tourner ce film, signé depuis près de deux ans. Or, en deux ans, il s'en passe des choses ! Ce que l'on avait envie de faire alors, peut vous devenir insupportable. C'était le cas. Et pourtant j'aimais bien Vadim. Je ne voulais pas lui compliquer le travail et l'existence, mais le cœur n'y était pas, n'y était plus.

N'ayant, Dieu merci, plus rien de signé par la suite, j'avais décidé que ce serait mon dernier film. Le « repos de Brigitte » serait mon projet le plus précieux pour une longue période à venir. Cette décision me paraissait irrévocable et je la claironnais à qui voulait l'entendre. J'étais encore imprégnée par l'enfer des abattoirs, déprimée et, surtout, dégoûtée par l'humanité entière.

J'avais un besoin vital de faire le point, de me retrouver un peu seule. Toute cette vie me paraissait trop futile, trop superficielle, trop inutile. Je venais de côtoyer une vérité implacable et j'étais payée pour jouer une comédie qui me semblait grotesque. Le contraste était trop énorme.

Chaque fois qu'à la cantine du studio de Billancourt je voyais quelqu'un commander un steak-frites, je faisais un scandale. Cette image de l'animal au fond de l'assiette gâchait tous mes repas. Je rentrais le soir à la maison, désabusée, fatiguée, morne et silencieuse. Je croisais Sami qui s'en allait jouer au théâtre à l'heure même où je revenais. Cela me faisait penser à la femme de ménage mariée au veilleur de nuit !

Que voulait dire cette vie ?

Rien ! Je ne vivais que par cinéma interposé... Je ne vivais qu'à travers les rôles que j'interprétais... qu'à travers le nom que je représentais.

Sinon, quoi ? J'en arrivais à envier ceux qui m'étaient proches.

Dédette, ma maquilleuse, formait encore à l'époque un couple exemplaire avec Pierre, son mari. Elle était heureuse, souriait, faisait des projets de dîners chez elle ou chez des amis, allait au Printemps ou aux Galeries Lafayette.

Dany, ma doublure, mariée avec Marc, habitait au-dessus de la Rhumerie, boulevard Saint-Germain. Elle avait un va-et-vient de copains chez elle, sortait, faisait du shopping, allait au restaurant, au cinéma.

Mala, ma secrétaire, femme d'un ex-officier de marine, recevait pour des bridges ou des cocktails, s'habillait chez de petits-grands couturiers, en solde, mais avait le temps, le cœur, l'envie de le faire !

Olga, mon imprésario, menait grand train, recevait les acteurs et les metteurs en scène en vogue. Son mari, yougoslave comme elle, Vjeko Primuz, s'occupait de tout le côté matériel de l'affaire, la laissant libre de s'amuser à marier les noms de ceux qui apporteraient à un film le plus de chance de réussite.

Jicky, mon copain peintre-photographe, formait avec Anne un couple racine, un couple modèle, bohème, heureux, qui recevait chaque soir *à la va comme je te pousse*, les amis, pour jouer aux cartes ou aux « Ambassadeurs », ou même pour parler de tout et de rien.

Tous ces gens si proches, qui vivaient un peu grâce à moi, à mon travail, au fait que j'imposais leur participation au film par contrat, étaient heureux ou en tout cas se retrouvaient à deux, le soir, à la maison, pour penser, parler, s'amuser ou même se disputer. Et moi, tête de tout cet édifice, je me retrouvais seule avec mon angoisse de l'O.A.S., avec pour toute compagnie deux sbires armés qui protégeaient les deux paliers de la Paul Doumer.

Puisque j'avais à me battre toujours seule pour tout dans la vie, je décidai de m'offrir un très beau cadeau de fin d'année. On n'est jamais si bien servi que par soi-même. J'avais vu et adoré un film d'Alain Resnais, *L'Année dernière à Marienbad*, dans lequel Delphine Seyrig avait un rôle époustouflant dans une robe de Chanel qui me montait aux yeux dix fois plus que le *Numéro 5* ! Je décidai donc de porter la même robe et allai chez Chanel où je fus reçue par Mademoiselle Coco elle-même !

Très intimidée dans ce sacro-saint territoire exclusivement réservé, au dernier étage, pour cette éminente créatrice, je découvrais une Coco Chanel accessible, humaine, charmante et élégante bien sûr ! Elle me dit sa révolte contre le laisser-aller physique, sa lutte pour que les femmes restent en tous moments de leur vie, les plus soignées, les plus séduisantes possible. Elle avait horreur des pantoufles, des peignoirs, des robes de chambre s'ils n'étaient pas superbes et élégants. Elle me dit que la femme devait à tout moment du jour et de la nuit être impeccable et belle !

J'avais un peu honte de moi.

Et pourtant je m'étais faite belle pour elle ! Je lui expliquai mon désir d'avoir la même robe que Delphine Seyrig ! Elle fit prendre mes mesures. Et m'offrit la robe !

436

Merci Mademoiselle Chanel pour ce cadeau inoubliable.

XVIII

En février 62, je retrouvai Vadim, les studios de Billancourt et le guerrier dont je devais être le repos, Robert Hossein.

Je n'ai pas beaucoup aimé ce film.

J'incarnais mal cette petite bourgeoise qui s'encanaillait pour les beaux yeux de Renaud. Robert Hossein lui, était si peu guerrier que le moindre coup de « poing », de « soleil », de « sonnette » ou même de « cœur » l'affolait. Couple mal assorti, adaptation terne, tout ça manquait de souffle, de dimension, de folie. Film lyophilisé.

Je garde en revanche un merveilleux souvenir de Florence au printemps. L'hôtel de Fiesole, ancienne abbaye où nous avions une vue inoubliable sur le Ponte Vecchio, où dans chaque chambre ravissante trônait un lit à baldaquin. Je rêvais en écoutant les milliers de martinets qui, le soir, avant d'aller dormir, envahissaient le ciel si pur de cette Toscane pleine de jasmin, de fontaines, de cyprès.

J'ai vu Florence en long, en large et en travers.

J'ai vu des putains, jolies du reste, il faut le dire, qui attiraient les techniciens du film dans les méandres des couloirs d'hôtel, d'où ils ressortaient au petit jour plus essorés que du linge en machine. J'ai vu les orfèvres du Ponte Vecchio, les mêmes qu'au Moyen Age (mon époque favorite). J'ai vu le *David* de Michel Ange et ai compris la pédérastie ! J'ai vu les paysages des peintres de la Renaissance, les cyprès, les horizons, les verts, clairs ou foncés, repris par les naïfs, bafoués par les contemporains. J'ai vu les fleurs en cascade et les cascades d'eau dégouliner des collines. J'ai vu des spaghettis de toutes les couleurs, arrosés par des vins de toutes les couleurs. J'ai vu les paparazzi me voir et me revoir jusqu'à en avoir la nausée de part et d'autre.

Mais je n'ai pas vu le bonheur !

Il paraît qu'on le porte en soi. A croire que j'étais vide !

Et puis, de retour à Paris, les studios de Boulogne, les décors, le faux, le « qui n'a que trois côtés » le quatrième étant pris par la caméra et l'équipe. Le semblant d'aimer, le semblant de vivre, le semblant de *tout*.

Chez moi, c'était pareil !

Je retrouvais Sami qui avait de son côté d'autres aventures théâtrales ou cinématographiques. Le fossé se creusait malgré nous, malgré la vérité et la force de la passion que nous avions l'un pour l'autre. C'était désespérant de se séparer à ce point pour des raisons de travail, et d'avoir tant de mal à se retrouver sur les mêmes rails.

La Madrague nous tendait les bras.

L'été encore vivable à Saint-Tropez était le salut d'un couple fatigué. Avec Guapa nous partîmes en voiture sur la nationale 7 ! C'était joli de voir l'architecture changer au fur et à mesure que la route défilait. Les marronniers devenaient platanes puis pins parasols, et les odeurs, surtout les odeurs ! La Madrague, magique, même si les gardiens étaient des cons, même si les choses auraient pu s'améliorer, la mer qui battait le bas de la maison, l'iode, les algues, la pleine lune, le soleil, la chaleur, le *Sabri*, riva que j'avais baptisé de nos deux prénoms mélangés qui se balançait devant le ponton au rythme des vaguelettes.

Tout un rêve qui rabiboche les plus éloignés mais qui coûte si cher à celle qui en est responsable. Pas matériellement seulement, mais aussi au sens figuré. Une maison c'est un symbole, c'est un enfant, c'est une richesse de cœur, de souvenirs, cela s'entretient sinon cela tombe en ruine. Et j'étais seule à voir une fuite d'eau à la chaufferie ou un frigidaire en panne. J'étais, je suis et serai toujours « fille-mère » de mes maisons, unique responsable de leur survie. Les autres malheureusement sont passés, moi je reste.

Pourtant, j'ai aimé Sami envers et contre tout et c'était réciproque. Il restera mon symbole d'amour profond et destructeur comme tout ce qui est trop absolu. Nous étions du même signe, Balance, et nos déséquilibres nous entraînaient mutuellement dans des gouffres de négativité où nous nous perdions tout en nous accrochant désespérément l'un à l'autre. Notre extrême sensibilité, notre lucidité faisaient de nous d'éternels écorchés vifs. Nous sortions peu, vivant recroquevillés sur nous-mêmes pour profiter pleinement de nous, faire provision l'un de l'autre afin d'essayer de supporter l'idée de se voir à nouveau séparés par un film, une tournée, une quelconque obligation professionnelle.

La maison baignait dans une sublime musique classique, c'était Bach, Mozart, *Aranjuez*, Vivaldi, Haydn. J'ai appris avec Sami l'adagio du concerto pour clarinette de Mozart. Seul Jicky et Anne qui vivaient à la petite Madrague étaient autorisés à pénétrer notre intimité.

Le 5 août, alors que j'essayais de prendre le soleil à l'abri des regards indiscrets des curieux qui envahissaient le ponton et nous assaillaient déjà, telle une flottille de guerre, j'appris une nouvelle qui bouleversa le monde : Marilyn Monroe s'était suicidée !

J'étais atterrée.

Comment cette femme en était-elle arrivée à une pareille détresse ?

Des souvenirs aussi cuisants que morbides m'assaillaient.

Elle aussi ! Mais pourquoi ?

Elle avait réussi sa mort. J'avais raté la mienne.

Quelle force étrange nous poussait ainsi à nous détruire, alors que nous paraissions aux yeux du monde des êtres exceptionnels, munis de tous les atouts pour approcher du bonheur ? Il faut croire que ce n'était pas vrai puisque, malheureusement, depuis, bien des femmes célèbres se sont donné la mort : Romy Schneider, Estella Blain, Marie-Hélène Arnaud, Jean Seberg, Jacqueline Huet et tant d'autres, hélas.

Pauvre petite Marilyn avec son regard d'enfant perdue, sa fragilité et sa pureté. Elle reste et restera irremplaçable et irremplacée malgré toutes les grossières et dégradantes imitations dont elle est l'objet.

A l'automne de cette année, Edith Piaf, par l'intermédiaire de Christine Gouze-Renal, émit le souhait de me rencontrer. Cette femme que j'admirais, qui était le symbole d'une France populaire et le porte-parole, le porte-voix de toute une dimension nationale dont elle rehaussait indubitablement les couleurs à travers son éternelle petite robe noire et son talent transcendant, voulait me voir ! Je n'en revenais pas !

Pourquoi moi ?

Je fus invitée à dîner dans son appartement du boulevard Lannes qu'elle partageait avec son mari Théo Sarapo. J'y allai ! Je ne sais pas pourquoi, certainement ni par curiosité, ni par pitié. Et pourtant je ne rencontrai que l'ombre de son ombre, comme aurait dit Jacques Brel ! Elle était déjà très malade, maigre à faire peur, à moitié chauve, en robe de chambre de lainage, un peu absente, mais moralement présente. Lui, dont on a dit tant de mal ; lui avait l'air de l'aimer ! Théo Sarapo devenu « Tora Sapo » !!

Le dîner fut un calvaire.

Malgré le maître d'hôtel stylé et les plats alléchants, la déchéance de cette idole momifiée me coupa l'appétit ! Rien n'était chaleureux, l'ambiance, la décoration inexistante ne mettaient en valeur qu'un immense piano noir dans le salon. Des fauteuils plus ou moins Louis XV ou Louis XVI ache-

440

vaient de donner une touche conventionnelle à cet appartement glacial dont j'avais ressenti la morsure.

Dix années plus tard, je devais à mon tour habiter boulevard Lannes dans un immeuble qui jouxtait celui d'Edith ! Je pus durant les sept ans que j'y passai, voir quotidiennement la plaque commémorative rappelant aux passants qu'Edith Piaf avait vécu et était décédée à cet endroit.

Je garde d'elle un souvenir de détresse, celui d'une femme anéantie, lasse, épuisée probablement incomprise et certainement invivable ! La gloire donne parfois aux êtres qu'elle privilégie la possibilité d'être le meilleur et le pire.

Je repense aux couplets d'une chanson que l'on fredonnait dans ma jeunesse et qui lui vont si bien : « *Où sont tous mes amants, tous ceux qui m'aimaient tant !* ?» Abandonnée à elle-même, à la maladie, à la détresse, à la solitude de l'âme, cette femme comblée n'a eu qu'un homme pour l'aider à mourir. Cet homme, Théo Sarapo, qui mourut quelque temps plus tard, et fut victime de tant de sarcasmes !

Décidément l'âme humaine est bien dégueulasse !

J'avais décidé de ne plus tourner de film pendant... une année sabbatique, mais j'étais devenue en quelque sorte programmée. Le fait de ne plus avoir d'horaires à respecter, de travail à assumer, m'amusa pendant quelque temps.

Puis je m'ennuyai.

Nicolas et Moussia étaient enfin revenus à la Paul Doumer, mais la séparation entre ce bébé de 3 ans et sa maison n'avait pas arrangé nos rapports. N'étant pas d'un naturel patient, plus il hurlait, plus je m'énervais. J'en arrivais à ne plus oser aller l'embrasser et pourtant j'aurais eu bien besoin de lui. Mais il fallait savoir ce que j'ignorais : c'était lui qui avait besoin de moi et pas le contraire.

Sami, toujours plongé dans Brecht, dans *La Jungle des villes*, avait autour de lui tout un entourage dont j'étais exclue, parce que star ! Jean-Max Rivière et Claude Bolling me tentaient avec de nouvelles chansons. Je rencontrai aussi un compositeur qui m'avait écrit *L'appareil à sous*. Il s'appelait Serge Gainsbourg...

Je me rappelle Olivier Despax qui ressemblait à Delon en plus sympathique et qui voulait chanter avec moi une roucoulade de sa composition. Comme d'habitude, attirée par le charme et la beauté d'Olivier, je décidai de faire une autre émission de TV afin de souhaiter une bonne année aux téléspectateurs.

C'était une joie pour moi de chanter, de danser, d'embrasser qui vous voudrez. Je chantais Gainsbourg, Jean-Max Rivière, je dansais le folklore d'Amérique latine. J'embrassais Olivier Despax et je passais ainsi de l'année 1962 à 1963.

Le farniente commençait à me peser malgré les moments merveilleux passés à Méribel, village encore protégé, où la neige était propre, le tourisme inconnu, les petits chalets magiques et les pistes désertes. Heureusement ! Car lorsque je faisais des essais de ski, j'étais un danger public. Ne sachant pas m'arrêter, je fonçais sur tout ce qui bougeait.

Le 24 février 1963, Mijanou et Patrick Bauchau, un superbe Grégory Peck mi-suisse mi-belge, m'annoncèrent par télégramme la naissance de leur fille Camille. J'étais heureuse et inquiète. Mijanou était bohème, sauvageonne, son mari tâtonnait dans le cinéma intellectuello-branché. Allaient-ils avoir les moyens d'élever cette petite fille ? Je savais par expérience qu'élever un enfant est une astreinte parfois pénible que j'assumais mal. Mais ce fut jour de fête au chalet de Méribel, une petite Camille était née, je lui cherchais déjà un Perdican.

C'est grâce à son père qu'au début de cette année je rencontrai Jean-Luc Godard et son chapeau. Il était aux antipodes de tout mon monde, de toutes mes idées, lorsque je le reçus à la Paul Doumer.

Nous n'avons pas échangé trois mots. Il me pétrifiait. Je devais le terroriser. Pourtant, il ne revint pas sur sa décision et voulut absolument me faire tourner *Le Mépris*.

J'hésitais beaucoup. Ce genre d'intello cradingue et gauchisant me hérisse ! Il était la figure de proue de « la Nouvelle Vague », j'étais la star classique par excellence.

Quel méli-mélo.

**
*

J'avais adoré le livre de Moravia et savais qu'il serait déformé par une mise en scène et des dialogues discordants avec le ton de l'original. Pourtant j'acceptai. Comme un pari que je faisais pour moi-même, sachant que j'avais beaucoup à y perdre et plus encore à y gagner. Je m'embarquais pour une des aventures les plus bizarres de ma vie. Je confiai Guapa et Nicolas à Moussia et partis début avril avec Dédette, Dany, Jicky et Anne pour Sperlonga, petit village du Sud de l'Italie où devaient débuter les prises de vues.

Mes partenaires de choc étaient Michel Piccoli et Jack Palance, un acteur américain qui avait l'air d'un singe et qui ne parlait pas un mot de français.

J'ai toujours détesté les départs, les lieux nouveaux, les hôtels. Je suis dépaysée dès que je sors de chez moi. J'ai horreur de l'inconnu. Mon équipe, mes proches, toujours les mêmes, me rassuraient par leur présence mais l'éloignement d'avec Sami me faisait mal. Il m'était impossible d'imaginer dormir seule.

J'arrivai dans un hôtel super simple, impersonnel comme tous les hôtels où toutes les chambres étaient identiques. Godard, son chapeau, ses lunettes de soleil et sa poignée de main molle, me bredouilla quelques mots de bienvenue. J'avais le cafard, j'avais peur, j'avais le trac, je voulais rentrer dans ma maison.

Quand le téléphone de ma chambre sonna je fis

un bond. C'était Raf Vallone ! Il était à Sperlonga et m'invitait à dîner. Ah oui quel bonheur ! Je me pomponnai en vitesse et descendis l'escalier en catimini pour n'avoir à rendre de comptes à personne. Manque de pot, je tombai sur Jicky, Anne, Dédette et Dany qui étaient dans le hall.

« Où vas-tu comme ça ? »

« Alors on nous fait des cachotteries ? »

« Tu es bien belle pour dîner avec nous ? »

« Tu sors ? Seule ? Avec qui ? »

Prise sous le feu croisé des questions je ne répondis rien et sortis retrouver Raf qui m'attendait en voiture un peu plus loin. Je passai une soirée charmante et rentrai tôt, car le tournage du lendemain commençait à 7 heures. Lorsque j'ouvris la porte de ma chambre, je crus m'être trompée.

Vide ! ma chambre était vide !

Plus de lit, plus de valises, plus de meubles, plus de lampe, plus rien. Qu'est-ce que c'était que cette plaisanterie ? Il était minuit, le silence le plus complet régnait dans l'hôtel, il n'y avait personne à la réception. Seule, accrochée au mur de ma chambre, la photo d'un singe avec une dédicace amoureuse signée Jack Palance.

Je devenais folle, où allais-je coucher ?

Quel était le con qui avait déménagé tous les meubles, tous les objets y compris mes affaires de toilette ? Je finis par coucher dans la baignoire en roulant mon pantalon sous ma tête pour me servir d'oreiller. Je n'ai pas fermé l'œil de la nuit, maudissant les films, les extérieurs, les voyages, les équipes de tous poils et les imbéciles primaires capables de telles ridicules idioties.

Le lendemain, j'étais d'une humeur de dogue.

Odette est arrivée pour me maquiller et a poussé des cris en voyant le désert de Gobi qu'était devenue ma chambre ! Je partis tourner comme si j'allais à l'abattoir. Personne, évidemment, n'était au courant mais Jicky avait l'œil en coin. C'était lui, aidé de Piccoli, qui m'avait fait cette farce. Quant à Jack

Palance, il me regardait tout attendri. A part la photo du singe, signée avec tout son amour, je ne l'avais jamais vu de ma vie. Mais j'ai tout compris quand il a sorti de sa poche une de mes photos, dédicacée avec un cœur et une fausse signature faite par Jicky.

Depuis ce jour, le film ne fut qu'une suite ininterrompue de gags et de farces. A Capri, le ravissant hôtel où nous habitions fut le théâtre de tout ce qu'on peut imaginer dans le style seaux d'eau sur la porte, ficelle tendue derrière l'entrée de la chambre, lits en portefeuille, etc.

A Rome, j'avais loué le Palazzo Vecchiarelli, demeure fastueuse située à deux pas du Castel Sant' Angelo et juste en face d'un couvent. Nous avions à notre service tout un tralala de domestiques dont un maître d'hôtel nommé Bruno extrêmement stylé qui servait en gants blancs.

Ils me faisaient des courbettes en me disant que la Signora Contessa (la propriétaire) avait l'habitude de déjeuner là-bas... de prendre son café là... de boire l'apéritif ici... Il m'était impossible de vivre dans cette enfilade de pièces sinistres et dorées, dans ce carcan rococo luxueux et rigide. Je décidai de camper dans ma chambre et dans la pièce attenante, sorte d'antichambre de la Signora Contessa où, par chance, un monte-plat arrivait directement de la cuisine.

Dédette, Dany, Christine mon attachée de presse, Jicky et Anne se partageaient le reste du Palais où les chambres avec leurs cariatides à volutes et leurs lourds rideaux damassés de fils dorés évoquaient les riches bordels du début du siècle. Ce fut un mini-scandale d'expliquer que, désormais, nous prendrions nos repas sur deux ou trois tables de bridge dans l'antichambre.

Le mépris, ce fut à ce moment-là que je le ressentis.

La pièce donnait sur une terrasse très belle

comme dans beaucoup d'anciennes demeures de la vieille ville. Sur cette terrasse, il y avait des jarres remplies de fleurs et, comme vis-à-vis immédiat, la terrasse des curés qui s'est immédiatement transformée en plate-forme d'observation pour toute la presse romaine. Des téléobjectifs gros comme des bazookas étaient en permanence pointés sur nous, ce qui nous a obligés très vite à prendre l'habitude de marcher à quatre pattes. C'était devenu un réflexe conditionné. Toute personne qui traversait ma chambre le faisait à quatre pattes afin de ne pas être la cible des photographes.

Bruno, le maître d'hôtel, fut le seul à rester debout, stoïque, gants blancs et visage ahuri. Je pense qu'à jamais il a une piètre opinion du monde cinématographique.

Sur la terrasse, c'était la même comédie. Il fallait ramper et se cacher derrière les pots de géraniums.

Un jour maman est venue me voir.

Sa réaction a été la même que Bruno, elle nous croyait un peu dérangés. Pour lui montrer à quel point nous étions traqués, j'ai mis une de mes perruques au bout d'un bâton que j'ai lentement soulevé et nous avons entendu un concert de crépitements, les flashes ont éclaté, toute la batterie ennemie s'est déchaînée. C'est drôle comme anecdote. C'est moins drôle à vivre. Pourtant, malgré ce piège perpétuel, nous avons bien ri dans ce lugubre vieux palais romain.

Un soir nous étions pressés d'en terminer avec le service ampoulé de Bruno qui mettait des heures à desservir. On a tout mis en vitesse dans le monte-plat, la verrerie de Murano, la porcelaine décorée du XVIIIe siècle, l'argenterie gravée, la nappe et les serviettes et on a entendu un énorme *bang ! boum ! trababang !* Le monte-plat avait cédé sous le poids et était dégringolé d'un coup sec dans la cuisine.

Le drame ! Mais quel fou rire !

Après ce coup funeste qui nous a définitivement

déshonorés auprès de Bruno, nous n'avons plus jamais eu droit aux gants blancs ce qui, pour lui, devait être le signe du mépris le plus total.

Je voulais absolument montrer à papa et maman un restaurant fabuleux, l'Osteria dell' Orso, mais il m'était impossible de sortir de ma forteresse sans provoquer une mini-guerre civile, un convoi pétaradant de Vespas, tout un branle-bas de combat fracassant de paparazzi, de curieux, bref, de quoi vous écœurer de mettre le nez dehors. Une amie de maman qui avait un peu ma silhouette s'est alors déguisée en moi : lunettes noires, perruque, manteau déjà vu sur des photos. Elle est montée dans la Mercedes 600 qui était à ma disposition et le chauffeur a franchi le portail du palais entraînant derrière lui la foule hurlante des imbéciles qui attendaient depuis des heures. On a pris un taxi, joué les touristes, et passé une jolie soirée.

Entre deux séances de rigolade au palais de la Signora Contessa, il y avait quand même le film. C'était beaucoup moins drôle ! Godard et son chapeau travaillaient dans le génie ou bien Godard et son génie travaillaient du chapeau. C'était au choix.

Piccoli, Jicky et moi nous entendions à merveille pour faire des tours à tout le monde, mais Godard gardait son sérieux et son chapeau. Il ne se départissait jamais ni de l'un ni de l'autre. Quant à Jack Palance, il doit encore se demander ce qu'il était venu faire dans ce film.

Un jour, Godard me dit que je devais être filmée dos à la caméra, en m'éloignant droit devant moi. Je fis la répétition, ça n'allait pas. Je lui demandai pourquoi. Parce que, me dit-il, ma démarche n'était pas semblable à celle d'Anna Karina !

Ça c'était la meilleure !

Il fallait que j'imite Anna Karina, il ne manquait plus que ça.

On a refait la prise au moins vingt fois. A la fin, je

447

lui ai dit qu'il aille chercher Anna Karina et qu'il me foute la paix.

Ce n'est pas dans ce film que je risquais de tomber amoureuse de mes partenaires, sûrement pas ! Michel Piccoli, que j'adore, mais qui n'est pas exactement mon genre d'homme, était de plus continuellement affublé d'un chapeau, même dans la baignoire ! C'était ça « la nouvelle vague ». Quant à ce pauvre Palance, c'était une catastrophe.

Godard et son chapeau marmonnaient dans sa barbe des mots inaudibles, toujours à la limite du « *un coup je te vois un coup je t'ignore* ». Du reste, il ne fallait pas se presser. Quand on est suisse, il n'y a pas le feu au lac.

Lorsque j'énumérai des gros mots, appuyée contre le chambranle de la porte de la salle de bains, pendant que Piccoli trempait dans l'eau, je dus les réciter comme un chapelet atone, sans impulsion.

Peut-être qu'Anna Karina piquait ce genre de colères ! Va savoir.

A Capri nous tournions dans la maison de Malaparte, une sorte de bunker rouge vénitien accroché au rocher, un nid d'aigle surréaliste et glacé d'où nous avions une vue extraordinaire sur la mer. Les vagues venaient, coléreuses, se briser sauvagement à nos pieds. C'est dans ce décor fou et grandiose que Godard, par l'intermédiaire de Fritz Lang, imaginait une « Odyssée » baroque à son image. Je me suis toujours sentie un peu étrangère à tout ce film. Je n'ai rien donné de mon « moi » profond me contentant d'interpréter comme un objet les directives de Godard.

Jacques Rozier filmait les « à-côtés » du film : les paparazzi, les Italiens souvent odieux qui m'insultaient ou me faisaient des gestes obscènes, les angoisses de Godard, ses contradictions, ses hésitations. Tout ce mélange a fait un immense succès que je n'ai toujours pas compris !

Lorsque Sami est venu me chercher nous avons

dû fuir cette île un jour de tempête dans le riva dernier cri du producteur Carlo Ponti. Je n'y suis jamais retournée. Pour moi, Capri c'est fini. J'étais interdite de séjour. J'emportais avec moi le souvenir d'un moment plein de gaieté, de vie, d'amis, une sorte de fin de vacances qui m'avait redonné l'envie de vivre, de rire, de respirer à pleins poumons l'air vif de mes 28 ans.

J'emportais aussi le souvenir de la fameuse maison d'Axel Munthe, auteur inoubliable du *Livre de San Michele*. Je retrouvais les cent marches qu'empruntait la vieille Maria Porta Lettera pour arriver à cette citadelle construite avec des pierres romaines trouvées dans les champs de vignes et dont chaque mur, chaque recoin, portait l'histoire et les vestiges d'une civilisation lointaine.

J'ai vu les sphinx sortis des grottes profondes. J'ai vu la vue à perte de vue mais je n'ai pas vu les paysans qui à l'époque avaient aidé Axel Munthe à construire son palais des mille et une vagues. Ils s'étaient mués en touristes internationaux. Toute la beauté, le mystère, la noblesse de cette œuvre se sont soudain évanouis. Je hais les touristes destructeurs de rêves, cannibales avides, engloutisseurs d'images, vampires de l'âme.

En remontant vers Naples dans la superbe Mercedes 600 de la production, je fus émerveillée de découvrir en plein champ de blé un temple romain d'une beauté magique. Tout le monde descendit. Sami contemplait l'Italie enfin calme, sans une horde de photographes aux trousses. J'étais soulagée moi aussi de ne plus être harcelée par ce supplice de la photo à perpétuité.

Jicky avait lui aussi déposé les armes.

Le chauffeur nous apprit que nous étions à Pæstum. J'avais envie d'une étape, ici, près de ce temple de légende sorti de terre sur son océan de blés dorés. Le village était affreux. Nous trouvâmes

449

un hôtel sordide et, à la guerre comme à la guerre, nous nous y installâmes.

La chambre que je partageais avec Sami était peinte en vert épinard des murs au plafond. Pour agrémenter le tout, un néon bien blafard achevait de nous donner l'impression d'évoluer dans un aquarium. Ma première préoccupation fut d'essayer de rendre la pièce moins sinistre. Et en avant, je poussai le lit, un affreux sommier, plus à droite, je mis la table bancale plus à gauche, je montai sur la chaise et essayai désespérément d'entortiller le néon dans un de mes foulards à fleurs rose et rouge. Rien n'y fit. L'horreur ne s'arrange pas en si peu de temps avec si peu de moyens.

Je décidai de partir. Je ne voulais pas, je ne pouvais pas passer la nuit dans un aquarium. Sami me promit que nous n'allumerions pas le néon.

Ce fut la course à la bougie !

Or à part moi, personne ne parlait italien. Jicky faisait de grands gestes en suppliant la patronne de nous donner une « bougie ». Entre deux supplications, explications, mimes, la pauvre femme qui ne comprenait pas fut traitée de tous les noms d'oiseaux. *Bugie* en italien veut dire « mensonges », donc elle croyait que Jicky la traitait de « menteuse » et elle était tout à fait désolée ne sachant pas de quel mensonge si grave il pouvait être question. Finalement, la *candela* fut trouvée et je passai la nuit la tête sous les draps afin de ne pas voir le décor sinistre dans lequel allaient flotter mes cauchemars.

*
**

C'est au cours de l'été 1963 que je rencontrai Bob Zagury, un ami de Jicky.

Toute la vie, la gaieté, l'insouciance du Brésil envahirent La Madrague. Les bossa nova, la guitare de Jorge Ben remplacèrent bien vite les violons de Vivaldi sur la chaîne hi-fi. Bob dansait comme un dieu, il avait un œil de velours, des dents blanches et longues...

450

Depuis trop longtemps empêtrée dans ma vie pleine de problèmes et de doutes, j'éclatais tout à coup et laissais déborder toute la force de vie qui sommeillait en moi. La maison se remplit d'amis, c'était la fête ininterrompue, je jouais de la guitare avec des Brésiliens, je dansais dans les bras de Bob. Au diable les mauvaises langues, les potins de toutes les commères. Je me fichais de tout et m'affichais trop.

Cette nouvelle idylle alimenta la « une » de journaux à scandale qui la propagèrent comme une traînée de poudre.

Sami qui était à Paris l'apprit par la presse.

Ce fut un drame.

J'ai toujours tout voulu à la fois, le beurre et l'argent du beurre. J'aimais bien Bob, je vivais avec lui l'insouciance, la gaieté superficielle mais bienfaisante. Il me sécurisait. Mais je ne voulais pas perdre Sami, pour rien au monde.

Je les voulais tous les deux.

Cette incapacité à faire un choix m'a toujours joué des tours pendables. En voulant tout garder, j'allais tout perdre. C'étaient des conciliabules désespérés avec Jicky et Anne, je leur demandais ce qu'ils feraient à ma place ! Comme si c'était possible de trancher pour moi. Dès que ma décision était prise pour l'un, je me rongeais les sangs en repensant à toutes les qualités de l'autre, tous les souvenirs qui nous attachaient. Je sublimais tout en me consumant.

Quel caractère invivable j'avais.

J'avais Sami au téléphone, je l'aimais totalement, j'allais le retrouver demain, je ne le quitterais plus jamais, il était mon amour, ma conscience, ma racine, mon espoir désespéré, ma vie, ma mort, il était le temps et l'infini. Je pleurais me maudissant d'avoir pu le trahir, je me sentais sale et dégoûtante. J'envoyais des coups de pied dans les disques de bossa nova qui traînaient par terre, je me précipitais à la Petite Madrague où Jicky et Anne me regardaient, ahuris, débarquer en larmes, mon sac de voyage à la main leur annonçant que je fermais la maison et partais retrouver Sami par le premier avion le lendemain. Ils en avaient vu d'autres... Ils ne s'affolaient pas, me laissaient piquer ma crise en continuant de vaquer à leurs occupations.

Sur ces entrefaites, Bob arrivait joyeux, charmant, amoureux, tendre, irrésistible. Il buvait mes larmes, me parlait doucement, me consolait. Il m'emmènerait au Brésil, il me ferait découvrir des endroits purs et sauvages qui me ressemblaient, il ne me quitterait jamais, même si je devais tourner au Kamtchatka il viendrait avec moi. J'étais sa petite fille fragile, son unique, il me voulait heureuse, les larmes ne m'allaient pas mais la joie faisait ma beauté. Il me réchauffait le cœur et le corps.

Je rangeais mon sac de voyage, je me faisais belle pour Bob.

Jicky et Anne nous attendaient en buvant un verre sur le ponton. Nous partions dîner, danser, rire jusque tard dans la nuit. Et j'oubliais Sami. J'étais si bien avec Bob, il s'occupait de tout, je n'avais qu'à me laisser faire, ça me reposait. Et puis il avait tant de charme, il savait faire tant de choses que j'aimais, il m'entourbillonnait, il était positif.

Ce petit manège dura peu de temps.

Un jour, je ne pus plus joindre Sami au téléphone. Il avait quitté la Paul Doumer pour une destination inconnue. A cet instant, je pris réellement conscience de notre inéluctable rupture.

J'ai eu très mal, car je l'aimais profondément.

Du coup, j'en voulais à Bob, je le rendais responsable de la peine que j'infligeais à Sami. J'avais mauvaise conscience. J'essayais de retrouver en Bob tout ce qui m'avait envoûtée chez Sami.

Je ne retrouvais évidemment rien ! Alors il m'énervait.

Je le jugeais superficiel, gigolo, danseur mondain, joueur de poker professionnel, aventurier de mes deux ! Cover-boy pour marque de dentifrice. Mais il valait mieux ne pas trop l'envoyer promener, sinon j'allais me retrouver seule et ça, je ne pouvais ni le supporter, ni même l'envisager. Bob apporta son rasoir et son eau de toilette. Puis un petit rechange de vêtements. Puis un sac de voyage. Puis une énorme valise. Le placard où flottait encore l'odeur de Sami fut bientôt investi par les vêtements de Bob. Les cigares de Bob remplissaient les cendriers. Les amis de Bob la maison. Je riais jaune. Les gens si charmants que j'avais découverts au début se révélaient finalement ordinaires et sans gêne.

Dans quel sac d'embrouilles m'étais-je embarquée avec Bob, que je ne connaissais finalement pas du tout... ! Lui ne me connaissait pas non plus, il ne savait rien de ma vie à part les moments de vacances que nous avions partagés, mais le reste, tout le reste ! Mon travail, mes obligations, Bazoches...

Et la bonne, qu'allait dire la bonne ? C'est déjà dur de trouver du personnel, mais s'il faut changer de bonne chaque fois qu'on change d'amant, alors là, on n'est pas sorti de l'auberge !

Malgré mon envie de « vendre La Madrague » et d'arrêter le cinéma, envie qui me revenait régulièrement, j'étais prise dans un engrenage d'où on ne sort pas si facilement.

Après ces quelques mois de pugilat contre la foule de Saint-Tropez où j'étais censée passer « des vacances méritées », je retrouvais Paris et Bazoches avec Bob, un certain bonheur, et un an de plus.

**
*

J'avais lu *Une ravissante idiote* quelques mois plus tôt à Méribel et j'avais trouvé l'histoire rigolote.

C'était plutôt bébête à vrai dire, mais à l'époque je m'amourachais facilement de n'importe quoi et de n'importe qui. Puisque j'avais dit un jour à la canto-nade (dont je me méfie maintenant comme de la peste !) que ce livre était charmant, tous les producteurs qui me faisaient travailler se sont battus pour acheter les droits et monter l'affaire. Les productions Belles-Rives emportèrent le morceau ! Avec Anthony Perkins comme partenaire, l'équivalent à l'époque et à tous les points de vue de Roch Voisine aujourd'hui, le « rêve impossible » de toutes les femmes.

Et me revoilà partie dans une aventure cinématographique qui n'avait rien de reluisant même si Edouard Molinaro, le metteur en scène à la mode, y déployait tous ses talents, même si Anthony Perkins étalait tout son charme, même si j'avais l'air idiote à souhait et ravissante par hasard, le film resta une erreur de jeunesse que je classe parmi les « j'aurais mieux fait de me casser une jambe ».

Accueillie à Londres par 250 journalistes et photographes tous plus excités les uns que les autres, je commençais à regretter Capri, les paparazzi et les Italiens pourtant insupportables ! Jamais je n'aurais imaginé que le self-control puisse se métamorphoser à ce point en hystérie collective. Messieurs les Anglais, votre flegme est une vertu en voie de disparition ! Bousculée, happée, piétinée, ballottée par une foule hurlante, j'ai cru mourir. Bob, qui n'avait jamais eu ce genre d'expérience, commençait à se poser des questions. Lui qui aimait le calme, l'incognito, la tranquillité !

Que c'est difficile d'être le compagnon, le mari ou l'amant d'une star. Rétrospectivement, je plains les hommes qui m'ont aimée, qui ont subi ces agressions stressantes, destructrices, si éloignées de ce que la vie leur avait appris. Il fallait qu'ils aient en eux une immense passion, une incommensurable patience pour supporter une telle épreuve.

C'est du reste cette dualité de mon existence qui fut la source de tous mes déséquilibres, de toutes ces ruptures, de tous les drames et les inconstances qui ont jalonné ma vie. Au fond de moi, j'étais sauvage, fragile, timide, sensible à l'extrême, fidèle ou désirant l'être, mais tellement vulnérable. Ma vie privée, si tant est qu'elle pût exister, était d'une grande simplicité, d'une grande intimité avec l'homme que j'aimais. J'avais besoin d'être constamment préservée, rassurée, consolée, câlinée en vase clos, loin des autres, de tous les autres que j'ai toujours redoutés et qui m'ont fait tant de mal.

Et puis tout à coup, à l'occasion du tournage d'un film, d'un voyage, d'une sortie au cinéma ou au théâtre, d'un simple dîner au restaurant ou d'une promenade au bois de Boulogne, ce qui pour tout le monde fait partie du quotidien devenait pour moi une agression invivable, une traque à la limite du supportable, un viol, qu'il fallait assumer avec le plus de dignité possible, mais qui ont brisé à jamais en moi le sentiment de liberté, indispensable à l'équilibre de tout être normalement constitué.

C'est ce paradoxe qui favorisant une des faces de ma vie par rapport à l'autre a donné de moi l'image stéréotypée du sex symbol, bouffeuse d'hommes, rapace affamé de chair, de stupre, bête noire de toutes les femmes mariées. Image qui aurait dû me faire rire mais qui me faisait pleurer, parce que trop éloignée de ce que j'étais réellement.

En ce début d'octobre 1963, le sex symbol a donc ravagé Londres. L'hôtel dans lequel devait avoir lieu la conférence de presse était pris d'assaut, les gens hurlaient, renversaient tout, un vent de panique soufflait comme si un cataclysme s'était abattu sur l'Angleterre.

Le cataclysme, c'était moi !

C'est dur d'être tout d'un coup un cataclysme déferlant sur le monde quand on sort à peine d'un avion dans lequel on a eu peur, comme d'habitude, quand on a juste eu le temps d'aller faire un semblant de toilette, qu'on a le chignon de travers, la robe froissée, qu'on a envie de retourner dans sa maison au coin de son feu avec Guapa, qu'il faut rester stoïque sous le feu des flashes, le feu des ques-

455

tions, lorsque l'on est catapultée au milieu de centaines de personnes qui vous braquent, vous percent, vous coincent, et en anglais par-dessus le marché.

C'est là qu'il faut savoir du tac au tac jouer leur jeu, cambrer les reins, manifester un zeste d'insolence, pas trop, un grand coup de charme et de moue boudeuse, éviter les questions directes, répondre en biaisant et ne pas se prendre au sérieux. Ça, je savais très bien le faire. C'était un jeu. Ils en avaient pour leur argent et je gagnais un peu de répit.

Malgré tous les efforts de la production, il fut impossible de tourner dans les rues de Londres et il fut décidé que nous reconstituerions la capitale anglaise aux studios de Boulogne, où nous aurions au moins la paix.

En sortant par les cuisines de l'hôtel avec Bob, déguisés en mémère et pépère, j'ai pu faire une heure de shopping, m'acheter un Burberrys, une cornemuse et une Morgan, la voiture de mes rêves faite à la main, copie d'une ancienne Bugatti, jouet de luxe, introuvable en France. Livrable dans un an... et encore parce que c'était moi !

Mama Olga faisait partie du voyage, du tournage, du shopping et des soirées. Elle me couvait comme sa fille mais n'était pas toujours d'accord sur le choix de mes amoureux, de mes coiffures ou de mes restaurants. Etant l'imprésario de femmes célèbres, très *bon chic bon genre* comme Edwige Feuillère ou Michèle Morgan, elle en voyait de toutes les couleurs avec moi. Elle m'a pourtant toujours acceptée telle que j'étais, même si parfois je lui faisais dresser les cheveux sur la tête.

Le retour à Paris ne fut pas joyeux.

Comme prévu, la bonne me donna ses « huit jours ».

J'avais bien une secrétaire qui remplaçait ma

Mala malade mais cette femme « du monde » qui ouvrait mon courrier pour arrondir ses fins de mois n'osait pas pénétrer dans mon intimité, ne savait pas où s'adresser, c'est tout juste si elle savait comment je m'appelais !

Je n'ai jamais su me faire servir, même à l'époque où ça voulait encore dire quelque chose. Je n'osais pas commander, j'entortillais mes demandes dans du papier de soie. Je les embrassais, leur confiais mes peines, mes joies, même si je ne les connaissais que depuis une demi-heure. Et puis, n'étant d'un naturel ni patient, ni indulgent, ni tolérant, je me mettais soudain dans des colères épouvantables pour des détails ridicules ! Je recevais alors le tablier en pleine figure, regrettant immédiatement ma démesure, prenant conscience de ma dépendance. J'ai toujours été jugée sans indulgence par les personnes qui étaient à mon service, elles ne me respectaient pas et ne se sont jamais gênées pour me dire mes quatre vérités.

J'étais terrorisée par mes bonnes.

Cette fois, le prétexte invoqué était qu'elle avait toujours travaillé dans des maisons « bourgeoises » où « le monsieur » était le même pendant son temps de service. Elle ne supportait pas d'avoir un nouveau « monsieur » comme patron.

Je pleurais. Elle avait raison cette femme, je n'aurais jamais dû quitter Sami, mais je ne pouvais pas lui dire de revenir, c'était trop tard. Sami avait une nouvelle fiancée lui aussi, je l'avais lu dans les journaux et j'en avais été malade de jalousie. Et puis on ne rabiboche pas une rupture consommée depuis des mois pour garder sa bonne.

J'appelais au secours maman, Mamie, ma Dada, tous les saints du paradis. C'est alors que Madame Renée est entrée dans ma vie, pour n'en repartir que quinze ans plus tard. Renée Marie a été le témoin discret et efficace de bien des événements de mon existence. Elle ressemblait plus à la bonne du curé qu'à une gouvernante de star. J'ai enfin pu me reposer sur elle en toute confiance et lui laisser mener la barque de ma maison. Même lorsque le capitaine changeait (elle en a vu quelques-uns en quinze ans...) elle restait fidèle au poste.

De son côté, Bob a mis de l'ordre dans mon organisation et m'a trouvé une « secrétaire » digne de ce nom, qui elle aussi a partagé ma vie pendant plus de quinze ans. Bob n'avait pas de métier fixe, il jouait au dilettante entre le Brésil et le reste du monde, il jouait au poker, fumait des barreaux de chaise de chez Davidoff, mais était respecté par tout le monde. C'est cette solidité qui émanait de lui qui m'a probablement séduite en me sécurisant.

Il en alla tout autrement avec mes parents...

Qu'est-ce que c'était que cet aventurier ? Un gigolo, un rastaquouère, joueur professionnel de poker par-dessus le marché. Quelle honte !

Heureusement que Mijanou avait épousé un jeune homme de très bonne famille, beau, cultivé, bien élevé, ça relevait un peu le niveau de la famille Bardot.

De toute façon, mes exploits cinématographiques et amoureux étaient on ne peut plus mal vus, et je n'étais pas très fière de moi devant papa et maman.

*
**

Toujours est-il que j'étais avec Bob, mes copines Picolette et Lina Brasseur à Saint-Tropez dans leur restaurant désert, ce 11 octobre 1963, lorsque la télévision annonça la double mort d'Edith Piaf et de Cocteau.

Le choc, que cette nouvelle provoqua, nous laissa hébétés et incrédules !

Comment, ce même jour, ces deux grands noms glorieux, porteurs illustres d'un patrimoine artistique inégalable s'étaient-ils rejoints pour faire ensemble la route qui mène à l'immortalité ? Je ne savais pas encore qu'ils étaient irremplaçables et qu'ils resteraient irremplacés malgré les efforts tenaces de tous ceux qui essayèrent désespérément de prendre leur place !

J'avais eu le privilège de les rencontrer et j'y repensais, sachant malgré moi qu'au moment de leur mort, j'étais un maillon d'une chaîne que j'essayerais de perpétuer en parlant d'eux, en ne les oubliant pas, en essayant de faire entendre leurs voix intérieures à ceux qui me succéderaient. Hélas ma voix fut couverte par tant de stupidités, par tant de bruit qui ne fait pas de bien, que le bien qui ne fait pas de bruit ne pouvait plus se faire entendre. Mais je les porte en moi et tant que je vivrai, ils continueront d'exister à travers la fragilité de mon passage sur cette terre.

C'est aussi en octobre 1963, à la mairie de Neuilly, que, sous nos regards attendris, Anne de Miollis devint Madame Ghislain, Hector, Nestor, Jean-Baptiste, Auguste, Dussart, dans un fou rire général et sous l'œil rigolard du maire Achille Peretti. On ne choisit pas les prénoms de ses ancêtres.

J'ai toujours adoré les mariages. Ceux des autres et les miens. Les plus beaux jours de ma vie ont été ceux de mes mariages, même si après, c'était la catastrophe. J'aurais aimé me marier chaque fois que j'étais amoureuse, parce que se marier c'est vraiment se donner totalement, même si ça ne dure pas longtemps.

Il vaut mieux se donner pour quelque temps que se prêter pour toujours.

Bob s'était immédiatement intégré à mon univers.

Le samedi soir, après la fin du tournage, il passait me chercher aux studios et nous partions pour Bazoches avec Jicky, Anne et d'autres amis.

La maison avait subi quelques petites transformations, j'avais fait faire ma chambre dans le grenier à pommes, qui ressemble à la carcasse d'un bateau à l'envers. Le problème avait été de trouver un petit escalier en colimaçon qui me permette d'y accéder sans être obligée de grimper à l'échelle qui desservait le fenestron par lequel on rentrait le foin. C'est le décorateur du film *Les Dimanches de Ville-d'Avray* qui me fit cadeau du bel escalier de bois du moulin. Et puis il y avait maintenant le chauffage central !

Malgré tout la maison était encore un peu de bric et de broc.

Mais on s'y amusait bien, toutes les tables de la maison étaient réquisitionnées pour jouer au poker. On n'enlevait les tapis verts et les jetons que pour les repas, qui n'étaient pas tristes non plus, chacun y allant de sa spécialité. Le garage avait été aménagé en maison de gardien et, désormais, Suzanne nous épargnait la corvée du ménage, de la vaisselle, des courses. Son mari essayait de donner au jardin un côté un peu moins anarchique mais j'ai toujours bien aimé le farfouillis des plantes à la *va comme je te pousse*.

Anne qui attendait un bébé depuis pas mal de temps était contente de ne plus camper dans le salon. Mon ancienne chambre du rez-de-chaussée toute tapissée de toile de Jouy rose était devenue la chambre d'ami. Mais Bob et moi avions déjà dans l'idée d'abattre la cloison qui séparait la cuisine de la salle à manger, afin d'aménager une pièce aux dimensions plus spacieuses. Du coup, il fallait refaire une cuisine dans le salon actuel. Bref, des projets superbes, mais quel bordel en perspective !

J'ai toujours eu une sainte horreur des travaux qui transforment une maison habitable, chaude, pleine de petits trucs qu'on aime, en un chantier dévastateur sale, où les plantes sont saccagées par le mortier, les murs détruits, les ignobles parpaings entassés comme pour un abri antiatomique.

Pendant que nous tirions des plans sur la comète tout en regardant la télé, ce week-end du 22 novembre 1963, nous apprîmes la mort de John Kennedy. C'était difficile à croire, à accepter. Comme un cauchemar. La mort en direct, filmée par

460

des dizaines de caméras, fixée à jamais par des milliers de photos.

Depuis que j'avais acheté la Paul Doumer, j'adorais regarder le petit hôtel particulier qui était juste au-dessous de la fenêtre de ma chambre. Il y avait un joli jardin, des arbres, des oiseaux, c'était romantique, calme, apaisant, et surtout ça me laissait une vue superbe sur les toits de Paris. Je n'avais aucun vis-à-vis et le soleil entrait à flots jusqu'à mon lit.

Catastrophe, un matin, dans le courrier une lettre d'un promoteur m'apprend que le petit hôtel va être démoli pour construire à la place un immeuble de grand luxe dont le dernier étage, avec terrasse, m'était proposé sur plan ! C'était une affaire, disait-on.

J'étais furieuse, hors de moi !

Quelle honte de détruire cette adorable petite maison pour entasser des tonnes de béton, faire des clapiers de luxe qui allaient me boucher la vue, me voler le soleil. Quel culot de vouloir me vendre leur saleté.

J'étais fumasse. J'avais raison, car quand les travaux commencèrent, le bruit, la poussière, le chantier rendirent toute vie impossible dans mon adorable petit appartement. Il fallait fermer hermétiquement les volets et les fenêtres, se mettre des boules Quiès dans les oreilles et une pince à linge sur le nez.

Bob en profita pour organiser très vite notre départ pour le Brésil.

Je n'avais jamais traversé l'Atlantique de ma vie. J'allais réellement être obligée de quitter mes attaches profondes, mes habitudes, tout ce qui me sécurisait.

Adieu travaux, bruit, Moussia, Guapa, maman, Paul Doumer, mes petites habitudes, mon quotidien, mon Nicolas.

Tel un Christophe Colomb du XXᵉ siècle, j'embarquai sur une « caravelle » du ciel, un soir de janvier 1964, pour Rio de Janeiro.

Ayant toujours détesté dépendre uniquement de l'homme qui partageait ma vie et ne pouvant en cas de panique m'assumer seule tant mon image et ma célébrité me cloîtraient en moi-même, j'emmenai avec moi Jérôme et Christine Brierre, respectivement directeur de Unifrance Film et public-relation de mes films. On ne sait jamais ! Le voyage étant très long et sachant que le comité d'accueil de tous les photographes brésiliens m'attendrait le lendemain à l'arrivée, qu'il fallait que je sois jolie, pomponnée et photographiable, je m'étais affublée d'une perruque brune qui, contrairement à mes longs cheveux, ne risquait pas d'être mal coiffée après les quatorze heures de voyage.

Personne ne peut comprendre à quel point cette représentation perpétuelle est épuisante, parce que antinaturelle.

Bref, en sortant de l'avion à Rio, crevée, dépaysée, désespérée, fatiguée, je passai de l'air conditionné à une chape de plomb fondu. Ma perruque me servant de toque de fourrure, j'ai manqué m'évanouir de chaleur pendant que les flashes crépitaient, que les questions se bousculaient et que les gens me regardaient sans me reconnaître vraiment : j'étais brune ! Suivie par une horde hurlante, par des voitures remplies de photographes, je m'engouffrai hébétée dans le hall de l'appartement que Bob habitait, *avenida Copacabana*.

Là, je tombai sur une clique de ses copains qui partageaient le loyer et le logement avec leurs petites amies brésiliennes. Tout ce petit monde ne parlait que le brésilien. J'étais perdue, triste et crevée. Je me raccrochais à Jérôme et Christine, ne sachant plus à quel saint me vouer.

Je voulais repartir, repartir immédiatement.

La chambre donnait sur une cour sinistre.

On partageait tous la même salle de bains, le

mobilier était sale, la moquette dégueulasse, les peintures écaillées, mais du salon, la vue était magnifique sur la baie et sur le Corcovado dont je me foutais royalement. Je suis restée prisonnière pendant près d'une semaine dans cet endroit sans intérêt. En bas, le siège des journalistes, des photographes et des curieux grossissant de jour en jour, il était impossible de rentrer ou de sortir sans mourir immédiatement étouffé.

Jérôme et Christine, qui habitaient le Copacabana Palace, étaient mes seuls visiteurs et encore, harcelés, bousculés, pris en otage, ils finirent par capituler.

J'étais au bord de la dépression, loin de tout, étrangère à tout, je passais mes journées à pleurer et mes nuits à engueuler Bob, le suppliant de me ramener en France. Tant de kilomètres, tant d'efforts pour moi, l'épreuve de l'avion, des journalistes, de la chaleur, du dépaysement, c'était trop, je n'en pouvais plus, je haïssais ces voyages de merde, ces journalistes de merde et cet appartement de merde.

Il fallut imaginer une stratégie pour obtenir ma liberté.

Jérôme et Christine, n'étant pas attachés de presse pour rien, organisèrent une grande conférence de presse au Copacabana Palace. J'étais effondrée, révoltée, hors de moi. Comment ? On allait encore me jeter en pâture à tous ces vautours, alors que j'étais venue pour me reposer, pour visiter un pays inconnu. Pour une fois que je ne tournais pas de film, que rien d'officiel ne m'attendait, il fallait que je paye cher le prix de ma liberté !

Je ressentis plus douloureusement que jamais le fardeau de cette célébrité qui me rongeait inexorablement. J'en avais marre, vraiment marre, mais je ne pouvais y échapper. Pomponnée, maquillée, habillée, désespérée, j'ai encore dû me plier aux grimaces, aux sourires, aux questions stupides et vaines. Déhanchée, sexy, patati, patata... fidèle à mon image blonde à mourir, insolente à rêver.

Pendant que je faisais la « une » de tous les journaux, de la télévision et de tout le tintouin, Bob m'emmenait sans tambour ni trompette à Buzios. Nous avions rempli la petite Coccinelle Volkswagen de riz, de pétrole (pour les lampes), de produits insecticides, de *faroffa* (farine de maïs), de livres, de journaux, sans oublier ma guitare, des boîtes de conserve de toutes sortes et des bouteilles d'eau minérale.

Il n'y avait rien à Buzios.

Ni électricité, ni téléphone, ni Frigidaire, ni eau courante, il n'y avait que la mer, le ciel, une maisonnette rustique et douce, des plages d'or fin à perte de vue et quelques embarcations multicolores avec lesquelles les autochtones pêchaient au large.

Là, j'ai découvert le vrai Brésil, et la vraie paix ; personne ne me connaissait, personne ne pouvait me reconnaître. Je passais sans transition de l'enfer de la civilisation au paradis encore préservé. Je dis « encore » car après mon passage, cet endroit est devenu le Saint-Tropez brésilien. C'est à croire que je porte en moi une forme de destruction systématique.

N'anticipons pas.

Je garde précieusement le souvenir inoubliable d'un petit paradis où je courais pieds nus, suivie par un chat que j'appelais Moumoune, émerveillée par les oiseaux-mouches, les flamboyants, les bougainvilliers, la couleur translucide d'une mer mousseuse et pétillante qui ressemblait à du champagne d'azur et dont je m'enivrais.

Le soir, protégée par la moustiquaire qui, étalée sur le lit comme un voile de mariée, me protégeait d'insectes terrifiants, je découvrais Simone de Beauvoir et son *Deuxième Sexe*. Eh oui ! C'est paradoxal mais c'est comme ça.

On ne choisit pas les endroits où on lit des livres. Le tout est de les lire, de les comprendre ou de les rejeter mais de les connaître. C'est ainsi que l'on

464

peut faire un choix de pensée et de vie. C'est peut-être dans cet univers si primaire, si naturel, si vrai, que j'ai passé les plus belles heures, les plus beaux jours de ma vie. Cela me fait sourire lorsque j'arrive quelque part que chacun se croie obligé de me recevoir avec le tapis rouge et autres ridicules sophistications que je déteste, alors que je n'aime que la simplicité et la vérité.

Tout a une fin.

Hélas ! il a fallu quitter le rêve pour la réalité, retrouver les aéroports, la société, Paris et les obligations professionnelles. Mama Olga m'attendait avec impatience. Elle n'avait pas de nouvelles, ne pouvait pas me joindre, c'était dramatique ! On me proposait un pont d'or pour une apparition de deux jours dans un film américain dont les stars étaient James Stewart et un gamin de 10 ans.

Le film s'appelait *Chère Brigitte*, il fallait donner une réponse afin que l'équipe américaine puisse venir me filmer à Paris en studio.

C'était l'histoire d'un gamin fou de moi qui m'écrivait toujours « Chère Brigitte » et qui, à force de supplier son père, finit par me rencontrer dans ma maison de campagne.

J'acceptai.

Je fus catapultée de la vie sauvage à la sophistication américaine. Il faut souligner que l'image que les Américains ont de moi est assez spéciale. Au studio, ma maison reconstituée était aussi luxueuse et éloignée de moi que l'était l'équipe de caniches nains blancs et poudrés censés représenter mes animaux. James Stewart, admirablement robotisé, impeccable machine, refaisait et redisait à chaque prise les mêmes gestes et les mêmes mots sans aucune personnalité, sans aucune passion. Il m'apparut sans goût ni grâce ! Mou, mou ! Quel ennui ! Pire que Balladur.

Encore tout imprégnée de soleil, de langueur, encore bercée par l'accent traînant et sensuel de la langue brésilienne, j'enregistrai rapidement un 45 tours dont une des plus belles chansons était *Maria Ninguen*, un succès local, une bossa nova lente que j'ai eu toutes les peines du monde à chanter car ne parlant absolument pas le brésilien, Bob m'avait écrit les paroles phonétiquement. Je ne savais rien de ce que je disais, mais le disais avec conviction. Quand il m'arrive d'écouter ce disque aujourd'hui, je trouve que je me suis bien débrouillée.

J'ai chanté en français, en anglais, en espagnol et en brésilien, je suis une chanteuse quadrilingue, il faut le faire !

En juin 1964, il y eut le dramatique appel de Joséphine Baker pour sauver Les Milandes, sa propriété du Périgord dans laquelle elle avait recueilli sa ribambelle d'enfants de toutes les races.

Emue, bouleversée par la détresse profonde d'une femme exceptionnelle, généreuse, qui avait marqué de manière indélébile une époque de rêve, symbole inoubliable de beauté, de bonté, de joie de vivre, de roucoulades exotiques mais aussi passionnément concernée par l'envie de donner, d'adopter, de sauver, de rapprocher dans la fraternité biblique toutes les races, toutes les faiblesses, toutes les puretés du monde. Et tout le travail, tout son travail, son but, sa vie en déséquilibre, en désintégration, c'était trop injuste. Je participai immédiatement à son secours en lui envoyant un chèque important.

**

Pendant ce temps, Louis Malle couvait un projet révolutionnaire, il voulait me confronter à Jeanne Moreau dans un film à grand spectacle et gros budget, tourné au Mexique : *Viva Maria*.

Ha là là ! Mama Olga me disait que c'était la chance de ma vie, que j'allais enfin pouvoir prouver au monde que j'étais mieux que jolie, différente de l'image stéréotypée qui courait les salles de rédaction. Il me fallait relever le défi, accepter d'avoir Jeanne Moreau comme partenaire et devenir son égale dans l'estime du public.

La décision fut difficile à prendre.

Je n'ai jamais eu l'esprit de compétition mais je déteste perdre. Il allait me falloir jouer serré et je risquais gros. Ma nonchalance, une certaine paresse, une forme de facilité qui parfois prime en moi, étaient mises en balance avec le désir de vaincre, l'orgueil de montrer et de prouver que j'étais ce que je suis, c'est-à-dire à multiples facettes, et l'espoir insensé de ne pas me laisser dominer par le talent faramineux et la personnalité écrasante de Jeanne Moreau. Et puis, et puis, il fallait tourner au Mexique. Mon Dieu, encore un arrachement, un lieu inconnu, une épreuve supplémentaire.

J'acceptai enfin, au grand soulagement de tous ceux qui, suspendus à mes lèvres, attendaient le verdict.

Je n'en menais pas large et pris le large, direction La Madrague. Moussia, Nicolas et Guapa sous le bras, et Bob, bien entendu. J'oubliai tout, le disque sous presse pour la rentrée, le film en préparation pour le début de l'année prochaine. Tout ça était loin, si loin que j'oubliai mes engagements ne vivant comme d'habitude qu'au quotidien.

J'eus cette année-là comme toutes les autres années des problèmes de gardiens. Voilà des gens payés à ne rien faire toute l'année qui vivent dans des conditions fabuleuses de facilité et de confort et qui foutent le camp dès que les patrons arrivent parce que ça dérange leurs habitudes de fainéantise. C'est quelque chose qui m'a gâché la vie, qui m'a fait pleurer et qui m'a lassée.

Quand je n'étais pas là le nez dans mes fourneaux, je faisais du ski nautique ou de la plongée sous-marine.

Le 28 septembre 1964, j'eus 30 ans !

Ce fut un événement, je n'en croyais pas mes oreilles, on me reléguait dans le clan des femmes mûres, comme au temps de Balzac ! Pour moi, rien n'avait changé. Je scrutais dans la glace les signes irréparables que mon âge aurait dû m'infliger. Je ne discernais rien de particulièrement atroce. *Paris-Match* m'envoya un de ses plus illustres reporters et son meilleur photographe. Je fus cuisinée, scrutée, photographiée sous toutes les coutures, la presse mondiale s'empara de l'événement : « *B.B. a 30 ans !* »

C'était comme un mini-scandale, un crime de lèse-majesté.

Le sex kitten, le sex symbol, la bouffeuse d'hommes, la redoutable, la sulfureuse vieillissait...

Pendant que cette nouvelle faisait couler l'encre de toute la presse internationale, je buvais tranquillement du champagne entourée de mes proches dans le si joli restaurant que mon amie Picolette tenait à Gassin et dans lequel je me sentais si bien.

Mon cadeau, le seul et le plus beau, fut un ânon nommé « Cornichon ». Et puis « *on a rangé les vacances dans des valises en carton et c'est triste quand on pense à la saison du soleil et des chansons* ». Bob m'emmena « *vers l'automne retrouver la ville sous la pluie, mon chagrin ne fut pour personne, je le gardais comme un ami* ». Décidément, les fameuses paroles de cette superbe chanson *La Madrague* illustraient parfaitement mon état d'être.

A la Paul Doumer, je me sentais flotter indécise, mal dans ma peau. Nicolas et Moussia étaient restés chez Jacques. Je devais partir pendant plusieurs mois et il serait mieux chez son père que dans une maison vide. C'était certain ! J'éprouvais quand même une sensation bizarre devant cet appartement désert, sur le palier d'en face.

J'étais *kring-krong*.

Bob s'en allait des nuits entières jouer au poker

quasi professionnellement et il revenait à l'aube, plein de sous ou ratissé, selon ses jours de chance. Je m'entortillonnais autour de ma petite Guapa, ne pouvant dormir seule, je partageais mon lit avec ma chienne.

Puis je subis des séances épuisantes d'essayages de costumes pour *Viva Maria*, j'appris l'air et les paroles des chansons que je devais interpréter avec Jeanne, puis, je « la » rencontrai. C'était rue du Cirque (un nom prédestiné) où elle habitait avec son imprésario Micheline Rozan, une femme charmante, grande rivale de Mama Olga qui elle aussi était là. Ce fut un échange poli de lieux communs, de promesses d'amitié rassurantes mais éphémères, la traditionnelle prise de contact de deux monstres sacrés parfaitement rivales mais super bien élevées.

Je trouvais Jeanne simple mais sophistiquée, chaleureuse mais dure, séduisante mais redoutable, enfin je la trouvais telle que je l'imaginais, avec son extraordinaire pouvoir de séduction qui dissimulait mal son caractère d'acier trempé. Je ne la trouvais pas belle mais pire, dangereuse. Nous avons répété notre chanson en nous tenant par la taille comme deux gamines. Ma voix s'étranglait, la sienne s'épanouissait. Elle me souriait gentiment.

Je comprenais que les hommes en soient fous.

Dans mon courrier qui n'en finissait pas d'envahir mon bureau je lus un jour la lettre désespérée d'une petite fille qui avait élevé un agneau au biberon. L'agneau était devenu un gros mouton appelé « Nénette » malgré son sexe masculin et le pauvre devait partir incessamment pour l'abattoir. J'appelai cette adorable gamine pour qu'elle m'amène d'urgence Nénette à Bazoches.

Aussitôt dit, aussitôt fait. Nénette débarqua un matin d'automne dans sa nouvelle maison, une petite bergerie au toit de chaume, plantée au milieu d'une immensité d'herbe verte et délicieuse. J'ai aimé de tout mon cœur cet adorable mouton plus apprivoisé que le plus fidèle des chiens. J'ai découvert avec lui la douceur et la fidélité de ces animaux. Comme ce pauvre Nénette s'ennuyait, je fis venir de Saint-Tropez le petit ânon offert pour mes 30 ans afin de lui tenir compagnie.

Désormais Nénette et Cornichon furent inséparables.

Comme je devais m'expatrier pour longtemps, Bob me proposa de passer Noël au Brésil avant de rejoindre Mexico. Un peu plus, un peu moins, pourquoi pas après tout.

Mais cette fois, je ne partais pas en vacances. La maison Réal qui m'habillait de pied en cap m'avait offert une garde-robe princière. J'étais « Lady Bri » en personne. Il y en avait pour tous les goûts, pour toutes les occasions. J'avais une quantité impressionnante de valises remplies de robes. J'étais du reste moi-même impressionnée par tout ce saint-frusquin encombrant mais indispensable à toutes les obligations qui m'attendaient.

Guapa faisait triste mine, elle sentait mon départ, pleurait en se couchant dans ma valise sur mes robes toutes neuves, d'où je la sortais en hurlant qu'elle était mal élevée. Moi aussi j'étais mal élevée, j'engueulais tout le monde, j'étais à cran, tout ce cirque me mettait les nerfs à vif, je voulais rester chez moi avec ma Guapa.

A chaque départ c'était toujours le même arrachement.

A force d'avoir été arrachée, une partie de moi est en lambeaux. Il fut décidé qu'en mon absence, la Bazoches subirait les transformations éprouvantes mais indispensables pour faire d'elle une maison confortable. Le dernier week-end, nous avions rangé, déménagé, vidé les pièces, transformé ma petite chaumière si chaude, si douce, en maison abandonnée et déserte. Je pensais la mort dans l'âme qu'avant une opération chirurgicale importante nous subissions le même dépouillement physique. J'avais mal pour ma maison. En plus il tombait une petite pluie fine et glacée en ce début décembre qui donnait au décor un aspect sinistre et mort. Après un dernier baiser à Cornichon et à Nénette, qui bien au chaud dans leur bergerie n'avaient pas l'air très atteints par ma mélancolie, je quittai ma Bazoches sur la pointe du cœur et de l'âme.

Puis ce furent mes adieux à tous ceux que j'aimais : papa, maman, Mamie et Dada, Guapa que je confiai à Madame Renée. Quand il faut y aller, il faut y aller. Escortée de mes dix valises, entourée par Bob et Jicky embauché comme photographe personnel de la star, je m'envolai vers Rio.

Cette fois, je n'avais pas de perruque, j'assumais mon rôle, je partais au front.

Ce petit détour par le Brésil me fit le plus grand bien.

Je retrouvais les joyeux compagnons de Bob, l'appartement toujours aussi sale mais désormais familier, Penia la bonne grosse négresse adorable, mama philosophe de toute cette équipe farfelue. Jorge Ben, le roi incontesté de la bossa nova, vint jouer de la guitare pour me faire plaisir. On buvait de la *Cachasse*. Je courais les antiquaires, avide de souvenirs, j'achetais ces petites statuettes de bois polychrome représentant la Vierge Marie, je croulais sous les cadeaux, chapeaux, couffins, hamacs multicolores, je découvrais les rues bloquées par les *Esculas de Samba* qui s'entraînaient pour le prochain carnaval.

La fameuse chanson « *Brigitte Bardot, Bardot, Brigitte Bejo Bejo...* » éclatait à tous les coins de rue, les hommes, les femmes qui me croisaient m'envoyaient des baisers, « *Oh Brizzi, Brizzi, me gusta tu voze* ». Ça voulait dire « on t'aime ».

J'avais envie de danser avec eux, de m'intégrer au tourbillon éclatant de leur joie de vivre, de me fondre dans cette foule colorée et bon enfant. Les Brésiliens étaient adorables.

Parfois, quand je réfléchis, ce qui m'arrive tout de même de temps en temps, je pense que j'aurais pu trouver le vrai bonheur et un équilibre fondamental si j'avais vécu dans une roulotte qui aurait été *ma* maison en jouant de la guitare, pieds nus, suivie de tous mes chiens hurlant, jappant, heureux aux côtés d'un homme qui chante, danse et m'aime, itinérante, libre, sauvage, faisant des haltes quand le cœur nous en aurait dit, semant la joie sur mon passage, vivant au rythme des saisons, des chevaux, des amours, prenant le temps de rire, de rêver, d'aimer.

Le temps du bonheur !

En attendant, un soir exceptionnel, je fus invitée à participer à une *macumba*.

Les Brésiliens sont extrêmement superstitieux. Ils invoquent traditionnellement la clémence de divers dieux païens qui dans leur univers assez enfantin se confondent avec notre Dieu catholique et nos saints du paradis. Ainsi, de temps en temps, nous pouvions admirer du haut de nos cinq étages la plage de Copacabana envahie la nuit de milliers de petites bougies éparpillées dans le sable, leur minuscule et immense scintillement rejoignant alors celui des étoiles, le tout se fondant en une éternité de prière, d'espoir, de vœux ou de souffrance.

La *macumba* est une cérémonie exorciste extrêmement secrète.

Je redoute tous ces rituels à la limite du sulfureux.

J'aime mieux traiter avec Dieu qu'avec le diable. Mais d'autre part, je suis curieuse, toujours cette dualité en moi.

Je fus donc emmenée, seule, Bob étant considéré trop « terre à terre » par un groupe d'adeptes amis, j'étais très mal à l'aise. Il fallut se faufiler, dans un silence total, en haut d'un escalier lépreux, dans un corridor sombre sur lequel donnait une minuscule porte. Après avoir frappé le « code », une ombre me

472

fit entrer, puis me stoppa aussitôt. Je dus subir l'imposition des mains, le langage cabalistique, la purification des bougies, l'eau bénite ou pas, que je reçus en plein visage.

Chacun de nous subit le même sort. Enfin je pénétrai dans une petite pièce envahie de gens marmonnant une prière. Au milieu gisait une femme prise par le démon. Elle se convulsait, hurlait, indécente, offerte... Tout un rite à la limite du supportable se déroulait, là, sous mes yeux. J'avais l'impression d'assister à un sacrifice, je crevais de chaud, je suffoquais. Je voulais rentrer, fuir cette atmosphère horriblement malsaine. Certains brandissaient des crucifix, d'autres d'étranges statuettes terrifiantes censées représenter le Dieu responsable. Je me sentais vraiment mal, mes amis le comprirent et malgré le scandale que mon départ provoqua, je partis. Je dus m'allonger à même le trottoir, respirant enfin, me lavant les poumons et l'âme. Mes oreilles étaient pleines de cloches qui tintaient, d'étranges insectes passaient devant mes yeux et je m'évanouis.

Le lendemain, afin d'oublier ce cauchemar, notre ami Denis Albanese et sa femme Dolorès nous emmenèrent sur leur bateau visiter les îles perdues, sauvages et intactes d'Angra dos Reis.

Le bateau était petit, c'était un voilier, nous étions huit à nous partager en riant l'unique cabine. Finalement, je préférai dormir sur le pont. Entortillonnée dans ma couverture, j'entendais grincer le bout de l'ancre à chaque balancement du bateau, je voyais le mât, tel un index dressé, me montrer les étoiles, différentes des repères habituels de mon enfance où la Polaire était remplacée par la Croix du Sud. Des cris d'animaux étranges remplissaient parfois la nuit, je ronronnais, heureuse.

C'était sans compter avec les moustiques qui se mirent à m'attaquer subitement.

Sauve-qui-peut ! Branle-bas de combat ! à moitié nue, hurlant, je me précipitai dans le carré, réveillant tout le monde. Je n'étais qu'une plaie, ma tête boursouflée les fit rire, j'étais furieuse.

Après ces quelques jours inoubliables passés tel Robinson Crusoé entre terres vierges, ciel pur et mer tiède, après être devenue méconnaissable à force de coups de soleil, de piqûres d'insectes et du sel qui avait brûlé mes cheveux et ma peau, plus proche physiquement d'un Iroquois que d'une star (qu'allaient dire ma maquilleuse Dédette et le directeur de la photo ?), Bob jugea qu'il était temps d'aller à Buzios passer les quelques jours indispensables pour me rendre mon aspect initial avant d'affronter le dur travail qui m'attendait.

Nous passâmes Noël à Buzios chez Ramon Avellaneda, consul d'Argentine au Brésil et sa femme Marcella.

La maison, plus petite encore que celle que nous avions louée la fois précédente, était restée celle des pêcheurs du coin. Il n'y avait pas de salle de bains, nous vivions comme des sauvages, entourés de poules, de petits cochons noirs, de chèvres et de mouches.

Ramon qui était beau, tendre et affreusement séduisant m'apprit pendant des heures, avec une patience d'ange, le rythme bossa nova à la guitare. Il avait l'œil et la voix de velours.

Le soir de Noël, après avoir décoré et déguisé un palmier en arbre de Noël, plein de boules, de guirlandes et de pères Noël emmitouflés qui pendouillaient tristement à la place des noix de coco, après avoir rempli de cadeaux de toutes sortes nos souliers, ou plutôt nos tongs ou nos sandales, en guise de messe de minuit, nous sommes tous allés nous baigner.

Je garde un étrange souvenir de cet unique Noël « pas comme les autres », de ce Noël à l'envers, à l'inverse des traditions, avec cette chaleur, et cette ambiance diamétralement opposées à tout ce qui symbolise Noël. Quelques jours plus tard, sans m'en rendre vraiment compte, nous étions passés de 1964 à 1965.

XIX

A Rio, je retrouvai Jicky, mes valises, mon identité, mon statut, les photographes et ma destinée.

Je partais pour Mexico accompagnée par tout le tralala dû à mon rang. Le voyage fut long et fatigant. Il y eut énormément d'escales, chaque atterrissage et chaque décollage me rendait malade.

Lorsque nous avons atterri au Pérou, à Lima, je suppliai l'hôtesse de me laisser rester dans l'avion, de ne pas suivre les passagers. Il faisait extrêmement chaud et une foule de gens m'attendait en bas de la passerelle. Parmi eux, un homme trapu aux yeux bridés, de souche indienne pure, finit par arriver jusqu'à moi. Il me baragouina une langue incompréhensible en faisant de grands gestes, je ne comprenais rien. Finalement, on m'apprit qu'il était le maire ou un élu local très important, qu'il voulait m'offrir un souvenir du Pérou, je n'avais qu'à dire ce que je préférais et il me le ferait parvenir immédiatement.

J'étais émue.

C'est rare qu'on m'offre sans me demander quoi que ce soit en échange. Tous ces gens avaient l'air pauvres et très simples et cet homme, suspendu à mon caprice de star, semblait bouleversé par notre rencontre. En un éclair, je revis notre atterrissage, l'aridité, la couleur presque poussiéreuse de la terre desséchée, cette étendue uniformément pauvre, cette impression lunaire d'un pays mythique : « C'est le Pérou. » Je demandai à cet homme une poignée de terre du Pérou, ce serait mon plus beau cadeau, de la terre. Il me regardait sans comprendre, se tournant vers les uns et les autres, incrédule. De la « Tierra ? Porqué ? »

Il a dû me prendre pour une folle !

Je l'ai vu descendre la passerelle en criant : « Ella quiera un poco de Tierra, adónde vamos a buscarla ? »

Effectivement il fallait aller la chercher cette terre, plus loin que sur les pistes bétonnées de l'aéroport, ailleurs que dans les boutiques à souvenirs où attendaient poupées, pierres semi-précieuses et artisanat local. Il revint, suant, soufflant, au bord de l'apoplexie avec un petit sac dans lequel se trouvait la terre du Pérou.

J'ai conservé ce souvenir unique et fou que je contemple parfois en rêvant de ce pays lointain d'où j'ai emporté un peu de terre, un jour de janvier 1965.

L'escale suivante fut Bogota en Colombie.

L'aéroport était à une altitude impressionnante : 2 600 mètres. Il faisait très froid. L'air était coupant et raréfié. Les gens d'un autre monde, des Indiens aux peaux burinées pleines de ridules, habillés comme dans *Tintin* avec des chapeaux melon posés sur des fichus multicolores. Des êtres nobles et pauvres qui proposaient aux touristes des babioles, sans un mot, sans un espoir, machinalement, comme usés par la crainte d'un refus.

On ne me proposa rien, je ne demandai rien, mais je garde l'image grandiose et désespérée de ce peuple antique et sage, confronté aux impératifs dégradants du modernisme et de la civilisation auxquels il devait leur être surhumain de s'adapter.

L'arrivée à Mexico fut démente, mais je m'y attendais.

Il faisait nuit, mais les spots de télé, les flashes, les lumières de toutes sortes m'éclairaient *a giorno*. Les directeurs de production, divers assistants, Louis Malle en personne m'attendaient en bas de la passerelle. Un tapis rouge était déroulé jusqu'à l'aéroport et une haie de « Mariachis » m'escorta dans une cacophonie d'enfer, une bousculade de fin du monde.

Jicky prit de cet événement des photos inoubliables du haut de la passerelle, ce qui lui évita d'être piétiné comme le furent ce soir-là bon nombre de journalistes et de photographes.

On a beau s'attendre au pire, il est des moments où malgré la meilleure volonté du monde, à l'impossible nul n'est tenu ! Moi je devais assumer de me surpasser et de me contrôler dans les univers déments qui ont, à force de répétitions successives, réussi à ronger jusqu'au plus vif l'équilibre précaire de mon psychisme nerveux. C'est de ces épreuves parfois insurmontables que me sont venus mon horreur de la foule, mon besoin et mon envie de vivre recluse.

A l'hôtel Luma, première étape de cette longue aventure, m'attendait Dédette, son fils Jean-Pierre, mon coiffeur et quelques personnes familières dont Mama Olga, auxquelles je me raccrochais désespérément. Une « suite » somptueuse et impersonnelle, pleine de fruits exotiques, de fleurs odorantes entortillées dans des flots de ruban de satin ne purent vaincre mon dépaysement et ma détresse.

Mais qu'est-ce que je faisais là !

Mais pourquoi ? Je ne pourrais jamais, jamais, vivre ici, j'étais perdue, déracinée, crevée, à bout de nerfs. Je pleurais, je voulais rentrer chez moi, je payerais un dédit... Et toutes ces valises qui envahissaient les pièces, posées en désordre comme des pions sur un échiquier dont j'étais la reine. Pauvre reine ! La reine morte ? Oui.

C'était la panique !

Dans mon staff, les visages s'allongeaient, les bras tombaient, on chuchotait autour de moi avec des mines de conspirateurs. Je voulais m'en aller tout de suite, tout de suite, je suppliais Dédette. Bob essayait de me raisonner tout en mettant un peu de distance entre ces gens adorables et moi.

J'avais besoin d'être seule, tranquille, au calme.

Tout ce papillonnement, ce tourbillon autour de moi depuis tant d'heures avait eu raison de ma résistance. Il me fit boire un Banana daïquiri bien tassé, et commanda un petit dîner. Je pris un bon bain et finis par m'endormir comme une masse sans même émettre l'idée de changer les meubles de place...

Le film en lui-même ne commença que quelques jours plus tard.

Il fallut d'abord rencontrer tous les acteurs et les techniciens, faire des essais de coiffure, de maquillage et de costumes aux studios de Mexico. Bref, nous familiariser les uns avec les autres, nous habituer au climat très chaud et à l'altitude inhabituelle, 2 250 mètres, qui nous coupaient parfois le souffle. A part quelques Français comme Paulette Dubost, qui a été tout au long de ce film éprouvant d'une gentillesse et d'un soutien inoubliables pour moi, le reste de la distribution était mexicaine, excepté Gregor von Rezzori, l'acteur allemand qui jouait mon beau-père dans *Vie privée* et qui fut lui aussi un complice adorable et solide.

Cette étape à Mexico n'était que provisoire.

Notre véritable quartier général se trouvait à Cuernavaca où une superbe hacienda avait été louée pour moi. Je n'avais encore rien vu du Mexique hormis les trajets quotidiens, hôtel-studios, studios-hôtel. Je n'avais heureusement pas défait mes valises, du reste je ne les défis pas toutes et elles repartirent un peu plus tard « telles quelles » avec un ami qui rentrait sur Paris. Cet encombrement inutile m'apprit par la suite à voyager léger où que j'aille, n'emportant désormais que le strict minimum dans un sac de voyage. Il fallut nous plier aux exigences de l'incontournable et indispensable conférence de presse, tout sourire, tout miel, tout mignon. Chacun affûtait ses griffes et faisait patte de velours. Jeanne et moi, comme deux fauves, traversions notre période d'observation. Louis Malle, le dompteur, cachait son fouet derrière ses compliments savamment et diplomatiquement distribués.

Bref, tout allait pour le mieux dans le meilleur des mondes...

Je découvrais, émerveillée, cet univers époustouflant qu'est le Mexique. A Cuernavaca je tombai amoureuse de l'hacienda somptueuse et simple qui allait abriter mon séjour.

C'était en plein village une sorte de nid d'aigle suspendu, protégé par d'énormes murs de pierres croulants de végétation. L'entrée, immense vantail de bois ferré, s'ouvrait sur une ruelle pavée à l'ancienne, flanquée d'anneaux de bronze pour y attacher les chevaux. Le patio, regorgeant de fleurs, d'avocatiers, de flamboyants, d'hibiscus, de bananiers, d'orangers, entourait une ancienne demeure coloniale aux murs d'une épaisseur impressionnante.

Je remarquai que les fenêtres étaient de simples ouvertures devant lesquelles on tirait de lourds rideaux. Pas de carreaux, pas de porte, tout était offert, ouvert. J'adorais voir de la piscine les volcans Popocatepetl et la Mujer Adormentata qui se lovait contre lui.

Je fis la connaissance de Mariquita et de sa fille Maria, merveilleuses Indiennes dont les longues tresses noires, huilées, descendaient jusqu'aux reins. Elles étaient à mon service et se sont avérées être les seules personnes efficaces, gentilles, honnêtes, dévouées et fidèles que j'ai rencontrées dans ma vie. Grâce à elles, je n'eus pas à me soucier de l'intendance. Que je sois seule, avec Bob ou que je reçoive quinze personnes, tout était toujours prêt, impeccable, et leur bonne humeur égale. C'est à marquer d'une croix blanche.

J'ai toujours adoré lire, je ne peux pas vivre sans livres, c'est une deuxième peau, une manière de m'évader dans le rêve, l'illusion. Au milieu de toutes

479

les choses inutiles que contenaient mes bagages, se trouvait la série des *Angéliques*. J'avais refusé de tourner l'adaptation sans même y avoir jeté un coup d'œil. Je m'en suis mordu les doigts ! Ça m'apprendra à avoir des jugements définitifs et hâtifs. C'est un défaut qui m'a poursuivie toute ma vie, et ce mélange de paresse, d'indifférence et de nonchalance m'a joué plus d'un tour.

Pendant que Jeanne Moreau apprenait son texte, répétait ses jeux de scène en bâtissant pierre par pierre la force et le professionnalisme de son interprétation, je me jetais à corps perdu dans les aventures palpitantes de cette exceptionnelle Angélique, qui fut donc interprétée magistralement par Michèle Mercier. Chapeau ! Et bravo !

Jeanne Moreau, Louis Malle et moi habitions des maisons fabuleuses, entourés de nos indispensables conseillers. Chacun voyait midi à sa porte, essayant par de multiples artifices de se mettre le plus en valeur possible.

Chez Louis, tous les hommes étaient armés et tiraient sur des cibles, des bouteilles, en l'air, selon l'événement à fêter à la mode mexicaine. Jean-Claude Carrière, le scénariste, partageait ce plaisir.

Chez Jeanne, on buvait du champagne, on dégustait des truffes blanches servies dans des plats d'argent ciselés, apportés de Paris dans ses bagages et présentés par sa femme de chambre personnelle. Pierre Cardin lui envoyait régulièrement les plus belles robes de sa dernière collection.

Chez moi, c'étaient les copains, la guitare, les cartes, les jeux, les paréos comme unique vêtement, les rires et la danse tard dans la nuit au son des Mariachis. Alain et Nathalie Delon ont pendant quelques jours partagé notre bohème.

**

Le tournage a commencé un jour mémorable de fin janvier.

480

Tous un peu coincés, piano-piano, sans faire de vagues.

Les mobile homes à air conditionné qui nous servaient de loge, les camions, les groupes électrogènes, la cantine ambulante, etc., envahissaient la placette du village. Telle une armée, aussi dévastateurs qu'un nuage de sauterelles, nous avons pris d'assaut, violé le paisible village de Cuautla. Les péones du coin, déjà alanguis par la chaleur, finirent complètement abrutis à la fin de cette journée épuisante à force de cris, de bruits, d'ordres et de contrordres donnés en mexicain, en français, en anglais, sur tous les tons et par tout le monde.

C'était le coup d'envoi, le premier pas d'une longue randonnée pleine d'embûches, le combat acharné qu'allaient se livrer sans avoir l'air d'y toucher, deux tigresses ronronnantes, deux championnes, à la fois leaders et challengers d'une victoire finale attendue par le monde entier. La presse internationale, encombrante mais ô combien indispensable à toute superproduction, mitraillait à bout portant une Jeanne aguichante et langoureuse ou une Brigitte malicieuse et sexy.

Ça n'était que le premier jour !

Et nous allions travailler... presque une moitié d'année !

Chaque matin, je quittais ma maison à 7 heures. Nous empruntions souvent des pistes impraticables, les voitures soulevaient des nuages de poussière et nous devions nous protéger le nez avec des foulards, comme Zorro.

J'ai connu avec ce film des endroits inaccessibles, absolument préservés, où aucun touriste n'avait jamais mis les pieds. J'ai découvert, éblouie, le cœur pur et dur d'une civilisation noble et cruelle, si différente des images américanisées et stéréotypées des Acapulco de dépliants publicitaires. Des paysages grandioses, des horizons à perte de vue, des déserts immenses, pleins de cactus menaçants, des contrastes étourdissants de sécheresse, de foisonne-

481

ment humide et de neiges éternelles. Au-dessus de ces paysages, trônait la menace éternelle du Popocatepetl qui comme un sage et sévère grand-père fumait calmement.

Derrière cette nature luxuriante se cachaient la misère, la faim, la mort. Combien de chiens écrasés, de cadavres de chevaux et d'ânes, d'animaux faméliques ai-je pu rencontrer le long de nos routes ? Combien de vautours, de corbeaux, de rapaces, assumant seuls les services de voirie, ai-je pu voir nettoyer en quelques jours ces charognes puantes remplies de vers et de mouches ?

Et tous les paysans, altiers mais si pauvres, toutes les femmes indiennes au port de reine charriant les plus lourds fardeaux sur leur tête, pieds nus, en haillons. Ces ribambelles de gosses pleins de vermine, partageant une unique pièce de torchis, au sol de terre battue, avec les petits cochons, les poules, les chèvres, les ânes et les chiens. Je pris l'habitude d'emmener avec moi tous les restes de pain, de riz, de légumes, de viandes, et de distribuer tout ça, à l'aller comme au retour des tournages, à chaque rencontre de désespérance.

Je n'avais pas fini d'en finir.

Même le dimanche, notre seul et unique jour de repos, qui semblait être le jour le plus court de la semaine, il m'arrivait de repartir sillonner les coins et les recoins perdus, m'arrêtant lorsque j'apercevais un chien squelettique, mort de peur, qui s'enfuyait la queue entre les pattes à notre seule vue. Je déposais la nourriture et dès que nous repartions, l'animal méfiant et curieux engloutissait à la hâte sa pitance.

J'allais aussi voir certains miséreux péones tout aussi démunis, tout aussi faméliques, tout aussi méfiants que leur chien. Je leur portais du lait concentré, du riz, du chocolat. Au bout de quelque temps, ils m'avaient acceptée, ils m'attendaient sans savoir du tout qui j'étais. Parfois, quand je n'étais pas trop crevée, j'en profitais pour aller à

Teotihuacán visiter les pyramides de la « Lune » et du « Soleil ».

Jicky a immortalisé ces rencontres de témoins extraordinaires d'un passé chargé d'histoire qui me fascine, avec des photos magnifiques qui continuent de me faire rêver.

J'imaginais tous les rites, toutes les fêtes païennes redoutées qu'avaient abrités ces temples magiques de beauté et de puissance. J'ai été très émue et impressionnée par les vestiges de ces civilisations antiques. J'ai passé des heures à les regarder, à en toucher les pierres, à essayer de percer leurs secrets, leur histoire. Leur mystère me fascine et m'attire. C'est grandiose !

Grâce à Dieu, il n'y avait pas de paparazzi au Mexique, j'ai donc pu admirer à peu près tranquillement tout ce qu'il m'a été possible de visiter pendant mes courts instants de liberté.

Parmi tous les pays que j'ai traversés, c'est le Mexique que j'ai le plus aimé, c'est au Mexique que j'aimerais retourner et c'est du Mexique que je garde le plus profond et le plus beau souvenir. Il m'aurait fallu une vie pour connaître à fond ce pays à facettes multiples, aux contrastes étonnants, au charme ensorcelant. Je n'ai fait que l'effleurer du regard et pourtant j'y ai passé presque six mois de ma vie explorant au plus profond ses sites les plus secrets.

Par exemple un jour où nous tournions dans l'un des villages dont j'ai oublié le nom, c'était, paraît-il, un endroit dangereux non loin de Cuernavaca, perdu dans la montagne. Il s'y pratiquait, disait-on, encore une fois par an des sacrifices humains. Le site était sauvage, isolé, les pistes qui y menaient étaient impraticables, semblables à des lits de torrents desséchés. En passant, le chauffeur (armé) me montra de loin une pierre plate et immense qui surplombait un « à-pic » terrifiant. C'est là que « ça » se passait, j'eus des frissons.

Il faut dire que la mine des gens du coin était patibulaire. Ils nous jetaient des regards noirs, les hommes portaient tous la « machette » passée dans leur ceinture.

Paradoxalement, c'est dans cette ambiance plutôt tendue que nous avons tourné une des scènes les plus gaies du film, celle du bal ! Encore une des excentricités de ce métier. Pourquoi choisir un patelin à risque pour y tourner une scène de nuit où on ne voit rien de spécialement extraordinaire, sachant que l'endroit est dangereux, que la police n'y met jamais les pieds, qu'aucun touriste ne s'y est jamais aventuré, qu'il pourrait s'y pratiquer des sacrifices humains et que nous risquions sur la piste de nous faire prendre dans des embuscades ?

Si vous donnez la bonne réponse, vous revenez en deuxième semaine et vous gagner un abonnement à *Télé Mexique* !

Pendant que Jeanne tournait dans les bras de George Hamilton les seules scènes d'amour du film, qu'elle avait, paraît-il, soigneusement répétées hors plateau, je me précipitai à Xochimilco, la Venise mexicaine où les gondoles, croulant sous les fleurs aux couleurs et aux odeurs enivrantes, flottaient sur les eaux des canaux ombragés, au son des orchestres Mariachis installés çà et là, au gré des guinguettes.

C'était une symphonie baroque, un son et lumière éblouissant de poésie populaire, un spectacle touristique, c'est vrai, mais qui gardait encore un côté artisanal et archaïque. J'en avais plein les yeux, je m'engrangeais des souvenirs inoubliables. Je vivais.

Le film qui n'en finissait plus commençait à me lasser et pourtant je n'étais pas au bout de mes peines.

Un jour, assise sur une pierre sèche en attendant... en attendant... en attendant... que le plan soit prêt, qu'on se souvienne que j'étais là à m'emmerder à attendre, j'ai eu la peur de ma vie. Un des machinistes mexicains « Bigotes » (il s'appelait comme ça à cause de ses moustaches) vint vers moi en gesticulant « *peligro, peligro* » (danger), il m'attrape par le bras, me relève brutalement. Sous la pierre sur laquelle j'étais assise grouillait une famille de scorpions.

Le cul le plus célèbre de l'époque l'a échappé belle !

Jeanne et moi étions perpétuellement entourées d'un brain-trust étourdissant et envahissant. Nos maquilleuses, nos coiffeurs, nos habilleuses, nos imprésarios, nos attachés de presse, nos photographes, nos amis, petits ou grands, tout un bataillon de supporters souvent insupportables qui prenaient systématiquement parti pour « la leur ».

Nous étions chacune devenue leur chose, et ils se battaient bec et ongles pour tirer de l'une la quintessence au détriment de l'autre. Lorsque nous tournions des scènes ensemble, dès les premières répétitions, nos maquilleuses respectives, tels les entraîneurs de boxeurs, nous chuchotaient en nous poudrant le nez les petites imperfections de notre jeu ou de nos gestes. Louis Malle nous dirigeait mais les subtilités de nos performances individuelles nous ont été suggérées tout au long du film par nos maquilleuses respectives qui, nous connaissant parfaitement, ont pu éviter à chacune bien des erreurs.

A la guerre comme à la guerre.

J'avais sur Jeanne l'avantage de l'âge et du physique. Plus jeune, plus jolie, mieux faite, sachant me mouvoir et maîtrisant d'instinct une spontanéité qui me permettait toujours de combler les lacunes dues à ma paresse et à ma désinvolture.

Jeanne usait de son intelligence aiguisée, de son talent de comédienne chevronnée, de son jeu de séduction impitoyable et irrésistible. Avec un professionnalisme calculé, elle savait parfaitement tirer parti des situations pour mettre en valeur ses atouts. Elle jouait aussi sur le fait qu'elle avait eu avec Louis une liaison torride lors du tournage des *Amants*.

Même si Louis avait éprouvé une certaine tendresse pour moi lorsqu'il m'avait dirigée dans *Vie*
privée, j'étais loin d'avoir compté dans sa vie au
même titre que Jeanne. De toute façon, Louis était
sur le point d'épouser Anne-Marie, une femme
magnifique, pure, dure, mondaine et intransigeante,
ce qui mettait un terme à toutes ces ambiguïtés.

Les plus grands photographes des plus célèbres
journaux du monde défilèrent sur notre plateau. Ils
désiraient tous des séances exclusives, des portraits,
des reportages intimistes dans nos maisons. Chacun
se battait pour en obtenir plus que l'autre, c'était
devenu une sorte de P.M.U. que je refusai net. J'en
avais déjà ras-le-bol de travailler toute la journée,
maquillée du matin au soir, chapeautée, coiffée,
encorsetée, bottée, crevée et harassée, qu'au moins,
le dimanche, je puisse me détendre, me baigner, dormir, traînasser ou visiter le pays.

Enfin, qu'on me foute la paix !

Et voilà qu'un jour je vis arriver Mama Olga. Elle
venait directement de Paris, furieuse, brandissant
une pile de journaux sur lesquels Jeanne était en
couverture. A l'intérieur, on ne voyait et ne parlait
que de Jeanne, en anglais, en français, en allemand,
en italien et même en japonais.

Oh maman ! Mon sang n'a fait qu'un tour !

Là-dessus, Olga me raconta que Jeanne était en
train d'enlever le morceau. Qu'elle avait vu les
« rushes » à Paris, que l'avantage était à Jeanne. Elle
avait su tirer un magnifique parti de son rôle,
notamment de sa scène d'amour avec Hamilton, je
ne lui servais que de faire-valoir !

Oh maman ! Mon sang refit un tour !

C'était bien fait pour moi, Jeanne la maligne,
ouverte à l'opportunité qui s'était présentée, avait
joué les cartes maîtresses et tenait l'avantage, mais
la partie n'était pas finie. J'avais en main d'autres
atouts. Il me fallait gagner ! On chuchotait que
Jeanne séduisait à ce point les photographes, que

l'un d'eux, ayant une nuit perdu sa moumoute dans son lit, se la fit discrètement rapporter sur le plateau le lendemain par sa femme de chambre. C'était bien joli tout ça, mais s'il fallait se mettre à coucher avec tout le monde, d'abord ça n'était pas du tout mon genre, et ensuite Bob ne l'accepterait certainement pas !

J'étais bien embêtée.

A partir de ce jour, je mis un point d'honneur à gagner le pari que j'avais fait contre moi-même en acceptant de tourner ce film. Si Jeanne avait gagné la première manche, j'emporterais la « belle » au finish, comme au poker. Ma nonchalance s'était muée en rage de vaincre, mon orgueil et ma fierté guidaient mes actes, décuplaient mes forces. Oh ! ils allaient voir ce qu'ils allaient voir ces « moumoutars » de photographes !

Et ils ont vu. Et le monde entier a vu et continue de voir.

J'en ai fait des photos, le soir, le matin à 5 heures à peine réveillée, le dimanche ! J'ai ouvert mes portes, je me suis livrée, insolente, perverse, souriante ou boudeuse. Sous tous les angles, sur toutes les coutures et de toutes les couleurs. Je leur ai joué de la guitare, j'ai chanté pour eux, j'ai dansé, provocante et lascive, je leur en ai donné pour leur argent.

Pendant le tournage, je ne rechignais plus pour un oui pour un non. J'ai grimpé sur un train en marche, sautant de toit de wagon en toit de wagon. C'était casse-gueule, j'avais peur mais je l'ai fait. J'ai traversé une rivière boueuse, noire, gluante, pleine de sangsues, de crabes, de lianes pourries. J'avais de l'eau jusqu'au cou, envie de vomir, peur de marcher dans ce cloaque infâme, mais je l'ai fait. A Tecolutla j'ai dû me baigner à l'embouchure d'un fleuve infesté de requins, les machinistes jouaient du tambour autour pour les éloigner. L'un d'eux y perdit une jambe.

J'étais terrorisée, mais je l'ai fait.

Mama Olga, tout heureuse de la tournure que prenaient les événements, m'offrit pour Pâques deux adorables petits bébés canards encore poussins, tout duveteux, tout jaunes, tout fragiles, tout perdus.

Or à cette époque j'avais déjà adopté une petite chienne trouvée au hasard de mes multiples randonnées. Cette petite « Gringa » m'avait émue en préférant me suivre dans la voiture plutôt que de s'attaquer à l'os que je lui avais déposé. Je l'avais donc gardée et bichonnée. Elle m'adorait mais conservait bien ancré l'instinct sauvage et cruel de ses origines misérables.

Le drame éclata lorsqu'un des deux petits canards que je tenais serrés sur mon cœur m'échappa et tomba sur la pelouse. Il fut immédiatement happé et transformé en charpie par Gringa. Dans mon affolement à le sauver, l'autre s'échappa aussi. Ce ne furent que cris, pleurs et désespoirs. Gringa acharnée sur sa petite proie sanguinolente n'eut pas le temps d'apercevoir le second. Elle reçut une bonne fessée, fut enfermée dans ma chambre cependant que pleurant sur la minuscule dépouille, nous cherchions en vain le petit frère disparu. Toute la maisonnée à quatre pattes fouillait les moindres recoins du jardin, de la maison.

Le petit canard s'était volatilisé !

C'est Mariquita, qui tard le soir, voulant balayer la cuisine, le trouva blotti et tremblant sous le plumeau au plus profond du placard à balais. Cette petite chose adorable, fragile et minuscule me considéra à partir de cette minute comme sa mère.

Nous ne nous quittions jamais. Il dormait sous mon bras dans le lit, je l'emmenais sur tous les lieux de tournage, il mangeait à table avec moi, se baignait dans la piscine ou dans la mer, me suivait partout, pire qu'un chien et se mettait à piailler désespérément dès que, devant tourner une scène du film, je l'abandonnais trois minutes, ce qui posa de sérieux problèmes à l'ingénieur du son. Avant de dire « moteur », Louis Malle se renseignait pour savoir si mon canard était suffisamment éloigné et caressé par une « baby sitter canard » qui pouvait être interchangeable mais ne me remplaçait jamais dans son petit cœur merveilleux.

C'est avec des expériences comme celle-ci que je pris conscience de mon amour mutuel des animaux, amour total, sans compromission, confiance absolue. J'étais la gardienne de leur vie.

Et pourtant j'en ai entendu de toutes les couleurs avec mon canard ! Certains venaient voir s'il était assez dodu pour la casserole, d'autres faisaient allusion aux caniches de luxe, aux lévriers, aux chats persans ou aux guépards qui habituellement avaient le privilège de partager la vie des stars. Eh bien non ! Moi, c'était un canard et allez vous faire foutre ! Bande d'abrutis !

Touche pas à mon canard ! Connard !

Lorsque nous avons quitté définitivement Cuernavaca pour des destinations lointaines où devaient se tourner d'autres séquences du film, je confiai Gringa à Mariquita mais emmenai mon canard.

Je traversai avec lui les immenses territoires arides qui menaient à San Miguel de Allende et Guanajuato, étrange village où les morts sont l'attraction touristique. La terre ayant la propriété de conserver les cadavres dans l'état lamentable dans lesquels on les découvrait, les cimetières furent transformés en souterrains d'exposition macabre, où toutes ces pauvres dépouilles horriblement mutilées attendaient en vitrine la visite des amateurs de sensations fortes. Je n'y mis pas les pieds, mais les cartes postales, les affiches, les dépliants, les bonbons en forme de crâne ou de tibia, m'en apprirent suffisamment pour que mes nuits soient remplies de cauchemars.

Papa était venu me retrouver à Mexico et découvrait en même temps que moi, avec la même passion, la multitude de richesses que nous offrait ce pays.

Je crois qu'en invitant mon papa au Mexique je lui ai offert un des plus beaux cadeaux de sa vie. Erudit, curieux, sensible à la beauté et à l'histoire, il me lisait dans les guides qui ne le quittaient jamais toutes les anecdotes historiques relatives aux monuments que nous visitions. C'est ainsi qu'en parfaits touristes nous fûmes immortalisés par Jicky devant la fabuleuse pyramide de Tajin, aux 365 niches, chacune correspondant à un jour de l'année et contenant la statuette en pierre d'un dieu, Maya je crois, qui lui était consacré.

Puis toute l'équipe déjà bien fatiguée par quatre mois de tournage, se déplaça lentement vers la touffeur tropicale et l'inexorable chaleur du village de Tecolutla, tandis que papa se rendait à Camerone, honorer le mémorial des héros de la Légion, le 24 avril 1965.

A Tecolutla, le confort était réduit à sa plus simple expression.

Pas d'hôtel, un simple motel où les murs suintaient une humidité chaude et crasseuse. Les portes des chambres à claire-voie ouvraient sur l'unique corridor afin de permettre à l'air lourd et rare de circuler. Un ventilateur poussif, grinçant et moucheté d'une multitude d'insectes morts et collés, dispensait son haleine fétide et brûlante. Un lavabo dégueulasse dans un coin, un placard rempli de cancrelats.

J'éclatai en sanglots.

Le moindre geste me faisait transpirer à grosses gouttes, mes cheveux, mes vêtements étaient collés par l'humidité et la sueur. Il n'y avait pas de téléphone. Tout sentait le moisi, l'humus mêlé au sel marin de l'océan dont les vagues déferlantes, poisseuses et assourdissantes se brisaient en étincelantes gouttelettes à quelques mètres des cocotiers qui entouraient cet étrange et sordide endroit. Nous devions nous laver les dents avec du Coca-Cola, ne surtout pas boire d'eau, même en prenant une douche il fallait faire très attention.

Bref, je voulus repartir immédiatement. Il n'était pas question que je tourne dans de telles conditions, surtout que, manque de pot, c'était en majorité des séquences de combat et de guérilla qui faisaient partie de mes scènes les plus importantes, Jeanne ne devant apparaître qu'épisodiquement.

C'était le comble !

Allongée sur les draps collants et poisseux de ce qui aurait dû être mon lit, mon canard sous le bras, je restais imperméable à tous les encouragements que papa, Odette, Bob et Jicky essayaient en vain de m'apporter. Je baignais dans une moiteur malsaine, il y avait des bestioles, des scorpions partout, l'air était irrespirable.

Dehors ! Ah, parlons-en de dehors ! C'était pire, visqueux !

Pourtant, il fallut que je m'exécute.

Le tournage du lendemain fut épique.

Ce fut comme une exécution capitale. Impossible de me maquiller, tout fondait. Impossible de me coiffer, tout collait. Pour m'habiller, ce fut un drame, j'étouffais dans une jupe de laine, un corsage à col à manger de la tarte, avec une cravate et des bottines à lacets qui montaient jusqu'aux genoux. Il fallut m'asperger les jambes d'un produit insecticide puissant, la vermine tropicale pouvant être dangereuse. Du coup, la chaleur et la transpiration aidant, j'eus les jambes et les cuisses brûlées pendant plusieurs jours. J'étais dans un triste état !

Louis Malle s'était mis une poche de glace sur la tête et son chapeau par-dessus ! Quelle veine il avait. Toute l'équipe chopa la « tourista ». Je n'y échappai pas ! Nous étions tous malades à crever. Même mon canard avait la colique !

Jeanne fit une baisse de tension très grave et dut rester alitée plusieurs jours. Le médecin mexicain qui suivait le tournage distribuait ses soins et ses médicaments jour et nuit. Les seules nourritures qui nous étaient proposées étaient des crabes et de la glace à la vanille, Papantla, la capitale de la vanille se trouvait à proximité.

Bonjour les dégâts !

Adieu vaisselle en argent, truffes blanches, adieu simagrées de toutes sortes, adieu représentation, image de marque, nous étions tous logés à la même enseigne, luttant pour survivre dans cet enfer, baissant les masques et les culottes pour des raisons différentes. Nous nous retrouvions tels quels ! C'était pas joli, joli.

C'est dans cette ambiance plutôt spéciale pour une superproduction internationale qu'un matin, devant nos portes indiscrètes, nous trouvâmes chacun un brin de muguet en mie de pain.

Nous étions le 1er mai, et Paulette Dubost avait passé des heures à sculpter des petites clochettes en mie de pain qu'elle avait entourées de feuilles cueillies çà et là ! C'est peut-être ridicule d'attacher tant d'importance à ce souvenir mais pour moi, ce petit muguet artificiel reflétait non seulement une image de fraîcheur mais surtout la générosité de cœur d'une femme adorable et sensible, pleine elle aussi d'une indestructible fraîcheur.

Il fallait le faire, il fallait y penser.

J'ai toujours été extrêmement touchée par des gestes simples émanant du cœur. Ce sont les seules valeurs fondamentales de la vie.

J'ai depuis reçu des milliers de brins de muguet, du sauvage, d'élevage, du plein ou du délié, avec ou sans rubans, avec ou sans racines. Celui dont je me souviendrai toujours, c'est celui, symbolique, que Paulette Dubost m'a offert en ce 1er mai 1965.

Petit hommage rapide à une femme exceptionnelle.

*
**

Dans cette chaleur accablante, j'arrivais enfin,

492

épuisée, au bout de mes prises de vues et de guerre. J'avais vaincu des places fortes et des armées ennemies, m'étais emparée, à quel prix, des mitrailleuses du camp adverse, j'allais pouvoir repartir vers des lieux plus civilisés.

J'en avais ras-le-bol, par-dessus la tête de cette jungle, de cet inconfort, de ces paysages de lianes, de ce fouillis de mousses, repaires d'insectes venimeux, de serpents mortels, d'araignées géantes, de scorpions, de toute une saloperie grouillante et redoutable à laquelle j'avais échappé par miracle. L'étape suivante serait une halte assez brève.

Après, pour moi, c'était la quille ! La liberté !

Le directeur de l'hôtel, assez prétentieux, et *Hupch-Much* (ça veut dire con) me regarda d'un sale œil lorsque j'arrivai avec mon canard.

Dans le jardin, il y avait déjà une sorte de petit zoo où des flamants roses, des canards, des oies, des ibis, des oiseaux de toutes sortes essayaient d'assumer une vie communautaire qui ne leur était pas habituelle. Or je savais qu'il m'était impossible de repartir avec mon canard. Je devais d'abord impérativement repasser quelques jours à Mexico. Puis, l'avion faisant escale à New York, tout animal, toute plante était interdit. Paulette Dubost et Dédette me conseillèrent donc de faire un essai en laissant mon petit canard une nuit avec les autres !

J'étais désespérée.

Nous ne nous étions jamais quittés, il ne connaissait et n'aimait que moi, me suivait partout m'attendant sagement, puis repartant à mon rythme tout au long de mes déplacements. C'est la mort dans l'âme que je le laissai cette première nuit derrière un grillage, perdu au milieu des autres qui lui étaient si étrangers. Il pleurait, m'appelait, collé contre ces fils de fer qui pour la première fois entravaient sa vie. Je ne fermai pas l'œil de la nuit, rongée par les remords, la détresse, le manque de sa petite et merveilleuse présence.

Bob furieux me faisait presque une scène de

jalousie. De toute façon, il en avait marre de partager son lit et sa femme avec ce canard qui chiait partout, c'était à prendre ou à laisser ! Le canard ou lui. Si j'avais pu, je n'aurais pas hésité une seconde, j'aurais laissé Bob dans le poulailler et serais partie avec mon canard. Mais hélas les humains ont instauré certaines règles administratives qu'il est difficile de transgresser, même si on s'appelle Brigitte Bardot.

Le lendemain je trouvai mon canard complètement plumé mais encore en vie. Il avait subi l'agression, le bizutage de tous les autres, incapable de se défendre, faible, ne comprenant pas sa nouvelle condition. Après l'avoir passé au mercurochrome, embrassé et câliné, je dus partir tourner, le cœur à l'envers. Je le laissai ainsi pendant toute une semaine, soignant ses plaies qui rejoignaient les miennes.

Puis ce fut le départ définitif.

Après un rapide détour par Taxco, ancienne mine d'argent où tout est en argent, y compris le chœur de la basilique, où on dépense son argent en échange de reproductions mayas ou aztèques et d'où j'ai rapporté une ménagère complète, fourchettes, cuillers, couteaux, faite d'ébène et d'argent massif qui illumine depuis mes repas de Bazoches, je rentrai sur Mexico.

J'eus encore le temps de visiter le merveilleux musée anthropologique, le plus beau du monde, qui, avec ses maquettes grandeur nature, ses décors de préhistoire et ses reproductions extraordinaires d'hommes mi-singe mi-homo sapiens, donne au visiteur l'impression d'être replongé des millénaires en arrière.

J'étais subjuguée par ces scènes quotidiennes figées et pourtant pleines de vie. J'appelai Paulette Dubost pour savoir si mon canard s'était bien intégré dans sa nouvelle vie, puis je m'envolai pour la France.

A mon arrivée, tout me parut étriqué, rikiki, mesquin et médiocre. Je quittais un monde de grandeur, d'espace, d'infini et me retrouvais entravée, à l'étroit dans ce Paris exigu avec cette avenue Paul-Doumer étouffante et cet esprit français si différent, dans sa petitesse et son étroitesse, de la noblesse remplie de folie de ceux que je venais de quitter, et dont j'étais encore imprégnée. Ma Guapa me fit fête, elle me dansait sur ses petites pattes tous les bonheurs que ressentait son petit cœur en me retrouvant, elle m'aboyait des « Olé, Olé » et me pleurait des « aïe, aïe, aïe » dignes des plus fameux Mariachis !

Je courus à Bazoches et ne reconnus rien.

La maison cicatrisée de tous ses travaux était magnifique, c'est comme si par un coup de baguette magique elle s'était brutalement transformée.

Il y avait une piscine, la même qu'à Cuernavaca !

J'avais envoyé le dessin plus une photo et, en fermant à moitié les yeux, je m'y serais crue de nouveau. J'avais aussi fait creuser un petit étang dans un pré marécageux qui changeait complètement l'aspect du paysage et drainait à lui les sources alentour, assainissant le terrain. Avec sa barque plate, en fermant les yeux presque complètement, j'imaginais les jardins flottants de Xochimilco. Je pensais à mon petit canard qui aurait été si heureux ici si j'avais eu la permission de le ramener. Il me flottait dans l'âme une terrible nostalgie que ni Cornichon ni Nénette ne purent me faire oublier.

La réadaptation fut difficile car je dus faire face à des responsabilités inattendues.

Jacques avait décidé de confier définitivement Nicolas à sa sœur Evelyne. Déjà mère de nombreux enfants, elle s'avérait plus apte que moi à assurer l'éducation équilibrée d'un enfant dans un environnement sain, non pollué, dans les environs de

Montpellier. Avant d'accepter cette décision péremptoire et sans appel, je réfléchis longuement.

Avais-je le droit de m'opposer à cette autorité paternelle ?

Avais-je vraiment l'envie, le temps, la patience de consacrer les trois quarts de ma vie à l'éducation de mon fils ?

Bien sûr, je pouvais le confier à maman, qui assumait déjà totalement l'éducation de la petite Camille... Mais la solution revenait au même, maman ou sa tante Evelyne, Nicolas serait en manque de moi, sa mère. Quelle mère ? Une femme encore gamine dans son comportement qui n'avait aucun équilibre, incapable d'assumer sérieusement un enfant.

Pourtant, j'aurais bien aimé.

Mais je savais au fond de moi que je ne pouvais pas.

Qu'une bonne me donne ses huit jours parce qu'elle ne sait plus qui elle doit appeler « Monsieur », c'est une chose ! Mais qu'un enfant soit stressé à vie parce que sa mère change d'amants comme de chemises au rythme des saisons et des états d'âme, des disputes ou des rencontres, c'est autre chose, c'est extrêmement sérieux. Désemparée, j'acceptai donc cette séparation quasiment définitive qui, en m'éloignant de mon unique enfant, me priva du bonheur que tout un chacun ressent en ayant une descendance.

Je ne suis pas persuadée aujourd'hui que la solution préconisée par Jacques fut la meilleure. Nicolas porte en lui une blessure profonde, nos rapports, s'ils se sont rapprochés depuis tant d'années, seront toujours empreints de ce manque de complicité, de quotidien, de connaissance de l'autre qui unissent et renforcent les liens du sang auxquels je ne crois qu'à moitié. C'est le partage et la communion qui lient, le sang n'étant porteur que des bases essentielles mais non suffisantes aux alchimies magiques qui attachent et soudent les êtres.

Je fais amende honorable.

J'assume aujourd'hui ma part de responsabilité dans cet échec.

XX

A la même époque, mes parents qui n'étaient que locataires de l'appartement magnifique du 1, rue de la Pompe furent congédiés après 23 ans de bons et royaux loyers !

C'était la panique.

Je courus voir le promoteur qui m'avait proposé d'acheter sur plans, à des prix défiant toute concurrence, l'appartement avec terrasse qui faisait face à ma chambre, avenue Paul-Doumer. Au moins, si quelqu'un devait plonger dans mon intimité, je préférais que ce soit mes parents !

Hélas, l'appartement était vendu !

Mais il en restait un, superbe, sans terrasse, donnant sur le jardin, mais à un prix exorbitant ! Qu'importe ! La paix et la tranquillité de mes parents n'ayant pas de prix pour moi, leur présence si proche étant une sécurité mutuelle et l'assurance d'une intimité retrouvée, je l'achetai. La famille se regroupait autour de la Paul Doumer.

Ma Mamie avait en effet, après la mort du Boum, déménagé de la rue Raynouard dans un rez-de-chaussée situé avenue Paul-Doumer, juste en face de mon immeuble. Nous n'avions qu'à traverser une rue pour nous retrouver et nous voir, c'était un petit village reconstitué. Comme dans un hameau, les langues allaient bon train.

Ma grand-mère passait ses journées derrière ses voilages, à épier mes entrées et mes sorties, mais ses commérages ne tournaient qu'autour du fait que je me levais trop tard et que je rentrais à des heures indues, ce qui nuisait à ma santé. Plus grave que la

497

vocation tardive que Mamie eut de faire la concierge pour tout et pour rien, fut la santé de ma Dada qui, toujours à son service depuis plus de trente ans, commença à donner des signes inquiétants de fatigue.

Mamie considérait ma Dada comme son esclave.

Elle était corvéable à merci, faisait tout le fourbi et n'avait que le droit de se taire.

Lorsque j'allais les voir et que Mamie avait le dos tourné, Dada, en pleurant, me montrait ses mains aux articulations déformées. On aurait dit des pinces de crabe, elle ne se plaignait pas mais souffrait horriblement. Cette gêne due aux rhumatismes la rendait maladroite. Elle cassait beaucoup de choses et Mamie l'engueulait sans cesse, la traitant de *Rompitutto* et lui retenant le prix des objets brisés sur son maigre salaire.

J'étais atterrée, bouleversée.

Dada aurait dû prendre sa retraite. Elle avait 65 ans cette année mais, attachée à Mamie, n'ayant rien à elle, elle ne bénéficiait d'aucune retraite car elle s'était inscrite sur le tard à la Sécurité sociale. Dada ne disposait d'aucune économie, d'aucune assurance qui pût lui procurer un repos mérité et urgent.

Je me reprécipitai chez le promoteur.

Il me vit arriver avec un sourire d'une oreille à l'autre ! Il avait encore quelques très beaux appartements, vue sur jardin et tout le reste. Il déchanta lorsque je lui parlai de l'achat d'un studio, réservé aux logements du personnel. Il lui en restait un... je l'achetai et le meublai, simple mais mignon, avec télévision, tout ça en cachette de tout le monde. C'était facile, je prenais des trucs à moi, je traversais la rue Vital côté porte de service et j'aménageais ce qui allait être le royaume de ma Dada. Lorsque folle de bonheur, je la pris par la main et l'emmenai voir ce que je lui offrais en lui remettant les clefs, elle se mit à pleurer.

J'étais désolée.

498

Pour cette femme dévouée aux autres depuis toujours, le fait de ne plus être au service de qui que ce soit, d'avoir le temps de vivre, semblait une épreuve insurmontable. Ma Dada s'habitua doucement à sa nouvelle condition cependant que Mamie avait du mal à trouver une tête de Turc de rechange. Comme les vieux couples qui se supportent en s'adorant et se haïssant, elles ne survécurent très longtemps ni l'une ni l'autre à cette séparation. Cependant que j'essayais de colmater toutes les brèches, en y mettant tout mon cœur et ma bonne volonté, d'autres failles se formaient me forçant tel un saint-bernard dépassé par les événements à intervenir de nouveau.

Un jour je fus prévenue que « la Big » ma vieille gouvernante, perdue de vue depuis tant d'années, se mourait dans une grande misère, rue Legendre. J'y allai immédiatement, la trouvai brûlante de fièvre dans un immonde gourbi, la ramenai chez moi et l'installai dans l'appartement laissé vide par Moussia et Nicolas. Elle vécut ainsi près de moi encore de longues années et s'éteignit dans mes bras à l'âge de 83 ans, en octobre 1972.

Dans tous ces sauvetages de vieilles dames en perdition, j'avais oublié ma Tapompon, ma tante Pompon, sœur de Mamie, une femme d'une trempe et d'un courage hors du commun que la destinée n'avait pas épargnée.

Depuis la mort de son fils Jean Marchal, elle vivait recluse dans un rez-de-chaussée insalubre de la rue Madame, loin de nous tous qui étions devenus sa seule et unique raison d'exister. Cette fois, le promoteur de la rue Vital crut véritablement que je me foutais de lui lorsque je lui demandai un deux pièces cuisine salle de bains pour ma tante Pompon. Il en restait un, je l'achetai !

Et voilà, toute la famille a la joie d'être enfin réunie, moi couvant tout ça du haut de mon 7e étage. Il était temps que je pense un peu à me reposer avant de reprendre, dès septembre, le chemin des studios de post-synchro de *Viva Maria*.

*
**

Jicky et Anne m'attendaient à La Madrague et ô miracle, je retrouvais les mêmes gardiens que l'an passé. Je n'en revenais pas. Kapi, le chien qui mordait tous mes copains et laissait passer les cambrioleurs, me fit une fête à sa façon, m'emportant presque la moitié de la main dans sa joie de me revoir. Il avait été choyé pendant mon absence et semblait moins agressif.

Grâce à la présence de nouveaux murs en épi qui séparaient désormais les limites de ma propriété des plages voisines, je pensais pouvoir passer des vacances moins stressantes que d'habitude. J'avais au prix de bien des demandes et de moult courbettes à l'administration du domaine maritime, obtenu l'autorisation exceptionnelle et cher payée de construire des épis de protection empiétant d'une dizaine de mètres dans la mer.

Trente ans après, ces murs qui ont défrayé la chronique, continuent à faire couler beaucoup d'encre et de salive. Pourtant, sans leur présence indispensable, j'aurais été dans l'obligation de me séparer de La Madrague depuis belle lurette.

Merci mes murs.

Jicky, Anne et leur fils Emmanuel, âgé de 1 an, habitaient toujours la Petite Madrague. C'était un peu exigu pour eux, surtout que cette pièce magnifique mais unique servait aussi d'atelier à Jicky qui y peignait et y entreposait toutes ses toiles, ses dessins, ses esquisses. Lorsqu'ils m'annoncèrent leur prochain départ pour une maison qu'ils avaient trouvée à Grimaud, je fus effondrée. Jicky était mon garde-fou, mon pare-chocs, mon conseiller, mon ami, mon frère, et Anne ma seule copine, ma confidente, ma sœur !

Qu'allais-je devenir sans eux ?

Bien sûr il y avait Bob, mais ça n'était pas pareil.

Et puis Bob, il commençait à me lasser avec son poker, sa plongée sous-marine et ses dents blanches et longues. Et quand je m'engueulerai avec lui, dans quel giron irai-je pleurer ? Et quand les emmerdeurs de toutes nationalités s'introduiraient à La Madrague, volant mes petites culottes, mes taies d'oreiller ou mes soutiens-gorge qui pendouillaient sur les fils de séchage, qui irait les choper, leur casser la gueule ou les raisonner ? Certainement pas les gardiens, sourds comme des pots. Certainement pas Kapi, certainement pas Bob, éternellement fatigué.

Dernièrement, Jicky m'avait encore évité un beau scandale en interceptant à 4 heures du matin un bagnard en cavale, recherché par toutes les polices de France, qui venait se cacher à La Madrague. Tout ça parce que, bonne pomme, j'avais répondu à la lettre pleine de détresse de ce pauvre mec, enfermé à l'île de Ré, qui me demandait des conseils pour apprendre à jouer de la guitare. Je lui avais envoyé des « méthodes » et quelques mots gentils. Patatras, pendant son transport de Ré à La Rochelle, il s'était évadé.

Ma lettre était entre les mains de la police qui fit une perquisition avenue Paul-Doumer sous l'œil effaré et réprobateur de ma secrétaire qui manqua me donner son congé... Elle n'avait pas pour habitude de travailler chez des complices de forçats ! Je ne le sus qu'après ! Car la cavale avait amené mon bagnard à La Madrague. Et pendant que je dormais bien tranquille, Jicky m'évita de gros problèmes en raisonnant doucement mais fermement le gars, en le ramenant à Saint-Tropez, en lui donnant 500 francs et lui recommandant le dévouement d'un de ses amis à Marseille. Ouf !

Pour me faire avaler la pilule de leur départ, Jicky et Anne me suggérèrent de faire une fête, une fête déguisée et masquée où personne ne reconnaîtrait personne !

J'étais ravie. Dès qu'il était question de s'amuser et

de danser j'oubliais tout le reste. On invita tous nos copains, ce qui faisait déjà un bon nombre de personnes, en leur faisant promettre de tenir secrets leurs déguisements afin que les surprises soient totales. Et chacun s'enferma dans un mutisme complet avec des mines de conspirateurs, chacun chez soi et gare aux espions... Je me creusais la tête pour essayer de trouver un déguisement simple mais qui me métamorphoserait complètement. Il faisait chaud et il n'était pas question de suffoquer sous un tas de tralalas étouffants.

Puis j'eus une idée de génie, mais il me fallait la complicité d'Anne. Nous avions un peu la même morphologie du visage, petit nez, grosse bouche, pommettes saillantes. Nous allions nous passer le visage au pan-cake noir, nous mettre les deux mêmes perruques noires que je trouvai chez Dessange et que l'on me confia en me recommandant d'en prendre grand soin... Ces perruques étant ornées par mes soins d'une multitude de petits nœuds multicolores, nous allions nous mettre des maillots de danseuses noires qui prenaient de la tête aux pieds et pour agrémenter le tout je fis faire deux pagnes de raphia identiques. Des colliers et des bracelets achevèrent ce merveilleux déguisement. Le soir de la fête, nous étions tellement ressemblantes, que Jicky et Bob hésitèrent longtemps avant de savoir laquelle était la sienne.

Quelle réussite !

Nous avons passé la soirée à rire. Je commençais à danser avec Clouzot, déguisé en pirate, et invoquant n'importe quel prétexte je m'éclipsais et renvoyais Anne qui prenait ma place sans qu'il s'en soit aperçu !

Tout fut à l'avenant !

Jusqu'au moment où, non attendue mais accueillie à bras ouverts, Dionne Warwick fit son entrée, déguisée en Dionne Warwick, au bras de Sacha Distel déguisé en Sacha Distel. Lorsqu'elle fut présentée à Brigitte Bardot, déguisée en négresse et méconnaissable, elle crut qu'on se foutait de sa gueule et se mit à faire un scandale. Scandale décuplé par l'arrivée d'Anne ! On se foutait *doublement* de sa gueule !

Je donnais rarement des fêtes, mais celle-ci fut inoubliable. Nous nous amusions avec des riens, nous étions sains, tellement différents de tout ce que l'on voit maintenant. Nous ignorions la drogue, le hachisch, les partouzes et toute cette décadence qui envahit aujourd'hui notre triste quotidien.

Les lendemains de fête sont éprouvants pour tout le monde.

Mais pour les fleurs surtout, et pour le jardin qui n'était qu'une vaste poubelle, pour ma gardienne aussi qui faisait une drôle de tête en se tenant la bouche à deux mains.

Elle avait perdu son dentier !

Nous voilà tous à quatre pattes par terre en train de chercher le dentier d'Angelina, morts de rire. Impossible de le retrouver. Pourtant on aurait pu faire un inventaire digne de Prévert avec tout ce qu'on a pu trouver dans les coins et les recoins... Il restait une bassine de punch et nous décidons de la finir à déjeuner. Et après avoir tout vidé, qu'est-ce qu'on a retrouvé au fond ? Le dentier d'Angelina !

Depuis je ne bois plus jamais de punch !

Du punch, j'en aurais pourtant eu besoin pour attaquer la synchro de *Viva Maria* !

Je déteste refaire, redire, au fond d'une salle obscure qui sent mauvais et ressemble à un tombeau, les mots que j'ai sortis de moi, en pleine action, en situation, dans l'instinct d'un moment passé, dépassé, oublié ! Même les soupirs doivent être synchronisés ! C'est toujours la même image qui passe et repasse en boucle, avec le son mauvais, puis en dessous comme un sous-titre, les mots à doubler que l'on doit dire mécaniquement dès qu'ils arrivent sur la barre témoin. Une demi-seconde de

503

plus ou de moins et ça n'est plus synchrone. Il faut recommencer encore et encore jusqu'à épuisement, garder le ton juste, colère, malice ou fermeté, alors qu'on est là derrière un micro, comme des cons, comme des perroquets !

J'ai une admiration sans bornes pour les acteurs dont c'est le métier, tous ceux qui post-synchronisent tous les films étrangers avec un talent extraordinaire. Car c'est déjà difficile de le faire pour soi-même, mais j'imagine le travail épuisant que ce doit être quand il faut doubler Elizabeth Taylor ou John Wayne, qu'on arrive comme ça, sans savoir de quoi il retourne, et qu'on doit faire passer les émotions, les violences. Je leur tire mon chapeau, car ils restent en général aussi obscurs que les salles dans lesquelles ils travaillent et ne connaissent de la gloire que le fait de prêter leur voix aux stars !

Il y avait quand même des moments rigolos, par exemple, on me voit arriver en haut de la colline, essoufflée, en sueur, brandissant mon fusil à bout de bras et dans le son original, je marmonne : « J'en ai marre de ce métier de con, j'ai trop chaud, vous me faites tous chier ! » Ce qui ne faisait pas partie des dialogues du film mais uniquement de mon inspiration du moment ! Et là-dessus, Louis Malle m'a fait dire : « On est enfin arrivés à les avoir, on les a eus ! Viva la révolution ! » Comme quoi la synchro est parfois indispensable !

Puis on m'annonça tout doucement, sans faire de vagues, que je devais aller présenter *Viva Maria* pour sa sortie officielle à New York et à Los Angeles ! Je refusai, j'étais enfin au calme, tranquille, sans aucune obligation professionnelle à assumer, je voulais la paix, qu'on demande à Jeanne Moreau d'y aller !

Mais justement Jeanne ne pouvait pas !

Je n'avais jamais mis les pieds aux Etats-Unis ! Même si c'était grâce aux Américains que j'étais célèbre. Je me résignai. La maison Réal m'habillait divinement bien. Ses deux directrices, Hélène Vager et Arlette Nastat, étaient devenues des amies. Elles mirent tout en œuvre pour que mon plumage ressemble à mon ramage.

Je devais être époustouflante !

Et je te moule par-ci, dans du crêpe de soie abricot qui était si collant qu'on apercevait le grain de beauté que j'ai sous le sein droit, et je t'entortillonne par-là, dans un satin brodé de mille pierres scintillantes dont le décolleté vertigineux atteignait la raie de mes fesses. Quelle corvée épouvantable. Je n'étais bien qu'en jean, en bottes, avec un vieux pull-over et les cheveux à la diable ! C'est drôle, cette répulsion que j'ai toujours eue pour ces parades ridicules ! Pourtant, les autres femmes adorent ça ! Maman la première qui n'en finissait pas de s'extasier.

Bref, j'embarquai le 16 décembre 1965 à destination de New York sur un avion Air France, rebaptisé *Viva Maria*, et suivie d'un brain-trust impressionnant : Bob, Jicky, Hélène Vager ma couturière, Dédette ma maquilleuse, Jean-Pierre mon coiffeur, Olga, Louis Malle, François Reichenbach, une armada d'attachés de presse, une foule de photographes et de journalistes qui avaient l'honneur de partager « mon » vol. J'étais pomponnée, habillée, manucurée, maquillée, coiffée (hum, hum ! !), chaussée, le tout à la perfection. J'avais un tel sentiment d'irréalité qu'il me semblait m'être dédoublée.

Le voyage ne fut qu'une succession ininterrompue d'interviews, de photos, de champagne, de toasts ! J'étais à la fois crevée et surexcitée.

Notre avion suivait le soleil, il ne fit donc jamais nuit. Je n'osais pas somnoler car j'avais peur d'être prise en photo pendant mon sommeil, je craignais d'aplatir mes cheveux, je me méfiais du rimmel qui coule.

L'arrivée à New York fut extrêmement impressionnante.

Je dus rester dans l'avion pendant que tout le tralala du débarquement s'organisait. François
Reichenbach filmait tout le voyage, toutes mes réactions et tous les à-côtés imprévus. J'étais tendue,
nerveuse. Une foule immense m'attendait. Je pensais fugitivement à l'escale au Pérou, à la terre de ce
pays magique, j'étais loin de tout ça. J'avais peur.

Puis il fallut y aller, et j'y allai.

Debout en haut de la passerelle, tel un taureau qui
entre dans l'arène, je me livrai. Ce ne furent que crépitements de flashes, questions, hurlements. Je des-
cendais lentement, comme au Casino de Paris, les
fameuses marches. La police présidentielle essayait
de maintenir la foule, je fus happée, poussée, brin-
quebalée, il y avait des lumières partout, des mains
partout, des gens partout, j'étais écrasée, étouffée,
harcelée. Je souriais. Il fallait absolument que je
sourie, que je sois forte, que je tienne le coup, que je
tienne le coup, mon Dieu !

Catapultée dans une immense salle, je repris mes
esprits. On me présenta X, Y et Z, je souriais toujours. Mon chignon avait mal accusé le choc et pendouillait lamentablement. J'en profitai pour enlever
les dernières épingles et libérer mes cheveux fous.
Après tout, merde pour les conventions, pour un
peu j'aurais enlevé mes chaussures...

C'est à ce moment que je me rendis compte que
j'étais attendue pour une conférence de presse en
bonne et due forme. Une immense table pleine de
micros, une affiche de *Viva Maria* au mur, des journalistes, des télés, des photographes en pagaille...

Traquée, perdue, je cherchai du regard Dédette
impossible à retrouver dans cette bousculade. Tout
était en place et on me guida sur-le-champ en haut
de l'estrade où m'attendait Louis Malle qui n'en
menait pas large non plus. A ma droite se trouvait
un homme qu'on me présenta. C'était Pierre
Salinger l'ancien « public-relation » personnel de

Kennedy et de la Maison-Blanche, qui mettait son savoir, son humour, son expérience et son intelligence à notre disposition.

Dans les moments les plus durs, les plus difficiles de ma vie, je me parle, je me conseille, je me donne des ordres. A cet instant je me suis dit : « Ma Bri, tu dois être à l'image de ce qu'*ils* attendent de toi, insolente, sexy, sûre de toi, malicieuse, coquine, perverse et effrontée. »

Parmi la multitude de questions qui me furent posées et auxquelles je répondis du tac au tac, soit en français soit en anglais, d'une manière très brève et très rigolote, celles dont je me souviens sont les plus impertinentes :

« Quel fut votre premier cachet ?

— Un cachet d'aspirine.

— Quel fut le plus beau jour de votre vie ?

— Une nuit.

— Quel est l'être le plus stupide que vous ayez rencontré ?

— Vous, de me poser une question aussi bête.

— Quel est votre film préféré ?

— Le prochain.

— Quel est votre bijou préféré ?

— La beauté car on ne l'achète pas.

— Qu'aimez-vous faire dans la vie ?

— Ne rien faire.

— Que pensez-vous de l'amour libre ?

— Je ne pense jamais quand je fais l'amour.

— Que mettez-vous pour dormir ?

— Les bras de mon amant.

(A cette question, précédemment posée à Marilyn, elle répondit l'inoubliable : « Du *Numéro 5* de Chanel. »)

— Qu'est-ce qui vous séduit le plus chez un homme ?

— Sa femme.

— A quoi attribuez-vous votre célébrité ? »

Je me levai leur lançant : « Look » et m'éclipsai en vitesse.

Après avoir été enfournée dans une superbe Lincoln 12 places, au toit transparent, je fus propulsée dans le hall de l'hôtel Plaza, puis enfin éjectée dans une suite impériale, royale et présidentielle, qui comprenait au moins sept pièces !

Je ne pleurais pas. J'étais hébétée !

Tous mes réflexes étaient devenus mécaniques, j'aurais pu continuer sur ma lancée pendant des heures. Je tenais sur mes nerfs, tendus comme des arbalètes. Mama Olga répondait sans cesse au téléphone qui n'arrêtait pas de sonner, Dédette déballait tout son maquillage dans mon dressing-room pendant que Hélène Vager accrochait ma précieuse garde-robe à tous les portemanteaux disponibles et que Jicky immortalisait à coups de flashes ces moments exclusifs d'une intimité de star.

Une intimité ? A mourir de rire.

Je ne savais même pas où était passé Bob. J'étais assise seule, dans un coin, fumant une cigarette au milieu de toute cette effervescence qui me concernait mais me laissait indifférente et lointaine. Reichenbach filmait sans cesse. C'était son talent, il jetait 95 % de ce qu'il avait fait mais les 5 % restants étaient extraordinaires, exceptionnels.

Lorsque Pierre Salinger arriva ce fut une bouffée d'oxygène ! Il avait ce « je-ne-sais-quoi » qu'ont certains Américains lorsqu'ils ne portent pas des chapeaux de cow-boys et ne parlent pas du nez comme Donald ! Une chaleur, une simplicité, un don magique de décontraction et de relaxation qui m'ont apprivoisée. Pour lui c'était « dans la poche », j'avais gagné avec humour le cœur des journalistes, tout allait se passer au mieux et d'ailleurs on allait fêter cette victoire au champagne !

Le lendemain, ne pouvant sortir de l'hôtel assiégé par la horde des journalistes, je dus passer la journée recluse, arpentant mes sept pièces en long en large et en travers pendant que presque tous mes amis visitaient New York en long en large, je l'avais en travers. Mes portes étaient surveillées par des policiers en civil, personne ne pouvait entrer ou sortir de mes appartements sans montrer patte blanche.

J'avais commandé un dîner « intime » pour douze personnes.

Pendant que le maître d'hôtel nous servait un « cheese-cake » que j'adorais, est arrivé un ouvrier en bleu de travail, sacoche sous le bras, escabeau sur l'épaule, envoyé par la direction pour vérifier l'installation électrique. Nous avons fini notre dîner, parlant de tout et de rien, commentant la presse, les journaux du jour qui ne parlaient que de la conférence de la veille en termes plus ou moins élogieux, essayant de choper à la télé les extraits, les passages où j'apparaissais. Complètement décontractés, pendant que le bonhomme à quatre pattes ou perché sur son échelle vérifiait toujours le bon fonctionnement de l'électricité.

Le lendemain, je découvris toute notre soirée fidèlement retranscrite dans un des journaux les plus potiniers de New York. L'électricien se révéla l'un des plus grands et plus redoutables journalistes américains de la presse à sensation.

C'était le jour « J ».

Ma première apparition en chair et en os dans l'un des plus fabuleux cinémas de Broadway, l'Astor Theater.

Le téléphone n'arrêtait pas de sonner. Tous les journalistes voulaient savoir la couleur, la forme de ma robe, tous voulaient une interview exclusive. Mon cœur battait, j'étais anxieuse. Depuis le matin je me trimballais avec des bigoudis posés par Jean-Pierre dans l'espoir d'obtenir de mes cheveux, indomptables et raides, une forme plus disciplinée. Je regardais par la fenêtre cette ville étrange et étrangère dont j'ignorais tout, cette ville où j'étais retenue prisonnière de moi-même et qu'il allait falloir conquérir.

A 18 heures précises, on commença à me préparer. J'étais une poupée Barbie livrée aux mains des artisans de ma beauté. J'ai horreur qu'on me tripote, j'ai horreur qu'on fouille mon visage, mes cheveux, j'ai horreur qu'on me scrute ! Je connais mieux que personne mes imperfections. J'aurais aimé me maquiller, me coiffer et m'habiller seule, tranquillement, au calme. Ce fut tout le contraire, chacun donnait son avis, j'avais trop de noir aux yeux, pas assez de rouge aux lèvres, mes cheveux étaient trop longs, pas assez frisés, un chignon serait plus élégant, il fallait que je sois nette et impeccable, non ! il fallait que je sois sexy et que j'aie l'air de sortir du lit.

Finalement, excédée, je mis tout le monde dehors et, au bord des larmes, essayai de me faire un visage et une coiffure qui me plaisaient à moi. Je me glissai dans ma robe scintillante, priant le Bon Dieu qu'elle tienne le coup malgré la légèreté de son tissu et la profondeur de ses décolletés. Il suffisait de marcher sur le bout de ma traîne pour que je me retrouve à poil devant tout le monde !

Enfin on verrait bien !

Un cordon de police tenta de protéger ma sortie de l'hôtel jusque dans la Lincoln étincelante qui m'attendait. Mais la foule des fans et des photographes brisa la protection au moment où je m'engouffrais dans la voiture, les seins à l'air. Quelqu'un avait tiré ma robe en arrière !

Ça commençait bien !

J'entendais des surexcités me dire :

« Bridget, I want to make love with you ! »

« Bridget, you are my star, my love, I want to die for you ! »

Vraiment un moment mal choisi pour ce genre de déclaration. Entre la 44e Rue et Broadway, la foule était telle que nous eûmes toutes les peines du monde à arriver devant l'Astor Theater malgré des

510

services de police et de sécurité aussi impressionnants que pour un chef d'Etat.

Louis Malle, Pierre Salinger et bien d'autres m'aidèrent à sortir de la voiture. Les policiers, au coude à coude, n'arrivaient pas à endiguer le flot hurlant de la foule. Je pensais à ma robe qui risquait de craquer d'une minute à l'autre. Soudain, nous fûmes littéralement portés, soulevés de terre, ballottés par une marée humaine hallucinante !

Je reçus un coup en pleine figure !

Puis un flash éclata à trois centimètres de mon œil droit, provoquant un décollement de rétine. A moitié aveugle, assommée, titubante, épouvantée, j'arrivai enfin dans le hall, agrippée à Louis Malle. Je m'effondrai sur la première chaise. Il y eut ce soir-là de nombreux blessés et les hurlements des sirènes d'ambulances se mêlèrent étrangement aux dialogues du film. J'en garde un souvenir épouvantable, une lésion irréversible de mon seul œil valide et la confirmation définitive que ce pays ne me convient pas.

Je gardai pendant 48 heures un bandeau noir sur l'œil droit qui me faisait ressembler au capitaine Fracasse ! De plus, mon œil gauche n'ayant qu'1/10e de vue, tare de naissance, je n'y voyais quasiment rien, ne pouvant ni lire, ni écrire, ni rien entreprendre pendant que tout mon entourage s'affairait à préparer le départ pour Los Angeles.

On me brandissait sous le nez les photos à la « une », les articles dithyrambiques pour moi, mollement agressifs pour le film, je ne voyais qu'une brume trouble et du reste m'en foutais éperdument. Le docteur avait recommandé expressément que je porte des lunettes de soleil et, surtout, surtout, que l'on m'évite un nouvel accident qui pourrait être fatal à ma vue ! Derrière mes grosses lunettes noires, on aurait dit Ray Charles, je partis pour Los Angeles, suivie du même tintamarre, et du même entourage, résignée, fatiguée, j'allais y faire rebelote !

511

Au Beverly Hills Hotel, ils en avaient vu d'autres ! Je me trouvais au cœur du star-system, là où on croisait les plus grandes vedettes faisant leurs courses au supermarché, pleines de bigoudis, ou promenant leur caniche abricot en chemise de nuit !

Mon arrivée fit sensation.

Toutes les précautions furent prises pour éloigner au maximum les photographes et leurs dangereux flashes.

Le soir de la première, moulée dans ma robe couleur chair, j'avais l'air d'être nue mais je ne l'étais pas, mes cheveux longs, disciplinés et ondulés à la Veronika Lake me donnaient un air très star américaine. On me fit monter sur un podium pour répondre aux questions. Livrée aux photographes mais séparée de la foule, je m'en tirai indemne et tout le monde fut enchanté. Je remis mes lunettes noires et décidai de foutre le camp le plus vite possible.

De ces voyages insensés ne me reste que le souvenir des suites somptueuses dans lesquelles j'étais bouclée.

Je ne connais ni New York, ni Los Angeles. Les centaines de personnes qui m'y ont été présentées ne m'ont laissé aucun souvenir particulier, et se fondent dans un brouillard informe, inodore et incolore, comme les milliers de figurants d'un film à grand spectacle dont j'aurais été la « Leading Lady ».

Anne avait rejoint Jicky, ce fut un des seuls grands voyages auxquels elle participa. Ces deux-là n'avaient absolument pas envie de rentrer illico presto en France et me suggérèrent de faire un petit détour par Porto Rico !... Nous étions à l'avant-veille de Noël... Ce serait paradisiaque de passer cette fête à Dorado Beach plutôt que dans la grisaille parisienne.

Bob qui n'aimait que les tropiques, le soleil, la mer, le farniente et les cocotiers, fut aussitôt d'accord. Hélène Vager aussi ! Son rôle de couturière de star était terminé, elle rêvait de me voir à moitié nue, sans autres vêtements que des paréos et des bikinis. Le souvenir brûlant de *West Side Story*, de ses danses et de George Chakiris finirent de me décider !

Tout serait mieux que de moisir dans cet univers préfabriqué, dans ce luxe suranné et toquard. J'avais envie d'une vraie nature, avec une vraie plage, du vrai sable, du vrai vent, de la vraie odeur d'iode, du vrai bruit des vagues, je ne pouvais plus supporter les plantes en plastique, l'air conditionné, la pelouse en synthétique, les désinfectants. Quant à ces airs de guimauve qui nous engluaient inlassablement les oreilles, des chiottes aux ascenseurs et du bar à la piscine, j'en aurais vomi.

Encore fallait-il pouvoir partir sans drainer derrière nous la presse, les fans et les amis indésirables qui n'allaient pas manquer de nous coller aux baskets.

Il fut décidé que nous partions officiellement pour New York sous nos vrais noms, pendant que Jicky prenait en douce cinq billets pour Porto Rico sous des noms d'emprunt.

Alors que la foule agglutinée aux photographes assiégeait l'avion de New York, nous passions par des chemins détournés, avec la complicité de Pierre Salinger, pour nous envoler vers Porto Rico.

J'étais heureuse, je me sentais enfin libérée.

Avec mon foulard sur la tête et mes lunettes de soleil, attifée *à la va comme je te pousse*, on m'aurait mis un balai dans les mains et on m'aurait demandé combien je prenais de l'heure pour le ménage que je n'aurais pas été étonnée ! C'était le prix à payer pour ma liberté.

J'étais en cavale.

C'est probablement à la suite de ces expériences indélébiles que m'est venu ce besoin éperdu de liberté qui ne m'a jamais quittée, que j'ai ressenti tout au long de ma vie, non seulement pour moi mais aussi et surtout pour les autres. Ces autres, les animaux en particulier, qui sont devenus mes alter ego, et dont la détention dans quelque condition qu'elle soit pratiquée, me bouleverse, me révolte, m'indigne et me fait réagir violemment.

Un taxi portoricain nous fit traverser l'île de fond en comble avant de nous déposer au Dorado Beach. La misère de cette île, sa pauvreté, les conditions précaires de vie, la saleté, la chaleur, parfois la puanteur me sautèrent aux yeux, au nez, au visage.

Je passais sans transition d'un univers aseptisé à un cloaque humide, pauvre et insupportable... pour me retrouver l'instant d'après dans un décor de superproduction Technicolor pour milliardaires internationaux où tout était peint en « fraise-pistache » même les feuilles des arbres, même les petites voitures électriques qu'employait le personnel noir, lui-même habillé en « fraise-pistache », pour aller d'un bungalow à l'autre ! Je voulus ouvrir les fenêtres « fraise-pistache » malgré l'air conditionné. Impossible ! La mer était là, à 10 mètres, le sable aussi, les cocotiers, et je devais contempler tout ça au travers d'immenses baies vitrées hermétiquement closes, et respirer un air dénué de tout microbe et de toute odeur.

C'en fut trop ! Je n'en pouvais plus !

Je m'effondrai en larmes, piquant une terrible crise de nerfs.

Où était la vie, la vérité ?

Je voulais partir, fuir, à pied, n'importe comment, mais retrouver des valeurs auxquelles me raccrocher, ma maison, mes animaux, ma terre, mon pays, ma maman, au secours ! Je ne resterais pas ici une minute de plus. Qu'on appelle un taxi immédiatement. Je voulais partir, partir, partir.

Cela fit partie de mes caprices.

Plantant là Jicky, Anne, Hélène, je partis avec Bob qui eut l'élégance et la gentillesse de ne pas me lais-

514

ser seule dans cet état dépressif et survolté. Après avoir retraversé l'île dans le sens inverse, nous avons pris l'avion de New York, puis à New York la correspondance pour Paris.

Ouf ! J'étais sauvée.

Dans cet avion vide — c'était le soir de Noël ! — se trouvaient Pierre Salinger et Nicole sa femme, française, ravissante et adorable ! Ils partaient passer le 1er janvier chez des amis à Paris, où ils envisageaient de s'installer définitivement. A minuit, l'heure où le petit Jésus vint au monde, je mis mes souliers dans l'allée transversale... Nous eûmes un souper merveilleux arrosé de champagne et, le lendemain matin, en arrivant à Orly, je trouvai plein de petits cadeaux dans mes chaussures.

Merci Air France pour cet inoubliable Noël en plein ciel.

Pendant que tous les journaux de France et de Navarre étalaient en première page mes prouesses américaines, je savourais le calme enfin retrouvé de la Paul Doumer, la tendresse de Guapa, l'affection de maman qui avait, à ma grande surprise, décoré un superbe sapin de Noël dont les lumières clignotantes bercèrent le profond sommeil dans lequel je me réfugiai à peine arrivée.

Ce fut à Bazoches que je sautai dans les bras de l'année 1966, puis ceux de Bob, de Jicky et Anne enfin revenus, ceux de papa et de maman qui, exceptionnellement, vinrent réveillonner avec nous. A minuit, je descendis à la bergerie embrasser Cornichon et Nénette, ça sentait bon la paille, la crotte, la chaleur animale, pour un peu j'y aurais dormi.

Quelques jours plus tard, Alain Delon me suppliait au téléphone de prendre avec moi son chien Charly, un superbe berger allemand que j'avais déjà vu au Mexique tout petit. Cette pauvre bête avait subi un grave traumatisme en voyageant dans la soute d'un avion pendant près de 24 heures.

515

Il ne réagissait plus normalement et Alain envisageait l'euthanasie !

J'étais révoltée !

Comment pouvait-on à ce point être irresponsable de ses actes ? Je l'engueulai et décidai immédiatement d'adopter Charly. La Paul Doumer était un petit appartement, plein de charme, plein de marches d'escalier, de dénivellations. Guapa y régnait en maîtresse suprême ! Charly dut se soumettre.

Il existait entre lui et moi une complicité extraordinaire. Ce fut un coup de foudre réciproque. Je n'avais jamais eu de berger allemand et n'en aurais du reste plus jamais après lui ! Il ne me décollait pas, me suivait pas à pas, dormait au pied de mon lit, se mettait à table près de moi, plus jaloux que tous mes amoureux réunis.

Guapa tirait une sale gueule ! Bob aussi ! !

Ce chien en manque de tendresse avait un besoin d'amour incommensurable. Il n'avait dû recevoir que des coups de pied au cul, de là venait son comportement jugé anormal ! Puisque je lui donnais ce dont il avait besoin, il se comportait d'une manière extraordinairement attachante, bien que parfois un peu envahissante vu sa stature, disproportionnée à l'appartement. Lorsque nous sortions, Charly et moi, personne n'osait m'approcher. Il faisait le vide, c'était rassurant et formidable.

Guapa et lui nous suivaient à Bazoches. Cornichon le botta une ou deux fois ! Après tout, sa jalousie s'exprimait ainsi. Nénette se planquait derrière Cornichon, bien à l'abri mais méfiant.

⁎⁎

C'est au retour de mon épopée américaine que me fut enfin livrée ma superbe Morgan, vert anglais, 2 portes, décapotable, faite à la main, sentant le cuir et le bois de rose.

Le roi n'était pas mon cousin !

J'étais la seule à avoir le droit de la conduire.

516

Lorsque nous allions à Bazoches, j'autorisais Charly et Guapa à se faufiler dans l'espace minuscule qui servait de place arrière, et Bob à s'installer sur le siège du passager. Le moteur faisait un *vroom-vroom* extraordinaire mais nos trains arrière sortaient de là en compote.

C'était encore l'époque bénie où on ne fermait pas les voitures à clef (heureusement car ma Morgan n'avait pas de serrures) et où on pouvait les laisser coucher dehors sans craindre le vol, ou le vandalisme. Ma Morgan passait des nuits paisibles devant le 71, avenue Paul-Doumer, souvent en infraction, sur l'arrêt de l'autobus, une place toujours libre ! Les aubergines-pervenches n'existaient pas plus que les parcmètres, et les agents de police fermaient souvent les yeux devant mon culot de commissaire. Cette Morgan c'était mon joujou, ma passion, mon caprice. Mais ça n'était pas la voiture idéale pour voyager confortablement.

Jeanne Moreau avait une Rolls-Royce qui m'avait fait grande impression ! On a beau ne pas être snob, *vivre à la va comme je te pousse* et ne pas attacher d'importance aux signes extérieurs de richesse, une Rolls, ça en bouche un coin.

Ce « coin » j'allais le déboucher en vitesse !

C'est Michèle, ma secrétaire « merveille » qui resta plus de quinze ans près de moi qui finit par me dégoter l'affaire du siècle, une Silver Cloud première main, gris métallisé, séparation par glaces coulissantes entre le chauffeur et les places arrière, petit bar avec flacons en cristal et argent, état impeccable. Luxe, beauté, confort, classe, top niveau et tout et tout, pour 20 000 francs. J'en étais sur le cul ! Une Rolls pour 20 000 balles !

Je l'achetai immédiatement.

La maison Rolls de Levallois me la livra avec tous les honneurs dus à mon rang. Elle fut garée derrière la Morgan à l'arrêt du bus. On me monta les clefs, les papiers, et on me fit moult courbettes lorsque je

517

fis donner le chèque par Michèle ! Je regardais de ma fenêtre cet engin qui jouait au petit train derrière la Morgan, me demandant comment j'allais faire pour la conduire et où j'allais la garer. Je ne fis ni une ni deux, j'appelai maman, papa, Mamie, Dada, la Big, ma tante Pompon, j'enfournai tout ce petit monde béat d'admiration dans la Rolls, me mis au volant et fis avec mille précautions le tour du pâté de maisons.

J'étais fière mais pas trop rassurée.

C'est papa qui fut obligé de la garer car j'étais affolée par ses dimensions monumentales par rapport à la Morgan. Par la suite, je pris l'habitude de la conduire, ce qui provoqua bien des accidents autour de moi. Les gens, éberlués de me reconnaître au volant de cette Rolls, se rentraient les uns dans les autres, pendant qu'imperturbable je continuais mon chemin, provoquant d'autres incidents, ce qui me mettait en joie.

Mais ma joie se transforma en rage lorsque je vis le nombre de contraventions que me coûta cette voiture. Car si la police fermait les yeux sur ma petite Morgan, il était difficile de ne pas voir cette énorme Rolls sur l'arrêt d'autobus. Or je n'avais ni garage, ni parking ! En peu de temps, le prix des amendes atteignit le prix d'achat de la voiture.

Enfin libre de vivre comme il me plaisait, sans contrat ni obligation d'aucune sorte (j'avais déjà donné), je louai un chalet à Méribel. C'était encore l'époque bénie où on pouvait louer à la dernière minute.

J'adorais Méribel. Rien que le nom avait quelque chose de pulpeux, de fruité. Ce petit village encore préservé et authentique offrait à ceux qui l'aimaient toute la beauté de son environnement unique où les grandes cimes neigeuses couvaient sans agressivité les courbes les plus douces qui nous offraient des descentes vertigineuses mais sans danger.

A cette époque, la neige était propre.

518

A cette époque, l'air était pur.

A cette époque, j'aimais encore Méribel.

Madame Renée, Charly, Bob, Guapa et moi, chargés de tout le nécessaire, draps, torchons et tout le fourbi partîmes dans la belle Rolls nous installer avec Jicky, Anne, leur fils, les copains de Bob, les cartes, les cigares, les skis, Jean-Max Rivière, sa femme Francine et tout le tralala.

Si Guapa restait sagement dans le chalet avec Madame Renée, Charly me suivait partout !

N'étant pas une championne de ski, j'étais plus souvent le cul dans la neige que debout. Charly m'escortait. C'est dans cette posture pas très à mon avantage que je fis la connaissance de Valéry Giscard d'Estaing.

Me voyant mal en point et me croyant agressée par un chien, il se précipita, glissa, Charly lui fonça dessus et lui mordit les mollets. Bref nous étions tous les deux les quatre fers en l'air lorsque nous nous présentâmes l'un à l'autre, morts de rire. Mon chalet n'était pas loin. Les mollets de Monsieur Giscard d'Estaing étant bien entamés, je lui proposai de venir jusque chez moi recevoir les premiers secours.

Dans ma vie et à cause de mes chiens, j'ai souvent eu le privilège de me pencher, un coton de mercurochrome à la main, sur les parties en général cachées des plus grands hommes politiques. Après le ministre des P.T.T. Monsieur Marette, dont j'avais badigeonné les fesses de teinture d'iode avant même de voir son visage, voilà que notre ancien ministre des Finances m'offrait la nudité de ses jambes alors que je venais à peine de le rencontrer.

C'est ainsi que débuta mon amitié avec Valéry Giscard d'Estaing. Amitié qui dura longtemps bien après que j'ai porté ses couleurs pour son élection en 1974. C'est grâce à lui qu'au moment de ma croisade si difficile au Canada, en 1977, furent interdites en France les importations de peaux de bébés phoques.

C'est aussi grâce à lui que j'obtins, en 1980, l'arrêt des expérimentations scandaleuses de Lyon-Bron qui consistaient à catapulter des animaux vivants et conscients, en particulier des babouins, attachés sur un siège, à une vitesse vertigineuse contre un mur de béton où ils s'écrabouillaient en une sanglante explosion de membres brisés, de cervelles éparpillées, pendant que les suivants assistaient impuissants à ce carnage d'épouvante. Tout ça pour tester l'efficacité des ceintures de sécurité. Quelle honte ! Plus tard, notre amitié fut brisée par ma prise de position sans concession contre les chasseurs. Mais n'anticipons pas.

Donc Valéry venait s'encanailler dans mon petit chalet de Méribel, fuyant ce Courchevel « m'as-tu-vu », laid et prétentieux, où il devait s'ennuyer à bon prix ! Le soir, avec Johnny Hallyday, Sylvie Vartan, Jean-Jacques Debout, Chantal Goya et François Gragnon, photographe à *Match*, nous jouions aux « Ambassadeurs ». Nous ne plaisantions pas. C'était très sérieux. Chronométrés par un arbitre, nous n'hésitions pas à prendre les positions les plus grotesques, à faire les gestes les plus obscènes, ou les grimaces les plus ridicules afin de gagner les secondes indispensables à notre victoire.

Et voilà qu'un soir Valéry, qui voulait s'intégrer à notre petite bande, décida qu'il allait jouer lui aussi. Et dans mon équipe par-dessus le marché ! J'étais bien embêtée. Il allait me faire perdre ! Au moment où son tour arriva, il lut la phrase qu'il devait mimer. Il se gratta la tête, jeta un regard perdu autour de lui et se précipita dans la cuisine où Madame Renée était en train de passer la serpillière avant d'aller se coucher.

Mais qu'est-ce qu'il fabriquait ?

Il nous faisait perdre de précieuses minutes !

Il réapparut aussitôt, à cheval sur un balai, la serpillière dégoulinante sur la tête et se mit à arpenter le salon en faisant des bonds en l'air et des grimaces de cauchemars ! Le résultat immédiat fut un fou rire général, un rire fou, fou, fou. François Gragnon s'arrachait les cheveux, se rongeait les ongles, tapait du pied, se tenait la tête à deux mains, désespéré qu'il était de n'avoir pas pris son appareil photo. Il était en train de rater le « scoop » de sa vie.

Valéry Giscard d'Estaing venait de nous mimer *Les Sorcières de Salem*.

Les poèmes de papa Pilou furent couronnés par l'Académie française ! Ce fut un événement joyeux dans la famille.

Mon papa poète avait fait éditer quelques années auparavant une plaquette de très jolis poèmes à compte d'auteur : *Vers en vrac*. Romantique et galant, plein de charme et d'humour, papa versifiait avec talent ses amours, ses révoltes, ses sensations, ses sentiments. Extrêmement sensible à la beauté des femmes, il s'enflammait au fil des rencontres pour les yeux de l'une, le visage de l'autre ou le corps de la troisième !

Sous le charme de toutes ces « jolies », comme il les appelait, il lisait à maman ses déclarations encore brûlantes ! Selon son humeur, maman le félicitait sincèrement (ils avaient depuis longtemps dépassé le stade de la jalousie) ou alors elle l'envoyait promener, excédée par une telle perte de temps !

Papa, qui traversait la vie une rose à la main, écrivit beaucoup d'autres poèmes qui, bien que non couronnés par l'Académie, n'en furent pas moins des petits chefs-d'œuvre.

J'avais le temps de m'occuper de mes vieilles dames, courant de l'une à l'autre, les bras pleins de sucreries, écoutant leurs petites misères, essayant d'y remédier de tout mon cœur, de toute mon âme. On a beaucoup parlé des hommes de ma vie, on en a fait la « une » de bien des journaux, essayant de donner une couleur scandaleuse à des rapports rendus difficiles par un espionnage médiatique incessant.

Mais on pourrait aussi bien parler des vieilles dames de ma vie ! Elles ont compté autant que les hommes sinon plus, car elles m'apportaient une sérénité et une fidélité sur lesquelles je m'appuyais lorsque tout se dérobait sous mes pieds.

Elles ont été mes planches de salut.

*
**

Pendant que François Reichenbach essayait de me persuader, par l'intermédiaire de Bob et d'Olga, de faire un show TV musical pour la fin de l'année, Serge Bourguignon qui venait de remporter un grand succès avec *Les Dimanches de Ville-d'Avray* me proposait un film insipide appelé provisoirement : *Deux semaines en septembre* qui se passerait en Ecosse pour les extérieurs, avec Laurent Terzieff comme partenaire. J'hésitais. Je ne savais que leur dire : « Peut-être ben que oui ! et peut-être ben que non ! »

C'est tout ce qu'ils arrivèrent à tirer de moi.

J'étais libre !

Mais ma liberté chérie n'arrangeait personne ! Toute ma vie je fus une vache à lait qui, si elle s'arrêtait de produire, mettait en péril tous ceux qui en vivaient. Olga n'eut de cesse de me faire signer ce film, car, disait-elle, il était très mauvais pour moi de ne pas avoir un projet immédiat à déclarer à la presse. Et cela continue encore maintenant alors que j'écris ces lignes à la veille de mes 60 ans !

De son côté, Bob se mit en tête de produire, avec Reichenbach, ce fameux « show » qui court encore le monde. Mais comme il n'avait pas un sou vaillant en poche pour monter une maison de production, c'est à moi qu'il demanda de lui « avancer » les 20 000 francs nécessaires. En dépit de ma réputation de radine, ce que je ne suis pas du tout, je lui avançai cette somme pour lui faire plaisir et pour qu'il cesse de me harceler.

Ce Bourguignon-Mironton ne me disait rien qui vaille et puis j'avais lu un livre que j'adorais : *La Truite* de Roger Vailland que Joseph Losey voulait mettre en scène... Ce projet m'intéressait énormément, je préférais déjà *La Truite* au Bourguignon !

Par la suite, *La Truite* passa au bleu et je signai avec Mironton après avoir revu, corrigé et rebaptisé le film *A cœur joie*, titre dont j'étais très fière, mais film dont je le fus moins.

Mais tout cela n'était encore qu'à venir !

C'est durant cette période que mes amis, oubliés ou perdus de vue, recommencèrent à me téléphoner en m'appelant « La Star ».

« Allô ! Comment va la Star ? » « La Star est-elle libre pour m'inviter à Bazoches ? » « La Star est-elle de bonne humeur ? A-t-elle bien dormi ? Est-elle heureuse ? »

Je roulais en Rolls, je venais de remporter un succès personnel non négligeable dans *Viva Maria*, on *se m*'arrachait, j'étais dans ces années à l'apogée de ma beauté et de ma gloire. Mais je ne le savais pas.

Ce que je savais, en revanche, c'est que ce pauvre Charly n'était pas heureux entre ses quatre murs de la Paul Doumer.

Il me fendait le cœur en même temps qu'il brisait à grands coups de queue tout ce qui était à sa hauteur. Puisqu'il était si heureux à Bazoches, je décidai le week-end suivant de le confier aux gardiens et de le laisser vivre sa vie libre à la campagne. La séparation fut un peu difficile pour lui comme pour moi, mais la maison qui restait pleine de mon odeur lui était familière, les gardiens qui l'adoraient avaient reçu toutes les consignes de gâteries et de câlins dont il était friand.

Pendant trois jours, tout alla pour le mieux et je commençais à me détendre quand la catastrophe arriva. C'est Bob qui eut la pénible tâche de m'annoncer que Charly avait à moitié dévoré mon pauvre Nénette. Mon adorable mouton sauvé in extremis de l'abattoir avait été tué d'une manière abominable par ce chien merveilleux qui avait toujours été si doux, si obéissant, si gentil. Je pleurais toutes les larmes de mon corps, je me maudissais, me culpabilisais, c'était moi la seule et unique responsable de cette sanglante agonie.

Jamais je n'aurais dû me séparer de Charly.

Il ne vivait qu'à travers moi et s'attaqua pendant des heures, paraît-il, à ce pauvre mouton qui, épuisé, tomba à terre et fut dévoré vivant ! Je garde de ce drame l'intuition profonde que nul n'échappe à son destin. Cela m'a été hélas confirmé bien des fois. Nénette n'a été sauvé que provisoirement, malgré tout mon amour, toute mon attention. Charly aussi, que je n'ai plus jamais revu, que je n'aurais plus jamais pu revoir. C'est Alain Delon qui est venu le rechercher à Bazoches. Qu'est-il devenu ? Je ne sais pas.

Je porte une grande part de responsabilité et garde au fond de moi un sentiment de culpabilité. « *On est responsable pour toujours de ce qu'on a apprivoisé* », a écrit Antoine de Saint-Exupéry.

Je considère que les épreuves que la vie nous oblige à supporter sont révoltantes et inadmissibles quand il s'agit de la mort ! Quelle que soit la mort, qu'elle soit la mort d'animaux ou la mort d'êtres humains, je me suis battue toute ma vie contre *elle*, j'ai déployé des tonnes d'énergie pour « la » faire reculer, gagner des heures, des jours ou des minutes sur l'échéance fatale et incontournable.

Je hais la mort, elle me répugne, m'épouvante, elle est irrésistible et grande gagnante puisque quoi que l'on fasse on n'y échappe jamais.

Certains qui se croient immortels devraient y réfléchir !

Et si parfois malgré l'immense horreur qu'*elle* m'inspire, j'ai eu la faiblesse d'aller vers *elle* c'est qu'une grande lassitude, un désespérant dégoût de ces batailles vaines et épuisantes m'ont soumise à une allégeance prématurée qu'elle a su me refuser, comme deux adversaires se respectant et s'estimant peuvent accorder une grâce au vaincu.

J'ai depuis cette terrible expérience vécu bien d'autres épreuves, hélas encore bien plus dramatiques. Par un hasard aussi abominable qu'étrange, j'ai accompagné dans la mort tous les êtres indispensables à ma vie, tous mes proches, ceux que j'aimais le plus, en leur tenant la main jusqu'au passage irrémédiable. Une partie de moi-même s'est chaque fois détachée pour les suivre là où ils sont maintenant.

Cela continue avec mes animaux que je dispute bec et ongles à cette atroce force du mal, qui ne me quittent qu'après que j'ai remué ciel et terre, combattu pied à pied, abandonnant la lutte bien plus tard, essayant encore de faire passer mon souffle et la chaleur de mes bras dans leurs corps raidis.

XXI

Je n'allais pas très bien en cette fin mai 1966.

Bob ne se montrait pas d'un grand secours, tout occupé qu'il était avec *sa* nouvelle fonction de « Producteur »... ses cigares, son poker, ses rendez-vous !

J'avais envie de partir pour Saint-Tropez ne voulant pour le moment plus remettre les pieds à Bazoches !

C'est Philippe d'Exea, un de ceux qui subitement s'étaient souvenus de moi et m'appelait « La Star », mais qui par la suite me prouva longtemps son amitié réelle, qui eut l'idée de prendre la Rolls et de m'emmener à Saint-Tropez. Philippe qui est presque mon jumeau, mois pour mois, année pour année, était un type rigolo, célibataire endurci, aventurier, un peu marginal, mais avant tout aristocrate fauché de vieille souche et beau de surcroît ! Philippe connaissait tout le monde. Philippe se foutait du tiers comme du quart. Philippe n'avait jamais un sou mais vivait comme un seigneur.

Dans le sillage de ce départ précipité, s'agglutinèrent Serge Bourguignon « qui devait absolument me parler du film *A cœur joie*, des dialogues et de l'intrigue, etc. », ce dont je me foutais comme d'une guigne, et May, la sœur de Bob, qui lui ressemblait avec une perruque et cherchait en vain un amoureux. Par la même occasion elle me servirait de chaperon.

Guapa sous le bras, Philippe au volant, la Rolls ouvrit la route de cette merveilleuse nationale 7, suivie par Serge Bourguignon et May. J'ai toujours eu une petite angoisse de retrouver La Madrague après une longue absence, surtout que les gardiens que j'aimais bien étaient partis pour cause de santé. Michèle, ma secrétaire « merveille » m'avait trouvé un nouveau couple inconnu que j'allais devoir découvrir et qui ignorait tout de mes habitudes et de mes manies.

Tout ce que je savais d'eux, c'est qu'ils s'appelaient Monsieur et Madame Quatreuil ce qui était un comble pour un couple de gardiens.

La joie de vivre de Philippe finit par avoir raison de ma mélancolie. La Rolls résonnait en stéréo des plus belles œuvres classiques, en particulier du concerto pour piano de Tchaikovski, puis subitement c'étaient les Beatles avec leur génie irremplacé ou les Rolling Stones. La musique berçait les kilomètres de ce parcours tranquille, où les haltes dans des petits troquets nous amenèrent doucement au début du pays de l'accent qui chante, et des odeurs uniques de la Provence.

Philippe n'a jamais été mon amant.

Il a été beaucoup plus ! Mon complice, mon frère, mon refuge.

Quand devant la page blanche je repense à mon existence que j'essaye de revivre le plus sincèrement possible, livrant tous ces souvenirs qui assaillent ma mémoire, n'usant d'aucun pense-bête, d'aucune référence, me fiant uniquement à ma faculté extra-ordinaire de mémoriser les moindres détails d'époques révolues, je me fais penser à un geyser en éruption ! C'est une soupape de sécurité que j'ouvre en livrant enfin la quintessence d'une intimité tant de fois violée, volée, déformée. Tous ces trous de ser-rure, ces téléobjectifs de l'âme, ces interprétations commercialisées de mon « moi » le plus profond m'ont blessée, abîmée, salie.

Si je suis sale, c'est à moi et à moi seule d'avoir le courage de le dire, si je suis propre, tant mieux ou tant pis pour moi. Mais j'en ai assez que Pierre, Paul ou Jacques me dépècent sans me connaître, livrant de moi au monde une image fausse qui me pollue.

Cette parenthèse importante pour en arriver au fait qu'à l'époque, certains se disaient liés à moi par d'autres liens que ceux qui nous unissaient réelle-ment. Et ils ne furent pas les seuls dans ce cas !

Sans parler de ceux qui firent croire avec des mines de conspirateurs qu'ils avaient été mes amants, mais que leur discrétion leur interdisait de... Pauvres cons à qui j'ai à peine serré la main — mais qui furent pris en photo à ce moment précis.

Pour en revenir à mon récit, nous arrivâmes à Saint-Tropez à l'heure où les bêtes vont boire, comme on dit en Afrique. Je n'avais aucune envie de me retrouver à La Madrague et proposai d'aller directement dîner à Gassin dans le restaurant de mes amies Picolette et Lina (ex-épouse de Pierre Brasseur), sa compagne.

Cette « Bonne Fontaine » était un peu ma Madrague bis.

J'y étais comme chez moi, sauf que, n'ayant rien à assumer je m'y laissais vivre, servir, gâter, aimer, recevoir comme une sœur par ces deux femmes mer-veilleuses qui comptèrent énormément dans ma vie.

Il y avait ce soir-là beaucoup de monde. Picolette et Lina nous trouvèrent une petite table cachée près du bar où nous nous installâmes tous les quatre. Nous n'étions pas au mieux de notre forme après ce voyage. J'allai me laver les mains et me pomponner les cheveux avant de savourer le délicieux cham-pagne qu'elles nous offrirent pour nous remettre de nos émotions. J'appelai aussi La Madrague pour prévenir de notre arrivée imminente et demander qu'on fasse les lits des chambres d'amis.

C'est à ce moment que je vis Gunter Sachs !

Il était à une table pleine de superbes filles et de très beaux garçons.

Tout ce petit monde riait, buvait, s'amusait, flir-tait.

Hasard inouï, à une autre table se trouvait Patrick Bauchau mon beau-frère, le mari de Mijanou, en grande discussion avec un jeune type, le metteur en scène de son film qui se passait à Saint-Tropez. Film dont le titre style *La Collectionneuse* passa aussi inaperçu qu'une lettre à la poste non recommandée.

Mais Patrick, à défaut de crever l'écran, crevait le cœur des femmes !

C'est pourquoi Mijanou était partie réparer le sien en Grèce, étudiant, chez son ami Embiricos, les dif-férentes façons dont Eros raccommodait les cœurs, une maille à l'endroit, une autre à l'envers, selon les bons préceptes reçus chez les sœurs de la rue de Lubeck où elle avait étudié le grec et le latin.

Gunter me regardait sans cesse.

Je le trouvais magnifique.

Et pourtant je l'avais déjà vu sans qu'il me laisse d'autre souvenir que celui d'avoir, quelques années auparavant, loué la jolie maison de maman à la Miséricorde. Il l'avait d'ailleurs laissée dans un triste état. Suite à cette lamentable expérience, maman avait déménagé dans une vraie maison, une superbe bastide entourée de vignes, de figuiers et de mûriers, La Pierre Plantée, qu'elle se garda bien de louer à l'avenir.

Philippe nous présenta l'un à l'autre. Il fut l'instigateur de la rencontre explosive de deux monstres sacrés. Quittant table, copains, cover-girls, Gunter s'installa avec nous, son verre de whisky à la main et son regard bleu acier rivé en moi. Il émanait de lui une force étrange et fascinante.

C'était un seigneur !

Ses tempes poivre et sel, ses superbes cheveux rebelles et légèrement trop longs, son visage volontaire et bronzé, sa stature immense et son accent indéfinissable, dont il jouait en s'exprimant dans un français riche et subtil, eurent vite raison de tous les a priori que je pouvais encore avoir.

Le coup de foudre fut immédiat de part et d'autre.

Picolette, Lina, Philippe, Patrick et les autres assistèrent muets au choc du fabuleux engrenage passionnel qui se déclencha sous leurs yeux ce soir-là.

J'étais hypnotisée.

J'avais déjà connu bien des hommes, j'avais aimé, vécu des passions, mais ce soir-là je m'envolais, portée par Gunter dans un monde féerique, que je n'avais jamais connu et que je ne connaîtrais jamais plus après. La nuit était à nous. Je ne sentais plus la fatigue, je l'aurais suivi au bout du monde. En attendant ce bout du monde où il m'emmena plus tard, nous décidâmes d'aller danser au « Papagayo ». Il avait la même Rolls que moi ! Même forme, même couleur, même tout !

Etrange coïncidence. Nous nous aimions à armes égales. Il conduisit la sienne. Je pris le volant de la mienne. Nous roulions côte à côte tels deux souverains menant leurs carrosses ! Philippe, que j'avais relégué sur le siège du passager, n'y comprenait rien. Pourquoi vouloir conduire moi-même alors qu'il était là pour ça ? Quant à Bourguignon et May ils me prenaient vraiment pour une cinglée. Du reste le monde entier me prit pour une cinglée, avec quelque raison. Je commençais de vivre le moment le plus fou de ma vie, la parenthèse la plus extravagante de mon existence. Mes bonheurs les plus irréels et mes chagrins les plus profonds. Nous réintégrâmes La Madrague à l'heure où les honnêtes gens s'en vont au travail.

Les Quatreuil nous regardèrent d'un sale œil !

Seul Kapi, fidèle au poste de chien de garde, me fit une fête effrénée, pendant que Guapa récupérait son panier pour aller enfin dormir !

Je commandai du thé et des toasts pour tout le monde. Trop énervés pour aller dormir nous nous sommes tous retrouvés dans ma chambre, plus ou moins allongés sur mon lit. Il y avait Patrick (mon beau-frère), Philippe, Bourguignon et May ! Lorsque Madame Quatreuil apporta le plateau, plus affolée qu'une poule pondeuse qui a perdu ses œufs, elle s'adressa à moi, regardant tous les hommes affalés sur mon lit et me demanda : « Madame, qui dois-je appeler Monsieur ?

— Personne, lui répondis-je. Monsieur n'est pas encore arrivé ! »

Je revis Gunter.

Il y eut d'abord le mariage de Gérard, mon pêcheur d'amphores et Monique sur la plage de Pampelonne. La mariée, en bikini blanc, une couronne de fleurs d'oranger et un voile de tulle sur la tête, était ravissante. J'arrivai dans mon riva avec un piano mécanique qui jouait des airs du temps passé, pendant que Gunter, tiré par son superbe Ariston, faisait une entrée triomphale en frac, sur un monoski, un magnifique bouquet de fleurs à la main.

Puis il y eut une pluie de roses rouges sur La Madrague, lancée par un hélicoptère !

Il y eut ensuite la soirée inoubliable du « Pirate » à Menton où des orchestres tziganes jouèrent pour nous jusqu'à l'aube pendant que le champagne coulait à flots.

Il y eut notre arrivée, pieds nus, au casino de Monte-Carlo, où Gunter joua le 14 en plein et gagna trois fois de suite.

Il y eut ce soir de pleine lune où Gunter, seul dans son super Ariston, en smoking, une immense cape noire doublée de rouge lui faisant des ailes d'oiseau de proie, vint me chercher au ponton de La Madrague pour me faire suivre jusqu'à l'aube le sillage de la lune dans la mer.

Il y eut l'orchestre de Style-Band qui jouait dans un riva pendant que, dans le sillage de l'autre, conduit par Gunter, je dansais sur la mer, m'envolant sur mon mono, au son de ces rythmes endiablés.

Enfin, il y eut l'arrivée de Bob !

Je repris difficilement contact avec la réalité. Bob avec son cigare, ses amis Jean-Max Rivière et sa femme Francine, ses contrats à signer, son projet de show TV réalisé par Reichenbach, ses maquettes de chansons, Bob businessman à côté de la plaque, loin, si loin de mon nouveau monde, loin si loin de se douter... Philippe fit le nécessaire pour que Gunter ne se manifestât pas pendant quelques jours. Ce fut une épreuve, il piaffait comme un cheval sauvage tandis que, privée de lui, je me morfondais et m'étiolais comme une fleur sans soleil.

J'avais trois jours pour régler mes problèmes.

Au soir du troisième jour, Gunter m'attendrait seul toute la nuit à la Bonne Fontaine, chez Picolette. Si je ne venais pas c'est que j'avais choisi. Il ne me reverrait plus jamais.

Bob semblait s'installer pour l'été.

Il déballait tout son saint-frusquin, ni pressé, ni stressé, heureux de ses affaires en bonne voie de réalisation. Jean-Max me chantait des inepties dont je me foutais royalement. Seule Francine, avec son instinct de femme, renifla quelque chose. Je me confiai à elle, la suppliant de m'aider à faire partir Bob avant ce troisième jour fatidique.

Il me fit signer un contrat que je ne lus même pas. Voilà pourquoi, trente ans plus tard, je suis encore pieds et poings liés par des conventions ridicules, payée une poignée de figues pour une exploitation mondiale et sans limite dans le temps. Mais j'aurais signé n'importe quoi pour me débarrasser de la présence de Bob. Ce fut un royal cadeau d'adieu.

J'appelai Reichenbach pour lui dire que je venais de signer le contrat, qu'il était donc urgent que Bob prépare avec lui le tournage et que je ne le ferais que lorsque mes obligations professionnelles me le permettraient, c'est-à-dire après le film de Bourguignon.

Nous eûmes beaucoup de mal à convaincre Bob de retourner à Paris, ce dimanche soir, de quitter le soleil, la plage et le farniente. Mais on est producteur ou on ne l'est pas ! Il prit l'avion et ce fut un aller sans retour.

Pourquoi ne lui avais-je pas parlé ? Peut-être par lâcheté, par peur d'un scandale, d'un drame, peut-être aussi pour cette panique de laisser la proie pour l'ombre d'un avenir aléatoire, par peur de me retrouver seule, le cul entre deux chaises.

Toujours est-il qu'il n'y avait pas une minute à perdre. Avec Francine, je retournai mon placard, qu'allais-je me mettre pour le dîner de ce soir ? C'était la mode des minis, mini ras-le-cul ! Je trouvai enfin le petit chiffon, moulant, sexy, mignon comme tout, qui était parfait. Mais Francine trouva que plus court, ce serait mieux ! Et nous voilà à la recherche de la boîte à ouvrages, des aiguilles, du fil. On s'appliqua à faire un ourlet.

J'essayai, zut, on voyait ma culotte !

On se dépêcha de le découdre.

Pendant ce temps, les minutes passaient. Je me maquillai vite fait, les yeux, la bouche ; quant à mes cheveux, après le parcours en mini-moke, ils seraient de toute manière recoiffés par le vent. Je m'aspergeai d'*Heure Bleue*, j'embrassai Guapa et Kapi, et me voilà partie pour la grande aventure ! !

Ce fut un des seuls dîners que je fis en tête à tête avec Gunter.

Il m'offrit ce soir-là les trois bracelets et les trois alliances bleus, blancs, rouges, de saphirs, diamants et rubis de chez Cartier que je ne devais plus quitter pendant le temps de notre passion. Picolette et Lina furent les témoins émus de cette union prématurée mais si profonde.

Cette nuit-là, à La Madrague, Gunter me demanda de l'épouser.

A partir de ce moment, je voguais sur un petit nuage, au septième ciel, pendant que Gunter organisait et prenait en main notre avenir.

A La Capilla, la villa qu'il avait louée, l'annonce de notre mariage fut une révolution ! Les domestiques (il y en avait une ribambelle) m'appelaient « Madame » avec force courbettes, tandis que le secrétaire, factotum et bras droit, Samir, achetait en gros les billets retour de toutes les cover-girls qui s'éparpillèrent dans un va-et-vient de valises Vuitton, et d'allers-retours en Rolls jusqu'à l'aéroport de Nice. Ne restèrent que les intimes indispensables, c'est-à-dire une douzaine de personnes ! ! Il allait falloir que je m'habitue à vivre perpétuellement entourée de tous ceux que j'appelais « les âmes damnées de Gunter » : Serge Marquand, Gérard Leclery, Jean-Jacques Manigaud, Samir Sibaï, Michel Faure, Peter Notz, Christian Janville, plus leurs petites amies ou épouses...

Pour ne pas être en reste de cour, j'installai à La Madrague les copines retrouvées au hasard, superbes filles célibataires ou sur le point de le redevenir avec la vie de patachon que je leur faisais mener. Il y avait Carole la rousse, S. la brune, Gloria la Chilienne, Francine la blonde, et Philippe, gardien enchanté de ce sérail imprévu.

Gunter qui avait un sens aigu de la publicité

transforma chaque heure de nos journées en séances de photos. Les plus grands de la profession immortalisèrent chacun à leur manière la rencontre féerique d'une star et d'un play-boy international.

Il fallait faire rêver dans les chaumières !

Moi je suivais ce train d'enfer portée par une force étrange, inhabituelle ! Parfois inquiète devant tout ce chamboulement, cette excitation perpétuelle, cet exhibitionnisme incessant, mais consciente de l'exception de chaque minute, de chaque seconde, j'engrangeais dans ma mémoire tous ces futurs souvenirs uniques et rares. Gunter décida que notre mariage aurait lieu le 14 Juillet à Las Vegas !

A Las Vegas ? Je fis une drôle de tête !

Et le 14 Juillet ? Pourquoi mon Dieu ?

Moi qui rêvais d'une petite mairie de campagne, moi qui déteste le 14 Juillet. Gunter en avait décidé ainsi. Les choses se prépareraient dans le plus grand secret et la bombe n'éclaterait que le jour « J ». J'étais le symbole de la France, je portais à mon doigt et à mon bras les couleurs de mon drapeau, je me devais donc d'agir en conséquence. Il n'y avait plus de temps à perdre. Samir s'occupa de tous les papiers administratifs pendant que Gunter organisait avec Ted Kennedy la cérémonie chez le juge *attorney* qui devait nous unir, et réservait les bungalows qui abriteraient nos séjours ou nos escales, et les lear-jets privés qui nous transporteraient. J'étais méduséе par la rigueur de cette organisation germanique qui ne laissait aucun détail au hasard. Tout était minutieusement réglé et chronométré. Devant l'imminence d'un événement aussi important qu'imprévu, je commençais à paniquer.

Me retaper un nouveau voyage aux Etats-Unis, livrée à un homme qui m'était en fin de compte inconnu, sans rien de familier à quoi me raccrocher, j'étais sur le point de faire marche arrière.

Tant que j'étais à Saint-Tropez, que j'avais La Madrague, mes copines, Guapa, mes parents, je faisais la fanfaronne, rien ne pouvait réellement m'atteindre. Mais au bout du monde qu'allais-je devenir ? Et puis me marier loin de tous ceux que j'aimais me paraissait impensable.

Avec Gunter on ne revient jamais en arrière, on avance toujours, ou on crève !

Il avait du reste décidé d'emmener avec nous Serge Marquand, Gérard Leclery, Peter Notz, Philippe d'Exea et un jeune cameraman anglais. Chacun d'eux avait une tâche bien précise à accomplir. Serge filmerait, aidé par le jeune Anglais, Philippe ferait toutes les photos, Peter sponsoriserait, Gérard orchestrerait et Gunter se marierait.

Tout à coup, le romantisme allemand me parut loin, très loin !

J'eus fugitivement l'impression de repartir dans une superproduction où j'aurais joué mon propre rôle. Je devais être fatiguée et chassai vite cette vision atroce !

Je laissai La Madrague et Guapa à mes belles amazones qui me virent m'envoler vers Paris, mystérieusement entourée de six play-boys... je fis des jalouses ! !

Je découvris le somptueux appartement que Gunter possédait avenue Foch, plein de photos de femmes magnifiques, enroulées autour de lui, d'effluves de parfums et de dessous affriolants qui n'étaient pas les miens. La moindre des délicatesses eût été de faire disparaître tout ça avant mon arrivée ! Le luxe tape-à-l'œil du faux marbre en stuc, du faux feu de cheminée électrique, de la fausse bibliothèque dont les magnifiques reliures de cuir ne cachaient plus les secrets d'un livre merveilleux, mais servaient à dissimuler un bar, me laissèrent perplexe — ça sentait le décorateur à plein nez !

Je retrouvai l'avenue Paul-Doumer avec bonheur et tendresse. Madame Renée me vit débarquer sans crier gare. Avant qu'elle n'ait eu le temps de réaliser, j'étais déjà repartie.

J'avais au préalable appelé « Réal » à la rescousse. Comme d'habitude je n'avais rien à me mettre parmi les 200 robes qui s'entassaient dans mes placards ! J'allais me marier tout de même ! Il me fallait quelque chose de joli, de neuf, d'élégant, pas trop chichi, pas trop... On me livra un carton plein de robes à pompons, à frou-frou, à fla-fla. Je choisis la plus simple, la plus dépouillée. Elle était lilas — j'étais blonde et bronzée — ça irait !

Ce 13 juillet 1966, nous fîmes « Rolls à part » pour arriver à Orly. Philippe conduisait la mienne, Gunter emmenait avec lui son équipage de copains. Nous avons embarqué sous de faux noms, il était Monsieur Schar et moi Madame Bordat.

J'ai toujours détesté l'avion, pourtant en m'installant dans les première classe de ce jet qui devait nous mener en quatorze heures jusqu'à Los Angeles, je poussai un soupir de soulagement. Nous n'allions plus bouger pendant toute la durée de ce long voyage, et je pourrais peut-être enfin me reposer un peu.

J'avais sous-estimé l'extraordinaire vitalité de mon prince charmant qui, son éternel verre de whisky à la main, tirait inlassablement des plans sur la comète de notre voyage de noces ! J'essayais de dormir pendant qu'il mettait au vote à main levée plusieurs propositions :

« Le Mexique, Tahiti, les Marquises. »

Ma voix, même endormie, comptait double — il y eut ballottage entre le Mexique et Tahiti — je tranchai entre deux bâillements que nous pourrions faire les deux, après tout j'étais la principale intéressée...

Puis, comme toujours lorsqu'il s'adressait à moi pour des choses importantes, Gunter m'appelait « Ma Dame » et en me vouvoyant m'annonça avec toute la noblesse qui le caractérisait que nous irions passer quelques jours à Acapulco puis que nous finirions notre périple dans les Touamotou, ces îles paradisiaques qui me ressemblaient. J'étais fascinée et crevée... Je m'endormis. Je me souviens parfaite-

536

ment du ronron des moteurs qui dans mon demi-sommeil se transformaient en mélodies lancinantes, répétant inlassablement les leitmotive de chansons à la mode :

« *je me marie demain*, ron ron ron »,
« *c'est la fête dans ma vie*, ron ron ron »,
« *voilà que j'ai envie* ron ron ron »,
« *de reprendre ma main* ron ron ron ».

Je rêvais, je vivais mon rêve, la tête appuyée sur l'épaule de Gunter.

J'étais heureuse !

Il faisait nuit noire lorsque l'avion atterrit à Los Angeles ; cette ville qui n'en finit plus, longue comme un jour sans pain. Monsieur Schar et Madame Bordat étaient *encore* attendus par une foule de photographes. Je pensais à cet aéroport que j'avais quitté peu de temps auparavant, déguisée en femme de ménage, pour Porto Rico un paradis infernal — je m'y retrouvais d'une manière imprévisible. Si quelqu'un m'avait dit en décembre dernier que je reviendrais me marier dans ce pays six mois plus tard, je l'aurais traité de fou furieux !

Comme quoi il ne faut jurer de rien !

En attendant, Gunter était pris d'assaut par la presse dans le hall de l'aéroport ! Il essayait de lancer tous ces fouilleurs de vie sur une piste qui n'était pas la bonne ! Il leur racontait que nous avions loué un bungalow au Beverly Hills Hotel (ce qui était vrai, mais pour le lendemain), que nous venions de Saint-Tropez continuer une idylle de rêve dans un autre pays de rêve, pendant que le lear-jet de Ted Kennedy nous attendait impatiemment sur une piste un peu plus loin pour nous mener à Las Vegas. Bref, il embobinait la presse américaine et essayait de me préserver — il fut un des hommes de ma vie qui essaya le plus de me préserver malgré son côté extrêmement médiatique ! A toutes les questions qui me furent posées ce soir-là, je répondis : « Demandez à Gunter. »

Je n'en pouvais plus, j'en avais marre, ras-le-bol.

On peut supporter certaines épreuves dans sa vie professionnelle, mais pas dans sa vie privée. Or je n'ai jamais su où commençait l'une et où finissait l'autre ! Ce fut le drame de ma vie.

Mais il ne faut jamais perdre le sens de l'humour.

Semant la presse qui partit nous attendre au Beverly Hills Hotel, nous nous envolâmes pour Las Vegas. Dans notre jet m'attendait un énorme bouquet de roses blanches.

Trente-cinq minutes plus tard exactement nous étions à Las Vegas. Là, deux Cadillac noires nous conduisirent jusqu'à l'hôtel de ville chercher notre licence de mariage. Aucun journaliste en vue. Il était exactement minuit moins le quart, le 13 juillet.

Le temps d'aller chez le juge, adorable, qui avait mis une chambre à notre disposition, où nous avons enfin pu nous laver, nous changer, nous embrasser, nous regarder et nous promettre seul à seule tout l'amour du monde, nous étions le 14 Juillet lorsque nous arrivâmes dans le salon des mariages.

J'étais extrêmement émue, Gunter aussi, comme ivres de bonheur et de fatigue, comme dans un rêve. Nos pieds nickelés de copains témoins, pour une fois sérieux et bien habillés, avaient eux aussi le cœur battant. Le juge officiel *attorney* et tout le toutim n'en menait pas large non plus. L'émotion était bien là lorsqu'il me demanda si je voulais prendre Gunter Sachs pour époux, en anglais.

Je répondis « Yes » — j'étais tremblante — il rectifia « I do ».

Gunter répondit à son tour « I do » — j'étais devenue Madame Gunter Sachs — il était 1 h 30 du matin ce 14 juillet 1966 — il était allemand — j'étais française — nous venions de nous unir en anglais sur le territoire américain.

Gunter demanda au juge *attorney* de refaire la cérémonie afin qu'elle soit immortalisée par les photos de Philippe et la caméra de Marquand. Cela me surprit un peu ! Mais je n'en étais qu'aux balbutiements d'un étonnement qui n'en finit plus de grandir !

**

Heureuse à en mourir, hébétée, heureuse à en vivre, abrutie, ma main dans celle de mon mari, de mon amour, de mon seigneur, le suivant où il me guidait, je traversais Las Vegas by night, éblouie par des millions d'enseignes lumineuses de casinos, de tripots, d'hôtels, de restaurants qui illuminaient la nuit américaine de cette ville comme des milliers de soleils artificiels et fabuleux.

J'ai détesté Las Vegas.

A l'hôtel Tropicana, espèce de grand machin à l'américaine où tout n'était que factice, nous fîmes notre premier dîner de couple, entourés de nos amis, perdus au milieu des machines à sous, des tables de roulettes, des jackpots et des croupiers ! Même dans les « pipi rooms » il y avait des machines à sous ! Impossible de ne pas céder à la tentation. Nos pieds nickelés y laissèrent leurs fonds de poche !

Je n'avais pas dormi dans un lit depuis plus de 48 heures. A 4 heures du matin, Gunter et moi nous nous endormîmes enlacés mais crevés dans la chambre que le juge avait mise à notre disposition.

Ce fut une vague déferlante qui envahit le monde entier au matin du 14 Juillet ! Nous faisions la « une » de tous les journaux ! La politique passait loin derrière. Il y eut même un dessin humoristique représentant de Gaulle et le chancelier allemand Ludwig Erhard nous servant de témoins.

Paris-Match et *Jours de France* nous consacrèrent un numéro spécial et nous firent l'honneur de ne parler que de nous durant un mois, pendant que les radios, les télés, les hebdomadaires et les quotidiens mondiaux *Time, Life, Newsweek, La Stampa, Spiegel,* etc., saturaient la planète de la nouvelle de notre union. Papa, maman, Michèle ma secrétaire apprirent la nouvelle par la presse. Bob aussi. Et bien d'autres !

Pendant que nous dormions le monde s'agitait, s'étonnait, s'émerveillait ou se révoltait ! Moi la plus française des Françaises, j'avais osé épouser un Allemand ! Quelle honte !

D'autres, des forts en maths, découvrirent que je me mariais tous les sept ans ! 1952 : Vadim, 1959 : Charrier, 1966 : Sachs. Ils attendaient impatiemment 1973 !

Les deux lear-jets de Ted Kennedy nous ramenèrent au bungalow n° 1 du Beverly Hills Hotel à Los Angeles où je passai ma journée à dormir pendant que Gunter recevait les visites de toutes les personnalités locales, y compris celle de Vadim ! Des télégrammes de félicitations arrivèrent par poignées dans toutes les langues et de partout ! y compris de chefs d'Etat et d'une foule de ministres...

Le soir Danny Kaye nous invita à dîner chez lui.

Je me souviens de cet homme un peu timide, un peu ailleurs, avec son tablier, devant son barbecue, nous servant comme s'il nous avait toujours connus, mettant le couvert, proposant les cocktails, seul dans sa grande maison de marbre blanc, désespérément seul dans le luxe glacé et figé de son image de star !

Cette fois-là encore je n'ai rien vu de Los Angeles.

Je me souviens vaguement de cet immense Sunset Boulevard que nous empruntâmes pour aller à l'aéroport, des villas stéréotypées et impersonnelles, pelouses impeccables toutes à peu près semblables qui, tels des soldats en uniforme, nous firent une haie d'honneur sur des kilomètres de long. Derrière ces murs devaient vivre Elizabeth Taylor, John Wayne, Marlon Brando, Paul Newman, Rita Hayworth, Ava Gardner, Sinatra et tant d'autres stars fabuleuses, peut-être aussi désespérément seules que Danny Kaye !

Etrange et bizarre pays que ces Etats-Unis que je

ne fis qu'effleurer et que je quittais chaque fois avec soulagement.

Nous nous envolâmes pour Tahiti.

J'étais la plus heureuse, la plus comblée des femmes, j'eus la sagesse de savourer ce bonheur et de le vivre avec toute l'intensité réservée aux moments d'exception, car la rareté fait le prix de l'éphémère. Moi qui n'aimais ni l'avion ni les voyages, je fis en 48 heures le tour de la planète.

L'arrivée à l'aéroport de Papeete fut un rêve !

Des vahinés sucrées comme de l'orge doré nous ornèrent de colliers en fleurs de tiaré, cela sentait la vanille et le fruit défendu. Je respirais à pleins poumons cet air précieux et sauvage, parfum exotique d'un bout du monde que je découvrais avec émerveillement, pendant que danseurs et musiciens à moitié nus nous ensorcelaient de tamourés endiablés. Folle de joie, pieds nus, dans mon élément enfin, libre, les cheveux pleins de fleurs, le cœur en fête, j'étais ovationnée par mes semblables comme une reine païenne aux allures de sirène blonde.

Maître Lejeune, le notaire le plus sérieux de l'île, avait mis son faré à notre disposition ainsi que sa domestique, une Tahitienne toujours « Fiou » que je vis peu car là-bas quand on est « Fiou » c'est-à-dire à la fois fatiguée, de mauvais poil, gueule de bois ou problèmes sentimentaux, on ne travaille pas. Voilà pourquoi à Tahiti on se repose continuellement.

Tandis que le lagon prenait ses teintes de crépuscule orangé, Gunter me prenait dans ses bras et Philippe prenait des photos de ce rêve en Technicolor. Gunter était beau, il portait le paréo avec autant d'aisance que le smoking, il m'étonnait par sa facilité d'adaptation, son sens de l'humour, son intelligence et sa culture.

J'étais amoureuse, terriblement amoureuse, fascinée, hypnotisée.

Surtout fière, très fière de lui, très fière d'être sa femme !

Mes sentiments passionnés me semblaient inaltérables, éternels, à l'abri de l'usure du temps, au-dessus, bien au-dessus de la médiocrité humaine, comme déifiés magiquement par une force supérieure.

Le gouverneur donna une somptueuse réception en notre honneur. Il y avait au moins 500 personnes attablées sous les cocotiers, les flamboyants, les hibiscus et les orchidées, à la lueur des flambeaux plantés à même le sable fin et blanc qui glissait doucement sous mes pieds nus, pendant que les plus belles danseuses de tamouré s'enroulaient voluptueusement autour d'une musique lascive qui me faisait bouillir le sang.

C'est là que je rencontrai Tila Bréau, la « belle » mais vraiment *belle*-mère de Sacha Distel. Cette jeune Tahitienne magnifique avait épousé le père de Francine Distel ! Si j'avais été Sacha, j'aurais épousé ma belle-mère, mais, le connaissant, je pense que son intérêt personnel était davantage lié au sort de l'héritière qu'à la compagne aléatoire d'un milliardaire. Tila nous invita à passer une soirée et une nuit dans son faré. Le lit à baldaquin, mousseux de moustiquaires blanches, aux draps de dentelles, tel un navire fantôme échoué sur la plage, nous enveloppa d'une douceur infinie. Le chuchotement des vaguelettes se brisant doucement sur le sable et les étoiles filantes se firent les complices à jamais d'une nuit qui fut le plus beau jour de ma vie.

Gunter, qui ne tenait pas en place, décida que nous irions nous installer un jour ou deux à Bora Bora.

Et nous voilà repartis avec nos valises, nos pieds nickelés et tout leur fourbi de caméras et d'appareils photo dans l'hydravion qui assurait la liaison entre les îles. Bora Bora ne possédant pas de piste d'atterrissage, c'est en mer que nous fûmes débarqués !

Ce fut folklorique !

Même s'il n'y avait qu'un mètre d'eau, il fallut s'y

jeter. Nous, c'était rien, mais les bagages !... Largués avec de l'eau jusqu'à la taille, il nous fallut porter nos valises sur la tête en faisant plusieurs voyages jusqu'à la plage déserte. Une des caméras tomba à l'eau.

Ce fut un drame !

Tout le monde hurlait ! Gunter était fou de rage, je découvris brutalement une nouvelle facette de mon prince qui de « charmant » n'avait plus rien !

Je me souvins que maman m'avait dit un jour que, pour connaître réellement les gens, il faut voyager avec eux ! D'après elle, les voyages de noces devraient se faire avant et non après le mariage. Je m'aperçus qu'elle avait raison.

Enfin bien au sec sur la plage toujours aussi déserte, tels des rescapés bien qu'entourés de nos Vuitton, nous vîmes l'hydravion s'envoler. Gunter attendait, en faisant les cent pas, que le seul hôtel-faré-bungalow de l'île, tenu par un compatriote allemand, nous envoie comme convenu, et à l'heure convenue, l'embarcation prévue qui devait nous emmener de l'autre côté de l'île !

Il était juste midi et demi.

Nous étions extrêmement détendus, tout le monde riait de la situation pittoresque dans laquelle nous nous trouvions, l'aventure au sens propre du mot, oubliés sur une plage, elle-même oubliée du monde, quelque part sur l'île de Bora Bora ! Il faisait extrêmement chaud, il n'y avait pas l'ombre d'un cocotier et je finis par me faire un abri de valises superposées pour me protéger du soleil ! Les minutes, puis les heures passant, la rigolade se transforma en angoisse. Reprenant nos bagages, nous décidâmes d'essayer de trouver âme qui vive en nous enfonçant vers le cœur de l'île ! Hélas plus nous avancions dans cette jungle touffue moins nous risquions de rencontrer notre sauveur.

Ce dernier arriva pourtant dans un teuf-teuf de barcasse antédiluvienne alors que nous faisions halte au bord d'un bras de mer transformé en rivière saumâtre. Ce vieux pêcheur nous récupéra, avec nos valises Vuitton, nos caméras, nos appareils photo entassés sur ses filets et ses vieilles nippes. Epuisés, brûlés de soleil, affamés, morts de soif, nous le regardions manger son oignon et son quignon de pain et boire à la régalade sa piquette jusqu'à ce que, n'en pouvant plus, je partage avec délices ce frugal repas, imitée dans la minute qui suivit par Gunter et les autres.

Milliardaire ou pas, un oignon et du pain, c'est bon !

Notre arrivée de rescapés fit sensation parmi la clientèle américaine de l'hôtel-faré-bungalow ! Le patron germano-boraboraïen n'en finissait plus de nous accueillir avec des courbettes ponctuées de « *Herr Gunter Sachs, Frau Sachs* » tandis que Gunter lui balançait « *Das Grosse Connard ! Kolossal imbécile,* etc. » L'organisation germanique avait foiré, le sable de Bora Bora s'était glissé dans les rouages de la machine.

Les choses s'arrangèrent plus rapidement que je ne l'avais souhaité. Gunter retrouva à travers son compatriote la langue de ses ancêtres, le compatriote retrouva à travers Gunter les racines lointaines mais profondément ancrées de ses origines teutonnes.

Ils ne se quittèrent plus.

Jouèrent ensemble aux échecs, burent bière et whisky, parlèrent haut et fort cette langue gutturale, sauvage et péremptoire, à laquelle je n'ai jamais rien compris malgré tous mes efforts désespérés. Même Berlitz, la fameuse école que j'appelai plus tard à ma rescousse, ne put avec sa meilleure collaboratrice en leçons accélérées et particulières quotidiennes me faire dire autre chose que :

« *Guten Tag* » et « *Grüssgott* ».

Bref, j'errais désespérément seule dans cet univers paradisiaque, me raccrochant à Phi-Phi, qui errait lui aussi, mais qui n'était pas en voyage de noces.

544

A ce moment, j'ai compris que Gunter était un homme qui avait besoin de copains, de traditions, les femmes n'étant dans sa vie que les parures splendides mais artificielles d'une mise en scène théâtrale d'où il ne pouvait tirer la quintessence de son existence.

Sale coup pour la jeune mariée !

A part l'amour, la tendresse, les câlins et les promenades la main dans la main, il n'y a rien de passionnant à faire à Bora Bora ! Heureusement Gunter se lassa vite de cette amitié tonitruante et des parties d'échecs ininterrompues. Il décida de repartir.

A peine de retour à Papeete, Gunter eut envie de visiter un atoll célèbre, Tupaï, décrit dans le Larousse comme le plus bel atoll polynésien.

Maître Lejeune mit son avion privé, un monomoteur d'un autre monde et son fils-pilote-amateur, à notre disposition. J'étais vraiment terrorisée dans ce petit coucou pétaradant qui devait avoir les bougies encrassées et qui nous secouait comme une salade dans un égouttoir.

A peine descendus de cet instrument de torture, un type du coin nous distribua des casques, du genre de ceux que mettent les mineurs, afin de nous protéger des chutes éventuelles de noix de coco qui pouvaient s'avérer mortelles du haut de leurs 30 mètres.

A pied, nos bagages à la main, nous le suivîmes à travers l'imbroglio de cette plantation de cocotiers qui n'arrêtait pas de nous viser avec des projectiles. C'étaient des bings et des bangs ininterrompus qui nous faisaient faire des bonds de danseurs dans tous les sens. Heureusement j'avais juste pris un petit « baise-en-ville » qui s'avérait être un « baise-en-atoll » afin de ne pas être trop encombrée par des valises.

Nous arrivâmes enfin, les pieds en sang, harcelés par les moustiques, dans un minuscule hameau où on comptait quatre baraques en bois sur pilotis en tout et pour tout.

On nous fit entrer dans la nôtre...

Maman ! Une pièce unique, sans eau, sans électricité, sans cuisine, avec quelques nattes à même le sol qui devaient nous servir de couches. Nous nous retrouvâmes là-dedans, hébétés, tous les sept ! A force de me filer des claques pour éloigner les moustiques, mes joues étaient rouge vif. Avec mon casque sur la tête, mes pieds en sang et la gueule que je tirais, j'aurais gagné le concours des têtes de massacre.

Les autres n'étaient pas mieux.

Quant à Gunter, je pensais que le casque à pointe aurait été plus en accord avec son physique que cette espèce de gamelle plate qui lui servait de couvre-chef. Et puis dormir en communauté, dans des conditions pareilles risquait de ternir à jamais l'image que nous essayions de sublimer l'un de l'autre.

Je décidai de repartir immédiatement, une décision approuvée à l'unanimité. Nous avons fui, refaisant en sens inverse le même parcours, tenaillés par le désir de quitter à jamais ce mauvais souvenir. Du coup, Gunter un peu lassé par le farniente de cette contrée où il ne pouvait plus jouer son rôle de play-boy ni de milliardaire décida de continuer notre voyage de noces à Acapulco, où il avait loué une hacienda de rêve.

La « Villa Vera » appartenait à un milliardaire.

Nous y fûmes accueillis par un service impeccable, un luxe inimaginable, des scorpions en pagaille, des mygales dans tous les massifs et des serpents dans nos salles de bains.

C'était le Mexique, ses avantages et ses inconvénients !

On fait tout un plat d'Acapulco que je n'ai vraiment pas trouvé extraordinaire. C'est le Mexique à la sauce américaine ! Moi qui connaissais, grâce à

Viva Maria, le Mexique profond et authentique, je trouvais cet Acapulco sans odeur et sans saveur — plutôt tartignol !

Mais il y avait un casino !

Mais il y avait des restaurants *Hupch-Much* ! et des bateaux rapides, et des boîtes de nuit et des milliardaires internationaux et toute la jet-society indispensable et Victor Emmanuel d'Italie et Marina Doria, sa fiancée, ancienne maîtresse de Gunter... Je reprenais brutalement pied dans une vie mondaine que j'avais complètement oubliée l'espace d'une escale à Tahiti. Je fus submergée par les photographes, accablée par les journalistes, stressée par la sensation imperceptible mais tenace d'une rupture avec mon mari. Je le perdais, nous ne communiquions plus. Il était repris dans le tourbillon d'un monde que je fuyais.

C'est alors que me revint aux oreilles l'histoire selon laquelle il m'aurait épousée à la suite d'un pari fait avec des amis. Connaissant Gunter, sa passion du jeu, du risque, c'était crédible.

J'en étais malade. Je souffrais, j'étais perdue, révoltée.

J'en parlai avec Philippe, mon seul allié, mon seul ami dans le total désarroi. Son inquiétude ne fit que confirmer mes doutes. Il me conseilla même de repasser par Reno et de divorcer en trois minutes. Ainsi la boucle serait bouclée et on n'en parlerait plus ! Je pleurais ! J'aimais Gunter, je ne voulais pas le perdre, me perdre. Hélas, je compris trop tard qu'en le voulant trop, je l'éloignais ! Ce ne fut que lorsque je le trompai, excédée par son indifférence, qu'il se souvint de moi et essaya de me récupérer... trop tard, beaucoup trop tard.

**
*

Le retour sur Paris fut morne et morose — la fatigue, la méfiance, la déception aidant !

Gunter voulut que je m'installe avenue Foch, il n'en était pas question ! Je lui conseillai de faire le ménage, de laisser les placards et les cadres vides de toute présence féminine antérieure, après quoi nous pourrions éventuellement l'envisager. De toute façon en ce début d'août, l'escale à Paris serait de courte durée car nous repartions tous pour Saint-Tropez ! En fin de compte je n'avais pas épousé un homme mais six ! Ces six suiveurs qui ne nous quittaient pas, me parurent soudain déplacés, ridicules et très encombrants !

J'en avais marre de ces simagrées, de ces faux-semblants, de cette cour perpétuelle ! Je dois être la seule femme au monde à avoir fait un voyage de noces à sept ! A Saint-Tropez, je n'échappai pas à l'invasion de La Madrague par toute la clique de Gunter. Mes amazones durent se contenter d'un domaine rétréci pour laisser la place aux indispensables copains de mon mari. Mes gardiens durent aller vite fait chez le dentiste se faire fixer au ciment prompt leur dentier une bonne fois pour toutes ! Gunter n'aurait jamais admis ni supporté de retrouver ce genre d'objet dans son bol de café.

Même le chauffeur-maître d'hôtel de Gunter vint aussi, avec la Rolls de Gunter, qu'il fallut parquer dans le jardin à côté de la mienne. Et la femme de chambre de Gunter, une Espagnole stylée, qu'il fallut loger, qui regardait mes placards avec un mépris incommensurable, se demandant où elle était subitement tombée, ne disposant que de l'installation précaire d'une maison de vacances décontractée. Il y eut encore le linge de Gunter, à ses armes et chiffres, et aussi sa vaisselle de porcelaine blanche, et sa verrerie de cristal (il ne supportait de boire le bordeaux que dans un verre à pied en cristal !) et ses tables à rallonges pour les inévitables banquets d'au moins vingt personnes le soir, dans le jardin...

Bref, la maison que j'aimais était devenue un capharnaüm, la vie n'y était plus la même, Guapa se terrait sous les fauteuils, Kapi, à force de bouffer le cul de tout le monde, eut une rage de dents ! C'était la Kermesse aux Etoiles, la fête à Neu Neu, le bordel, c'était tout sauf ma maison, ma vie, mon ambiance, ma tranquillité, ma rusticité, ma simplicité. Même la cabane à râteaux, où le jardinier entreposait ses outils au fond du jardin, fut transformée en chambre d'ami, on ne peut plus précaire, pour les besoins de la cause. Depuis, j'en ai fait une ravissante petite maison qui est vide tout le temps, hélas !

Certains dormirent même dans le riva de Gunter qui, à côté du mien, fut amarré devant le ponton.

Le téléphone n'arrêtait pas : Herr Gunter Sachs... Herr Gunter Sachs... Herr Gunter Sachs !

Je n'avais pas de secrétaire à La Madrague et, à l'époque, les répondeurs n'existaient pas ! Angelina, ma gardienne, enfin armée et bétonnée côté dentition put faire office de standardiste sans zozoter et crachouiller comme à son habitude.

Au cours d'un dîner chez mes parents, à La Pierre Plantée, je leur présentai enfin Gunter, mon mari. Ils le connaissaient déjà comme Gunter « le locataire brise-fer », mais les rapports furent polis et charmants, papa qui parlait allemand couramment s'en donna à cœur joie ! Maman fut enchantée de la nouvelle tournure que prenait ma vie, un peu déçue d'avoir appris mon mariage par les journaux, mais extrêmement fière d'avoir enfin un gendre ni juif, ni fou, ni communiste ! Il était allemand, mais cette tare ne lui paraissait pas rédhibitoire. Nous étions du même niveau social, nous avions la même éducation, c'était l'essentiel.

Le 13 août au soir Gunter partit pour Paris, après m'avoir donné de vaseuses raisons, un rendez-vous d'affaires urgent avec son homme de confiance allemand, des problèmes importants à régler de toute urgence... et patati et patata. J'eus beau lui rappeler sur tous les tons, du plus doux au plus révolté, que le lendemain nous aurions pu fêter notre premier mois de mariage, il ne céda pas.

Il ne cédait jamais.

Je passai le lendemain seule, à rêvasser en regardant la mer envahie de bateaux de touristes, résonnant des hurlements, des cris, de toute la vulgarité des gens en vacances qui se croient tout permis, qui polluent de leurs excréments et de leur mauvaise éducation la paisible immensité de la mer.

Je hais les congés payés, je hais cette période de l'année.

Le soir j'essayai de joindre Gunter au téléphone mais personne ne répondit. Philippe décida de m'emmener dîner et danser à Sainte-Maxime chez François Patrice. Avec les amazones, nous partîmes en riva laissant les copains de Gunter s'éparpiller où bon leur semblait.

Je pensais avec nostalgie aux nuits de pleine lune, quand Gunter habillé en Dracula suivait le reflet doré de la lune sur la mer me jurant des serments d'amour éternel... Je fis semblant de m'amuser, mangeai à peine, bus beaucoup et téléphonai sans cesse à Gunter sans jamais de réponse !

Il se passait quelque chose d'anormal !

Qu'on ne vienne pas me dire qu'il travaillait la nuit. Et je n'étais pas naïve au point de croire qu'il pouvait y avoir des rendez-vous d'affaires à Paris un 15 Août ! Et puis tout le monde me questionnait, pourquoi Gunter n'était-il pas avec moi en ce jour anniversaire ? Philippe finit par répondre en riant que tout le monde se trompait, que c'est lui que j'avais épousé et que nous fêtions ensemble notre anniversaire de mariage, sur quoi il me prenait tendrement par le cou et m'emmenait danser un slow.

J'en avais gros sur la *Kartoffeln* (patate en allemand).

Rentrés à La Madrague aux premières lueurs du jour, après avoir fait de nombreux essais infructueux au téléphone, je décidai de partir immédiatement pour Paris avec Philippe, dans le plus grand et le plus absolu secret, en prenant l'avion de 7 heures à Nice.

Arrivée à 8 h 30 — nous prîmes un taxi, à 9 heures nous débarquions au 32, avenue Foch ! Je sonnai, je n'avais pas les clefs, je n'étais venue qu'une fois dans cet appartement qui était légalement le mien, mais me restait plus étranger que le plus étranger des appartements étrangers.

Le maître d'hôtel vint nous ouvrir.

En me voyant il se mit à bégayer je ne sais quoi. Je le poussai et suivie de Phi-Phi, j'allai directement à la chambre de Gunter, je me souvenais heureusement du chemin à suivre...

Vide ! elle était vide et, visiblement, le lit préparé la veille était resté impeccable. Dans la salle de bains, pas la moindre trace d'un objet de toilette, ni d'un rasoir, ni d'une brosse à dents, ni d'une eau de toilette... Samir, le secrétaire libanais et non moins particulier, réveillé à la hâte arriva, surpris par cette intrusion, il se mit lui aussi à baragouiner, je ne sais trop quoi, je n'écoutais pas, me bornant à répéter comme un leitmotiv : « Où est Gunter ? Où est Gunter ? Où est Gunter ? »

Puis, avec Phi-Phi, nous nous assîmes dans le salon et, comme chez le dentiste, nous attendîmes notre tour.

Vers 10 heures, j'entendis un farfouillis de clefs dans la serrure de la porte d'entrée, je ne bougeai pas... Gunter arriva, hirsute, sa trousse de toilette sous le bras, détail qui le condamna définitivement à mes yeux. Il s'embrouilla dans des explications contradictoires. Il venait d'un rendez-vous d'affaires très tôt le matin... (Ah oui un 15 août, avec sa trousse de toilette sous le bras !).

Et le lit, personne n'avait couché dans le lit ?

Si, bien sûr, mais le maître d'hôtel l'avait immédiatement refait.

Et depuis quand prépare-t-on un lit pour la nuit dès l'aube ?

J'avais l'air goguenard, il s'empêtrait dans ses mensonges.

Puis, aussi rapidement que j'étais arrivée, sans

autre forme de procès je quittai Gunter, le secrétaire, le maître d'hôtel, l'appartement, l'avenue Foch et Paris. Philippe et moi reprîmes l'avion de midi, à 13 h 30 nous étions à Nice, à 14 h 30 à La Madrague. Le cauchemar n'avait duré que quelques heures, mais il allait se répandre telle une indélébile salissure sur notre courte vie commune.

Je ressentais au fond de moi une cassure irréparable, une trahison impardonnable. Ma révolte et mon chagrin se mêlaient en une espèce de désespoir farouche. J'étais le jouet d'un engrenage diabolique, j'avais été bernée, manipulée, abusée.

J'étais l'enjeu d'un pari sordide, le dindon d'une farce impudique et sale, qui me laissait meurtrie à jamais. Je n'eus même pas la joie de me venger sur les envahisseurs gunteriens de La Madrague en les foutant à la porte. Le téléphone germanique, encore plus rapide que l'arabe, avait fonctionné, tout le monde était au courant de ma manière insolente d'agir à l'égard d'un mari innocent, injustement accusé d'adultère... Tous les amis de Gunter, ses domestiques et leurs équipages étaient prêts à partir, les ordres étaient passés, la séparation était imminente !

Phi-Phi avec son humour caustique me rappela ironiquement mais tendrement qu'il m'avait conseillé de repasser par Reno pour divorcer... ce qui aurait évité tous les problèmes... !

Mes amazones qui n'avaient jamais pris ce mariage au sérieux, renchérissaient. J'avais vécu une merveilleuse aventure, un rêve éveillé qui se transformait soudain en cauchemar. Maintenant il fallait que je me réveille et que j'assume. Pour le quart d'heure, j'étais encore Madame Gunter Sachs, mais je n'avais pas l'intention de baisser les bras aussi facilement. J'étais beaucoup trop traumatisée pour réagir, mais je prendrais une revanche, sanglante, impitoyable, je m'en fis le serment et je tins parole !

Gunter revint en hélicoptère, jetant ses valises à l'eau avant de sauter lui-même, essayant de recoller les morceaux. A l'en croire, il ne fallait pas faire un scandale de rien, mieux valait montrer de nous l'image sublime d'un couple hors du commun, nous étions de la race des seigneurs et devions agir comme tels ! J'avais dû être influencée de façon déplorable par Philippe.

Ce dernier se fit subitement évincer de mon entourage et se brouilla définitivement avec Gunter ! Et puis ce Saint-Tropez au mois d'août était devenu insupportable ! Nous avions besoin de nous retrouver au calme loin de tout ce cirque.

Gunter partait dans sa propriété de Bavière, La Rechenau, et m'invita à le suivre pour me présenter à sa famille et à sa mère en particulier. Afin de ne pas me sentir trop dépaysée, il me proposa d'inviter papa et deux de mes amazones.

Le charme de Gunter opéra une fois de plus.

Cocue ou pas, je cédai et c'est dans l'euphorie générale que l'avion nous emmena de Nice à Munich ! Nous débarquâmes subitement dans l'univers brumeux et humide si cher à Louis II de Bavière qui le rendit du reste fou ! Catapultée en pleine *Auberge du Cheval blanc*, je découvris ce ravissant chalet aux fenêtres fleuries, aux chambres douillettes, aux poêles de faïence, et malheureusement au salon décoré de trophées empaillés de tous poils... J'eus des frissons devant ces malheureuses biches, ces sangliers, ces dix-cors, ces rapaces qui me fixaient de leurs yeux de verre éternellement morts, mais éternellement en attente d'une vengeance qu'il était impossible de leur refuser.

Gunter était donc un chasseur ?

Je fis un scandale, quelle impertinence de sa part... Il avait le culot de m'amener dans un cimetière empaillé au cœur de son domaine bavarois. L'arrivée de Madame Mère interrompit provisoirement ma révolte ! On aurait dit La Castafiore, Gunter avec une jupe, une Walkyrie sur le retour.

Impressionnante, la belle-mère !

Ça n'est certainement pas dans son giron que j'allais trouver la tendresse qui me manquait tant avec son fils ! Elle me jaugea d'un regard sévère et dit à Gunter quelques mots en allemand ! Je le vis redevenir petit garçon, bafouiller comme pris en faute, soudain dominé par cette mère imposante et autoritaire. Elle ne parlait pas le français, nous échangeâmes quelques banalités en anglais, et nos rapports en restèrent là. J'appris plus tard qu'elle reprochait à Gunter de lui présenter sa bru habillée autrement qu'en Bavaroise !

Dès le lendemain, une couturière me fit sur mesure et dans un temps record, la tenue adéquate, petit corselet blanc et brodé porté sous une jupe à bretelles, jupon de dentelle et bottes à la russe ! Mes copines eurent droit au même uniforme, quant à Gunter il vint dîner en culottes courtes de peau, chaussettes et chaussures de Tyrolien, et petit chapeau de chasseur orné d'une plume !

Nous étions grotesques mais tradition obligeait !

Seul papa, vu son âge et le respect qu'inspirait son élégance, échappa à cet accoutrement.

Tandis que Gunter partait très tôt le matin, alors que les brumes ne s'étaient pas encore effilochées, visiter avec son intendant l'état du domaine, je traînassais vêtue d'une cape de loden, ne découvrant qu'une infime partie de l'immense territoire que représentait La Rechenau. Papa et moi nous croisions des paysans qui nous saluaient bas, nous arrêtant parfois devant une ferme de dessin animé toute bariolée de peintures naïves, croulante de fleurs, buvant une bière dans un estaminet d'opérette !

J'étais subjuguée par ce nouveau monde si éloigné de celui que je venais de quitter. Ce calme, cette sérénité, ces traditions immuables et respectées, ce temps de vivre ! Ici Gunter n'était plus le play-boy international et superficiel qui défrayait la chronique. Il était le maître, le seigneur respecté de tout un peuple, le propriétaire de centaines d'hectares, l'héritier d'une fortune colossale, et le titre de « Frau Sachs » m'auréolait de la même puissance !

Le nom de Brigitte Bardot était oublié.

Papa, heureusement, me traduisait toutes les phrases gentilles, les marques du plus profond respect que ces braves gens essayaient de me faire comprendre avec leur simplicité et leur humilité.

Je me sentais vraiment étrangère, regrettant amèrement de ne pas partager la spontanéité de ce dialogue, les rires et la joie qui s'en dégageaient. Papa était heureux et fier, il m'avait pour lui tout seul et j'avais besoin de lui ! Nous nous retrouvions subitement très proches l'un de l'autre, soudés comme les maillons d'une chaîne familiale, elle aussi extrêmement traditionnelle et forte. Nous évoquions nos origines lorraines, le berceau de la famille, Ligny-en-Barrois, la demeure où il fut élevé avec ses frères dont seuls trois vivaient encore. Je sentais un flot de nostalgie envahir nos cœurs et partageai ses regrets de n'avoir pu conserver ses racines aujourd'hui disparues à jamais mais encore si présentes au fond de nos mémoires.

Mama Olga sut mettre un terme à cette paisible retraite.

Je fus tout à coup replongée dans l'univers stressant du show-business, du cinéma, de mes obligations professionnelles, à la suite du coup de téléphone péremptoire et sans appel qu'elle me passa. *A cœur joie*, le film de Bourguignon, ainsi rebaptisé par mes soins, devait commencer comme prévu en Ecosse aux environs du 10 septembre. On m'attendait pour le choix des costumes, les essayages, les derniers détails urgents.

Elle me signalait d'autre part que Joe Losey m'avait attendue 48 heures à Saint-Tropez pour me parler du film *La Truite* que je voulais tant interpréter ! Qu'il était reparti, la truite et sa déception sous le bras — j'avais peu de chances de repêcher mon manque de conscience professionnelle.

Gunter organisa une fête la veille de notre départ.

Il y eut un feu d'artifice, un orchestre tyrolien qui se tapait sur les fesses et faisait des « Iodle you you iodle » ! Il y eut de la bière à flots et des invités prestigieux. J'étais habillée en *Auberge du Cheval blanc*. Je m'étais adaptée à toute cette ambiance d'une époque révolue, et je la quittais, sans le savoir, pour toujours.

XXII

J'eus à peine le temps de retourner à La Madrague, fermer la maison, embrasser maman et lui rendre papa, prendre Guapa sous le bras, confier Kapi aux gardiens et je me retrouvai avenue Paul-Doumer.

Mais où était encore passé Gunter ? Il avait disparu je ne savais où, et je n'eus pas le temps de me poser trop de questions.

Dans le tourbillon de ce retour précipité j'avais ramené avec moi mes amazones, et Monique la jeune mariée au bikini blanc de la plage de Pampelonne. Prenant sur moi la responsabilité morale d'une séparation provisoire, j'assurai en jurant mes grands dieux au mari que sa femme ne risquait rien, qu'elle lui reviendrait incessamment, que leur attachement serait d'autant plus solide qu'une coupure les aurait privés l'un de l'autre quelque temps ! Je fus, sans le vouloir, l'instigatrice d'un divorce qui battit le mien d'une bonne tête !

En attendant j'installai Monique à la Paul Doumer et comme elle était blonde, grande et bien fichue, je la fis engager comme doublure dans *A cœur joie*. Pour ne pas faire de jalouses, S. fut engagée comme photographe personnelle de la star. Elle faisait de très belles photos quand elle n'oubliait pas d'enlever le cache de l'objectif !...

Et Carole signa pour un petit rôle !

Je dus laisser Guapa dans les bras de Madame Renée. A cause de la quarantaine anglaise, qui dure six mois, il était impensable que je l'emmène avec moi.

Mes vieilles dames avaient eu la visite de la toute nouvelle Madame Sachs. Elles s'extasiaient sur mon conte de fées et regrettaient que je sois venue les voir sans mon mari ! Elles espéraient tant rencontrer un jour cet homme hors du commun qui les faisait rêver !

Ah ! mes petites grand-mères, si vous saviez comme moi aussi j'aurais aimé voir cet homme qui était mon mari, mais il jouait à l'Arlésienne !

Je revis Gunter la veille de mon départ pour l'Ecosse.

Il était très affairé et ne quitta pas un certain Monsieur Schwring, un petit homme à lunettes qu'il me présenta comme son premier et indispensable collaborateur ! Le rendez-vous avait lieu avenue Foch où j'arrivai en retard pour un premier et ultime dîner. Dans cet appartement toujours aussi étranger, je me sentais mal à l'aise. Samir, le secrétaire, assumait parfaitement le rôle de maîtresse de maison qui aurait dû m'incomber. Les photos des pépées blondes trônaient toujours en même lieu et place dans le salon. Les déshabillés de dentelle noire pendouillaient toujours dans la salle de bains...

Je me demandais ce que je faisais là et à quel titre ?

Après ce dîner impersonnel, dans cette salle à manger impersonnelle, servi par un maître d'hôtel impersonnel, où nous avons mangé une nourriture impersonnelle, entourés du secrétaire et de l'homme d'affaires, j'essayai de voir Gunter cinq minutes en tête à tête afin de le retrouver un peu avant mon départ.

Hélas ! Ce fut impossible.

Les coups de fil de Munich et d'ailleurs interrompirent sans cesse notre entretien ! Gunter essaya mollement de me retenir pour la nuit avenue Foch ! Je n'avais encore jamais dormi dans cet appartement, devais partir le lendemain aux aurores pour l'Ecosse, cependant qu'il devait impérativement se trouver à midi à Munich !

Je repartis dormir à la Paul Doumer à la fois soulagée et désespérée.

J'avais au fond du cœur un étrange goût d'amertume, de défaite, de détresse !

C'est donc dans cet état que, le lendemain, ma Rolls m'emmena le long des routes de France, puis d'Angleterre, vers cette Ecosse inconnue et lointaine, où je devais endosser une fois de plus mon rôle d'actrice, de star, de personnage mythique !

Phi-Phi, d'excellente humeur comme toujours, et de plus ravi de m'enlever à ce « con » de Gunter, essaya tant bien que mal de me changer les idées. Ce petit voyage en voiture, à travers des paysages nouveaux et superbes, allait me requinquer ! La sono était magnifique, mes amazones ravissantes et le soleil brillait, tout allait pour le mieux dans le meilleur des mondes possibles !

Nous traversâmes Londres puis des kilomètres de campagne anglaise pleine de chevaux, de moutons, de petites maisons rustiques, de villages de brique rouge où des centaines d'enseignes à l'ancienne se balançaient encore, indiquant la présence des pubs dont les petits carreaux verts et jaunes, faits dans une pâte de verre épaisse, semblable au cul des bouteilles de vin, rappelaient l'époque de Charles Dickens.

J'avais oublié la beauté de ces paysages nordiques, leur douceur me fit du bien, me rassura, me stimula. La nuit tombait lorsque nous arrivâmes en Ecosse, mais j'eus le temps de percevoir le changement. La campagne se fit plus pelée, plus austère, les collines devinrent montagnes, la brique des villages pierre sombre. Même la route était différente, plus raide, moins douce. L'air était vif et froid. La lune à sa moitié éclairait un paysage désertique. Il était 20 heures à peine mais il nous fut impossible de trouver âme qui vive pour nous renseigner et nous restaurer.

Nous traversâmes Edimbourg.

En suivant le bord de mer, nous finîmes par arriver à Dirleton, un petit village de pêcheurs exquis. Le seul hôtel du coin, bourré à craquer, l'Open Arms, nous attendait comme son nom l'indique, à bras ouverts. J'en garde l'image merveilleuse d'un cottage amical. Dans le hall minuscule mais confortable, et accueillant comme une maison familiale, brûlait un feu de bois, autour duquel quelques journalistes sirotaient du Glenmorangie, (un whisky de malt doré spécialité écossaise). Avec eux discutaient Francis Cosne mon producteur aimé, Mama Olga, Dédette, Serge Bourguignon, Laurent Terzieff, le tout dans une ambiance extrêmement détendue et heureuse qui m'entoura d'une chaleur inattendue mais salutaire.

Dans ma chambre, chauffée elle aussi par une cheminée dans laquelle crépitait un joyeux feu de bois, m'attendait un télégramme de Gunter. Il pensait à moi et avait pris la peine de me télégraphier, que demander de plus ?

J'étais presque heureuse.

Du tournage de ce film, je n'ai pas de souvenirs ni de cœur ni de joie.

Mais je garde dans un joli coin de ma mémoire les images magiques d'un petit port de pêche, quelque part dans cette austère Ecosse. Je garde aussi le souvenir de ces châteaux de granit, refermés à jamais sur des ombres humides et glacées, dont les ponts-levis arthritiques et menaçants nous avalaient le jour pour mieux nourrir la nuit de leurs légendes éternelles et de leur ancestral envoûtement.

Sur une photo, lorsqu'on me voit dans cette robe blanche enveloppant mon corps comme un linceul, franchir légère et envolée le pont de légende entre la vie et la mort, cheveux au vent, n'étais-je pas devenue moi-même fantôme durant quelques secondes ?

Je crois au surnaturel, je crois à l'incroyable, je crois surtout que certains lieux sont chargés de l'empreinte indélébile d'une force antérieure, cloîtrée dans les endroits particuliers et préservés, sortes de tombeaux des âmes perdues, en peine, sortes d'assistance sociale de l'au-delà, centre de réadaptation d'outre-tombe.

J'eus la joie de retrouver James Robertson-Justice, ce fantastique acteur shakespearien qui, dans *Le Repos du guerrier* jouait Katov. Personnage truculent à la scène comme à la ville, homme d'une présence et d'une corpulence exceptionnelles, originaire direct d'Ecosse, il me donnait de nouveau la réplique dans ce rôle de Mac-Clintock, ne partageant décidément avec moi que la médiocrité de films sans grand intérêt. Qu'importe !

Il me fit découvrir son pays, roulant fort les « r » dans cet anglais guttural et incompréhensible qu'est l'écossais, buvant sec, portant kilt et barbe comme personne, l'œil allumé mais clair, le geste large, débordant de joie de vivre. Il m'apprit la fauconnerie, cet art de la chasse qui se sert d'un faucon dressé, tenu sur un gant spécial à la main gauche et aveuglé par un bandeau de cuir. Ce petit animal extraordinaire, obéissant aux ordres, avec ses yeux perçants et cruels, se laissait manipuler comme un petit chat. Sitôt libéré de son bandeau, il redevenait ce rapace précis et implacable qui traquait sans répit la proie désignée puis revenait sur un signe de son maître se poser docilement sur son perchoir humain.

J'étais à la fois révoltée et admirative.

Je plaignais en même temps le faucon et sa proie, tous deux victimes de l'homme, esclaves d'un maître qui utilisait à son profit les formidables capacités que la nature avait octroyées à l'un contre l'autre. Inutile de préciser que cette démonstration me fut faite uniquement pour la gloire. Ce jour-là, aucune proie ne fut chassée par le faucon. James Robertson-Justice savait depuis longtemps que j'étais une ennemie acharnée de la chasse et des chasseurs.

Depuis, James Robertson-Justice nous a quittés hélas !

Son âme a dû rejoindre les donjons et les chemins de ronde des plus prestigieux châteaux de son Ecosse natale. Je l'entends encore, rire et chanter les chansons plus ou moins grivoises de son intarissable répertoire, bousculer le carrousel des âmes en pleurs et affoler les touristes, ces cons !

Sans nouvelles de Gunter malgré mes efforts désespérants et désespérés, accrochée au téléphone comme une arapède à son rocher, je le vis débarquer un matin, sans prévenir, suivi de Samir son secrétaire. Un hélicoptère les avait déposés directement devant l'entrée de l'hôtel !

Etant obligée de travailler, je ne le vis que très peu. J'étais perturbée, j'expédiais les scènes à toute vitesse, ne pensant qu'à le rejoindre entre deux prises de vues, angoissée par cette arrivée imprévue qui bousculait toute l'équipe.

Lorsque, enfin, la journée se termina et que je fus libre de me consacrer à lui, il m'annonça qu'il repartait le soir même.

Voilà un petit échantillon de ma vie avec lui. En deux années de mariage, je dus le voir l'équivalent de trois mois pleins.

Après un rapide passage à Londres où je dus tourner dans le zoo, confrontée à la détresse d'un gorille rendu fou par son incarcération, consolant un petit chimpanzé qui s'accrochait à moi comme à sa mère, témoin impuissante de toute cette détresse (que je combattrais plus tard avec toute mon énergie), nous rentrâmes à Paris.

Là, les choses se compliquèrent !

∗∗

Gunter n'admettant plus que je vive à la Paul Doumer, je dus ruser et trouver toutes les excuses possibles pour éviter une installation avenue Foch. J'étais en plein tournage, dépendante de mes habitudes, des réunions que j'avais avec mon metteur en scène, de ma fatigue, etc. Je dus pourtant y passer une nuit ou deux par semaine, y laisser quelques affaires de toilette, un ou deux pulls et pantalons, deux culottes et un soutien-gorge !

Ces nuits chez Gunter étaient un calvaire.

Après le studio, je rentrais chez moi avec Guapa, Madame Renée, Monique, la Big, je buvais une coupe de champagne avec elles, j'aurais aimé me détendre après le boulot de la journée, me laisser aller, tremper dans mon bain pendant des heures en écoutant la musique que j'aimais, allumer des bougies, parfumer l'appartement aux extraits d'algues marines de Guerlain, aux bâtonnets d'encens ou de santal... Non, à peine rentrée, Samir me téléphonait et m'envoyait chauffeur et Rolls pour m'emmener avenue Foch. Ce soir, il y avait un dîner de quinze personnes dont Salvador Dali, Guy et Marie-Hélène de Rothschild, etc. Il fallait me repomponner, me remaquiller, me recoiffer, me rhabiller !

Gunter m'aimait en smoking noir strict, ce qui m'évitait le supplice de robes à flonflon ! Il m'aimait aussi lorsque j'avais les cheveux longs et sauvages, ce qui m'évitait les chignons et la corvée des bigoudis !

Ces soirées mondaines à l'extrême, dans lesquelles je jouais un rôle indéfinissable, ne furent pas toujours dénuées d'intérêt ! Mais elles tombaient mal !

Gunter était intarissable.

Il était très cultivé dans certains domaines, celui de la peinture en particulier, en priorité le surréalisme, les grands romantiques ou des contemporains que j'exécrais ! Chez lui, les violons brisés

562

d'Arman côtoyaient les visages de cauchemar de Bacon, les univers étranges de Magritte, le surréalisme dément de Dali et les femmes félines de Léonor Fini. Un éclatement colorié de Mathieu rivalisait aux côtés d'un monochrome bleu de Klein, tandis qu'une esquisse de Picasso raflait la vedette sur la cheminée, à côté d'un seau de plastique renversé dégoulinant d'une mixture de polystyrène pétrifiée par César.

Tout cet art nouveau pour moi me laissait perplexe ! A part Arman, Magritte et Dali, tout le reste me paraissait une vaste fumisterie et je ne me gênais pas pour le dire.

Pour mon anniversaire, Gunter avait prévu de faire une fête, mais je ne souhaitais qu'un dîner d'amoureux, en tête à tête, et finis par l'obtenir après bien des orages ! C'est dans un restaurant russe, au son de la Balalaïka et des violons tziganes que je fêtai seule avec mon mari et pour la dernière fois de ma vie, le premier anniversaire de Madame Sachs ! Cependant qu'avenue Foch tous ses copains et mes copines festoyaient en notre honneur !

C'est ainsi que Monique rencontra Samir.

Imperceptiblement, elle déserta la Paul Doumer pour installer ses pénates avenue Foch ! C'était la meilleure ! Je dormais chez moi et Monique remplissait désormais, en bonne doublure qu'elle était, mes fonctions avenue Foch, officiellement acceptée et agréée comme Madame Samir. Pendant que son mari n'arrêtait pas de m'appeler de Saint-Tropez, me menaçant d'un effroyable scandale si sa femme ne revenait pas immédiatement !

Il n'est pas besoin d'être star pour défrayer la chronique...

**
*

Aux studios de Billancourt où je poursuivais l'interminable tournage d'*A cœur joie*, je revis Jean-Paul Steiger, ce jeune homme grand défenseur du monde animalier et de la S.P.A. en particulier.

Il me raconta des choses que j'eus du mal à croire tant c'était épouvantable.

A Gennevilliers, dans un vieux refuge pourri, insalubre, innommable, nommé « Au bon accueil », croupissaient et mouraient des centaines de chiens et de chats oubliés, dans des conditions de détresse insupportable. Il m'appelait au secours — me suppliait de faire quelque chose afin de mettre un terme à cet affreux pourrissoir. Je ne dormis pas de la nuit, hantée par les images qu'il m'avait décrites, bouleversée par cette misère, imaginant tous ces petits museaux derrière de si gros barreaux, enfermés, punis, condamnés.

Ma décision fut rapide. Je passerai le dimanche suivant à Gennevilliers, qu'on se le dise, qu'on appelle la presse, la radio, la T. V., que ma présence serve à quelque chose !

Gunter me traita de folle !

Phi-Phi m'accompagna en Rolls. C'était la première fois de ma vie que je collaborais sur le terrain avec la S.P.A.

Mon Dieu, dans quelle misère, dans quelle pourriture, dans quel camp de mort avais-je mis les pieds ? Ces cachots humides et noirs où des dizaines de chiens pelés, malades, parfois mourants, essayaient avec leurs yeux, leurs pattes, leurs gémissements d'attirer l'attention afin de fuir cet enfer, cette mort inéluctable !

Je pleurais avec eux.

J'aurais voulu les prendre tous, les arracher à ce magma de détritus. Je dis ma révolte à la presse, et tentai de prendre dans mes bras un maximum de chiens galeux afin de les faire adopter par les quelques curieux qui se pressaient autour de moi. Je me serais prostituée pour les aider. Je ne savais plus que faire. Je suppliais les gens... Ils ne voulaient qu'une dédicace ! Ils se foutaient des chiens, mais voulaient un souvenir de moi.

A l'infirmerie, je vis le pire.

Des clapiers entassés les uns sur les autres dans

un local humide et froid. Dans chaque clapier, un chien malade, sans réaction — déjà ailleurs. Je décidai de payer les soins des deux plus atteints, destinés à l'euthanasie pour le lendemain. Une petite chienne rousse dont le dos avait été comme scalpé par le pare-chocs d'un camion, et dont la souffrance muette me tortilla le cœur. Un croisé berger sans couleur, immobilisé dans cet espace trop exigu, dont l'arrière-train irrémédiablement cassé ne pouvait que le laisser infirme à vie ! Le vétérinaire m'assura qu'avec des soins, il pouvait les sauver et me les remettre dans les huit jours.

Je fis un chèque et les baptisai : « Foutue » et « Bonheur. »

Puis, par hasard, une petite chienne arriva à ouvrir sa cage-clapier et me tomba dans les bras. Sans réfléchir, je la gardai contre mon cœur, elle fut « Patapon ». Une autre noire « Barbichue », puis une timide, affolée « Barbara », puis une belle dorée, croisée boxer « Diane », puis une adorable, je ne sais quoi, noire et blanche, « Bijoufix ». Je me retrouvais avec cinq chiennes dans la Rolls, avant d'avoir eu le temps de dire ouf !

Une espèce de cave ignoble et glacée servait de chatterie ; là, résignés, toussant, malades, étaient parqués une cinquantaine de chats maigres, faméliques, oubliés de tout et de tous et attendant la mort. Je pris tous ceux qui vinrent à moi et se blottirent contre mon corps. Ils étaient dix. Puis je promis de revenir le dimanche suivant et de vider cet endroit abominable.

Avec mes dix chats ou chattes et mes cinq chiennes, la Rolls était au complet. Nous partîmes directement pour Bazoches. Dans notre « Rolls de Noé », les chats nous grimpaient sur la tête, toques de fourrures vivantes, pendant que chiennes et chiens se faisaient le plus discrets, le plus petits possible, de peur d'être ramenés à l'enfer. C'était drôle, cette voiture luxueuse transformée en cage pleine de bâtards hirsutes et sales, mais si tendres, si heureux, si confiants.

L'arrivée fut folklorique.

Je lâchai tout le monde en vrac. Ce ne furent que jappements de bonheur, courses effrénées, explosions de joie, ivresse d'une liberté retrouvée. Les chats couraient se percher sur le premier arbre venu. Personne ne pouvait en croire ses yeux, ni ses oreilles. Pas même moi, fascinée par le bonheur que je partageais si profondément avec eux.

Les gardiens se montrèrent moins enthousiastes, cela allait leur faire du travail supplémentaire ! Je leur allongeai une prime afin d'acheter la certitude qu'ils s'occuperaient bien de tous ces animaux lorsque nous repartîmes, en emmenant « Fulbert », le brave toutou que Phi-Phi avait adopté et qu'il ne quitta plus pendant dix longues années. Les autres se mirent à pleurer, à gémir, ne voulant déjà plus me quitter ! Je les embrassai, leur fis plein de *poutchou-poutchounes*, leur promis de revenir dimanche prochain et leur demandai d'être sages et obéissantes.

La Rolls empestait le chien mouillé sans parler d'autres odeurs fortes et nauséabondes dont nous étions nous-mêmes imprégnés.

Qu'importe, je ressentais au fond de moi comme un apaisement.

Guapa me renifla et me fit la gueule.

Avec l'aide de Jean-Michel François, un jeune pigiste à *Jours de France*, qui m'avait demandé de faire une action d'éclat contre les abandons et les euthanasies, je passai ma semaine à convaincre tous les techniciens, acteurs, décorateurs, producteurs de mon film et des plateaux voisins, d'adopter un chien. J'allai à la cantine, persuadai le cuisinier, la barmaid, les consommateurs, les journalistes... bref, nous n'arrêtions pas, notre croisade comptait plus que tout au monde !

Les assistants me cherchaient partout lorsque c'était à moi de tourner. Quand enfin ils me dénichaient au milieu de la superproduction voisine, en train de faire l'article, je me mettais en colère. J'étais sur le point de placer un chien et voilà qu'on me cassait mon coup pour aller débiter des conneries que, du reste, je n'avais pas apprises et dont je n'avais rien à foutre. Sur ma demande, la S.P.A. envoya aux studios de Boulogne-Billancourt une camionnette remplie d'un échantillonnage complet de tailles, de races et de couleurs.

Je passai la journée à les trimbaler partout, aidée par Jean-Michel et Dédette, ma maquilleuse. Je les plaçai tous, sauf deux ! Il faut dire que, même s'ils étaient les plus braves, ils étaient physiquement les moins aguichants. Ils avaient un côté saucisson à pattes.

Jean-Max Rivière, mon compositeur de *La Madrague*, eut la bonne idée de venir me parler ce jour-là du show de Reichenbach. Ce fut donnant-donnant : ou il prenait « Strapontin » ou je ne voulais rien entendre.

Le soir, en visionnant les rushes de la veille, je traînais encore derrière moi le plus moche, une espèce de petit fox grassouillet, un peu roquet sur les bords, qui montrait facilement les dents et sentait à lui seul plus mauvais que tous les autres réunis. Je l'avais aspergé d'*Heure Bleue* ce qui rendait son odeur encore plus épouvantable.

Dans la salle de projection je me fis huer.

Le chien se mit à hurler, j'éclatai en sanglots.

Il était 8 heures du soir — je n'allais pas renvoyer cette pauvre bête, seule dans la camionnette S.P.A., retrouver l'enfer d'où il sortait. Le coproducteur, Bertrand Javal, un homme exquis, au grand cœur, plus ému par mon désarroi que par le chien l'adopta pour me faire plaisir. Il ne savait pas comment l'appeler...

Je lui suggérai « Radis ».

Bertrand et Radis vécurent heureux ensemble pendant quinze ans. On ne les voyait jamais l'un sans l'autre. Et lorsque ayant accompli son parcours terrestre Radis quitta Bertrand pour le paradis, celui-ci eut un tel chagrin qu'il mit presque un an à s'en remettre.

J'avais promis de retourner à Gennevilliers et j'y retournai un dimanche en jeans, crasseuse, ce qui me permit de mieux inspecter le fond des cages, de me rendre compte des conditions innommables dans lesquelles les animaux étaient détenus.

J'allai visiter mes deux rescapés, « Foutue » et « Bonheur », je leur fis plein de câlins, leur donnai des petits gâteaux et de douces paroles.

« Bonheur » avait été changé de clapier. Sa nouvelle cage lui permettait de se mettre debout ! « Foutue » avait le dos purulent. Elle m'inquiéta, mais le vétérinaire m'assura qu'avec les antibiotiques, cela irait mieux dans quelques jours. Je fus fêtée et remerciée par la direction de la S.P.A. Ce jour-là, après le battage médiatique orchestré par Jean-Paul Steiger et Jean-Michel François, il y eut pas mal d'adoptions.

Je les regardais partir dans la nouvelle famille qui allait être la leur... pour combien de temps ? Le principal était qu'ils partent, qu'ils fuient ce mouroir. J'incitais aussi les gens à adopter des chats. On oublie toujours les chats dans ce genre de manifestation, bêtes noires de notre société. On croit que les chats se débrouillent seuls, qu'ils n'ont pas besoin de nous.

Faux, archi-faux.

Marie-José Neuville et son mari Gérard Herzog — frère du fameux Maurice que j'adore, quel homme ! — étaient là. Tous deux firent beaucoup pour la S.P.A. à cette époque. C'est avec leur appui, et celui de bien d'autres personnes outrées par l'insalubrité du refuge le plus populaire de France, que nous obligeâmes la direction de la S.P.A. à envisager d'urgence une nouvelle structure d'accueil, un nouveau refuge et une nouvelle organisation digne de leur renommée, de leur image.

C'est ce dimanche que fut posée moralement la première pierre du refuge actuel, qui quoique carcéral et sinistre, n'a rien à voir avec l'ancien.

Quelques jours plus tard, le vétérinaire de la S.P.A. m'annonça au téléphone que « Foutue » était morte des suites d'une septicémie impossible à vaincre. Par contre « Bonheur », quoique boiteux à vie pouvait enfin me rejoindre. Il ajouta qu'il fallait se méfier des noms que l'on donnait aux animaux — noms porteurs d'espoir ou de défaite !

Je pleurai silencieusement la mort de cette pauvre petite chose qui aurait pu être si heureuse près de moi, morte sans bruit, sans amour, et je fis chercher « Bonheur » immédiatement. Il partit directement à La Madrague avec Michèle et vécut pendant quinze ans. Boiteux, mais heureux, pelé mais connu et reconnu partout comme « Talleyrand », le chien de Bardot.

**

Le 14 novembre de cette année 1966, Gunter eut 34 ans.

Il organisa avenue Foch une fête déguisée dont le thème était « Dracula ». Même les extras appelés en renfort portaient smoking, cape et canines imposantes !

C'était grandiose !

L'appartement, uniquement éclairé par des chandeliers à cinq branches, prenait une couleur de mystère, l'orchestre tzigane faisait pleurer les romantiques et chanter les nostalgiques. Les femmes étaient belles, les hommes élégants. Gunter en Dracula se prenait pour le Mal en personne. N'ayant pas eu le temps d'aller me chercher un costume, j'étais moulée dans un maillot académique de danseuse en nylon transparent, couleur chair, sur lequel j'avais fait broder des motifs en forme d'algues. De faux cheveux tombant jusqu'aux fesses cachaient discrètement ma nudité de sirène. A mon cou, deux pointes de sang, et flottant derrière moi telle une ombre, une immense cape de mousseline noire trouvée dans les costumes et accessoires des studios de Billancourt.

De quoi perpétuer la légende...

Le film enfin terminé, j'eus un peu de temps à consacrer à tous ceux que j'aimais et que j'avais provisoirement abandonnés. Mes parents, mes vieilles dames, Bazoches, mes toutous, mes chatons, mon Cornichon ! Avec Olga, je pris les dates définitives pour le *Show Bardot* de Reichenbach. Ce serait pour la fin de l'année prochaine.

Je n'avais pas encore revu Bob !

Je n'avais aucune envie de le revoir.

Je dormais un coup à la Doumer, un coup avenue Foch où j'amenai plusieurs fois Guapa. Pauvre Guapa ! Elle détonnait complètement dans le décor ! Gunter la regardait d'un œil torve, rêvant pour moi de lévriers afghans, de chiens élégants et racés mettant en valeur ma grâce et ma beauté ! Cause toujours, tu m'intéresses ! Les chiens décoratifs, très peu pour moi.

C'était elle et moi ou plus personne. Clair, net et précis.

Monique était devenue la prêtresse de l'avenue Foch.

Sa liaison avec Samir lui avait appris de manière fulgurante l'aisance, l'élégance, l'abattage d'une femme rodée à ce genre de vie. La petite provinciale de Saint-Tropez, la timide fille du docteur, l'épouse du pêcheur-antiquaire, s'était transformée en splendide créature de rêve ! Comme quoi les femmes sont bel et bien le reflet de ce que les hommes font d'elles. Grâce à elle, à notre complicité qui ne fit qu'augmenter, mes séjours avenue Foch furent plus agréables, plus détendus, plus simples.

Puis je retrouvais enfin celui qui allait rester à jamais mon ami fidèle, celui qui sut mieux que personne m'habiller, me chiffonner, me pavoiser, me déguiser, me dénuder, me sexyfier, me parer et me désemparer.

L'unique, le seul, l'irremplaçable et irremplacé Jean Bouquin.

Ah ! ma complicité avec Jean !

Ces étoffes somptueuses qu'il me tournicotait autour du corps, parures de déesse, soies arachnéennes, volumes dépouillés qui ne tenaient qu'à un fil et dont les coutures craquaient au moindre effort, mais qui m'enveloppaient d'effets, de reflets d'or, de myrte et de santal. Jean me couvrit de « foulards-robes », de « mini-maxi » indiennes, de chaînes afghanes, de « pantalons-jupes », de coloris fondus et acidulés. Il fut l'inventeur de cette mode extravagante dite hippie que je portais avec tant de joie, qui me colla à la peau pendant tant d'années et qui revient aujourd'hui en force dans tous les journaux à la mode !

Quel précurseur ! Quel génie, ce type !

Sa mode mettait les femmes en valeur, en extra-valeur !

Quand je vois les défilés carnavalesques que nos soi-disant couturiers nous infligent aujourd'hui, je mesure le chemin parcouru depuis ces fabuleuses années sixties. C'est à mourir de rire que d'assister à la présentation de certaines collections *prêtes-à-pédés*. Je voudrais voir ma concierge là-dedans ou moi avec mes 60 ans ! Ce serait une telle catastrophe que je préfère repenser à Jean Bouquin.

Noël arrivait à grands pas.

Gunter voulut le passer à Gstaad — j'aurais préféré Méribel !

Nous partîmes donc pour Gstaad, mais un chalet fut loué à Méribel pour février. Guapa, Monique, Samir, Gunter et moi nous entassâmes dans la Rolls avec les bagages.

Notre escale de Pully, près de Lausanne, me fit découvrir l'adorable maison champignon, « la petite Bazoches » sur le lac, où Gunter était officiellement domicilié. Il remonta du coup dans mon estime, car les maisons sont les reflets de ceux qui y vivent. Ce petit nid douillet et chaud me fit connaître le côté secret, simple, dénué de toute ostentation de mon mari. Sur la porte, en guise de heurtoir, l'énorme empreinte d'une patte d'ours. Oui, c'était le repaire d'un ours. De ce jour, j'appelai Gunter « Planti », diminutif de plantigrade.

Puis nous nous arrêtâmes à Gruyère, ce petit village médiéval où sur la place, grande comme un mouchoir de poche, en face de l'église de conte de fées, trônait la maison du nain, aussi petite qu'une maison de poupée, miniature extraordinaire, architecture de maîtrise, réduction maquettisée d'une vie.

Gstaad, ravissant petit village de carte postale, était envahi par une foule hétéroclite et désordonnée. Le chalet de Peter Notz abritait dans le luxe de ses bois peints et patinés quantités d'invités célébrissimes. L'idée de passer ces fêtes de Noël et du Nouvel An entourée de tous ces gens connus me glaça ! Où était la famille au milieu du Gotha international ? Où était le petit Jésus de la crèche de mon enfance ? Où et pour qui seraient les petits cadeaux cachés dans les souliers, devant la cheminée, au milieu des branches de sapin et des oranges ?

J'avais le cafard.

Gunter qui fait du ski comme un dieu partait tôt le matin, pour ne revenir que tard le soir ! Je me promenais avec Monique et Guapa. Le temps passa, l'année 1966 aussi. A minuit j'embrassai Guapa et Gunter. J'avais foi dans cette nouvelle année que je voulais belle. Malgré le brouhaha qui régnait autour de nous.

Cette nuit-là, je vis des biches s'approcher très près du chalet, manger le foin qui était déposé à leur intention. Bonne année, petites biches si douces, si belles — que les chasseurs vous épargnent.

Tel fut mon souhait le plus cher.

Oui, je la voulais belle cette nouvelle année 1967, et pourtant à peine rentrée, les gardiens de Bazoches m'annoncèrent que « Barbara », la timide, avait été retrouvée morte un matin dans le jardin.

Sur place je constatai la terrible vérité ! Les autres chiennes, heureuses, batifolaient un peu trop, paraît-il. Elles sautaient par-dessus la clôture et s'éparpillaient dans les champs, au grand dam des agriculteurs, fous de rage et bientôt menaçants.

« Barbara » est-elle morte empoisonnée ?

Je ne le sus jamais, mais décidai pour les protéger d'enfermer les survivants dans un enclos qui les empêcherait d'être les cibles innocentes des mauvais coucheurs du coin.

Devant l'inévitable méchanceté de l'homme qui détruit systématiquement les semblants de paradis que j'essaye de construire, devant l'inéluctable destin qui ravage impitoyablement la survie précaire de ceux dont la mort est programmée, il me vient une révolte sourde et profonde, un désespoir incommensurable, un sentiment d'impuissance, qui remettent en cause toute ma vie, gonflent ma poitrine de sanglots rentrés, inondent mes yeux et mon cœur de larmes sèches mais brûlantes.

Je me suis mise lentement mais sûrement à détester l'humanité pour son inhumanité !

Pourquoi refuser aux chiens, aux chats, aux animaux en général de vivre libres ? De quel droit, quelles prérogatives abusives autorisent leur abattage, s'ils s'ébattent joyeux dans le champ du voisin ?

Ce jour-là devant le petit cadavre de « Barbara », je jurai de passer ma vie à la venger, à les venger tous. Comment ? Je ne le savais pas précisément, mais une telle force me motivait qu'il était impossible qu'elle n'éclatât pas un jour.

L'avenir me prouva que mon instinct ne m'avait pas trompée. Toutes les chiennes que je recueillis à la S.P.A. et auxquelles fut promise une vie d'amour auprès de moi périrent massacrées par les chasseurs dans des délais plus ou moins brefs !

En attendant de partir pour Méribel, Gunter allait et venait, absent, introuvable. Je passais beaucoup de temps à Bazoches. Avec mes amazones, ainsi que Monique et Samir, nous faisions des kilomètres à pied suivis de Cornichon et de la meute !
C'était rigolo cette procession d'animaux qui cavalaient dans les labours humides, fouinant partout. Cornichon, en tête, piquait parfois un cent mètres genre rodéo, en bottant sa joie de coups de pied heureux ponctués de *hi-han* péremptoires. Parfois un chat plus aventurier que les autres nous suivait un petit bout de chemin puis repartait subrepticement retrouver son coussin moelleux et chaud. Nous rentrions crottés et boueux, mais crevés et heureux ! Une bonne tasse de thé auprès du feu de bois, les chiennes à nos pieds, c'était une sorte de bonheur. Lorsque Gunter me faisait la joie de partager ma vie de paysanne, Samir apportait le Château Margaux et les verres en cristal, les draps et le linge de table adéquats.
Du coup les chiennes étaient interdites de séjour dans la chambre, quant aux chats, ils restaient prudemment dans la cuisine, maculant parfois la nappe blanche de leurs petites empreintes.

Un jour Jean-Paul Steiger m'appela, il avait deux pauvres chèvres qu'il venait de sauver in extremis de l'abattoir, pouvais-je les prendre à Bazoches ?
Elles furent de merveilleuses compagnes pour Cornichon. J'ai découvert l'intelligence, la malice des chèvres. Ces animaux si mal connus sont aussi fidèles que les chiens, et ils comprennent tout. J'ignorais qu'elles étaient abattues et débitées au même titre que des moutons — jusqu'où ira l'inépuisable boulimie de l'homme ?
Les chèvres arrivèrent pleines, et accouchèrent

peu de temps après, mettant au monde deux petits chevreaux, peluches vivantes et douces aux cris de bébés humains qui n'arrêtèrent pas de m'éblouir par leur grâce et leur confiance, leur fragilité aussi. Quand on pense qu'on les égorge sans pitié pour les manger dans leur première tendresse, petits enfants terrifiés sans défense, pleurant, implorant la pitié des barbares que nous sommes...

Cela me rappelle la surprenante histoire de cet homme attablé devant une salade, réclamant à grands cris de la viande, à qui l'on servit un pigeon vivant et un couteau !

Si chacun de nous devait tuer de ses propres mains l'animal qui lui sert de nourriture, nous serions des millions à être végétariens.

C'est un peu à contre-poil que je partis pour Méribel...

J'avais du mal à quitter ma ménagerie de Bazoches, et puis les choses n'étaient plus vraiment les mêmes depuis que je vivais avec Gunter. Comment allait-il se sentir dans ce petit village, loin de la foule mondaine et aristocratique au milieu de laquelle il avait l'habitude d'évoluer ?

Samir eut beau envoyer le linge, les verres, la cave, le caviar et Margaret, la femme de chambre, j'eus beau emmener avec nous Madame Renée, Guapa, mes valises bourrées de bonnes résolutions et de vêtements élégants, Méribel restait à mille lieues de Gstaad et de Saint-Moritz, Dieu soit loué pour moi. Bien sûr, le chalet se remplit d'amis de Gunter : Jean-Noël Grinda et sa femme Florence, Gérard Leclery, Samir et Monique !

Tout alla bien pendant une semaine.

Puis Gunter commença à se ronger les ongles, les soirées manquaient de panache ! Johnny et Sylvie vinrent dîner — elle avait eu un enfant quelques mois auparavant. Du coup Gunter voulut lui aussi *un œuf de Mamoue* — traduction : « Madame, je voudrais que vous me fassiez un enfant. »

Ça alors il ne manquait plus que ça !

Il n'était pas question que je ponde !

Les moyens contraceptifs étaient inexistants. Seule la course à pied vers la salle de bains et la méthode Ogino pouvaient nous assurer une très relative sécurité. Je passais ma vie le nez dans le calendrier — comptant les sept premiers jours, puis abstinence totale, puis la dernière semaine, de nouveau la liberté d'aimer. Faire l'amour était devenu une programmation mathématique de laquelle découlait le pire ou le meilleur, ça dépendait de quel point de vue on se plaçait !

J'aurais préféré rentrer dans les ordres, faire vœu de chasteté à jamais plutôt que d'être à nouveau la victime de l'enfer déjà vécu avec la naissance de Nicolas. Devant le peu d'enthousiasme que souleva chez moi l'éventualité de me transformer en poule pondeuse, Gunter décida de partir pour Saint-Moritz afin de me laisser réfléchir aux conséquences éventuelles de mon refus ! Je me retrouvai seule à Méribel, Samir, Monique, Madame Renée et Margaret ne m'étant d'aucun secours. Je pris Guapa dans mes bras et pleurai longtemps, très longtemps.

Ce chantage à la maternité était révoltant !

Si le mariage peut être l'enjeu d'un pari stupide et inconscient, l'enfant issu d'une union ne peut en aucun cas s'assimiler à cette sorte de hasard sordide.

Le chalet était subitement devenu sinistre.

Je décidai d'aller passer une soirée à Courchevel, retrouver mon amie Jacqueline Veyssière, son club Saint-Nicolas, l'ambiance chaleureuse et joyeuse qu'elle savait semer partout sur son passage. Là-bas, je rencontrai Jean Bouquin et Simone sa femme. Ils avaient ouvert une boutique pour la saison, toujours à la pointe de l'excentricité, leur présence me fit du bien. Je dansais seule, provocante (mais il n'y avait personne à provoquer), je bus trop de champagne, j'essayais d'oublier au milieu de tous ces couples, que j'aurais dû être entortillonnée autour de Gunter !

Gunter ne revint pas.

Le mois de février n'ayant heureusement que 28 jours, c'est avec soulagement que je remballai mes affaires et que chacun reprit la direction de l'avenue Foch ou de la Paul Doumer.

A peine rentrée, Mama Olga me fourra sous le nez un projet « magnifique », un sketch tiré des *Histoires extraordinaires* d'Edgar Poe mis en scène par Louis Malle. Mon partenaire serait Alain Delon, le tournage aurait lieu à Rome au début de l'été. Cela ne me prendrait que peu de temps, me rapporterait gros, et remonterait un peu ma cote au box-office, en situation précaire.

Je signai. Après tout, pourquoi rester à ne rien faire dans l'attente d'un mari aussi fugitif qu'un courant d'air ?

Gunter, à qui j'annonçai la nouvelle, trouva l'idée excellente. Rome était une ville qui le fascinait. Il loua immédiatement la plus belle demeure de la via Appia Antica pour une période de trois mois. Réceptions, dîners, déjeuners, l'avenue Foch ne désemplissait pas.

Grâce à Gunter, je connus des personnages fabuleux : Dali, César, Georges et Claude Pompidou, Guy et Marie-Hélène de Rothschild, Dado et Nancy Ruspoli, les von Bismarck, le shah d'Iran et l'impératrice Farah, le prince Rainier et Grace, et même le général de Gaulle ! Gunter était curieux de tout, avide de connaître, de rencontres et de découvertes. Un éternel insatiable de nouveauté, d'inédit. C'était un explorateur passionné de la vie, de ses multiples facettes, de ses mystères. Le contraire de moi, qui me sentais vulnérable et perdue dès que je franchissais le portail de mes domaines secrets et privés.

En m'entraînant dans son sillage, il me fit découvrir un monde neuf et très enrichissant, qui me permit de faire certains choix, de m'épanouir, d'élargir mon point de vue sur les choses et sur les gens.

Il y eut aussi cette fabuleuse soirée chez Maxim's où j'arrivai pieds nus ce qui défraya la chronique.

A cette époque, Gunter se passionnait pour le cinéma. Il rêvait de mise en scène extravagante, de surréalisme fou, d'érotisme exacerbé !

J'étais bien entendu le pivot de ses élucubrations fantasmagoriques. Il allait me faire tourner « le film » de ma vie... personne n'avait su m'employer, lui serait le détonateur foudroyant de mon talent, de ma beauté, de mes atouts multiples. J'écoutais, perplexe, toutes ces histoires racontées à grand renfort de gestes larges, de roulements de « r », de phrases qui se bousculaient sans queue ni tête !

Que Dieu me préserve de cette nouvelle lubie de mon mari !

En attendant il venait de tourner au Kenya, avec Gérard Leclery, un documentaire sur les animaux sauvages, sans aucun intérêt, qui n'avait pas encore retenu l'attention d'un distributeur. Depuis deux ans, ce film croupissait dans la cave de l'avenue Foch, mais Gunter décida qu'il le présenterait hors concours au prochain Festival de Cannes, en mai, et que c'est moi qui, en honorant cette soirée de ma présence, assurerais l'approbation unanime des organisateurs.

Ça, il n'en était pas question !

Je n'avais pas remis les pieds à Cannes depuis des années, je haïssais cette foire d'empoigne, je n'y serais même pas allée si un de mes films était sélectionné. Ce n'était pas pour aller présenter son film de merde que je changerais d'avis !

« Madame, me répondit Gunter, si vous n'acceptez pas, je divorce !

— Eh bien divorcez, monsieur. »

Je claquai la porte, outrée, et attendis la suite...

**

J'avais définitivement réintégré la Paul Doumer et repris ma vie habituelle. J'attendis en vain des nouvelles de Gunter ou l'annonce de notre divorce. Rien !

Je revis Phi-Phi. Entre-temps il était tombé passionnément amoureux de S. ! Décidément mes amazones étaient irrésistibles ; le seul problème, c'est qu'elles étaient mariées.

Gloria, ma Chilienne de choc, ma beauté indienne, avait épousé Gérard Klein et filait le parfait amour. Seule Carole restait le bastion pur et dur d'un célibat sans concession. Jicky et Anne avaient eu un deuxième fils : Pierre-Laurent. Leur vie diamétralement opposée à la mienne avait creusé un petit fossé entre nous. Mais notre amitié n'en souffrit jamais.

Un soir le téléphone sonna.

J'étais occupée, ce fut Monique qui répondit.

C'était Valéry Giscard d'Estaing !

J'entendais Monique roucouler de sa voix rauque. Faire des oh ! des ah ! des oh oui ! des oh non ! A la fin, en ayant assez, je pris le combiné. Valéry me susurrait des envies folles de rencontrer cette voix de femme qui l'hypnotisait ! Je lui proposai de venir boire un verre le lendemain, il sauta sur l'occasion. Manque de pot, Monique me dit qu'elle devait quitter Paris et qu'elle ne pourrait pas malgré tout son désir de rencontrer cet éminent personnage, être là le lendemain.

J'étais jolie ! Il me fallait trouver une remplaçante à cette Monique.

Mais qui ?

Soudain, j'eus une idée diabolique.

J'appelai Claude Deffe, un ami intime de Sacha Distel, que je connaissais bien, qui n'était absolument pas homosexuel, mais qui pour rigoler, n'hésitait jamais à se déguiser en femme. Je lui racontai l'histoire. Il rigolait comme un fou. Je lui mettais mes perruques, mes collants, mes minijupes à disposition, seules les chaussures (je chaussais du 37 et lui du 43 fillette) n'étaient pas prévues. Nous décidâmes qu'il viendrait chez moi, sur place, se métamorphoser vers 18 heures le lendemain. J'invitai quelques intimes pour faire plus vrai et plus gai, les prévenant d'avance du « coup » que j'allais faire à Giscard.

Les témoins furent Jacky Schmil, un journaliste international, rigolo, amusant, plein d'humour et d'amour pour moi, le frère de Claude Deffe, Christian, directeur artistique chez C.B.S., Carole et S. mes amazones disponibles, Phi-Phi d'Exea aussi. J'avertis Madame Renée qu'au coup de sonnette donné par Giscard d'Estaing, elle devait le faire monter au salon sans montrer le moindre signe de moquerie.

Tout était organisé au mieux.

J'avais éteint tous les éclairages, ne laissant que des bougies et un feu de bois, des bâtons d'encens. Ambiance cabaret. Claude se maquillait, se pomponnait, se métamorphosait dans mon dressing-room. Il y en avait partout. Et une perruque par-ci et des vêtements par-là ! C'était le bordel, moi qui suis un peu maniaque ! Enfin, on ne rigole pas tous les jours ! Je choisis une minijupe noire, une perruque blonde frisée, un pull de coton noir à manches longues et des bottes style cuissardes qui achevèrent de donner le look sexy recherché. Puis avec mes amis nous attendîmes l'événement devant une bouteille de champagne, dans la semi-obscurité du salon de la Paul Doumer.

Giscard arriva précédé de Madame Renée.

Il nous fit les hommages et les compliments d'usage, puis s'inquiéta de l'absence de Monique ! Ce fut bref, car un coup de sonnette nous annonça son arrivée ! J'eus un coup au cœur en voyant se découper la silhouette de Claude dans l'entrée plus ou moins obscure du salon. Il avait les jambes, entre parenthèses, un peu tordues, comme si on l'avait mis à sécher sur un tonneau ! Mais qu'importe !

Je présentai tout mon monde à « Monique » qui venait d'entrer, avec sa voix rauque et ses jambes on ne peut plus tordues. Mais qu'importe !

Valéry lui baisa la main avec courtoisie mais son regard resta fixé sur cette main d'une manière particulière. Puis sans autre forme de procès il nous exprima son désir de nous quitter, invoquant son travail, ses obligations et patati et patata. Je suggérai un dîner ensemble, mais il se défila rapidement, trop rapidement.

Lorsqu'il nous eut quittés, nous essayâmes d'expliquer cette fuite.

Je vis les mains de Claude pleines de poils entre les doigts et compris immédiatement la réaction de Valéry. Je sais que cette anecdote unique d'un ministre baisant la main d'un homme déguisé en femme sera racontée dans les événements d'une époque où tout était encore possible surtout chez moi.

N'empêche que Valéry ne fut pas dupe.

Qu'il mit des mois avant de me pardonner.

Et qu'enfin, président d'une République que j'incarnais par mon buste, il finit par m'absoudre de mon insolence en soutenant mon combat pour les bébés-phoques.

Merci, Valéry de votre indulgence et surtout merci de votre soutien national face à un combat difficile et toujours pas gagné actuellement.

Pour les besoins du show TV que je devais impérativement tourner à la fin de l'année, je dus revoir Bob !

Cela me remua le cœur ! Je n'aurais jamais dû le quitter... Il fut d'une extrême gentillesse, ne me gardant rancune de rien, déplorant simplement que je ne sois pas aussi heureuse que j'aurais dû l'être !

Et plouf ! je m'effondrai en larmes dans ses bras.

Du coup, il vint avec Phi-Phi, Fulbert son chien, S., Carole et Jean-Michel François passer le week-end à Bazoches. Nous avons joué au poker, promené

les chiens, caressé les chats, fait des câlins à Cornichon, aux chèvres malicieuses et à leurs bébés-
peluches !

C'était joyeux et simple comme avant !

Au moment de repartir pour Paris, je trouvai attaché à la poignée du portail un gros toutou noir
et blanc... sans aucune identité ! Pauvre brave
pépère abandonné par des cons sans scrupule ! Il
avait l'air si confiant, si tendre, si perdu. Je l'appelai
« Prosper » et l'adoptai immédiatement. Prosper
m'accompagna et vécut à La Madrague jusqu'en
1983 !

Il fut un modèle de douceur, de fidélité, de bonté.

Je fus obligée de séparer les mâles des femelles
afin d'éviter une prolifération anarchique. A ce
moment-là, les stérilisations, courantes aujourd'hui,
ne faisaient pas encore partie des précautions à
prendre.

Pour le *Show Bardot*, il fut décidé que les plus
célèbres compositeurs de l'époque écriraient pour
moi des chansons sur mesure que je chanterais ou
danserais. C'est ainsi que furent contactés François
Bernheim, Serge Gainsbourg, Claude Bolling,
Gérard Bourgeois, Nino Ferrer... J'écoutais les
maquettes sur disque souple et savais immédiatement si ça me collait ou non à la peau. Je fis mes
choix sans aucune hésitation.

Olga me proposa un film américain qui serait
tourné au début de l'année 1968 dans le sud de
l'Espagne avec Sean Connery comme partenaire.
Une sorte de western des années 1880, mis en scène
par Edward Dmytryk, avec une distribution fabuleuse mais tourné impérativement en langue
anglaise.

Je l'envoyai promener.

Mama Olga ne se formalisa pas et mit le projet en
attente. Bien que du même signe que moi, Balance,
Olga est tout mon contraire ! Patiente et diplomate.

J'avais régulièrement des nouvelles de Nicolas par maman.

Son père venait de louer pour lui une maison à Montfort-l'Amaury où il vivait avec Moussia. Montfort est à 4 kilomètres de Bazoches, pourquoi Jacques me faisait-il subir ce nouvel affront ? Je l'appelai au téléphone. Il fut sans pitié, Nicolas avait besoin d'une vie calme, organisée, loin du cirque ridicule qu'était devenue mon existence déréglée et révoltante !

Je lui raccrochai au nez !

Quel imbécile, ce type, bourgeois jusqu'au troufignard, incapable d'indulgence, de générosité, privant pour des prétextes à la *mords-moi-le-tchoupoutchoune*, une mère de son fils.

C'est vrai que j'étais spéciale, mais sans aucune hypocrisie.

Je vivais au jour le jour, comme la vie me poussait ! Telle une navigatrice solitaire, responsable de son navire, j'essayais de le mener bon an, mal an jusqu'au port le plus proche.

J'allai voir Nicolas. Ce fut une catastrophe.

Nous étions comme deux étrangers. Son petit monde me rejetait. J'étais exclue. Je le compris et, les larmes aux yeux, dus me soumettre à cette dure réalité. On n'apprivoise pas plus un enfant qu'un petit animal. Il faut du temps, de la patience et de l'indulgence, or je ne maîtrisais ni l'une, ni l'autre de ces qualités.

Mon tempérament impulsif exige l'exécution immédiate du moindre de mes désirs. Cela me posa bien des problèmes dans la vie et m'apporta aussi beaucoup de résultats. Avec moi, on ne transige pas, on ne remet pas à *perpette les oies* ce qui peut et doit être fait immédiatement. J'ai horreur du laxisme, de la langue de bois, des réflexions stériles qui remettent au lendemain ce qui doit être fait dans la minute. Je suis intransigeante pour moi et pour les autres. Sans pitié.

Une autre face de mon caractère est l'indolence lorsqu'il n'y a pas urgence. Les projets baignent dans une espèce de brume lointaine et irréelle ! Je me souviens que Gunter m'avait comparée à un superbe voilier, dont les voiles vacillaient faute du vent indispensable, et qui restait stagnant dans sa beauté et sa puissance ! Ce vent, cette force qui me font avancer, c'est dans l'autre que je le puise. Si je suis privée de cet appui, je m'éteins comme une bougie privée d'oxygène.

Cette dépendance est le talon d'Achille de ma vie.

Je baignais donc à cette époque dans un total désarroi, ne sachant ni à quoi, ni à qui me raccrocher dans cette espèce de détresse morale qui bloquait subitement toutes mes initiatives. Gunter apparaissait quelquefois avenue Foch — je le sus par Monique — mais je restais sans nouvelles, me décomposant lentement et tristement.

Bien des hommes me faisaient une cour outrageuse, y compris les meilleurs amis de Gunter, ce qui me révoltait. D'autres parmi les compositeurs avec qui je répétais, ce qui me dégoûtait.

J'ai, à mon corps défendant, un tempérament fidèle.

Tous ces bonshommes n'étaient que des copies falotes, sans odeur ni saveur, d'un homme exceptionnel auquel je m'étais donnée.

Je savais que Gunter me trompait.

Mais devais-je lui rendre la pareille, sans aucune envie, comme on avale une potion amère, me salissant en me vengeant ? Non ! J'étais trop attachée, trop amoureuse, trop intègre pour me forcer à un acte qui me répugnait.

Après des semaines d'attente, Gunter me rappela enfin.

Sans compromission aucune, il me mit le marché en main : j'acceptais de présenter *Batouk* à la soirée de clôture du Festival ou nous cessions définitivement de nous voir. J'acceptai. Ce fut de nouveau le grand amour, le romantisme, une soirée inoubliable au cabaret russe Raspoutine, tout le grand jeu !

Puis l'éternelle question se posa pour la soirée de Cannes : qu'allais-je me mettre sur le dos ? Gunter fit venir avenue Foch toute une délégation de chez Dior avec des robes du soir diaphanes. J'avais l'impression d'être déguisée. Je courus chez Bouquin qui me fit en deux temps, trois mouvements un smoking noir et un chemisier en dentelle ultraromantique.

C'était vendu, c'était mon style.

Et bientôt, suivie par Gunter pas rassuré du tout, j'essayai ce fameux soir de gala à Cannes de me frayer un chemin au milieu d'une foule hystérique qu'hélas je connaissais trop bien, ballottée, écrasée, malmenée, étouffée, mais souriante, oui souriante. Jean-Claude Sauer, un des plus grands photographes de *Paris-Match*, fut ce soir-là écrabouillé par la foule, d'autres furent blessés, la police, dépassée par l'événement, fut elle-même submergée par cette vague humaine qui déferla, incontrôlée, sur les marches de l'ancien palais du Festival de Cannes 1967.

Gunter était blême, je crois qu'il eut extrêmement peur et comprit mais un peu tard les raisons de mes refus.

Batouk fut accueilli sans enthousiasme. Sur scène, je remis à Michel Simon la médaille de je ne sais plus quoi, qu'il méritait en tout état de cause !

Ce fut ma dernière apparition officielle !

XXIII

Ah ! comme j'aime l'Italie.

J'étais heureuse de retrouver Rome et cette

magnifique via Appia Antica, ancienne route romaine qui reliait la ville au port d'Ostia.

Ses vieux pavés, ses ruines, ses trattorias typiques et chaleureuses, ses domaines somptueux ! Ses cyprès, ses étendues de prairies ! Comme c'est beau, précieux et rare. La maison était comme je les aime ! Belle et luxueuse, confortable ! Pleine de domestiques stylés mais invisibles. Samir et Monique avaient tout préparé — c'était le rêve !

Les âmes damnées de Gunter envahirent très vite cet univers paisible qui se transforma en une espèce de colonie de vacances pour milliardaires. J'eus le droit d'inviter certaines de mes amazones. Pendant que je rencontrais Louis Malle pour mettre au point le prochain tournage des *Histoires extraordinaires*, Gunter fit venir deux scénaristes, un américain, l'autre français, Gérard Brach, afin d'écrire le fameux film de ma vie, celui qui ferait de moi la star des stars !

Pendant que je recevais Alain Delon qui partageait avec moi la vedette du sketch de Louis Malle, Gunter rêvait pour « son » film des plus prestigieux noms de stars américaines : Gregory Peck, Burt Lancaster, Charlton Heston, Paul Newman, etc.

Louis Malle, Alain Delon et moi étions presque relégués au rang de parents pauvres par l'équipe de choc de Gunter !

Rien ne m'énerve plus que le mépris que je peux ressentir de temps en temps pour des êtres qui outrepassent leurs limites ! C'est ce que m'inspiraient Gunter et ses prétentions cinématographiques.

Pour ce nouveau film on m'affubla d'une énorme perruque noire jais qui, tel un bonnet de hussard napoléonien, casquait mon visage d'une espèce d'appendice absolument désastreux ! Je me suis toujours demandé pourquoi Louis Malle avait ainsi voulu me défigurer.

Ce sont les aléas du métier.

Je passais mes journées de tournage assise au milieu des jeunes officiers. Je jouais au poker contre Alain Delon, et gagnais sans vergogne, jusqu'au moment où la chance s'inversait. Pour payer ma dette, je subissais le fouet devant l'assistance moqueuse et insolente. Tout ça n'avait qu'un intérêt très relatif et je m'ennuyais ferme.

C'était le deuxième sketch que je tournais avec Alain. Le premier avait été *Agnès Bernauer* dans les *Amours célèbres* des années auparavant. Ce furent deux flops ! Décidément, le cocktail Delon-Bardot n'était pas explosif. Du reste, nos rapports n'ont jamais dépassé le stade d'une courtoisie dénuée de toute chaleur, de toute complicité. Il était trop préoccupé par l'éclairage de son visage et de ses fameux yeux bleus pour s'intéresser à celle qui, en face de lui, n'était qu'une ombre parmi tant d'autres.

Alain est beau, certes.

Mais la commode Louis XVI de mon salon aussi !

Mais je ne communique pas plus avec ma commode qu'avec Alain ! Il ne se passe rien dans ce visage, dans ces yeux, rien qui émeuve, qui attire, rien qui puisse faire croire à un semblant de vérité, de sentiment, de passion. Alain est un être froid, extrêmement égocentrique qui, pour se réchauffer, n'a rien trouvé de mieux à faire que des publicités vantant la fourrure. Il fait la paire avec Sophia Loren ! !

Mes rapports avec Gunter se détérioraient de jour en jour.

Après le tournage, lorsque je rentrais dans la belle maison de la via Appia Antica, je ne trouvais qu'une ruche agitée de projets de superproductions ridicules où chacun des courtisans présents rajoutait son mot, son idée, son point de vue. C'était grotesque !

Je le supportai jusqu'au jour où Gunter voulut faire venir Mama Olga afin de signer le contrat définitif qui leur permettait sur mon seul nom de monter tout leur échafaudage fumeux, confus et inconsistant !

Je m'étais déjà déculottée en acceptant, contrainte et forcée, le Festival de Cannes pour servir de marchepied à son stupide documentaire, je n'allais pas mettre mon nom et ma notoriété au service des caprices d'un play-boy en mal de mise en scène à la *mords-moi-le-cul* !

J'en avais ras-le-bol de toute cette smala d'imbéciles, plus béni-oui-oui les uns que les autres, qui croyaient, dans leurs élucubrations plus ou moins arrosées de champagne ou de whisky qu'ils allaient refaire le monde.

Le 27 juin, j'appris la mort de Françoise Dorléac.

J'étais bouleversée, révoltée par la fin tragique de cette si belle et si jeune femme, brûlée vive dans sa voiture de laquelle elle ne put sortir, prisonnière avec son petit chien d'un destin implacable et dramatique. Je ne la connaissais pas, mais l'injustice de cette mort me fit pleurer. Je pensai à elle profondément, intensément. Elle était de la trempe d'une star, avait l'éducation, le talent, la personnalité qui lui auraient permis d'accéder au top niveau. Mais je pensais surtout à l'atroce angoisse d'une agonie d'épouvante.

C'est Catherine Deneuve, sa sœur, son sang, qui a repris le flambeau et suivi l'étoile qui les guidait dans le firmament des inoubliables. Pour moi, elles seront toujours étrangement mêlées.

Je ne pensais qu'à fuir l'univers d'adversité dans lequel je vivais. Mon refus de signer quoi que ce soit mit le feu aux poudres. La guerre fut de nouveau déclarée entre Gunter, sa clique et moi.

J'étais en quarantaine. Je jouais seule de la guitare assise sur les marches du perron avec Guapa, pendant que tous ces messieurs « travaillaient » appelant Los Angeles, New York, les meilleurs agents et les stars les plus populaires, avançant mon nom à tort et à travers !

J'appelai Louis Malle à mon secours !

Pierre C., le directeur de production, un jeune homme beau et charmant, remontait à Paris. Il pouvait m'emmener avec Guapa. Je sautai sur l'occasion et disparus comme par enchantement. Le voyage en voiture fut long et pénible. Mais Pierre fut mon chauffe-cœur !

Exténuée par tout ce que je venais de subir, je trouvais dans ses bras, une douceur, un apaisement, un baume. Il fut le début d'une vengeance sourde qui couvait en moi depuis longtemps et dont je repoussais jour après jour l'échéance.

A Paris, la Paul Doumer résonnait des messages de Gunter, inquiet, qui ne comprenait pas et se posait des questions !

Il n'avait pas fini de s'en poser !

Un peu déboussolée, il faut bien le dire, j'essayais de faire le point à Bazoches au milieu de mes animaux ! Je m'enfermai seule dans cette campagne splendide et calme, à la grande joie des chiennes enfin libres de vivre leur vie de gourgandines, de mes chats enroulés autour de mon corps, de mon Cornichon et de mes chèvres, petites et grandes. Quel bonheur cet équilibre que donnent les animaux ! C'est irremplaçable.

Mama Olga, épouvantée par la perspective d'un film avec Gunter, me fit signer en vitesse *Shalako*, avec Sean Connery.

Puis je le revis le 13 juillet au soir, à la Paul Doumer.

Ce fut un triste anniversaire, le bilan déplorable d'un an de mariage ! Enfin, faisant contre mauvaise fortune bon cœur, nous essayâmes de passer une soirée de joie éclairée par des bougies et arrosée de Dom Pérignon, mais qui resta factice. Je mesurais avec désespoir la détérioration de notre couple, me souvenant avec une nostalgie amère de ce voyage fou pour Las Vegas, de cette passion brûlante qui motivait les plus extraordinaires décisions, du désir insurmontable et incontrôlable que nous avions l'un de l'autre... il y avait de cela à peine un an !

Je n'ai vécu que des passions !

Les passions sont brèves, furtives, elles brûlent les étapes par leurs folies destructrices, et ne laissent derrière elles qu'amertume et désolation.

Comme toujours, je pris la fuite vers mon seul havre, qui n'était pas de paix mais tout de même : La Madrague !

Gunter vint m'y retrouver sur un yacht loué par Gérard Leclery, dans lequel je fus plus ou moins obligée de passer quelques jours au large d'Antibes, au milieu d'une foule hurlante de congés payés qui nous empêchèrent de dormir, de nous baigner, de vivre au sens propre du mot ! Malgré la présence de Dado Ruspoli et de sa femme Nancy, celle d'Odile Rubirosa et de tant d'autres, j'en avais vraiment ras-le-bol. Je retrouvai ma maison avec bonheur, même si Gunter n'y fit qu'une brève apparition. Il devait partir à gauche et à droite, moi je restais au milieu, attentive à mes chiens malgré la foule, le bruit, la chaleur et mon chagrin.

*
**

Septembre arriva, avec Bob et Reichenbach.

Il fallut que j'assume mon contrat. Je commençai par chanter *La Madrague* à La Madrague puis *Le Soleil* où, de la plage de Pampelonne, on me fit m'envoler avec un parachute ascensionnel malgré mes hurlements. Je crus avoir une crise cardiaque. Une doublure, magnifique Heidi, prit ma place pour les plans d'ensemble.

Puis je fêtai mes 33 ans, entourée de guitares, de gitans, reine d'un soir avec leur roi « Manitas de Plata ». Reichenbach filmait cette soirée unique donnée en mon honneur chez Debarge, dans sa sublime maison sur la plage de Pampelonne, avec ses deux piscines d'eau de mer et d'eau douce, ses bungalows de bois style Nouvelle-Orléans et la foule hétéroclite qui faisait partie du décor.

Gunter n'était pas là.

Il m'avait envoyé un télégramme. J'avais l'âge du Christ et comme lui je souffrais — différemment certes, mais la souffrance ne se mesure pas.

Les prises de vues sur la Côte d'Azur étant terminées, j'eus à peine le temps de remballer mes affaires, d'embrasser mes chiens que je ne verrais plus jusqu'au printemps prochain, de confier La Madrague aux gardiens, de faire une halte à la Paul Doumer et je me retrouvai à Londres.

Parodiant un peu les Beatles, je chantai dans le brouillard devant les imperturbables gardes royaux de Buckingham Palace : *Le Diable est anglais* une chanson que j'avais précédemment enregistrée en anglais et qui, malgré tous mes efforts, n'eut aucun succès ni en France ni en Angleterre.

Rentrée à Paris, je continuais le travail aux studios de TV à Boulogne. Eddy Matalon avait pris le relais de Reichenbach pour la mise en scène. Je commençais à m'énerver sérieusement devant l'incapacité des uns et des autres. Personne n'était responsable de rien, je n'avais ni maquilleuse ni costumière, devant me débrouiller seule avec mes propres vêtements et mes propres fonds de teint, quant aux coiffeurs, je n'en avais pas besoin.

J'étais sur le point de tout laisser tomber, quand je reçus un coup de fil de Serge Gainsbourg. Il parlait peu et très bas. Il voulait me rencontrer et me faire entendre, à moi seule, une ou deux chansons qu'il avait composées pour moi. Avais-je un piano ? Oui.

Il vint à la Paul Doumer.

J'étais aussi intimidée que lui.

C'est drôle comme les gens timides peuvent se terroriser les uns les autres ! Il joua au piano la *Harley Davidson*. N'ayant jamais fait de moto de ma vie, j'étais très étonnée par cette chanson. Je le lui dis. Il eut un sourire amer et triste et m'avoua qu'il n'avait lui-même jamais conduit ni voiture ni moto, mais que ça ne l'empêchait pas d'en parler à sa façon ! Je n'osais pas chanter devant lui, il y avait quelque chose dans sa façon de me regarder qui me bloquait. Une sorte de timide insolence, une sorte d'attente, avec un zeste de supériorité humble, des contrastes étranges, un œil moqueur dans un visage extrêmement triste, un humour froid, les larmes aux yeux.

J'essayai timidement de fredonner : *Je n'ai besoin de personne en Harley Davidson*, mais les mots me restaient coincés au fond de la gorge, je chantais faux, je gargouillais ces paroles d'insolence comme on récite un Pater au moment de l'extrême-onction. Il me demanda si j'avais du champagne.

« Oui, j'en ai toujours !

— Alors buvons une coupe de champagne, j'espère que c'est du Dom Pérignon, du Don Ruinart ou du Cristal Roederer ?

— Non, je n'ai que du Moët et Chandon !

— Qu'importe ! Demain vous aurez une caisse de Dom Pérignon. »

Nous avons bu la bouteille de Moët et Chandon.

J'ai chanté la *Harley Davidson* avec insolence et sensualité.

Il était content. Moi aussi.

Le lendemain je recevais la caisse de Dom Pérignon. Il revint me faire répéter — la glace était rompue. Nous bûmes au fil des jours la caisse de champagne, qui fut remplacée bientôt par une autre.

J'enregistrai *Harley Davidson*, un soir tard aux studios Barclay, avenue de Friedland. Gloria mon amazone chilienne était là avec son mari, Gérard Klein. De les voir si bien ensemble me donnait la nostalgie de l'amour. Après l'enregistrement, alors que nous allions souper tous les quatre, je pris furtivement la main de Serge sous la table.

J'avais un besoin viscéral d'être aimée, d'être désirée, d'appartenir corps et âme à un homme que j'admire, que j'aime, que je respecte.

Ma main dans la sienne provoqua à l'instant même un choc de part et d'autre, une soudure interminable et interminée, une électrocution ininterrompue et incontrôlable, une envie de broyer, de se fondre, une alchimie magique et rare, une impudeur pudiquement infinie. Ses yeux rejoignirent les miens et ne les quittèrent plus : nous étions seuls au monde ! Seuls au monde ! Seuls au monde !

Gloria m'expliqua plus tard qu'elle s'éclipsa sans que nous ne nous en soyons aperçus, qu'elle-même ne comprit pas très bien ce qui était arrivé, tant la tension avait été contagieuse et explosive.

De cette minute qui dura des siècles et qui dure encore, je ne quittai plus Serge, qui ne me quitta jamais.

Ce fut un amour fou — un amour comme on en rêve — un amour qui restera dans nos mémoires et dans les mémoires.

Aujourd'hui encore, quand on parle de Gainsbourg, on lui associe toujours Bardot, malgré toutes les femmes qui ont jalonné sa vie et tous les hommes qui ont partagé la mienne. De ce jour, de cette nuit, de cet instant, aucun autre être, aucun autre homme ne compta plus pour moi. Il était mon amour, me rendait la vie, il me faisait belle, j'étais sa muse.

Qu'importait Gunter, mari de pacotille, marionnette de show-business, dont je n'avais plus aucune nouvelle. Serge s'installa avec moi à la Paul Doumer, sans crainte puisque, moi n'ayant pas les clefs de l'avenue Foch, Gunter n'avait pas les clefs de la Paul Doumer !

Il passait ses nuits à composer des merveilles sur mon vieux piano Pleyel. Un matin, il me joua son cadeau d'amour : *Je t'aime moi non plus.*

Il pleurait, moi aussi, le piano non plus.

Madame Renée était aux anges, Guapa frétillait comme une jeune fille, la maison regorgeait de fleurs, de champagne, de musique, de bonheur. C'est grâce au talent de Serge que le show TV fut un succès.

C'est lui qui managea toute la mise en scène. C'est lui qui choisit, parmi toutes mes robes, celles qui me convenaient le mieux, ou alors me mit à moitié nue. Il me dirigea et me conseilla. C'est même lui qui, assistant à l'enregistrement de la chanson *Oh ! qu'il est vilain*, composée contre lui par Jean-Max Rivière par jalousie ridicule, malgré la difficulté de la situation, dirigea avec talent l'enregistrement de cette chanson, qui n'eut aucun succès.

Une nuit, j'entendais Serge pianoter, fumant cigarette sur cigarette, je m'endormis. Le lendemain il me chanta *Bonnie and Clyde*. C'était en 1967 — Warren Beatty et Faye Dunaway venaient de remporter un triomphe dans ce film. Nous allions en remporter un autre avec cette chanson exceptionnelle que Serge composa cette nuit-là.

Après les tournages, nous sortions beaucoup.
Je me faisais extrêmement belle pour lui.
Nous ne nous cachions pas, au contraire, nous exhibions volontiers notre passion. Régine en savait quelque chose. Nous passions des nuits à danser dans son cabaret, collés l'un à l'autre. Serge estimant que rien n'était trop beau pour moi, m'emmenait chez Maxim's, chez Raspoutine où il distribuait aux tziganes des billets de 500 francs toutes les minutes pour voir mes yeux briller de larmes aux sons des violons. Nous sortions de là, ivres de nous-mêmes, de champagne, de musique russe, nous étions accordés aux mêmes vertiges, nous nous saoulions des mêmes harmonies, du même amour, nous étions fous l'un de l'autre.

Lorsque nous avons enregistré *Je t'aime moi non plus*, tard dans la nuit, aux studios Barclay, nous

594

avions chacun un micro. A un mètre l'un de l'autre, nous nous tenions la main. J'avais un peu honte de mimer l'amour que me faisait Serge en soupirant mes désirs et mes jouissances devant les techniciens du studio. Mais après tout, je ne faisais qu'interpréter une situation, comme dans les films que je tournais. Et puis Serge me rassurait par une pression de la main, un clin d'œil, un sourire, un baiser.

C'était bon, c'était beau, c'était pur, c'était nous.

Un jour je reçus une invitation de Monsieur Gunter Sachs à venir fêter ses 35 ans, le 14 novembre 1967, avenue Foch !

Le ciel me tombait sur la tête !

Tout ça était à des années-lumière de moi, et pourtant ! J'en parlai à Serge qui me conseilla d'y aller, après tout j'étais légalement sa femme.

Mais je n'y allai pas. Après tout, j'étais illégalement la femme de Serge et j'adore l'illégalité.

Mais je rencontrai Gunter par obligation. Ce fut une rencontre de Titans, un duel verbal, un terrible constat d'échec de la reine et du roi ! Il me reprocha avec véhémence ma liaison avec cet horrible type, ce Quasimodo saltimbanque avec lequel je m'affichais pour le ridiculiser. Si encore j'étais discrète, il fermerait les yeux, mais là, il devait réagir, il ne pouvait se permettre d'accepter, etc. Je rétorquai qu'ayant été la femme la plus cocue du monde, la vengeance était un plat qui se mangeait froid et parfois glacé.

Serge était d'une nature inquiète, sans arrêt dans l'angoisse de me perdre, chacun de mes retours vers lui lui paraissait miraculeux. Le fait que j'aie fait un choix en sa faveur lui semblait impossible et nous nous retrouvions passionnément comme après une séparation éternelle, même si je ne l'avais quitté que quelques heures. Il m'acheta une alliance chez Cartier qu'il me passa à l'annulaire de la main gauche après que j'eus retiré les trois alliances bleue, blanche et rouge que Gunter m'avait données.

J'ai une manière très personnelle de divorcer.

Il fit de moi une étrange Barbarella brune dans *Comic-Strip* où je ne m'exprimais qu'en onomatopées : *Shebam, pow, blop, wizz !*

Le show Reichenbach, sans Reichenbach, mais avec Serge, prenait ses vraies dimensions... J'enregistrai en anglais *Everybody loves my baby* et m'amusais follement, accompagnée par Claude Bolling, à jouer les stars 1925. La fois où nous avons tourné, Serge était derrière la caméra. Les jours passaient dans un flou heureux. Le show fut terminé à temps pour passer, comme prévu, le soir du 1er janvier 68.

*
**

La production de *Shalako* se rappelait à mon bon souvenir, je reçus le script en anglais afin de pouvoir l'étudier !

Je ne le lus jamais, c'était trop compliqué, je n'y comprenais rien.

On me fit faire des essayages de robes, dont je me foutais comme de l'an 40. Toute une équipe d'Américains amenés par Mama Olga passa des heures à me raconter des inepties sur le sens de mon rôle, l'importance du casting, ma chance de tourner avec Sean Connery sous la direction du grand Edward Dmytryk !

J'écoutais en pensant à autre chose ; je disais « yes, yes » en fumant une cigarette dont la fumée bleue me ramenait vers Serge.

Que faisait-il en attendant, en m'attendant ?

Il devait se ronger, tourner en rond.

Le film commencerait en janvier, à Almería, dans le Sud de l'Espagne. J'en avais pour deux mois !

En cette fin novembre pluvieuse et grise, je reçus deux bonnes nouvelles. J'avais obtenu le « Triomphe de la popularité » à la 22e Nuit du Cinéma, récompense accordée à l'actrice la plus populaire de l'année ! Et l'Elysée m'envoyait une invitation pour la soirée des Arts et Lettres, où le président de

Gaulle souhaitait recevoir Monsieur Gunter Sachs et Madame Brigitte Bardot, le 7 décembre.

J'ai toujours eu une admiration sans bornes pour de Gaulle.

Il fallait qu'une fois dans ma vie, je rencontre cet homme exceptionnel, irremplaçable et irremplacé, intimidant, terrorisant, mais génial dans l'efficacité, implacable dans sa reprise en main d'une France pendouillante !

Avant lui la débâcle.

Après lui le chaos ! Il l'avait prévu !

Avec lui, l'honorabilité, la force retrouvée, la rigueur d'un gouvernement digne et irréprochable, la remontée du franc nouveau. Des ministres intègres, des conseillers vertueux, un chef d'Etat sévère, respecté, sans concessions, un véritable président d'une véritable république, un dirigeant de fer dans un gant de velours — un personnage unique, craint et respecté.

Je pense que j'ai aimé de Gaulle comme j'ai aimé mon grand-père « Le Boum », ils étaient de la même trempe. Tous ceux qui lui ont succédé n'ont été que de pâles et inodores copies qui n'ont fait que s'édulcorer au fil des ans jusqu'à arriver à la dégradation totale et complète d'une France où les clochers de nos villages abandonnés sont remplacés par des mosquées où l'Angélus qui réglait les moissons s'est tu, laissant les minarets plus ou moins électroniques appeler les musulmans à se prosterner. L'homosexualité, devenue institution légale, revendique sa place dans la société, le mariage et les adoptions d'enfants. La drogue est devenue « à la mode » aidant à survivre et à oublier. Hélas le Sida s'en est donné à cœur joie devant une telle dégradation des mœurs. On crève « par bottes de douze comme les asperges », le mal ronge, décime, emporte.

On fait des appels au bon peuple responsabilisé par une terreur qui n'épargne rien ni personne. Les téléthons, les uns et les autres montent des associations subventionnées par l'Etat qui ne sait plus où donner du fric pour faire bien et attirer l'électeur, tandis que les ministres en place sont inculpés puis emprisonnés pour fausses factures, magouilles de toutes sortes, pots-de-vin et autres malhonnêtetés qui dépassent l'imagination.

Douce France, cher pays de mon enfance...

Pour en revenir à décembre 67, je voulais rencontrer de Gaulle.

Je revis donc Gunter afin d'accorder nos emplois du temps respectifs en prévision de ce rendez-vous exceptionnel. La veille, nous avons dîné chez les Rothschild avec les Pompidou. Georges Pompidou était un homme d'une extrême intelligence, amusant, plein d'humour, qui ne prenait au sérieux que ce qui devait l'être. Très intimidée à l'idée d'être présentée le lendemain à de Gaulle, je ne parlais que de ça ! Qu'allais-je me mettre ? Que devais-je faire ? etc. Après le dîner, afin de me rassurer, Georges et Claude Pompidou décidèrent de faire une répétition générale. Ils prirent respectivement la place du Général et de tante Yvonne. Guy de Rothschild et Marie-Hélène jouant le rôle de Pompidou et de Claude. D'autres participants remplaçaient l'aide de camp, différents ministres et l'aboyeur.

C'était rigolo comme tout.

Je me souviens que Georges prenait ma main, me disait deux mots aimables puis avec une inclinaison de tête, poussait ma main vers le suivant — pareil pour Gunter. C'était l'habitude du Général pour abréger une entrevue, il poussait de sa main ceux qui lui présentaient leurs hommages.

Question *dramatique* : comment allais-je m'habiller ?

Georges Pompidou répondit simplement : « Mais comme ce soir, vous êtes ravissante. » J'avais ce fameux costume, mi-dompteur, mi-militaire, qui fit couler tant d'encre ! Aucune femme n'avait encore osé entrer à l'Elysée en pantalon, alors pour une réception officielle c'était impensable ?

598

Et pourtant je le fis.

Un monde fou se pressait dans les salons de l'Elysée ce 7 décembre. Une queue prestigieuse, constituée d'acteurs, de danseurs, d'écrivains, de peintres, d'artistes en tous genres, endimanchés, sur leur trente et un, falbalas, fourrures, chignons, bijoux, *poux*, *choux*, *hiboux*...

Auprès de Gunter, aussi intimidé que moi, je suivais le flux de cette étrange rivière dont l'écluse était une double porte à vantaux Louis XV, moulures dorées, poignées d'or fin, qui ne s'ouvrait que lorsque l'huissier plein de chaînes d'argent faisait passer un par un ou deux par deux les personnages dont il aboyait les noms — noms repris dans le salon suivant par un autre aboyeur. Puis la porte se refermait. Nous avancions de deux pas et ainsi de suite pendant plus d'une heure.

Finalement, je me retrouvai le nez contre cette fameuse porte, épuisée d'avoir piétiné sur place depuis des lustres, énervée à l'idée que peut-être il ne resterait plus rien de De Gaulle après tant d'heures d'attente.

Je fus tirée de mes rêveries par une voix tonitruante qui hurlait :

— Madame Brigitte Bardot !
— Monsieur Gunter Sachs !

J'entrais très droite, très fière, plus affolée que sur la scène du plus grand théâtre du monde. Je vis un groupe de personnages officiels, des militaires en uniforme. Il me sembla croiser le regard de Georges Pompidou qui me fit un bref clin d'œil et je me retrouvai face au président, aussi protocolaire qu'impénétrable. « Bonsoir, Général », dis-je en lui tendant la main.

Un silence. Il me regarda avec attention puis, voyant mon vêtement plein de brandebourgs dorés, me répondit du tac au tac :

« C'est le cas de le dire, madame. »

Après, je ne me souviens plus, j'étais fascinée par sa présence, sa taille imposante. Comme prévu, il poussa légèrement ma main vers son voisin de droite, c'est-à-dire Pompidou ! qui se montra protocolaire dans la forme mais plein de charme, et me confia à Claude qui m'emmena, suivie de Gunter, boire une coupe de champagne bien méritée.

Je venais de réaliser un des rêves de ma vie.

C'est amusant de penser qu'avec la tour Eiffel et de Gaulle, mon nom est synonyme de la France dans le monde entier. Nous formons une trilogie inséparable, malgré nos aspects on ne peut plus dissemblables.

A la sortie de l'Elysée les journalistes me demandèrent mon impression. « Il est beaucoup plus grand que moi » fut ma seule réponse. Cette réception unique dans ma vie et dans celle de Gunter nous permit un certain dialogue, un certain rapprochement. Il retrouvait vis-à-vis de moi cette admiration qui nous avait unis, je l'avais surpassé de par ma notoriété, mon élégante insolence, et ça... il aimait !

**

J'étais une fois de plus tiraillée entre deux hommes qui comptaient énormément pour moi.

Serge cherchait un appartement.

Il avait vécu jusqu'à présent dans un immeuble universitaire du « Pont Marie », réservé aux étudiants du show-business, dans lequel il occupait un minuscule studio où un piano à queue prenait toute la place. Un petit hôtel particulier de la rue de Verneuil l'avait séduit, il m'emmena le visiter, me jurant qu'il allait en faire un palais des *Mille et Une Nuits* pour l'amour de moi.

Pendant ce temps Gunter essayait de me récupérer en achetant l'appartement jouxtant le sien au 32, avenue Foch. Une porte ouverte dans le mur mitoyen nous permettrait d'être plus proches et en même temps indépendants ! Il souhaitait évidemment que je quitte au plus vite ma Paul Doumer et que j'emménage dans cet espace sans âme, sombre

600

et triste, que je rejetai immédiatement. Ce qui provoqua un nouveau drame conjugal !

Mais le pire était encore à venir.

La sortie imminente de l'album de mes chansons titré *Je t'aime moi non plus* fut à deux doigts d'être à l'origine d'un divorce tonitruant.

Mama Olga fut prévenue que, si le disque sortait, Gunter se séparerait de moi en faisant un scandale mondial qui ternirait à jamais mon image de marque. Olga, que toutes ces histoires mettaient hors d'elle, me reprocha avec beaucoup de véhémence mon inconduite, mon manque de morale et de discrétion, ma vie dissolue et indisciplinée ! Bref, elle me passa un savon de première classe que mes sanglots et mes larmes n'attendrirent pas ! Je n'avais que ce que je méritais !

Il me fallut écrire *immédiatement* une lettre à Philips, leur demandant avec insistance de ne pas sortir de disque avec la chanson provocatrice qui mettait en péril ma vie privée, et de remplacer ce titre par un autre, *Bonnie and Clyde*.

Gainsbourg, mis au courant de ce drame qui prenait des proportions imprévisibles, accepta avec élégance, comme toujours, de supprimer à la dernière minute *Je t'aime moi non plus* de l'album qui devait sortir quelques jours plus tard. La bande de cette chanson scandaleuse fut enfermée au secret dans les coffres de la maison Philips. Le disque sortit, fut un succès, mais certainement moindre que ce qu'aurait pu donner la diffusion de *Je t'aime moi non plus*.

Le soir du 1er janvier 1968, le show TV de Reichenbach, Zagury, Matalon revu et corrigé par Gainsbourg fut une immense réussite. Je le regardai avenue Foch où Gunter avait invité quelques amis. Tout le monde s'exclamait, j'étais belle, je chantais bien, même Gunter était fier. Seules les apparitions de Serge mettaient l'assistance mal à l'aise. Tout le monde y allait de ses critiques, il était si laid !

Quelle horreur !

J'avais les larmes au bord des yeux.

Je ne l'avais pas revu depuis le fameux scandale du disque.

Où était-il ?

Il devait se morfondre, seul, malheureux, au fond de son gourbi universitaire avec pour seul compagnon son immense piano !

Le surlendemain je devais partir pour Almería tourner *Shalako*.

Gunter avait décidé de m'accompagner.

Qu'allais-je faire ?

Je ne voulais plus partir dans ce trou du cul de l'Espagne qu'est Almería ! Je ne voulais plus tourner ce *Shalako* dont je me foutais éperdument ! Dont je n'avais même pas lu le scénario et que je détestais avant même d'y être mêlée ! J'appelai Olga, en larmes, je lui dis que j'étais prête à payer un dédit, à avoir un procès, à ne plus jamais faire de cinéma de ma vie, mais que je ne voulais pas partir, que je ne pouvais pas, que c'était au-dessus de mes forces ! Elle se mit dans une rage noire, elle n'avait jamais vu une actrice agir avec tant d'inconscience. Elle allait m'accompagner là-bas, elle-même, avec Gunter. J'avais signé un contrat, reçu une avance, le film commençait dans une semaine, il était impensable que je me désiste à moins d'être mourante.

J'eus beau lui expliquer que mon moral était mourant, elle ne voulut rien entendre et raccrocha. Ah ! J'étais jolie !

Je revis Serge à la Paul Doumer pendant que je faisais mes bagages. Madame Renée, dans la confidence, avait pour ordre de n'ouvrir à personne. Serge truffa ma valise de petits mots d'amour griffonnés sur des feuilles de musique, à l'envers et à l'endroit. Guapa n'en menait pas plus large que nous. Elle sentait mon départ, notre détresse.

A l'ultime moment, je m'entaillai l'index de la

main droite et lui écrivis « Je t'aime » avec mon sang.

Il fit la même chose et m'écrivit « moi non plus ».

Puis nous mêlâmes nos larmes, nos mains, nos bouches, nos souffles. Et la porte se referma sur cette séparation qui fut définitive, mais nous ne le savions pas ! C'est parce que cet amour fut brisé qu'il fut si intense. Nous avions échappé au quotidien, à l'habitude, aux scènes, qui détériorent au fil du temps les passions les plus folles. Je n'ai avec Serge que des souvenirs sublimes de beauté, d'amour, d'humour, de folie.

Comme l'a écrit Marguerite Yourcenar, *Le temps, ce grand sculpteur* n'a pas érodé ce moment unique.

**
*

Entourée d'Olga et de Gunter, je fus menée telle une condamnée, jusqu'à Almería !

Almería morne plaine, malgré la présence de Monique, ma doublure complice et compagne de Samir, de Gloria, ma belle Chilienne, « secrétaire d'un film », et qui parlait évidemment l'espagnol !

Ma Rolls, fraîchement repeinte en blanc et conduite par un chauffeur noir, trié sur le volet et vêtu d'un mao blanc à boutons d'or, nous attendait à l'aéroport de Malaga. Je redevenais la « Star » qui débarquait dans le hall de l'hôtel Aguadulce entourée de tout son staff. Curieux cet hôtel, dressé de ses 12 étages au milieu d'un désert aride. Cet hôtel à peine terminé, où les bétonneuses telles des sculptures d'un autre monde entouraient de leurs mâchoires d'acier les plates-bandes fraîchement retournées où ne poussaient que de maigres piquets, repaires rouillés par les embruns d'une mer déchaînée et caillouteuse ! Cet hôtel-navire spatial qui me donna froid dans le cœur dès que j'y mis les pieds.

Cet hôtel-prison où pendant deux mois j'allais purger une peine que je ne comprenais pas et que je refusais. Mes appartements étaient situés au dernier étage et comprenaient trois chambres, un living-room et une immense entrée.

C'était affreux ! Moderne, sans âme, cela sentait la peinture fraîche, le tissu rêche, les couleurs fades. Où étaient les jolies auberges espagnoles, blanchies à la chaux, où les patios pleins de fleurs abritaient des fontaines de céramique, où les vieux meubles sentaient la cire et où il faisait bon vivre ?

Outre *Shalako* et toute sa production, ses acteurs, ses techniciens américains, deux autres films se tournaient non loin, dont tous les protagonistes logeaient aussi dans cet hôtel-citadelle. Parmi eux, Robert Hossein qui tournait avec Michèle Mercier un western : *Une corde, un colt*. J'étais heureuse de les voir, de les entendre parler français. Il y avait aussi un film anglais, avec Michaël Caine et un certain Andrew Birkin. Qui allait, sans le savoir, changer bien des choses dans ma vie et celle de Serge. Bref, je me retrouvais au milieu d'une foule d'acteurs, de public-relations, de metteurs en scène, de producteurs.

On se serait cru à Hollywood.

Je fus happée par Euan Llyod, le producteur, et sa femme chargée de me faire répéter mon texte (on appelle ça un « coach »). J'eus du mal à reconnaître Sean Connery, affublé d'une moustache et chauve comme un genou. Je compris plus tard qu'une mou-moute artistiquement posée lui redonnait pendant le tournage son image indestructible de séducteur. Il y avait aussi Stephen Boyd qui avait été mon partenaire dans *Les Bijoutiers du clair de lune*. Enfin un visage, une présence presque familière parmi tous ces étrangers ! Je n'en menais pas large devant Edward Dmytryk. Ce metteur en scène était dur, froid, il avait des exigences militaires. Aucun charme ce type-là ! Dès le départ nous avons été en adversité. A l'arrivée ce fut presque de la haine !

Toute cette cohue, cette langue que je parlais mal, cet univers opposé à celui que je recherchais... La fatigue aidant, j'eus une crise de désespoir !

Gunter repartait le lendemain matin et je voulus repartir avec lui. Je pleurais, le suppliant de me ramener avec lui, de ne pas me laisser là, perdue, abandonnée parmi ces gens que je détestais, dans ce pays hostile, dans cet hôtel horrible !

Monique et Gloria avaient beau essayer de me calmer, rien n'y fit.

Mama Olga qui repartait elle aussi avec Gunter eut beau user de toute son autorité, je restais dans un état de crise nerveuse que je ne pouvais contrôler, refusant de défaire mes valises. Menaçant d'avaler mon tube de somnifères s'ils ne me ramenaient pas avec eux le lendemain. Devant mon désespoir réel et profond, ils décidèrent de rester 48 heures de plus, afin de me laisser le temps de m'adapter à ce dépaysement trop brutal.

En plus Dédette, ma Dédette, ma maquilleuse fidèle depuis des années n'avait pu rompre un contrat signé depuis longtemps ! Elle m'avait donc envoyé son mari Pierre, maquilleur lui aussi, et son fils Jean-Pierre, coiffeur, que je connaissais bien et que j'aimais beaucoup, mais ils ne remplaçaient pas Dédette et la complicité illimitée que j'avais avec elle, la confiance, l'amitié d'années et d'années de travail commun. Tout allait au plus mal dans le pire des mondes possibles !

Quarante-huit heures plus tard, calmée, matée, soumise, répétant en anglais comme un perroquet un texte auquel je ne comprenais rien, avalée par la machine infernale des superproductions internationales, je vis partir Olga et Gunter.

Puisqu'il allait passer l'hiver à Saint-Moritz, se foutant pas mal de mes états d'âme, je me vengerais, je ferais n'importe quoi, mais je me vengerais ! Ah, si j'avais pu faire venir Serge, tout aurait été si facile, si différent. Mais c'était impossible, l'hôtel était rempli de journalistes, d'attachés de presse, de tout ce monde à l'affût du moindre scandale ! J'essayais de l'avoir au téléphone mais il n'y avait que deux ou trois lignes disponibles pour 200 personnes et lorsque, enfin, après des attentes interminables, j'arrivai à avoir son numéro, je n'entendais qu'un grésillement épouvantable, une friture horripilante. Je hurlais dans le combiné des mots d'amour insensés espérant qu'il les entendait, je hurlais ma détresse, mon manque de lui !

C'était insupportable !

Avec Monique et Gloria, aussi perdues que moi, nous décidâmes de nous organiser. Malgré le tournage épuisant. Nous nous levions à 6 heures du matin, alors qu'il faisait encore nuit noire, il fallait que je sois maquillée et coiffée lorsque ma Rolls, vers 8 heures, m'emmenait sur les lieux, parfois à une heure de trajet, sur des pistes éprouvantes. A 9 heures, je devais, habillée, être prête pour les répétitions. Nous ne rentrions guère avant 20 heures le soir, crevées, sales, pleines de poussière, desséchées par le vent, abruties par ces journées de travail intensif.

Un bon bain plein d'huile parfumée afin de parer au dessèchement de notre peau. Un bon coup de champagne, (j'eus des notes de champagne qui dépassèrent de loin les folies les plus extravagantes que je dus payer dans ma vie), et hop, ça repartait ! Le salon était transformé en ce que nous appelions notre « boîte de nuit », les disques hurlaient les airs les plus à la mode, nous invitions à tour de rôle, c'est le cas de le dire, tous les acteurs connus et inconnus à passer la soirée avec nous.

Tout le monde se plaignait du bruit.

Le concierge montait toutes les cinq minutes nous supplier de baisser le son du pick-up — je faisais semblant de ne rien comprendre, disais : *si, si*. Et la soirée se prolongeait, parfois jusqu'à 2 heures du matin, avec autant de bruit, autant d'insolence, autant de tristesse rentrée aussi.

Un jour, je ne me réveillai pas à 6 heures comme prévu.

Horrifiée, à 8 heures, je pris conscience de la gravité de la situation. Pierre, mon maquilleur, et Jean-Pierre, mon coiffeur, m'attendaient en piaffant d'impatience. La Rolls et Brahim, mon chauffeur, étaient en état d'ébullition.

Quelle catastrophe !

Je me maquillai tant bien que mal dans la Rolls — essayant d'éviter à chaque cahot de me crever les yeux avec les crayons — tandis que Jean-Pierre s'attaquait à ma tignasse, apprivoisant *à la va comme je te pousse* mes mèches emmêlées et aussi rebelles que moi.

Lorsque j'arrivai, l'équipe au complet m'attendait au garde-à-vous.

Edward Dmytryk, glacial, regarda sa montre, il était 9 h 30 ! J'avais une demi-heure de retard, j'avais paralysé toute une production pendant une demi-heure. C'était inadmissible de la part d'une Star ! Il n'avait jamais vu ça de sa vie.

J'avais honte, j'aurais voulu me cacher dans un trou de souris.

Ce jour-là, j'avais une scène avec Stephen Boyd.

Sentant ma détresse il me prit tendrement dans ses bras et me murmura des paroles apaisantes que je compris mal. Qu'importe, il avait eu envers moi un geste de réconfort dont j'avais tant besoin. Je ne le quittai plus, trouvant en sa présence une espèce de protection. Je lui tenais la main, me jetais à son cou, recherchais sa compagnie, comme un chien perdu s'accroche à un maître illusoire mais bienfaisant. Nous fûmes pris en photo, évidemment ! Et les photos firent évidemment la « une » de tous les journaux du monde !

Je trompais fictivement à la fois Gunter et Serge.

Quel méli-mélo.

Du coup, j'eus des nouvelles de mon mari, furieux, qui entre deux grésillements de la ligne eut le temps de m'annoncer le divorce !

J'en avais marre de ses menaces perpétuelles. Des

promesses, toujours des promesses ! S'il voulait divorcer, qu'il divorce, une fois pour toutes mais qu'il ne me pompe plus l'air avec ça ! Surtout que là, il se mettait le doigt dans l'œil, Stephen n'ayant jamais été mon amant, mais uniquement un ami tendre et attentionné !

Et puis merde...

Serge m'envoya par un photographe de *France-Soir* une longue lettre triste. Il venait de composer *Initials BB*, un hymne nostalgique qui glorifie à jamais une image de déesse adorée. Le photographe en question, Bernard Herman, devint un ami, et servit de boîte aux lettres à nos correspondances.

Monique qui fricotait avec Andrew Birkin, mais avait sur moi l'avantage que personne n'en parlât, fut chargée un jour par son amoureux de s'occuper de sa petite sœur Jane qui arrivait le lendemain, après un triste échec sentimental à l'âge de 18 ans, un bébé, Kate, et un panier sur les bras ! Cette toute jeune femme, encore une gamine, aux grands yeux de biche, attendrit tout le monde. Avec son « baby » qu'elle ne quittait pas plus que son panier d'osier, elle avait l'air perdu, timide et affolé par tout ce qui se passait autour d'elle. La « boîte de nuit » fut provisoirement transformée en nurserie. Jane avait une manière très spontanée et très attachante de dire les choses, ses détresses comme ses joies. Elle était vraie, naturelle, sans artifice aucun, pleine de charme et belle, belle comme une petite princesse de conte de fées.

Elle vivait hors du temps. Dans son monde à elle !

Un jour Andrew vint nous dire « au revoir », il partait le lendemain pour Paris avec Jane, le « baby » et le panier.

Vous connaissez la suite...

La jolie petite biche rencontra, par un de ces hasards aussi imprévisibles qu'implacables, le grand méchant loup !

Elle l'aima — lui non plus.

Je crus mourir lorsque j'entendis, un peu plus tard, l'enregistrement de cette chanson interprétée par Serge et Jane. Mais c'était dans l'ordre des choses ! Je n'en voulus jamais ni à l'un ni à l'autre. Au contraire, je m'en voulus à moi, de ma lâcheté, de mon manque de décision, de ma façon de croire que tout m'était dû, du mal que j'ai pu faire inconsciemment et qui me retombait comme un pavé sur le cœur.

*

C'étaient les vacances de Mardi-Gras.

Gunter skiait à Saint-Moritz. Il me téléphona de le rejoindre pour mettre au point certaines choses importantes. En usant de toutes les ruses de Sioux qu'une héroïne de western peut inventer, je finis par obtenir de la production une permission de cinq jours ! Ce fut un véritable tour de force que d'aller de Marbella à Genève en avion ! Gunter m'attendait pour m'emmener jusqu'à Saint-Moritz en Porsche. Lorsque je débarquai au « palace », je fus prise d'une panique semblable à celle qui me tenaillait lorsque j'apparaissais au Festival de Cannes.

Tout le Gotha était là !

Les femmes en talons aiguille et tailleur Chanel, les hommes costume cravate, le tout sous des lustres à pampilles, au milieu de meubles de style en bois doré et de miroirs d'époque.

La suite de Gunter était aussi sinistrement décorée que tout le reste ! Ça me rappelait le palace de Cortina d'Ampezzo. Mais qu'est-ce que les gens trouvent dans ce genre d'endroit, lugubre et hors de prix ? Je le compris le soir même lorsque, habillée de mon smoking noir, Gunter me présenta au shah d'Iran et à l'impératrice Farah ! Caprice du hasard, j'appris au cours de notre charmante conversation qu'il était du même signe que Gunter, « Scorpion », et qu'elle était « Balance » comme moi. Forts de ce point commun, nous ne nous quittâmes plus pendant le reste de mon court séjour.

Ce qui fut moins drôle, ce furent mes rapports avec Gunter !

Il ne parla que de divorce inéluctable, de sa position ridicule vis-à-vis du « monde », de ma conduite indécente et patati et patata !

Bref, il ne m'avait fait venir que pour démentir les rumeurs fielleuses dont il était l'objet. En l'occurrence l'objet, c'était moi.

A force de m'emmerder ferme dans ce trou à milliardaires, à force de ne pas voir Gunter qui partait skier toute la journée entouré d'une cour de superbes blondes, déesses autrichiennes ou allemandes, moulées dans des combinaisons dernière mode, championnes de la glisse et de la séduction, à force de ne servir qu'aux représentations du soir, afin de prouver à tout le bottin mondain que j'étais encore en chair et en os l'épouse de Monsieur Sachs, je finis par me décider. J'écourtai mon séjour et repartis 24 heures plus tôt que prévu retrouver mon bled espagnol, mes amazones, mon travail et mon hôtel qui par comparaison me parurent l'Eden sur terre.

Mon statu quo avec Gunter m'avait laissé un goût d'amertume qu'il me fallait à tout prix combler.

J'étais déchaînée.

Un soir, dans le lugubre et prétentieux restaurant de l'hôtel, alors que nous attendions désespérément la venue de notre commande, je remarquai, seul à une table, un beau jeune homme. Il devait tourner dans une autre superproduction et semblait s'ennuyer ferme. Aussitôt j'attrapai une des dessertes à roulettes qui servaient au personnel, griffonnai un mot sur le menu et, me servant de la roulante comme véhicule, j'envoyai le tout contre sa table. Je le vis rire en me regardant puis, à son tour, il écrivit une réponse qu'il renvoya par le même moyen. Il était américain (j'ai oublié son nom), était là depuis une semaine et repartait demain !

C'était bien ma veine !

Pour une fois qu'il y en avait un de pas trop mal !

Notre manière de communiquer avait réveillé toute la salle qui suivait avec curiosité la suite des événements. Les langues devaient aller bon train, avec la réputation que j'avais...

Je lui fis signe de se joindre à nous, il ne se fit pas prier !

Après le dîner, je lui proposai de venir boire un verre dans notre « boîte de nuit » au dernier étage. Il refusa car il devait faire ses valises et partait tôt le lendemain. Comme sa chambre du 2ᵉ sous-sol donnait de plain-pied sur la plage, il me vint une idée. Avec Gloria et Monique nous avons dévalisé tous les rouleaux de papier hygiénique que nous avons pu trouver, puis partant de sa chambre, nous les avons déroulés les uns derrière les autres, en montant l'escalier, telle une immense guirlande, un fil d'Ariane de fortune entre lui et nous.

Ce qu'on a pu rire — de vraies gamines !

Arrivées au 12ᵉ étage, on n'en pouvait plus, on était crevées mais ravies de notre bon tour. Puis nous sommes allées nous coucher. Quelle ne fut pas notre surprise d'entendre frapper discrètement à notre porte alors que nous nous endormions ! C'était lui, tout essoufflé d'avoir grimpé quatre à quatre les douze étages, qui arrivait épuisé mais tout content de participer à une soirée dans notre night-club ! Il fut bien déçu le pauvre de nous voir en peignoir, sortant du lit dans un calme olympien.

Quelques heures plus tard, nous tournions une scène très longue à préparer. Sean et moi étions à cheval, seuls dans un grand cirque entouré de collines, et tout à coup sur les sommets, des Indiens devaient nous encercler totalement.

Pour que tous les figurants indiens apparaissent au même moment, il fallut mettre sur pied une organisation digne d'une réelle attaque armée. Une dizaine d'assistants, porteurs de talkie-walkie, devaient, au « Go » donné par Edward Dmytryk, faire manœuvrer les cavaliers indiens qui étaient au moins une centaine. Il était impossible de recommencer la scène plusieurs fois, à cause de la poussière soulevée par cette foule et aussi parce que la préparation était longue et minutieuse.

Nous fîmes donc Sean et moi énormément de répétitions afin que chacun de nous soit parfaitement rodé, aussi bien pour nos emplacements que pour notre texte. Je n'en menais pas large, déjà terrorisée de monter à cheval, en amazone qui plus est !

Pendant ce temps, Robert Hossein tournait aussi son film à quelques centaines de mètres, derrière une petite colline. Il travaillait lui aussi à l'aide d'un talkie-walkie. Au beau milieu d'une de nos dernières répétitions, nous vîmes apparaître les Indiens hurlant, piaffant, brandissant leurs lances et leurs armes. Affolé, mon cheval se cabra, je faillis tomber, Sean n'y comprenait rien, moi non plus, Edward Dmytryk non plus.

Ce fut la panique. Tout le monde gueulait.

Evidemment la caméra ne tournait pas, la scène n'avait pas été filmée puisque c'était une répétition. Pendant que nous nous crêpions tous le chignon, Robert Hossein continuait tranquillement sa mise en scène à l'aide de son talkie-walkie, bien loin de se douter que, branché sur la même longueur d'onde que celle d'Edward Dmytryk, il avait donné malgré lui le signal du départ avec le mot « Go » alors que personne ne s'y attendait. Lorsque le pot aux roses fut découvert après bien des palabres, il fallut tout recommencer à zéro, mais en priorité vérifier les longueurs d'ondes des talkies-walkies de ces deux superproductions.

Lorsque nous revenions du tournage, j'avais pris l'habitude de nous arrêter régulièrement à certains endroits afin de nourrir les chiens faméliques que nous croisions.

Brahim, mon chauffeur, ramassait les restes des

repas, mettait le tout dans un carton et, le soir, ma Rolls se transformait en cantine itinérante. Ils nous attendaient ces pauvres chiens perdus, affamés, ces oubliés du monde. J'étais heureuse de leur donner un peu de réconfort, quelques caresses, de la nourriture, des sucres aussi, qu'ils apprirent à aimer. Ils avaient de bons yeux craintifs et attendaient souvent notre départ pour se précipiter sur leur pitance.

Un soir, une petite chienne maigre à faire peur se laissa caresser puis me suivit dans la voiture, délaissant le repas que j'avais mis devant elle. Il me fut impossible de la faire redescendre. Elle se pelotonna contre moi en me suppliant du regard. Je la gardai donc !

Elle fut baptisée « Hippie » et ne nous quitta plus. Elle dormait dans notre lit, nous accompagnait sur le tournage, au restaurant, bref elle était notre ombre. En quelques jours elle se rempluma et devint une belle chienne fauve au poil court comme il est courant d'en voir dans les pays tropicaux où ce style de bâtard pullule. Elle n'était que douceur, amour et reconnaissance. Le soir, étendue à mes côtés, elle m'écoutait lui raconter Bazoches où elle retrouverait ses petites copines, sauvées elles aussi de la S.P.A. Pour lui éviter la soute de l'avion, elle rentrerait en Rolls. Puis je la serrais très fort contre mon cœur et nous nous endormions toutes les deux soudées par ce grand amour partagé.

Un soir elle se mit à baver et fut prise de spasmes. Gloria et Monique tentèrent vainement de trouver un vétérinaire. Par hasard, France Roche était là avec un ami médecin, qui diagnostiqua la maladie de Carré, et ne me laissa aucun espoir. Hippie mourut dans mes bras le surlendemain. J'étais désespérée. Je n'arrêtais pas de pleurer et ne pus plus tourner.

Elle fut enterrée au pied de l'hôtel dans un petit coin de pelouse. Mon désespoir fut tel que la production dut abréger mon contrat et me renvoyer en

France. On ne pouvait plus rien tirer de moi sinon des larmes.

Gunter, prévenu, vint me chercher.

Il fut très gentil quoique très étonné que la mort d'une chienne puisse me mettre dans un tel état de douleur.

Pour essayer de me changer les idées, il loua un avion, un coucou privé qui nous déposa à Grenade. Là, je visitai les féeriques jardins de l'Alhambra. Ces beautés m'émurent énormément. Les odeurs étaient aussi subtiles que l'architecture. Les fragrances d'orangers se mêlaient à celles du jasmin et du réséda tandis que des dizaines de fontaines en mosaïques finement décorées murmuraient leur rafraîchissante et apaisante mélodie.

Après la torture de la maladie et de la mort de Hippie, ce fut un moment de calme, de beauté, de douceur qui cicatrisa et enchanta un peu mon cœur.

Le soir nous avions découvert les Cuevas, grottes dans lesquelles étaient installés des restaurants on ne peut plus rustiques, mais pleins de charme et de couleur locale, éclairés à la bougie, aux lampes à pétrole, et où le flamenco et les guitaristes étaient les plus savoureux des menus. Nous étions au cœur profond de ce que l'Espagne peut avoir de plus noble, de plus beau, et aussi de plus rude. L'hôtel dans lequel nous avons passé la nuit était des plus modestes, quelques cafards nous tenaient compagnie, mais au moins le balcon de fer forgé et la ravissante placette sur laquelle il donnait étaient dignes d'un véritable décor de *Carmen*.

Que demander de plus ?

Ces quelques heures passées loin de tout, en tête à tête avec Gunter, nous permirent de nous retrouver un peu. J'ai toujours aimé Gunter lorsqu'il n'était pas en représentation, lorsque son éternelle cour n'était pas suspendue à ses moindres gestes, à ses moindres mots pour applaudir, commenter ou

rire béatement. En fin de compte ce sont ses courtisans qui nous ont séparés.

*
**

A peine rentrée sur Paris, après avoir câliné ma
Guapa qui me fit une fête de tous les diables, après
avoir vite embrassé mes parents, ma Mamie et
remis un peu de vie à la Paul Doumer, je me précipitai à Bazoches retrouver mes filles.

Les pauvres petites avaient dû bien s'ennuyer en
mon absence. Je soupçonnais les gardiens de ne pas
les avoir très bien traitées. Ces retrouvailles furent
un vrai festival de joie, de bonheur. L'accomplisse-
ment d'une longue attente, d'une éternité d'espoir !

O mes chiennes, mes amies adorables et adorées,
mes complices, mes câlines, mes tendres petites !

Diane la douce ressemblait à Hippie.

Je leur racontai la triste histoire de cette petite
sœur moins chanceuse qu'elles. Tout le monde
buvait mes paroles, les oreilles comme des séma-
phores, les têtes penchées, les yeux avides d'amour.
Je ne savais pas encore que leur destinée serait aussi
tragique que celle de Hippie puisqu'elles ont toutes
aujourd'hui été tuées par des chasseurs ou empoi-
sonnées par des boulettes de strychnine.

La pauvre Hippie ayant été la première d'une
longue et interminable série de douloureuses disparitions. Chacune d'elles ayant laissé mon cœur à vif.
Cicatrices inguérissables.

Gunter m'annonça qu'il avait loué de nouveau une
somptueuse propriété via Appia Antica à Rome pour
les mois de mai et juin. Il devait y travailler à son
mirifique projet de film, toujours le même *The dark
face of the moon*, si *dark* qu'il ne se fit jamais.

Qu'importe ! Cela l'occupait !

En attendant Gérard Leclery, son copain, avait
acheté un magnifique voilier le *Vadura*, et commencé le tour du monde. Il nous proposait lors de
sa prochaine escale à Beyrouth de nous joindre à lui

pour une visite-croisière du Moyen-Orient. Samir, le fidèle secrétaire libanais, était aussi du voyage ainsi que Monique et Serge Marquand.

Je n'avais pas trop envie de repartir. D'un autre côté qu'allais-je faire seule à Paris dans la grisaille et la pluie de ce début d'avril ? Je refis donc ma valise au grand étonnement de maman qui m'appelait son « courant d'air ». C'est vrai que, pour quelqu'un qui n'aimait pas voyager, je ne devais pas sentir le moisi.

Et *fouette cocher* comme disait ma Mamie, nous embarquâmes tous les cinq vers Beyrouth que j'allais découvrir.

Dans l'avion, je repensais aux *Mille et Une Nuits*, fantasmant à la pensée des merveilleux palais d'or, aux patios semblables à ceux de Grenade, aux odeurs épicées, aux couleurs magiques, rêvant d'esclaves voilées aux pieds nus, d'hommes enturbannés vêtus de sarouals brodés, dans des paysages féeriques.

Le réveil fut dur, dur !

Je ne voyais que des immeubles de béton, sales, tristes et moches. La plupart d'entre eux, pas terminés, donnaient une impression d'après cataclysme. Les routes, les rues défoncées en perpétuels travaux, des tranchées boueuses et béantes un peu partout... Une odeur écœurante d'huile chaude mêlée à celle de la sueur aigrelette des habitants.

J'en avais le vertige de la laideur !

Comment la perle du Moyen-Orient avait-elle pu à ce point devenir cette cité délabrée ?

On n'arrête pas le progrès !

Quel malheur ce « modernisme » effréné qui détruit, gâche, dépersonnalise tout ce qui faisait le charme de chaque région au profit d'une uniformité architecturale et vestimentaire mal adaptée aux pays dont les traditions millénaires étaient d'avoir le privilège de se distinguer des autres par des coutumes ancestrales aujourd'hui à jamais disparues.

616

J'avais mal au cœur — à tous mes cœurs — de tout mon cœur.

Le *Vadura* ne devant arriver au port que le lendemain, il était prévu que nous serions hébergés par un riche Libanais afin d'éviter ce qu'une nuit dans un hôtel aurait pu nous attirer comme « tambour et trompettes ».

Je ne me souviens ni du nom de cet hôte aussi milliardairement impersonnel que sa maison pleine de marbre, d'un mauvais goût à hurler, ni du jardin banal dans sa prétention, avec ses reproductions de statues antiques, mais où aucune fontaine ne faisait entendre son doux murmure, aucun patio décoré de mosaïques n'offrait l'intimité des jardins clos, comme des lits où l'amour et la sensualité se retrouvaient prisonniers.

Ah ! pauvre de moi !

Qu'étais-je encore venue faire dans cette galère ?

Après m'avoir accompagnée dans la chambre qui nous était réservée, aussi luxueuse et moche que le reste, Gunter m'expliqua qu'il devait retourner voir notre hôte, qu'il en avait pour quelques minutes, que je ne m'inquiète pas, il revenait tout de suite ! Je me retrouvais seule dans cette pièce immense, étrangère chez des inconnus, dans une hostile villa-labyrinthe de Beyrouth ! Je ne savais même pas où étaient passés Monique, Samir et Serge Marquand. Je m'assis sur le lit sans me déshabiller et commençai d'attendre Gunter, fumant cigarette sur cigarette. N'ayant jamais porté de montre, je ne savais pas du tout l'heure qu'il était, ni depuis quand j'attendais.

Tout ce que je sais c'est que c'était long.

Puis l'angoisse me prit.

J'ouvris la porte à la recherche de quelqu'un. Un escalier desservait exclusivement notre chambre. A l'étage du dessous, un immense corridor vide résonnait à chacun de mes pas. Je ne savais pas où était la sortie. Par une fenêtre contre laquelle j'écrasais mon nez, je ne vis qu'une obscurité totale. Je n'arrivais pas à me situer, où étais-je par rapport au salon, à quel étage, dans quelle aile, pourquoi ce silence, où étaient les autres, où était Gunter ? Je réintégrai la chambre et essayai d'obtenir une voix au téléphone. Je trifarfouillai tous les boutons, essayai de faire des numéros au hasard, le zéro, le deux, le six, etc. Rien. La tonalité, toujours la tonalité lancinante des téléphones intérieurs. Alors épuisée par le voyage et le dépaysement, et par mon abandon, mon angoisse se transforma en chagrin puis en rage.

Lorsque enfin Gunter arriva, incapable de me dire d'où il venait, à sa montre il était 5 heures du matin. J'étais hors de moi, il eut droit à une scène en bonne et due forme avant que je me décide à repartir sur-le-champ pour Paris. Les choses se calmèrent avec l'arrivée du jour et celle de nos amis. Il était difficile de faire un scandale chez ces gens après leur accueil spontané — le linge sale doit se laver en famille.

C'est le cœur lourd, la tête vide et le ventre noué que je mis les pieds à bord du *Vadura*. Gunter très à l'aise, n'en finissait plus d'embrasser ses âmes damnées enfin retrouvées. Tout ça me rappelait mon voyage de noces à sept personnes ! Je n'avais pas épousé un homme mais une tribu de play-boys courtisans plus soudés par leur complicité que par aucun mariage. Dans leurs vies, les femmes faisaient offices de pions, d'objets, de faire-valoir mais certainement pas de « femmes » au sens noble du mot. Ils les choisissaient belles, jeunes et de préférence stupides. Manque de pot pour Gunter, ne correspondant pas à ce dernier critère, je devenais de plus en plus gênante.

Une empêcheuse de play-boyer en rond.

Je n'ai jamais été folle de bateaux.

C'est un univers spécial où le sol se dérobe sans cesse sous vos pieds, où les espaces sont réduits, les odeurs fortes et le confort limité. Je suis une terrienne avant tout ! J'aime la mer lorsque je ne suis pas dessus, dépendante de ses humeurs, de ses colères ou de ses accalmies trompeuses.

L'ancre fut levée dans la joie, le soleil brillait, tout allait pour le mieux. Au bout d'une heure, le soleil se voila, le vent se leva et l'immense voile se gonfla si fort que le bateau subit un choc. Il fallut monter ceci, descendre cela, une grande effervescence régnait sur le pont. Puis les vagues se firent parfois plus hautes que l'étrave. Le roulis m'impressionnait, je me sentais chavirer et le cœur me montait aux lèvres. Il nous fut conseillé de regagner nos cabines, de véritables gifles de mer ravageaient le pont. Nous regagnâmes nos couchettes respectives sans demander notre reste. Le bateau de plus en plus ballotté geignait dans sa carcasse, des bruits sinistres donnaient l'impression qu'il allait se couper en deux, les portes de la cabine et des placards s'ouvraient et se refermaient en grinçant lugubrement.

Brusquement je fus prise d'une incontrôlable panique, d'un lourd pressentiment de drame, je me mis à hurler ; au même moment il y eut un choc extrêmement brutal, avec un bruit déchirant et je fus expulsée de ma couchette. Ma tête heurta le montant de la porte et je fus précipitée tout le long de la coursive seulement arrêtée dans cette course folle par la cloison du fond. J'étais suivie et précédée par tout un tas de trucs, vêtements, chaises, vaisselle, valises, etc.

Recroquevillée au milieu de tout ce chaos, je pensais que ma dernière heure était arrivée. Du sang coulait de mes cheveux, j'avais mal partout, une immense rumeur assourdissante et lugubre avait envahi mes oreilles tandis que le bateau continuait son tangage et son roulis d'enfer. Monique glissa jusqu'à moi se tenant l'épaule, puis Gunter arriva à quatre pattes, glissant d'un côté à l'autre de l'étroit couloir.

Nous avions démâté, la voile était déchirée et la tempête faisait rage. Leclery avait envoyé un S.O.S. à Beyrouth afin que les secours nous soient envoyés.

Pour être sûr d'être entendu, il avait signalé que j'étais à bord.

Nous fîmes demi-tour aidés par le moteur d'appoint, bien faible secours dans cette mer démontée.

Nous avions tous plein de plaies et de bosses. Ma blessure au cuir chevelu était superficielle mais saignait beaucoup.

C'est en pleine nuit, escortés par des bateaux venus à notre rencontre, que nous regagnâmes le port de Beyrouth.

Il y avait là, prévenus de ma présence à bord, tout un comité d'accueil, TV, photographes, presse de tout poil, ravis et surpris de ce scoop imprévu.

Ah ! que j'étais jolie, les cheveux collés de sang coagulé, la mine défaite, le visage tuméfié, sale, salée, dépenaillée.

Quelle horreur cette arrivée !

Alors que nous avions frôlé la mort, nous étions tous violés par des caméras, des flashes, des salves de questions posées par des sangsues avides, j'en aurais pleuré de désespoir. Samir nous emmena tous chez sa maman, seul véritable havre de paix et de discrétion dans tout ce bordel. La pauvre femme qui ne s'attendait pas du tout à ce débarquement fut merveilleuse de gentillesse et de dévouement. Son grand et confortable appartement fut envahi par notre bande d'éclopés.

Elle nous laissa sa chambre. Je me souviens de l'impression de paix et de sécurité que je ressentis en m'allongeant dans ce grand lit aux draps frais, en voyant ces meubles, ces bibelots, ces grandes fenêtres habillées de rideaux de soie rose, toute cette douceur de vivre, cette odeur de jasmin qui me rappelait ma grand-mère. Je m'endormis apaisée, entourée d'anges, comme au paradis.

Le lendemain la presse ne parlait que de notre *naufrage*, de ma présence à Beyrouth, avec photos à l'appui, qui ne donnaient que l'image d'une détresse bien lointaine de ce que les Libanais devaient attendre de la star que j'étais.

Heureusement Samir nous traduisait tous ces titres d'arabesques, cette écriture de signes cabalistiques en formes de vaguelettes. Je découvrais avec étonnement un alphabet qui n'avait rien à voir avec le nôtre. Au Mexique la plupart des noms sont presque exclusivement des *XZYX-TOZC*, ce qui est imprononçable, mais reconnaissable au moins visuellement. Là, j'étais perdue !

A cette époque, l'Islam n'avait pas encore envahi l'Europe, ni la France. Les musulmans avaient encore la discrétion de ne pas nous imposer leurs mœurs, leurs coutumes souvent barbares et archaïques, leurs mosquées et tous ces rituels sanglants et révoltants, tels que l'Aïd el-Kebir. Au contraire, ils nous copiaient, essayant de s'européaniser, de se moderniser à notre image. Ça n'était pas toujours réussi, mais au moins leur démarche était pacifique.

Le *Vadura* bien esquinté était en réparation pour une période indéterminée. La croisière en ce qui nous concernait était on ne peut plus compromise !

Pris de court par cet incident qui bouleversait tous ses plans établis depuis des mois, selon la logique de l'organisation germanique, Gunter, déboussolé, se rongeait les ongles, tournait en rond, son whisky à la main, à la recherche d'une idée de génie qui, jaillissant telle une étincelle, réorganiserait momentanément un séjour amputé de son principal objectif.

Soudain ce fut l'évidence : il fallait visiter Balbek, bien sûr !

L'organisation guntérienne avait de nouveau un but à atteindre et le mécanisme se remit à fonctionner à la recherche de locations de voitures, d'un itinéraire, etc. Pendant ce temps, je téléphonai à maman pour la rassurer, au cas où les nouvelles du *naufrage*, seraient arrivées jusqu'à la France.

Le voyage touristique à Balbek fut une épopée folklorique.

Gunter avait tout prévu sauf que nous serions suivis par la presse au grand complet, plus une partie de la population curieuse. Heureusement je m'étais faite mignonne, coiffée, maquillée, habillée au cas où...

Ce fut épique.

Nous étions suivis par une cinquantaine de voitures.

Lorsque nous nous trompions de route, les journalistes nous klaxonnaient en nous indiquant la bonne direction. Nous ne risquions pas de nous perdre ! Lorsque, assoiffés, nous nous sommes arrêtés dans un troquet pour boire une bière, 250 personnes ont envahi le bistrot, cassant les tables et les chaises à force de se bousculer pour nous approcher.

L'horreur, l'enfer !

Je garde un souvenir imprécis de Balbek.

Seules les plus hautes colonnes, qui émergeaient de la foule qui nous pressait, sont restées dans ma mémoire. Je me souviens avoir supplié les photographes, les cameramen TV de s'écarter un peu afin de me permettre de contempler les merveilles que sont les ruines des temples dédiés à Jupiter et à Bacchus. Ce ne fut qu'une bousculade sans merci, une foire d'empoigne d'un autre monde, un triste gâchis. Les flashes, encore les flashes, toujours les flashes de ces milliers de photos, toujours les mêmes, sans aucun intérêt.

Gunter, une fois de plus, essayait en vain d'obtenir une discipline de cette cohue hurlante qui baragouinait une langue incompréhensible, réclamait des autographes, brandissait des lambeaux de papier sale et des stylos cassés.

Ce que les gens sont cons. J'aurais tant aimé pouvoir me souvenir d'images uniques contemplées gravement, savourées doucement et imprimées profondément dans ma mémoire. Ces lieux extraordinaires et féeriques devraient être protégés car un recueillement s'impose devant de tels vestiges.

Toute cette populace me donnait la nausée, j'en avais marre, plus que marre.

En y repensant bien des années plus tard, il me semble que j'ai été victime toute ma vie de la plus épouvantable des exclusions (le mot est à la mode), celle qui consiste à empêcher un être de vivre normalement !

Je ne pensais plus qu'à repartir, je détestais le Liban, cette ville, cette population, cette mer, le bateau. Enfin tout baignait dans l'huile dans ce Proche-Orient de cauchemar sauf la mer qui hélas n'avait pas été d'huile.

Le soir, afin d'en connaître au moins un, nous allâmes dîner dans un de ces restaurants chics de Beyrouth. Pour arriver jusqu'à l'entrée, il nous fallut emprunter une passerelle en planches, la rue était comme partout défoncée par les terrassements des inévitables travaux publics, les anciennes canalisations empilées pleines de boue saumâtre, sentaient les égouts... De toute façon, c'était un pays où il fallait porter le tchador, si ça n'était pas par religion, ça pouvait éviter l'asphyxie chronique.

A part l'image d'une grosse dondon qui se trémoussait sous ses voiles transparents faisant trembloter ses fesses pleines de cellulite au son d'une musique orientale, je garde un souvenir flou de ce restaurant-cabaret-night-club où encore tout était gros y compris le patron qui ressemblait à Dario Moreno !

J'ai depuis rencontré des Libanais extrêmement raffinés, érudits et charmants qui compensèrent positivement l'image désastreuse que j'avais gardée de ce pays.

J'ai dû avoir une prémonition en refusant de poursuivre cette croisière si dramatiquement commencée. Quelques semaines plus tard, alors que le

Vadura était ancré dans une baie de l'océan Indien, quelque part du côté des Maldives, il fut attaqué en pleine nuit par des pirates, sanguinaires et sauvages, qui après avoir saucissonné et bâillonné les hommes d'équipage, y compris Gérard Leclery, violèrent sa compagne, égorgèrent le petit teckel à poils longs, l'adorable mascotte, le doux compagnon de voyage, puis pillèrent le yacht de fond en comble, ne laissant derrière eux que meurtrissures et désolation.

Tout l'équipement radio-électrique ayant été détérioré, les moteurs cassés, les voiles saccagées, l'eau potable volée, les soutes pillées, c'est une épave et de tristes rescapés qui furent retrouvés par hasard, quelques jours plus tard. La compagne de Gérard Leclery ne s'en remit jamais et mourut peu de mois après cette tragédie.

Quelle beauté, quel apaisement que de retrouver Rome, l'Italie, la via Appia Antica.

Gunter avait loué une demeure bien plus belle que celle de l'an passé. C'était une maison de maître flanquée d'une petite ferme au milieu d'un immense et magnifique parc doté d'un potager, d'un poulailler, d'une bergerie, avec une vue splendide sur cette unique campagne romaine, plus belle que tout au monde.

XXIV

Nous entamions le mois de mai de l'année 1968.

Gunter avait réuni toute sa cour, y compris les scénaristes de l'année passée, quelques producteurs aussi. Patrick Bauchau, mon beau-frère, pressenti pour le rôle du jeune premier, était là avec Mijanou. Monique, la compagne de Samir, ne me quittait pas plus que Samir ne quittait Gunter. Carole la rousse vint nous rejoindre. Nous formions une équipe hétéroclite où le clan des hommes était tout à fait différent de celui des femmes.

Grâce à ce séjour béni, je ne fus pas mêlée aux événements tragiques de ce mois de Mai révolutionnaire qui détériora à jamais une certaine image de la France. Mais nous suivîmes avec une grande anxiété tout le déroulement de cette menace de guerre civile. Nous avions des nouvelles alarmantes par les amis qui venaient nous rejoindre, fuyant momentanément cette France à feu et à sang.

J'appelai maman, qui installée à Saint-Tropez était épargnée par la vague de violence. Par contre Madame Renée, affolée, était barricadée à la Paul Doumer, avec ma Guapa, n'osant plus mettre le nez dehors.

Nous suivions tous les faits et gestes de De Gaulle à la TV.

Sa fermeté, face à une telle situation, ne fit que renforcer l'admiration que nous lui portions tous. Je pense actuellement à tous les politiques qui se targuent de « gaullisme » alors que pas un ne lui arrive à la cheville, et je regrette le temps béni où nous avions un véritable chef pour gouverner la France. Un homme sans compromission, un homme de droiture, si loin des guignols, girouettes, bla-blateurs incapables et opportunistes qui se sont bousculés à la queue leu leu pour la place suprême au printemps 1995 !

Tandis que Cohn-Bendit, *Dany le Rouge*, exhortait à la violence, à la dépravation et à la détérioration, la Sorbonne s'était transformée en un vaste lupanar. C'était l'orgie dans la rue ! Les voitures brûlaient, dans les avenues défoncées, les pavés servaient de projectiles, les vitrines étaient brisées, les magasins pillés, la population effrayée se terrait derrière des volets fermés, des portes barricadées.

Quelle triste et lamentable page d'histoire !

La France dans ce magma politico-porno en perdait son latin au propre et au figuré.

Depuis qui se souvient, à part Jacques Brel, de Rosa, Rosa, Rosam... Qui peut dire ce qu'est un « datif » ou un « ablatif » ? Qui sait traduire : « *Partibus factis sic locutus est leo* » ? Qui se souvient de « *Ite missa est* » ? Même la religion catholique s'est mise à la mode soixante-huitarde en chamboulant tous les tabous, les prêtres se sont habillés comme vous et moi, en jeans, souvent bien cradingues, on tutoie Dieu, on lui parle en français, on l'appelle « mon pote » et on lui tape sur les cuisses en lui tirant sur la barbichette.

Ce fut le déferlement sexuel, l'exhibitionnisme, le débraillage moral et physique, la perte de toute dignité, de toute morale, de toute honnêteté. Nous entrions dans l'ère du fric, du sexe, de la drogue, de la décadence, signes prémonitoires du socialisme qui allait achever cette détérioration.

A Rome, la vie s'écoulait lumineuse, à l'image de notre environnement.

Gunter préoccupé et obnubilé par le « chef-d'œuvre » qu'il était en train de pondre me délaissait un peu, beaucoup, mais certes pas passionnément. Au contraire d'un jeune producteur, qui semblait être fasciné par moi ! Comme je m'ennuyais un peu, je m'amusais à le séduire ! Ce fut un jeu dangereux et sans intérêt.

Un matin, Gunter m'annonça son départ précipité pour les îles Canaries. Qu'allait-il faire là-bas ? Sa réponse, obscure, ne m'éclaira guère. Samir partit avec lui, nous laissant Monique et moi à la garde de Margaret, sa fidèle femme de chambre, l'œil de Moscou, le faux jeton.

Je trouvais ce départ bizarre, imprévu !

La maison pleine d'amis, en plein boum de création de génie, scénaristes, producteurs, acteurs, toute une ruche abandonnée par son roi, et confiée à une ouvrière...

Qu'importe, nous en profitions Monique et moi pour filer à Rome avec la Porsche de Gunter que je conduisais, drainant derrière nous tous les dragueurs à pied, à cheval ou en voiture que comptait la capitale. Là, nous retrouvions au bar de l'hôtel de La Ville, le jeune producteur qui se liquéfiait pour moi et un de ses amis Mario Adorf, un acteur italo-allemand qui dévorait Monique des yeux. Ces escapades ayant éveillé les paparazzi, nous cessâmes d'aller à Rome par prudence et les fîmes venir à la maison où ils se perdaient dans le flot des allées et venues quotidiennes. Ce producteur n'avait ni goût, ni grâce ; il était banal, ni beau, ni laid, mais je pouvais le faire tourner en bourrique et m'en servais pour me venger de l'indifférence de Gunter.

Et puis le couperet tomba, définitif, sans appel.

Un matin, je découvris Margaret m'épiant cachée derrière une porte alors que je sortais de ma chambre qui était aussi celle de Gunter. Elle eut l'air gêné, prétextant que Gunter lui avait demandé quelques vêtements oubliés, qu'elle devait impérativement porter à l'aéroport où attendait un ami qui lui porterait... Pendant qu'elle s'emberlificotait dans ses explications vaseuses, elle jetait des regards furtifs et soupçonneux à l'intérieur de la chambre. Elle m'horripilait cette bonne femme, de quoi je me mêle ! Si mon mari avait besoin de quelque chose, il pouvait me le demander directement, sans passer par un détective privé. Il ne m'avait même pas téléphoné, mais avait appelé cette idiote !

J'étais furieuse ! Hors de moi !

Qu'est-ce que c'était que cette comédie ?

Et je lui interdis l'entrée de ma chambre !

Toujours en colère, je racontai tout à Monique qui se mit à rire, comme à son habitude, elle avait un caractère heureux, repoussant toujours le pire pour ne vivre que le meilleur.

Margaret resta introuvable pendant toute la matinée, elle s'était volatilisée. A la cuisine, lorsque je la cherchais, les têtes se tournaient, les yeux se dérobaient, personne ne savait, ou plutôt ne voulait rien me dire ! Elle réapparut tout à coup, chafouine, mielleuse, porteuse d'une lettre de Gunter, qu'elle me remit. C'était une lettre de rupture qui s'appuyait sur les témoignages précis de Margaret. Il ne pouvait accepter plus longtemps d'être trahi dans sa propre demeure, ridiculisé et cocufié ouvertement devant ses amis et collaborateurs, et ses domestiques ! C'est comme si mon sang avait brutalement quitté mon corps.

Je crus m'évanouir.

Margaret m'observait, narquoise.

Je l'aurais giflée, cette salope.

J'étais atterrée, j'avais déjà trompé Gunter, certes, il me l'avait rendu au centuple, mais cette fois ce n'était pas le cas et pourtant je sentais qu'il me serait impossible de me justifier. Tout basculait autour de moi, un gouffre s'ouvrait sous mes pieds, je mesurai lentement le prix que j'étais en train de payer à mon inconstance, ma futilité, mon égoïsme, mon intolérance. Je compris à quel point j'étais attachée, à quel point j'aimais Gunter au moment où je le perdais à jamais.

Bêtement, si bêtement mais si définitivement.

La maisonnée fut subitement sens dessus dessous.

Tout le monde étant au courant, tout le monde s'en mêla. Personne n'y croyait, il fallait appeler Gunter, lui expliquer, mais personne ne savait où le joindre. Dans sa lettre, il précisait qu'il ne reviendrait que lorsque je serais partie avec escorte. Monique faisait partie de la charrette, car Samir lui avait aussi signifié son congé. Elle était décomposée.

Au milieu de tout ce brouhaha, seule dans mon coin, j'essayais de me pincer, persuadée que j'allais me réveiller de ce cauchemar. Mes trois alliances bleue, blanche et rouge tournaient dérisoirement autour de mon annulaire, symboles désormais sans signification, vides de promesses, dénuées de sentiments, témoins révolus d'une époque irrémédiablement close. Il me fallait partir, fuir cet endroit, ces gens, ces commentaires bourrés de suspicion et de sous-entendus. Les apparences étaient contre moi, accusatrices, levées comme des boucliers vengeurs.

J'essayais au maximum de cacher mes états d'âme meurtris sous des dehors de dignité outragée. Mais je jouais très mal la comédie.

Une page importante de ma vie venait de se tourner.

J'entrais dans un long et douloureux tunnel.

Mario Adorf vint nous chercher, un de ses amis avait un appartement charmant au Giglio, petite île inconnue encore ou presque à quelques brasses d'Ostia. Nous allions y faire une escale, le temps de réfléchir et de décider d'une destination. Et nous voilà parties, S., Carole, Monique et moi avec armes et bagages.

Nous arrivâmes dans un autre siècle, dans une Italie profonde et encore préservée du tourisme dévastateur. Aucune voiture dans cette île, seul circulait un taxi d'un autre monde pour les courses urgentes à l'autre bout de l'île. Quelques charrettes tirées par d'adorables petits ânes, quelques vélos antédiluviens, pas d'électricité et pas d'eau courante. L'appartement de l'ami, situé sur le port, ne comprenait en tout et pour tout que deux minuscules pièces avec trois lits ! Nous étions quatre filles, Mario, son copain et un amoureux de S. ! Sept personnes pour trois lits, c'était juste. Sans parler de nos bagages. On aurait dit des réfugiés, un exode, un campement de romanichels, avec pour se laver une pierre à évier avec une pompe !

Je déclarai forfait, n'en pouvant déjà plus de cette promiscuité, ayant l'esprit ailleurs, le cafard, le mal de vivre. Je partis à pied à la recherche de ce qui aurait pu être un hôtel ou quelque chose d'approchant.

J'avais besoin d'être seule, de réfléchir.

Heureusement que, parlant bien italien, j'arrivais à me faire comprendre et à comprendre. Un paysan me fit monter dans sa carriole tirée par un âne et m'emmena au cœur de l'île chez une veuve qui louait des chambres. Si je n'avais pas été aussi triste, j'aurais pu rire du cocasse de la situation. Après les jets privés, les Rolls et les Porsches, la charrette à âne ! Au moins, ici, personne ne savait qui j'étais, on me fichait la paix !

Le paysage était vierge, magnifique, pur et beau. Ça sentait bon.

Je louai *la* chambre !

Grande pièce chaulée, fraîche et dénudée avec un grand lit de bois à l'ancienne, deux tables de nuit avec lampes à pétrole, une table de toilette avec sa cuvette, son broc, son seau et un énorme crucifix au-dessus de la fenêtre qui donnait sur des vignes, et une charmille de glycine décolorée et odorante comme chez les grand-mères !

Le rêve en plein cauchemar !

Je repartis au rythme de l'âne dans la charrette cahotante, chercher ma brosse à dents et ma brosse à cheveux. S. et son amoureux vinrent avec moi, ayant besoin de calme, de solitude, ils sautèrent sur l'occasion pour fuir le charivari bordélique de « l'appartement » du port. J'aurais aimé pouvoir apprécier ce court séjour dans ce paradis mais cette rupture, ce mal me rongeait et je n'en garde qu'un souvenir amer. Le lendemain S. fit de moi quelques photos magnifiques qui courent encore le monde à des prix exorbitants mais qui respirent une nostalgie profonde. Nous repartîmes pour Paris où je me retrouvai désemparée, livrée à moi-même, perdue, sans racines, libre mais à la dérive.

Il fallut m'organiser, réagir, reprendre les rênes de ma vie. Cette vie encore tout imprégnée par le luxe et la mondanité de Gunter, et si éloignée de ma propre existence. Je devais continuer encore quelque temps à vivre sur cette lancée qui me précipita brutalement dans un gouffre de solitude.

*
**

Je décidai de passer l'été à Saint-Tropez.

Réunissant mes amazones au complet, nous déferlâmes en grande pompe à La Madrague en Rolls blanche conduite par un chauffeur noir ! J'engageai immédiatement un maître d'hôtel et une femme de chambre, en plus de mes gardiens édentés et de Madame Renée.

Il me fallait mener grand train !

J'organisai immédiatement une fête costumée, pour le seul plaisir de prouver à Gunter qu'avec ou sans lui, je continuais de vivre au même rythme, à la même cadence, avec la même envergure.

Ainsi fut décidé !

Et 500 invitations partirent pour la nuit du 7 juillet 1968 !

Comme un chef d'orchestre, j'organisais, je menais, je prévoyais, me délectant à l'avance de ma revanche.

Je fis venir un décorateur de Paris qui devait mettre en scène de manière grandiose cette soirée. Son, lumière, disc-jockey, orchestre, traiteur, extras, tout fut prévu dans les moindres détails. Une estrade fut montée au bout de l'allée d'entrée, sur laquelle un immense fauteuil « Emmanuelle » entouré d'autres, plus discrets, devait me permettre de trôner au milieu de mes amazones. Un immense tapis rouge allait du portail à l'estrade. Des plantes exotiques et parfumées, un petit négrillon agitant une immense feuille de palme afin de nous rafraîchir, des lumières psychédéliques rythmées par le son des orchestres, le tout fonctionnant par enchantement, ne pouvait qu'être enchanteur.

Je louai pour la soirée des chauffeurs qui faisaient le va-et-vient du parking à l'entrée de La Madrague avec des mini-mokes afin que les invités n'aient pas à faire le trajet à pied. La police fut elle aussi mise à contribution. Des flics veillaient en sentinelles sur les deux murs de mer, empêchant les importuns de rentrer. Un véritable service d'ordre contrôlait les invitations. Le jardin était transformé en guinguette, plein de tables, de chaises, de bancs... Des buffets, des boissons, du champagne à flots.

Mon costume fut rapidement trouvé : un bikini de cuir noir, des cuissardes noires, un poignard à la ceinture, mes longs cheveux cachant mes reins et un loup noir pour mes yeux ! Mes filles toutes plus ou moins nues, voilées, parfumées, nous formions, il faut le dire, un comité d'accueil assez inattendu, extrêmement sexy et déroutant.

Ce fut une nuit extraordinaire !

J'étais moi-même étonnée par les dimensions que prenait cette fête.

Gunter devait se ronger les ongles.

Il y eut même un attelage de quatre chevaux qui s'arrêta devant mon podium d'où sortirent Félix de l'Esquinade et ses amis en « Dalton ». Puis arrivèrent à dos de chameau une bande de Touaregs du plus bel effet. Ces hommes bleus à la peau basanée et aux yeux de braise ne nous laissèrent pas insensibles, mes amazones et moi. Il y eut une onde qui passa. Qui étaient-ils ces sauvages apprivoisés ?

L'arrivée de Darryl Zanuck porté par ses milliards nous laissa indifférentes. Lina Brasseur et Picolette firent une très jolie entrée en *Paul et Virginie* escortées d'un véritable petit ânon chargé de fleurs avec Jean Lefebvre en ânier. Jicky, Anne et Eddy Barclay en tziganes-bohémiens étaient méconnaissables et superbes entourés de véritables gitans joueurs de guitare ! Chaque groupe s'arrêtait au pied de mon estrade, se présentait, nous donnait une aubade en nous saluant. Je dominais cette assemblée, assise sur mon fauteuil en rotin, majestueuse, n'en croyant pas mes yeux. En me tournant légèrement j'apercevais mes amazones, cinq filles splendides, elles aussi fascinées et fascinantes.

J'avais pris soin d'inviter quelques amis de Gunter afin que tout lui soit rapporté au plus vite !

Il y avait aussi les reporters des plus grands magazines mondiaux, des photographes triés sur le volet, et même le *Times* parla de cette soirée ! Jean-Noël

Grinda en ours et sa femme Florence en montreuse d'ours, Paul Blanchet et sa moto, Michèle Mercier en marquise avec son mari en ange, Marc Doelnitz en *femme*, naturellement, et Suzanne Pelet en *mec*, tout aussi naturellement, formaient un couple étrange, mais nous n'en étions pas encore aux *drag-queens*...

Les six Touaregs avaient investi notre estrade et s'étaient mis silencieusement à nos pieds. Ils avaient vraiment de la gueule ces types-là, et savaient visiblement s'y prendre avec les femmes.

Mille personnes défilèrent ce soir-là à La Madrague, mais mon attention ne fut dirigée que vers le regard de l'homme bleu qui était à mes pieds. En réalité, les hommes du désert étaient italiens et play-boys de leur état. Ils habitaient pour l'été une villa située juste en face de La Madrague, au bord de l'eau elle aussi : « La Brigantine » (tout un programme !).

Ils étaient Beppé, Gigi, Rodolfo, Enzo, Franco et Cesare !

Nous étions S., Carole, Gloria, Monique, Mijanou et Brigitte !

Une entente franco-italienne s'ouvrait en même temps que nos bras, nos lèvres et nos cœurs...

Ah ! ces Italiens...

Après deux années de joug allemand, je me laissais entortillonner à la sauce bolognaise, suçoter comme une *cassata napoletana*, déguster comme un *Asti spumante* sucré, montant à la tête de Gigi comme les bulles blondes d'un hallucinant breuvage ensorcelé !

A la fin de cette soirée inoubliable, je trouvai dans mon lit, ronflant et nu un des six Touaregs... mais ça n'était pas le « bon » et il fut vidé, à poil, avec pertes et fracas par les derniers copains qui prenaient leur café alors que le soleil était déjà haut dans le ciel.

Le « bon » c'était Gigi.

Je passai l'été avec lui, mais avant nous dûmes nettoyer encore une fois les dégâts que cette ultime fiesta fit subir à mon jardin. C'est inimaginable les saloperies que ce « gratin » humain peut laisser derrière lui ! Je ne refis jamais de fête, écœurée à jamais par tout ce que nous avons retrouvé dans les buissons de canisses, dans les pots de géraniums, et même sur les branches du figuier.

Enfin passons !

Mes amazones plus sérieuses qu'il n'y pouvait paraître restèrent fidèles à leurs amoureux lointains et n'accordèrent qu'une amitié tendre à cette bande de play-boys italiens. Ce qui n'empêcha pas La Brigantine de devenir une annexe de La Madrague. Nous nous faisions des signaux lumineux avant de nous rejoindre en riva au milieu du golfe. Moi aux commandes de ma Roussalka, Rodolfo aux commandes de son super Ariston.

Ce fut très gai ; nous ne nous quittions pas.

Mais le 14 Juillet arrivait et je ne voulais pas le passer à La Madrague. Gunter était encore trop présent, mon mariage patriotique trop cuisant, mon cafard trop latent.

Je louai un somptueux yacht à Cannes chez Glémot — 35 mètres de long, 6 cabines super luxueuses — et décidai une croisière Corse-Sardaigne avec mes amazones. Sans hommes ! Interdiction de faire monter un homme sur le bateau !

A part Gigi, puisque j'étais le chef, et le capitaine.

Le 14 Juillet au matin, enfin vers midi (!), nous embarquâmes sur notre palais flottant. Après avoir bu du champagne avec les amis qui accompagnaient notre départ, après que le capitaine eut pris conscience de l'immense responsabilité qui lui incombait, garde des « corps » superbes de six filles alléchantes, ondines de légende, amazones mythiques qui lui faisaient déjà tourner la tête et les sangs, nous quittâmes lentement la baie de Saint-Tropez, escortées par la petite flottille de nos amis qui nous envoyaient des baisers et des fleurs à grand renfort de coups de sirène.

Des dauphins légers, mutins, coquins et joueurs prirent la suite de cette escorte et nous accompagnèrent un bon bout de chemin. Nous leur jetions du pain, des fruits, mais nos regards fascinés semblaient pour eux compter davantage que la nourriture. Puis nous croisâmes des cachalots qui nous firent l'honneur de leurs plus beaux jets d'eau, un feu d'artifice aquatique silencieux et magique.

C'était beau. C'était vrai. C'était émouvant.

En arrivant à Saint-Florent, le soir, nous avions du rêve plein les yeux.

Ce petit port magnifique me rappela ma croisière avec Gunter lorsque nous avions rencontré Léonor Fini, dans sa demeure surréaliste, et aussi Maurice Rheims qui vivait dans son splendide domaine.

Je n'eus pas le temps d'aller plus loin dans mes souvenirs cafardeux. A quai, notre yacht était amarré entre un voilier de course rempli d'un équipage d'hommes jeunes et beaux, dont un célèbre coureur automobile, Jean Guichet, de l'autre côté un luxueux yacht appartenant à Gianni Agnelli, le fameux milliardaire boiteux, propriétaire de Fiat.

La soirée fut plutôt mouvementée !

Outre les pétards, les feux d'artifice, les feux de Bengale et autres fusées de détresse qui illuminaient cette nuit de 14 Juillet 1968, il y eut l'abordage en bonne et due forme des hommes du voilier de course, situé à bâbord, et le charme de Gianni Agnelli et de ses amis placés à tribord. Le capitaine prenant son rôle très au sérieux fit sonner les cloches de détresse, essayant de repousser l'invasion de bâbord, pendant qu'un maître d'hôtel, toujours très chic et imperturbable, faisait circuler le champagne, les petits fours et les tendres compliments qui venaient de tribord. Je commençais à regretter d'avoir embarqué Gigi, bien pâle échantillon de cette race masculine qui ne demandait qu'à être l'objet de nos passions.

A la fin de cette nuit mémorable, Gianni Agnelli, envoûté par Gloria, décida de nous escorter jusqu'en Sardaigne tandis que Carole, ayant séduit Jean Guichet, nous ouvrirait la route !

C'est donc une armada qui descendit vers la Sardaigne faisant escale dans de nombreux ports de Corse. J'avais envoyé un télégramme à Karim Aga Khan pour le prévenir de notre arrivée. Il répondit qu'absent il ne pourrait nous recevoir, mais donnait toutes les instructions nécessaires pour que tout soit mis à ma disposition durant mon séjour en Sardaigne, y compris un hélicoptère !

Quelqu'un a dit : « *C'est aux êtres exceptionnels qu'il arrive des choses exceptionnelles !* » Je devais faire partie de ces êtres-là !

A Porto Rotondo certaines de mes amies amazones retrouvèrent leurs amoureux, arrivés en avion. Ainsi S. rejoignit Alain. Et Monique, Mario.

Nous étions parties à la conquête du monde, en femmes libres, modernes, indépendantes, amazones de tous les défis, et nous nous retrouvions en fin de compte bien heureuses de rejoindre nos compagnons ou de supporter comme moi un amant choisi à la hâte avant le départ. Preuve indiscutable qu'une femme, aussi belle soit-elle, aussi célèbre, riche, aussi enviée soit-elle, n'est pas faite pour vivre seule ! C'est une aberration de prôner le contraire !

Le retour fut moins brillant que l'aller.

Une tempête nous souleva le cœur. Le mistral déchaîné brinquebalait notre yacht comme un vulgaire bouchon. Agnelli sentant le vent venir était resté en Sardaigne. Quant au coureur automobile et son superbe équipage, ils avaient préféré continuer leur route là où le vent les poussait, c'est-à-dire à l'extrême opposé de notre circuit de retour. Afin de limiter les dégâts, le capitaine mit le cap sur Monaco, point de terre ferme le plus proche. Fuyant le navire comme une bande de rats affolés, nous atterrîmes à l'hôtel de Paris dans un état de décrépitude avancée.

Grandeur et décadence des amazones soixante-huitardes...

Entre deux hoquets j'appelais La Madrague afin que Brahim, le chauffeur, vienne nous récupérer au plus vite avec la Rolls.

Le mois d'août fut long.

Je donnais le change sans y croire.

Alain Delon qui devait tourner *La Piscine* avait un besoin impératif de trouver une maison pour le tournage et une autre pour lui. Il me demanda de l'héberger quelques jours afin de pouvoir vivre ce mois d'août tropézien sans devenir la proie de tous les journalistes. C'est à cette époque qu'éclatait le scandale « Marcovic » dans lequel il semblait être mêlé, mais mon amitié pour lui passait bien au-dessus de tout ça.

La maison était pleine d'amazones plus ou moins célibataires, mais mon souci fut de lui trouver un endroit calme dans lequel il se sente bien. Seule pièce vacante, l'ancienne remise à râteaux, petite bicoque de bric et de broc que j'avais plus ou moins transformée en chambre d'ami des plus précaires qui donnait de plain-pied sur la plage.

J'envoyai chauffeur et Rolls chercher Alain à l'aéroport de Nice.

Tout ça était très chic, très star-system.

Mais l'arrivée à La Madrague fut plus rustique, et lorsqu'il vit « ses appartements », il eut un petit moment d'hésitation. Moi aussi ! Après tout qu'importe qu'il y ait la douche dehors, que les chiottes soient plus ou moins bouchées, que le lavabo soit un évier de pierre et qu'il n'y ait pas d'eau chaude ! On était au mois d'août, la mer et le soleil entraient presque dans cette petite maison délicieusement hors du temps, cette petite cachette préservée, ce petit nid ravissant si loin de la foule, de la civilisation.

Alain, son sac Vuitton et ses idées préconçues, prit possession de son minuscule domaine. Quelques heures lui suffirent pour apprécier ce nouvel univers et le préférer à toute autre tentation.

Le soir même nous allions dîner à la Pizzeria Romana. Il refusa de se joindre à nous et préféra partager le repas de mes gardiens devant le coucher de soleil, unique à La Madrague. Le matin, en revenant à la maison, je trouvai sur mon oreiller un petit mot d'Alain disant à peu près ceci :

Comment peux-tu continuer à gâcher ta vie, tes heures, tes minutes avec des gens aussi stupides, alors que tu as à portée du cœur des splendeurs authentiques, uniques, vibrantes et majestueuses ? Je les savoure et les assimile pour toi.

ALAIN.

La vie d'Alain Delon était alors en plein déséquilibre.

Il venait de se séparer de Nathalie et n'avait pas encore rencontré Mireille Darc. De plus il devait tourner *La Piscine* avec Romy Schneider, qui était probablement encore très présente dans son cœur. Tout ça le déstabilisait, même s'il y faisait face avec beaucoup de force, comme d'habitude.

J'étais dans la même confusion.

Nous aurions pu vivre un bout de chemin, au hasard de cette rencontre inopinée à La Madrague. Nous aurions pu nous aimer, mêlant à cet instant nos doutes, nos passions, nos désespoirs, nos lassitudes aussi. Nous aurions pu nous épauler, nous aider, nous conseiller, nous déchirer et nous surpasser.

Il n'en fut rien.

Je continuais de partager mes nuits et mes jours avec Gigi, pendant qu'Alain dormait et vivait seul, dans son cabanon sur ma plage. Je continuais de délaisser les beautés de ma maison, les couchers de soleil, le chant des rossignols à la nuit tombante, pour les restaurants de pacotille, les boîtes de nuit, l'étourdissement de la futilité, alors qu'Alain apprenait à vivre sa douleur au rythme du ressac des vaguelettes, du vent, du soleil, du ronron des chats, des odeurs d'eucalyptus et du cri rauque des mouettes.

Comme des parallèles qui doivent forcément se rejoindre à un point nommé dans l'espace, puis se séparer à jamais, nous sommes passés cet été-là très près l'un de l'autre sans nous voir vraiment.

Dommage, peut-être...

**
*

L'été finissait doucement.

Début septembre, Gigi s'en fut vers d'autres bras, d'autres fêtes, d'autres horizons. Mes amazones s'éparpillèrent. Seule resta S. en mal d'amour pour son amoureux marié et irascible, alors que son mari attendait patiemment son éternel retour. Je me sentis soudain dans un état d'abandon total. La réalité était là, dans toute sa cruauté, me plantant le pieu de la solitude dans le cœur. Je pleurais dans ma chambre seule. S. pleurait seule à la Petite Madrague. Nous pleurions ensemble devant notre champagne dans le salon vide et silencieux.

C'est à ce moment que Florence Grinda m'appela au téléphone, me demandant d'avoir la gentillesse d'héberger provisoirement deux amis à elle, deux beaux et jeunes hommes qu'elle ne pouvait plus loger car elle devait repartir d'urgence sur Paris. C'est ainsi que Christopher et Patrick vinrent s'installer à La Madrague dans le dortoir du rez-de-chaussée.

Ils étaient effectivement jeunes, 23 ans, et splendides !

Je m'arrêtai de pleurer. S. aussi.

Ils se montrèrent d'une indifférence totale, considérant la maison comme un hôtel, ne nous accordant aucune attention, se servant des voitures, du frigo, de la télé, du bateau, du téléphone, de tout, sauf de nous !

Nous n'existions pas. A croire qu'ils étaient pédés !

Un jour, j'en eus marre, et leur fis une réflexion extrêmement désagréable. Du coup, j'eus l'impression d'exister ; ils me virent, me regardèrent, me parlèrent. Profitant de l'arrière-saison, S., Christopher, Patrick et moi avons essayé de vivre en bonne intelligence. Cela consistait en sorties, que je payais, en restaurants, que je réglais, en virées à gauche ou à droite avec ma Rolls ou mon riva, dont j'assumais tous les frais. J'étais loin de Gunter, de la vie splendide qu'il m'avait offerte !

A 33 ans, j'entretenais en tout bien tout honneur deux gigolos de dix ans mes cadets... S., évanescente comme toujours, se laissait porter par les événements ! Elle était lointaine et inquiète. Plus tard j'appris qu'elle était enceinte, ce qui provoqua un drame dans sa vie, car elle n'avait pas vu son mari depuis six mois. Bravo les amazones !

A force de nous voir sortir avec ces deux types superbes, on finit par croire qu'ils étaient nos amants. Mais personne ne pouvait dire qui était avec qui, puisque personne n'était avec personne ! On essayait de savoir qui ils étaient, on nous demandait si nous étions heureuses avec des sourires sous-entendus.

S. et moi nous faisions des envieuses !

Tu parles... !

Le soir, chacun réintégrait ses pénates. Cela finissait par être vexant ! Je payais cher, très cher, au sens propre et au figuré, mes prétentions d'indépendance et de liberté. Mais ayant appris qu'il vaut toujours mieux faire envie que pitié, je laissais croire au meilleur alors que je vivais le pire ! Guapa que j'avais beaucoup délaissée cet été, chaude et tendre, était la seule compagnie de mes nuits d'insomnie.

Olga m'appela au téléphone, elle trouvait que je tardais beaucoup à revenir à Paris ; on lui avait dit que j'hébergeais deux beaux jeunes gens... Etait-ce vrai ? Qui étaient-ils ? Avais-je déjà remplacé Gunter ? Bref, elle savourait d'avance les potins.

Elle en fut pour ses frais !

Mais elle me proposa de présenter la première mondiale de *Shalako* qui devait avoir lieu à Hambourg le 28 septembre, le jour de mon anniversaire. Que je réfléchisse et rappelle le plus vite possible.

S. trouvait que ce serait amusant, Christopher s'en foutait, mais Patrick pour la première fois depuis son arrivée eut l'air de réagir avec une certaine personnalité. Il se proposait de m'accompagner si j'avais besoin d'une escorte... je n'en revenais pas ! Là-dessus Florence Grinda apparut avec Philippe d'Exea que je n'avais pas revu depuis belle lurette. Son nouveau job consistait à faire la promotion d'une île des Bahamas encore déserte, mais qu'il devait remplir à tout prix, son pourcentage étant fonction des ventes de voyages qu'il y réaliserait.

La maison reprenait vie, moi aussi.

Florence était accompagnée d'un jeune et bel Allemand, Jurgens, qui habitait Hambourg. Il se proposa d'organiser une grande fête chez les von Bismarck pour la sortie du film et mon anniversaire ! Cependant que Phi-Phi nous invitait à un séjour idyllique tous frais payés à « Great-Harbour-Cay ». Ma présence là-bas suffisant à elle seule à convaincre le monde entier d'y aller.

Alors que les projets prenaient forme, je fermai La Madrague en essayant de me débarrasser de mes deux godelureaux. Mais autant Christopher prit avec philosophie son congé, autant Patrick fit mine de ne rien comprendre. Toujours aussi indifférent, il envisageait de m'emboîter le pas où que j'aille. Curieux bonhomme qui commençait à m'intriguer sérieusement.

Lorsque, excédée par son attitude conquérante, je-m'en-foutiste et prétentieuse je lui demandai des explications sur ses curieuses manières de morpion mondain, il me répondit très sûr de lui que, si je voulais, il me donnerait sa réponse dans mon lit, ce soir ! Après moi le déluge, je n'avais de comptes à rendre à personne et l'accueillis à draps ouverts. Mais contrairement à ce que j'attendais, il s'endormit sagement à mon côté.

Le réveil fut tout aussi monacal !

Alors là, je n'en revenais pas.

Je n'ai jamais été une obsédée sexuelle, loin de là, ayant toujours préféré la tendresse à tous ces exercices épuisants, à ces contorsions qui nous laissent souvent courbatus et épuisés pour pas grand-chose ! La douceur des caresses prime les démonstrations de puissance masculine, que je trouve ridicules. Mais là, je commençais à me poser des questions. Étais-je à ce point vieille et décatie ? Pourtant je n'avais que 33 ans presque 34, c'est vrai ! Mais enfin j'étais encore jeune, belle, désirable, bien foutue, convoitée par le monde entier.

Alors ? Alors, il devait être pédé !

Il prit l'habitude de s'endormir à mes côtés sans me toucher.

Je pris l'habitude de m'y habituer.

C'est dans ce curieux accouplement que je rentrai à Paris.

Madame Renée en avait vu d'autres ! Mais Guapa eut du mal à s'y faire... à me partager d'une aussi bizarre façon. Quant à maman et papa, ils accueillirent leur nouveau « gendre » avec méfiance et circonspection. J'avais beau leur jurer mes grands dieux qu'il n'y avait rien entre lui et moi, ils n'en pensaient pas moins, on ne la leur faisait pas aussi facilement ! Et puis que faisait-il dans la vie ?

**
*

À vrai dire, je ne sais toujours pas pourquoi nous partîmes pour Hambourg. Toujours est-il que nous y sommes allés en délégation, comme d'habitude, et que ce fut un événement.

Philippe d'Exea, Patrick, Jurgens, Gloria, Florence Grinda et moi avons été reçus princièrement par la famille von Bismarck. Evidemment, Patrick et moi partagions la même chambre !

Le grand problème avait été de lui trouver en vitesse un costume élégant que Jean Bouquin avait coupé, et cousu la veille de notre départ. Comme Patrick était très grand et très beau, tout lui allait merveilleusement bien. C'était l'époque des *Mao* qui remplaçaient souvent les smokings.

J'étais quand même un peu angoissée. Après tout, je ne le connaissais pas, je ne savais pas d'où il sortait, je me l'étais trimballé au château Bismarck, il allait se montrer à mon bras pour la première mondiale de *Shalako*. Allait-il savoir se tenir à table ? N'allais-je pas mourir de honte si son comportement n'était pas à la hauteur de la situation ?

Je regardais de travers Patrick qui s'admirait devant l'immense miroir biseauté, vêtu de son *Mao* noir en grain de poudre ! Il avait fière allure quand même. On verrait bien et advienne que pourra ! Et puis il y avait Philippe d'Exea et Gloria, rodés à toutes les mondanités, Florence Grinda, experte en réceptions de tous genres, et Jurgens, magnifique échantillon de l'aristocratie allemande qui allaient m'entourer ; tout ça noierait éventuellement le poisson !

Nous fûmes emmenés jusqu'au cinéma dans une armada de voitures avec chauffeurs de maître en uniforme. La famille von Bismarck m'escorta toute la soirée, telle une reine ! C'était impressionnant de luxe, d'élégance, de raffinement, de gentillesse aussi. Je portais une robe en paillettes noires faite spécialement par Christian Dior et un immense boa noir autour du cou. J'avais relevé mes cheveux en chignon, un peu style 1900. J'avais 34 ans ce soir-là ! J'étais belle ! Mais seule et glacée au fond de mon cœur.

Shalako fut projeté en anglais avec des sous-titres allemands. J'avais moi-même postsynchronisé mes

scènes en anglais mais à part ces séquences, je ne
compris rien à l'histoire, qui n'avait du reste aucun
intérêt. Dès les dernières secondes de projection, ce
fut une ovation, on se demande pourquoi — à cause
de ma présence peut-être !

Au château Bismarck, une grande soirée était
organisée en mon honneur !

Jusque-là, Patrick avait été parfait.

Lointain, sûr de lui, posant un regard bleu et froid
sur tout ce qui l'entourait, blasé comme si c'était son
quotidien alors qu'il vivait ce genre d'événement
pour la première fois de sa vie ; je pensais que ce
garçon avait des nerfs d'acier et une sensibilité de
roc ! Il ne laissait certes pas indifférentes les
femmes... mais elles glissaient sous son regard sans
provoquer aucune réaction de sa part, il ne leur
accordait aucune importance pas plus qu'à moi-
même.

Lorsque, épuisée, à 2 heures du matin, je me jetai
sur l'immense lit à baldaquin aux rideaux de brocart
rouge, pensant qu'enfin il allait me rejoindre, me
câliner, me souhaiter un bon anniversaire, me chou-
chouter à défaut d'autre chose, enfin s'occuper un
peu de moi, j'eus la douloureuse surprise de le voir
se changer en coup de vent, troquant son *Mao*
contre jeans et blouson, et m'annoncer qu'avec les
fils Bismarck, surnommés respectivement Ping et
Pong, il allait voir les putes en vitrine et ne serait pas
de retour avant le petit matin.

Puis, il posa un rapide baiser sur mon front et s'en
alla !

Je passai une partie de la nuit à pleurer, seule
dans ce château étranger, dans cette chambre
rococo, sur ce lit d'époque, entourée de ce décor
grandiose qui n'abritait que ma désespérance.

Alors que j'avais été fêtée et adulée, que des
hommes beaux, jeunes et riches, m'avaient courtisée
toute la soirée, que l'hommage d'une des familles les
plus célèbres du monde m'avait été offert, je me

retrouvais encore perdue, affolée, triste à mourir dans ce carcan suffoquant d'une solitude effrayante que je n'arrivais pas à combler.

Lorsqu'il rentra, alors que l'aube était déjà levée, je lui demandai pourquoi il m'avait trompée d'une manière si insolente. Il me répondit froidement qu'il ne m'avait pas trompée puisqu'il n'était pas mon amant ! Puis il s'endormit en se tournant de l'autre côté.

« *Blessée jusques au fond du cœur, d'une atteinte imprévue aussi bien que mortelle !* »

Ces vers de Corneille me revinrent à l'esprit et je les méditai longuement, savourant déjà la vengeance implacable que je lui ferais subir.

Le lendemain, comme si de rien n'était, je jouai le jeu de la femme comblée et heureuse que j'aurais dû être. Je demandai à mon tour d'aller visiter les quartiers interdits. Avec une casquette et des lunettes noires, entourée de Ping, de Pong, de Philippe, Gloria, Florence, Jurgens et Patrick, nous avions l'air de jeunes mousses en bordée... visitant les bordels ! C'était rigolo, toutes ces filles en vitrine qui tricotaient ou se faisaient les ongles, à moitié à poil ou dans des déshabillés suggestifs. C'était plutôt sympa et accueillant. Pour un peu, j'aurais eu envie d'aller boire un petit café avec elles !

Mais je ne pouvais pas, cela aurait été un scandale.

Contrairement à Marthe Richard, je trouve moins dégradant que des femmes de joie soient bien au chaud, bien présentées, bien tenues et soignées dans des lieux réservés à leur « travail », que d'arpenter les trottoirs, n'importe où, n'importe comment, par n'importe quel temps et avec n'importe qui...

Si j'en avais le pouvoir je ferais rouvrir les bordels ! Surtout avec le drame du Sida, et toutes les maladies atroces auxquelles ces pauvres filles sont confrontées. Sans parler de la concurrence envahissante de tous les travelos pourvus de seins et de sexes d'hommes, tous ces *drag-queens* en rupture de prostitution qui grignotent peu à peu et pas à pas le territoire des vraies de vraies !

**

Aussitôt rentrée à Paris, je signifiai à Patrick son congé.

Pour lui permettre de faire ses valises, je quittai la maison avec Guapa et allai voir mes vieilles dames, enfin une partie de mes « grand-mères », en commençant par ma vraie Mamie, puis ma tante Pompon, ma Dada et enfin ma Big qui était sur le même palier. J'eus droit à des tasses de thé, des petits gâteaux, quelques larmes, des centaines de baisers, des potins, des plaintes de vieilles douleurs, je dus raconter, leur changer les idées et passer à confesse pour mon nouvel amoureux... J'éludais avec diplomatie, pensant qu'à cette heure ses valises succinctes devaient être faites et qu'il devait être sur le point de quitter la Paul Doumer.

Quelle ne fut pas ma surprise en rentrant à la maison de le voir allongé sur le lit en train de regarder la télé ! Pas plus de valises que de beurre en branche. Puis, je le vis se lever, me prendre dans ses bras, me serrer très fort en me chuchotant qu'il m'aimait...

... j'en eus un vertige !

J'en eus d'autres !

Nous restâmes au lit une semaine, ignorant le téléphone, les repas, les rendez-vous, le jour et la nuit. C'était sa manière à lui de rattraper le temps perdu !

Au bout d'une semaine, brisant tous les barrages, S. rentra dans ma chambre furieuse, hors d'elle ! Les plus grands magazines américains attendaient depuis huit jours les photos qu'elle devait faire de moi. Les maquilleurs, coiffeurs, couturiers, assistants qu'elle avait fait patienter avaient donné le jour d'aujourd'hui comme dernier carat. Elle était au bord des larmes.

Nous, nous étions au lit, enlacés, sentant l'amour, nous foutant de tout. Mon cou n'était plus qu'un énorme suçon, mes cheveux, une tignasse ! Mes yeux cernés, bordés de reconnaissance, mon corps meurtri, mes lèvres éclatées comme des fruits trop mûris de soleil.

Ah ! j'étais jolie !

Je fus prise d'un fou rire à l'idée de faire des photos dans un pareil état, mais Patrick, très calme, très maître de lui, m'assura que je devais les faire, que jamais de ma vie je ne serais aussi belle, que je dégageais une sensualité et une séduction que je n'avais encore jamais reflétées.

Il avait raison.

Ces photos sont uniques, elles suintent l'amour par tous les pores de la pellicule.

Je vécus avec Patrick une passion dévorante, destructrice, déchirante et sublime qui dura deux ans.

Philippe d'Exea nous embarqua pour les Bahamas, via le Luxembourg, car les billets étaient moins chers ! Même quand on invite une star et sa clique, il n'y a pas de petites économies ! Nous partîmes en Rolls un matin pluvieux de novembre, Gloria, Philippe, Patrick, Jicky qui s'était joint au voyage, et moi pour arriver jusqu'au Luxembourg.

C'était sinistre !

Qu'allais-je encore faire là-bas ? J'étais si bien dans ma Paul Doumer douillette, chaude, tamisée, molletonnée. J'avais encore eu à quitter Guapa qui se lamentait avec les yeux. Mais Patrick avait soif de découverte, de soleil, de renouveau, il ne tenait pas en place et ça n'est certes pas la fac des Langues orientales qui l'aurait retenu. Il n'y avait jamais mis les pieds, je n'avais jamais vu un quelconque ouvrage, travail ou dossier traîner à la maison. Quant à ses fameuses connaissances linguistiques, il ne savait aucun mot d'aucune langue étrangère. Je lui posais des questions mais ses réponses étaient évasives et un baiser profond me clouait le bec, me laissant à bout de souffle !

L'arrivée à Nassau me rappela étrangement le Dorado Beach de Porto-Rico. Tout était américanisé à l'extrême. On se serait cru dans un vaste Disney World.

J'étais fumasse ! Alors, ce long voyage, cette peur de l'avion, ces dix heures de vol pour arriver dans ce décor de carton-pâte arrosé de ketchup !

Je voulus repartir immédiatement.

Personne ne sembla s'en préoccuper, car tout le monde me connaissait.

Ils eurent une fois de plus raison.

Le lendemain, deux petits « Cessna » monomoteurs nous emmenèrent vers « Great-Harbour-Cay ». Je vis de l'avion une petite île dessinée par un enfant, ceinturée de plages de sable blanc, déposée au milieu d'une mer transparente couleur turquoise. L'atterrissage dans une grande prairie, l'arrivée avec la seule voiture de l'île sur une piste qui longeait la mer, dans un petit bungalow de bois peint en blanc, comme une maison de poupée sur la plage. Le tout envahi de cocotiers, sauvage, désert.

C'était le paradis !

Ce fut le paradis !

Le petit bungalow de bois peint en blanc devint notre domaine, à Patrick et moi, les autres allèrent discrètement quelques centaines de mètres plus loin, s'installer dans une maison de poupée identique, nous laissant ainsi, libres de vivre notre lune de miel tranquillement.

Nous vivions nus du matin au soir.

Lui, Dieu celte, Viking blond et bronzé au corps parfait, incarnation d'Adam dans ce paradis terrestre. Moi, longue, fine, blonde, aux cheveux de lin, j'aurais pu être Eve ! Nous étions beaux, heureux, libres, sauvages, amoureux, fous de nos corps, avides de posséder nos âmes et de confondre nos cœurs. Le soir nous trouvions le frigo plein, le ménage fait, le pétrole dans les lampes, les serviettes changées, les draps propres ! Nous ne voyions personne. Tout était fait ! A l'heure du déjeuner, un Noir charmant et efficace venait nous faire griller des langoustes sur la plage, que nous partagions avec Phi-Phi, Jicky et Gloria. Le soir, nous nous invitions à dîner d'un bungalow à l'autre. A part les sun-fly, une espèce de moustique qui attaque à la tombée du soleil et ne nous lâchait plus de la nuit, tout était idyllique, romantique, exceptionnel, unique.

Phi-Phi avait trouvé, par je ne sais quel miracle, un petit bateau, sorte de coque de noix minuscule, avec un petit moteur de rien du tout, qu'il mit à notre disposition à Patrick et à moi.

Et nous voilà partis, à poil, dans la coque de noix, à explorer les fonds sous-marins, à voir la côte du large, enfin à jouer comme des enfants en poursuivant une énorme raie manta, ces poissons ailés qui peuvent atteindre deux mètres d'envergure et volent sous l'eau, tels d'immenses cerfs-volants aquatiques — tellement occupés par nos découvertes et nos émerveillements que nous n'avons pas vu arriver les nuages. Subitement des vagues immenses submergèrent le petit bateau, un froid glacial nous paralysa, une pluie intense nous cingla.

Nous ne voyions plus rien.

Un brouillard épais poussé par un vent puissant nous brinquebalait de tous les côtés. Le moteur s'arrêta. Il n'y avait pas de rames. Nous ne savions plus où était la côte.

C'était la panique. J'allais y rester !

Je hurlais, buvant la pluie et le vent à pleine bouche.

J'étais glacée, je tremblais de tous mes membres. Patrick n'en menait pas large mais gardait son calme. Il me dit de me recroqueviller au fond du bateau afin de ne pas perdre mes calories, pendant qu'il scrutait l'horizon en essayant de nous situer par rapport à la côte. Enfin une infime déchirure, comme un voile soulevé, nous permit d'apercevoir la plage au loin. Sur la plage, un petit point s'agitait, courait et tournait. C'était Phi-Phi ! Il nous avait vus. Il vint à notre secours avec son petit canot, et nous prit en remorque. Puis nous débarqua, nous réchauffa avec de grosses couvertures et du café brûlant.

Un matin, je ne trouvai pas de lait dans le frigo. Je parle de l'habituelle boîte de lait concentré que nous utilisions pour tout, le lait frais étant absent de l'île. Phi-Phi n'en avait plus non plus.

Qu'importe, on s'en passerait !

Mais le soir en rentrant, j'eus la surprise de trouver une bouteille de lait frais devant la porte du bungalow. J'appris alors qu'un avion était parti spécialement à Miami chercher du lait frais pour moi. Je n'en revenais pas. Et n'osai plus émettre de remarque sur le manque de ceci ou de cela, affolée d'avance par le remue-ménage que ma question allait provoquer.

Ayant pris froid le jour du naufrage, je n'arrêtais pas de tousser. Il est aussi inhabituel d'avoir une bronchite dans une île déserte des Bahamas que d'attraper un coup de soleil au pôle Nord ! Mais quoi qu'il en soit, j'étais malade à crever ! Un avion, encore, m'apporta de Nassau un sirop prescrit par un médecin appelé d'urgence au téléphone. Nous devions partir pour New York le lendemain, Raymond V., un des amis milliardaires de Jicky, nous invitant à passer quelques jours au Mayfair dans la somptueuse suite royale qu'il avait réservée à notre intention. De plus, Anne, la femme de Jicky, nous y attendait de pied ferme. Et puis c'était rigolo de faire une petite parenthèse à notre vie de Robinson Crusoé, une escapade à New York que je ne connaissais que sous les feux médiatisés de la première de *Viva Maria* c'est-à-dire pas du tout.

Dès que le sirop arriva, pour être sûre d'être en forme le lendemain, je me tapai au goulot la moitié de la bouteille, espérant qu'avec cette méthode radicale, ma toux et ma fièvre allaient enfin me lâcher les baskets. Mais il s'ensuivit une langueur, une somnolence, une fatigue intenses, une faiblesse incontrôlable qui m'amenèrent au bord de l'évanouissement. Phi-Phi me prit le pouls, qui ne battait qu'à 40 pulsations à la minute ! En regardant la composition du sirop je réalisai que j'étais intoxiquée par la codéine et la papavérine, des poisons violents si on en abuse !

Pour essayer de me sortir de ma torpeur, on m'administra bon nombre de claques, on me fit ingurgiter du café, on me fit prendre une douche froide. J'étais aussi molle et aussi désarticulée qu'un pantin de chiffon. N'ayant plus la force de faire mes valises, Patrick et Phi-Phi, aidés de Gloria, entassèrent mes vêtements à la va-vite dans mes sacs de voyage. J'étais ailleurs, consciente de mon état larvaire, angoissée par une mort inéluctable que je refusais mais qui avait pris le pas sur mon corps, sur mes réactions, sur mes réflexes et même sur ma parole.

Me souvenant que maman portait toujours sur elle des tablettes de *Coramine-glucose* qui font miracle en cas de malaise, j'essayais de leur dire. Mais aller trouver du *Coramine-glucose* à 11 heures du soir au fin fond d'une île déserte ! Autant chercher une aiguille dans une botte de foin !

C'est dans cet état lamentable que le petit Cessna m'emmena le lendemain vers Nassau. A l'aéroport avant de prendre l'avion pour New York, un médecin vint m'examiner.

J'avais 8,5/5 de tension et 42 pulsations minute.

Mon état était jugé alarmant. Il me fit une piqûre qui n'eut aucun effet.

Arrivée à New York, heureusement sans tambour ni trompette, je m'alitai, incapable de tenir debout. Un médecin mandé d'urgence arriva à mon chevet, et prescrivit quelques potions magiques à faire préparer dans le premier drugstore ! J'appris à cette

651

occasion qu'aux Etats-Unis, aucun médicament, à part l'aspirine, n'existait prêt à vendre et que les prescriptions médicales étaient encore concoctées sur place par les hommes de l'art. Ce qui me rappela l'histoire du type qui entre dans un drugstore et demande :

« Faites-vous des analyses d'urine ?

— Oui, répond l'autre.

— Alors, allez vous laver les mains et préparez-moi un sandwich ! »

Enfin remise, je pus visiter New York en long, en large et en travers, sous le soleil de plomb de cet été indien.

En perruque brune et lunettes de soleil, je suivais Patrick qui déambulait à pied dans toutes les rues et toutes les avenues sans intérêt, les vastes expositions luxueuses de vitrines aguichantes, pour clients milliardaires, d'une superficialité extrêmement symbolique de ce que représente le fric aux Etats-Unis. Nous avons traversé le quartier des clodos, noirs pour la plupart, ce que l'on appelle le Bowery, avec ses maisons de brique lugubres, ses escaliers extérieurs de fer rouillé, ses poubelles déversoirs de tous les excréments possibles et imaginables, sa saleté, son odeur nauséabonde, puis nous nous sommes retrouvés à Wall Street, quartier de la Bourse, où d'immenses bâtiments noirs et sales cachaient dans leurs entrailles les rênes de la fortune du monde. Ce jour-là, un samedi, tout était désert, fermé, mort. Un peu plus loin, la statue de la Liberté, immense et généreuse, accueillait des flots de touristes.

Décidément, cette ville ne m'attirait absolument pas.

Pour me faire oublier cette journée épuisante, Raymond V. notre hôte qui avait loué pour nous le dernier étage du Mayfair et nous invitait dans des conditions somptueuses, décida de nous emmener dîner au Plaza.

Et me voilà pomponnée en large pantalon de crêpe noir, style jupe-culotte longue et magnifique avec caraco de crêpe blanc, enturbannée de crêpe noir et blanc, avec bijoux, boucles d'oreilles, ceinture de métal doré, talons hauts, sophistiquée à l'extrême, Gloria et Anne en robes longues et splendides, tous les hommes en smoking, sauf Patrick en *Mao*, mais ô combien élégant !

Nous fûmes refusés à l'entrée du Plaza, déjà interdit aux Noirs, aux juifs, aux chiens, mais également aux femmes en pantalon ! Pour un peu, je l'aurais enlevé, me servant de mon corsage comme d'une minijupe ! Alors le cul à l'air, j'aurais pu aller dans ce restaurant de merde, alors qu'avec ce magnifique pantalon-jupe, j'étais expulsée. Je jurai de ne plus remettre les pieds dans cette ville imbécile et tins parole.

Rentrée à Paris, dans la brouillasse du mois de décembre, mais avec la chaleur de ma maison, de ma chienne, de mes parents, de mes vieilles mamies, je mesurais l'immense distance qui me séparait de Patrick.

Ces dix ans d'écart mettaient entre nous l'expérience d'une femme de 34 ans et la découverte de la vie d'un jeune homme de 24 ans. Il avait en fin de compte plus ou moins l'âge de Vadim lorsque je l'avais épousé, alors que je n'avais que 18 ans !

Je me retrouvais en butte aux caprices, aux volontés, aux exigences d'un jeune amant, avide de découvertes, assoiffé de pouvoir, curieux de nouvelles expériences.

Tandis que la presse ne parlait que de ma nouvelle idylle avec ce jeune étudiant, Gunter, lui, rencontrait Mirja, jeune Nordique ravissante de quinze ans sa cadette !

Mais ce qu'un homme peut faire avec l'approbation générale, expose une femme à se voir immédiatement traitée de vieille peau à gigolo. Je n'étais pas une vieille peau, mais c'est vrai, j'avais un gigolo.

J'ai du reste tout au long de ma vie dû subir ce triste destin, ne trouvant jamais au hasard de mes coups de cœur, un homme, un vrai, un digne de moi, même si ce que je dis là peut paraître prétentieux. Je dus me contenter d'hommes trop jeunes, trop gâtés, trop inexpérimentés, qui ne m'apportèrent que désillusions, que tracas, que problèmes. Leur présence comblant ma solitude, j'ai dû faire depuis presque trente ans contre mauvaise fortune, bon cœur. Mais je n'en pense pas moins ! J'aurais tant aimé un appui, un compagnon digne de ce nom, un *Homme* sur lequel j'aurais pu m'appuyer, et duquel j'aurais pu recevoir la force qui parfois me manque trop !

Enfin passons.

Patrick était un fou de sports d'hiver, un champion de ski, un sportif à toute épreuve. La Paul Doumer était pour lui un domaine exigu. Il étouffait, détestait cet appartement trop confiné, avait besoin d'espace, d'horizon, de dépaysement.

A peine rentrée chez moi, je dus penser à repartir. Pour lui.

A cette période de ma vie, j'étais sollicitée de tous côtés pour aller à gauche et à droite apporter gratuitement ma célébrité.

Avoriaz, qui n'en était qu'à ses balbutiements, m'avait envoyé une invitation. On me mettait un chalet à disposition, avec service et tout le tralala. Habituellement, j'aurais déchiré tout ça, mais Patrick avait l'œil et il réussit à me convaincre que Noël à Avoriaz serait sublime. J'essayai d'y échapper, mais rien n'y fit. Monsieur prenait ses grands airs, et menaçait de partir à l'Alpe-d'Huez chez des amis... alors !

Alors... j'appelai à la rescousse Gloria la Chilienne, qui se cassait la gueule dès qu'elle ne marchait plus sur du sable, Phi-Phi d'Exea qui ne savait vivre que sous les tropiques, Carole qui allait un peu où le vent la poussait, du moment qu'elle

654

n'avait à s'occuper de rien. S. étant occupée à mener son bébé à terme, il n'en était pas question. Quant à Monique, c'est avec plaisir, toujours présente, qu'elle accepta.

Et nous voilà à Avoriaz, dans un chalet affreux, mi-troglodyte, mi-H.L.M., dans un patelin sans âme, monté de toutes pièces par des promoteurs sans goût, ni grâce !

Noël ayant toujours été pour moi un moment magique, j'avais trimbalé dans mes bagages, tous les cadeaux que je destinais aux uns et aux autres, plus les quelques éléments indispensables à une crèche, et les guirlandes et les boules devant décorer un éventuel arbre de Noël !

J'essayais de donner un air de fête à ce triste bâtiment qui n'avait de chalet que le nom.

Ce fut raté, raté sur toute la ligne.

Patrick, ne pensant qu'à skier, ne partageait aucun moment de la journée avec moi. Et le soir, il était encore partant pour aller dans la boîte de nuit, la seule, dans laquelle il rencontrait les jeunes femmes splendides qui avaient partagé les tire-fesses, les télésièges et les descentes vertigineuses avec lui.

Je me sentais une conne en puissance ! Ou en impuissance !

Du reste je l'étais !

C'est fou ce que j'ai pu être conne dans ma vie !

On n'en meurt pas. La preuve, je suis toujours là ! Mais à quel prix ! Après des embrassades factices au soir du Nouvel An, de plus en plus mal dans cet endroit sans racines, sans vérité, je décidai de rentrer à Paris.

Adieu 1968.

Bonjour 1969 !

Je quitte toujours les années sans regrets mais avec l'inquiétude de ce que m'apportera la suivante.

XXV

69, année érotique, comme l'a si bien dit Gainsbourg !

J'étais en perpétuel conflit avec Patrick !

Notre couple bancal ne s'appuyait que sur mon envoûtement physique pour lui. Olga me proposait des films que je refusais. Je ne voulais plus rien faire, sauf l'amour avec Patrick, qui lui, le faisait au hasard de ses rencontres, me laissant hébétée, désespérée, déchirée, jalouse, au point d'en mourir !

Je reçus un jour une invitation à une chasse de Jean de Beaumont, en Alsace. J'étais déjà une ennemie résolue de la chasse, horrible jouissance de la force humaine contre la faiblesse animale, je jetai l'invitation au panier. Patrick en cherchant je ne sais quoi dans la corbeille à papiers trouva l'invitation, me reprocha de ne pas lui en avoir parlé et décida d'y aller !

J'étais révoltée !

L'invitation était au nom de Madame Gunter Sachs, il n'avait rien à faire là-bas, en tant qu'amant provisoire et non invité. Il souriait, me traitant d'imbécile !

Impertinent, insolent, odieux !

J'essayai de lui reprendre le bristol. Je reçus une gifle, puis une autre. Essayant de me défendre à coups de pied et de poing, je finis par recevoir le coup de grâce, à la pommette gauche, juste sous l'œil, qui me laissa K.O. groggy dans un semi-coma. Madame Renée, entendant du bruit, des cris, puis des gémissements, finit par arriver. J'étais défigurée, bouffie, dans un état lamentable, pleine de sang. Je fus hospitalisée à l'Hôpital Américain, où je passai le week-end, pendant que Patrick chassait avec Jean de Beaumont.

A son retour, il trouva porte close et ses valises sur le palier.

Ma voiture, dont il s'était servi sans mon autorisation, lui fut reprise avec tact et diplomatie par ma secrétaire Michèle, qui s'empressa d'aller la mettre en lieu sûr ! Cependant que, l'oreille aux aguets, j'épiais les réactions de Patrick, une compresse de *Borostyrol* sur la joue, l'œil au beurre noir et le cœur en capilotade !

Je me sentais abandonnée, fatiguée et défigurée.

Patrick resta quelques jours chez ses parents à Saint-Cloud, sans me donner le moindre coup de téléphone. Quelques jours qui me parurent des siècles, mais me permirent de retrouver une apparence normale.

Puis un beau matin il revint, une rose dans une main, sa valise dans l'autre, il me prit dans ses bras, me consola, me jura de ne plus jamais recommencer, regretta son attitude, fit preuve d'une telle sincérité que je tombai dans le panneau, oubliant immédiatement toute tristesse, toute rancœur, pour ne plus penser qu'à l'amour dévorant que j'avais pour lui.

Nous sortions beaucoup, les mondanités que j'exècre étaient notre quotidien. Patrick me voulait la plus belle, la plus sophistiquée, la plus excitante, la plus élégante. Il vérifiait avec un soin méticuleux la manière dont je m'habillais, exigeant que j'abandonne définitivement les collants au profit des bas à dentelles suggestives et des porte-jarretelles les plus sexy. Ça m'amusait, bien que je trouve inutile de s'emmerder la vie avec des dessous canailles, mais si ça pouvait lui faire plaisir, pourquoi pas ?

Nous allions aux premières du Lido, nous étions des habitués de chez Maxim's, les Rothschild nous recevaient somptueusement dans leur propriété de Deauville, nous faisant découvrir les yearlings de l'année, futurs grands champions, porteurs de tant d'espoirs et de tant de fortunes ! Pauvres petits chevaux, bébés encore tout fous, qui allaient devoir se plier à tant d'exigence, de discipline, d'intrigues et de magouilles et hélas, aussi, à tant de dopages !

Un jour Mama Olga reçut une invitation pour un dîner au Château de Verrières chez Louise de Vilmorin avec André Malraux. C'est Georges Loureau, producteur on ne peut plus estimé qui avait proposé cette soirée avec moi.

J'étais très curieuse, très intéressée par cette rencontre aussi inopinée qu'extraordinaire ! Malraux était à ce moment-là notre ministre de la Culture et de quelle culture ! Quant à Louise de Vilmorin, certainement oubliée aujourd'hui, elle était l'amour de Malraux mais aussi un écrivain célèbre, une femme de lettres hors pair et une femme tout court avec un charme, une intelligence et une sensibilité inégalées et inégalables.

J'arrivai à Verrières avec Mama Olga très intimidée, escortée par Georges et sa femme. Le château, un peu vieillot mais comme j'aimais, était plein de charme, de bougies et d'un farfouillis inimaginable de plantes sauvages entremêlées devant les fenêtres. Du reste, Louise de Vilmorin était très fière de son jardin dans lequel poussaient toutes sortes d'espèces. Du coup j'adorai cette femme.

Pendant le dîner, très vieille France, et superbement élégant, Malraux semblait hors du temps, bégayait, avait l'œil rouge et mouillé, la lèvre pendante, la parole ânonnante et le geste tremblotant.

J'étais déçue. J'appris qu'il était drogué !

Pourtant lorsque je me soulevai de ma chaise pour allumer une cigarette aux bougies du chandelier après avoir eu la permission de fumer au dessert, André Malraux réagit vertement, me faisant éteindre ma cigarette ! Il m'apprit qu'on ne devait jamais allumer une cigarette sur une bougie, c'était signe de mort. Du coup je ne fumai plus de la soirée, impressionnée par cette réaction brutale.

Quelques mois plus tard, j'appris la mort de Louise de Vilmorin.

Me sentant quelque part responsable, j'écrivis une lettre désespérée à Malraux, lui rappelant mon geste responsable mais dont je me sentais coupable irrémédiablement. Il ne me répondit jamais. Se contentant de mourir à son tour pour la retrouver ou pour me punir à jamais.

Je renouai une amitié longtemps oubliée avec Jacques et Corinne Dessange. Leur passion de la chasse m'ayant éloignée d'eux, Patrick m'obligea à les revoir, ce qui ne fut pas une épreuve car j'aimais beaucoup Corinne. Mais les week-ends en Sologne au milieu de cette bande d'abrutis de tueurs, fiers de leurs tableaux de chasse, exposant le soir dans la cour tous ces petits cadavres encore tièdes, me souleva le cœur.

Je fis un scandale, les traitant de connards, d'assassins.

Je comparais leurs têtes à celle du dix-cors accrochée au-dessus de la cheminée ! Enfin ce fut dramatique et je dus partir laissant derrière moi un orage qui avait gâché la soirée, brisé un couple mais vengé tant soit peu tous les meurtres du jour. Pour éviter une brouille définitive et des malentendus déplorables, il fut décidé que nous n'irions chez les Dessange en Sologne que lorsque la chasse serait fermée.

Nous n'y allâmes pas souvent !

Mais je dois reconnaître que les week-ends passés là-bas furent charmants, gais, pleins de jeux, de billard, de gin-rummy, de pokers, de promenades en forêt avec les chiens à la découverte d'une région splendide, non entachée du meurtre inadmissible de sa faune.

Mama Olga me courait derrière, c'était devenue une championne de course à pied ! Elle me proposait divers scénarios. Après le flop de *Shalako*, je ne devais pas m'attendre à des conditions mirobolantes. Ma cote au box-office étant en baisse, il était urgent que je me reprenne en main, que j'essaie de refaire surface, que je pense à ma carrière, que j'essaie d'être un peu professionnelle, etc.

Ce qui me laissait absolument indifférente, froide et exaspérée.

J'avais à lire un scénario intitulé *Les Femmes* et un autre *L'Ours et la Poupée*. C'était très urgent, il fallait une réponse immédiate !

J'allai à Bazoches, mes scénarios sous le bras, pleine de bonne volonté. Mais à peine arrivée, surgissaient les problèmes d'intendance, de gestion, d'animaux, de gardiens, de fuite d'eau, de gel, de chaume détérioré par les pigeons, eux-mêmes bouffés par les fouines et les renards... Les chattes avaient proliféré, la maison regorgeait de dizaines et dizaines de chatons sauvages et faméliques qui pissaient partout, laissant une odeur abominable incrustée dans les fauteuils, eux-mêmes mis en lambeaux par des milliers de petites griffes sournoises. Seules mes chiennes, folles de joie de me retrouver, m'apportèrent un peu de bonheur.

Patrick détestait Bazoches, les chiens, les chats, l'âne Cornichon, les gardiens, la campagne en général !

A peine arrivé, il ne pensait qu'à repartir.

Tout ce côté rustique lui paraissait sale, dépassé, ridicule. Il est vrai que les plafonds étant très bas, il se cogna à maintes reprises dans les poutres et finit par marcher courbé afin d'éviter de se fracasser le crâne toutes les cinq minutes. Et puis les chiennes pleines de puces qui lui sautaient dessus, tachant de leurs pattes ses jeans blancs ! Et les chats dans le lit, sur la table, qui volaient dans nos assiettes, qui égratignaient ses pulls de cachemire avec leurs griffes, tout cela lui était odieux !

J'étais tiraillée entre mes responsabilités, mes animaux, ma maison que j'aimais et Patrick !

Je finis par prendre l'habitude d'y venir seule afin d'éviter les drames, les scènes, les coups de pied dans le ventre des chiennes, et les insultes aux gardiens qui finirent par me donner leur congé ne supportant pas d'être traités de la sorte par « Monsieur ».

Afin de ne pas me languir de solitude, j'appelai mes amazones à ma rescousse. Mais elles n'étaient pas toujours disponibles et ne goûtaient pas non plus forcément les charmes de la campagne profonde au mois de février, lorsque le brouillard s'étale comme un linceul sur les champs vides et gelés et que les arbres squelettiques dressent leurs ombres nues sur un ciel glauque et lugubre.

En revenant un lundi matin d'un de ces week-ends solitaires, je ne trouvai pas Patrick à la Paul Doumer. Affolée, angoissée, j'essayai par tous les moyens de savoir où il était. Madame Renée ne l'avait pas vu. Mais elle me signala que son placard était presque vide et que son gros sac de voyage avait disparu.

Ma voiture, ma petite Austin aussi !

Là-dessus, coup de téléphone de mon banquier Monsieur Barbara ; il avait eu ce matin la visite de Monsieur Patrick qui lui demandait la somme de 10 000 francs. Devait-il la lui remettre ?

Quoi ? Mais était-il fou ? Il n'en était pas question !

Et d'abord où était-il ? Il n'en savait rien !

Je devenais folle ! Oui, folle.

Qu'allais-je faire du chalet loué à Méribel pour que Patrick puisse faire du ski, lui qui adorait ça...

Je n'allais pas y aller seule !

J'essayai de décommander la location mais il était trop tard. Bien sûr Jicky, Anne et leurs deux gosses de 5 et 2 ans venaient avec moi. Mais depuis qu'ils avaient des enfants, la vie était plus compliquée, les horaires rigoureux, les réveils plus matinaux et les sorties quasiment impossibles. Je ne me voyais pas en baby-sitter à écouter hurler des petits anges du matin au soir, en enfournant la bouillie dans le bec de l'un, pendant que l'autre avait ses pampers trempés et couinait lamentablement.

S.O.S. amazones !

J'appelai Carole, libre, en rupture d'amoureux, dans un état aussi désespéré que moi, se bourrant de chocolat et de gâteaux du matin au soir pour compenser son manque d'amour ! Elle allait être jolie si elle continuait. Enfin chacun trouve son plaisir où il peut ! S. achevait de couver un bébé. Elle vivait un enfer, détestait la neige, les hommes, ne vivant que dans l'attente d'un coup de fil de celui qu'elle adorait mais qu'elle horripilait par sa possessivité sans mesure.

Monique installée en Italie, à Rome avec son Mario, se souciait fort peu des problèmes métaphysiques des unes et des autres. Quant à Gloria, entortillonnée autour de Gérard Klein, vivant subitement à un rythme effréné, essayant de s'adapter à cette nouvelle existence de bohémienne que lui faisait subir Gérard, déménageant à la cloche de bois ou dans un château en ruine ; geisha dépassée mais amoureuse, elle qui détestait les sports d'hiver, me rit gentiment au nez avant de raccrocher le téléphone.

N'ayant aucune nouvelle de Patrick, ni par ses parents (qui ne m'en auraient du reste jamais donné), ni par d'éventuels amis rencontrés par-ci, par-là, je décidai de porter plainte pour vol de voiture ! Je saurais ainsi par la police où il était passé, ce Patrick que je me mis à haïr entre deux sanglots de désespérance amoureuse.

Je donnai ordre à Michèle ma secrétaire de vider son placard et de tout déposer chez ses parents, en vrac, sans explication.

J'avais à l'époque une kyrielle d'hommes plus ou moins amoureux, qui attendaient leur tour avec patience. Je les trouvais tous bien gentils mais sans aucun intérêt. Parmi eux, il y avait des compositeurs de musique, auteurs de chansonnettes, sans goût, ni grâce.

Il faut dire qu'après Gainsbourg... !

Il y avait aussi de jeunes producteurs en herbe, sans talent, ni avenir. Et un tourbillon de freluquets que j'ignorais complètement. Mais dans ma solitude et mon désarroi, je piochais de-ci, de-là, accordant un dîner à l'un, un déjeuner à l'autre, afin de meubler mes temps morts.

Parmi eux, il en fut un qui me proposa de m'accompagner à Méribel en voiture, il adorait les sports d'hiver, devait aller à Val-d'Isère et ferait un petit détour pour moi. Et nous voilà partis en Ferrari rouge avec Guapa. Madame Renée, Carole, Jicky, Anne et les deux enfants prenant le train avec les bagages.

Jamais voyage ne me parut plus sinistre, plus bête, plus insupportable. Cette Ferrari rutilante sur les routes verglacées du Morvan, glissant puis rattrapée à coups de rétrogradage *vroum, vroum* ! Ce type ridicule en petites chaussures italiennes qui se cassait la margoulette dès qu'il s'arrêtait pour le plein d'essence, avec son petit costume de chez Renoma.

Il m'horripilait !

Cet imbécile me faisait les yeux doux, croyant que puisque j'étais dans sa voiture, c'était dans la poche !

Attends un peu « Ducon », vivement qu'on arrive, tu vas voir si c'est dans la poche ! Enfin j'avais trouvé une tête de Turc sur laquelle j'allais pouvoir libérer mon besoin de vengeance. J'allais lui faire payer mon mépris des hommes, ma rancœur, ma douleur... il ne perdait rien pour attendre. Pendant que glissaient les kilomètres, je pensais à Patrick, je l'imaginais à côté de moi — où pouvait-il être ? Pourquoi m'avait-il quittée comme ça ? Les larmes brûlaient mes yeux, cachés derrière de grosses lunettes de soleil.

Je devais tourner la page — encore une.

L'arrivée à Méribel me redonna du cœur au ventre.

Le chalet plein de vie, d'odeurs de soupe mijotée par Madame Renée, de cris d'enfants heureux et libres, de la tendresse de Jicky et d'Anne, de la boulimie insatiable de Carole, me firent oublier la présence de mon chauffeur, qui passa inaperçu.

Au bout d'un moment, je le cherchai.

Où était-il passé celui-là ?

Je le retrouvai à poil dans ma salle de bains en train de prendre une douche entouré de tout son déballage de produits de beauté, crème à raser, parfums, lait solaire, etc.

Quel culot ! Mon sang ne fit qu'un tour !

J'appelai Jicky, qui le sortit de là avec pertes et fracas. Il n'en menait pas large avec sa petite serviette éponge nouée autour des reins qui tombait toutes les cinq minutes, et qu'il rattrapait telle une vierge effarouchée tentant de cacher sa nudité.

Où allions-nous le mettre ? Toutes les chambres étaient occupées.

Jicky ne fit ni une, ni deux et le traîna directement dans la chambre de Carole. Après tout il y avait deux lits, elle était en manque de tendresse, et il remplacerait efficacement (du moins nous l'espérions) les pâtes de fruits, biscuits ou chocolat qui envahissaient sa table de nuit ! Il pourrait se faire grignoter, suçoter, léchouiller toute la nuit si le cœur lui en disait. Carole hurla. Les choses se calmèrent avec le départ de cet importun, de cette pièce rajoutée, de ce petit prétentieux.

*
**

Raymond V., l'ami de Jicky qui nous avait reçus somptueusement à New York, passait justement quelques jours à Courchevel et nous invita à une grande soirée au club Saint-Nicolas. Jicky, seul homme de la maison, commençait à en avoir ras-le-bol de mes jérémiades, de la boulimie de Carole, de ses problèmes avec Anne et les enfants, des histoires d'intendance avec Madame Renée.

Les sports d'hiver c'est bien ; mais assumer parce qu'on est un homme tous les imbroglios qui envahissent forcément le quotidien, c'est une autre paire de manches.

Nous partîmes donc un beau soir pour Courchevel, afin de nous changer les idées et d'essayer de caser « les petites ». C'est-à-dire Carole et moi.

J'eus déjà de grandes difficultés à arriver jusqu'à la Mercedes de Jicky, ne voulant pas me mettre d'après-ski, trouvant plus sexy mes bottes de cuir qui me montaient jusqu'aux genoux. Je patinais accrochée aux bras, aux épaules, aux nichons de qui se trouvait à portée de ma main. J'avais décidé de casser la baraque ce soir-là et n'avais pas lésiné sur le côté à moitié nue, moulée, érotique de ma tenue, plus adaptée aux tropiques qu'aux rigueurs gelées d'une station de sports d'hiver !

Raymond V. nous accueillit avec un sourire d'une oreille à l'autre, enfin avec une fente de tirelire étirée qui à l'aide d'un élastique passé dans deux feuilles de chou eût pu passer pour un semblant de sourire de la part d'un non-voyant qui en aurait vu d'autres ! Il n'était pas, il faut le dire, un prix de beauté — loin de là — je pense qu'il aurait mis en fuite un régiment de vampires assoiffés de sang, rien qu'à la vue de son physique à la Sim ! Mais ses charmes cachés derrière les portes blindées de ses coffres-forts eurent raison de bien des beautés.

Encore fallait-il être sensible à ce genre de séduction, ce qui n'était pas mon cas.

Au club Saint-Nicolas, qui devint ma résidence secondaire pendant bien des années, Jacqueline Veyssière, belle, dure, intelligente, diplomate et irremplaçable, menait son monde à la baguette ou à la braguette selon ses humeurs et ses désirs.

Je l'ai bien aimée Jacqueline.

Nous avons été complices de nuit, nous épanouissant alors que les brumes glacées gelaient toute vie. Nous évanouissant à la première pointe du jour, telles les *Fleurs du Mal*, exclusivement nourries d'une sève obscure, distillée par la saveur maléfique des nuits sans sommeil, vie nocturne d'êtres lunaires tirant leurs forces telluriques d'un monde exclusivement réservé à ceux qui s'abreuvent de la soif des autres. J'ai aussi partagé cette face cachée de moi-même avec Jacqueline dans une inépuisable quête de folie, dans un besoin d'étourdissement total.

Je rencontrai Jean-Pierre Guiral, superbe montagnard, champion de ski, âme damnée de Jean-Claude Killy. Il m'apprit qu'à Val-d'Isère, il avait fait la connaissance d'un type super, un certain Patrick qui roulait en Austin immatriculée sur Paris et skiait comme un dieu.

Je crus m'évanouir.

J'expliquai mon problème à Jean-Pierre, un peu dépité du tour que prenaient les événements, car il voyait s'évaporer toute chance de me séduire. Mais en homme digne de ce nom, prenant immédiatement fait et cause pour moi, il me proposa un rendez-vous à Val-d'Isère pour le surlendemain.

L'idée était géniale ! Le type aussi du reste !

Il fallait que quelqu'un m'emmène !

S.O.S. Jicky !

Il m'emmènerait bien sûr ! Merci Jicky !

C'est ainsi qu'au bras de Jean-Claude Killy, invitée d'honneur de Val-d'Isère, un peu mal à l'aise il faut le dire au milieu de tous ces sportifs rodés aux plus âpres caprices de la montagne, buvant sec et riant gras, je rencontrai « par hasard » Patrick au milieu d'une nuée de nymphettes blondes et bronzées.

Le choc fut rude des deux côtés !

Mais le roi était échec et mat, car la reine, protégée par ses pions et ses fous, était inattaquable !

666

J'avais gagné la première manche d'un tournoi implacable et passionné qui allait durer deux ans !

Quelque temps plus tard, alors que nous retournions sur Paris, dans la petite Austin, nous nous fîmes arrêter par les gendarmes. Ils recherchaient une voiture volée qui correspondait exactement à celle-ci !

Evidemment, c'était la mienne !

J'avais oublié dans le feu de mes retrouvailles avec Patrick de prévenir ma secrétaire d'annuler ma plainte pour vol.

Ce fut épique ! Mais rigolo.

La machine administrative, longue à se déclencher est quasiment impossible à arrêter lorsqu'elle a pris son élan. De surcroît, quand elle arrive à mettre enfin la main sur l'auteur d'un larcin. Ce fut un embrouillamini d'explications inexplicables, une perte de temps infinie. Guapa ne supportait pas la vue des uniformes et mordit au passage quelques mollets mis à sa portée, ce qui n'arrangea pas nos affaires. Une bonne distribution de sourires et d'autographes, conforme à la signature de mes papiers officiels, eurent enfin raison de ce stupide malentendu. Je jurai de ne plus jamais porter plainte pour vol de rien du tout, si ça devait impitoyablement me retomber sur le nez.

A Paris, Patrick alla récupérer ses affaires chez ses parents et se réinstalla comme si de rien n'était. La vie reprit son cours. Il vint même à Bazoches...

Mama Olga se pendit au téléphone, j'en étais arrivée à ne plus décrocher ! Il lui fallait une réponse pour les deux propositions de films qu'elle m'avait soumises. Sans avoir lu les scénarios, excédée, je lui dis « oui ». A ce moment précis, ma carrière était en chute libre. *Shalako* ayant été un des plus mauvais films de ma vie, les projets ne se bousculaient pas au portillon.

Et puis, je n'en avais rien à faire. Tant pis pour moi !

Je signai donc ces deux contrats pour une poignée de figues, Mama Olga en ayant les pépins. L'affaire n'était pas fructueuse mais il fallait réparer les dégâts.

Patrick se mit à détester la Paul Doumer, Madame Renée, Guapa, la concierge, tout ce qui était mon environnement, y compris ma secrétaire ! Il faut dire qu'il n'avait pas la cote d'amour auprès de ceux qui m'aimaient. Même maman fut interdite de visites. Elle fut plutôt soulagée car elle haïssait Patrick, ce bon à rien volage, ce gigolo malsain, imbu de lui-même qui ternissait et dégradait mon image !

Je fus bientôt mise à l'index !

Montrée du doigt comme une prostituée par ma famille et mes amis, y compris Jicky et Anne. Personne ne voulait me voir tant que je trimballerais ce Patrick ! Mama Olga fut la seule, par obligation professionnelle, à continuer à me téléphoner, faisant fi des insultes de Patrick à son égard !

Les Dessange, ignorant tout de mes problèmes sentimentaux, nous invitèrent à passer quelques jours dans leur propriété de Tunis ; là on ne chassait pas ! Il faisait beau, nous étions attendus... ainsi que d'autres amis à fêter je ne sais plus quoi !

Je n'avais jamais mis les pieds en Afrique, et n'avais aucune attirance pour ce continent. Mais Patrick, avide de découvertes, avait déjà fait son sac et me travaillait au corps et à l'âme afin que j'accepte. Il savait y faire, félin à pattes de velours, sachant égratigner au bon moment, ronronnant, sensuel, mordeur et lécheur, implacable et tendre, il était pour moi impossible de lui résister. Je l'avais dans la peau.

Il m'habitait. J'étais envoûtée, sous dépendance.

A Tunis, nous fûmes reçus par Monsieur Belkhodja, le bras droit du président Bourguiba, avec tous les honneurs. Escortés officiellement jusque chez les Dessange, nous eûmes tout au long de notre séjour la protection et l'aide du gouvernement tunisien pour nos moindres déplacements. Seule ombre à cette réception idyllique de chef d'Etat, l'intérêt incessant que portait Patrick à une jeune beauté kabyle, extrêmement allumeuse, certainement nymphomane, irrésistiblement pulpeuse, aux yeux de braise, vêtue de voiles brodés d'or, aux poignets entravés de lourds bracelets d'esclave d'argent ciselé, qui fumait du haschisch entourée de divers brûle-parfums d'ambre, d'encens, de santal comme une déesse démoniaque et maléfique.

Je sentis immédiatement le danger !

Mon instinct me trompe rarement.

J'en parlai à Corinne Dessange qui me rassura, ça n'avait pas d'importance à ses yeux, son mari ayant lui aussi succombé aux charmes de cette odalisque, elle n'en était pas morte ! Charmant ! Je n'en mourus pas non plus, mais l'angoisse et la jalousie me gâchèrent ce voyage qui aurait pu être merveilleux.

Le lendemain, débarrassés pour quelques heures de la présence diabolique de cette femme redoutable, nous allâmes visiter les souks de Tunis. J'étais si énervée que je ne vis rien de tout ce déballage scintillant, de toute cette couleur locale, n'étant sensible qu'aux odeurs insupportables qui, portées par la chaleur et le manque d'air, me suffoquèrent rapidement. Je m'évanouis en plein milieu d'une traverse, asphyxiée par mon angoisse, l'odeur d'huile chaude, le bourdonnement des mouches et le suintement fétide des peaux de moutons fraîchement écorchés. La foule bigarrée, oppressante, me recouvrit dès que je fus à terre.

J'eus un mal fou à me sortir de là !

Qu'on ne me parle plus jamais du charme de ces souks abominables et puants. J'étais écœurée.

Corinne, fine mouche, qui ne voulait aucun incident diplomatique, décida de nous envoyer sous escorte gouvernementale, visiter les portes du désert, à l'extrême sud de la Tunisie.

C'est ainsi que Patrick et moi partîmes pour le Sahara-Palace de Nefta. Dans une limousine prêtée par le président Bourguiba, et conduite par un chauffeur en djellaba blanche et fez rouge sur la tête qui ne parlait pas un mot de français. Tout alla bien jusqu'au moment où la voiture s'arrêta net et que notre chauffeur se mit à invectiver les horizons déserts à grand renfort de gestes désordonnés et de hurlements incompréhensibles.

Dans ces pays-là, c'est la génération spontanée.

Il n'y a pas un chat, surtout à la nuit tombée en rase campagne, et tout d'un coup il en sort de partout, on se demande d'où... Mais c'est comme ça ! Tout ce petit monde baragouinait en gesticulant et je finis par comprendre, épouvantée, que nous étions coincés dans ce trou du cul désertique tunisien, par la faute d'un *oued* (rivière) que nous devions passer à gué, il n'y avait pas de pont, mais que les pluies diluviennes des dernières 24 heures avaient tellement gonflé que nous risquions d'être emportés par le courant, si d'aventure nous avions la maladresse de nous y aventurer.

Nous voilà jolis ! J'étais au bord des larmes !

Effectivement, j'entendais dans la nuit noire à quelques mètres de nous, le grondement sourd et furieux d'un torrent sauvage et incontrôlé qui roulait sous lui des tonnes d'eau et de cailloux. Mais qu'est-ce que je foutais là, à cette heure-ci, abandonnée de Dieu et des hommes, dans ce pays, au milieu de cette horde qui me terrorisait.

Je voulus faire demi-tour.

Je donnai des ordres, autant pisser dans un violon pour l'empêcher de rouiller. Tu parles ! Une femme qui essayait de se faire entendre au milieu d'une vingtaine d'hommes, c'est tout juste si on ne m'a pas renvoyée mettre mon tchador pour la boucler plus vite. Et voilà la voiture littéralement soulevée, portée à bout de bras, au milieu du torrent déchaîné avec de l'eau qui rentrait par les portières et les types qui s'engueulaient, qui tombaient, risquant à tout moment de lâcher, en nous abandonnant Patrick et moi, au courant furieux de cet oued en folie ! J'étais grimpée sur le siège arrière, l'eau ayant envahi toute la partie basse de la voiture.

Finalement arrivés sains et saufs de l'autre côté, il fallut nous sécher, sécher le moteur, payer les types pour le service rendu. Ça n'en finissait pas de marchander, de nous coller au train, d'en vouloir plus pour le retour sur l'autre rive. Bref, on aurait pu y passer la nuit si notre chauffeur n'y avait pas mis le holà !

Le Sahara-Palace était une grande bâtisse affreuse et prétentieuse plantée au milieu d'un début de désert, style oasis avec bassins, piscine, palmiers, dattiers et chameaux pour touristes qui faisaient faire un tour dans les dunes impressionnantes du Sahara, moyennant un bon bakchich ! En montant là-dessus, habillée en bédouine, il me venait les mêmes haut-le-cœur que sur le *Vadura* lors de la tempête qui faillit nous coûter la vie au Liban ! Quand je pense aux peuplades nomades du désert qui vivent à dos de chameau à longueur de journées, je ne peux que leur tirer mon chapeau, cet inconfort et le tangage permanent dans cet univers uniformément aride et inhospitalier devant forger des psychologies diablement fortes.

A Tozeur, nous fûmes reçus par Tijani, un mage, sage et enturbanné qui vivait dans un jardin d'Eden rempli de fleurs et de tapis de prix. C'était la première fois que je voyais des tapis déployés dans les allées embroussaillées de fleurs, d'un paradis qui fut désertique. Il vivait là, entouré de serpents venimeux, d'araignées dangereuses et autres scorpions, tous apprivoisés par ses soins, mais néanmoins affreusement rebutants. Il nous expliqua qu'ayant été à plusieurs reprises mordu par des vipères, il s'était lui-même immunisé contre le venin, fabriquant les anticorps indispensables à sa survie. Il nous montra ses plaies cicatrisées mais toujours présentes.

Il travaillait avec un laboratoire, récoltant les venins mortels, au risque de sa vie, pour les transformer en vaccins. Il savait aussi lire dans le marc de café, prédire l'avenir, étudier la morphologie et traduire les sensations et les ondes que les autres lui envoyaient.

J'aimais bien Tijani.

J'eus une grande complicité avec lui et le quittai à regret. C'est le seul du reste que je quittai à regret, lorsque je dus repartir pour Paris.

Ce jour-là après notre épopée de l'aller, nous fûmes escortés par des gendarmes pour le retour, afin d'éviter toute complication jusqu'à l'aéroport de Tunis.

De la fenêtre de ma chambre, je voyais, barrant la route que nous devions prendre, une immense étendue d'eau. J'en parlai aux gendarmes qui m'expliquèrent en souriant que c'était un mirage ! Il n'y avait pas plus d'eau que de beurre en branche, mais une illusion d'optique, aidée par le soleil et la chaleur, faisait miroiter le sol desséché en miroir d'eau. Alors ça, je n'en revenais pas. J'aurais juré qu'il y avait un lac, pour de vrai, qui noyait notre route.

N'en parlons plus !

Et nous voilà partis ; nous roulions depuis plus d'une heure, escortés par la voiture de gendarmerie quand tout à coup, nous voilà embourbés dans un marécage boueux et plein d'eau marron foncé, et les voitures qui s'enfoncent comme dans des sables mouvants.

Je hurlais !

Et ça, c'était un mirage ?

Non ! Nous avons pataugé, pieds nus, les pantalons relevés jusqu'aux genoux, pour dégager les voitures, pendant au moins deux heures sous un soleil de plomb, dans une ambiance torride d'énervement mutuel.

*
**

Ah ! Paris, ma maison, ma Guapa, ma tranquillité !

Ah ! comme j'étais contente de rentrer chez moi. Patrick faisait la gueule.

Il fallait que je trouve un autre appartement. Le mien était trop petit, pas assez luxueux, il n'avait même pas un coin à lui, il lui fallait des terrasses, de l'espace, une vue imprenable...

Il n'avait peut-être pas tort !

C'est vrai que la Paul Doumer était un peu de bric et de broc, mais je l'aimais bien. Il commença à relever les annonces de vente ou location d'appartements de standing. Pendant qu'il avait le nez plongé dans ses journaux, je m'apprêtais à tourner *Les Femmes*.

Le film, mis en scène par Jean Aurel (celui qui avait déjà été remplacé par Vadim au pied levé dans *La Bride sur le cou* tant il était nul et sans talent !), devait se tourner en décors naturels avec un tout petit budget. Maurice Ronet en était le pilier. Autour de lui, Anny Duperey, Tanya Lopert, « ma » Carole Lebel et moi-même devions papillonner dans un style de comédie sans intérêt. N'ayant déjà pas le feu sacré pour ce métier, je fis ce film de mauvaise grâce, de mauvaise foi, de mauvaise humeur, de mauvaise comédienne.

Je devais quitter Patrick tôt le matin, le laissant désœuvré. Taraudée par l'idée lancinante qu'il allait profiter de toutes ces heures pour me tromper. Je rentrais le soir, crevée, soupçonneuse, jalouse, odieuse !

Résultat, il refit une fugue.

Du coup, je refusai de travailler et m'enfermai à la maison pleurant toutes les larmes de mon corps. On fit venir les médecins des assurances, mon médecin personnel, les producteurs, Mama Olga, maman.

Rien n'y fit.

J'en avais marre, marre, j'étais fatiguée de toujours tout porter sur mes épaules, j'étais à bout de forces, refusant toute responsabilité, tout effort. Anéantie. Ce fut une catastrophe. Le film fut mis en sinistre. Tout le monde cherchait Patrick partout ! Et moi, je pleurais !

Puis un soir alors qu'on ne l'attendait pas du tout, il revint comme si de rien était !

Où était-il ? Qu'avait-il fait ? Qui avait-il vu ? Avec qui ? Comment ?

Je l'assommai de questions. Tant et si bien qu'il me répondit qu'il était avec une femme, qu'il m'avait trompée et que si je continuais à l'emmerder, il repartirait sur-le-champ la retrouver.

Ni une, ni deux, je lui envoyai une paire de gifles.

Il riposta immédiatement par une série de coups qui me plièrent en deux de douleur. J'attrapai le téléphone et le lui jetai à la figure ! J'eus alors droit à quelques directs en plein dans la mâchoire qui me laissèrent K.O.

Dans ma semi-conscience, j'essayai d'appeler Jicky. Il répondit qu'il arrivait immédiatement. Je me traînais jusqu'à la porte d'entrée pour l'ouvrir, tandis que Patrick se déshabillait tranquillement. Lorsque Jicky arriva, Patrick était nu comme un ver. Ils se battirent pendant au moins une demi-heure, mais Jicky plus âgé, moins sportif eut le dessous. Patrick lui fit sauter deux dents, pendant que Jicky lui bottait les fesses en le traînant dans la cage d'escalier. Le tout se termina devant la loge de la concierge, qui affolée appela les flics. Lorsqu'ils arrivèrent pour embarquer Patrick, toujours nu, le concierge dut lui prêter un pantalon et un maillot de corps.

L'histoire fit grand bruit !

Elle défraya même la chronique des journaux à scandale de l'époque !

Michèle, ma secrétaire, remporta ses affaires le

lendemain chez ses parents, elle commençait à en avoir l'habitude.

J'eus droit aux sermons terribles de mon père, de mon producteur, de mon médecin. Comment pouvais-je me conduire pareillement à 34 ans ? Ce type était en train de me détruire, de me ridiculiser, de ruiner ma carrière qui n'en menait déjà pas large, de m'éloigner de tout le monde !

Je dus reprendre le tournage du film *Les Femmes*.

Dédette maquillait mes larmes et mes yeux bouffis. J'en avais rien à foutre de ce film. C'était le bagne quotidien. Sans aucun intérêt. Sans direction d'acteurs, sans motivation. Chacun faisait ce qu'il voulait ou ce qu'il pouvait. Moi, j'en faisais le moins possible. J'attendais la quille en faisant acte de présence puisque c'était obligatoire d'après contrat signé, lu et approuvé. Je coulais, dans un gouffre sans fond, ne pouvant m'accrocher à rien, n'ayant plus envie de rien.

La détresse ne se mesure pas.

J'ai toute ma vie tendu vers le bonheur, mais j'ai toujours été irrémédiablement entraînée vers une désespérance inexplicable.

Pourquoi ? Je n'en sais rien.

Toujours est-il que je garde encore aujourd'hui les cicatrices indélébiles de tous ces moments insupportables à vivre, de cette tristesse latente qui m'habite, de ces questions sans réponses, de cette impossibilité d'être comme les autres, renfermée dans mon univers, ne pouvant partager le meilleur ou le pire qu'avec celui qui, près de moi, est un autre moi-même !

C'est peut-être pour ça que j'ai choisi un jour de consacrer ma vie aux animaux. Nous vivons, eux et moi, sur la même longueur d'amour.

La France n'allait guère mieux que moi, déséquilibrée par les événements de l'an passé et malgré l'autorité de son chef.

De Gaulle n'était pas homme à subir une ingratitude qu'il ne méritait pas et prenant, comme à son habitude, les événements à bras-le-corps, il décida de faire un référendum qui officiellement visait à créer des régions et une décentralisation, mais qui profondément devait décider si « oui » ou « non » les Français avaient encore pour lui la confiance et l'estime qui lui étaient indispensables.

Le 27 avril 1969, j'allai voter « oui », ayant toujours été une fervente, une inconditionnelle de cet homme magnifique qui refusait la chienlit et avait remis la France sur des rails de prestige que quelques incidents de parcours n'avaient pas fait dévier du droit chemin.

Abasourdie j'appris le soir même que la France l'avait rejeté, le « non » l'ayant emporté.

Comme les Français sont ingrats !

Comme ils ont la mémoire courte et l'intelligence bornée.

*
**

C'est pendant cette période, si dure à vivre, que les gardiens de Bazoches m'annoncèrent leur départ. Ils prenaient leur retraite.

Il ne manquait plus que ça !

Michèle fut chargée d'en trouver d'autres.

Mais ce fut difficile, astreignant, fatigant et même décourageant. Depuis huit ans, Suzanne et son mari faisaient partie intégrante de la famille. Ils étaient au courant de tout, responsables de tout ; ils connaissaient mes goûts et mes habitudes, soignaient les chiennes et les chats, me mijotaient de bons petits frichtis le samedi soir et me faisaient même des confitures « maison » avec des étiquettes de grand-mère.

Avec leur départ commença un tourbillon sans fin, une succession ininterrompue de bons à rien, de voleurs et d'escrocs qui dura vingt ans, jusqu'à ce que je rencontre enfin Bernadette qui, toujours avec moi, me fait un peu oublier cette galère.

Le dimanche, Michèle et moi partions pour Bazoches expliquer aux « nouveaux » où se trouvaient les compteurs d'eau, d'électricité, où étaient les outils, les commerçants, les fournisseurs. Généralement nous arrivions dans un désordre pas possible : rien n'était prêt, le ménage pas fait, les chiennes affamées, les chats faméliques, le jardin dégueulasse, la piscine verdâtre, rien de préparé pour le déjeuner, le frigo vide !

On se serait cru chez les Thénardier !

J'étais dégoûtée de Bazoches.

Un jour, alors que nous tournions une des dernières scènes des *Femmes*, je rencontrai un petit bout de femme rigolote, toute jeune, elle devait avoir 16 ou 17 ans, avec à la fois un air perdu et un regard insolent.

Elle s'appelait Maria Schneider.

En parlant un peu avec elle, je me souvins d'avoir rencontré il y avait bien longtemps sa mère, une beauté nommée Manon dont Daniel Gélin était tombé fou amoureux. Et voilà la petite Maria, le fruit de cet amour illicite... Mais la petite Maria n'ayant pas de véritable foyer, se sentait rejetée par les uns et par les autres, errait là où l'aventure la poussait. Elle en avait déjà connu des vertes et des pas mûres et avait un besoin viscéral de s'accrocher à quelqu'un.

Ce fut moi ! J'étais seule et triste aussi.

Cette gamine tendre et gentille m'apporterait un peu de chaleur, de présence, de sang neuf et d'amusement. Je lui offris de s'installer dans une des chambres de service de la Paul Doumer. Nous ne nous quittions plus. J'avais l'âge de sa mère, elle me servait de fille ; nous avions une grande complicité, une grande affection l'une pour l'autre. Ce qui fit jaser les mauvaises langues, car Maria avait déjà une solide réputation de gourgandine, aimant les femmes, les hommes, enfin pas très regardante quant au sexe de ses partenaires !...

Nous en riions toutes les deux !

Maritie et Gilbert Carpentier, ces inoubliables animateurs, producteurs de nos meilleures émissions TV de variétés, demandèrent ma participation dans le prochain *Sacha Show* !

J'hésitais car je ne me sentais pas en pleine possession de mes moyens. Maria me poussait à le faire, ça me changerait les idées. Je n'avais jamais revu Sacha depuis notre rupture... et puis il y aurait aussi Gilbert Bécaud ! D'une pierre, deux coups... ça allait être dur ! D'un autre côté, je ferais connaître un ou deux titres de mon dernier disque, ce serait une bonne promotion pour *La Fille de paille*.

Maria m'accompagna aux studios des Buttes-Chaumont où toute une effervescence de filles à moitié à poil, de maquilleurs, de directeurs de production envahissaient les couloirs. Je me sentis extrêmement étrangère à tout ce déballage, j'étais ailleurs, différente déjà ! Les gens étonnés de me voir escortée par une seule jeune fille me demandèrent où étaient mon agent, ma maquilleuse, ma costumière. Quand je répondis que je faisais tout moi-même, ils eurent l'air étonnés et méprisants.

Sacha et Gilbert très sûrs d'eux, très entourés, ne m'accordèrent qu'une indifférence polie, trop occupés qu'ils étaient d'eux-mêmes et des fesses papillonnantes du troupeau des danseuses qui leur servait de faire-valoir. J'avais les larmes au bord des yeux lorsque je devais rire à gorge déployée dans un refrain de *La Fille de paille*.

Je garde un mauvais souvenir de tout ça !

Un soir, Maria me dit avoir rencontré Patrick à Saint-Germain-des-Prés ! Il était malheureux, ne pensait qu'à moi, n'osant pas téléphoner, il donna à Maria un numéro où je pourrais le joindre.

J'étais bouleversée !

Ne voulant pas faire le premier pas (orgueil oblige !), c'est Maria qui nous rabibocha.

Patrick revint s'installer à la Paul Doumer avec ses valises bourrées de bonnes intentions, de remords, de serments d'amour qui m'enivrèrent, auxquels je crus parce que je voulais y croire, parce que je devais y croire.

Et la vie redevint belle et gaie !

Nous sortions chez Castel jusqu'à des heures avancées de la nuit, je dansais comme une folle avec Maria qui m'avait initiée aux dernières subtilités du jerk, nous défoulant, excitantes à damner tous les saints du paradis sous le regard amusé de Patrick.

Le départ immédiat de De Gaulle laissa la France abandonnée à elle-même. Il allait falloir lui trouver un remplaçant...

Georges Pompidou, son « lieutenant » le plus apte me semblait sinon le meilleur du moins le moins mauvais parmi Alain Poher, Jacques Duclos, Gaston Defferre et tutti quanti. Et puis, je le connaissais ainsi que Claude, sa femme.

Le 15 juin 1969, je votai donc pour lui, donnant ma voix au dernier véritable représentant du gaullisme, qui eut encore l'honnêteté de mener la France dans la voie tracée par son illustre prédécesseur. Hélas, terrassé par une maladie impitoyable, il devait laisser bientôt la France sombrer dans le chaos du socialisme.

La préparation de *L'Ours et la Poupée* fut extrêmement professionnelle.

On me fit faire des essais de maquillage d'une manière méticuleuse. Il n'était pas question que je me tartine les paupières de noir charbonneux, ni que j'aie recours au moindre faux cil. Dédette fut sermonnée définitivement par le chef opérateur Claude Lecomte qui ne plaisantait pas sur les détails. Mes cheveux très abîmés par les décolorations desséchantes furent confiés aux sœurs Carita. Il fut décidé que je tournerais tout le film avec un chignon, pas question de les laisser sur les épaules, ils étaient trop mités, trop moches, couleur queue de vache... J'allais retrouver ma couleur naturelle et on me ferait des mèches !

Et puis pas de discussion !

Je dus subir d'épuisantes séances d'essayage chez Réal, mon couturier en titre qui m'habilla de manière exquise sous l'œil scrutateur et timide de Michel Deville, le metteur en scène poète qui avec Nina Companeez avait écrit un petit chef-d'œuvre d'humour et de goût dans lequel j'allais me glisser comme dans un gant. J'allais avoir pour la première fois de ma vie comme partenaire Jean-Pierre Cassel qui a toujours à mes yeux des dimensions et un talent dont n'ont jamais su profiter les Français.

Tous ces cocktails savamment dosés, dont rien n'était laissé au hasard, sentaient déjà la réussite. Mag Bodard, la productrice qui m'avait eue au rabais me fit, en me choisissant, un très beau cadeau !

Et fouette cocher, nous voilà partis pour cette belle aventure, pour ce film magnifique que restera *L'Ours et la Poupée*. Peut-être un de ceux où je suis le plus moi-même. Un des plus charmants en tout cas, des plus drôles, un de ceux dont je suis le plus fière.

Après quelques jours passés en studio, nous devions nous installer en Normandie, à Saint-Pierre-de-Manneville.

La production m'avait loué une maison charmante, pleine de poutres, au milieu des pommiers. J'y serais bien restée, les doigts de pied en éventail, à me rouler dans l'herbe haute et fraîche, plutôt que de me lever à 6 h 30 du matin pour n'y rentrer qu'à la nuit tombée, épuisée !

Nous tournions dans la maison d'Anne-Marie Damamme, femme absolument charmante qui nous accueillit avec une gentillesse et une patience admirables, malgré tous les dégâts que peut provoquer une équipe de cinéma dans un petit bijou de maison et son paradisiaque jardin fleuri. Madame

Damamme habita là pendant tout le tournage ainsi que ses filles. Nous avions tout envahi, tout violé de son intimité, mais elle continuait à nous offrir du thé et des petits gâteaux à 5 heures. L'ambiance devint extrêmement familiale, toute l'équipe était là, qui avec ses enfants, qui avec son mari ou sa femme, ou sa vieille maman !

La maison qui tenait debout par miracle tant elle était ancienne et fatiguée dut subir nos assauts avec stoïcisme. Parfois un morceau de plafond se décollait ou un trou apparaissait dans le sol où les tomettes, épuisées de supporter tant de poids, s'affaissaient. Mais il se dégageait tant de charme de cette vieille maison qu'il eût été dommage voire impossible de tourner le film ailleurs. Une salle de montage très précaire était installée dans une ancienne grange ce qui permettait à Michel Deville de visionner au jour le jour les rushes de la veille.

J'ai de très bons souvenirs de ce film. Je m'entendais à merveille avec tout le monde, ce qui est un exploit !

Patrick ne me quitta pas. Ce qui fut un autre exploit.

Comme le monde entier j'assistai aux premiers pas d'Armstrong et d'Aldrin sur la Lune, en direct, lors de cette inoubliable nuit du 21 juillet 1969. C'était époustouflant, incroyable, émouvant, angoissant. Tout prenait une nouvelle dimension, mais nous en rendions-nous vraiment compte ?

La route intersidérale s'ouvrait à l'Homme.

Qu'allions-nous découvrir de mieux que la Terre, cette planète bénie, sublime, irremplaçable, merveilleusement belle et bonne qui généreusement met à notre disposition tout ce que nos appétits physiques et esthétiques désirent ? Allions-nous la délaisser au profit d'une jeune planète inexpérimentée, invivable et capricieuse ? Je fantasmais, fascinée par le petit écran de cette télé noir et blanc qui me renvoyait les gestes devenus légendaires de ces deux scaphandriers du ciel, qui matérialisaient le rêve ancestral de l'Homme !

Quel courage, quelle victoire !

**

Le film se termina gaiement, un beau jour d'août, sur un air de Rossini et sous l'œil incrédule d'une grosse vache laitière, dans un paysage fleuri où miroitait une petite rivière ! L'ours et la poupée s'aimaient enfin, le rideau pouvait tomber, tout était bien qui finissait bien.

Moi, j'avais gros cœur de quitter tout ça !

J'aurais bien continué et tourné une suite !

Nos adieux furent vraiment émouvants. Je garde une immense tendresse pour Michel Deville, ce metteur en scène de talent et de goût qui n'a pas eu la place qu'il méritait, le cinéma étant devenu ce qu'il est...

Anne-Marie Damamme continua à m'envoyer des fleurs de son jardin et des quatre-quarts de sa fabrication...

Quant à Nina Companeez que j'adore, j'allais la retrouver quelques années plus tard, alors qu'elle serait devenue metteur en scène et me ferait faire le dernier film de ma carrière *Colinot Trousse-Chemise*.

Jean-Pierre Cassel continua pendant des années de faire partie des amis, inconditionnels joueurs des « Ambassadeurs » ou de belote avec Claude Brasseur ou Sady Rebbot.

XXVI

Le retour à Paris fut un peu tristounet.

J'étais heureuse de revoir ma Guapa que j'avais laissée tout ce temps à Madame Renée. Elles commençaient à se ressembler terriblement toutes les deux, surtout dans la démarche !

682

Paris était vide. Il faisait chaud et Patrick piaffait d'impatience de se retrouver le plus vite possible à Saint-Tropez.

J'eus à peine le temps d'embrasser mes grand-mères en quatrième vitesse, de faire un aller-retour à Bazoches vérifier si tout n'allait pas trop mal. Et hop ! Guapa sous le bras, Patrick au volant de la Rolls, nous partîmes pour Saint-Tropez.

Là-bas, je retrouvais une vie bien différente de celle que je venais de quitter. Toute cette foule, ce bruit, ces réceptions chez les uns, chez les autres. Je regrettais mon équipe-famille de *L'Ours et la Poupée*, les vaches, les pommiers, la douceur de la Normandie. Mijanou, ma petite sœur, était chez maman. Papa jouait au navigateur solitaire sur son catamaran baptisé *Siouda*, en souvenir du diminutif qu'il m'avait donné lorsque j'étais enfant. Simone et Jean Bouquin me couvrirent de nouvelles robes de soie magnifiques aux coloris pourpres et profonds.

Nous sortions beaucoup, beaucoup trop !

Une très belle jeune fille attirait bien trop l'attention de Patrick. Je recommençais à avoir des vertiges et des angoisses, mon instinct m'avertissant du danger. Un soir, il disparut et ne rentra pas de la nuit. Je replongeais dans les affres de la jalousie, appelant désespérément tous mes amis qui ne l'avaient évidemment pas vu. Mijanou, me sentant dans un état de déprime total, arriva le lendemain accompagnée d'un superbe garçon qui rêvait de me rencontrer.

Il était charmant ce Michel !

Et nous vivions chacun des moments difficiles ; sa femme l'avait quitté, il comprenait mieux que personne la peine que je pouvais ressentir. Tout aurait pu se passer au mieux s'il n'avait essayé de me séduire coûte que coûte en jouant les champions de ski nautique. Roulant un peu des mécaniques, style Aldo Maccione, il voulut partir du ponton en mono, croyant m'épater. Je le mis en garde. Il n'y avait à cet endroit qu'à peine 40 centimètres d'eau et il risquait de se blesser ! Il riait à pleines dents, se moquant de mes craintes. A peine démarré le riva à plein gaz, Michel piqua une tête en avant, tomba sur son ski et se releva choqué.

Il avait perdu ses dents, c'était une catastrophe !

Et nous voilà, morts de rire (pas lui) en train de chercher ses dents au fond de l'eau parmi les algues et les bernard-l'ermite. Lui, la main devant sa bouche ne pouvait plus parler, honteux et piteux.

Bien sûr, Patrick revint et évidemment je le repris.

Il fallait bien que jeunesse se passe ! Et puis mes tentatives de changement n'avaient pas été très positives, les siennes non plus, puisqu'il me revenait.

N'étant pas encore une inconditionnelle de Saint-Tropez lorsque l'été s'achève, que les jours raccourcissent et que le brouhaha fait place à un calme qui parfois peut faire ressentir une certaine angoisse, je bouclai La Madrague aux premières pluies d'automne pour me pelotonner à la Paul Doumer.

Je dus faire la postsynchronisation de *L'Ours et la Poupée* ce qui me permit de revoir mes amis et de visionner pour la première fois ce film que je trouvai formidable ! Bravo Michel Deville, merci Nina !

Pendant ce temps, Patrick épluchait les petites annonces. Il m'emmenait visiter les appartements de stars qu'il dénichait à des prix faramineux et qui me laissaient en général absolument indifférente et bien souvent révoltée devant la laideur ou la prétention insupportable de tout ce déballage de luxe sans âme.

Il voulut aussi changer de Rolls.

La mienne trop classique faisait mémère, il en fallait une décapotable, cabriolet. Du reste, il savait que Charles Aznavour vendait la sienne et allait prendre contact ! Il s'inscrivit dans un club de golf, à Saint-Nom-la-Bretèche. L'inaction lui pesait, pendant que je travaillais, le golf lui ferait prendre l'air !

Elle commençait à me coûter cher, ma danseuse !

En novembre de cette année 1969 m'échut le grand honneur d'être désignée à nouveau par les lecteurs de *Ciné-Revue* et de l'*Aurore*, comme l'actrice la plus populaire.

A l'occasion de la soirée de la 24e Nuit du Cinéma, Jo Van Cottom me remit au théâtre Marigny, devant un public déchaîné et fanatique, le trophée des « Triomphes de la popularité ». C'était la dernière fois que j'acceptais d'aller recevoir, en chair et en os, une des nombreuses récompenses qui m'ont été attribuées tout au long de ma carrière. Je croisai dans les coulisses Serge Gainsbourg et Jane Birkin, qui recevaient le « Triomphe du Couple ». Il y eut de part et d'autre une grande émotion qui resta cachée mais ce pincement que je ressentis au cœur prit provisoirement le pas sur le trac qui m'envahissait à l'idée d'affronter un public réel et présent. Les applaudissements et les ovations pouvant parfois chasser les nostalgies les plus profondes, c'est avec une immense fierté et une grande émotion que je reçus ce soir-là le prix qui me fut remis.

Il y eut la sortie, à quelques mois près, des *Femmes* et de *L'Ours et la Poupée*. Ce qui permit heureusement au second de faire oublier le premier. Vers la même époque, il y eut quelques réceptions inoubliables chez Paul-Louis Weiller ou chez Maguy Vanzuilen et le baron de Redé, à l'Hôtel Lambert, où, pour honorer *Les Mille et Une Nuits*, le thème de la soirée, Paco Rabanne me fit spécialement un minuscule bikini métallique sur lequel il drapa un voile de mousseline de soie noire et transparente qui ne laissait apparaître que mes yeux.

C'était superbe !

Il en profita pour me dire que j'avais toujours été une reine dans mes vies antérieures, étant la réincarnation d'Hélène de Troie et du modèle qui inspira *Le Printemps* de Botticelli. J'eus beau essayer de remonter le temps et de fouiller dans ma mémoire, je ne pus d'aucune manière le lui confirmer, mais s'il le disait, ce devait être vrai.

Forte de ces antécédents glorieux et pour continuer dans la série des mondanités bien parisiennes, dont je commençais à avoir une indigestion, mais dont Patrick ne se lassait pas, j'acceptai l'invitation de la nouvelle revue du Lido *Grand Prix*. Première de choix, organisée par Georges Cravenne, ce public-relation irrésistible auquel on ne pouvait résister !

Je dénichai chez Dorothée Bis une petite robe, style transparent, au décolleté vertigineux, remontée sur les cuisses un coup oui, un coup non, qui faisait un peu chiffon, mais puisque je ne pouvais pas remettre la robe d'odalisque de Paco Rabanne... alors !

Alors ! c'est une bohémienne qui fut photographiée, disséquée, critiquée ou attaquée par le Tout-Paris. Assise à la table de Marcel Achard, de Christine Gouze-Renal et autres personnalités rodées aux exigences d'une tenue vestimentaire classique et élégante, je donnais l'image scandaleuse d'une jeune veuve à la sortie de son bain. Sur la scène, les Blue-bell Girls en avaient encore moins que moi sur le dos, mais tout le monde trouvait ça très bien. La prochaine fois, s'il devait y en avoir une, je me mettrais une plume dans le cul, comme elles, pour voir la réaction des hypocrites !

Il n'y eut heureusement pas de « prochaine fois » !

Fuyant Paris, ses pompes et ses œuvres, j'acceptai pour faire plaisir à Patrick d'aller passer Noël à Avoriaz que je détestais. Il avait envie de faire du ski, le golf étant impraticable à cette période de l'année. Et puis Picolette et Lina avaient repris le bistrot de l'hôtel qui nous invitait. Je n'aurais à m'occuper de rien, pour une fois, ça me changerait et me reposerait.

Je n'avais pas loué cette année à Méribel, me souvenant de la galère de l'an passé, je préférais accepter de nouveau l'invitation que Phi-Phi d'Exea m'avait proposée pour le mois de février au soleil des Bahamas dans notre île de Great-Harbour-Cay. Si j'avais su, comme dit l'autre, « j'aurais pas venu », ce goût de « revenez-y » ayant été une véritable catastrophe.

Mais pour le moment il est question de Noël à Avoriaz.

Ce ne fut pas une réussite non plus, hélas !

L'hôtel ressemblait à une grotte troglodytique reconstituée, aux angles arrondis, aux fenêtres style nid-d'abeilles, grande ruche grouillante de tous ces vacanciers que je fuis généralement. Picolette assumait seule la bonne marche du bistrot, Lina ayant été hospitalisée d'urgence à Morzine pour une hépatite très grave. J'aimais beaucoup Lina.

J'allai la voir à l'hôpital avec Picolette. Elle avait l'air gravement atteinte, mais si heureuse de ma visite. Je passais de longues heures auprès d'elle, l'embrassant, la consolant, la câlinant. Elle était faible et angoissée. Son teint jaune, sa fièvre et son état m'inquiétèrent au plus haut point. Noël fut lugubre malgré tous les efforts de la direction et tous les turlututus, chapeaux pointus et autres gadgets mis à notre disposition. J'essayais d'oublier le sapin décoré qui envahissait le hall de l'hôtel, les boules multicolores qui se superposaient accrochées un peu partout, imaginant que c'était un jour comme un autre, essayant d'aider moralement Picolette, assommée de travail, seule à assumer un réveillon-cotillons, cependant que Lina se mourait... car elle se mourait.

N'en pouvant plus, j'écourtai ce séjour cauchemardesque, au grand dam de Patrick, qui ne comprenait pas pourquoi il allait devoir mettre fin à ses escapades de skieur émérite...

Le seul bon souvenir d'Avoriaz, c'est ma rencontre avec Papillon. Henri Charrière, cet ancien bagnard, ce type merveilleux, ce baroudeur sans concession, ce mauvais garçon réhabilité après tant et tant d'épreuves, de douleurs, d'années de souffrances, se baladait à Avoriaz avec sa femme, contant ses aventures à qui voulait les entendre, le soir au coin du feu.

J'étais fascinée. Je l'adorais.

Il était un symbole de vérité dans ce monde surfait. Il portait sur son visage les stigmates des outrages qu'il avait subis, mais son sourire était celui d'un enfant et ses paroles celles d'un prédicateur, d'un mage, d'un archange. Je garde son livre précieusement comme un talisman.

C'est à Paris que je passai de l'an 69 à l'an 70, ne sachant pas encore que cette nouvelle décennie allait au fil des jours et des mois me séparer de toute ma famille, de tous ceux que j'aime, disparus les uns après les autres, me laissant anéantie de tristesse et désespérée de solitude.

Ne sachant pas non plus que trois années plus tard, j'allais tourner définitivement le dos au cinéma pour commencer une croisade dure et difficile que je continue encore aujourd'hui.

⁎

Dans la nuit du 21 au 22 janvier 1970 je fus réveillée par le téléphone à 2 heures du matin. C'était maman, qui m'annonça d'une voix blanche que Mamie, ma grand-mère maternelle, venait d'avoir une attaque. Je m'habillai en vitesse et traversai l'avenue Paul-Doumer. Il faisait un froid de loup. Ma Mamie gisait paralysée mais consciente en travers de son lit, n'arrivant plus à articuler suffisamment pour se faire comprendre !

Le docteur appelé d'urgence ne nous laissa aucun espoir.

Maman qui fut toujours un peu une petite fille gâtée par sa mère et son mari ne pouvait pas, ne voulait pas admettre le fait de devenir orpheline même à l'âge de 58 ans. J'assistais impuissante à la lente agonie de ma Mamie tant aimée, qui tomba doucement dans le coma et mourut quelques heures plus tard, sans avoir repris connaissance. Je hais la mort. J'ai passé, je passerai et je passe ma vie à la combattre, en vain !

Dans sa salle de bains, je pris son flacon de parfum — *Arpège* de Lanvin — je l'ai toujours. En le respirant, je retrouve son odeur, je la retrouve un peu, son souvenir se fait plus présent. J'ai ainsi quelques flacons ayant appartenu à ceux que j'ai le plus aimés. La magie des odeurs auxquelles je suis particulièrement sensible, me renvoie toujours les images et les souvenirs indissociables de certains êtres chers.

La mort de ma grand-mère fut une très grave et lourde épreuve pour nous tous, mais maman fut profondément atteinte. Mamie fut portée en terre dans le petit cimetière marin de Saint-Tropez où elle retrouva Le Boum. J'espère qu'ils n'en ont pas profité pour s'engueuler de nouveau à propos de tout et de rien comme ils avaient l'habitude de le faire.

J'aidai maman à vider l'appartement de Mamie.

Nous retrouvions une foule de souvenirs, de photos, de lettres, de mèches de cheveux des uns et des autres. Nous pleurions parfois, selon nos découvertes. Il fallut vendre la plus grande partie des meubles, trop imposants pour être mis chez maman ou chez moi. Les éléments du décor qui avait bercé notre enfance s'éparpillaient.

Ce fut pénible, déchirant.

Tapompon, la sœur de Mamie, et Dada ma nounou qui avait été cinquante ans à son service, nous aidaient. J'avais la pénible impression de violer une intimité secrète, de fouiller une vie, de la profaner.

C'est à peu près à cette époque que j'appris la mort de Lina Brasseur !

Je vivais dans une ambiance morbide.

Il fallait que je me sorte de là, que je me change les idées.

Phi-Phi d'Exea me rappela les Bahamas...

Il nous invitait et j'acceptai aussitôt.

Nous partîmes, malgré ma fatigue et mon mauvais moral.

A peine arrivés à Nassau, je fus prise d'une forte fièvre accompagnée de nausées. Le Docteur White (qui était noir) diagnostiqua une grippe et m'envoya une infirmière noire qui eut pour mission de me transpercer les fesses de piqûres d'antibiotiques qui me laissèrent sur le flanc.

Ne voulant surtout pas gâcher les vacances de Phi-Phi, de Patrick et de Stéphanie, une jolie petite poupée blonde qui nous accompagnait, je pris malgré ma fièvre persistante et mes vertiges, le petit Cessna qui nous déposa à Great-Harbour-Cay, que je ne reconnus pas ! Il y avait un aéroport avec tour de contrôle... une marina remplie de yachts plus luxueux les uns que les autres. Un super hôtel élégant, un golf 18 trous, des taxis à air conditionné, des plages aménagées avec des bars, des parasols, des matelas, des pédalos, du ski nautique... enfin l'horreur !

Curd Jurgens y avait acheté une propriété ainsi que d'autres stars américaines. Mon petit paradis était foutu, défiguré. Le bungalow que nous occupions l'année précédente avait été vendu. Nous avons donc échoué dans un lotissement où l'une des maisons style Phénix nous avait été réservée. Ça m'était égal, je me sentais épuisée, fiévreuse, malade et me couchai immédiatement. Il faisait une chaleur accablante, le soleil me brûlait les yeux, je ne supportais plus du tout la luminosité, ayant un mal de tête tenace qu'aucune aspirine n'arrivait à dissiper.

Il n'y avait ni médecin, ni infirmier sur l'île, mais le Docteur White avait laissé à Phi-Phi quelques piqûres au cas où la fièvre persisterait. Ce fut le cas, puisque le soir j'avais 40°. Philippe m'administra mon traitement. Contrairement à l'année passée, le frigo était vide et il fallait prendre ses repas au Club-House de l'hôtel, à l'autre bout de l'île. De toute manière, je ne pouvais rien avaler. Je passai donc là deux jours à peu près seule, tandis que les autres étaient à la plage ou au restaurant, dans la semi-inconscience que donne la forte fièvre, anéantie par des maux de tête persistants et des vomissements incessants.

Le Docteur White, consulté par téléphone, demanda que l'on surveille la couleur de mes urines. Elle était marron foncé.

Je dus être rapatriée d'urgence à Nassau où je refusai d'aller à l'hôpital mais reçus les premiers soins dans une chambre d'hôtel en attendant d'avoir récupéré suffisamment de forces pour prendre l'avion jusqu'à Paris via le Luxembourg.

J'avais une hépatite virale très grave.

J'avais attrapé celle de Lina Brasseur avec qui j'avais passé Noël. Et Lina était morte ! Moi aussi, j'allais mourir, là, dans cet hôtel, loin de tout, épuisée, mal soignée, mal entourée. J'entendis dans mon bourdonnement d'oreilles ma Mamie qui m'appelait à elle :

« Viens mon hirondelle, je m'ennuie sans toi ! »

Je délirais, refusant la mort dans des monologues incompréhensibles.

On m'installa dans l'avion.

Je passai le voyage à dormir, ne me rendant compte de rien. Au Luxembourg, un avion privé me ramena à Paris, je n'étais pas en état de me taper des heures de voiture. J'arrivai à la Paul Doumer où maman m'attendait, où mon lit m'accueillit et mon médecin me prit en main. Maintenant, je pouvais mourir... J'étais bien, en sécurité, entourée par l'affection, la tendresse de ceux que j'aimais !

Je ne mourus pas, grâce à Dieu, mais dus rester alitée presque deux mois. Je perdis 10 kilos. N'étant déjà pas épaisse, je me retrouvais décharnée et jaune citron, un vrai épouvantail. Par-dessus le marché, j'attrapai les oreillons transmis probablement par mon médecin.

Du coup, Patrick, qui mourait de peur d'attraper

un quelconque microbe et ne me voyait qu'épisodiquement, lorsqu'il avait besoin d'un peu d'argent de
poche, affolé par les oreillons qui rendent, paraît-il,
les hommes impuissants, disparut presque totalement !

J'en avais subi d'autres et gardai mes forces pour
ma guérison. La convalescence fut longue et
pénible. Je restais très affaiblie.

Ma première sortie fut pour présider et présenter
avec Raymond Gérôme le 37ᵉ Gala de l'Union des
Artistes qui avait lieu comme tous les ans au Cirque
d'Hiver le 17 avril.

Ce gala était un événement retransmis à la télévision.

Papa y allait régulièrement.

Des acteurs, des chanteurs, des comédiens prenaient pour un soir la place des acrobates, des
clowns, des dompteurs, des trapézistes, des écuyers
ou des prestidigitateurs. La recette de cette soirée
exceptionnelle était intégralement reversée à la maison de retraite des vieux comédiens de Pont-
aux-Dames.

C'était beaucoup de travail, des répétitions
longues et pénibles auxquelles se soumettaient ceux
qui assuraient les numéros parfois dangereux de ce
spectacle de cirque, si éloigné de leurs occupations
habituelles.

Je me souviens d'un numéro de trapèze volant
qu'avait effectué Jean Marais, lorsque j'étais encore
une jeune fille inconnue et que j'avais accompagné
papa, je me souviens aussi du *Lac des cygnes* dansé
par Robert Hirsch en tutu blanc, qui trempait le
bout de ses chaussons de satin dans un baquet d'eau
en guise de lac !

Pour l'occasion, mes amis de chez Réal me firent
un habit avec queue-de-pie blanc. J'avais aussi un
chapeau haut-de-forme blanc. Raymond Gérôme,
tout en noir, assurait le rôle de Monsieur Loyal, pré-
sentateur du spectacle. J'étais encore très faible, très

fatiguée et tellement maigrichonne que je ne pus jamais plus rentrer dans cet habit superbe fait sur mes mesures du moment.

*
**

Mama Olga s'inquiétait de ne pas recevoir beaucoup de propositions de film pour moi. Malgré le succès de *L'Ours et la Poupée,* je traînais le double boulet de *Shalako* et des *Femmes.*

Ce qui fait que lorsque André Génovès, un producteur que je connaissais bien, eut l'idée de me faire tourner une comédie avec Annie Girardot, *Les Novices,* Mama Olga trouva l'idée excellente, et me conseilla fermement d'accepter. C'est vrai que l'idée était bonne, c'est le film qui hélas ne le fut pas ! Mais alors pas du tout !

C'est dommage car le couple Annie-Brigitte était sympathique, mais l'histoire, trop faible, aurait pu être améliorée si le metteur en scène, un certain Guy Casaril, avait eu du talent.

Nous tournions dans un désordre total, les dialogues étaient changés au dernier moment, la mise en scène inexistante était incohérente et sans queue, ni tête. Annie et moi, très complices, étions désespérées devant la nullité de ce pauvre Guy Casaril. Nous avions pourtant toutes les deux une certaine expérience professionnelle, mais le meilleur acteur ne peut donner le meilleur de lui-même que s'il est dirigé. C'est un peu comme une armée sans général ou un orchestre sans chef.

J'avais heureusement imposé le chef-opérateur Claude Lecomte qui avait fait de si jolies images pour *L'Ours et la Poupée.* Si l'histoire était nulle et inexistante, au moins la photo serait belle.

Annie et moi sommes restées très proches l'une de l'autre pendant ce film. Nous traversions toutes les deux une période sentimentale fragile. Mes rapports avec Patrick ne s'étaient pas améliorés et les siens avec Bernard Fresson n'étaient pas au beau fixe. Elle arrivait parfois avec un œil au beurre noir, tandis qu'ayant pleuré une partie de la nuit je cachais mes cernes derrière de grosses lunettes noires. C'était gai ! !

Ce soir-là, les rushes que nous visionnions étaient nuls. Nous allions à la catastrophe ; j'en parlai à Annie qui, d'accord avec moi, décida d'arrêter le massacre. Il fallait changer de metteur en scène, sinon nous arrêtions de tourner.

Et voilà le scandale reparti !

Qui allait pouvoir ou vouloir reprendre cette merde au pied levé ?

André Génovès devint à moitié fou, il appelait tout le monde au secours, y compris Vadim, mais personne n'était libre et surtout tout le monde se méfiait. Au moment critique où tout allait sombrer dans la tragédie, Claude Chabrol vint à notre secours et accepta de mener le film à son terme. Le cinéma français commençait la dégringolade irrémédiable qui l'a mené là où il en est aujourd'hui. Il était inadmissible qu'ayant deux actrices comme Annie et moi, le producteur ne soit pas arrivé à monter un film de prestige, basé sur une histoire bien ficelée avec des dialogues percutants ! Tout cet à-peu-près, ce manque de professionnalisme, cette inconsistance qui mettaient ma carrière en danger malgré moi me révoltaient. Je sortais d'en prendre et j'y retournais. Je commençais à être écœurée par ce métier qui, quelque part, me rejetait aussi.

C'est vrai qu'il m'arrive d'être négligente mais justement parce que je le suis, les autres ne doivent pas l'être !

Tandis que Chabrol essayait de recoller les morceaux de ce puzzle insensé qu'était *Les Novices*, Robert Enrico (l'inoubliable réalisateur de *La Rivière du hibou*) préparait *Boulevard du Rhum*, un film sérieux, professionnel, long et difficile, dans lequel Lino Ventura devait jouer. On me proposa le rôle de Linda Larue, star des années 1925, idole, égérie et amour inaccessible du marin Cornélius !

C'était tentant, surtout après la catastrophe que j'étais en train de terminer. Le seul hic est qu'il fallait tourner à Almería pendant un mois, puis au Mexique pendant trois semaines... Le studio se faisant à Saint-Maurice à la fin des extérieurs. Echaudée comme je venais de l'être, je demandai à lire le scénario.

C'était formidable !

Les dialogues étaient pleins d'humour, l'histoire coulait comme une bande dessinée pendant la Prohibition, mon rôle exquis, plein de facettes coquines et charmantes, et puis je devais chanter ! ! Mais il fallait lâcher les amarres et s'embarquer pour deux mois à l'étranger...

Olga, transformée en bulldozer, me poussait au train jour et nuit pour que j'accepte ! Elle avait raison ! Mais ça n'est pas elle qui allait une fois de plus s'expatrier. J'en parlai à Annie qui me conseilla d'accepter. J'avais bien de la chance d'avoir la possibilité d'effacer par un bon film le désastre que nous finissions de peaufiner. Elle aurait aimé pouvoir faire la même chose, ne comprenant absolument pas mes hésitations.

Bref, je signai le contrat de *Boulevard du Rhum* qui allait s'inscrire au palmarès des réussites de ma vie. Mais je ne le savais pas !

Pendant tout ce temps, Patrick passait ses journées au Racing, ce club si élégant et si privé qui se trouve au cœur du bois de Boulogne. Le golf ne lui suffisant plus, il m'avait demandé de lui offrir une inscription afin de lui permettre de nager dans la piscine olympique, de jouer au tennis et de bronzer, le cas échéant. Nous nous retrouvions le soir à la Paul Doumer, lui crevé par la natation, le tennis et le soleil, moi épuisée par ce sacré tournage qui n'en finissait plus dans sa médiocrité.

Puisque j'étais dans la région parisienne, j'en profitais pour aller le plus souvent possible à Bazoches. Une de mes chiennes avait été retrouvée morte un matin, sans aucune blessure apparente.

J'étais désespérée !

Qu'avait-il pu se passer ?

Pauvre petite qui avait tant souffert à la S.P.A. pour venir mourir chez moi, alors que je ne souhaitais que leur vie et leur bonheur. Je me culpabilisais. Je n'étais pas au bout de mes peines ni au bout de la peine.

Un soir en rentrant du « tournage-raccommodage » qu'était cette fin des *Novices*, je ne vis pas Guapa me faire la fête dans l'entrée de la Paul Doumer comme à son habitude. Etonnée j'appelai Madame Renée qui me dit qu'elle l'avait trouvée fatiguée, qu'elle se reposait à la cuisine. Elle alla la chercher pendant que je me lavais les mains à la salle de bains.

Tout à coup j'entendis crier : « Madame, madame, vite, vite Guapa se meurt. »

Je ne fis qu'un bond jusqu'à elle.

Guapa, plus molle qu'une poupée de chiffon, pendait dans les bras de Madame Renée qui pleurait. Je pris doucement ma petite chienne contre mon cœur, elle me jeta un dernier regard déjà voilé par le début de l'inconscience, puis son œil se figea à jamais tandis que son cœur cessait de battre. Je restai longtemps ainsi, serrant le petit corps sans vie contre ma poitrine, lui parlant doucement, la berçant dans la mort comme je l'avais bercée dans la vie. Je remontais le temps, me souvenant de ces treize années partagées avec elle, de toute cette tranche de vie qu'elle emportait à jamais, cet amour irremplaçable qu'elle m'avait donné et que j'avais essayé de lui rendre.

La mort me poursuivait.

Depuis le début de l'année, elle m'avait pris ma Mamie, Lina, puis aujourd'hui Guapa, ma petite fille, ma petite compagne des bons et surtout des mauvais jours. Ma fidèle. Il fallut m'arracher des bras, bien des heures plus tard, le petit corps raidi de ma Guapa.

J'étais seule.

Maman était à Saint-Tropez avec papa. Patrick disparu je ne sais où ! C'est Michèle et Madame Renée qui essayèrent d'apaiser ma douleur, en vain.

Le lendemain, Guapa, couchée au fond d'une petite caisse de bois, partit pour Bazoches, portée par Michèle et Madame Renée. Il m'était impossible de les accompagner, étant d'une grande faiblesse. Guapa reposerait dans la terre de Bazoches, qui abriterait à jamais son long sommeil. Depuis, le petit cimetière animalier qui dort sous les pommiers s'est malheureusement agrandi au fil des ans et des disparitions cruelles de tous les petits compagnons de ma vie.

J'ai toujours pensé à tort ou à raison que Guapa avait dû faire l'effort d'attendre mon retour pour mourir.

En écrivant ces lignes 25 ans après sa mort, elle me manque encore, malgré les nombreux chiens aimés et adorés qui ont depuis partagé ma vie. Sa tombe est toujours là, fleurie, entourée, hélas, d'une ribambelle d'autres. Quand je vais me recueillir sur cette terre qui les a engloutis, je pense avec douleur que chaque mort a arraché un morceau de mon cœur, une partie de ma vie.

*

La vie continuait.

J'avais visité quelque temps auparavant un très bel appartement de 300 m^2 en duplex aux deux derniers étages d'un immeuble du boulevard Lannes, avec plein de terrasses croulantes d'arbres, une vue superbe et imprenable d'un côté sur le bois de Boulogne, de l'autre sur les toits de Paris et la Tour Eiffel.

Après réflexion, je ne tenais plus tellement à la Paul Doumer qui, sans Guapa, m'apparut tout à coup vide, triste et sans âme. Et puis, j'y avais trop de mauvais souvenirs. Le fait de changer me ferait peut-être du bien, en tout cas me permettrait de faire un sacré ménage.

Patrick ne se sentait plus de joie !

Il l'avait enfin cet appartement de standing à l'image de ma célébrité, digne de la star que j'étais, dans lequel nous allions pouvoir recevoir le ban et l'arrière-ban. En attendant, il fallait faire des travaux, le décorer, l'aménager. Je voulus faire construire un bungalow de bois sur la terrasse du 11ᵉ étage pour y faire notre chambre avec d'immenses baies qui s'ouvriraient sur ce merveilleux jardin suspendu. Tant qu'à changer de crémerie autant y mettre le paquet !

Je ne lésinai sur rien, emportée tout à coup par une frénésie de modernisme, totalement en contradiction avec mes goûts profonds, certainement influencée par Patrick. Il me fallut un décorateur d'envergure, ne pouvant, contrairement à mon habitude, m'occuper personnellement d'un chantier aussi lourd. Je fis faire un devis. Je choisis un architecte d'intérieur qui s'avéra nul. Je savais parfaitement ce que je voulais et celui qui ne l'admettait pas ou ne le comprenait pas, virait automatiquement !

J'en changeai deux ou trois fois, excédée par la perte de temps et l'argent dépensé pour des prunes. Laissant tout en plan, je partis pour Saint-Tropez profiter un peu du soleil de La Madrague, avant de m'embarquer pour le long périple-parcours de *Boulevard du Rhum*.

À peine arrivés, Patrick commença à trouver que La Madrague, elle aussi, aurait besoin d'un bon petit coup de rajeunissement. Non seulement ma salle de bains était trop petite, je n'avais pas de dressing-room, mais encore il n'y avait pas de piscine et puis les chambres d'amis manquaient de confort, il n'y avait qu'un pauvre chauffage central au charbon datant de Mathusalem !

698

A vrai dire, il n'avait pas tort.

D'un autre côté, pourquoi un dressing-room puisque je n'y allais que pour vivre à moitié nue ? Pourquoi une piscine puisque la mer était là, à nos pieds ? Pourquoi un chauffage central moderne et élaboré puisque nous n'y mettions jamais les pieds en hiver ?

Excédée par son harcèlement quotidien, j'appelai Roger Herrera, un architecte décorateur et ami, afin qu'il me soumette ses idées et ses suggestions. Jean et Simone Bouquin trouvaient l'idée sensationnelle, j'allais changer de décor tout en conservant cette maison unique et introuvable désormais. D'autres amis comme Pierre et Nelly Maeder, lui agent immobilier dans le vent, elle superbe top model, qui firent longtemps partie de mes intimes, me conseillèrent vivement d'apporter à La Madrague les modernisations indispensables au confort actuel. Cela les arrangeait aussi, car j'avais déjà voulu vendre au moins dix fois La Madrague par l'intermédiaire de Pierre et étais dix fois revenue sur ma décision... s'il devait y en avoir une onzième, l'affaire serait plus facile à traiter avec une maison moins marginale.

J'approuvai les plans, signai les devis et un chèque équivalent à un tiers des frais, ce qui n'était pas rien compte tenu de ce qui m'attendait à Paris pour le boulevard Lannes. C'était comme une mue que je m'apprêtais à faire. Un renouveau total.

Herrera s'engageait formellement à me livrer La Madrague terminée dans sa nouvelle image au mois de mars 1971 ; les travaux devant avoir lieu pendant l'hiver, parole donnée... Au moins les chiens auraient de la compagnie, ils pourraient mordre les fesses des ouvriers et glaner quelques petits suppléments de menu au moment du casse-croûte de midi.

Aujourd'hui, je vis à La Madrague presque toute l'année, sauf l'été ! Je remercie le ciel de m'avoir poussée à faire ces travaux sans lesquels il m'aurait été impossible d'y passer les mois d'hiver, ni même d'en faire ma résidence principale.

**

Entourée par une bonne partie de l'équipe de tournage, je pris l'avion, un matin pluvieux d'octobre, pour Malaga, destination l'hôtel Aguadulce (encore !) à Almería (encore !). Dédette et son fils Jean-Pierre, chargé d'un carton rempli des magnifiques perruques que j'allais porter tout au long du film, des assistants, la scripte, la costumière mais point d'amazone !

Et point de Patrick !

Il y avait encore eu un accrochage entre nous, il viendrait me retrouver plus tard.... profitant de mon départ pour aller voir ses amis, surveiller les travaux... enfin les prétextes y passèrent pour éviter la corvée de m'accompagner dans ce trou du cul du monde qu'est Almería !

A Malaga, une armada de voitures nous emmena sur la route précaire qui menait à Almería où enfin, à une heure avancée de la nuit, je retrouvai à l'hôtel Aguadulce une des chambres du dernier étage qui était, à l'époque de *Shalako*, ma scandaleuse boîte de nuit privée, mais qui fut, ce soir-là, le havre de paix dans lequel je m'enfonçai sans rêves dans un sommeil réparateur.

Nous tournions exclusivement en extérieurs souvent sur un bateau à quai, puis sur le même bateau en pleine mer.

Robert Enrico est un homme sympathique avec lequel je m'entendais bien. Il a cet avantage rare d'avoir du talent et de connaître son métier. Il est méticuleux et tatillon ce qui lui a permis de faire un film parfait où aucun détail n'a été laissé au hasard.

J'eus du mal à établir un contact avec Lino Ventura qui me rappelait étrangement Gabin. Lino, le solitaire, ne se mêlait à rien. Sitôt le tournage terminé il disparaissait sans même dire « au revoir » renfermé sur lui-même, l'air éternellement soucieux. Parfois au hasard de nos recherches d'un restaurant à peu près acceptable, nous le trouvions attablé, seul, préoccupé à dénicher le plat exceptionnel de la carte. C'est par le biais de cette recherche de gourmandise que j'arrivais à approcher un peu ce gourmet déçu. Dédette, qui ne pense qu'à bouffer, me fut d'une grande aide dans le domaine gastronomique ! Et puis Jean-Pierre, mon coiffeur, était fou du jeu de tarots, Lino aussi ! Au travers des petits plats et des jeux de cartes, j'arrivais à apprivoiser un peu aussi cet ours mal léché mais au fond de lui-même aussi adorable que vulnérable qu'était Lino Ventura.

Son allergie de l'humanité était telle que, par contrat, il était stipulé qu'il ne se prêterait à aucune scène d'amour, à aucun baiser sur la bouche avec aucune de ses partenaires. Ce qui prouve qu'on peut très bien faire un film d'aventures et d'amour sans imposer au public les scènes de voyeurisme éprouvantes tant elles sont gênantes. Puisque nous sommes dans ce domaine, j'en profite pour dire que je suis bien contente d'avoir abandonné le cinéma au moment où le talent des acteurs se mesurait à la manière dont ils écartaient les jambes, nus, se suçant la poire et le reste sous l'œil complice d'une caméra voyeuriste.

J'ai beau avoir été un sex-symbol, je garde au fond de moi une pudeur incompatible avec ce genre d'exercice de style. Cet étalage de chair humaine me donne la nausée, la suggestion restant, je pense, la preuve que l'imagination est plus stimulante que la vision.

Patrick arriva un beau jour de novembre, j'avais appris à m'en passer !

J'eus beaucoup de plaisir à tourner ce film malgré les surprises de la météo, de la mer démontée, du mal de mer et des caractères plus ou moins faciles des uns et des autres. Pour une fois, j'incarnais réellement une autre que moi, une star du muet, capricieuse, coquette, exigeante, gâtée, superficielle mais qui quelque part me correspondait. J'adorais les mimiques, les battements de cils, les effusions ostentatoires de ses sentiments truqués mais enfantins.

Je me souviendrai toujours de ce 9 novembre 1970, alors que Dédette me faisait un raccord de maquillage dans la caravane qui me servait de loge, et que Jean-Pierre arrangeait ma perruque blonde et bouclée, Patrick arriva avec un grand sourire et me dit :

« De Gaulle est mort.

— Quoi ??? Tu plaisantes ?

— Non (rire), de Gaulle est mort ! »

Je me rappellerai éternellement cet air idiot et ravi qu'il avait en m'annonçant cette catastrophe qui me laissa bouleversée. L'homme extraordinaire, le militaire exemplaire, le chef d'Etat irremplaçable et toujours irremplacé était mort... Nous laissant quelque part orphelins !

Et l'autre imbécile trouvait ça drôle !

La mort de De Gaulle fut pour moi, aussi étrange que cela puisse paraître, une épreuve très pénible. Il faisait presque partie de ma famille.

C'était « le chef » !

C'est ce jour-là, je pense, que je me mis à haïr et à mépriser Patrick, ce qui entraîna peu de temps après une rupture définitive.

Je continuais de papillonner dans mes tenues vestimentaires arachnéennes entre Lino Ventura, Clive Revill et Guy Marchand, chantant et dansant mes nostalgies multiples avec sur le cœur le deuil lourd d'une ingratitude nationale.

Le film se poursuivit à Paris où, changement de programme, les studios se firent avant les extérieurs au Mexique ! Je m'étais encore engueulée avec Patrick et tournais dans un état de dépression épouvantable. J'avais encore maigri et mes robes flottaient autour de mon corps comme des voiles qui vacillent lorsque le vent ne les gonfle plus. Patrick était parti à Chamonix passer Noël et je me retrouvais seule le 24 décembre où je tournais aux studios de Saint-Maurice.

C'est à ce moment que Jean Bouquin arriva avec deux billets d'avion pour Nice ! Il allait retrouver Simone sa femme et Valérie sa fille. Si je voulais, je pourrais partir avec lui et retrouver maman et papa. Ce serait mieux que de rester seule ce week-end de Noël. Je me suis toujours demandée comment Jean Bouquin avait pu, tout au long de notre vie d'amitié, lire dans mes pensées, précéder mes désirs les plus secrets, les plus intimes ?

C'est ainsi que j'arrivai sans prévenir mais tellement espérée au cœur de ma famille, ce soir de Noël 1970 à La Pierre Plantée à Saint-Tropez. Ce fut tellement imprévu, que papa et maman en pleurèrent d'émotion. Je n'avais aucun cadeau à leur offrir, mais ma présence représentait à elle seule tous ceux du monde. Je restai enfouie dans le bien-être de cette douceur familiale irremplaçable elle aussi, jusqu'au dimanche soir où je repris l'avion avec Jean Bouquin pour être prête à tourner le lundi matin.

Ces impératifs de tournage de films m'ont malheureusement privée tout au long de ma vie de l'essentiel. J'ai raté, à cause d'eux, une grande partie de ma vie sentimentale et perdu à jamais la chaleureuse présence de mes parents.

C'est dans un fameux club du Rond-Point des Champs-Elysées que je passai de l'année 1970 à 1971. Entourée d'une grande partie de mes amazones, de Robert Enrico qui ne savait plus où donner de la tête et du cœur, de Jean-Noël Grinda qui me porta dans ses bras jusqu'à ma voiture, de Stéphanie, poupée blonde qui allait me suivre un bout de chemin et d'une multitude de prétendants qui guignaient la place de Patrick, absent et ayant donc tort de l'être.

Maman m'avait dit un jour que le baiser de minuit d'une année sur l'autre unissait ceux qui se le donnaient ou séparait ceux qui s'évitaient ce soir-là. Elle eut raison une fois de plus. N'embrassant pas Patrick à minuit, étant séparée de lui par des centaines de kilomètres, nous allions à la rupture inévitable.

Mais je ne le savais pas encore.

Juste avant mon départ pour le Mexique, Mama Olga me proposa le scénario d'un film à tourner à Madrid, l'été prochain avec Claudia Cardinale *Les Pétroleuses*.

A vrai dire, je commençais à en avoir marre de ce métier de globe-trotter. Un proverbe dit : « *Pierre qui roule n'amasse pas mousse.* » Je rêvais de ne plus rien faire, de profiter un peu de la vie, de cette vie que j'ignorais depuis ma tendre jeunesse. Je n'avais jamais le temps de rien entreprendre, pressée que j'étais par tous ces impératifs qui bousculaient tous mes projets.

Larguant une fois de plus les amarres, je m'embarquai pour l'heure sur un Bœing 747, entourée de deux amazones, Carole et Stéphanie, échangeant ma place de première classe contre nos trois voyages en classe touriste afin d'éloigner un peu la solitude qui me prenait au ventre, au cœur, au corps. Nous avons joué au Scrabble pendant tout le vol avec la scripte, une femme intelligente et adorable qui au départ me terrorisait par son autorité implacable et qui devint vite une amie fidèle, compréhensive et affectueuse.

Accueillie par une troupe de Mariachis à l'aéroport de Mexico, je filai immédiatement, escortée par tout mon brain-trust, à l'hôtel Luma qui m'avait déjà hébergée pour *Viva Maria*. J'étais donc en pays de connaissance. Ce qui est très important pour moi.

D'ailleurs, je retrouvais avec délices ce Mexique grandiose qui m'avait tant fascinée lors de *Viva Maria*, mais que je connaissais si mal en fin de compte.

A la veille de notre départ pour Veracruz, Patrick arriva par surprise ! Je ne l'attendais plus, je n'avais plus besoin de lui. Mais puisqu'il était là, avec mes deux amazones, il fit de la figuration intelligente lors d'une poursuite de voitures.

A Veracruz, je découvris que les noms de rêve ne sont pas forcément porteurs de rêves. A part le *Socalo*, c'est-à-dire la place principale d'une ville ou d'un village où les Mariachis attendent patiemment qu'on vienne les louer pour une soirée, ce qui est on ne peut plus couleur locale, le port, la ville et tout le reste étaient d'une laideur abominable, bien loin de tout ce qu'on imagine en prononçant le nom de Veracruz.

Nous habitions dans un hôtel, style caserne abandonnée depuis le siècle dernier, et aménagée à la va-vite pour abriter une unité de tirailleurs sénégalais. Mais à la guerre comme à la guerre, il fallait faire avec. Nous prenions quotidiennement du *Cequinil* afin d'éviter le paludisme, latent dans tous les pays tropicaux, et de l'*Iodoquine* afin de nous préserver des amibes et autres coliques touristiques, redoutables, qui anéantissaient tous les pauvres voyageurs imprévoyants et naïfs. Malgré la chaleur impitoyable, le manque de confort et les horaires militaires, j'arrivais à rester élégante, sophistiquée, jolie, fraîche et rigolote. Il y a des miracles parfois.

Le film terminé, Patrick voulut en savoir davantage sur le Mexique, loua une voiture américaine et nous embarqua, Jean-Pierre, Stéphanie, Carole et moi pour un périple touristique à travers ce beau pays.

C'est ainsi que je fis la connaissance d'Yvonne et Richard Wilky. Elle, Mexicaine, lui, diplomate, nous invitèrent et nous firent découvrir les trésors cachés de ce pays aux mille facettes. Ils louèrent même un petit avion pour nous emmener passer 48 heures dans un petit village au bord de la mer, où un des hôtels des plus modernes et des plus agréables avait mis à notre disposition tout le dernier étage. Là, nous pouvions nous baigner dans une piscine privée tout en jouissant d'une vue à couper le souffle.

Nous avons ainsi dormi à Taxco, la ville des mines d'argent, chez une vieille Anglaise qui louait des chambres. L'étape nous permit d'apprécier les charmes d'une hacienda mexicaine privée, tout en bénéficiant des avantages de confort dont ne se départent jamais les Anglais. Le breakfast fut délicieux, le thé un mélange de darjeeling et de Earl Grey comme je n'en avais plus senti l'arôme depuis longtemps ! Et puis des buns, du cake et des toasts à la confiture d'orange amère !

Cela nous changeait de l'odeur forte des tapas, des piments et autres tortillas et *chili con carne* dont nous faisions notre quotidien. Yvonne et Richard restèrent longtemps des amis très chers que je revis en France à l'occasion de leurs différents déplacements, jusqu'au jour où ils se séparèrent brisant le couple merveilleux qu'ils formaient.

Cet éclatement nous éloigna, hélas !

XXVII

Le retour ne fut pas des plus joyeux.

A Paris, il faisait un temps de cochon en cette fin janvier, tout était gris, sale et étriqué. Même la Paul Doumer paraissait rikiki et Madame Renée ratatinée ! Les gens se bousculaient sur des trottoirs gluants avec des mines grises, sombres et sinistres. Les immeubles dressaient leurs façades lugubres et humides, dégoulinantes de crasse mouillée.

Patrick qui avait pris des habitudes de luxe et

706

d'indépendance en profita pour m'annoncer son départ dans une station de ski où ses parents avaient loué un appartement !

Et moi ? Je comptais pour du beurre ? Moi aussi j'avais loué un chalet à Méribel, et qu'est-ce que j'allais en faire ?

C'était mon problème, pas le sien.

Et il partit !

Cette fois, je réagis différemment, décidée envers et contre tout à ne plus jamais le reprendre. J'étais arrivée à un ras-le-bol définitif.

Le boulevard Lannes que j'avais oublié, ne m'oubliait pas. J'avais sur mon bureau un nombre impressionnant de chèques à signer pour les travaux de l'appartement et de La Madrague. Ça me rappelait papa les jours de la paye des employés de son usine. Et son humeur. J'étais pareille, responsable de tout !

Abandonnée par mon gigolo !

Le 1ᵉʳ février j'allai fêter le 59ᵉ anniversaire de maman, son plus beau cadeau serait que je me sépare de ce bon à rien, de ce sale type qu'elle détestait. Je l'assurai qu'elle serait exaucée mais elle ne me crut pas !

Alors je me lançai dans une époque d'étourdissement total. J'appelai mes amazones, enfin ce qu'il en restait, à la rescousse, mais aussi Jean et Simone Bouquin, Jicky et Anne, Michel Duchaussoy et sa petite amie Martine, qui travaillait chez Réal et avec laquelle je m'entendais bien ; nous sortîmes tous les soirs, finissant nos soirées chez Castel à des heures avancées de la nuit.

Phi-Phi, retrouvé au hasard d'une boîte de nuit, vint grossir la troupe de noctambules que nous formions. Entre deux nuits blanches, je signai le contrat des *Pétroleuses* pour faire plaisir à Olga, sachant à peine de quoi il retournait, mais si Claudia Cardinale l'avait accepté, à condition que je sois sa partenaire, alors ça devait être bien.

N'ayant aucune envie d'aller à Méribel, je laissai

courir la location et le chalet vide !... On verrait plus tard.

Un soir, à la Paul Doumer, nous étions tous réunis, buvant du champagne, attendant je ne sais plus qui, nous regardions la télé. Il y avait un feuilleton de quatrième catégorie, mais avec un acteur sublime, beau comme un dieu, un Allemand : Amadeus August, et me voilà m'esbaudissant devant ce type, j'avais dû boire un coup de trop ! Jean Bouquin, que rien n'arrête, téléphona aussitôt à la chaîne de télé allemande, et demanda de ma part le numéro de téléphone d'Amadeus August. Puis il rappela Munich, chez le mec, et me le passa. J'eus une grande conversation avec cet inconnu qui parlait très mal le français et qui n'a pas dû comprendre encore aujourd'hui ce qui lui arrivait !

Au même moment, Warren Beatty était à Paris et rêvait de me rencontrer ! Why not ? Warren a un charme féroce auquel il est difficile sinon impossible de résister.
Pourquoi ou pour qui aurais-je résisté ?
Il allait m'aider, volontairement ou non, à oublier Patrick, je le pris comme tel.

Puis je fus invitée à une soirée chez ce merveilleux chanteur qu'est Nino Ferrer.
J'y allais en conquérante insolente, cachant derrière les faux-semblants une vulnérabilité et une tristesse profondes. Je trouvai Nino gentil, timide, nostalgique, vrai et extrêmement sensible. Du coup, je baissai le masque et apparus moi aussi telle que j'étais pour de vrai. Il s'ensuivit un coup de foudre réciproque qui balaya pour un temps toutes les blessures de part et d'autre. J'allai même le retrouver à Rome, aidée dans cette expédition par Mario Adorf et Monique, mon amazone devenue romaine qui m'hébergèrent le temps d'un long soupir, dans leur petite et ravissante maison de la via del Cantari.

Dommage, je n'étais pas prête à vivre un nouvel amour, trop d'amertume me revenant au cœur, au plus profond des bras de Nino. Il écrivit néanmoins pour moi une chanson extraordinaire *Libellule et Papillon* de la trempe des créations de Gainsbourg, que je ne chantai jamais, mais qui fut interprétée quelques années plus tard par sa compagne devenue sa femme. Cela me rappela *Je t'aime moi non plus*. J'inspire dans la détresse des génies qui se meurent d'amour pour moi et laisse d'autres profiter de ces sources d'inspiration uniques, résultats d'une relation exceptionnelle qu'ils eurent avec moi.

Revenue à Paris, libellule et papillon, je continuai de butiner à gauche et à droite. Au deuxième Salon de la voiture de course, je rencontrai François Cevert. Qu'allais-je faire dans cet endroit, moi qui ai horreur de tout ce bruit, de cette vitesse, de tous ces prototypes de Formule 1, 2, 3 ou 4, qui me cassent les pieds et les oreilles ?

Toujours est-il que ce François Cevert, bien beau-frère de Jean-Pierre Beltoise, était aussi un bien beau coureur, un bien beau pilote de course, un bien beau garçon, un bien beau et charmant amoureux ! Il n'avait peut-être pas inventé le fil à couper le beurre mais qui s'en souciait ? Pas moi ! Il adorait le ski, la neige, la montagne. Je pensais à mon chalet qui m'attendait depuis le début du mois de février, à Méribel.

Il ne fallait plus perdre une minute !

Je sonnai le rassemblement : Madame Renée partit la première pour tout organiser, Jicky, Anne et les deux enfants sautèrent dans leur voiture, Jean-Pierre prit le train tandis que Philippe Letellier, un vieux copain, photographe à *Paris-Match* qui vivait une difficile rupture avec sa femme, nous rejoignait par le moyen de son choix.

De mon côté, je louai un petit avion qui nous emmena François et moi jusqu'à la piste on ne peut plus précaire de Méribel. Toute cette effervescence étourdissante m'empêchait de penser, m'obligeait à aller de l'avant, une heure poussant l'autre ! Il n'en fut pas de même arrivés au chalet ! Tout à coup, François me parut aussi pesant que l'était le type qui m'avait emmenée en voiture deux ans plus tôt. Sa présence me devint insupportable et je fis tout pour m'en débarrasser.

L'amour ne se commande pas et je ne l'aimais pas !

Finalement, comme il ne comprenait pas, nous dûmes tous lui mener une vie infernale et il finit par partir. Il faut dire que nous n'étions pas tendres avec les pièces rapportées, nous, le clan Bardot !

N'ayant plus de tête de Turc, n'étant pas une inconditionnelle du ski, je m'ennuyais et recommençais à penser à Patrick, me laissant prendre par un cafard épouvantable. Ni les pokers du soir, ni les « Ambassadeurs » des longues soirées, ni les petits plats de Madame Renée, ni les plaisanteries de Jicky ne purent me changer les idées.

Alors le clan décida qu'il fallait sortir « la petite ». Et nous voilà tous partis pour le club Saint-Nicolas à Courchevel retrouver notre prêtresse des nuits blanches : Jacqueline Veyssière.

Je ne m'étais pas mise sur mon trente et un, sachant d'avance ce que j'allais y rencontrer : des gros lards, chauves, pleins de chaînes en or et de pognon, qui sortaient avec des pauvres minettes en quête d'hommes qui puissent les entretenir. J'en avais marre de ce bruit, de cette beuverie, de cette foule transpirante qui s'agitait sur la piste de danse. Je me tournai vers le bar, cherchant des yeux Jacqueline pour lui dire que nous partions.

C'est à ce moment que je le vis !

Un homme superbe, on aurait dit Clint Eastwood !

Il était derrière le bar, affairé, absolument imperméable à tout ce qui se passait au-delà du comptoir qui lui servait de frontière !

J'en eus le souffle coupé !

Jacqueline me dit qu'il était son barman, qu'il s'appelait Christian, qu'il était timide, sportif et secret. Je demandai au disc-jockey un slow et allai au bar inviter Christian à danser. Il refusa gentiment, poliment, son travail l'obligeant à ne pas quitter sa place !

C'était un peu fort ! J'étais vexée.

Apprenant ça, Jicky, Jean-Pierre et Philippe Letellier lui proposèrent de le remplacer provisoirement.

Non ! Il répondit non !

C'est Jacqueline elle-même qui dut intervenir.

Ou il dansait avec moi, ou il était congédié !

Il dansa donc avec moi. Mais on peut dire que le cœur n'y était pas. Je me fis la plus humble possible. Mais j'étais Brigitte Bardot et il avait une aversion totale pour tout ce qui était show-business, stars, personnages connus. Ça le dégoûtait profondément ! A force de les voir dans cette boîte de nuit, il ne supportait plus la moindre célébrité ! J'étais dans mes petits souliers, maudissant une fois de plus le sort qui m'avait fait devenir célèbre, alors que mon âme et mes désirs ne tendaient que vers la simplicité. Il me raccompagna courtoisement à ma table et se replia derrière son bar, continuant son travail comme si de rien n'était. Je n'avais vraiment pas de chance ! N'importe quel type aurait passé le feu pour danser avec moi, mais justement, celui qui me plaisait ne voulait rien savoir. En plus, c'était le barman. Je ne suis pas snob, mais quand même !

Je rentrai à Méribel avec au cœur une épine qui ne me lâchait plus.

Deux jours plus tard, je décidai de repartir à Courchevel.

Le clan suivit !

Je revis Christian. Je l'apprivoisai avec toute l'intégrité que j'ai en moi, lui parlant de ma détresse, de mon besoin d'absolu. C'est lui qui cette fois demanda à Jacqueline la permission, qui lui fut accordée immédiatement, de danser avec moi. Mais ces danses stupides ne nous suffisaient plus. Nous voulions nous voir dans la journée, ailleurs !

Christian skiait comme un dieu de l'Olympe ! Il vint me voir à Méribel. Nous parlions de tout et de rien, de la vie, de la souffrance, du bonheur d'aimer ! Il avait lui aussi dix ans de moins que moi, était du signe du Lion, mais semblait mûr, tellement plus mûr et différent de Patrick, qui était Sagittaire.

Certains soirs, laissant le clan rentrer à Méribel, je passais la nuit chez Christian. Mais à ma grande surprise, il partageait son studio avec Claude Gautier, son ami, son confident, mais aussi son aide-barman au Club Saint-Nicolas. Ça me rappelait Vadim, rue de Bassano. J'avais beau avoir offert à Claude Gautier une boîte de boules Quiès pour se boucher les oreilles, je n'y allais que d'une fesse !

Mais le mois de février étant le plus court de l'année, ma location se termina et mon amour pour Christian continua !

Ce fut la galère !

Il venait me retrouver, avec la complicité de Jacqueline, certains week-ends. D'autres fois c'est moi qui retournais à Courchevel.

Les choses ne s'arrangèrent pas jusqu'au jour où Christian donna sa démission, pour moi, pour être libre de m'aimer, là où le vent le poussait... Il vint s'installer à la Paul Doumer, remplissant les placards de ses anoraks et autres tenues sportives, qui remplacèrent les costumes de velours et d'alpaga que Patrick avait l'habitude de porter. J'avais chez moi un fauve habitué aux grands espaces, incapable de s'acclimater à une ville.

C'est à ce moment crucial que Dada tomba malade.

Ma Dada, ma nounou de mon enfance, qui vivait chichement sans aucune aide que la mienne, dans la petite chambre de bonne que j'avais achetée pour elle, incapable de s'assumer, trop habituée sa vie entière à être au service des autres, avait eu des malaises graves et devait être hospitalisée d'urgence. Je la fis entrer à la clinique privée de la rue Nicolo à deux pas de chez elle. J'allais la voir chaque jour, m'inquiétant de son état de santé. Je lui présentai Christian, elle fut heureuse de le voir et me dit : « J'espère que tu vas le garder celui-là, ma Brizzi. »

C'était, moi aussi, mon vœu le plus cher !

Un jour, Patrick était arrivé en conquérant à la Paul Doumer, bouquet de violettes à la main, prêt à reprendre sa place. Mais hélas pour lui, elle était prise !

J'apprenais à Christian « la Bazoches » où il put se promener, courir avec les chiennes folles de bonheur, en attendant de lui apprendre La Madrague. Le boulevard Lannes prenait des allures superbes. Heureusement du reste ! Mais il était encore inhabitable et je pensais avec tristesse que Patrick n'y mettrait jamais les pieds !

Puis, le 31 mars, j'acceptai de donner le coup d'envoi du match de football France-Brésil ! Pour cette apparition unique, Jean Bouquin m'avait habillée d'un tee-shirt bleu, d'un mini-short blanc et de bottes rouges !

Ce fut une épopée sans précédent.

N'ayant jamais mis les pieds dans un stade a fortiori le Parc des Princes, j'étais glacée de trac lorsque je dus, précédée par Pelé, descendre au milieu de cette arène où trente mille spectateurs m'observaient ! Perdue au milieu de toutes ces équipes, cernée par des photographes et des caméras de TV, j'envoyai un coup de pied rageur dans le ballon qui atterrit directement sur la tête d'un des photographes accroupis qui mitraillait « en veux-tu, en voilà » !

J'avais rempli ma mission et courus alors à toutes jambes vers l'escalier où m'attendait Christian, ce qui me valut le lendemain, dans les journaux, le titre extrêmement flatteur de *la gazelle blanche*. En attendant j'eus toutes les peines du monde à sortir indemne de cet enfer. Cernée de toutes parts, je dus me réfugier dans les vestiaires où la foule défonça bientôt les portes, m'obligeant tel un animal traqué à trouver refuge dans les douches.

Je me souviendrai toujours de Jicky, Christian, Jean Bouquin et Christian Brincourt, envoyé spécial de la TV, et surnommé par mes soins « la Brinque », essayant de me protéger de leurs corps, de leur force, de leur amitié ou de leur amour, avec les flics, contre un raz de marée humain dévastateur et sourd qui s'appelle « la foule ».

**

Christian qui tournait en rond à Paul Doumer comme un animal en cage eut envie de descendre à Saint-Tropez pour Pâques. Il en profiterait pour aller voir ses parents à Cannes. Il vouait une vénération à sa *mouty* et serait heureux que je la rencontre ainsi que son père.

Mais La Madrague n'était pas encore prête à nous accueillir et nous allâmes nous installer chez Jean et Simone Bouquin. Ma Rolls blanche avait été vendue et celle d'Aznavour que j'avais achetée entre-temps était au garage. Elle n'avait pas tourné depuis longtemps.

Nous descendîmes donc en avion, faisant suivre par le train ma Morgan qui dut subir sur les chemins défoncés et les routes pleines de nids-de-poule tous les outrages réservés généralement aux 4 x 4. Et qui y laissa sa santé.

Jean et Simone nous reçurent comme s'ils étaient mon frère et ma sœur. Ce fut charmant, chaleureux. J'étais gâtée et ne m'occupais de rien.

Je présentai La Madrague en chantier à Christian.

Il trouva tout magnifique, mais hélas les plâtres n'étaient pas secs, la piscine à peine terminée était posée sur un tas de gravats et de terre amoncelée. Je ne trouvais plus les cannisses sauvages qui faisaient

714

le charme du jardin... Herrera m'assura que, dans quinze jours, tout serait comme avant, terminé et superbe. Je ne reconnaissais plus ma salle de bains devenue la pièce la plus belle et la plus grande de la maison, où une baignoire au ras du sol, entourée de robinets dorés à la feuille d'or, trônait dans un parterre de marbre de Carrare à peine ocré ! Des placards en boiserie dignes des plus belles bibliothèques s'ouvraient sur des penderies et cachaient les wawa et le bidet. Je n'en revenais pas et eus une pensée pour Patrick qui ne profiterait jamais de tous ces changements faits pour lui. La petite fenêtre de ma chambre était devenue une grande baie s'ouvrant sur une magnifique terrasse qui prolongeait la pièce ! Les chiens me firent une fête pas possible.

Je trouvai Kapi vieux et fatigué. Bonheur, le boiteux surnommé Talleyrand vivait sa vie de chien, cavalant de partout derrière les chiennes du quartier. Quant à Prosper, le fidèle gros pépère toujours aussi tendre, il était avide de câlins et de caresses.

Christian qui avait passé sa vie dans une boîte de nuit en tant que barman avait horreur d'y remettre les pieds comme client. Il détestait sortir, se sentait heureux seul avec moi, entouré des chiens. Il lisait *L'Equipe* et se passionnait pour les matchs de foot à la TV. Cette simplicité un peu rustre parfois, mais saine, me reposait de la vie dissolue que j'avais menée ces dernières années. J'essayai de m'adapter à cette nouvelle existence un peu plan-plan, écoutant distraitement les résultats sportifs dont je me foutais, gardant mon calme lorsque, parlant d'un écrivain ou d'un musicien très célèbre, je voyais l'œil de Christian s'arrondir en forme de point d'interrogation !

On ne peut pas tout avoir !

Je prenais régulièrement des nouvelles de ma Dada, toujours hospitalisée et suivie par mon médecin. Son moral était au plus bas et son physique usé à 69 ans par une vie de labeur très pénible. La mort de Mamie ayant été pour elle une épreuve très dure à supporter, elle en payait maintenant le choc en retour.

L'installation à La Madrague fut cocasse !

Nous campions dans des pièces vides, ne remettant les meubles que petit à petit, après les avoir dix fois changés de place. Il fallut commander de nouveaux canapés que je pris en skaï blanc à cause des chiens. Puis j'achetai des plantes vertes et fis encadrer d'acier mes lithos dédicacées de Folon. Il y eut tout à coup un côté moderne mélangé au bois et aux tomettes qui me plut assez !

Christian ne m'aida pas beaucoup. Il n'aimait que le rustique style refuge de montagne et du moment qu'il avait un fauteuil en face de la télé, le reste lui importait peu. Il fut tout de même heureux de se baigner dans la piscine d'eau de mer toute neuve, chauffée à 30° par une installation au mazout des plus performantes.

La synchro de *Boulevard du Rhum* et les essayages de costumes des *Pétroleuses*, qui devait se tourner exclusivement à Madrid à partir de la fin juin, m'appelaient à Paris.

J'en profitai pour apporter au boulevard Lannes les petites finitions, les détails, les idées qui empêchent un appartement d'avoir l'air froid et impersonnel. Ma chambre et ma salle de bains, à la baignoire ronde, surélevée par une estrade, étaient construites sur la terrasse du dernier étage donnant de plain-pied, par d'immenses baies, sur le jardin suspendu rempli d'arbres et de fleurs.

C'était magnifique ! Superbe !

Christian regardait tout ça, mi-moqueur, mi-indifférent. Pour lui, la Paul Doumer était bien suffisante et il ne comprenait pas pourquoi je dépensais tant d'argent et d'énergie pour quelque chose qui lui apparaissait inutile et superflu.

J'allais voir ma Dada à la clinique. Son cœur était très fatigué et sa mine bien pâle mais elle rit lorsque je décorai tous les murs de sa chambre d'affiches colorées en forme de cœur que m'avait données Jean Bouquin. Elle me demanda si j'étais heureuse. Je répondis « oui, bien sûr ». A vrai dire, je n'étais pas malheureuse, ce qui était déjà un grand progrès, essayant d'apprendre à me contenter de ce que j'avais sans toujours chercher midi à quatorze heures.

Nous allâmes passer de longs week-ends à Bazoches où les lilas étaient en fleur, ainsi que les pommiers et les pruniers.

S., Jicky, Anne, Phi-Phi d'Exea, Philippe Letellier et Christian Brincourt venaient nous retrouver pour profiter de la beauté de cette merveilleuse campagne au printemps. Les chiennes batifolaient autour de nous oubliant que je les avais abandonnées pendant de si longs mois. Nous jouions au poker et aux « Ambassadeurs ». Redevenus des enfants, nous nous chamaillions pour des riens et avions des fous rires inoubliables.

Si ça n'était pas le bonheur, ça lui ressemblait !

Puis il fallut songer aux choses sérieuses !

S. voulut nous accompagner à Madrid. Nous partîmes dans ma nouvelle Rolls décapotable, avec escale de quelques jours à Saint-Tropez avant le grand départ pour l'Espagne ! Plus la date fatidique approchait, moins j'avais envie de partir jouer *Les Pétroleuses*. Qu'est-ce que j'allais encore faire là-bas ? Dans cette chaleur pendant les deux longs mois de l'été, au cœur de cette Espagne si rude et inhospitalière ?

J'en avais marre des films !

Mais quand il faut y aller, faut y aller. J'y allai donc.

Le voyage qui dura deux jours fut assez agréable.

La Rolls filait sur les nationales, traversant les villages qui se transformaient au fur et à mesure que nous nous rapprochions de la frontière. Il faisait chaud, le soleil et le vent nous abrutissaient. Je commençais à regretter ma conduite intérieure à air conditionné.

C'était la mode des shorts extrêmement courts, au ras des fesses, et des bottes très hautes. C'est dans cette tenue que S. et moi voyagions, nos cheveux protégés par d'immenses casquettes et nos yeux par de grosses lunettes hublots ! Je ne vous dis pas le succès que nous avons eu sitôt passée la frontière. Les Espagnols nous regardaient comme si nous venions d'une autre planète.

On me présenta Claudia Cardinale qui arborait une tenue classique et élégante. Christian-Jaque, le metteur en scène que rien n'affolait (il avait été longtemps le mari de Martine Carol), nous demanda, à S. et moi, si nous étions des adeptes de Mermoz et où nous avions caché notre avion. Puis je retrouvai avec bonheur ma Dédette, Jean-Pierre et Fran-Fran le producteur Francis Cosne. Je poussai des cris d'orfraie en découvrant l'appartement mis à la disposition par l'hôtel. Il y régnait une chaleur accablante, malgré l'air conditionné. Je fus prise d'une claustrophobie épouvantable et voulus déménager sur-le-champ.

Les caprices de star continuaient.

J'atterris avec armes et bagages dans l'annexe où étaient installés Dédette, Jean-Pierre et le petit personnel, habilleuses, costumières, maquilleuses, secrétaires, et moi et moi et moi ! C'était bien plus spacieux, mais certainement moins luxueux ! Il n'y avait pas l'air conditionné, mais de l'espace, de grandes baies donnant sur un superbe parc avec piscine, et puis la place de se retourner.

Je dus être jugée comme une originale.

Ils n'étaient pas au bout de leurs étonnements !

Le film se tournait dans la Sierra brûlée des environs de Madrid, un paysage désertique qui était la copie conforme de celui des westerns classiques, tournés aux confins du Mexique et des Etats-Unis. Nous partions à la fraîche de bon matin et revenions épuisés et crasseux de poussière collée de sueur, le soir, dans la chaleur accumulée d'une journée d'été.

Claudia était charmante, très professionnelle et extrêmement star. Elle aussi avait une Rolls, mais dernier modèle, conduite intérieure avec chauffeur en livrée impeccable, comme la voiture qu'il passait sa journée à nettoyer, à briquer et à faire briller, malgré la poussière qui envahissait les alvéoles de nos poumons.

Moi, j'arrivais en retard, je rechignais pour les répétitions qui me cassaient les pieds, j'oubliais mon texte ou je le changeais selon mon humeur ; quant à ma Rolls, on aurait dit un tas de boue ! Nous n'avions pas énormément de points communs et aucune complicité, mais, chacune ignorant plus ou moins l'autre, les choses se passèrent sans histoires.

J'eus toutes les peines du monde à assumer mes scènes à cheval. J'ai toujours été terrorisée par ces engins qui n'ont pas de frein à main ! Je ne savais pas à quoi m'agripper dès que démarrait le galop qui me ballottait comme un sac de patates. Claudia était rompue à l'équitation. Je la faisais rire aux larmes dès que, lancée dans un galop effréné par un assistant qui avait envoyé une bourrade dans le cul de mon cheval, je hurlais des « maman, au secours » cramponnée à ma selle ou à la crinière du pauvre animal.

Le 10 juillet au matin, maman en larmes m'annonçait la mort de Dada. Ce fut affreux. Un chagrin profond, une douleur brûlante envahirent mon cœur et mon âme.

Ma Dada, ma douce seconde petite maman, mon adorable, mon adorée était morte emportant avec elle toute une partie de moi-même. Toute mon enfance, toute cette immense tendresse partagée avec elle, ce refuge qu'elle me faisait de ses bras pour apaiser mes chagrins, tous les contes de fées qu'elle me baragouinait dans son jargon mi-italien, mi-français et qui me laissaient émerveillée...

Je partis avec Christian pour Paris par le premier avion, plantant là le film, la production et tout ce fourbi ridicule.

Il faisait une canicule épouvantable !

Dada reposait à la morgue de la clinique.

C'était la première fois de ma vie que j'entrais dans un endroit aussi morbide, aussi inhumain. Je ne la revis que de loin, incapable de m'approcher de ce corps glacé qui n'était déjà plus elle. Puis j'essayai de comprendre pourquoi une crise cardiaque inattendue avait pu l'emporter aussi subitement. Maman me dit que c'était mieux ainsi, qu'elle n'avait pas souffert. Elle essaya d'apaiser ma douloureuse révolte. Elle voulut sans doute inconsciemment me préparer à l'acceptation de la mort qui allait quatre ans plus tard emporter mon papa Pilou et dans sept années me ravir ce que j'avais de plus cher au monde, ma maman.

Personne ne savait où l'enterrer.

Je proposai de lui faire une tombe à Bazoches et voulus m'occuper de tout. Maman me laissa faire. C'était la première fois de ma vie que j'assumais, sans l'aide de personne, la responsabilité de l'enterrement et de la sépulture d'un être cher.

L'épreuve fut dramatique !

Je dus choisir son cercueil et les petites garnitures dérisoires qui devaient le capitonner et lui servir de linceul. Je pleurais sur le petit oreiller de dentelle blanche qui soutiendrait sa tête jusqu'à ce que la décomposition ne laisse que les os. Je crus devenir folle, mais il fallait m'endurcir.

Dada fut enterrée à Bazoches sous ma protection.

Je vais la voir le plus souvent possible, fleurissant sa tombe, m'y asseyant pour de longues conversations avec elle, et ce depuis plus de vingt ans !

Puis je dus repartir finir *Les Pétroleuses*, mais le cœur n'y était pas, mais alors pas du tout. J'avais moralement vieilli de cent ans. J'étais une autre ! Christian ne m'avait été d'aucun secours, à part celui de m'accompagner, de copier mes gestes et mes paroles comme un perroquet ! A part Gunter, qui assumait matériellement, et Bob Zagury, qui avait un certain sens des responsabilités, aucun homme dans ma vie n'était assez solide, assez fort, assez expérimenté pour me servir de garde-fou, de protection, de bouée de sauvetage.

C'est moi au contraire qui leur apportais tout sur un plateau d'argent, cultivais inconsciemment leur côté enfant gâté, capricieux, exigeant qu'ils aient tout pendant les périodes qu'ils partagèrent avec moi.

Et même, hélas, encore aujourd'hui !...

Le tournage des *Pétroleuses* reprit bon an, mal an !

Christian fut pris soudainement de terribles douleurs au ventre accompagnées de nausées incontrôlables. Affolée, j'appelai Dédette qui, pensant à une crise d'appendicite, fit venir immédiatement un médecin qui confirma que Christian était au bord de la péritonite, et qu'il fallait l'opérer d'urgence.

Il ne manquait plus que ça !

J'avais l'impression de vivre un cauchemar dans une langue étrangère que je ne comprenais pas. A la clinique, lorsqu'on le ramena dans sa chambre, encore anesthésié, mais se plaignant et geignant de douleur, je restai près de lui en lui tenant la main, ne voulant pas l'abandonner. A une heure avancée de la nuit, je dus pourtant retourner à l'hôtel essayer de dormir un peu.

Ainsi se passèrent les cinq jours où il fut hospitalisé. Je courais à la clinique dès que mon emploi du temps me le permettait, restant près de lui jusqu'à ce que, la fatigue ayant raison de moi, je m'endorme sur la chaise qui m'était octroyée. J'ai passé ainsi de nombreuses heures à tenir les mains des êtres que j'aimais et qui étaient dans la souffrance, la maladie ou la mort.

Et ça personne ne le sait qu'eux et moi.

Mais si ces mains pouvaient faire une chaîne, elle m'aiderait peut-être à monter jusqu'au paradis à l'heure où ce sera mon tour.

A peine sorti de la clinique, Christian m'annonça qu'il partait retrouver sa mère à Cannes. Elle seule était capable d'assurer la sécurité de sa convalescence ! J'en eus gros sur le cœur. Mais j'essayai de comprendre, de le comprendre. C'est ainsi que je me retrouvai seule, une fois de plus, malgré ma bonne volonté, mon dévouement et ma tristesse.

Le film continuait. C'était juste le moment de la bagarre mémorable que Claudia et moi devions nous livrer, tels des chefs de troupeaux, afin de déterminer qui était la femelle dominante !

Cela dura une semaine. Sept longs jours pendant lesquels nous passions notre temps à nous envoyer des coups de poing d'hommes et à mordre la poussière à tour de rôle. Le plus dur fut d'esquiver, en faisant croire que nous avions reçu le coup ! Deux ou trois fois, je me retrouvai avec la lèvre fendue. La pauvre Claudia eut un début d'œil au beurre noir. Cette bagarre sans pitié nous rapprocha. La scène finie, nous tombions dans les bras l'une de l'autre, nous excusant de nos maladresses mutuelles. Les prises devant être « raccord » d'un jour sur l'autre, il nous fut interdit de nous laver les cheveux pendant toute la semaine. La poussière, la terre et la sueur les ayant collés d'une certaine manière, il fallait retrouver le lendemain l'image exacte de la veille.

Ce fut très pénible.

Surtout pour moi avec mes cheveux longs jusqu'au milieu du dos qui laissaient la nuit des traces de terre rouge sur les oreillers. Je finis par les entortillonner dans un foulard afin de ne plus sentir cette poussière me poursuivre jusque dans mon sommeil.

Claudia s'est révélée une fille courageuse et pudique.

J'ai beaucoup d'estime pour elle. Son signe — Bélier, je crois — lui a permis, au contraire de moi qui suis son opposée dans la carte du ciel, de surmonter bien des épreuves, silencieusement et avec dignité.

Un matin, alors que le film était presque terminé, je fus appelée au bureau de l'hôtel. Des gendarmes voulaient me voir !

Mon Dieu que se passait-il encore ? Qu'avais-je fait ?

Je demandai en vitesse à Jean-Pierre s'il n'avait pas été arrêté avec la Rolls, et si les papiers étaient en règle. Tout allait bien.

J'arrivai, n'en menant pas large devant ces caricatures de Guignol que sont les gendarmes espagnols avec leurs chapeaux à la Napoléon ! Ils me firent plein de salamalecs puis me demandèrent si je connaissais un certain Jean Bouquin. Bien sûr que je le connaissais et alors ?

Et alors, il était coincé à la douane de l'aéroport avec une curieuse valise remplie de robes en tissu d'or, sans passeport et pieds nus !

« Quoi ?

— *Si señora !* »

Je partis en quatrième vitesse avec Jean-Pierre, escortée par la gendarmerie, jusqu'au service des Douanes où je délivrai Jean, qui tel un malfaiteur était soupçonné de contrebande de robes et peut-être pourquoi pas de drogue ou de devises ! Il faut dire qu'il n'y avait pas mis du sien, ayant perdu ses chaussures dans l'avion, il traînait lamentablement ses pieds nus sur le lino des douanes. N'étant pas coiffée depuis des lustres, sa tignasse emmêlée de boucles noires lui tombait sur les épaules et il avait en plus oublié son passeport à Saint-Tropez. Je me portai immédiatement garante de lui, signai tous les papiers nécessaires et embarquai Jean. Sa valise des

Mille et Une Nuits contenait des robes de rêve, faites de tissu aux fils d'or dans des soies indiennes, aussi légères que des plumes, aussi douces que des cheveux d'anges !

Ayant entre-temps reçu une invitation en bonne et due forme d'Alfonso de Hohenlohe pour un week-end au Marbella-Club, cet hôtel pour milliardaires tenu par ce prince authentique, ancien mari d'Ira de Fürstenberg, nous décidâmes d'y aller pour montrer nos robes, S. et moi.

Nous partîmes dans la Rolls, Jean-Pierre au volant, sa petite amie, S., Jean Bouquin et moi pour Marbella ! Sans oublier la valise !

J'avais pris la précaution de faire subir à Jean une désinfection totale, lui faisant couper sa tignasse par Jean-Pierre, l'envoyant sous bonne escorte s'acheter une paire de godasses potables, et finissant le tout par une douche mémorable et une remise en état complet du seul costume usé et lustré qu'il trimbalait sur lui depuis au moins quatre ans !

Ainsi, entouré par nous tous, il n'attirait pas trop l'attention.

Alfonso nous accueillit comme seuls les princes savent le faire.

Le joli bungalow mis à notre disposition, qui donnait sur le sable de la plage, était un bijou de goût, une Madrague améliorée, ce qu'il faut de rustique et de luxe intelligemment mélangés.

Je regrettai de ne pas y partager mon lit avec Christian.

Il y eut une fête le soir même en mon honneur.

Ce qui me permit de revêtir une robe-plume toute d'argent ciselé, tandis que S. se parait d'or et de pourpre ! Judas Azuelos, un ami de Phi-Phi d'Exea se trouvait là par hasard. Il était en train de divorcer de Marie Laforêt. Mais il ne me plaisait pas.

Après deux ou trois journées de raccords techniques pour le film, je quittai Madrid, avec Jean-Pierre, Dédette et S., direction Saint-Tropez où je devais retrouver Christian enfin rétabli par les bons soins de sa maman.

Je ne revis Claudia que 23 ans plus tard, lors d'une cérémonie au théâtre Wagram organisée par Jacques Chirac en 1994 pour la remise de la médaille de la Ville de Paris.

*
*

Je ne fis qu'une brève escale à Saint-Tropez, le temps de retrouver Christian, de constater que sa cicatrice était aussi longue que mon avant-bras. Puis nous repartîmes pour Paris, il me fallait déménager, enfin, boulevard Lannes. Ce ne fut pas une mince affaire mais un arrachement total. Au dernier moment, je ne voulais plus quitter mon nid douillet de la Paul Doumer pour ce nouvel appartement inconnu. C'est encore une fois maman qui m'aida, tandis que Christian lisait *L'Équipe*. Alors que tout avait été déménagé, je restai dormir à la Paul Doumer sur un matelas, par terre, refusant obstinément de quitter cet endroit où je me sentais en sécurité.

Il me fallut enfin lâcher les amarres !

Un soir fatidique, Christian m'emmena au boulevard Lannes, oubliant définitivement mon 71, avenue Paul-Doumer.

Certes c'était beau, c'était comme je voulais. Certes j'arriverais à m'y faire. Mais ce soir-là je ne dormis pas de la nuit, ne comprenant pas ce qui m'arrivait, dépaysée dans ce cadre somptueux, si éloigné de mes désirs profonds. Madame Renée réagit comme moi et me donna presque immédiatement son congé ! Alors ça je ne m'y attendais pas. Elle avait assumé bravement le déménagement, essayant de s'adapter à cette nouvelle vie, mais elle y renonça.

J'en fus malade — malade à en crever. Je préfère perdre un amant chéri qu'une employée. Madame Renée était un des piliers de ma vie. Toutes les augmentations de salaire que je lui proposai la laissèrent indifférente. Elle ne voulait pas vivre boulevard Lannes.

J'eus 37 ans au milieu d'une pagaille insensée.

Ce ne fut pas un joyeux anniversaire.

Et Christian m'annonça qu'il avait l'intention de reprendre sa place de barman au club Saint-Nicolas pour la saison d'hiver ! J'envisageai donc de louer un chalet pour trois mois à Méribel. Mais sans Madame Renée, comment allais-je faire ?

Michèle et moi passions notre temps à recevoir des domestiques, à éplucher leurs certificats et à écouter leurs exigences...

Puis il fallut vendre la Paul Doumer. Je ne pouvais pas assumer tous ces appartements en même temps ! Mon compte en banque en avait pris un sacré coup depuis quelque temps. Du coup, Madame Legrand, ma Big, fut déménagée dans l'ancien petit studio que Dada avait laissé. Je fis refaire les peintures, apporter quelques aménagements supplémentaires, changer les meubles et le lit afin que ma Big se sente bien chez elle, et non dans les pantoufles encore chaudes de Dada. Mais la Big était d'un caractère difficile et exigeant. Elle refusa de quitter ses 100 m^2 pour aller s'emprisonner dans une petite chambre avec salle de bains dans laquelle elle ne pourrait pas se retourner. Et son chat Félix ?

Ce fut un drame ! Il n'était pas question de vendre l'appartement avec Madame Legrand dedans !

Quand d'éventuels clients venaient visiter, elle leur débitait un tel chapelet d'inconvénients, de manque de confort, de bruit, d'infiltration, d'humidité, de charges excessives, qu'ils fichaient le camp pour ne jamais revenir. C'était insupportable !

Avec la complicité du médecin qui la soignait, je la fis hospitaliser deux jours à la clinique Nicolo. Comme elle se plaignait continuellement de petits bobos sans importance, elle allait passer un check-up complet. Pendant ce temps, aidée de Michèle, nous déménagions toutes ses affaires, et lorsqu'elle sortit de son « ketchup », comme aurait dit Madame Renée, elle se retrouva d'office dans son nouveau domaine, auquel Félix avait eu le temps de s'habituer.

Maman trouvait que je me compliquais inutilement la vie avec toutes ces vieilles dames que j'avais prises sous ma protection ! Elle avait certainement raison, mais je ne pouvais pas agir autrement, ayant toute ma vie assumé les responsabilités d'êtres perdus, malades ou vieux, auxquels j'ai apporté un réconfort moral et une sécurité matérielle. C'est mon jardin secret. Quel beau jardin.

Lorsque je m'entends reprocher aujourd'hui de m'occuper d'animaux au lieu de personnes âgées, je ne réponds rien, mais ça me fait sourire. J'ai d'ailleurs remarqué que ce sont en général ceux qui ne font rien pour personne qui critiquent le plus durement les autres, moi en particulier.

Ne trouvant toujours personne pour remplacer Madame Renée, je commençais à paniquer sérieusement ! J'avais même envisagé de retourner vivre à la Paul Doumer si elle restait avec moi ! C'est dire... Mais Madame Renée, Normande pure et dure, était butée comme un âne et ses décisions prises, rien ne pouvait la faire changer d'avis.

Alors je me mis à pleurer ! Je n'arrêtais plus de pleurer.

J'étais probablement fatiguée par la postsynchro épuisante des *Pétroleuses*. Christian me regardait une seconde puis se replongeait dans la lecture de *L'Equipe*. Il ne quittait pas le canapé installé juste en face du poste ! Lorsque sa lecture était enfin terminée, je devais me farcir les émissions de foot, de cyclisme ou de boxe, celles qui m'énervaient le moins étaient les compétitions de ski et les concours de patinage artistique. Entre deux sanglots, je répondais au téléphone, assoiffée d'entendre quelqu'un me parler d'autre chose. C'est ainsi que j'appris que le maître d'hôtel qui nous avait servis à

Avoriaz deux ans auparavant, était libre. Il cherchait une place et se mettait à ma disposition. Il savait tout faire : la cuisine, le ménage, le repassage, le service de table, éventuellement les piqûres en cas d'urgence !

Je l'aurais embrassé !

N'ayant pas un tempérament patient, il me fallut user de trésors de diplomatie pour ne pas passer mes journées à traiter mon nouveau maître d'hôtel de con ! Il était plein de bonne volonté mais ne faisait que des bêtises, trop occupé par son style et pas assez par son efficacité. Et puis il était pédé comme un phoque. Et regardait Christian avec des yeux langoureux !... Je n'allais tout de même pas devenir jalouse de mon maître d'hôtel.

Christian partit travailler. En attendant que j'arrive dans le chalet de Méribel, il partagerait, comme l'an passé, le studio de Claude Gautier à Courchevel.

J'en profitai pour aller avec Michèle rendre visite à ma Suzon, à la Ferté-sous-Jouarre. Chacune de mes visites était pour cette petite femme merveilleuse l'événement de sa vie ! Elle m'attendait une semaine avant, et ensuite durant quinze jours elle se remémorait chaque moment comme des instants uniques et précieux.

Suzon qui avait eu un cancer de la gorge, n'avait plus de cordes vocales et ne pouvait donc s'exprimer que par des sons gutturaux qui passaient par un trou qu'elle avait dans la trachée et par lequel elle respirait. Elle se servait aussi d'une ardoise magique pour écrire et effacer tous les mots que je n'arrivais pas à comprendre. Elle ne se plaignait jamais, au contraire, s'estimait privilégiée d'avoir pu s'en sortir grâce à moi et surtout de m'être reliée par un cordon ombilical qui l'aidait à vivre. Elle travaillait à la bibliothèque municipale, montrant un courage hors du commun.

Après l'avoir emmenée déjeuner à l'auberge trois

étoiles de la Ferté-sous-Jouarre, où elle arrivait à mon bras, minuscule petite souris fière comme Artaban, saluée comme une petite reine par la direction et les maîtres d'hôtel, nous lui faisions faire un petit tour en voiture et la promenade se terminait chaque fois par une visite du cimetière où elle tenait absolument à me faire admirer la tombe qu'elle s'était fait construire pour elle toute seule. Une tombe en granit noir avec son nom gravé en lettres d'or ainsi que la date de sa naissance. Celle de sa mort ne comportant que les deux chiffres : 19... les autres devant être complétés le moment venu.

Toutes ses économies étaient passées là-dedans. Très fière elle ajoutait avec un petit sourire coquin, en essayant de se faire comprendre, qu'ainsi lorsqu'elle mourrait, je n'aurais à m'occuper de rien, tout étant déjà prévu et payé dans les moindres détails.

Ce qui s'avéra hélas exact quelques années plus tard.

XXVIII

A Méribel le clan se retrouva au complet pour passer Noël.

Le maître d'hôtel, toujours impeccable dans sa veste blanche amidonnée, faisait moins bonne figure et se cassait systématiquement la gueule dès qu'il posait le bout de son pied mignon chaussé de cuir sur une plaque de neige dure ou de verglas. Du coup, je lui offris une paire d'après-ski bien rembourrés et antidérapants pour son Noël.

Avec Christian, les choses se gâtaient.

Il partait chaque soir vers 5 heures pour ne revenir qu'à 4 heures du matin, voire pas du tout si la route entre Méribel et Courchevel s'avérait impraticable. Il essayait de dormir jusqu'à midi pendant que nous tous, debout à 9 heures, faisions un foin épouvantable, surtout les gosses de Jicky ! Un chalet est une vraie caisse de résonance, on y entend tout.

Christian était d'une humeur de dogue ! Moi aussi.

La télé annonçait l'hospitalisation de Maurice Chevalier, son état de santé donnait de sérieuses inquiétudes à la France entière et à mon maître d'hôtel en particulier. Il se lamentait d'avance de la perte d'un être aussi irremplaçable !

Je passai le soir de Noël sans Christian. C'était le coup de feu au Saint-Nicolas ! J'avais, comme tous les ans, décoré un sapin et disposé au pied des cadeaux pour tout le monde. La neige tombait à gros flocons, un grand feu brûlait dans la cheminée, ça sentait bon la résine et le bois, on se serait crus dans le Grand Nord.

C'était presque le bonheur.

Il y avait du tirage entre Christian et Jacqueline Veyssière. Il avait acquis depuis l'an passé des habitudes de star, refusait de se plier à la discipline que Jacqueline imposait à tout son personnel, répondait sur un ton qui ne plut pas. Bref, il se prenait pour... Brigitte Bardot. Ce qui arriva bien des fois aux hommes qui partagèrent ma vie. Il fallait être d'une grande intelligence pour ne pas céder à ce mimétisme.

Le soir du 31 décembre, je pus embrasser Christian à minuit, car il était au chômage !

Je n'avais plus aucune raison de conserver le chalet, nous pliâmes donc tous bagages. N'ayant pour une fois aucun film de prévu dans les semaines à venir, Christian étant libre lui aussi, j'essayai de profiter de la vie, de cette vie qui, depuis tant d'années, avait donné à mon quotidien une apparence de régime disciplinaire, bridant ma soif de liberté, mon besoin d'indépendance, mon caractère à ruer dans les brancards et mon esprit de contradiction.

Le pauvre Maurice Chevalier mourut dès le premier jour de janvier, laissant la France et une partie du monde veuves de son « homme ». Il a marqué son époque au sceau d'une gouaille, d'un esprit, d'une séduction et d'un talent à jamais disparus avec lui.

Déjà, inconsciemment, je quittais le cinéma.

Ma décision n'était pas encore définitive, mais j'avais à plusieurs reprises annoncé aux journalistes mon intention d'en terminer avec ce métier, qui finalement me pesait plus qu'autre chose. Personne ne me croyait encore, c'était un caprice supplémentaire...

Boulevard du Rhum et *Les Pétroleuses*, sortis il n'y avait pas très longtemps, affichaient encore mon nom en lettres géantes. Leurs succès s'épaulaient l'un l'autre, *Boulevard du Rhum* gagnant de plusieurs têtes servait de locomotive à la promotion des *Pétroleuses* !

Tout cela me laissait indifférente.

Je m'amusais à recevoir dans mon nouveau somptueux joujou du boulevard Lannes.

Mon maître d'hôtel faisait bien dans le décor. Je me mettais des robes longues et remontais mes cheveux en chignon voluptueux dans lequel je piquais des broches de strass. La musique diffusée dans tout l'appartement y compris dans les toilettes, les bougies, les terrasses éclairées, tout cela m'émerveillait.

Je n'en revenais pas, j'étais pourtant bien chez moi.

Mes invités étaient des journalistes, des directeurs de chaîne TV comme Arthur Conte ou des grands reporters comme Christian Brincourt ou Christian Zuber. Jean-Claude Roussel, des laboratoires du même nom, vint me voir aussi. Par la suite, il venait me chercher chaque week-end à Bazoches dans son hélicoptère, atterrissant au milieu des prés des moutons, semant la panique dans les bergeries. Jusqu'à ce qu'il se tue, ayant pris les pales de l'hélico dans une ligne à haute tension.

Il y avait aussi de fort jolies femmes, à commencer par mes amazones, Chantal Bolloré, à l'époque la petite amie de Phi-Phi d'Exea, Francine Rivière, la femme de Jean-Max, mon compositeur fétiche. Je reçus des écrivains comme Gilbert Prouteau qui disait avec humour que son nom commençait comme Proust et finissait comme Cocteau ! Des peintres comme Folon, plein de tendresse, Carzou, qui fit mon portrait et me couvrit de lithographies somptueuses, Jean-Jacques Sempé, qui voyait tout avec un humour teinté de mélancolie, ou Charles Kiffer, vieil ami de mes parents, extraordinaire dessinateur qui a passé sa vie à me croquer. Des compositeurs comme François Bernheim ou Gérard Lenorman qui m'écrivirent de très belles chansons que je chantais ou non, selon mon humeur du moment ! Le sculpteur et peintre Aslan m'immortalisa en me choisissant pour être la *Marianne*, symbole de la France, œuvre pure et belle qui trône depuis dans la majorité des mairies françaises.

Ces soirées, riches en échanges et anecdotes, m'apportèrent une ouverture sur un monde différent de celui, sclérosant, du cinéma.

Parfois nous terminions par un poker du feu de Dieu qui nous électrisait. Chacun voulant absolument gagner, l'autre devenait l'ennemi à abattre sans pitié. Je n'étais pas la dernière à exceller dans cette performance, jouant avec un sang-froid et une maîtrise de moi-même qui me permirent maintes fois de sortir gagnante et fière de l'être, parmi des hommes rodés et même professionnels. Il paraît que le poker reflète ce que l'on est dans la vie. Les perdants perdent, les gagnants... gagnent !

Ça me fait penser à l'histoire du chien qui perdait toujours au poker parce que chaque fois qu'il avait du jeu, il remuait la queue et tout le monde se méfiait.

Etant une femme de tous les extrêmes, ne faisant jamais rien avec mesure, je pouvais passer directement de l'élégance la plus raffinée à la rusticité la plus campagnarde.

Les week-ends à Bazoches, on me retrouvait en bottes de caoutchouc, vieux pantalon de velours côtelé, la chignasse en bataille, pataugeant dans la boue, la bouse et le crottin, entourée de mes six chiennes et d'une dizaine de chats, d'un lapin apprivoisé, d'une vingtaine de canards, de mon âne Cornichon et d'une demi-douzaine de chèvres et moutons sauvés de l'abattoir ! Je récurais les bergeries et les étables, traitant mes feignants de gardiens de tous les noms, les houspillant sans trêve jusqu'à ce que les choses aient repris leurs places, que le ménage ait été fait, que le jardin n'ait plus l'air d'une décharge publique. Certes, je savais donner des ordres, mais je savais aussi mettre la main à la pâte et mon énergie les laissait bien souvent K.O.

Je pris le temps de lire.

Je dévorais Rainer Maria Rilke, Louis Bromfield, Louis Pauwels, Pierre Jean Jouve, Lawrence Durrell, Maurice Druon, Scott Fitzgerald. Mes lectures étaient à l'opposé de celles de Christian, nous vivions un peu sur deux planètes différentes, n'ayant guère de possibilité d'échange.

*
**

Un jour S. dut être hospitalisée pour une intervention bénigne. J'allai passer la journée près d'elle à la clinique du Belvédère. Comme j'étais toujours traquée par la presse dès que je pointais le nez dehors, je pris la précaution de me mettre un foulard sur la tête et de grosses lunettes de soleil afin de passer la plus inaperçue possible.

Quelle ne fut pas ma surprise et ma révolte en entendant le lendemain matin, sur R.T.L., Edgar Schneider annoncer que j'avais subi la veille un lifting à la clinique du Belvédère. J'étais arrivée le matin pour en repartir le soir, cagoulée et méconnaissable, derrière de grosses lunettes noires.

Alors là, c'était trop fort !

Je faillis m'étrangler de rage !

Il était malade ce type ! Quel salaud, quel ignoble menteur !

En plus comme si j'avais besoin d'un lifting à 37 ans.

Mais qu'est-ce que j'avais fait au Bon Dieu pour qu'on me fasse chier, toujours et encore, à raconter éternellement des mensonges qui me blessaient, à s'attaquer continuellement à ma vie privée, à m'empêcher à jamais de vivre normalement. Et merde, merde et merde !

J'appelai immédiatement mon avocat, Maître Jean-Pierre Le Mée.

Il fallait faire quelque chose, réagir d'urgence, sinon l'information allait défrayer la chronique du monde entier et je serais traquée jour et nuit par des photographes avides d'avoir la primeur de « mon nouveau visage ». Ce fut une lutte contre la montre. Je ne laissai aucune minute de répit à mon avocat et j'obtins un référé d'heure en heure, fixé au surlendemain.

En attendant, le lendemain, *Paris-Presse* sortait en première page « *Le lifting de B.B.* » et ce n'était que le début... J'attaquai *Paris-Presse* au même titre que R.T.L., ainsi qu'Edgar Schneider pour diffamation, fausse information, etc. Je ne parle pas de *France-Dimanche*, *Ici-Paris* et tous les journaux qui reprirent le « scoop ». Lors du référé, le juge, qui ne savait pas réellement à quoi s'en tenir, décida qu'un médecin expert auprès des tribunaux me ferait subir un examen, en présence de mon avocat, de mon médecin personnel et de ceux d'Edgar Schneider !

Je m'effondrai, mes nerfs lâchèrent.

Mais quelle histoire !

Quelle connerie, quelle perte de temps, d'argent et d'énergie.

Je me mis à haïr le monde entier.

Christian me regardait une seconde puis se replongeait dans son journal. Il était à un million d'années-lumière de moi. Comment pouvais-je vivre avec ce primaire stupide ? Je me mis à le détester lui aussi, je rejetais tout d'un bloc ! Il fallut quelques semaines plus tard se prêter à une expérience médicale en présence du Docteur Arnal, mon médecin, de Maître Le Mée, mon avocat, de l'avocat et du médecin de Schneider. On me demanda un démaquillage complet. Puis on me retourna les paupières. On examina le devant et le derrière de mes oreilles, on farfouilla dans mon cuir chevelu à la recherche d'éventuelles cicatrices, me laissant les cheveux telle une tête de loup, hirsutes et emmêlés sur le crâne, tandis que mes yeux retournés et rouges ne pouvaient plus contenir les larmes qui me venaient du cœur.

Quelle horreur ! Je vivais un cauchemar.

J'étais traitée comme du bétail sur un marché, humiliée au plus profond de moi-même, pour avoir tenu compagnie à une amie malade.

Quelle injustice.

Je crois que cette épreuve fut décisive dans ma résolution latente de tout envoyer promener. Bien sûr, je gagnai mon procès. Mais le mal était fait... une douleur profonde, qui n'était pas près de me quitter et que je ressens toujours.

*
**

Pendant que je rongeais mon frein, atteinte jusqu'au plus profond de mon cœur, la vie continuait, heureusement !

Vadim que je n'avais pas revu depuis des lustres, eut alors une idée qu'il crut lumineuse ! Il voulait me faire interpréter, revu et corrigé à sa sauce, le rôle de Don Juan, en femme ! Mais Vadim pouvait faire le pire et le meilleur et je me méfiais un peu !

D'un autre côté, j'avais besoin de renflouer mon compte en banque, dépensant sans compter des sommes fabuleuses pour assumer les résidences secondaires, les voitures en veux-tu, en voilà, les vieilles dames à ma charge et cet appartement qui me coûtait la peau du cul avec ses charges, ses travaux, son entretien et tout le tintouin. Je signai donc le contrat qui devait faire de moi, à la fin de ma carrière en dents de scie, l'actrice la moins appréciée, la plus exposée à l'ingratitude d'un public qui m'avait vénérée pendant vingt ans !

Ce film fut un calvaire. Je commençai le 24 juillet, me demandant ce que je faisais là, et le faisant mal. De plus, Lolo, Laurence Clairval, mon habilleuse depuis vingt ans, était morte ! Pauvre femme si courageuse, petite mère de mes tristesses, travaillant dur pour gagner sa vie, encore à plus de 70 ans ! Ma famille de cinéma était en deuil. Dédette, comme moi, était infiniment triste.

Je m'engueulais sans cesse avec Christian. Le fossé se creusait de plus en plus entre nous. Son inaction lui portait sur les nerfs alors que mon surmenage m'épuisait.

Le film était vraiment sans intérêt malgré les efforts de tous mes partenaires de talent : Maurice Ronet, Robert Hossein, Mathieu Carrière et Jane Birkin. Vadim, toujours optimiste, était persuadé de faire un chef-d'œuvre, un nouveau *Et Dieu créa la femme*. Pour cela, il n'hésita pas à me mettre dans un lit, nue avec Jane Birkin.

Nous étions aussi gênées l'une que l'autre.

Puis il me fit faire l'amour avec un curé : Mathieu Carrière, après m'avoir fait danser nue devant lui pendant dix minutes pour qu'il succombe à mes charmes. Là encore, nous étions aussi gênés l'un que l'autre.

Le film devait se poursuivre en Suède, mais juste avant le départ, Christian me quitta. Je craquai et me mis à boire deux bouteilles de champagne et trois litres de vin rouge quotidiennement.

Le tournage dut être interrompu.

Mon médecin fit venir un psychiatre que j'envoyai

se faire foutre sans ménagement. Ma vie s'effilochait et je n'arrivais plus à maîtriser cette détérioration qui me submergeait. Je nageais dans le sordide, épave perdue dans un monde qui me rejetait. J'errais comme un fantôme le soir dans cet immense appartement vide de toute vie, hurlant mon désespoir, en vain, ne trouvant l'apaisement que dans un mélange d'alcool et de somnifères puissants.

Maman essaya de m'aider mais ses apparitions furtives me laissaient en manque d'affection, de présence et d'amour. Michèle eut l'idée géniale de retrouver Madame Renée qui se morfondait et de la faire revenir. Ce furent des retrouvailles d'amoureux ! Ah ! Madame Renée, merci, merci d'être revenue au moment le plus douloureux de ma vie. Le maître d'hôtel disparut avec autant de discrétion qu'il avait mis à arriver. La présence familière et rassurante de Madame Renée me redonna le courage nécessaire pour me reprendre en main.

Au studio, ayant repris le tournage, je vis un jour par la fenêtre de ma loge qui était au rez-de-chaussée, un fort beau jeune homme qui passait dans la cour et me souriait ! Cela me fit plaisir puis je n'y pensai plus, trop occupée par mon travail. Le soir, toujours par la fenêtre, je le revis toujours souriant, rigolard, sympathique ! Nous échangeâmes trois mots, puis je rentrai chez moi.

Le lendemain il était là, assumant un petit rôle sans importance. Je me liai d'amitié avec lui, il me faisait rire, me racontant tout un tas de trucs, me changeant les idées. J'appris qu'il s'appelait Laurent, qu'il avait 23 ans et qu'il rêvait de devenir acteur. J'étais perdue, à la dérive, et le pris comme amant pour ne plus être seule !

Il avait quatorze ans de moins que moi ! L'âge qu'avait Vadim quand je l'ai épousé alors que je n'avais que 18 ans, l'âge qu'avait Patrick quand je l'ai rencontré alors que je n'avais que 33 ans. Allais-je toute ma vie ne rencontrer que des types de 23 ans ?

J'eus un goût amer dans la bouche en le faisant entrer au boulevard Lannes, encore tout imprégné de Christian. Mais grâce à Laurent je pus partir en Suède, le séjour à Stockholm fut presque agréable et le film put se poursuivre. Nous tournions dans une université bourrée d'étudiants. Lorsque j'arrivai, le matin du 28 septembre, ils se levèrent tous, ils étaient au moins une centaine, et me chantèrent : « Happy birthday to you ! »

J'eus un choc au cœur et les larmes aux yeux !

J'avais 38 ans.

Laurent, avide de tout, curieux et d'un tempérament heureux me fit découvrir une Suède que j'ignorais totalement.

Dès que j'avais un moment de libre, il me traînait dans des coins perdus de la campagne si belle de ces pays nordiques, où nous découvrions des petites auberges qui nous offraient des poissons fumés à la crème et des gâteaux de cannelle. Nous tournions aussi dans ces petites îles qui éclosent par centaines autour de Stockholm et abritent dans des petites maisons de bois les week-ends des Robinsons nordiques. Il faisait froid et sec. Les traversées vers ces îles étaient agréables, les fjords n'étant pas sujets aux tempêtes.

J'en garde un joli souvenir.

A peine rentrée à Paris, j'appris que Madame Legrand avait été transportée à l'hôpital Ambroise-Paré à la suite d'une attaque cérébrale.

Je m'y précipitai et trouvai ma Big dans une salle commune, mâchouillant son dentier qui lui pendait lamentablement sur la bouche, l'œil hagard et la raison ailleurs. J'appelai le médecin de garde qui fut incapable de me dire ce qui lui était arrivé. Puis deux internes arrivèrent armés d'un trocart pour lui faire une ponction de la moelle épinière.

738

Je refusai net !

Elle ne pouvait pas rester là, c'était l'enfer.

Elle ne m'avait toujours pas reconnue. J'eus beau lui parler, la secouer, elle restait hébétée. J'appelai immédiatement la clinique Nicolo afin qu'on lui prépare une chambre, qu'on appelle mon médecin et qu'on m'envoie d'urgence une ambulance. Je la transportai, inconsciente. Ma Big ne reprit jamais ses esprits et mourut quelques jours plus tard, me laissant une fois de plus orpheline.

Elle fut enterrée à la Ferté-sous-Jouarre dans son caveau de famille. Une fois de plus, je m'occupai de tout. Suzon m'affirma qu'elle entretiendrait sa tombe toujours fleurie...

Adieu ma Big ! Elle avait 83 ans.

J'allai récupérer son chat Félix que je mis à Bazoches, mais trop habitué à une vie calfeutrée sur les genoux de sa maîtresse, il ne survécut pas et mourut lui aussi peu de temps après.

Quelle hécatombe !

Toutes ces morts me laissèrent extrêmement éprouvée. J'avais l'impression que toute ma vie s'effeuillait, que mon passé partait en poussière, que tout se dissolvait autour de moi. J'étais même si profondément atteinte que je tombai gravement malade. Et c'est au fond de mon lit, avec 41° de fièvre et une double pleurésie, que je passai Noël. Il fallut me transporter à mon tour à la clinique Nicolo où je « célébrai » seule et mal en point ce réveillon du Jour de l'An 1973.

**

J'ai grâce à Dieu la faculté de me remettre rapidement des incidents de parcours qui ont jalonné ma vie, qu'ils soient physiques ou moraux. Je fus donc sur pieds assez vite et l'inaction commença à me peser. J'ai travaillé toute ma vie, depuis l'âge de 14 ans. Le fait de n'avoir aucun projet m'angoisse, le désœuvrement me paraît sacrilège.

Hugues Aufray venait de sortir un très beau

disque *Vous ma lady*, traduit de l'américain. Cette mélodie et ses superbes paroles me donnèrent envie de la chanter avec Laurent qui avait une très belle voix. J'allai voir Eddie Barclay, qui nous la fit enregistrer. Le duo était beau, les paroles parfaitement adaptées à notre couple en décalage d'âge. Nos voix s'harmonisaient.

C'était bien. J'étais contente.

J'ai toujours aimé chanter, je me laisse emporter par les notes et les paroles, et j'oublie tout !

A Bazoches, l'une après l'autre, mes chiennes étaient victimes d'accidents mystérieux.

Cela commença par Diane, la douce, que l'on retrouva un matin la cuisse arrachée par un pare-chocs de voiture, ou une balle de gros calibre ! Je partis comme une folle, l'emmener chez le véto qui put la sauver. Mais elle avait perdu beaucoup de sang et sa convalescence fut longue. Elle me regardait de ses bons yeux dorés et me léchait les mains. Puis Barbichue disparut un jour et j'eus beau battre la campagne, promettre une récompense conséquente, on ne la retrouva jamais.

J'en fus malade !

Bijoufix fut retrouvée criblée de plombs de chasse, à l'intérieur de l'enclos qui leur servait de chenil. Il fut impossible de la sauver... Quant à Patapon, elle succomba à un empoisonnement dû à la strychnine.

C'était l'horreur.

Je fis un scandale auprès du maire, des journaux locaux et envoyai un S.O.S. à *France-Soir* dénonçant la barbarie de paysans du coin, mettant en garde les chasseurs, prête à tout pour assouvir un désir de vengeance qui me taraudait les tripes. J'avais envie de tuer ces sales cons qui avaient massacré mes chiennes, ces pauvres bêtes adorables dont la seule faute était peut-être de courir à travers les champs après un éventuel lapin. Et eux, ne faisaient-ils pas la même chose chaque week-end ? Ils poussaient même la provocation jusqu'à tirer sur mes canards, mes moutons ou mes chèvres !

Je me mis à leur vouer une haine viscérale, jurant de les combattre jusqu'à ma mort.

Mais j'eus beau crier, menacer, remuer ciel et terre, porter plainte contre X, faire tout un remue-ménage national, on ne retrouva jamais les assassins. J'ai ma petite idée là-dessus, mais le manque de preuves et surtout le danger potentiel qu'ils représentaient me mirent en position d'infériorité.

Aujourd'hui, près de 25 ans plus tard, alors que je suis à égalité avec eux, épaulée par ma Fondation et ses 40 000 membres qui me soutiennent, je continue à les affronter, ne baissant jamais les bras, même si je perds des batailles. La mort de mes chiennes et celle de milliers d'animaux, il me faut les venger envers et contre tout.

Ecœurée par cette humanité répugnante, je décidai d'aller me réfugier quelque temps à La Madrague.

Laurent m'accompagna.

Il ne faisait rien de ses dix doigts et pouvait me servir de monsieur de compagnie. Je voyais tout à travers un voile de nostalgie, de tristesse. Quelque chose s'était brisé en moi. Tout me paraissait vain et inutile.

Je passais beaucoup de temps chez Jicky et Anne, les retrouvant enfin, comme au bon vieux temps, solides, vrais, fidèles, amusants et philosophes.

Un soir où je montais avec difficulté le chemin caillouteux qui desservait leur vieille ferme perdue, ma mini-moke tomba en panne. J'étais jolie ! J'entendais aboyer les chiens, mais je ne voyais en ce début de crépuscule qu'une vieille estafette qui semblait abandonnée. Un bonhomme en sortit qui vint à ma rencontre... J'avais un peu peur ! Il essaya de m'aider à repartir, puis il alla dans son camion et en ressortit avec un panier plein de tout petits chiots d'à peine trois semaines. La mère le suivait, inquiète. Il voulut m'en vendre un... je n'avais que 50 francs sur moi, ça lui suffisait. Je choisis donc dans la lumière des phares, une petite boule marron, une petite femelle que je serrai sur mon cœur et devais garder quatorze ans. Elle allait être la première à inaugurer cette seconde partie de ma vie que je m'apprêtais à entamer, consacrée totalement à la défense des animaux.

« Pichnou » fut ma mascotte, pour le meilleur et pour le pire.

Elle me redonna le sourire et une certaine joie de vivre. Elle avait un petit caractère bien à elle et sut grogner avant d'aboyer. Les trois gros chiens de La Madrague l'accueillirent avec divers frétillements de queue. Protégée par leur présence, elle mettait déjà à l'épreuve son autorité de chienne de garde, mordillant les chaussures, les mollets et tout ce qui dépassait.

Je rentrai à Paris, Pichnou toujours serrée contre mon cœur.

Mama Olga voulait que je lise le scénario de *Colinot Trousse-Chemise* qu'elle trouvait très bon. Nina Companeez que j'aimais bien, en était l'auteur et devait le mettre en scène, avec Francis Huster dans le rôle de Colinot. Ma participation, très courte, ne devait durer qu'une semaine ; elle pensait que ce serait bien après le flop de *Don Juan 73*.

Je rechignais, je n'avais pas envie.

Laurent, toujours optimiste et avide de découvertes, m'assura que ce serait merveilleux de tourner dans cette magnifique ville de Sarlat. Il se promettait de me faire découvrir le Sud-Ouest, sa cuisine unique, ses châteaux, ses paysages si différents de ceux de Provence...

Bref après avoir lu et apprécié, je signai, lu et approuvé.

En attendant, Corinne Dessange me présenta Jean-Pierre Elkabbach. Il voulait absolument que je participe à l'émission qu'il produisait, une émission extrêmement sérieuse et généralement réservée aux hommes politiques : *Actuel 2.*

J'en eus le souffle coupé !

Je serais confrontée à quatre journalistes, pendant une heure et en direct. C'était un terrible risque à prendre, j'en fus malade de trac huit jours avant et huit jours après, mais je le pris !

Après tout qu'avais-je à perdre ?

J'avais tant à y gagner !

Le public ne connaissait pas la vraie Brigitte. Je passais depuis des années pour une ravissante idiote que je n'étais pas. Il était temps de le faire savoir !

Le 9 avril, je me retrouvai donc, plus morte que vive, face à mes quatre tortionnaires qui étaient : Claude Sarraute, René Barjavel, François Nourissier et Lucien Bodard. Jean-Pierre Elkabbach, dans son rôle d'arbitre et d'animateur, était assis entre nous, à une table médiane. On se serait cru dans un tribunal. J'essayais de contrôler le tremblement de mes mains qui trahissaient ma panique. Il me fallait rester calme, pondérée, maîtresse de moi, alors que mon cœur faisait de tels bonds dans ma poitrine que l'ingénieur du son les entendait dans le micro. Je sortis vainqueur mais épuisée de cette rude épreuve. Les Français me découvrirent totalement différente de celle qu'ils imaginaient. On m'avait fouillée jusqu'aux tripes, jusqu'aux moindres recoins de mon intimité, je m'en étais sortie avec des pirouettes humoristiques, laissant à d'autres moments parler mon cœur et ma tête !

Dix millions de téléspectateurs purent suivre ce duel en direct. Beaucoup le redemandèrent, et il y eut une rediffusion quatre mois plus tard.

Ce fut un succès fou.

Je sortais par la grande porte du monde du cinéma, je disais adieu à une voie qui désormais n'était plus la mienne. C'était une mise au point claire, nette et précise de ce que j'étais réellement et de ce que je voulais être désormais. Comme l'a si bien dit La Rochefoucauld :

« *Il est un temps pour réussir dans la vie !*
Il est un temps pour réussir sa vie ! »

Alors que j'écris ces lignes 22 ans après, je ne peux pas dire que j'ai réussi ma vie, loin de là, mais au moins j'ai essayé. Je parviens à atteindre le but que je m'étais fixé : la protection des animaux, l'information au public de leurs scandaleuses conditions de vie, leur amélioration, la dénonciation des massacres inutiles dont ils sont les innocentes victimes, leurs souffrances, leurs douleurs.

Et ça j'en suis fière !

Même si parfois on me tourne en dérision !

**

J'avais bien mérité quelques jours de vacances !

Nous avons donc décidé de partir à la découverte de cette région du Sud-Ouest que je ne connaissais pas du tout. Je devais rejoindre Sarlat dès les premiers jours de mai pour le tournage de *Colinot*. Se joignirent à nous, Pierre et Nelly Maeder, mes amis agents immobiliers de Saint-Tropez qui cherchaient à acheter une propriété dans le coin.

Bien sûr j'emmenai Pichnou qui avait tellement pissé sur la moquette du boulevard Lannes, que Madame Renée en profita pour la faire nettoyer de fond en comble.

Je faillis tomber amoureuse de cette partie de la France.

Au moment où Pierre et Nelly trouvaient la maison de leurs rêves, j'étais sur le point d'acheter un domaine voisin pour remplacer La Madrague. Mais je me souvins à temps que toute la région était infestée par les chasseurs les plus irascibles et les plus ignobles. De plus, on y fabriquait le foie gras, cette tradition régionale si barbare ! Du reste, pendant que mes amis se goinfraient de pommes sarladaises, de confit d'oie ou de canard, je dégustais des carottes râpées et des tomates aux œufs qui ne risquaient pas d'engendrer d'agonies douloureuses.

Bref, je ne me plaisais pas trop dans cette région.

Ma réticence fut confirmée quelques années plus tard, lors de mes combats contre le braconnage des tourterelles du Médoc.

Puis nous rejoignîmes Sarlat où le film était déjà commencé et où m'attendaient Mama Olga et une foule de journalistes. Dédette étant occupée sur un autre film, je dus livrer mon visage à une maquilleuse inconnue, mais néanmoins charmante.

Il y avait là une foule d'acteurs célèbres mais que je ne connaissais absolument pas. Tout ce petit monde formait une famille dans laquelle je me sentis étrangère. Nina, toujours égale à elle-même, adorable et patiente, essaya de m'apprivoiser du mieux qu'elle put, sentant bien que l'animal sauvage qui était en moi avait pris le dessus sur la star.

Francis Huster essuyait les plâtres de sa toute nouvelle carrière, aidé à la scène et dans la vie par une Nina amoureuse et expérimentée, qui lui mit le pied à l'étrier. Se sentant protégé, mis en valeur, servi par des actrices ravissantes et chevronnées, qui lui donnaient la réplique et leurs cœurs, il adoptait parfois une attitude suffisante et prétentieuse qui ne me plaisait pas du tout. Se prenant à tort ou à raison pour le nouveau Gérard Philipe, il avait tendance à considérer les autres, dont Nina, comme de la merde, ce qui me choqua énormément. Francis a bien changé depuis, il a mené sa carrière à la seule force de son talent et est devenu un des fleurons des comédiens classiques dont la France peut s'enorgueillir !

Lors du début de mes scènes au château de La Mothe-Fénelon, alors que j'assistais au tournoi livré par deux gentilshommes de ma cour, je remarquai une paysanne qui figurait un peu plus loin, entourée de deux petites chèvres adorables. Dès que je pus, empêtrée que j'étais dans mes atours et mon hénin sur la tête, j'allai caresser les petites chèvres. Pichnou, toujours accrochée à mes basques et jalouse, jappait son indignation.

J'appris que cette figurante-fermière attendait avec impatience que les scènes soient terminées car une des deux chèvres devait, le dimanche suivant, être servie au méchoui donné pour la communion de son petit-fils. L'autre était déjà vendue comme reproductrice, pour faire du fromage ! Je n'avais plus qu'une idée en tête : sauver ce bébé chevreau pas plus grand que Pichnou. Je n'étais plus du tout dans mon rôle, le film me paraissait stupide et moi, dans mon déguisement, grotesque ! Le soir, j'achetai la petite chèvre et rentrai à l'hôtel, Pichnou sous le bras gauche, la chèvre sous le bras droit.

J'eus un franc succès !

Mais la direction s'inquiéta : où allais-je la faire dormir ?

Pas dans ma chambre ! ! Non, certes !

Ils n'avaient aucune dépendance qui pouvait tenir lieu d'étable ou de bergerie, et n'étaient pas habitués à recevoir des clients avec des chèvres ! Cela posait un problème, surtout qu'il fallait lui donner le biberon toutes les trois heures, et qu'elle bêlait à fendre l'âme dès qu'elle était seule. Nous essayâmes de la mettre dans une des pièces attenantes à la cuisine. Mais à peine la porte fermée, nous entendions un fracas de vaisselle et de casseroles, un tel ramdam que je dus récupérer ma chèvre et payer une note salée. Je proposai de louer une chambre spéciale pour elle, mais on me rétorqua que la moquette et les meubles de style n'étaient pas particulièrement étudiés pour héberger des animaux de ferme. Ne sachant plus quoi faire, excédée, épuisée, à bout de nerfs je réintégrai ma chambre avec ma chèvre et ma chienne qui dormirent toutes les deux dans mon lit.

Tout se passa au mieux !

Je les sortais en laisse et elles faisaient sagement leurs besoins sur la pelouse impeccable de l'hôtel, sous l'œil réprobateur des jardiniers et des clients qui me prenaient pour une folle ! Les biberons de Colinette occupaient beaucoup plus mes pensées que mon texte et mon interprétation d'un rôle dont je me foutais comme de ma première chaussette.

C'est à ce moment précis que je pris la décision d'arrêter définitivement ce métier.

Je me vis dans le miroir avec tout mon harnachement moyenâgeux sur le dos, Pichnou et Colinette sur mes talons, bêlant et aboyant. J'eus subitement ras-le-bol de tous ces faux-semblants, je me sentis prisonnière, tellement éloignée des valeurs de la vie. Tout cela me sembla dérisoire, superflu, ridicule, inutile.

Je n'avais qu'une vie, et cette vie devrait être à mon image !

Le soir, sous l'œil médusé de Mama Olga, j'annonçai un scoop à Nicole Jolivet, la journaliste de *France-Soir* qui se trouvait là par hasard :

« J'arrête le cinéma, c'est fini, ce film est le dernier — j'en ai marre ! »

Ce fut un raz de marée médiatique.

Mi-sérieux, mi-sceptiques, tous les journaux du monde reprirent l'information. J'avais déjà eu ce genre de caprices... On me tourna en dérision. J'arrêtais le cinéma à cause d'une chèvre ! Comme plus tard quand, ayant fait castrer un âne, ce qui est on ne peut plus normal, la presse mondiale me tourna en ridicule, m'accusant pendant des années d'être une castratrice ! Je n'attachais plus aucune importance à tous ces commentaires, suivant comme toujours mon instinct, ma ligne de conduite et mon cœur.

Je me sentis allégée d'un poids terrible. Désormais j'allais vivre normalement, à la campagne, sans aucune contrainte, entourée de tous ces animaux que j'aimais et dont je me sentais si proche.

Pauvre de moi, si j'avais su !

*
**

Je ne revins jamais sur cette décision, malgré la foule des propositions parfois tentantes que Mama Olga reçut depuis.

La dernière image du dernier plan du dernier film que j'ai tourné, le 48e de ma carrière, me montre avec une colombe sur la main.

Ce symbole n'est pas là par hasard.

Après l'euphorie consécutive à ma décision, prise sur un coup de tête, l'avenir m'apparut soudain comme un abîme sans fond, un gouffre noir et angoissant. Il est très difficile de tirer subitement un trait sur toute une vie, et plus encore d'en commencer une autre. J'avais, depuis l'âge de 17 ans l'habitude d'être programmée, prise en charge, dirigée, sans avoir jamais le temps de penser, ni celui de vivre par moi-même.

D'autre part, j'assumais en parallèle deux existences, la mienne et celle de l'héroïne du film que j'interprétais. Ce qui me permettait de me défouler, de passer de l'un à l'autre, ou parfois même de les mélanger intimement. Je me coupais brutalement de cette soupape de sécurité, laissant le cordon ombilical flotter au gré intemporel de l'inactivité.

Colinette qui continuait de téter ses biberons à Bazoches, vécut quinze ans auprès de moi ; elle fut toute sa vie une petite chèvre-chienne apprivoisée, adorable et intelligente !

Pour me montrer responsable des animaux que j'avais apprivoisés, je m'y consacrais sans réserve avec une conscience qui me submergea parfois mais m'apporta aussi les joies les plus vraies, les plus intègres que j'ai jamais connues.

Au mois d'août, toujours à Paris, fuyant Saint-Tropez devenu invivable, j'allai me faire belle chez le coiffeur. Je crois que, depuis, je n'y ai plus jamais remis les pieds, mais j'étais encore à ce moment-là très préoccupée par l'aspect extérieur de ma personne, me laissant détériorer la chevelure par tous les produits chimiques abominables dont les spécialistes inondaient mon crâne. Du reste depuis, les trois poils de balai qui me servaient de cheveux sont devenus un pelage lustré, brillant, sain et si long que je m'assieds dessus.

Ce jour-là, je trouvai ma coiffeuse avec un petit lapin blanc accroché à son cou. Mais non, ça n'était pas un lapin mais un bébé setter anglais ! Il avait été abandonné par une cliente qui venait de vivre un drame, et voulait se débarrasser de cette petite chose adorable.

Et elle me la colla dans les bras !

C'était un tout petit bout de chou de chienne toute blanche, toute tremblante, avec une petite tache noire au-dessus de l'œil gauche. Une pauvre petite peluche à l'avenir incertain, déjà rejetée, si jeune et si innocente. Mon cœur a fondu. Je repartis avec elle accrochée à mes cheveux fous et tout propres.

Arrivée boulevard Lannes, ce fut une autre paire de manche. Pichnou lui fit une vie d'enfer, jalouse et dominatrice. La moquette toute propre fut inondée par les pipis de mon nouveau bébé terrorisé. Madame Renée avait un regard réprobateur et je me sentis tout à coup fautive. Laurent me dit que cette race de chiens, superbe et assez rare, était d'une douceur, d'une grâce et d'une beauté uniques. Je devais le découvrir à mon tour avec « Nini » qui fut la première d'une dynastie. Les setters anglais ou les semblants de setter anglais restent aujourd'hui mes chiens préférés, dans la mesure où il peut y avoir une préférence dans mon cœur.

Nini, qui fut abandonnée par la cliente de ma coiffeuse parce qu'elle l'avait prise pour tenir compagnie à son petit garçon de deux ans qui se noya à

Deauville dans vingt centimètres d'eau, mourut noyée à son tour dix ans plus tard.

Pour meubler mes moments perdus, j'acceptai d'enregistrer avec Sacha Distel *Le Soleil de ma vie*, un duo charmant qui reprenait en français le succès du grand chanteur américain Stevie Wonder. Le disque eut une audience et une vente importantes, et la chanson fut immortalisée au cours d'une émission de télé : *Top à Sacha Distel*. Ma décision d'abandonner le cinéma restant irrévocable, les chaînes de télévision se bousculaient au portillon pour avoir les miettes.

Je n'étais pas dupe. Mais j'adorais chanter.

Pour fêter mon premier anniversaire de star à la retraite, Jean Bouquin eut l'idée merveilleuse de donner une fête déguisée dans son nouveau restaurant « L'Assiette au beurre », rue Saint-Benoît. Nous allions tous faire revivre les années 1900, le style du restaurant.

Après avoir déniché chez un costumier de théâtre une authentique robe en dentelle chantilly champagne, dont le tour de taille était si menu que je ne pus rien manger de la soirée de peur d'éclater dans ma guêpière, après m'être fait coiffer par Bruno de chez Dessange d'un chignon éparpillé de fleurs d'oranger, je fus emmenée du boulevard Lannes à la rue Saint-Benoît par un fiacre tiré par deux chevaux et précédé d'une voiture d'époque pétaradante à souhait.

Jean et Simone avaient fait les choses royalement.

Entourée de tous mes amis les plus chers, tous beaux et belles dans leurs costumes, leurs robes, leurs moustaches et leurs chignons, je passai une soirée inoubliable et inoubliée, fêtant mon 39e anniversaire dans la joie, l'insouciance, l'affection et la gaieté.

Que c'est bon d'être heureux !

Phi-Phi d'Exea et Chantal Bolloré devaient partir accompagnés par une dizaine d'amis à l'île Maurice. Cela prenait des allures de charter de luxe, vu les noms prestigieux du Tout-Paris que leur ami Arnaud de Rosnay invitait à un séjour idyllique dans cette île qui était sa terre de naissance.

Ils nous proposèrent de nous joindre à eux !

Laurent, très excité, était évidemment partant.

J'étais beaucoup plus réservée, détestant les voyages en avion, surtout les seize heures prévues, fuyant depuis toujours ce Gotha mondain qui allait nous escorter et surtout ne voulant quitter sous aucun prétexte ma Pichnou et ma Nini.

Nous allions réfléchir.

La S.P.A. avait enfin fait construire, depuis douze ans que je leur demandais, un refuge moins sordide que celui dans lequel j'avais trouvé, en 1966, mes pauvres chiennes et mes pauvres chats, « Au bon accueil » de Gennevilliers.

On me demanda d'en être la marraine. J'acceptai avec joie d'aller inaugurer aux côtés de Jacqueline Thome-Patenotre, la présidente, cette nouvelle prison, que j'espérais moins désespérante, ne serait-ce que grâce à la salubrité des bâtiments récemment construits !

Le 6 novembre, je me retrouvai donc sur place, dans un nouveau refuge Grammont, entourée d'une meute de journalistes et de photographes, d'employés de la S.P.A., d'attachés de presse, d'un ministre et de Jacqueline Thome-Patenotre, présidente et député-maire de Rambouillet de surcroît !

Tandis que je coupais le ruban symbolique sous le crépitement de dizaines de flashes, j'entendais des aboiements par milliers. Puis, sans un regard, ni une attention pour ces pauvres toutous abandonnés, la petite foule s'engouffra dans une pièce où nous attendaient du champagne, une estrade et une série de micros. Et chacun y alla de son discours, passant la pommade dans le sens du poil. Fatiguée d'écouter ces éloges et plus préoccupée par le sort des animaux, je sortis à pas de loup, récupérai le sac de biscuits que j'avais apporté et partis visiter les petits prisonniers.

Je passai une heure à quatre pattes, essayant de donner à tous ces pauvres malheureux, en plus des petits gâteaux, un peu de tendresse, un peu de caresses, un peu d'humanité. Ils avaient de bons yeux tendres et inquiets, leurs pattes passaient entre les barreaux pour essayer de me convaincre de les sortir de là. Ils me léchaient les mains, méprisant mes petits bouts de biscuits, attentifs à mes réactions. Je finis par pleurer toutes les larmes de mon corps devant le désastre que je voyais, pendant que les autres cons se congratulaient. Certains mordaient leurs épais barreaux, s'acharnant sur eux jusqu'à faire saigner leurs gencives, d'autres, résignés, s'étaient lovés au fond de leur cage, sur un sol de béton jonché d'excréments, ne réagissant plus.

C'était carcéral, glacial, inhumain. Je fus horrifiée.

Pauvres bêtes, incarcérées dans des conditions de détention inadmissibles parce qu'abandonnées par des gens sans scrupule, sans âme, sans cœur. J'aurais voulu ouvrir ces cages fermées par des chaînes cadenassées. J'aurais voulu pouvoir les accueillir, les adopter et les aimer comme ils le méritaient. Mais ils étaient 400 ! Plus ceux qui attendaient aux Domaines la libération de leurs maîtres incarcérés, pour dix ou vingt ans ! Et les autres qui, patiemment, espéraient la guérison des hospitalisés qui ne reviendraient peut-être jamais !

J'étais en contact direct avec la détresse à l'état pur.

Combien étaient-ils, semblables à eux, éparpillés dans toute la France, et dans des conditions plus effrayantes encore ?

A partir de ce jour, mon nom, ma gloire, ma fortune, ma jeunesse encore et ma force me serviraient à les aider jusqu'à ma mort, à me battre pour eux, à les venger, à les aimer et à les faire aimer. C'est le serment que je me fis à moi-même, en ce 6 novembre 1973.

Et je tins parole !

Ma vie avait de nouveau un but. Un but extraordinaire.

Je n'allais plus seulement m'occuper des animaux de Bazoches ou de La Madrague, mais de ceux du monde entier, essayant par mon charisme et ma notoriété de me faire entendre et comprendre. J'étais pleine d'espoir, de projets, persuadée qu'il me suffirait d'apparaître telle une fée pour obtenir l'amélioration des conditions abominables de la vie des animaux sur notre planète.

Hélas, je dus apprendre que rien n'est acquis.

Que tout se gagne à la force du poignet, de la volonté, et parfois à la force du désespoir.

Un soir de novembre pluvieux, gris et sale, je partis accompagnée par Laurent, Phi-Phi d'Exea, Chantal Bolloré et les autres pour l'île Maurice.

Je ne partis pas de gaieté de cœur ! Mais mon cœur fut très gai en arrivant là-bas ! Essayant d'oublier la bande mondaine et sans intérêt qui nous accompagnait, nous nous réfugiâmes Phi-Phi, Chantal, Laurent et moi dans un petit bungalow de l'hôtel Le Trou aux biches.

Ce fut magique !

Les cocotiers, le sable blanc, le lagon turquoise étaient au rendez-vous. Au fil des jours, je m'apprivoisais lentement mais sûrement à ce petit paradis qu'était l'île Maurice. Je commençai par découvrir la gentillesse des Mauriciens, ce qui me changeait de la hargne des Français.

Là-bas, pour de vrai, tout le monde il était beau, tout le monde il était gentil.

Arnaud de Rosnay nous offrit une réception dans sa maison coloniale, éclairée par des hommes à moitié nus et enturbannés, qui tenaient des torches de résine. Je rencontrai sa mère, une femme magnifique, d'un autre siècle, et ses nounous, de grosses Noires aux seins généreux qui me serrèrent sur leurs cœurs en psalmodiant des mélodies qui me semblaient venir tout droit de La Nouvelle-Orléans.

C'était émouvant, extraordinaire, unique et inoubliable.

Quand je pense à Arnaud, qui disparut quelques années après, happé par l'appétit féroce d'un océan insatiable, sur sa planche à voile dont il était le roi, je me souviens d'un homme charmant, d'un enfant élevé à l'île Maurice par des femmes tout entières à sa dévotion, de son amour pour ce pays dont il fut le petit prince qui demandait qu'on lui dessine une planche à voile !

Je découvris Curepipe, avec son quartier chinois et sa tour Eiffel miniaturisée, Port-Louis et son va-et-vient ininterrompu de marins de toutes nationalités, ses bordels sordides, ses marchés aux herbes hallucinantes et hallucinogènes, ses croupières chinoises dans ces casinos où tout était truqué !

Je me régalai de saint-pierre, ces poissons exclusivement pêchés dans les eaux tièdes de ces régions. J'assistai aux agapes offertes par les Mauriciens à leurs dieux hindous dans les petits sanctuaires qu'ils leur avaient réservés aux coins des routes. Puis je me fis faire des saris sur mesure par une couturière merveilleuse.

Et un jour, je vis une horde de chiens errants et sauvages cherchant leur nourriture sur la plage ! Alors je ne fis que rapporter des restes de restaurants, mendiant un peu partout un os par-ci, un os par-là ! Je déposais tout ça sur la plage et voyais ces pauvres bêtes se régaler même d'une feuille de salade !

J'en avais le cœur retourné.

Il y avait parmi eux un petit truc noir sur 4 pattes, style petit chiot, agressé par tous les autres ne pouvant jamais arriver à se nourrir. J'essayai de l'apprivoiser. Autant essayer d'attraper une aiguille dans une botte de foin. Le pauvre petit truc noir sur 4 pattes, affamé et squelettique était aussi sauvage qu'un lion en Afrique. Un des employés mauriciens de l'hôtel m'affirma qu'il pourrait me le prendre. Je le laissai, peu convaincue de son savoir-faire.

Le soir, en rentrant au bungalow, il me montra le dessous du canapé avec un air ravi. Je vis entortillonné dans un filet mon petit truc noir, gémissant, épuisé, terrorisé. Avec une paire de ciseaux, j'essayai désespérément de le libérer de cette entrave atroce que je refusais, engueulant l'employé avec tous les noms d'oiseaux et de charretier qui me venaient aux lèvres.

Je fus mordue cruellement, alors que j'arrivais à mes fins.

Il fallut faire venir un médecin qui me fit une piqûre antitétanique dans le ventre et d'autres dans les fesses. J'étais néanmoins heureuse d'avoir libéré enfin mon pauvre petit truc noir à 4 pattes qui, sans demander son reste, courut rejoindre ses compagnons de misère, ignorant la pâtée somptueuse que je lui avais mise sous le nez. Depuis cet instant, mon séjour à l'île Maurice ne fut qu'une suite ininterrompue de collectes de bouffe pour chiens. Je déposais ma récolte à la nuit tombée sur la plage. A force de patience et d'amour, je finis par pouvoir caresser mon petit truc noir à 4 pattes. C'était une petite chienne qui comprit bien vite que je l'aimais et que je ne lui voulais aucun mal. Elle finit par me lécher le nez ! Elle venait même vers moi dès qu'elle entendait ma voix !

Pauvre petite chose que j'allais abandonner en partant.

Mais que pouvais-je y faire ?

Je laissai un pourboire consistant à l'employé qui l'avait piégée pour qu'il la nourrisse après mon départ.

**

J'étais prête, fin prête à assumer ma nouvelle vie.

Effaçant ma personnalité et ma gloire en leur faveur,

Me mettant au service de leur survie,

Oubliant jusqu'au plus profond de moi pour ne penser qu'à eux.

Entrant dans la Religion des animaux.

Brigitte BARDOT
Bazoches sous la neige,
ce 7 décembre 1995.

LES POÈMES
DE MON PAPA PILOU

Extraits de *Vers en Vrac* (1960).
Couronné par l'Académie française

Coucher de soleil
à La Madrague

Ombre des monts bleus
Sur un ciel en feu,
La mer est bleu sombre.

Dans le jour qui sombre,
De l'or en coulée
Sautant les vallées
Descend jusqu'à nous
Sur le miroir d'eau...

Noir, se détachant
Dans l'apothéose
Du soleil couchant,
Au loin, un bateau
A l'ancre, s'endort...

La métamorphose
De la nuit qui monte
Joignant l'infini
Efface la fonte
De ce fleuve d'or

Qui n'est tout à coup
Qu'un léger sillage
De tendre pastel
Brochant sur le ciel
Noirci de nuages...

Et tout est fini.

Saint-Trop' en famille

Débarquant toute spontanée,
Brigitte a dit : « Venez Papa.... »
« Je vous consacre trois journées... »
« Mais ce soir ne me verrez pas... »

Premier jour, installation...
Je ne quitte pas mes deux filles...
A Tahiti, chef de famille,
Je suis leur amphitryon...

Second jour c'est l'invasion :
Productrice et metteur en scène,
Futur plein d'appréhensions...
Et je ne les vois plus qu'à peine...

Le jour trois, ma triste figure
Lui montre mon isolement
Et me vaut, avec sa doublure,
De cette doublure l'amant...

J'ai cru que je devenais fou...
Mais j'ai gardé un espoir vague
D'apercevoir sous les bambous
Mes deux filles à La Madrague.

En passant

A Brigitte.

Brigitte... Ecoute, un soir.... Ecoute
Un murmure qui vient d'en bas...
Un léger crincrin.... c'est sans doute
Une chanson de ton Papa...

Car s'il passe, il ne monte pas...
Il regarde.... Il en meurt d'envie...
Il en aurait l'âme ravie
Comme tous ceux qui sont Papas...

Ton étoile est trop haute... En bas,
Dans la rue, il chante un poème
En passant, pour dire qu'il t'aime...

Vers... Chansons... Le vent les emporte...
Mais, dis au petit que tu portes :
« Ce poète était mon Papa... »

Camerone

Au général Koenig.

Face à deux mille, ils restaient quatre.
Mais quatre de la Légion.
Ces grands n'ont cessé de se battre,
Jusqu'au bout, comme des lions.

Cent ans après cette hécatombe,
La Légion, tous les amis
Du grand Danjou, tous ont frémi
Car le rail passait sur la tombe.

Dormez en paix, Légionnaires,
Loin de la bataille et des balles !
Reposez sous la grande dalle,
Au Mémorial du Centenaire,

Car à tous les anniversaires,
Sous leur fanion qui frissonne,
Veillent sur vous, Légionnaires,
Les Pèlerins de Camerone.

24-4-65

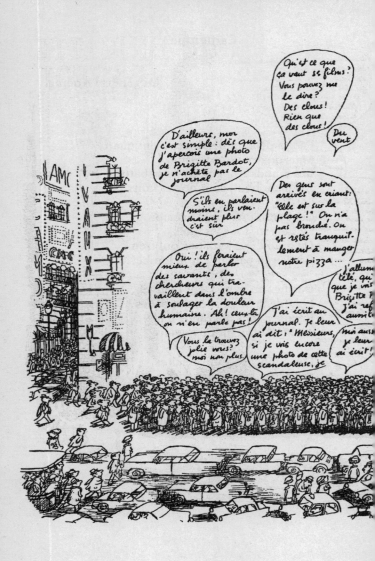

762

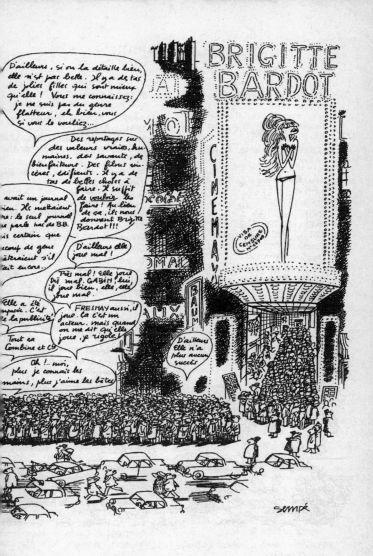

FILMOGRAPHIE

1952 : *Le Trou normand*
de Jean Boyer.
Avec Bourvil, Jane Marken, Jeanne Fusier-Gir, Noël Roquevert, Roger Pierre.

1952/1953[1] : *Manina, la fille sans voiles*
de Willy Rozier.
Avec Jean-François Calvé, Howard Vernon.

1952/1953 : *Les Dents longues*
de Daniel Gélin.
Avec Danièle Delorme, Daniel Gélin, Jean Chevrier, Louis Seigner.
(apparition)

1953/1954 : *Le Portrait de son père*
d'André Berthomieu.
Avec Jean Richard, Michèle Philippe, Mona Goya.

1953/1954 : *Un acte d'amour (Act of Love)*
d'Anatole Litvak.
Avec Kirk Douglas, Dany Robin, Serge Reggiani, Barbara Laage.

1953/1954 : *Si Versailles m'était conté*
de Sacha Guitry.
Avec Sacha Guitry, Jean Marais, Micheline Presle, Orson Welles.

1954/1955 : *Le Fils de Caroline chérie*
de Jean Devaivre.
Avec Jean-Claude Pascal, Jacques Dacqmine, Sophie Desmarets, Magali Noël.

1954/1956 : *Hélène de Troie (Helen of Troy)*
de Robert Wise.
Avec Rossana Podesta, Jacques Semas, Stanley Baker.

1954/1956 : *Haine, amour et trahison (Tradita)*
de Mario Bonnard.
Avec Pierre Cressoy, Lucia Bose.

1954/1955 : *Futures Vedettes*
de Marc Allégret.
Avec Jean Marais, Isabelle Pia, Yves Robert, Lila Kedrova, Guy Bedos.

1955/1956 : *Rendez-vous à Rio (Doctor at Sea)*
de Ralph Thomas.
Avec Dirk Bogarde, Brenda de Banzie, James Robertson-Justice.

1955/1957 : *Les Week-ends de Néron (Mio Figlio Nerone)*
de Steno.
Avec Alberto Sordi, Vittorio de Sica, Gloria Swanson, Giorgia Moll.

1955 : *Les Grandes Manœuvres*
de René Clair.
Avec Gérard Philipe, Michèle Morgan, Jean Desailly, Yves Robert, Pierre Dux.

1955/1956 : *La Lumière d'en face*
de Georges Lacombe.
Avec Raymond Pellegrin, Roger Pigaut.

1955/1956 : *Cette sacrée gamine*
de Michel Boisrond.
Avec Jean Bretonnière, Françoise Fabian, Darry Cowl, Raymond Bussières.

1956 : *En effeuillant la marguerite*
de Marc Allégret.
Avec Daniel Gélin, Robert Hirsch, Darry Cowl, Nadine Tallier, Madeleine Barbulée.

56 : *Et Dieu créa la femme*
de Roger Vadim.
Avec Curd Jurgens, Jean-Louis Trintignant, Christian Marquand, Georges Poujouly, Jane Marken, Jean Tissier.

1. La seconde date est celle de l'année de sortie du film en France lorsqu'elle est différente de l'année du tournage.

1956 : *La Mariée est trop belle*
de Pierre Gaspard-Huit.
Avec Micheline Presle, Louis Jourdan, Marcel Amont, Jean-François Calvé.

1957 : *Une Parisienne*
de Michel Boisrond.
Avec Charles Boyer, Henri Vidal, Nadia Gray, Noël Roquevert, André Luguet.

1957/1958 : *Les Bijoutiers du clair de lune*
de Roger Vadim.
Avec Alida Valli, Stephen Boyd, Pepe Nieto.

1957/1958 : *En cas de malheur*
de Claude Autant-Lara.
Avec Jean Gabin, Edwige Feuillère, Franco Interlenghi, Nicole Berger, Madeleine Barbulée, Jean-Pierre Cassel.

1958/1959 : *La Femme et le Pantin*
de Julien Duvivier.
Avec Antonio Vilar, Espanita Cortez, Dario Moreno, Michel Roux, Lila Kedrova.

1959 : *Babette s'en va-t-en guerre*
de Christian-Jaque.
Avec Jacques Charrier, Yves Vincent, Francis Blanche, Noël Roquevert, Mona Goya.

1959 : *Voulez-vous danser avec moi ?*
de Michel Boisrond.
Avec Henri Vidal, Dawn Addams, Dario Moreno, Noël Roquevert, Serge Gainsbourg.

1960 : *L'Affaire d'une nuit*
de Henri Verneuil.
Avec Pascale Petit, Roger Hanin, Claude Piéplu, Pierre Mondy, Brigitte Bardot dans son propre rôle.

1960 : *La Vérité*
de Henri-Georges Clouzot.
Avec Sami Frey, Charles Vanel, Paul Meurisse, Marie-José Nat, Louis Seigner.

1961 : *La Bride sur le cou*
de Roger Vadim.
Avec Michel Subor, Claude Brasseur, Mireille Darc, Jacques Riberolles.

1961 : *Les Amours célèbres*
sketch : Agnès Bernauer.
de Michel Boisrond.
Avec Alain Delon, Pierre Brasseur, Jean-Claude Brialy, Suzanne Flon, Pierre Massimi.

1961/1962 : *Vie privée*
de Louis Malle.
Avec Marcello Mastroianni, Eléonore Hirt, Gregor von Rezzori, Dirk Sanders, Ursula Kübler.

1962 : *Le Repos du guerrier*
de Roger Vadim.
Avec Robert Hossein, Macha Méril, Michel Serrault, James Robertson-Justice, Ursula Kübler.

1963 : *Le Mépris*
de Jean-Luc Godard.
Avec Michel Piccoli, Jack Palance, Giorgia Moll, Fritz Lang.

1963 : *Paparazzi*
de Jacques Rozier.
Avec Brigitte Bardot, Michel Piccoli et Jean-Luc Godard dans leurs propres rôles.

1963 : *Tentazioni Proibite*
de F. Oswaldo Civirani.
Avec Brigitte Bardot dans son propre rôle.

1963/1964 : *Une ravissante idiote*
d'Edouard Molinaro.
Avec Anthony Perkins, Grégoire Aslan, Hélène Dieudonné, Jean-Marc Tennberg.

1964 : *Marie Soleil*
d'Antoine Bourseiller.
Avec Danièle Delorme, Chantal Darget, Jacques Charrier.
(apparition)

1964 *inédit* : ***Chère Brigitte (Dear Brigitte)***
d'Henry Koster.
Avec James Stewart, Billy Mumy, Glynis Johns, Brigitte Bardot dans son propre rôle.

1965 : *Viva Maria*
de Louis Malle.
Avec Jeanne Moreau, George Hamilton, Paulette Dubost, Gregor von Rezzori, Claudio Brook.

1965/1966 : *Masculin-Féminin*
de Jean-Luc Godard.
Avec Jean-Pierre Léaud, Chantal

Goya, Marlène Jobert, Antoine Bourseiller, Brigitte Bardot dans son propre rôle.

1966/1967 : *A cœur joie*
de Serge Bourguignon.
Avec Laurent Terzieff, Jean Rochefort, James Robertson-Justice, Michael Sarne.

1967/1968 : *Histoires extraordinaires*
sketch : William Wilson
de Louis Malle, Roger Vadim et Federico Fellini.
Avec Alain Delon.

1968 : *Shalako*
d'Edward Dmytryk.
Avec Sean Connery, Stephen Boyd, Peter van Eyck, Jack Hawkins.

1969 : *Les Femmes*
de Jean Aurel.
Avec Maurice Ronet, Anny Duperey, Tanya Lopert, Jean-Pierre Marielle.

1969/1970 : *L'Ours et la Poupée*
de Michel Deville.
Avec Jean-Pierre Cassel, Daniel Ceccaldi, Xavier Gélin, Sabine Haudepin.

1970 : *Les Novices*
de Guy Casaril.
Avec Annie Girardot, Angelo Bardi, Jean Carmet, Noël Roquevert, Jess Hahn.

1970/1971 : *Boulevard du Rhum*
de Robert Enrico.
Avec Lino Ventura, Jess Hahn, Guy Marchand, Clive Revill, Cath Rosier.

1971 : *Les Pétroleuses*
de Christian-Jaque.
Avec Claudia Cardinale, Micheline Presle, Michael J. Pollard, Georges Beller.

1972/1973 : *Don Juan 73 ou s Don Juan était une femme*
de Roger Vadim.
Avec Maurice Ronet, Rober Hossein, Jane Birkin, Mathie Carrière.

1973 : *L'Histoire très bonne et trè joyeuse* de Colinot Trousse-Che mise
de Nina Companeez.
Avec Francis Huster, Nathali Delon, Bernadette Lafont, Alic Sapritch, Francis Blanche, Jean Claude Drouot.

Crédits des photographies hors-texte

Photos n° 1-3-4-6-7-8-9-10-12-40-46-47-54-74-78-80-82-86 : (Collection Brigitte Bardot) / n° 5-13-14-16-23-24-26-27-29-36-37-38-41-45--55-56-57-61-66-70-79-83-84-85 : (Collection Brigitte Bardot © D.R.) / n° 11-12 : (Collection Brigitte Bardot © Roger Viollet) / n° 15 : (Avec l'aimable autorisation du Journal Elle) / n° 17 : (Collection Brigitte Bardot C René Vital — Paris Match — Scoop) / n° 18-19-20-21 : (Collection Brigitte Bardot © Walter Carone — Paris Match — Scoop) / n° 25 : (Collection Brigitte Bardot © Garofalo — Paris Match — Scoop) / n° 28 : (Collection Brigitte Bardot © J. Brierre) / n° 30-31-32-42 : (Collection François Bagnaud © D.R.) / n° 33 : (Collection Brigitte Bardot © Georges Ménager — Paris Match — Scoop) / n° 34 : (Collection Brigitte Bardot (© Jacques Guittet) / n° 35 : (Collection Brigitte Bardot C Willy Rizzo — Paris Match — Scoop) / n° 39 : (Collection Brigitte Bardot © Gérard Decaux) / n° 43-44 : (Collection Brigitte Bardot © Angelo Frontoni) / n° 48 : (Collection Mijanou Bardot © D.R.) / n° 49-50 : (Collection Brigitte Bardot © Jicky Dussart) / n° 51-52-53-67-68 : (Jean Aponte-Méditerranée Photo) / n° 58 : (Collection Brigitte Bardot © Henri Bureau) / n° 59 : (Collection Brigitte Bardot © Jean-Pierre Bonnotte — Gamma) / (n° 62 : (© Jean-Pierre Bonnotte — Gamma) / n° 60 : (Collection Brigitte Bardot © Jean-Claude Sauer — Paris Match — Scoop) / n° 63 : (Collection Brigitte Bardot C Guido Mangold) / n° 64 : (© Botti-Stills) / n° 65 : (© France Soir) / n° 69 : (© Sam Levin) / n° 71 : (© Stills) / n° 72-87 : (Collection Brigitte Bardot © Bertrand Laforêt) / n° 73 : (Collection Brigitte Bardot (© Michel Hermans) / n° 75 : (© A.F.P.) / n° 76 : (© J. Andanson — Sygma) / n° 77 : (© François Bagnaud) / n° 81-88 : (© Sygma).

(p. 762-763) Dessin de Sempé tiré de l'album *Rien n'est simple* : © 1962, Editions Denoël, Paris.

Nous remercions chaleureusement Madame Sam LEVIN pour l'aide efficace qu'elle a apportée et pour l'autorisation gracieuse de reproduction pour la France, Monsieur Jacques GUITTET pour avoir offert les droits mondiaux pour la photo n° 34, ainsi que tous les photographes qui ont accordé les autorisations nécessaires à la publication de leurs photos.

*
**

Mes remerciements affectueux à François BAGNAUD qui a été mon trait d'union amical et merveilleux auprès de mon éditeur.

Brigitte BARDOT

*
**

Composition réalisée par JOUVE

IMPRIMÉ EN FRANCE PAR BRODARD ET TAUPIN
Usine de La Flèche (Sarthe)
LIBRAIRIE GÉNÉRALE FRANÇAISE - 43, quai de Grenelle - 75015 Paris.

ISBN : 2 - 253 - 14380 - 4   ✢ 31/4380/7

PUBLICATION JUDICIAIRE

« Par jugement du 5 mars 1997, la Première Chambre du Tribunal de Grande Instance de Paris a condamné Brigitte BARDOT et les Editions Bernard GRASSET à payer des dommages-intérêts à Jacques CHARRIER pour avoir dans le livre « INITIALES B.B. » porté atteinte à sa vie privée et au droit qu'il possède sur sa propre image. »

« Par jugement du 5 mars 1997, la Première Chambre du Tribunal de Grande Instance de Paris a condamné Brigitte BARDOT et les Editions Bernard GRASSET à payer des dommages-intérêts à Nicolas CHARRIER pour avoir dans le livre « INITIALES B.B. » publié des propos fautifs à son égard et porté atteinte au droit qu'il possède sur son image. »